D1327267

LAROUSSE
ENCYCLOPEDIQUE EN COULEURS

JE SÈME À TOUT VENT

LAROUSSE
ENCYCLOPEDIQUE EN COULEURS

6

FRANCE LOISIRS
123 bd. de Grenelle
PARIS

Édition du Club France Loisirs, Paris avec l'autorisation de la Librairie Larousse.

Le présent volume appartient à la dernière édition (revue et corrigée) de cet ouvrage. La date du copyright mentionnée ci-dessous ne concerne que le dépôt à Washington de la *première* édition.

Librairie Larousse (Canada) limité, propriétaire pour le Canada des droits d'auteur et des marques de commerce Larousse. – Distributeur exclusif au Canada: les Éditions Françaises Inc., licencié quant aux droits d'auteur et usager inscrit des marques pour le Canada.

Achevé d'imprimer le 1.6.83 par Printer industria gráfica, sa Provenza, 388 Barcelona
N.° Éditeur : 8050 — dépôt légal : juin 1983 — Imprimé en Espagne
ISBN 2-7242-0269-4

contre-proposition n. f. Proposition opposée à une autre. || Réponse faite à l'auteur d'une offre par son cocontractant éventuel, mais qui, à la différence de l'acceptation, ne réalise pas le contrat. — Pl. *des* CONTRE-PROPOSITIONS.

contre-puits n. m. invar. Dans la guerre de siège, fourneau établi au-dessus d'une galerie souterraine pour empêcher l'ennemi de descendre en puits pour attaquer la galerie.

contre-quille n. f. Dans la construction navale en bois, seconde quille fixée au-dessous de la quille véritable et la protégeant en cas d'échouage. — Pl. *des* CONTRE-QUILLES.

contrer → CONTRE.

contre-rail n. m. Rail placé à l'intérieur de la voie et destiné à guider les boudins des roues dans la traversée des appareils, des passages à niveau, etc. — Pl. *des* CONTRE-RAILS.

contre-réaction n. f. Réintroduction, en opposition de phase, à l'entrée d'un montage électronique, d'une partie du signal prélevée à sa sortie. — Pl. *des* CONTRE-RÉACTIONS.

Contre-Réforme ou **Contre-Réformation,** réforme catholique qui suivit la réforme protestante, et qui eut pour but le redressement spirituel de l'Eglise et la reconquête au catholicisme des pays qui s'en étaient écartés.
La réforme protestante avait gagné en moins de vingt ans plus de la moitié de l'Allemagne et de la Suisse, l'Angleterre et la Scandinavie, et s'était implantée en France et en Europe orientale. Le pape Paul III, pour lutter contre le progrès du protestantisme, avait reconstitué en 1542 le tribunal de l'Inquisition*, et créé en 1543 la congrégation de l'Index, chargée de dresser la liste (*index*) des écrits contraires à la doctrine catholique. Mais ces mesures purement défensives apparurent insuffisantes pour ramener les hérétiques au sein de l'Eglise romaine. Il fallait avant tout remédier aux abus dont l'Eglise souffrait à cette époque, opérer un redressement spirituel en conformité avec le dogme et la Tradition, et mettre sur pied des moyens efficaces pour combattre la nouvelle hérésie. Tels furent les buts du concile œcuménique de Trente*, qui fut réuni par Paul III en 1545 et qui devait se terminer en 1563. Le concile supprima les abus en interdisant le cumul des bénéfices, l'ordination avant 25 ans et l'absentéisme; il créa de nouveaux séminaires et définit le dogme, dont la source essentielle est la Bible, dans sa traduction latine définitivement fixée (« Vulgate »), et les Pères de l'Eglise. Les sept sacrements, le culte de la Vierge et des saints furent maintenus, la présence réelle du Christ dans l'eucharistie réaffirmée. Les conclusions du concile furent réunies pour les fidèles dans le catéchisme (1566), le bréviaire (1568) et le missel (1570) romains. Enfin, le concile recommanda de tout entreprendre pour reconquérir au catholicisme les pays réformés. L'œuvre du concile se trouva prolongée dans l'extraordinaire essor de la vie religieuse, marquée par des personnalités exceptionnelles comme saint Charles Borromée, saint Philippe Neri, qui fonda l'Oratoire en 1575, les mystiques sainte Thérèse d'Ávila et saint Jean de la Croix. Mais la reconquête des pays réformés fut

Giraudon

Contre-Réforme
« Saint Charles Borromée »
par J.-B. Corneille
église Saint-Jean-Saint-François
Paris

principalement la tâche de la Compagnie de Jésus, organisée définitivement en 1540. La reconquête catholique suivit de près la fondation de leurs collèges : en Autriche, collège de Vienne (1551); en Bavière, collège d'Ingolstadt (1556); dans les Pays-Bas (1559); dans les pays rhénans, collèges de Trèves et de Mayence (1560-1561). Les progrès de la Réforme furent arrêtés en Pologne dès 1575, et dans l'Empire dès 1578. Dès la fin du XVIe s., la Contre-Réforme avait rénové la vie spirituelle des catholiques.
L'art religieux en sortait également bouleversé. Par opposition à la prohibition des images, prescrite par les ministres du culte réformé, l'Eglise catholique, après le concile de Trente, s'appliqua à développer l'enseignement par l'image, tout en cherchant à contrôler la décence dans l'iconographie sacrée. Le XVIIe s. marqua le triomphe du surnaturel, de la papauté, des martyrs et des saints (Rubens). La représentation des nouveaux martyrs et des nouveaux saints fut exé-

cutée avec plus de pathétique (le Bernin) et plus de mysticisme (le Greco, le Tintoret), tandis que le réalisme du Caravage était réprouvé. (V. BAROQUE.)

contre-réformiste adj. et n. Opposé à la Réforme.

contre-remontrants n. m. pl. Partisans de Gomar*.

contre-revers n. m. invar. Partie d'un caniveau pavé d'une rue, opposée au *revers*.

contre-révolution n. f. Mouvement politique tendant à détruire les effets d'une révolution précédente et à restaurer les institutions et les privilèges antérieurs. (V. *encycl.*) — Pl. *des* CONTRE-RÉVOLUTIONS. ◆ **contre-révolutionnaire** adj. et n. Favorable à la contre-révolution. — Pl. *des* CONTRE-RÉVOLUTIONNAIRES.

— ENCYCL. ***contre-révolution.*** Une contre-révolution est souvent une restauration. Dans ce sens, on peut citer la restauration anglaise de 1660, après la révolution de Cromwell, et la restauration des Bourbons en 1814-1815.

B. N.

Contre-Révolution
l'entrevue de Pillnitz (1791)
gravure allemande d'après Heydeloff

Son déroulement peut être parallèle à celui de la révolution. C'est dans ce sens que l'expression est le plus souvent employée en France. La Contre-Révolution a commencé dès 1789, s'est poursuivie dans les complots aristocratiques, la constitution d'un clergé réfractaire, la chouannerie vendéenne et s'est étendue par l'émigration. Elle triompha un moment après Thermidor et se poursuivit sous le Consulat (débarquement des émigrés à Quiberon, 1795; complot de Cadoudal, 1803-1804) et sous l'Empire, grâce à l'appui d'une Europe réactionnaire et monarchique. Cette contre-révolution avait pris un aspect idéologique avec l'Anglais Burke (*Réflexions sur la Révolution française,* 1790) et les Français L. de Bonald (*Théorie du pouvoir politique et religieux,* 1796) et Joseph de Maistre (*Considérations sur la France,* 1796).

contre-révolutionnaire → CONTRE-RÉVOLUTION.

contre-riposte n. f. En escrime, mouvement d'épée opposé à une riposte. — Pl. *des* CONTRE-RIPOSTES.

contre-rivure n. f. Plaque métallique que l'on met entre le bois et la tête d'un rivet, afin de donner à celui-ci une grande assiette sur le bois. — Pl. *des* CONTRE-RIVURES.

Contres, ch.-l. de c. de Loir-et-Cher (arr. et à 21 km au S.-E. de Blois); 2 811 h. (*Controis*). Un traité y fut signé en 1505 entre Louis XII et Philippe d'Autriche. Fabriques de conserves. Articles de sport.

contre-saison n. f. Culture faite hors de la saison normale. — Pl. *des* CONTRE-SAISONS.

contre-salut n. m. Salut rendu immédiatement et coup pour coup à un bâtiment de guerre ou à une batterie côtière. — Pl. *des* CONTRE-SALUTS.

contre-sanglon n. m. ou **contre-sangle** n. f. Courroie percée, de distance en distance, de trous destinés à recevoir l'ardillon de la boucle. — Pl. *des* CONTRE-SANGLONS ou des CONTRE-SANGLES.

contrescarpe n. f. Talus ou mur bordant extérieurement le fossé qui entoure un ouvrage fortifié. ● *Coffre de contrescarpe,*

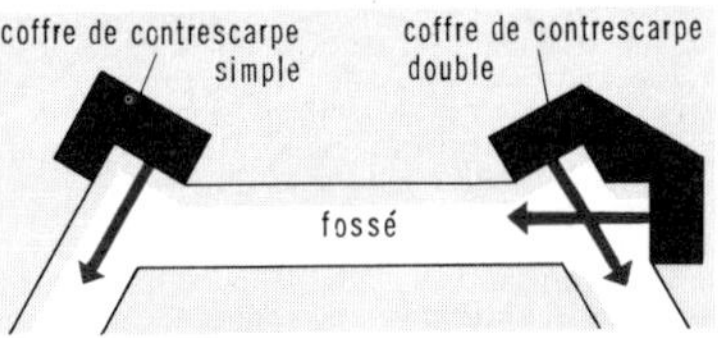

ouvrage de flanquement des fossés. ‖ *Cordon de contrescarpe,* partie supérieure et saillante de la contrescarpe.

contre-sceau n. m. Empreinte complémentaire d'un sceau. (Plus petits que les sceaux, et de type armorial, les contre-sceaux furent en usage après le XIIe s. et déclinèrent au XIVe s.) ◆ **contre-sceller** v. tr. Mettre le contre-sceau.

contreseing [sɛ̃] n. m. Signature que les ministres d'un chef d'Etat ou d'un souverain constitutionnel apposent au bas des actes émanés de celui-ci.

contre-sel n. m. Couche de sel non récoltée qui servira de support aux dépôts de sel des campagnes ultérieures. — Pl. *des* CONTRE-SELS.

contre-semplage → CONTRE-SEMPLER.

contre-sempler v. tr. Disposer en quinconce des dessins sur les étoffes. ‖ Reproduire le dessin d'un « semple » sur un autre. ◆ **contre-semplage** n. m. Dessins en quinconce sur un tissu. — Pl. *des* CONTRE-SEMPLAGES.

contresens n. m. Sens contraire ; direction opposée au sens naturel, à la direction normale : *Prendre le contresens d'une étoffe.* ‖ Interprétation opposée à la véritable signification : *Version pleine de contresens.* ‖ *Fig.* Ce qui est opposé à la réalité, à ce qui doit être : *C'est un contresens de priver un enfant de récréation.* ● LOC. ADV. *A contresens,* d'une manière contraire au sens véritable ; dans un sens contraire au sens naturel, au bon sens : *Une phrase interprétée à contresens.* ● LOC. PRÉP. *A contresens de,* à l'opposé de : *Marcher à contresens du flot de la foule.*

contresignataire → CONTRESIGNER.

contresigner v. tr. Signer après celui dont l'acte émane. ‖ Apposer sa signature sur un acte pour en attester l'authenticité. ‖ Mettre le contreseing sur des paquets ou des lettres pour qu'ils aient la franchise postale dont jouit l'expéditeur. ‖ — ***se contresigner*** v. pr. Apposer sa signature une seconde fois sur un acte. ◆ **contresignataire** n. m. Qui contresigne un acte. ◆ **contresigneur** n. m. Qui contresigne des lettres ou des paquets.

contre-sommation n. f. *Dr.* Acte par lequel une tierce personne appelée en garantie appelle une quatrième pour se garantir à son tour. — Pl. *des* CONTRE-SOMMATIONS. ◆ **contre-sommer** v. tr. Faire une contre-sommation.

contre-sortie n. f. Action menée par des troupes assiégeantes pour répondre à une action des assiégés. — Pl. *des* CONTRE-SORTIES.

contre-soubassement n. m. Côté frontal et surplombant de l'avaloir d'une cheminée. — Pl. *des* CONTRE-SOUBASSEMENTS.

contre-sujet n. m. *Mus.* Dans une fugue, thème écrit parfois en contrepoint renversable, destiné à accompagner le sujet. — Pl. *des* CONTRE-SUJETS.

contre-taille n. f. Chacune des tailles qui croisent les premières tailles d'une gravure. — Pl. *des* CONTRE-TAILLES.

contretalon n. m. Ouvrage métallique destiné à raccorder le larmier et le relief d'une feuille de zinc.

contretemps n. m. Evénement inopiné qui va contre les projets, les mesures prises, etc.

‖ Son articulé sur un temps faible ou sur la partie faible d'un temps, et qui ne se prolonge pas sur le temps fort ou sur la partie forte d'un temps, qui est alors remplacé par un silence. ‖ Mouvement faux de deux escrimeurs qui s'allongent en même temps et qui se portent un coup fourré. ● LOC. ADV. *A contretemps,* mal à propos : *Parler, agir à contretemps.* ‖ *A temps et à contretemps,* à propos et mal à propos, en toutes circonstances.

contre-tenir v. tr. Soutenir une planche d'un côté avec un marteau, tandis que l'on frappe de l'autre pour enfoncer des clous.

contre-tension n. f. *Fil* ou *ligne de contre-tension,* ligne électrique sans débit, disposée sur certaines voies électrifiées en courant alternatif, parallèlement à la caténaire et en opposition de phase avec celle-ci, pour en annuler les effets d'induction dans les pièces métalliques voisines.

contre-terrasse n. f. Terrasse située un peu en contrebas d'une terrasse principale. — Pl. *des* CONTRE-TERRASSES.

contre-terrorisme n. m. Ensemble d'actions ripostant au terrorisme. ◆ **contre-terroriste** adj. Qui se rapporte au contre-terrorisme : *Actes contre-terroristes.* ✦ n. Personne qui fait du contre-terrorisme.

contre-timbre n. m. Empreinte apposée sur les papiers timbrés pour indiquer une modification dans la valeur du premier timbre. — Pl. *des* CONTRE-TIMBRES.

contre-tirer v. tr. Tirer en contre-épreuve une estampe ou un dessin.

contre-titré, e adj. Se dit des ouvrages d'or ou d'argent dont le titre à été faussement indiqué.

contre-torpilleur n. m. Petit bâtiment de guerre très rapide et puissamment armé, destiné, au début du XXe s., à combattre au canon les torpilleurs. (Ces navires sont devenus peu à peu de véritables croiseurs, et le terme de *contre-torpilleur* a été abandonné.) — Pl. *des* CONTRE-TORPILLEURS.

contre-transfert n. m. En psychanalyse, ensemble des réactions de l'analyste en face de l'analysé, constitué à la fois par l'interprétation donnée par l'analyste aux cas qui lui sont soumis, et par son attitude personnelle, ses réactions et son comportement à l'égard de l'analysé. — Pl. *des* CONTRE-TRANSFERTS.

contretype n. m. Reproduction par copie par contact d'un négatif ou d'un positif transparent. ‖ Fac-similé d'un phototype négatif ou positif.

contre-vair n. m. *Hérald.* Fourrure de l'écu constituée par des pans d'azur et d'argent réunis deux à deux par leur base. ◆ **contre-vairé** adj. *Hérald.* Chargé de contre-vair dont les pans sont d'autres émaux que l'argent et l'azur.

contre-valeur n. f. Valeur commerciale donnée en échange d'une autre. — Pl. *des* CONTRE-VALEURS.

contrevallation n. f. (de *contre* et lat. *vallatio,* retranchement). Ligne de défense établie par l'assiégeant d'une place pour se garder contre les sorties de l'assiégé.

contrevenant → CONTREVENIR.

contrevenir v. tr. ind. [à] (lat. *contravenire*) [conj. **16**; il prend l'auxiliaire *avoir* dans les temps composés]. Agir contrairement à une prescription, à une obligation ; ne pas se conformer à : *Contrevenir aux ordres reçus, à un règlement.* ‖ — SYN. : *désobéir, enfreindre, transgresser.* ◆ **contravention** n. f. Infraction à une loi, à un contrat, etc. ‖ *Spécialem.* Infraction que les lois punissent de peine de police : *Contravention pour stationnement non autorisé.* ‖ *Fam.* Procès-verbal ou rapport qui constate une infraction : *Dresser une contravention à quelqu'un.* ● *Casiers de contraventions,* fichiers créés en 1960 pour les contraventions d'alcoolisme et de circulation, et tenus au greffe des tribunaux de grande instance. ◆ **contraventionnalisation** n. f. Déclassement, généralement opéré par la loi, de la catégorie des délits correctionnels à celle des contraventions de police. ◆ **contraventionnel, elle** adj. Qui a le caractère d'une contravention. ◆ **contrevenant, e** n. Celui, celle qui contrevient, qui enfreint un règlement.

contrevent n. m. Volet de bois placé à l'extérieur d'une fenêtre. ‖ Pièce de charpente, plus souvent appelée LIEN, servant au contreventement. ‖ Dans un haut fourneau, paroi du creuset opposée à la tuyère. ‖ Plaque de fonte qui forme ou recouvre cette paroi. ◆ **contreventement** n. m. Dispositif pour obvier à la déformation des fermes de charpente. ◆ **contreventer** v. tr. Consolider à l'aide d'un contreventement.

contrevérité n. f. Affirmation contraire à la vérité : *Dire une contrevérité.* ‖ Affirmation qui doit être entendue dans un sens opposé : *Son blâme était une contrevérité et une ingénieuse flatterie.*

contre-visite n. f. Visite destinée à en contrôler une autre : *Subir une contre-visite médicale.* ‖ Visite faite l'après-midi dans les hôpitaux pour compléter la visite du matin. — Pl. *des* CONTRE-VISITES.

contre-voie n. f. Voie de chemin de fer parallèle à celle que suit un train. — Pl. *des* CONTRE-VOIES. ● *Monter, descendre à contre-voie,* en parlant d'un voyageur, emprunter une portière s'ouvrant sur une autre voie et non sur un quai.

Contrexéville, comm. des Vosges (arr. de Neufchâteau), à 5,5 km au S.-O. de Vittel ; 4 598 h. (*Contrexévillois*). Station hydrominérale célèbre depuis les séjours qu'y fit Stanislas Leszczyński. Traitement des affections urinaires et biliaires, de la goutte et de l'obésité. (Les indications sont les mêmes que celles de Vittel.)

contribuable → CONTRIBUER.

contribuer v. tr. ind. [à] (lat. *contribuere,* fournir). Apporter sa part à une œuvre commune ; avoir part à un résultat : *Contribuer au succès d'une entreprise.* ◆ **contribuable** n. Personne qui contribue aux charges publiques par le paiement de l'impôt : *Une fiscalité qui impose exagérément le contribuable encourage la fraude.* ◆ **contributif, ive** adj. Relatif aux contributions. ◆ **contribution** n. f. Action de contribuer ; part apportée à une œuvre commune : *Contribution à une entreprise.* ‖ *Partic.* Etude complémentaire sur un certain sujet littéraire ou scientifique : *Contribution à l'histoire du droit.* ‖ Part que chacun apporte à une dépense commune, et en particulier aux dépenses de l'Etat ou des collectivités publiques ; impôt : *Contributions directes. Contributions indirectes.* (La langue moderne ne fait plus de distinction entre la contribution et l'impôt. Au contraire, au XVIIIe s., on estimait que l'impôt était payé par un peuple d'esclaves, alors que la contribution l'était par un peuple libre ; le mot « contribution » impliquait le consentement de la nation.) ‖ — SYN. : *apport, collaboration, concours, tribut ; impôt, tribut.* ● *Contribution à la dette,* nécessité dans laquelle se trouve une personne de supporter avec une ou plusieurs autres la charge définitive d'une dette. ‖ *Contribution de guerre,* paiement, en espèces ou en nature, imposé par le vainqueur au vaincu. ‖ *Contribution militaire,* disposition qui exemptait les officiers du paiement de la taxe personnelle et mobilière (1832-1919). ‖ *Contribution patriotique,* impôt du quart du revenu, proposé par Necker en 1789 et voté par l'Assemblée après l'intervention de Mirabeau. ‖ *Contribution volontaire,* impôt établi par le gouvernement français en 1926, pour résoudre la crise financière. ‖ *Distribution par contribution,* procédure collective de répartition entre des créanciers du prix de vente d'un meuble, ou d'une somme quelconque revenant au débiteur, ou du prix d'un immeuble qui n'est pas grevé d'hypothèques ou de privilèges immobiliers. ‖ *Mettre une chose à contribution,* l'utiliser. ‖ *Mettre quelqu'un à contribution,* avoir recours à quelqu'un, à ses talents, à ses services. ‖ — ***contributions*** n. f. pl. Administration chargée de la répartition des impôts : *Faire carrière dans les Contributions directes.*

Contributions indirectes (MÉDAILLE DES), décoration française créée en 1897 et conférée aux agents de cette administration en fin de carrière. Ruban blanc à six bandes verticales vert clair.

contrister v. tr. (lat. *contristare ;* de *tristis,* triste). Rendre profondément triste, affliger : *Contrister ses parents.*

contrit [tri], **e** adj. (lat. *contritus*). Profondément touché du sentiment de ses péchés : *Le pécheur contrit reçoit seul le pardon de ses péchés dans la confession.* ‖ Qui est chagrin ; qui se repent d'un acte : *Etre tout contrit d'avoir offensé un ami.* ‖ Qui marque le repentir, le chagrin : *Un air contrit.* ◆ **contrition** n. f. Acte de volonté par lequel on se détourne du péché pour revenir à Dieu. (Les théologiens distinguent la *contrition parfaite,* inspirée par la charité et l'amour de Dieu, et la *contrition imparfaite,* inspirée par la crainte de l'enfer ou la honte du péché. La première remet le péché, tandis que la seconde dispose seulement à en recevoir l'absolution.) ‖ Repentir, regret. ‖ — SYN. : *attrition, componction, remords, repentir.*

contrôlable → CONTRÔLER.

controlatéral, e, aux, adj. *Physiol.* Relatif au côté du corps opposé à celui dont il est question.

contrôle → CONTRÔLER.

contrôler v. tr. Soumettre à une vérification administrative : *Le droit de contrôler la dépense.* ‖ Soumettre à une vérification, à un examen minutieux : *Contrôler le sens d'un mot dans le dictionnaire.* ‖ Poinçonner, mettre la marque du contrôle sur : *Contrôler des bijoux.* ‖ Etre maître de : *Contrôler ses nerfs, ses réactions.* ‖ *Partic.* Etre maître d'un territoire : *A la fin de l'occupation de 1940-1944, le maquis contrôlait en fait de vastes régions de la France.* ‖ Garder sur le jeu ou sur la balle une domination suffisante pour agir selon sa propre volonté. ‖ — SYN. : *examiner, inspecter, maîtriser, pointer, vérifier ; dominer, occuper ; censurer, critiquer.* ◆ **contrôlable** adj. Qui peut être contrôlé : *Des recettes contrôlables.* ◆ **contrôle** n. m. (contract. de *contre* et *rôle*). Nom donné aux registres administratifs tenus par les corps de troupes : *Contrôle administratif* (du personnel). *Contrôle d'armement. Etre rayé des contrôles d'un corps* (cesser d'en faire partie). ‖ Vérification administrative : *Le contrôle des billets. Le contrôle d'une comptabilité.* ‖ Bureau où se tiennent les contrôleurs. ‖ Service de l'Administration où s'effectue la vérification du titre des matières d'or et d'argent. ‖ Apposition, par ce service, moyennant paiement d'un droit de garantie, sur les objets de joaillerie, bijouterie, orfèvrerie, d'un poinçon attestant la teneur en métal fin, ou titre. ‖ Bureau installé de distance en distance pour inscrire l'heure et l'ordre de passage de chaque concurrent dans les courses sur route. ‖ Dispositif automatique destiné à renseigner sur la position d'un signal ou d'une aiguille de chemin de fer. ‖ Opération industrielle permettant d'éliminer les pièces dont les caractéristiques s'écartent des limites tolérées. ‖ Domination que possède un joueur ou une équipe sur le développement du jeu, ou dans la possession de la balle ou du ballon, pour agir selon sa propre volonté. ‖ *Fig.* Surveillance, examen minutieux de certains actes : *Exercer un contrôle sur les dépenses.* ‖ Maîtrise : *Perdre le contrôle de soi-même.* ● *Carte de contrôle* ou *carte contrôleuse,* graphique affecté à une machine ou à un opérateur, dont la production est soumise à un contrôle statistique de qualité. ‖ *Contrôle budgétaire,* méthode de gestion des entreprises, permettant, pour chacun des secteurs de celles-ci, de vérifier les prévisions et les options faites par la direction, et d'interpréter les écarts constatés entre les prévisions et les réalisations. (La méthode utilisée consiste à établir des budgets pour chaque service et par période — le mois en général —, en distinguant les frais fixes des frais de période et des frais variables avec l'activité. Chaque mois, on détermine les écarts entre la réalisation et le budget ; l'analyse des écarts montre d'où provient la différence et quelle en est la cause.) ‖ *Contrôle des changes* (Econ. polit.), V. CHANGE. ‖ *Contrôle continu des connaissances,* vérification du niveau des connaissances des étudiants par des interrogations et des examens effectués tout au long de l'année. ‖ *Contrôle des dépenses engagées* (Législ. fin.), contrôle *a priori* exercé sur les dépenses de chaque ordonnateur par un représentant du ministre des Finances. (Un contrôleur financier a été placé dans chaque ministère, dans chaque trésorerie générale, dans chaque établissement public et dans chaque service à autonomie financière en vue de jouer un double rôle : surveiller l'exécution du budget, viser tous les ordonnancements et engagements de dépenses.) ‖ *Contrôle de l'exécution du budget,* V. BUDGET. ‖ *Contrôle fiscal,* V. IMPÔT. ‖ *Contrôle impératif d'aiguille,* dispositif de contrôle électrique tel que l'ouverture des signaux ne peut s'effectuer que si les lames d'aiguilles sont en position de collage convenable contre les contre-aiguilles. ‖ *Contrôle judiciaire,* depuis la loi du 17 juillet 1970, mesure intermédiaire entre l'incarcération et le maintien en liberté et soumettant l'inculpé à une surveillance. ‖ *Contrôle laitier,* méthode d'estimation de la production laitière d'une vache ou d'une brebis. (On contrôle habituellement une fois par mois le lait d'une journée.) ‖ *Contrôle local* ou *régional d'aérodrome,* organisme chargé de contrôler les routes suivies par les appareils, compte tenu du trafic aérien prévu ou connu. ‖ *Contrôle médical,* service technique des organismes de Sécurité sociale, chargé de donner un avis sur l'état de santé d'un assuré ainsi que de contrôler la réalité et la légitimité des soins qui lui ont été dispensés. ‖ *Contrôle des naissances,* contrôle préconisé dès 1798 par l'Anglais Malthus et ayant pour but de diriger la procréation. (L'accent est mis tantôt sur la limitation du nombre des naissances, tantôt sur la maternité librement consentie.) ‖ *Contrôle de qualité,* ensemble de méthodes statistiques permettant de contrôler sur échantillon la production des machines automatiques fabriquant en série des pièces de petite mécanique. || *Contrôle sanitaire aux frontières,* personnel médical administratif chargé de lutter contre les épidémies. || *Contrôle de tir,* opération ayant pour but de vérifier que le groupement des coups tirés coiffe bien l'objectif visé. || *Corps du contrôle de l'administration de l'armée, de la marine et de l'aéronautique,* corps créés respectivement en 1882, 1902 et 1933, dépendant directement du ministre des Armées et chargés de veiller à la stricte observation des lois et règlements dans les armées, notamment en matière financière. (En 1966, ces corps ont été fusionnés dans le *corps militaire du contrôle général des armées,* qui a reçu en 1974 un nouveau statut, revu en 1975.) || *Liste de contrôle,* liste des points à vérifier pour mener une action à bien. (On dit aussi AIDE-MÉMOIRE, CHECK-LIST.) || *Région de contrôle,* v. RÉGION. ◆ **contrôleur, euse** n. Personne chargée d'exercer un contrôle. ||

— ***contrôleur*** n. m. Agent chargé de contrôler : *Contrôleur des matières d'or et d'argent.* || Instrument destiné à des vérifications de pièces usinées. || Appareil de contrôle permettant un réglage automatique de débit, de niveau, de pression, etc. (On dit aussi RÉGULATEUR.) ● *Contrôleur de l'administration de l'armée, de la marine* ou *de l'aéronautique,* haut fonctionnaire des corps de contrôle. (La hiérarchie des grades de contrôleurs, qui sont recrutés parmi les officiers et, depuis 1961, parmi certains administrateurs civils du ministère des Armées, ne comprend depuis 1963 que les grades de contrôleur adjoint, de contrôleur et de contrôleur général, sans aucune assimilation avec ceux des armées. Les contrôleurs procèdent à des vérifications au cours de leurs inspections et de leurs missions d'études, et rendent compte au ministre.) || *Contrôleur d'aérodrome,* officier ou sous-officier spécialiste de l'armée de l'air, appartenant au contrôle local ou régional d'aérodrome. || *Contrôleur d'armes,* officier du service du matériel chargé de surveiller la réception et l'entretien des armes portatives par les corps de troupes. || *Contrôleur d'Etat,* fonctionnaire chargé de suivre la gestion financière des organismes publics et des entreprises privées subventionnées par l'Etat. (Il est le conseiller financier du chef d'entreprise, en même temps qu'il informe le ministre des Finances de la situation de l'affaire.) || *Contrôleur des Finances,* officier qui, au XVIe s., assistait les quatre receveurs généraux des Finances (extraordinaires). || *Contrôleur général,* officier ordonnateur des dépenses, qui, dès 1564, assistait le surintendant des Finances. (Au XVIIe s., il y en eut deux. Après l'élimination de Fouquet [1661], il n'y en eut plus qu'un seul. Les plus célèbres furent : Colbert, Chamillart, Law, Machault, Turgot, Calonne. En tant que protestant, Necker ne put porter que le titre de « directeur général des Finances ».) || *Contrôleur général de la Maison du roi,* officier chargé du soin de la vaisselle d'or, d'argent et de vermeil des rois de France. || *Contrôleur d'interception,* officier ou sous-officier spécialiste de l'armée de l'air, appartenant à des organismes de défense aérienne du territoire appelés « centres de direction des interceptions », dont le rôle consiste, en cas d'attaque aérienne, à diriger les formations de chasse sur les objectifs désignés par les zones ou secteurs de défense. || *Contrôleur des mines,* ancien nom de l'ingénieur subalterne de l'administration des Mines. || *Contrôleur de pression,* appareil permettant de mesurer la pression de gonflage des pneumatiques. || *Contrôleur de ronde,* appareil enregistrant l'heure du passage de l'agent chargé des rondes de surveillance. || *Contrôleur du Trésor,* sous l'Ancien Régime, officier qui vérifiait les recettes ordinaires centralisées par le changeur du Trésor (XVIe s.).

controller [lər] n. m. (mot angl. signif. *contrôleur*). Dispositif servant à la commande des circuits d'une locomotive ou d'une automotrice électriques. (Syn. MANIPULATEUR, COMBINATEUR.)

contrordre n. m. Ordre qui annule un ordre précédent : *Les ordres et les contrordres se succèdent sans interruption.* || Annulation d'une décision déjà prise : *Je viendrai, sauf contrordre.*

controuvé, e adj. (part. pass. de l'anc. v. *controuver*). Inventé de toutes pièces ; mensonger : *Anecdote controuvée.*

controversable → CONTROVERSE.

controverse n. f. (lat. *controversia*). Débat, discussion suivie sur une question ou une opinion : *Soutenir une controverse.* || Art de discuter les questions religieuses ; partie de la théologie où l'on discute : *Etudier la controverse.* ◆ **controversable** adj. Sujet à controverse : *Une version des événements controversable.* ◆ **controverser** v. tr. Mettre en controverse, en discussion : *Controverser un dogme. Une opinion controversée.* || *Absol.* Soutenir une controverse : *Se plaire à controverser.* || — SYN. : *débattre, discuter.* ◆ **controversiste** n. Personne qui traite des sujets de controverse religieuse. || Personne habile dans la discussion : *Un redoutable controversiste.*

contubernale n. (lat. *contubernalis;* de *cum,* avec, et *taberna,* maison de planches). *Antiq. rom.* Esclave (homme ou femme) marié à un autre esclave. || Homme ou femme vivant avec une personne de l'autre sexe sans être marié. || Soldat vivant avec neuf autres sous la même tente.

contubernium [njɔm] n. m. (mot lat. ; de *cum,* avec, et *taberna,* maison de planches). *Antiq. rom.* Tente pour dix soldats. || Mariage entre esclaves, ou entre une personne libre et une personne esclave, qui constituait une simple union de fait, sans effet juridique.

contumace n. f. (lat. *contumacia*). Refus d'un accusé de comparaître devant le tribunal. || Procédure spéciale de jugement des accusés de crime absents ou en fuite. (V. *encycl.*) ● *Purger sa contumace,* comparaître volontairement devant le juge après avoir été condamné par contumace. ◆ **contumax** n. et adj. Individu qui, accusé de crime, se soustrait à la procédure contradictoire de jugement. (On dit aussi CONTUMACE.) — ENCYCL. ***contumace.*** Quand l'accusé ne se présente pas dans les dix jours de la signification de l'arrêt de renvoi, le président de la cour d'assises rend une ordonnance de contumace, qui, faisant l'objet d'une publication spéciale, ouvre un nouveau délai de dix jours, passé lequel le contumax, déclaré rebelle à la loi, est suspendu de ses droits de citoyen, ne peut plus plaider en justice et voit ses biens mis sous séquestre. Dix jours après la publication de cette ordonnance, le contumax peut être jugé par la cour d'assises sans l'assistance du jury; la condamnation confirme la mise des biens sous séquestre; les peines privatives de droits et les condamnations pécuniaires sont exécutoires. La condamnation tombe de plein droit si le contumax est pris ou se présente avant la prescription de la peine. Il est alors procédé à un nouveau jugement contradictoire (*purge de la contumace*).

contumax → CONTUMACE.

contus → CONTUSION.

contusion n. f. (lat. *contusio;* de *contundere,* frapper). Lésion produite par un coup, un choc, une compression, sans déchirure des téguments. (Si la peau est lésée, on parle de « plaie contuse ». La gravité d'une contusion est très variable; elle dépend de la violence du choc et de la région où il a porté.) ◆ **contus, e** adj. (part. passé de l'anc. v. *contondre* [v. CONTONDANT]). Qui a éprouvé une contusion. ● *Plaie contuse,* v. CONTUSION. ◆ **contusionner** v. tr. Faire des contusions à : *Contusionner tout le corps.*

Conty, ch.-l. de c. de la Somme (arr. et à 21,5 km au S. d'Amiens), sur la Celle; 1 569 h. Eglise de style flamboyant (XVe-XVIe s.). Fonderie. La ville a donné son nom aux seigneurs de Conty. (V. CONTI.)

conulaire n. f. Coquillage, fossile du silurien au trias, de forme pyramidale, dont on ignore la place dans la classification.

conurbation n. f. (lat. *cum,* avec, et *urbs,* ville). Réunion des habitations de différentes agglomérations voisines, aboutissant à la formation d'une suite continue de villes. (En France, la conurbation la plus importante est formée par Lille, Roubaix et Tourcoing.)

convaincant → CONVAINCRE.

convaincre v. tr. (lat. *convincere,* au sens figuré, adapté d'après *vaincre*). Amener quelqu'un, par des raisons ou des preuves, à reconnaître quelque chose comme vrai : *Convaincre une personne de sa bonne foi.* || Mettre quelqu'un dans l'impossibilité de nier sa faute ou son erreur par l'apport de preuves : *Convaincre un accusé de son crime.* ◆ **convaincant, e** adj. Qui est propre à convaincre; qui convainc : *Argument convaincant.* ◆ **convaincu, e** adj. et n. Sincèrement, profondément persuadé; de bonne foi. || En parlant des choses, qui dénote la conviction : *Parler d'un ton convaincu.* ◆ **conviction** n. f. Etat de l'esprit qui regarde comme vrai quelque chose; certitude raisonnée : *Montrer une conviction inébranlable.* || *Fam.* Sérieux, conscience que quelqu'un a de l'importance de ses actes : *Donner son enseignement avec conviction.* || — SYN. : *assurance, certitude.* ● *Pièces à conviction,* preuves matérielles d'un fait criminel. || — ***convictions*** n. f. pl. Principes, idées dont on est convaincu : *Avoir des convictions politiques bien arrêtées.*

convalescence → CONVALESCENT.

convalescent, e adj. et n. (lat. *convalescens,* qui prend des forces). Qui est en convalescence; qui sort de maladie. ◆ **convalescence** n. f. Période de transition entre l'état de maladie et le retour à un état de parfaite santé. || Durée du repos accordé à un malade après sa guérison : *Donner une convalescence de quinze jours.* || *Mil.* Exemption de service accordée, sous forme de permission (moins de trente jours) ou de congé (plus de trente jours), à des malades ou à des blessés à leur sortie de l'infirmerie ou de l'hôpital : *Partir en convalescence.*

convassal, e, aux adj. et n. Se disait des vassaux ayant le même suzerain.

convecteur → CONVECTION.

convection ou **convexion** n. f. (lat. *cum,* avec, et *vectus,* transporté). Transport de quantités de chaleur par les corps en mouvement. (Ce phénomène se produit lorsqu'un corps chaud est plongé dans un fluide, ce qui détermine des courants de convection dans le fluide, par suite de son échauffement.) || Mouvement vertical de l'air (par oppos. à l'*advection,* qui désigne les mouvements horizontaux). ● *Courant de convection,* courant électrique dû à un déplacement de matière portant des charges électriques. || *Section de convection,* partie d'un four de raffinerie où l'on utilise la chaleur de convection contenue dans les fumées. ◆ **convecteur** n. m. Batterie de tubes, en cuivre ou en laiton, disposés horizontalement en une ou plusieurs rangées, et réunis par un ailetage, pour uniformiser la température au sein d'un fluide.

convenable, convenablement, convenance, convenant → CONVENIR.

convenir v. tr. ind. [**à**] (lat. *convenire,* venir ensemble) [conj. **16**]. Aller bien avec; être approprié à : *Un travail qui convient à ses dispositions.* ‖ Etre conforme au goût, plaire, agréer : *Un programme qui ne me convient pas;* et, impers. : *Il ne me convient pas de sortir aujourd'hui.* ‖ Etre conforme aux exigences de l'usage, de la société, de la raison, de la morale, etc. : *Un costume qui convient pour la cérémonie.* ✦ v. tr. ind. **[de]**. En parlant des personnes, tomber d'accord sur une opinion : *Convenir de la valeur d'un ouvrage;* et, impers. : *Il a été convenu de poursuivre le travail.* ‖ Reconnaître pour vrai, avouer : *Convenir de son erreur.* ‖ Tomber d'accord sur une décision; faire un accord : *Convenir ensemble d'une date de départ.* ‖ — REM. Ce verbe prend l'auxiliaire *avoir* quand il signifie « être convenable, être à la convenance de, plaire, agréer » : *Cet appartement aurait convenu à mon père s'il eût été moins cher.* — Il prend en principe l'auxiliaire *être* quand il veut dire « tomber d'accord, avouer » : *Nous étions convenus de nous écrire.* Cette distinction est arbitraire, et l'auxiliaire *avoir* tend à s'employer dans tous les sens. ◆ **convenable** adj. Qui convient à, qui est approprié à : *Un temps peu convenable à une sortie.* ‖ Qui est conforme à la bienséance, à la morale, aux usages, en parlant des choses : *Avoir une tenue convenable.* ‖ Qui a de bonnes manières, en parlant d'une personne : *Etre convenable en société.* ◆ **convenablement** adv. De façon convenable : *Parler, écrire convenablement.* ◆ **convenance** n. f. Qualité de ce qui convient à, est approprié à : *La convenance de la méthode au but poursuivi.* ‖ *Partic.* Accord, affinité réciproque : *Convenance d'humeur.* ‖ Ce qui convient à quelqu'un; goût, commodité, utilité : *Venez un jour de la semaine, à votre convenance.* ‖ Qualité de ce qui est conforme aux usages de la société : *Faire quelque chose par convenance.* ‖ — SYN. : *accord, adaptation, appropriation, conformité, harmonie, rapport; commodité, goût, gré, utilité; bienséance, correction, décence, savoir-vivre, usage.* ● *Convenances personnelles,* raisons qu'on n'indique pas : *Prendre un congé pour convenances personnelles.* ‖ *Mariage de convenance,* mariage conclu sur des rapports de famille, de position, de fortune. (Opposé à *mariage d'inclination* ou *d'amour.*) ‖ *Raisons de convenance,* motifs de pure bienséance; raisons plausibles, mais non démonstratives. ‖ — ***convenances*** n. f. pl. Bienséances sociales : *Observer, respecter, braver les convenances.* ◆ **convenant** n. m. *Bail à convenant,* bail à domaine congéable. ◆ **convenu, e** adj. Qui a une signification conventionnelle : *Langage convenu. Adresse convenue.* ‖ Conventionnel; qui manque de naturel. ‖ — ***convenu*** n. m. Ce dont on est convenu : *S'en tenir au convenu.* ‖ — SYN. : *artificiel, conventionnel.*

convent n. m. (lat. *conventus,* réunion). Assemblée générale de francs-maçons.

conventicule n. m. (lat. *conventiculum*). Petite assemblée, souvent clandestine, où l'on conspire contre l'Etat et contre l'Eglise.

1. convention n. f. (lat. *conventio*). Ce dont on est convenu; accord : *Par convention tacite, ils s'ignoraient.* ‖ Clause, condition de cet accord : *Modifier les conventions.* ‖ Acte juridique bilatéral, œuvre de deux ou de plusieurs personnes, pour faire naître ou éteindre un droit ou le transmettre. ‖ Ecrit destiné à justifier la réalité de cet acte. ‖ Contrat intervenu entre deux ou plusieurs Etats : *Convention de réciprocité.* ‖ Ensemble de prescriptions élaboré par un organisme international, et qui n'est obligatoire que pour ceux des Etats qui l'ont expressément ratifié. ‖ Règle résultant d'un accord exprès ou tacite entre les membres d'un même groupe social : *Respecter les conventions.* ‖ Accord tacite par lequel on admet certaines fictions, certains procédés, en littérature et dans les beaux-arts. ‖ — SYN. : *accord, contrat, engagement, marché, pacte, traité.* ● *Convention collective du travail,* accord relatif aux conditions de travail, conclu, d'une part, entre une ou plusieurs organisations syndicales de travailleurs et, d'autre part, un ou plusieurs groupements d'employeurs pris individuellement. (V. *encycl.*) ‖ *Convention militaire,* accord local conclu, au cours d'opérations, entre commandements adverses, pour enterrer les morts (Crimée, 1856), relever les blessés (Dardanelles, 1915), accueillir un parlementaire (La Capelle, 1918). ‖ *Convention de tarif,* accord conclu entre un organisme de Sécurité sociale et une ou plusieurs organisations professionnelles représentatives des praticiens (médecins, dentistes, auxiliaires médicaux), en vue de fixer le « tarif de responsabilité » de la Caisse en matière de remboursement d'honoraires. (Cet accord n'est applicable qu'après homologation par une Commission nationale.) ‖ *De convention,* qui est admis par l'effet d'une convention, qui résulte de l'usage établi : *Signes de convention. Langage de convention.* ‖ — ***conventions*** n. f. pl. Règles de la bienséance ou du savoir-vivre. ◆ **conventionnalisme** n. m. Théorie, soutenue surtout par Henri Poincaré, qui voit dans les principes de la science mathématique de pures conventions. (S'oppose au *logicisme* et à l'*intuitionnisme.*) ◆ **conventionnaliste** adj. et n. Qui concerne ou soutient le conventionnalisme. ◆ **conventionné, e** adj. *Législ. soc.* Qui est lié par une convention. (S'emploie uniquement en matière d'assurance maladie.) ● *Clinique conventionnée,* établissement de soins privé qui est lié à une caisse de Sécurité sociale par une convention de tarifs. ‖ *Département conventionné,* département où une convention de tarifs a été conclue. ◆ **conventionnel, elle** adj. Qui résulte d'une convention (est opposé, en termes de droit, à *légal* ou *judiciaire*) : *Bail conventionnel.* ‖ Qui n'existe qu'en vertu d'une convention : *Monnaie qui n'a qu'une valeur conventionnelle.* ‖ Admis en vertu des convenances sociales ; qui manque de naturel, de vérité : *Sentiments conventionnels. Politesse conventionnelle.* ● *Armes conventionnelles,* syn. de *armes classiques.* (V. ARME.) ‖ *Guerre conventionnelle,* v. GUERRE. ‖ — SYN. : *arbitraire, convenu ; académique, banal.* ◆ **conventionnellement** adv. Par convention. ◆ **conventionniste** adj. Se dit d'un praticien partisan de la conclusion d'une convention de tarifs avec la Sécurité sociale.

— ENCYCL. **convention.** *Convention collective du travail.* La convention collective constitue l'élément le plus original du droit du travail moderne ; elle a pour objectif de faire disparaître ou, du moins, d'atténuer l'inégalité qui entache les rapports individuels du travail. La convention collective se place entre la loi et le contrat individuel de travail ; elle peut améliorer les avantages reconnus aux salariés par la loi, et elle fixe le régime de travail applicable dans les relations nées des contrats de travail conclus entre les employeurs et les travailleurs. La convention collective soumet le contrat de travail individuel à une réglementation impérative, à laquelle on ne peut déroger qu'au bénéfice des travailleurs ; elle tend à devenir une véritable loi de la profession. La loi de 1950 établit deux types de conventions :
1° La *convention de type général,* qui ne lie que les employeurs signataires ou membres d'un groupement patronal signataire ; tout employeur tenu par une convention doit en appliquer les stipulations à l'ensemble de son personnel ; le contenu de cette convention est libre, sous réserve que soient respectées les dispositions légales, réglementaires, ou celles des conventions d'un rang hiérarchique plus élevé ;
2° La *convention étendue* (ou *agréée*), que le ministre du Travail a rendue obligatoire à toutes les entreprises de la profession. Peut seule faire l'objet d'une telle extension la convention établie par une commission mixte, composée des représentants des organisations professionnelles les plus représentatives des employeurs et des salariés ; des clauses relatives à divers problèmes énumérés par la loi doivent nécessairement y figurer.
Il existe une double hiérarchie entre les conventions collectives : une hiérarchie de nature (la convention étendue prime la convention de type général) ; une hiérarchie territoriale (la convention nationale prime la convention régionale, qui prime à son tour la convention locale).
Les conventions collectives fixent elles-mêmes leur champ d'application. Les conventions d'un rang inférieur peuvent déroger aux règles posées par les conventions de rang supérieur à condition d'apporter aux salariés des avantages supplémentaires.
La loi ne reconnaît pas de conventions collectives d'entreprise, mais seulement des *accords d'établissement,* signés par les organisations syndicales de salariés représentatives, dont l'objet est d'adapter à un établissement donné les dispositions d'une convention.
En l'absence d'une convention applicable à l'entreprise intéressée, l'accord collectif ne devrait porter que sur les salaires et leurs accessoires. Cependant, en pratique, cette interdiction n'est pas respectée, et des accords collectifs d'établissement réglant des problèmes d'ordre général sont assez fréquemment signés malgré l'absence d'une convention applicable à l'établissement considéré.

2. Convention n. f. (lat. *conventio*). Nom donné à quelques assemblées nationales formées exceptionnellement pour établir ou modifier une constitution. ‖ Aux Etats-Unis, assemblée préélectorale dans laquelle chaque parti fixe son programme et désigne son candidat. ◆ **Conventionnel** n. m. Membre de la Convention nationale.

Convention nationale, assemblée constituante française, élue au suffrage universel à deux degrés. Elle succéda à l'Assemblée législative, fonda la Ire République et gouverna la France du 21 sept. 1792 au 26 oct. 1795. (V. tableau RÉVOLUTION FRANÇAISE.)
● La *Convention girondine* (21 sept. 1792 - 2 juin 1793) proclame l'abolition de la royauté (21 sept.) et l'avènement de la République (22 sept.), vote la mort du roi (19 janv. 1793). Avec la montée du danger extérieur, l'opposition entre les Girondins et les Montagnards grandit. Affaiblis par la révolte vendéenne, les échecs extérieurs (perte de la Belgique) et la trahison de Dumouriez, les Girondins sont éliminés.
● *Convention montagnarde* (2 juin 1793-28 juill. 1794). Grâce à un gouvernement exceptionnel, centralisé par le Comité de salut public, où dominent Danton, puis Robespierre dès juill. 1793, et à un régime de terreur (Comité de sûreté générale), les rébellions girondines, vendéennes et royalistes (Lyon, Toulon) sont réprimées, les frontières dégagées, la Belgique reconquise. Les hébertistes et les dantonistes éliminés, Robespierre tombe à son tour après un dernier sursaut de la Terreur (9 thermidor).
● La *Convention thermidorienne* (28 juill. 1794 - 26 oct. 1795) tente une politique de réaction contre les Montagnards (soulèvements de germinal et de prairial) et contre les royalistes (débarquement de Quiberon, révolte du 13 vendémiaire). La pacification de l'Ouest et la fin de la guerre (acquisition de la rive gauche du Rhin au traité de Bâle, 1795) permettent à la Convention de se livrer à une œuvre éducative et scientifique, amorcée dès 1793 avec la création du Muséum d'histoire naturelle et l'instauration du système décimal : création de l'Institut de France, du Bureau des longitudes, du Conservatoire des arts et métiers, de l'Ecole normale supérieure, de l'Ecole des travaux

Giraudon

la **Convention** thermidorienne
« Boissy d'Anglas saluant la tête du député Féraud, 20 mai 1795 »
par Félix Auvray, *musée de Valenciennes*

publics, des Archives nationales, etc. Le Directoire lui succède.

Convention écossaise de 1639, Parlement réuni par les Ecossais pour lutter contre le roi d'Angleterre Charles Ier, qui avait tenté d'imposer le *Prayer* Book* (1637).

Convention de Philadelphie (1787), assemblée composée de 65 délégués représentant les Assemblées des treize Etats d'Amérique du Nord, et qui élabora la Constitution des Etats-Unis du 27 sept. 1787. Présidée par Washington, cette assemblée sut mettre sur pied une constitution qui respectait les intérêts des petits Etats et établissait des compromis politiques et économiques entre les Etats du Nord et ceux du Sud.

conventionnalisme, conventionnaliste, conventionné, conventionnel → CONVENTION 1.

Conventionnel → CONVENTION 2.

conventionnellement, conventionniste → CONVENTION 1.

conventualité → CONVENTUEL.

conventuel, elle adj. (de *convent,* anc. forme du mot *couvent*). Relatif, propre au couvent : *Règle conventuelle.* ● *Assemblée conventuelle,* assemblée de tous les membres de la communauté. || *Frères mineurs conventuels,* ou *Conventuels,* un des trois ordres religieux issus de la fondation de saint François d'Assise. || *Maison conventuelle,* couvent. || *Mense conventuelle,* revenu de couvent. || *Religieux conventuel,* ou *conventuel* n. m., religieux qui habite un couvent. ◆ **conventualité** n. f. Etat des religieux ou des religieuses vivant ensemble sous une règle. ◆ **conventuellement** adv. D'une façon conventuelle.

conventus [tys] n. m. (mot lat.). *Dr. rom.* A Rome, sous la République et au début de l'Empire, assises judiciaires tenues périodiquement par le gouverneur ou par son délégué dans les principales villes de la province.

convenu → CONVENIR.

convergence, convergent → CONVERGER.

converger v. intr. (lat. *convergere ;* de *cum,* avec, et *vergere,* se tourner, s'incliner) [conj. **1**]. Tendre vers un même point : *Les voies ferrées françaises convergent sur Paris.* || *Fig.* Tendre vers un même but. ◆ **convergence** n. f. Fait de converger, de tendre vers un même point : *La convergence de deux lignes.* || *Math.* Propriété d'une série dont la somme des termes est un nombre fini. || *Fig.* Fait de tendre vers un même but ou vers un même résultat : *La convergence des efforts est une garantie de succès.* ||

Inverse $1/f$ de la distance focale d'une lentille, qui s'évalue en dioptries quand la distance focale est exprimée en mètres. (La convergence d'un système de lentilles minces accolées est la somme algébrique des convergences de ces lentilles.) || Ressemblance entre des êtres qui vivent dans le même milieu ou qui ont les mêmes problèmes vitaux à résoudre, mais qui n'ont entre eux aucune parenté. (V. *encycl.*) || En météorologie, rapprochement des lignes de flux qui se produit le long d'un front et qui détermine l'ascendance dynamique de l'air. ● *Convergence des méridiens,* variation de l'angle (azimut) sous lequel un même grand cercle de la sphère coupe les méridiens successifs. ◆ **convergent, e** adj. Qui converge, tend vers un point unique : *Lignes convergentes. Feux convergents.* || *Fig.* Qui tend vers un même but : *Des opinions convergentes.* || Se dit des rayons lumineux qui se dirigent vers un même point. || Qui a la propriété de faire converger : *Lentille convergente.* || — **convergent** n. m. Tuyère dans laquelle la section d'écoulement d'un fluide va en diminuant.

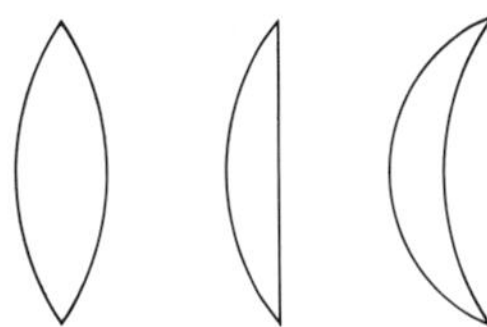

lentilles **convergentes**

— ENCYCL. **convergence.** Les nageoires des animaux marins, les ailes de ceux qui volent, la soudure des pétales chez les fleurs des espèces les plus évoluées, l'enroulement « en boule » de divers animaux constituent quelques exemples de convergence. Les lamarckiens expliquent la convergence par l'action modelante du milieu ; les darwiniens, par la destruction des espèces dépourvues du caractère utile ; Cuénot et ses disciples, par l'installation des êtres vivants dans le milieu auquel leur forme les préadapte. Mais l'étude de l'histoire des techniques humaines montre que, pour résoudre les mêmes problèmes, l'homme met au point des appareils (bouton-pression, seringue à injection, pince, clapet à ressort, pile électrique, etc.) qui convergent avec les organes naturels des animaux et des plantes, en dehors de toute imitation intentionnelle. Le problème de la convergence ainsi posé n'a reçu actuellement aucune solution satisfaisante.

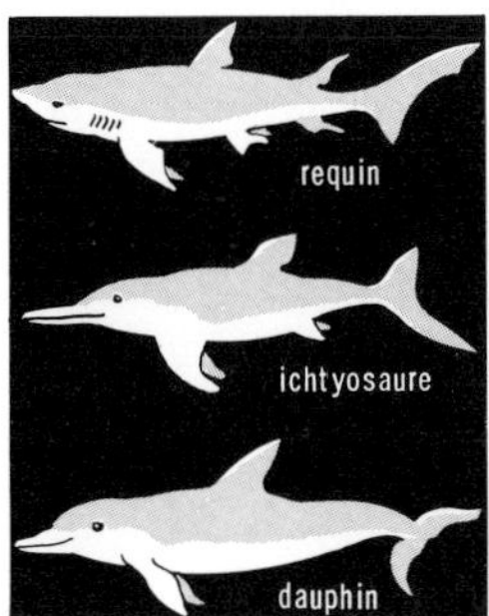

convergence (biol.)

convers [vɛr], **e** adj. (lat. *conversus*). Se dit des religieux et des religieuses qui sont chargés du service domestique de la communauté : *Frère convers. Sœur converse.*

conversation → CONVERSER.

converse adj. f. (lat. *conversus,* retourné). *Log.* Se dit d'une proposition dont on prend le sujet pour en faire l'attribut, et l'attribut pour en faire le sujet d'une autre proposition. (Ex. : *L'étendue est divisible ; le divisible est étendu.*)

converser v. intr. (lat. *conversari,* fréquenter). Echanger avec quelqu'un des propos sur un ton généralement familier : *S'attarder à converser avec des amis ;* et, au *fig.* : *Converser avec les livres, avec les morts.* || — SYN. : *bavarder, causer, deviser, dialoguer, s'entretenir, parler.* ◆ **conversation** n. f. Echange de propos entre plusieurs personnes sur un ton généralement familier : *Suivre la conversation.* || Manière de converser : *Avoir une conversation amusante.* || — SYN. : *colloque, conférence, dialogue, entretien.* ● *Avoir de la conversation,* être capable de soutenir seul la conversation, avoir toujours quelque chose à dire. || *Conversation diplomatique,* pourparlers. || *Etre à la conversation,* y prêter attention, y

Held

« Sainte **conversation** »
par Giovanni Bellini
palais ducal d'Urbino

prendre part. || *Sainte conversation,* tableau religieux représentant une réunion de saints et de saintes autour de la Vierge.

conversin n. m. Extrémité d'un champ, labourée en travers.

conversion n. f. (lat. *conversio*). Action de tourner; mouvement qui fait tourner : *La Terre opère un mouvement de conversion autour de son axe.* || Changement d'une chose en une autre : *L'alchimie cherchait la conversion des métaux en or. Conversion des nombres fractionnaires en nombres entiers.* || *Fig.* Action d'adhérer à une religion : *Une conversion retentissante à la religion catholique.* || Passage d'une vie irrégulière à la pratique des devoirs religieux. || Changement d'idées, d'opinions, de conduite : *Une conversion aux idées modernes.* || Mécanisme psychique qui fait apparaître un symptôme corporel à la place d'un affect refoulé qui ne peut accéder à la conscience sans provoquer une réaction d'angoisse : *La substitution d'une crise convulsive à frustration sexuelle est une conversion de la satisfaction libidinale.* (On dit aussi CONVERSION HYSTÉRIQUE.) || Ancienne évolution tactique d'ordre serré, utilisée jusqu'à la Première Guerre mondiale, qui amenait une troupe à faire pivoter son front de combat. || Oxydation ménagée d'un hydrocarbure gazeux par la vapeur d'eau, l'oxygène, l'air ou tout agent oxydant, avec production d'oxyde de carbone, d'hydrogène et, éventuellement, de carbures plus légers. (On dit aussi RÉFORME.) || Mode d'inférence immédiate, qui permet de tirer d'une proposition une proposition nouvelle en changeant, dans la première, le sujet en attribut et l'attribut en sujet. (Il faut observer, dans la conversion, les règles suivantes : une proposition universelle affirmative se convertit en particulière affirmative [*tous les hommes sont vertébrés, quelques vertébrés sont hommes*], une universelle négative se convertit en particulière négative [*aucun homme n'est immortel, aucun immortel n'est homme*]; une particulière affirmative se convertit en particulière affirmative [*quelques riches sont sages, quelques sages sont riches*].) || Mouvement dans lequel le skieur à l'arrêt exécute un demi-tour sur place. || Mouvement circulaire opéré par des navires évoluant ensemble. || Changement de régime appliqué à une forêt. || Changement d'un acte, d'une procédure en une autre : *Conversion d'une demande de séparation de corps en une demande en divorce.* || Changement du type de production d'une entreprise qui, au moment d'un conflit armé, abandonne ses fabrications de paix pour des fabrications militaires. (Lorsque, après la paix, l'établissement reprend des fabrications civiles, on dit qu'il y a « reconversion ».) || Réduction du taux de l'intérêt servi aux porteurs d'un titre de la Dette publique. || Changement de forme d'un titre. ● *Centre de conversion,* point conventionnel autour duquel un corps en mouvement tourne ou tend à tourner en décrivant une courbe. || *Conversion de front,* manœuvre stratégique tendant à faire changer de direction le front d'une armée entière. || *Conversion de saint Paul,* fête célébrée le 25 janv. par l'Eglise catholique. || *Pente de conversion,* pente de la caractéristique d'un tube électronique ou d'un transistor changeur de fréquence, exprimant le rapport entre les variations du courant de moyenne fréquence et les variations de tension des signaux de haute fréquence. ◆ **convertente** adj. et n. f. Se dit, en logique, d'une proposition changée en une autre par conversion.

converti, convertibilité, convertible → CONVERTIR.

convertir v. tr. (lat. *convertere,* tourner). Changer, transformer en une autre chose : *Les alchimistes prétendaient convertir les métaux en or.* || *Fig.* Amener ou ramener à la religion que l'on tient pour vraie. || Faire changer d'avis ou de parti : *Convertir un opposant.* || Rendre quelqu'un meilleur : *Convertir un paresseux.* || — SYN. : *changer, métamorphoser, transformer, transmuter; amener, catéchiser, convaincre, gagner, rallier.* || Réduire le taux des intérêts d'une dette. || *Log.* En parlant de deux propositions, être la converse* l'une de l'autre : *Propositions qui se convertissent.* || *Métall.* V. CONVERTISSAGE et CONVERTISSEUR. ◆ **converti, e** adj. et n. Qui a été amené ou ramené à la religion. || Qui s'est tourné vers une autre opinion ou un autre parti : *Les nouveaux convertis sont toujours pleins de zèle.* || Qui a changé radicalement de conduite. ● *Prêcher un converti* (Fig.), chercher à convaincre quelqu'un qui est déjà convaincu : *Inutile d'insister! vous prêchez un converti.* ◆ **convertibilité** n. f. Propriété, qualité de ce qui est convertible : *La convertibilité des valeurs en espèces est la vraie base du crédit.* ◆ **convertible** adj. Qui peut être converti, transformé : *Obligations convertibles en rentes.* (On dit aussi CONVERSIBLE.) ● *Avion convertible,* ou *convertible* n. m., avion dont la propulsion peut, par basculage de son dispositif, s'effectuer horizontalement ou verticalement. (Le convertible peut décoller et atterrir verticalement à faible vitesse, se maintenir dans les airs en vol stationnaire et voler horizontalement à grande vitesse.) || *Proposition convertible,* proposition qui reste vraie lorsqu'on fait du sujet l'attribut, et de l'attribut le sujet. ◆ **convertissable** adj. Qui peut être converti, transformé : *Tous les silicates sont convertissables en verre.* || *Fig.* Qui peut être amené ou ramené à la religion, à d'autres opinions : *Un athée qui n'est pas convertissable.* || Qui peut être amené à une meilleure conduite : *Un menteur invétéré n'est plus convertissable.* || — SYN. : *convertible; améliorable, guérissable.* ◆ **convertissage** n. m. Opération métallurgique faite au convertisseur, et consistant surtout en une oxydation par un courant d'air. || Transformation des gruaux et semoules fines en farine et remoulages. ◆ **convertissement** n. m. Action de transformer : *Le convertissement des monnaies.* ◆ **convertisseur, euse** n. et adj. Personne qui convertit les infidèles, les pécheurs, etc. (se dit surtout par ironie) : *Un convertisseur zélé.* ‖ Appareil utilisé pour le convertissage. ‖ Machine destiné à transformer un courant électrique. ● *Convertisseur en cascade,* combinaison, sur un arbre commun, d'un moteur à induction avec une commutatrice, le courant induit dans le rotor du premier alimentant directement l'induit de la seconde. ‖ *Convertisseur de couple,* appareil permettant de faire varier automatiquement et de façon continue la démultiplication de l'effort ou du couple d'un moteur transmis à un organe d'utilisation. ‖ *Convertisseur de fréquence,* machine destinée à transformer des courants alternatifs d'une certaine fréquence en courants alternatifs de fréquence différente. ‖ *Convertisseur d'images,* cellule photo-électrique dont la cathode sensible est une couche transparente, et l'anode un écran fluorescent analogue à celui d'un tube récepteur de télévision, donnant une lumière visible sous le choc des électrons. ‖ *Convertisseur de phase,* convertisseur destiné à transformer un système de courants alternatifs en un système de même fréquence ayant un nombre de phases différent. ‖ *Convertisseur à vapeur de mercure,* convertisseur statique utilisant des soupapes à vapeur de mercure. ‖ *Groupe convertisseur,* groupe composé d'un moteur électrique mécaniquement accouplé à une génératrice.

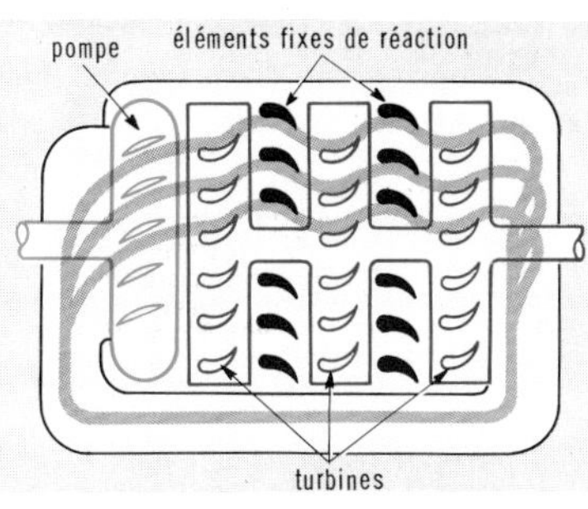

convertisseur de couple

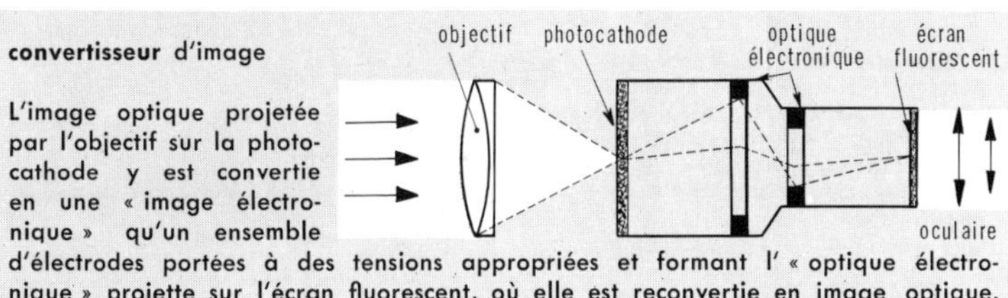

convertisseur d'image

L'image optique projetée par l'objectif sur la photocathode y est convertie en une « image électronique » qu'un ensemble d'électrodes portées à des tensions appropriées et formant l'« optique électronique » projette sur l'écran fluorescent, où elle est reconvertie en image optique.

convexe adj. (lat. *convexus*). Bombé, courbé et arrondi en dehors : *Les miroirs convexes donnent des images virtuelles rapetissées.* ‖

lentille convexe

Se dit d'un arc de courbe pour la région contenant les tangentes. ‖ Se dit d'un polygone plan, d'une courbe plane, d'une surface fermée qu'aucune droite ne coupe en plus de deux points. ‖ Se dit, dans un méandre, de la rive qui forme une avancée de terre. ‖ Se dit d'un versant dont la pente s'accroît vers le cours d'eau qu'il domine. ◆ **convexité** n. f. Etat de ce qui est convexe; surface bombée : *La convexité d'un globe, d'un miroir.* ‖ Rondeur, courbure d'un corps : *La convexité de la Terre.* (Contr. CONCAVITÉ.)

convexion n. f. V. CONVECTION.

convexité → CONVEXE.

convict [kɔ̃vikt] n. m. (mot. angl. formé du lat. *convictus,* convaincu). Dans les pays anglo-saxons, nom donné autrefois à tout condamné à des travaux forcés. (Actuellement, le mot désigne plus généralement tout condamné à une longue peine d'emprisonnement et tend à disparaître en tant que terme technique précis.)

conviction → CONVAINCRE.

convié → CONVIER.

convier v. tr. (lat. pop. **convitare;* de *convivium,* repas, d'après *invitare*). Inviter à un repas, à une réunion : *Convier ses amis à une noce, à une fête, à une réception.* ‖ Engager à : *Convier un ami à se montrer plus prudent.* ‖ — SYN. : *engager, exciter, inciter, inviter, solliciter.* ◆ **convié, e** n. et adj. Personne invitée à un festin, à une fête : *Attendre l'arrivée des personnes conviées.*

convive n. (lat. *conviva;* de *cum,* avec, et *vivere,* vivre). Personne qui prend ou doit prendre part à un repas : *De joyeux convives.*

convocable, **convocateur,** **convocation** → CONVOQUER.

convoi, **convoiement** → CONVOYER.

convoitable → CONVOITER.

convoiter v. tr. (bas lat. **cupidietare ;* de *cupiditas,* convoitise). Désirer ardemment une chose disputée ou qui appartient à autrui : *Convoiter une place.* ‖ — SYN. : *ambitionner, aspirer à, briguer, désirer, avoir envie, guigner, souhaiter, soupirer après.* ◆ **convoitable** adj. Que l'on peut convoiter : *Un sort convoitable.* ◆ **convoiteur, euse** adj. et n. Qui convoite : *Jeter des regards convoiteurs sur quelque chose.* ◆ **convoitise** n. f. Désir immodéré de posséder : *La convoitise des richesses, des honneurs.* ‖ — SYN. : *avidité, concupiscence, cupidité.*

convoler v. intr. (lat. jur. *convolare,* voler avec). *Ironiq.* Se marier : *Convoler en justes noces.* ‖ *Partic.* Se remarier : *Convoler en secondes, en troisièmes noces.*

convoluta n. m. Ver plat turbellarié marin des côtes de l'Europe occidentale, vivant en colonies et se déplaçant verticalement selon le rythme des marées.

convoluté, e adj. *Bot.* Se dit des feuilles enroulées sur elles-mêmes.

convolvulacées n. f. pl. (lat. *convolvere,* enrouler). Famille de plantes volubiles laiteuses, à corolle totalement gamopétale, et dont le liseron (*convolvulus*) est le type. (On en fait parfois un ordre sous le nom de *convolvulales.*)

convolvuline n. f. Glucoside de la racine de jalap.

convoquer v. tr. (lat. *convocare ;* de *vocare,* appeler). Appeler à se réunir : *Convoquer les Chambres, un concile, les collèges électoraux.* ‖ Faire venir auprès de soi (surtout en parlant d'un supérieur mandant un subordonné). ◆ **convocable** adj. Qui peut être convoqué : *Les collèges d'électeurs ne sont pas toujours convocables.* ◆ **convocateur, trice** adj. et n. Qui convoque : *Circulaire convocatrice.* ◆ **convocation** n. f. Action de convoquer : *Convocation de l'Assemblée nationale.* ‖ Lettre, billet qui convoque : *Recevoir une convocation.* ‖ — SYN. : *appel, invitation, rassemblement.* ● *Convocation verticale,* appel, pour une période d'exercice, de l'ensemble des réservistes affectés à une unité de mobilisation.

convoyage → CONVOYER.

convoyer v. tr. (lat. pop. **conviare ;* de *via,* chemin) [conj. **2**]. Escorter pour protéger : *Convoyer des navires marchands.* ◆ **convoi** n. m. Ensemble de véhicules de transport qui ont la même destination. ‖ *Partic.* Suite de voitures de chemin de fer reliées les unes aux autres et entraînées par la même machine. (On dit plus ordinairement TRAIN.) ‖ Tout groupe de personnes transportées vers un même point : *Convoi de troupes, de déportés.* ‖ Formation de navires de commerce ou militaires naviguant de concert sous la protection d'une escorte militaire, aérienne et navale : *Naviguer en convoi.* ‖ Action d'accompagner le corps d'un défunt à l'église, au cimetière ; cortège funèbre. ◆ **convoiement** n. m. Action de convoyer. ‖ Escorte d'un convoi. ◆ **convoyage** n. m. Opération qui consiste à diriger des avions neufs sur les bases aériennes des théâtres d'opérations. (Pendant la Seconde Guerre mondiale, l'aviation américaine effectua le convoyage de 269 000 avions livrés aux Alliés.) ◆ **convoyeur, euse** adj. et n. Qui convoie, qui escorte pour protéger. ‖ — ***convoyeur*** n. m. Agent chargé d'accompagner un groupe de voyageurs, des marchandises, etc. ‖ Appareil de manutention continue, en circuit fermé, et servant au transport de charges ou de matériaux. ‖ Personnel chargé d'accompagner du matériel, du ravitaillement, des blessés, transportés par un moyen quelconque : *Les convoyeurs d'un train de munitions.* ‖ Navire de guerre d'un type quelconque participant à l'escorte d'un convoi. ● *Convoyeur blindé,* convoyeur lourd utilisé en taille pour transporter le charbon abattu. ‖ — ***convoyeuse*** n. f. *Convoyeuse de l'air,* membre du personnel féminin de l'armée de l'air, qui accompagne les blessés et les malades sur les avions de transport.

convulser v. tr. (du lat. *convulsus ;* de *convellere,* arracher, ébranler). Contracter, crisper brusquement ou tordre par une convulsion : *La terreur lui convulsait les traits.* ◆ **convulsif, ive** adj. Caractérisé, accompagné par des convulsions : *Maladie, toux convulsive. Rire convulsif.* ‖ Qui provoque des convulsions : *Médicaments convulsifs.* ‖ Qui a le caractère brusque, violent, involontaire, irrégulier des convulsions : *Un tremblement convulsif.* ‖ Tordu comme par des convulsions : *Des vagues convulsives soulevaient l'eau.* ◆ **convulsion** n. f. Contraction musculaire brusque et involontaire. (On distingue les *convulsions toniques,* correspondant à la contraction simultanée et durable de certains muscles, et les *convulsions cloniques,* caractérisées par l'alternance de contractions et de relâchements musculaires. La crise d'épilepsie comprend généralement une phase tonique et une phase clonique. Chez l'enfant, les convulsions peuvent être bénignes ou graves, selon leur cause. Elles doivent toujours inciter à demander l'avis d'un médecin.) [V. TÉTANIE, ÉPILEPSIE.] ‖ Mouvement désordonné provoqué par certaines émotions : *Les convulsions de la colère.* ‖ Contorsion, geste outré. ‖ *Fig.* Trouble violent qui bouleverse le monde physique, les Etats : *Des convulsions qui ébranlent la société.* ◆ **convulsionnaire** n. et adj. Personne qui a des convulsions. ‖ Fanatique, furieux : *Un orateur entouré de convulsionnaires braillards.* ‖ Tordu comme par des convulsions : *Des cactus convulsionnaires.* ‖ — **convulsionnaires** n. m. pl. Nom donné, au XVIIIe s., à des illuminés parisiens qui se livrèrent à toutes sortes de contorsions, particulièrement dans le cimetière de Saint-Médard. (Le bruit s'étant répandu que des miracles avaient été obtenus par l'intercession du diacre janséniste François de Pâris [† 1727], le cimetière de Saint-Médard, où il avait été enterré, devint le théâtre de scènes curieuses : certaines personnes étaient saisies de convulsions violentes [d'où le nom de « convulsionnaires »], d'autres se prétendaient subitement guéries. Le parlement dut faire plusieurs enquêtes sur ces désordres, qui prirent rapidement un tour hystérique. En févr. 1732, le gouvernement fit clôturer le cimetière et en interdit l'entrée.) ◆ **convulsionner** v. tr. Donner des convulsions à (au *pr.* et au *fig.*) : *L'électricité convulsionne les muscles. La Révolution française a convulsionné l'Europe.* ◆ **convulsivant, e** adj. *Méd.* Qui provoque des convulsions. ◆ **convulsivement** adv. De façon convulsive : *Serrer convulsivement les mains.* ◆ **convulsothérapie** ou **convulsivothérapie** n. f. *Thérap.* Méthode de choc qui consiste à provoquer volontairement l'apparition des convulsions. (Ce terme n'est actuellement plus guère employé ; il est remplacé par celui de SISMOTHÉRAPIE*.)

Conway (Henry Seymour), maréchal et homme politique britannique (1721 - Londres 1795). Député whig, suspendu de toute fonction militaire de 1763 à 1770 pour avoir combattu la cour lors de l'affaire Wilkes, il devint secrétaire d'Etat dans le ministère Rockingham (1765-1768). Il se retira quand North devint Premier ministre (1770) et l'obligea à démissionner. Il fut commandant en chef (1782-1783) et maréchal en 1793.

Conway (Moncure Daniel), homme d'Eglise américain (Falmouth, Virginie, 1832 - Paris 1907). Unitarien et antiesclavagiste, il est célèbre par sa *Vie de Thomas Paine* (1892).

Conway of Allington (sir William Martin), alpiniste britannique (Rochester 1856 - † 1937). Il fit plusieurs ascensions dans l'Himalaya, le Svalbard et les Andes.

Conze (Alexander), archéologue allemand (Hanovre 1831 - Berlin 1914). Il explora notamment Samothrace et Pergame. Il a publié : *Voyages dans les îles de la mer de Thrace* (1860), *Antiquités de Pergame* (1880-1886).

Conzett et Huber, maison suisse d'édition et d'imprimerie, fondée à Zurich en 1886. Elle publie principalement des ouvrages de littérature, des livres sur l'art, des livres de voyages, des revues.

coobligé, e n. Débiteur tenu conjointement ou solidairement avec d'autres au paiement d'une dette.

cooccupant, e n. Personne qui occupe avec une ou plusieurs autres.

Cook (John), navigateur anglais et capitaine de flibustiers du XVIIe s. († v. 1685).

Cook (James), navigateur anglais (Marton, Yorkshire, 1728 - baie de Kealakekua, Hawaii, 1779). Fils de paysan, il débuta comme mousse à bord d'un navire charbonnier. Admis dans la marine royale, il étudia la géométrie et l'astronomie. Il effectua trois voyages de circumnavigation. Au premier (1768-1771), il découvrit l'archipel des îles de la Société et la Nouvelle-Zélande. Le deuxième (1772-1775) le mena de nouveau dans le Pacifique, sur les deux

Roger-Viollet

James **Cook**

navires *Adventure* et *Resolution ;* en 1773, il atteignit, dans l'Antarctique, la latitude de 71° 10′ S. Au cours du troisième voyage (1776-1778), il découvrit les îles Sandwich (Hawaii), pénétra dans l'océan Arctique par le détroit de Béring et revint hiverner aux Sandwich, où il fut tué au cours d'une rixe avec les insulaires. Ses voyages et ses levées hydrographiques ont fait faire un progrès considérable à la connaissance de l'océan Pacifique. Ils marquent la fin de l'ère des voyages de découverte et le début de celle des explorations scientifiques.

Cook (DÉTROIT DE), bras de mer séparant les deux îles de la Nouvelle-Zélande.

Cook (ÎLES), archipel néo-zélandais du Pacifique Sud, à l'O. de Tahiti, constitué de quinze îles découvertes par J. Cook en 1775 ; 241 km^2 ; 21 200 h. Ch.-l. *Avarua,* sur l'île principale, Rarotonga.

Cook (MONT), point culminant de Nouvelle-Zélande, dans l'île du Sud ; 3 764 m.

Cook (Thomas), fondateur d'agences de voyages anglais (Melbourne, Derbyshire, 1808 - Leicester 1892).

Cooke (sir William FOTHERGILL), inventeur anglais (Ealing 1806 - dans le Surrey 1879). Il collabora avec Wheatstone et réalisa, en 1845, le télégraphe à aiguille.

Cooley (MALADIE DE), affection familiale se manifestant par une anémie hémolytique chronique. Elle doit son nom au médecin américain Thomas Benton *Cooley* (1871-1945) et est encore appelée THALASSÉMIE.

Coolidge (Calvin), homme politique américain (Plymouth, Vermont, 1872 - Northampton, Massachusetts, 1933). Gouverneur du Massachusetts (1919-1920), vice-président des Etats-Unis pour 1921-1925, il entra à la Maison-Blanche à la mort du président Harding (1923) et fut élu président en 1924.

Calvin **Coolidge**

U.S.I.S.

Coolidge (William David), physicien américain (Hudson 1873 - Schenectady 1975), qui imagina en 1906 le procédé de préparation des filaments de tungstène et inventa, en 1913, le tube à cathode chaude pour la production des rayons X (*ampoule de Coolidge*).

coolie [kuli] n. m. (angl. *coolee;* de l'hindoustānī *kuli,* laboureur loué à la journée). Nom donné autref. aux Hindous, aux Chinois et autres Asiatiques qui s'engageaient, moyennant salaire, pour aller travailler dans une colonie. || Autref., indigène engagé en Indochine pour porter les bagages et le matériel de l'armée ou pour effectuer tous les travaux pénibles.

Coomans (DE), famille d'artistes originaires des Pays-Bas, et que l'on considère comme les véritables fondateurs des Gobelins. Le premier, MARC, associé à François de La Planche, reçut en 1607 des lettres de noblesse.

Coombs (TEST DE), méthode de diagnostic hématologique, destinée à détecter la présence d'anticorps incomplets (spécialement les anti-Rhésus). [Elle a été introduite par Coombs, Mourant et Race en 1945.]

Cooper (James Fenimore), romancier américain (Burlington, New Jersey, 1789 - Cooperstown, New York, 1851). Son premier succès, *l'Espion,* roman d'aventures, date de 1821. Parmi les trente-deux romans qui suivirent et qui donnent une image épique de la lutte entre les pionniers et les Indiens, les meilleurs sont les cinq récits qui forment la série des *Contes de Bas-de-Cuir,* où se trouvent *le Dernier* des Mohicans* (1826), *la Prairie** (1827), *le Trappeur* (1840) et *Tueur de daims* (1841).

Fenimore **Cooper** dessin d'Ann Kautz

Larousse

Cooper (Peter), industriel américain (New York 1791 - *id.* 1883). En 1830, il construisit la première locomotive à vapeur américaine, la *Tom Thumb* (« Tom Pouce »). Il s'intéressa également aux industries de l'acier et de la fonte, et, avec Cyrus Field, aux câbles télégraphiques sous-marins.

Cooper (Alfred Duff), 1er vicomte **Norwich,** homme politique, diplomate et écrivain britannique (Londres 1890 - † en mer, près de Vigo [Espagne], sur la *Colombie,* 1954). Député conservateur, secrétaire d'Etat à la Guerre (1935-1939), il combattit les accords de Munich. Ministre de l'Information dans le cabinet Churchill (1940), ambassadeur en France (1944-1947), il est l'auteur de *Talleyrand* (1932), de *Haig* (1935) et du *Roi David* (1943).

Cooper (Frank J. COOPER, dit **Gary**), acteur américain (Helena, Montana, 1901 - Hollywood 1961). Il fut d'abord utilisé dans les rôles de cow-boys, puis dans les rôles de caractère. Depuis *The Winning of Barbara Worth* (1926), il a tourné dans d'innombrables films, parmi lesquels *les Trois Lanciers du Bengale* (1934), *l'Extravagant M. Deeds* (1936), *Madame et son cow-boy* (1938), *Pour qui sonne le glas* (1943), *Le train sifflera trois fois* (1952), *Ariane* (1956), *la Loi du Seigneur* (1956), *la Lame nue* (1960). ▷

Cooper (Leon N.), physicien américain

(New York 1930). Il a partagé avec Bardeen et Schrieffer le prix Nobel de physique en 1972, pour leur théorie commune de la supraconductibilité.

coopérateur, **coopérant, coopératif, coopération, coopératisme, coopérative, coopérativement** → COOPÉRER.

coopérer v. tr. ind. [**à**] (lat. *cum,* avec, et *operari,* travailler) [conj. **5**]. Prendre part, concourir à une œuvre commune : *Coopérer à une entreprise.* ◆ **coopérant** n. m. Jeune homme qui effectue son service national au titre de la coopération. ◆ **coopérateur, trice** adj. et n. Qui travaille ou agit conjointement avec d'autres personnes. ‖ *Partic.* Membre d'une coopérative de production ou de consommation. ◆ **coopératif, ive** adj. Fondé sur la coopération de plusieurs personnes. ‖ Relatif aux coopératives, à la coopération : *Mouvement, secteur coopératif.* ‖ Qui aime participer à un effort commun : *Avoir l'esprit coopératif.* ◆ **coopération** n. f. Action de coopérer, de participer à une œuvre commune : *Agir en étroite coopération.* ‖ Méthode d'action par laquelle des individus ou des familles ayant des intérêts communs constituent une entreprise où les droits de tous sont égaux et où le profit réalisé est réparti entre les seuls associés au prorata de leur participation à l'activité sociétaire. (La coopération actuelle tend non seulement à des objectifs économiques, mais également à des objectifs sociaux et éducatifs.) ● *Service de la coopération,* forme particulière du service national, instituée en 1965 pour certains appelés du contingent possédant la qualification professionnelle et volontaires pour accomplir une mission de coopération culturelle ou technique en faveur de certains Etats étrangers qui en font la demande. ◆ **coopératisme** n. m. Doctrine de ceux qui entendent résoudre la question sociale par le développement et la généralisation de la coopération. (A la suite de l'échec des coopératives de production, certains auteurs, notamment Beatrice Webb et Charles Gide, ont élaboré une doctrine qui fait des coopératives de consommation les instruments d'une révolution économique et sociale complète : les consommateurs prendraient en main tous les instruments de production et feraient ainsi disparaître les effets désastreux de la concurrence et le profit capitaliste.) ◆ **coopérative** n. f. Groupement économique pratiquant la coopération. (V. *encycl.*) ◆ **coopérativement** adv. De façon coopérative.

Doc. Krammer

Gary **Cooper**

— ENCYCL. ***coopérative.*** Les objectifs de la coopérative consistent :
1° A réduire, au bénéfice de ses membres et par l'effort commun de ceux-ci, le prix de revient et, le cas échéant, le prix de vente de certains produits ou de certains services, en assurant les fonctions des entrepreneurs ou des intermédiaires ;
2° A améliorer la qualité marchande des produits fournis.
L'expérience coopérative débuta en France et en Angleterre dans les années 1820-1840 ; à l'origine, outre ses fonctions proprement économiques, la coopérative jouait souvent le rôle d'une mutualité, d'un syndicat et d'une université populaire. Depuis la fin du XIXe s., le mouvement coopératif s'est développé dans des secteurs nouveaux : agriculture (1884), commerce de détail (1883-1885), pêche (1913), construction et logement (1920). Son expansion s'est également manifestée sur le plan géographique ; parti de l'Europe, il a gagné le monde entier.

● *Coopératives ouvrières de production.* On dénombre en France 700 à 800 coopératives ouvrières de production (60 p. 100 dans le bâtiment), qui groupent un peu plus de 30 000 travailleurs, dont environ la moitié de coopérateurs (les travailleurs non coopérateurs sont simultanément les compagnons de travail et les salariés des travailleurs coopérateurs). En principe, cette forme de coopérative tend à supprimer le patronat, l'initiative et la responsabilité étant détenues par les coopérateurs ; elle ôte au capital ses prérogatives dans la gestion et l'attribution des bénéfices, les capitaux apportés par les ouvriers coopérateurs ne donnant droit qu'à des intérêts et non à la distribution de dividendes ; enfin, à la subordination du travail salarié se substitue une division des tâches entre coopérateurs égaux en droit.

● *Communautés de travail.* Apparues en France en 1944, ce sont des communautés de vie au moins autant que des communautés de travail ; le capital n'est pas réparti entre les membres de la communauté, il est propriété indivise de celle-ci.

● *Coopératives de travail ou de main-d'œuvre.* Ce sont des sortes de coopératives ouvrières de production effectuant sans capital, aux frais et risques des travailleurs, une tâche déterminée, généralement pour le compte d'un patron. Elles existent en assez grand nombre dans l'industrie du livre, sous le nom de *commandites de travail;* en Angleterre, de nombreuses coopératives de travail se sont constituées, entre les deux guerres, sous le nom de *guildes.*

● *Coopératives de consommation.* La coopérative de consommation vend à tous les consommateurs des produits au prix du marché, tout en s'efforçant de faire pression contre les hausses spéculatives ; les profits qu'elle réalise ainsi sont répartis entre ses seuls adhérents au prorata de leurs achats dans ses magasins ; cependant, la tendance actuelle est de faire deux parts des profits : la plus faible est ristournée aux coopérateurs, la plus forte est consacrée à des œuvres sociales. Le succès des coopératives de consommation a été important notamment en Autriche, en Suisse, en Belgique et dans les pays scandinaves ; on compte en Angleterre 11 millions de coopérateurs ; en France, 3 millions ; pour le monde entier, le nombre de coopérateurs est estimé à 60 millions. Par ailleurs, pendant et après la Seconde Guerre mondiale, sont apparues des *coopératives d'entreprise* ou *d'administration,* qui sont restées longtemps en dehors du mouvement coopératif, auquel elles n'avaient emprunté que le nom. Les pouvoirs publics ont interdit celles qui ne se sont pas transformées en véritables coopératives de consommation.

● *Coopératives agricoles.* Les *coopératives de production* sont rares dans les pays occidentaux, mais très nombreuses en U. R. S. S. (kolkhozes), en nombre croissant en Chine et dans les démocraties populaires d'Europe de l'Est, fréquentes en Israël (kibboutzim).

Les *coopératives de transformation et de vente* sont fréquentes. En France, elles commercialisent 80 p. 100 du blé, 50 p. 100 du beurre, 30 p. 100 du vin et de l'huile.

Les *coopératives d'achat en commun* conservent assez souvent la forme de syndicats agricoles.

Les *sociétés d'intérêt collectif agricole,* malgré leur statut propre, doivent être rattachées à la coopérative. Il en existe en matière d'aménagement foncier, de construction de logements et de distribution d'électricité.

● *Coopératives artisanales.* Elles ont pour objet de faciliter l'exercice de leur activité aux artisans : achat en commun des outils et des fournitures, vente des produits fabriqués, prospection des marchés.

● *Coopératives de détaillants.* Ce sont des sociétés coopératives formées entre des commerçants détaillants pour assurer au profit de leurs membres tout ou partie du rôle que remplissent et rendent les grossistes. Les coopératives de détaillants n'ont en France d'importance économique notable que dans la pharmacie et dans l'épicerie.

● *Coopératives de service.* Les coopératives se sont développées dans de nombreuses branches d'activité : assurance*, crédit*, habitation, tourisme, etc.

● *Coopératives d'habitation.* Elles ont pour but de faciliter le logement des adhérents. Trois sortes de sociétés représentent la coopérative de construction ou de reconstruction en France. Les *coopératives d'habitation à loyer modéré* (*H. L. M.*) et les *coopératives d'habitations ordinaires* pratiquent soit la *location attribution,* par laquelle le locataire de la coopérative devient propriétaire lorsque sa dette est amortie, soit la *location simple.* Les *coopératives de crédit immobilier* consentent à leurs membres des prêts hypothécaires pour la construction de logements familiaux.

coopérativement → COOPÉRER.

cooptation → COOPTER.

coopter v. tr. (lat. *cooptare,* choisir). Admettre par cooptation : *Les membres de certaines sociétés savantes se cooptent.* ◆ **cooptation** n. f. Désignation d'un membre nouveau d'une assemblée, d'un corps constitué, par les membres qui en font déjà partie.

coordination, coordinatographe, coordiné, coordinence, coordonnant, coordonnateur, coordonné, coordonnées → COORDONNER.

coordonner v. tr. Lier, agencer des éléments séparés pour constituer un ensemble cohérent ou pour atteindre un but déterminé : *Coordonner différentes activités.* ‖ — SYN. : *agencer, arranger, combiner, harmoniser, lier, ordonner, organiser.* ◆ **coordination** n. f. Action de coordonner ; état des choses coordonnées : *La coordination des efforts est une source d'efficacité.* ‖ Rapport qui existe entre plusieurs propositions, plusieurs mots ou groupes de mots de même nature. ‖ Ensemble des dispositions assurant l'unité de fonctionnement et de réaction d'un organisme. (V. *encycl.*) ‖ Relation qui existe entre deux espèces d'un même genre. ‖ Organisation rationnelle de la répartition du trafic entre les chemins de fer et les entreprises de transports routiers. ● *Conjonction de coordination,* celle qui unit deux propositions, deux mots ou groupes de mots de même nature (*et, ou, ni, mais, car, or, donc,* etc.). ‖ *Indice de coordination,* syn. de COORDINENCE. ◆ **coordinatographe** n. m. Appareil de report automatique des coordonnées, utilisé en cartographie. ◆ **coordiné, e** adj. Se dit d'un atome ou d'un radical qui, dans un composé chimique complexe, est lié par coordinence à l'atome central. ◆ **coordinence** n. f. Liaison chimique particulière qui explique l'union de plusieurs molécules, apparemment saturées, en un composé complexe. (Cette liaison a lieu par mise en commun d'électrons provenant d'un seul des deux atomes unis.) ‖ Nombre total d'ions ou d'atomes directement liés à un élément central, dans un édifice cristallin ou dans un composé complexe. (On dit aussi INDICE DE COORDINATION.) ◆ **coordonnant, e** adj. et n. m. *Linguist.* Qui exprime une coordination : « *Par conséquent* » *est une locution coordonnante.* ◆ **coordonnateur, trice** adj. et n. Qui coordonne : *Intelligence coordonnatrice.* ◆ **coordonné, e** adj. *Concepts coordonnés,* concepts qui sont deux espèces d'un même genre. ‖ *Ligne coordonnée,* ligne de chemin de fer dont une partie du trafic a été supprimée au profit d'une entreprise de transports routiers. ‖ *Propositions coordonnées,* propositions de même nature, sans dépendance de subordination entre elles, mais reliées par des conjonctions dites « de coordination » (*et, ou, ni,* etc.). ‖ — **coordonnées** n. f. pl. Eléments qui permettent de déterminer la position d'un point soit sur une surface, soit dans l'espace. (V. *encycl.*) ‖ *Fam.* L'adresse et le numéro de téléphone d'une personne, d'un organisme. ● *Changement de coordonnées,* calcul qui consiste à déterminer les nouvelles coordonnées par rapport aux anciennes, ou inversement, quand on change le système de référence. ‖ *Coordonnées astronomiques,* coordonnées qui servent à définir la position d'un astre sur la sphère céleste. ‖ *Coordonnées géographiques,* coordonnées qui servent à déterminer la position d'un point à la surface de la Terre, par la connaissance de sa latitude* et de sa longitude* rapportée à un méridien origine.

— ENCYCL. **coordination.** Inutile chez les protistes, faible chez les végétaux, la coordination est de mieux en mieux assurée à mesure que l'on « monte » dans l'échelle animale, tant par le système nerveux, qui assure l'exécution coordonnée des gestes les plus complexes, que par le sang, « milieu intérieur » qui unifie la température, la concentration ionique, etc., ou par le système endocrinien, dont les produits (hormones) mettent de nombreux organes au service de la même réaction (régulation de la glycémie, par ex.).
— **coordonnées.** En astronomie, on utilise : les *coordonnées horizontales,* rapportées au plan de l'horizon et à la verticale (azimut et distance zénithale, ou son complément, hauteur) ; les *coordonnées équatoriales,* rapportées au plan de l'équateur céleste et à l'axe du monde (angle horaire, ascension droite et déclinaison, ou son complément, distance polaire) ; les *coordonnées écliptiques,* rapportées au plan de l'écliptique et à l'axe qui lui est perpendiculaire ; les *coordonnées galactiques,* rapportées au plan de symétrie de la Galaxie et à l'axe qui lui est perpendiculaire.
En géodésie, on définit la latitude d'un point M comme l'angle φ de sa normale à l'ellipsoïde terrestre avec le plan de l'équateur, et sa longitude comme l'angle dièdre du méridien du point et d'un méridien origine. Les coordonnées rectangulaires cartographiques constituent un système de repérage des points d'une carte en coordonnées cartésiennes rectangulaires. Il y a autant de systèmes de coordonnées rectangulaires que de systèmes de projection cartographiques. Le système de *coordonnées Lambert* est un système de quadrillage rectangulaire dont sont revêtues les cartes établies en projection Lambert*. Les ordonnées sont comptées positivement vers le N., et les abscisses positives vers l'E.

coordonnées géographiques

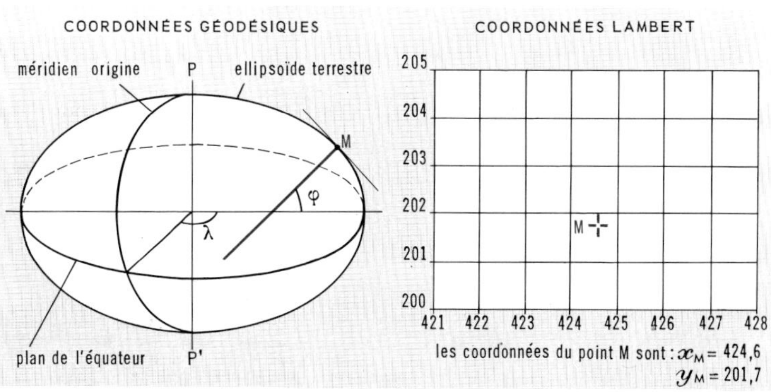

Pour éviter les nombres négatifs, on a donné à l'origine des coordonnées $X_0 = 600\,000$ m et $Y_0 = 200\,000$ m. Le système de *coordonnées U. T. M.* (Universal Transverse Mercator) est le système de coordonnées rectangulaires cartographiques qui se déduit de la projection de Mercator* Transverse conforme. Il présente l'avantage de requérir une table de projection unique (table de correspondance entre les coordonnées géographiques et rectangulaires).
En mathématiques, on peut déterminer la position d'un point A sur une surface en astreignant ce point à se trouver sur deux lignes non parallèles tracées sur cette surface. A ces deux lignes correspondent respectivement une valeur u' et une valeur v' de deux variables u et v. Les valeurs particulières u' et v' qu'il faut donner aux variables u et v pour avoir ces deux lignes passant par le point A sont les coordonnées de ce point. Pour qu'un système de coordonnées soit bien défini, il faut qu'à une valeur donnée pour u et à une valeur donnée pour v corresponde une position unique du point, et réciproquement. Pour déterminer la position d'un point dans l'espace, on peut astreindre ce point à se trouver sur trois surfaces et dans des conditions analogues aux précédentes. Il faut deux coordonnées pour déterminer la position d'un point sur une surface, et trois coordonnées pour le situer dans l'espace.
● *Coordonnées rectilignes d'un point.* Dans un plan, la position d'un point M est déterminée par l'intersection de deux droites de ce plan parallèles à deux axes fixes X′ X et Y′ Y concourants tracés dans ce plan. Les positions de ces deux parallèles sont définies par les vecteurs $\overrightarrow{OP}$ et $\overrightarrow{OQ}$ qu'elles interceptent sur les axes et qui sont les coordonnées rectilignes du point M. Pour l'espace, on adjoint une troisième coordonnée (cote), mesure d'un vecteur porté par un axe OZ formant un trièdre avec les deux premiers.

coordonnées (math.)

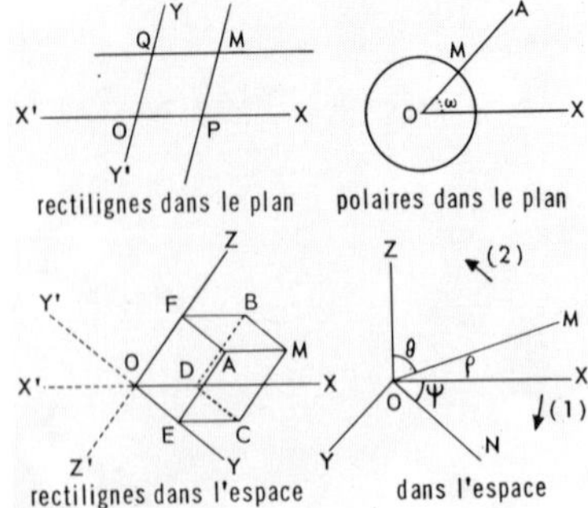

Ces coordonnées, appelées *cartésiennes* en raison de leur invention par Descartes, sont dites *rectangulaires* ou *obliques* suivant que les axes se coupent perpendiculairement ou non.
● *Coordonnées curvilignes.* Le système de référence dans le plan est constitué par deux familles de courbes à un paramètre (pour l'espace, trois familles de surfaces). Les coordonnées d'un point sont les valeurs des paramètres correspondant aux courbes (ou surfaces) qui passent par ce point.
● *Coordonnées polaires.* Dans le plan, on prend pour système de référence un point O (*pôle*) et un axe OX (*axe polaire*). Les coordonnées d'un point M sont la distance OM (*module*) et l'angle $\widehat{XOM}$ (*argument*). Dans l'espace, le système de référence est un trièdre trirectangle OXYZ. Les coordonnées d'un point M sont : 1° la longueur OM ; 2° l'angle $\widehat{ZOM}$; 3° la mesure de l'angle dièdre d'arête OZ, dont une face contient OX et l'autre le point M.

Coornaert (Emile), historien français (Hondschoote 1886). Professeur au Collège de France (1936), il est l'auteur d'ouvrages d'histoire économique et sociale : *les Corporations en France avant 1789* (1941), *les Ghildes médiévales* (1948), *les Français et le Commerce international à Anvers, fin XV*e*-XVI*e *siècle* (1961). [Acad. des inscr., 1958.]

Coornhert (Dirk Volkertszoon), humaniste hollandais (Amsterdam 1522 - Gouda 1590). Il fut emprisonné par les Espagnols pour avoir écrit un *Traité contre la peine de mort appliquée aux hérétiques* (1585).

Coote (sir Eyre), militaire britannique (Ash Hill, Limerick, 1726 - Madras 1783). Vainqueur de Lally-Tollendal à Vandavachy (Wandiwash), il s'empara de Pondichéry (1761). Commandant en chef aux Indes en 1779, il battit Ḥaydar ‘Alī.

Copacabana, quartier de Rio de Janeiro (Brésil). Station balnéaire.

copain ou **copin, ine** n. (de *compain ;* lat. *cum* et *panis,* celui avec lequel on partage le pain ; mot qui a donné aussi *compagnon*). *Fam.* Camarade de classe, de travail ; compagnon préféré : *Des copains de régiment.* ● *Copain,* ou *petit copain* (Péjor.), complice : *Partager avec les petits copains.* ◆ **copinage** n. m. *Péjor.* Echange intéressé de petits services : *Un copinage éhonté règne dans les hautes sphères de cette administration.* ◆ **copiner** v. intr. *Fam.* Etre copain : *Ils copinent ensemble depuis longtemps.*

Copaïs, en gr. **Kopaïs** ou **Kopaídha,** lac de Grèce, en Béotie, aujourd'hui presque entièrement asséché.

copal n. m. (mot mexicain). Résine de diverses légumineuses, dont on fait des vernis. (Les copals sont classés en *fossiles, demi fossiles* et *de récolte,* selon l'ancienneté de leur production lors de la récolte ; les plus anciens sont les plus estimés. La Guyane, le Brésil, l'Afrique de l'Ouest et de l'Est, Madagascar produisent des copals.) ◆ **copalier** n. m. Arbre fournissant un copal. (Tous les copaliers sont des césalpiniacées. On récolte le copal qui a exsudé spontanément, ou l'on incise le tronc et les branches pour provoquer l'exsudation. La gousse contient également un suc résineux.) ‖ *Par extens.* Bois de certaines burséracées du genre *protium.* ◆ **copaline** n. f. Principe immédiat du copal, riche en acides résiniques. ‖ Résine fossile qui se trouve dans les argiles bleues de Highgate, près de Londres. (Syn. RÉSINE DE HIGHGATE.)

Copán, site célèbre de ruines mayas du Honduras, situé sur la rivière *Copán.*

copartage, copartagé, copartageant → COPARTAGER.

copartager v. tr. (conj. **1**). Partager avec une ou plusieurs personnes : *Copartager une succession.* ◆ **copartage** n. m. Partage d'un bien entre plusieurs personnes. ◆ **copartagé, e** adj. et n. Qui a une part dans un partage. ◆ **copartageant, e** adj. et n. Qui prend sa part dans un partage : *Les héritiers copartageants.* ‖ *Fig.* Qui partage (une opinion) avec quelqu'un.

coparticipant → COPARTICIPATION.

coparticipation n. f. Participation commune à plusieurs : *La coparticipation des travailleurs aux bénéfices.* ◆ **coparticipant, e** n. et adj. Membre d'une société en participation.

copaternité n. f. Syn. de COMPATERNITÉ.

copayer n. m. (du guarani *copayaba*). Césalpiniacée arborescente et balsamique de l'Amérique et de l'Afrique tropicales. (Le copayer a des fleurs blanches, un bois rougeâtre, un suc médullaire antiblennorragique.)

Cope (Edward), paléontologiste américain (Philadelphie 1840 - *id.* 1897). L'un des principaux théoriciens du néo-lamarckisme, il est l'auteur de diverses lois de l'évolution (augmentation de la taille, intérêt évolutif des formes peu spécialisées, etc.).

copeau n. m. (lat. pop. *cuspellus*). Parcelle de bois, de métal, etc., détachée par un outil ; et, *par extens. : Copeaux de savon.*

Copeau (Jacques), écrivain, acteur et directeur de théâtre français (Paris 1879 - Beaune 1949). L'un des fondateurs de *la Nouvelle Revue française* en 1909, il créa en 1913 le théâtre du Vieux-Colombier, où il entreprit de renouveler la technique théâtrale. Il y donna notamment *la Nuit des rois* de Shakespeare, *le Carrosse du saint sacrement* de Mérimée, *le Paquebot « Tenacity »* de Vildrac, *Cromedeyre-le-Vieil* de J. Romains. Entre-temps, il fit lui-même des adaptations de pièces. Il quitta le Vieux-Colombier en 1924 et se retira en Bourgogne avec un groupe de disciples, les *Copiaux,* pour faire une tentative de théâtre populaire. Son influence a été considérable.

Copenhague, en dan. **København,** capit. du Danemark, sur la côte de l'île de Sjaelland, port sur l'Øresund ; 611 000 h. (1 383 000 h. avec les banlieues). Evêché catholique. L'agglomération de Copenhague regroupe le quart de la population totale du Danemark. La ville est le siège des administrations, de l'université, de nombreuses industries (constructions navales et mécaniques, brasseries, textiles). Son port est un carrefour de navigation de l'Europe du Nord. Copenhague possède de nompreux monuments : les châteaux de Rosenborg (1606-1617) et de Frederiksborg (1700-1710), l'église du Sauveur (1682-1696), le palais d'Amalienborg (1755-1760), l'hôtel de ville (1892-1905). Musées. Jardin d'attractions de Tivoli.

● *Histoire.* L'évêque Absalon y construisit un château en 1167. Son site maritime exceptionnel, au débouché méridional du Sund, fit rapidement de Copenhague une cité commerçante prospère, qui entra en conflit avec la Hanse. Elle devint capitale du Danemark en 1443, et le roi Christian II lui confia l'« étape » de la Baltique (XVIe s.). L'élimination de Lübeck par Christian III lui assura le contrôle exclusif du Sund. Elle résista aux attaques du roi de Suède (1658-1660), mais fut prise par Charles XII (1700). Copenhague, maîtresse du commerce balte, connut une grande prospérité au XVIIIe s. et un grand développement bancaire. La ville s'attribua le monopole de l'exploitation coloniale de l'Islande, du Groenland et des Antilles danoises. Elle fut bombardée à deux

Jacques **Copeau**
par P.-A. Laurens *(détail)*
musée de Dijon

Rémy

Six

Copenhague
la petite sirène par E. Eriksen
sur la promenade de Langelinie

un coin du port

Berne-Rapho

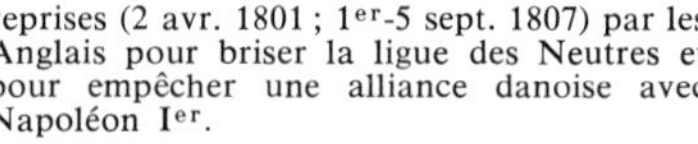

reprises (2 avr. 1801 ; 1er-5 sept. 1807) par les Anglais pour briser la ligue des Neutres et pour empêcher une alliance danoise avec Napoléon Ier.

copépodes n. m. pl. (gr. *kopê,* rame, et *pous, podos,* pied). Sous-classe de crustacés de petite taille, munis de deux paires de fortes antennes et souvent parasites. (Les copépodes abondent dans le plancton des mers et des eaux douces [par ex., le cyclope].)

copermutant, copermutation → COPERMUTER.

copermuter v. tr. Echanger, troquer : *Copermuter des droits.* ◆ **copermutant, e** n. Chacun de ceux qui font une permutation, un échange. (Syn. COÉCHANGISTE.) ◆ **copermutation** n. f. Action de copermuter.

Copernic (Nicolas), en polon. Micołaj **Kopernik,** astronome polonais (Toruń 1473 - Frauenburg 1543). Il étudia à Cracovie et à Bologne, séjourna à Rome (1500), fut nommé chanoine de Frauenburg (1501), mais continua à travailler en Italie (Padoue, Ferrare). Il rentra définitivement en Warmie en 1504. Dans son fameux *Traité sur les révolutions des mondes célestes,* qu'il publia quelques jours avant sa mort, il démontra le double mouvement des planètes sur elles-mêmes et autour du Soleil, théorie dite *système de Copernic,* qui fut condamnée par le pape Paul V, comme contraire aux Ecritures.

Copernic (SYSTÈME DE), système dans lequel la Terre, comme les autres planètes, tourne autour du Soleil, bouleversant toutes les données de l'astronomie ancienne, d'après

Nicolas **Copernic**

Larousse

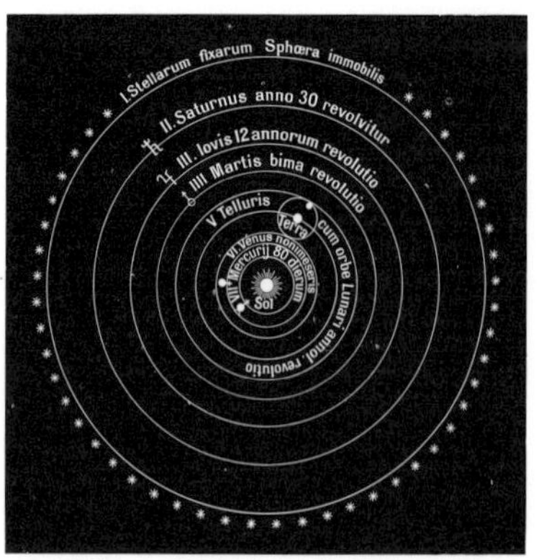

système
de **Copernic**

lesquelles la Terre constituait le centre immobile de l'univers. La théorie de Copernic se trouva vérifiée par Galilée en 1610, quand celui-ci eut inventé la lunette et découvert les phases de Vénus, déjà devinées par Copernic.

Copertino (saint Joseph). V. JOSEPH DE COPERTINO.

copiage → COPIER.

copiapite n. f. Sulfate hydraté naturel de fer et de magnésium.

Copiapó, v. du Chili septentrional (prov. de l'Atacama) ; 45 200 h. Fonderie de cuivre.

copiate n. m. (du gr. *kopiatês,* fossoyeur). V. FOSSOYEUR.

copide n. f. (gr. *kopis, -idos;* de *koptein,* couper). Cimeterre des Macédoniens et des peuples d'Orient.

copie → COPIER.

copier v. tr. Reproduire un écrit; en faire une ou plusieurs copies : *Copier quelques citations dans un livre.* || *Spécialem.* Dans le langage scolaire, reproduire un texte en guise de punition : *Copier dix fois une dictée.* || Reproduire par fraude au lieu de faire un travail personnel : *Cet élève a copié son devoir sur son camarade, sur son livre;* et, absol. : *Elève toujours prêt à copier.* || Reproduire une œuvre d'art; et, *péjor.,* imiter servilement, plagier, démarquer. || Chercher à reproduire quelque chose, s'en inspirer : *Copier la nature.* || Imiter quelqu'un dans ses manières, ses traits, ses attitudes. || — SYN. : *reproduire, transcrire; démarquer, imiter, pasticher, plagier; s'inspirer de; contrefaire, mimer, parodier, singer.* ● *Machine à copier,* machine permettant la fabrication d'objets rigoureusement conformes à un modèle. ● *Vous me la copierez!* (Fam.), c'est un peu fort! Je ne m'attendais pas à celle-là! Je m'en souviendrai! ◆ **copiage** n. m. Action de copier frauduleusement dans un examen, une épreuve. || Fabrication automatique d'une pièce sur une machine-outil identiquement à un modèle donné. ◆ **copie** n. f. Reproduction littérale d'un autre écrit, qui n'a généralement pas de force probante, mais qui peut parfois tenir lieu de preuve par écrit. || Imitation, reproduction d'une œuvre d'art : *Beaucoup de copies se vendent frauduleusement pour des originaux.* || Imitation servile et malhonnête, plagiat. || Texte écrit (*copie manuscrite*), dactylographié ou imprimé (*copie en réimpression*) que les ouvriers typographes ont à composer. || Mise au net d'un texte, et, partic., d'un devoir d'élève. || Feuille de papier destinée à recevoir un texte : *Remettre une copie blanche à un examen.* || *Fam.* Sujet d'article pour journaliste : *Chroniqueur en mal de copie.* || *Fig.* Personne qui reproduit ou imite les manières, les paroles d'une autre : *La bourgeoisie fut longtemps la copie de la cour.* ● *Châssis de copie,* appareil utilisé pour la copie par contact, dans les procédés photomécaniques de confection de formes d'impression. || *Copie de change,* duplicata d'une lettre de change. || *Livre de copie de lettres,* livre de commerce dont le Code de commerce exigeait la tenue et que l'habitude de la dactylographie a fait abandonner, les commerçants ayant trouvé plus simple de garder les doubles des lettres envoyées. ◆ **copieur, euse** adj. et n. Qui copie frauduleusement son devoir sur un voisin ou sur un livre. ◆ **copiste** n. Personne qui copie, et, notamment, personne chargée, avant l'invention de l'imprimerie, de copier des manuscrits. (Chez les Hébreux, le copiste était un savant, un commentateur des textes sacrés; chez les Grecs et les Romains, les copistes de profession étaient des esclaves lettrés. Au Moyen Age, les moines remplirent les fonctions de copistes.) || Qui imite servilement les œuvres, les actes, le genre de quelqu'un.

copieusement → COPIEUX.

copieux, euse adj. (lat. *copiosus;* de *copia,* abondance). Abondant : *Repas copieux.* || *Fig.* Long, prolixe : *Récit, auteur copieux.* || — SYN. : *abondant, ample, long, plantureux; prolixe, riche.* ◆ **copieusement** adv. De façon copieuse : *Arroser copieusement le jardin.*

copilote n. m. Pilote dont le rôle est d'assister le premier pilote.

copin n. m. V. COPAIN.

copinage, copiner → COPAIN.

copiste → COPIER.

copla n. f. (mot esp.). *Littér. esp.* Strophe d'un poème lyrique. || Court poème lyrique d'inspiration élégiaque ou amoureuse.

coplanaire adj. Se dit de points ou de droites situés dans un même plan, de vecteurs libres parallèles à un même plan.

Copland (Aaron), compositeur américain (Brooklyn 1900). Parti des rythmes de jazz dans un style d'avant-garde, il s'est tourné vers le folklore américain et exerce une grande influence sur la musique actuelle aux Etats-Unis (symphonies, concertos; *Rodeo,* ballet; *The Tender Lang,* opéra).

Copley (John Singleton), peintre américain (Boston 1737 ou 1738 - Londres 1815). Considéré comme le premier artiste éminent de son pays, il est représenté au musée de Boston et à la National Gallery de Londres (portraits).

copolymère, copolymérisat → COPOLYMÉRISATION.

copolymérisation n. f. Polymérisation simultanée de plusieurs composés non saturés, conduisant à des macromolécules. ◆ **copolymère** n. m. Corps obtenu par copolymérisation. ◆ **copolymérisat** n. m. Résultat d'une copolymérisation : *On emploie comme caoutchouc artificiel un copolymérisat de butadiène et de styrolène.*

coposséder v. tr. Posséder avec un ou plusieurs autres. ◆ **copossesseur** adj. m. et n. m. Qui copossède. ◆ **copossession** n. f. Action de coposséder. ‖ Ce que l'on copossède.

Coppée (François), poète et auteur dramatique français (Paris 1842 - *id.* 1908). Ses premiers poèmes, *le Reliquaire* (1865), *Intimités* (1868), le font ranger parmi les parnassiens, puis il chante le petit peuple de Paris dans de nouveaux recueils de vers (*les Humbles,* 1872; *le Cahier rouge,* 1874). On lui doit aussi quelques pièces de théâtre dans la tradition romantique : *le Passant* (1869); *le Luthier de Crémone* (1876); *Severo Torelli* (1883); *Pour la couronne* (1895).

Coppélia ou la Fille aux yeux d'émail, ballet-pantomime en 2 actes et 3 tableaux; argument de Ch. Nuitter et A. Saint-Léon, d'après un conte d'Hoffmann; musique de Léo Delibes, chorégraphie d'A. Saint-Léon (1870).

copperasine n. f. (du mot angl. *copperas,* couperose). *Minér.* Sulfate hydraté naturel de cuivre ou de fer.

Copper Cliff, v. du Canada (Ontario); 3 600 h. Raffinerie de cuivre et fonderie de nickel.

Coppermine (le), fl. du Canada (Territoires du Nord-Ouest), qui rejoint le golfe du Couronnement; 840 km. A son embouchure, base aérienne.

Coppet, village de Suisse (cant. de Vaud), près de Genève, sur le lac. Château du XVIIIe s. ayant appartenu à Necker et à sa fille, Mme de Staël.

Coppi (Fausto), champion cycliste italien (Castellania 1919 - Tortona 1960). Il porta, en 1942, à 45,871 km le record du monde de l'heure, fut champion du monde de poursuite et gagna plusieurs fois le Tour de France et le Tour d'Italie.

Coppolani (Xavier), administrateur français (Marignana, Corse, 1866 - Tidjikja, Mauritanie, 1905). Administrateur des communes mixtes d'Algérie chargé de réorganiser la Mauritanie, il fut assassiné. Il est l'auteur, avec Depont, d'un ouvrage sur *les Confréries religieuses musulmanes* (1897).

coprah ou **copra** n. m. Amande de coco prête pour l'extraction de l'huile.

copreneur, euse n. Personne qui, conjointement avec une ou plusieurs autres, prend un objet à loyer ou à ferme.

coprin n. m. (du gr. *kopros,* fumier). Champignon supérieur dont les lamelles mûres se liquéfient, donnant une encre noire utilisable. (Il est comestible à l'état jeune, à condition que l'on n'absorbe aucune boisson alcoolisée au même repas.)

copris [pris] n. m. (du gr. *kopros,* fumier). Bousier trapu, à la tête cornue chez le mâle, et qui nourrit sa larve de bouses façonnées en masses piriformes.

coproculture n. f. Technique de laboratoire permettant la culture et la mise en évidence des germes présents dans les selles.

coproduction n. f. Action de produire en commun. ‖ *Partic.* Film créé par des producteurs de plusieurs nationalités.

coprolalie n. f. (gr. *kopros,* excrément, et *lalê,* bavardage). Tendance maladive à employer un langage grossier et ordurier.

coprolithe n. m. Nom donné aux matières fécales durcies, formant dans les selles de véritables concrétions pierreuses. ‖ Excrément fossilisé.

coprologie n. f. Etude des matières fécales. (L'examen des selles comprend une étude chimique, bactériologique et parasitologique.) ◆ **coprologique** adj. Relatif à la coprologie.

coprophages n. m. pl. (gr. *kopros,* excrément, et *phagein,* manger). Autre nom des BOUSIERS, scarabées* qui creusent leur terrier dans ou sous les bouses, dont ils se nourrissent, ainsi que leurs larves. (Il y en a des milliers d'espèces. Ils sont parfois très grands ou de livrée très brillante.)

coprophile n. m. (gr. *kopros,* excrément, et *philein,* aimer). Petit staphylin noir, qui vit dans les excréments.

coproporphyrine n. f. *Biochim.* Chromoprotéide dérivant de l'hémoglobine.

copropriétaire → COPROPRIÉTÉ.

copropriété n. f. Modalité du droit de propriété selon laquelle le même droit appartient dans son ensemble à un ou plusieurs propriétaires, chacun ayant sa part et tous l'ayant tout entier. (V. également INDIVISION.) ◆ **copropriétaire** n. Personne qui est propriétaire par indivis d'une chose, conjointement avec une ou plusieurs autres. (Dans les immeubles en copropriété, chaque copropriétaire est seul propriétaire d'un ou de plusieurs appartements et propriétaire indivis des parties communes.)

coprostase n. f. Accumulation des matières fécales dans l'intestin.

copte adj. (du gr. *aiguptios,* égyptien). Relatif aux Coptes. ✦ n. m. et adj. Egyptien ancien, écrit à partir du IIIe s. en un alphabet dérivé du grec.

Coptes, nom donné originellement aux habitants de l'Egypte, et de nos jours aux chrétiens d'Egypte ou d'Ethiopie. Les Coptes sont aujourd'hui les descendants les plus authentiques de la population de l'Egypte ancienne, à la différence des musulmans, citadins ou fellahs, très mélangés. La permanence raciale des Coptes s'explique par leur religion, qui n'autorise pas les mariages mixtes. On les rencontre actuellement dans l'administration citadine; ils occupent de nombreux villages de la Haute-Egypte. Du point de vue doctrinal, les Coptes orthodoxes (9 millions de fidèles) professent le monophysisme; leur liturgie est celle de saint Basile,

art copte

● *Beaux-arts.* L'art copte a fleuri du IVe s. au VIIe s. apr. J.-C. La période pré-copte avait emprunté aux formes méditerranéennes (temple de Baalbek, portraits du Fayoum). Un style original à saveur populaire s'imposa dans les bas-reliefs colorés, les tissus, les bronzes, la poterie peinte. Au VIe s. furent bâtis de nombreux couvents, mais cet essor fut arrêté par la conquête arabe.

Brunel

bas-relief du VIIIe s.
Louvre

évangéliaire du Xe s.
le Baptême du Christ
Institut catholique de Paris

Held

avec une anaphore de saint Cyrille d'Alexandrie. Le patriarche orthodoxe réside au Caire. En Egypte comme en Ethiopie il y a un petit groupe de Coptes catholiques.
● *Histoire.* La période copte est celle où le christianisme s'épanouit en Egypte, de l'édit de Constantin (313) à la conquête arabe (641). Dès le IVe s., l'Egypte est, avec saint Antoine, saint Pacôme et Chenouté, un foyer de monachisme ardent, qui se répandit ensuite dans le monde. C'est aussi le début du christianisme en Ethiopie, avec la conversion du roi Ezana par le naufragé syrien Frumentius. Mais l'Egypte adopte l'hérésie monophysite, condamnée au concile de Chalcédoine (451), et se sépare du monde byzantin. Les Coptes tombent sous la domination arabe en 641.

coptis [tis] n. m. Renonculacée tinctoriale jaune des régions froides.

Coptos ou **Koptos.** *Géogr. anc.* V. de Haute-Egypte, sur la rive droite du Nil (auj. *Quft*). Carrefour commercial, Coptos joua un rôle important au début de l'histoire égyptienne, puis fut éclipsée par Thèbes sous la XIe dynastie.

coptoterme n. m. Termite de la région indo-malaise, dont le nid est un mélange de terre et de carton animal, entourant parfois un arbre dans lequel l'insecte creuse ses galeries.

copulàteur, copulatif → COPULATION.

copulation n. f. (lat. *copulatio*). Accouplement, union sexuelle, chez les espèces animales où ni les œufs vierges ni les spermatozoïdes ne sont répandus dans le milieu ambiant, de sorte qu'un contact intime des individus est nécessaire à la reproduction. ‖ *Plus partic.* Ensemble des processus grâce auxquels les éléments sexuels mâles sont portés à l'intérieur des organes génitaux femelles au contact de l'ovule. (Syn. COÏT.) ‖ Condensation d'un composé diazoïque avec un corps hydroxylé ou aminé. (V. AZOÏQUE.) ◆ **copulateur, trice** adj. Qui est propre à la copulation. ◆ **copulatif, ive** adj. et n. f. *Linguist.* Qui sert à lier, à unir : « *Et* » *est une conjonction copulative.* (Contr. DISJONCTIF.) ◆ **copule** n. f. En logique, mot qui lie le sujet d'une proposition avec l'attribut. ‖ Se dit du verbe *être* et de tout terme de liaison, et en particulier de la conjonction de coordination *et*. ◆ **copuler** v. intr. S'accoupler. ‖ En chimie, réaliser une copulation.

copyright [perajt] n. m. (mot angl. signif. *droit de copie*). Droit que se réserve un auteur ou son cessionnaire d'exploiter pendant plusieurs années une œuvre littéraire, artistique ou scientifique. (V. PROPRIÉTÉ *littéraire et artistique*.) ‖ Marque de ce droit par le symbole © suivi du nom du titulaire du droit d'auteur et de l'indication de l'année de première publication. (Dans un livre, ces caractéristiques figurent au dos de la page de titre.)

1. coq [kɔk] n. m. (orig. onomatop.). Oiseau domestique, mâle de la poule*. (Ce gallinacé se caractérise par le grand développement de sa crête et de ses barbillons, ainsi que par les longues plumes arquées de la queue.) ‖ Dans certains apprêts culinaires, syn. de POULET : *Coq au vin*. ‖ Sorte de girouette représentant un coq, que l'on place fréquemment sur la pointe des clochers d'église. ‖ Au Moyen Age, aiguière en forme de coq. ‖ Catégorie de boxeurs pesant entre 50,802 et 53,524 kg pour les professionnels, et 51 et 54 kg pour les amateurs. ‖ Platine qui, dans un mouvement d'horlogerie, reçoit le pivot supérieur du balancier. ‖ Platine qui couvrait une partie du mouvement dans les montres anciennes. ‖ En serrurerie, arrêt de charnière. ‖ *Fam.* Homme ardent en amour. ● *Au chant du coq* (Fam.), au point du jour. ‖ *Coq de bruyère,* grand tétras. ‖ *Coq d'été,* huppe. ‖ *Coq gaulois,* un des emblèmes de la nation française. (Représenté sur les drapeaux de la Révolution, il fut surtout en honneur après 1830.) ‖ *Coq de montagne,* tétras. ‖ *Coq de roche,* rupicole. ‖ *Coq du village,* le plus huppé, le plus admiré (des femmes, en partic.) ‖ *Etre comme un coq en pâte,* être entouré de soins, choyé. ‖ *Fier comme un coq,* très fier. ‖ *Jambes, mollets de coq,* jambes très grêles. ‖ *Rouge comme un coq,* se dit d'une personne à qui la colère fait monter le sang au visage. ◆ **cochelet** n. m. Jeune coq. ◆ **côcher** ou **cocher** v. tr. En parlant des oiseaux de basse-cour, couvrir la femelle. ◆ **cochet** n. m. Jeune coq. ◆ **coq-à-l'âne** n. m. invar. Suite de propos passant brusquement d'un sujet à un autre qui n'a aucun rapport avec lui. ‖ Pièce satirique, incohérente et burlesque, en faveur à la fin du XVᵉ s. ◆ **coquart** n. m. Hybride du faisan et de la poule. ◆ **coquâtre** ou **cocâtre** n. m. Coq à demi chaponné. ◆ **coquelet** n. m. Jeune coq. ◆ **coqueter** v. intr. Couvrir la poule, en parlant du coq.

Six
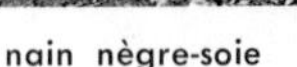
nain nègre-soie

Six

cochinchinois

Six
leghorn

coqs

Bottin
coq girouette d'Alainville

Coq d'Or (LE), opéra en un prologue, trois actes et un épilogue de Rimski-Korsakov (1907), d'après un conte de Pouchkine, transformé ensuite en ballet. L'auteur y emploie les ressources du chromatisme et de la couleur orientale.

2. coq n. m. (néerl. *kok*). Cuisinier de l'équipage, sur les grands bâtiments. ‖ *Fam.* Cuisinier en général. (On dit plus souvent MAÎTRE COQ*;* son aide s'appelle *matelot coq.* Dans la marine de l'État, ces matelots forment la spécialité des *boulangers coqs.*) ◆ **coquerie** n. f. Grande cuisine bâtie sur un quai, pour faire cuire les aliments des équipages qui se trouvent dans le port.

coq-à-l'âne → COQ 1.

1. coquart ou **coquard** n. m. *Pop.* Tuméfaction de l'œil par suite d'un coup ; œil « au beurre noir ». ◆ **coquillard** n. m. *Pop.* Œil. (Usité dans l'expression *Je m'en tamponne le coquillard,* je m'en moque.)

2. coquart → COQ 1.

coquâtre → COQ 1.

coque n. f. (peut-être du lat. *concha,* coquille). Toute enveloppe animale ou végétale dure et plus ou moins elliptique ou sphérique. (Le mot s'applique, en particulier : au mollusque bivalve nommé *cardium,* comestible fouisseur de nos plages de sable ; à la coquille des œufs d'oiseaux ; au cocon des chrysalides ; à la pupe, ou enveloppe nymphale, des mouches ; au péricarpe ligneux de divers fruits [noix, noisette, amande] ; à certains fruits comportant plusieurs loges [capucine, euphorbes].) ‖ Partie inférieure du fuselage d'un hydravion, qui est située au-dessous de la ligne de flottaison. ‖ Bâti métallique rigide qui tient lieu de cadre de châssis et de carrosserie, dans une automobile. ‖ Carcasse du navire, considérée indépendamment du gréement et de la mâture. ‖ Boucle faite par un morceau de ruban ou de tissu noué. ‖ Grosse boucle de cheveux que l'on fait bouffer en

la coiffant. ● *Coque du Levant,* fruit de l'anamirte, incorporé par certains pêcheurs à l'amorce pour mettre le poisson en appétit, voire pour l'enivrer. ‖ *Coque de noix* ou, simplem., *coque* (Fam.), petite embarcation. ‖ *Coque d'œuf,* défaut de la glaçure, dans les poteries. ‖ *Œuf à la coque,* œuf que l'on fait cuire légèrement dans sa coque en le plongeant quelques minutes dans l'eau bouillante. ‖ *Se renfermer, rentrer dans sa coque* (ou sa *coquille*), se replier sur soi-même, vivre à l'écart de la société ou sans y prêter attention. ◆ **coqueron** n. m. Compartiment de la coque situé dans les formes du navire, à l'extrême avant ou à l'extrême arrière. ◆

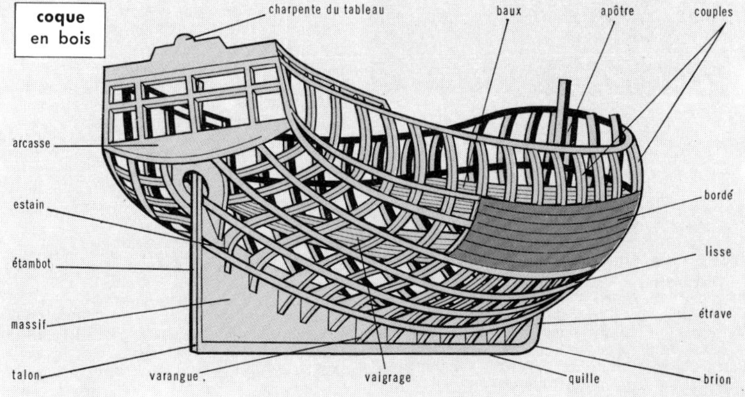

coquetier, ère n. Marchand, marchande d'œufs, de volailles en gros. ‖ Petit godet servant à maintenir droits les œufs à la coque, pour les manger : *Un coquetier en bois, en porcelaine.* ‖ Pêcheur, pêcheuse de coques. ● *Gagner le coquetier* (comme au tir ou à une loterie de fête foraine) [Fig. et fam.], réussir ; et, généralement par antiphrase ironique, réussir une sottise : *Il a gagné le coquetier ! Il est admirable de bêtise.* ◆ **coquetière** n. f. Ustensile servant à faire cuire les œufs à la coque, constitué par un ensemble de petites coupes en fil de fer, dans chacune desquelles on place un œuf.

coquebin, ine adj. et n. (orig. inconnue). *Fam.* Très naïf, innocent, niais : *Un air coquebin.*

coquecigrue n. f. (orig. inconnue). Animal imaginaire, chimérique : *Vous serez payé à la venue des coquecigrues.* ‖ Baliverne, sottise, conte en l'air : *Débiter des coquecigrues.* ‖ Personne niaise, sotte, imbécile. (On écrit aussi COQUESIGRUE, COXIGRUE.)

coquelet → COQ 1.

coquelicot n. m. (onomatop.). Pavot* rouge, des plus communs dans les champs de cé-

Berne-Rapho

coquelicots

réales. (Les deux sépales tombent avant la floraison, les quatre pétales ne durent que quelques jours.) ● *Rouge comme un coquelicot* (Fam.), se dit d'une personne dont le visage, à la suite d'une vive émotion, ou pour quelque autre cause, se couvre d'une vive rougeur. ✦ adj. invar. Qui a la nuance rouge de la fleur du coquelicot : *Robes coquelicot.*

Coquelin (Constant), dit **Coquelin aîné,** acteur français (Boulogne-sur-Mer 1841 - Couilly-Saint-Germain 1909). Sociétaire de la Comédie-Française dès 1864, il y resta jusqu'en 1886. En 1897, il créa son plus beau rôle, avec *Cyrano de Bergerac* d'E. Rostand. Il fut le plus actif fondateur de la maison de retraite des comédiens de Pont-aux-Dames, où il mourut. — Son frère ERNEST, dit **Coquelin cadet** (Boulogne-sur-Mer 1848 - Suresnes 1909), appartint à l'Odéon et à la Comédie-Française, où il interpréta des rôles comiques.

coqueluche n. f. (orig. inconnue). Sorte de capuchon porté au XVe s. ‖ Maladie contagieuse, due au coccobacille de Bordet et Gengou, qui atteint surtout les enfants de deux à cinq ans, et qui est caractérisée par des quintes de toux avec reprises inspiratoires prolongées et bruyantes, suivies de l'expulsion de mucosités filantes. (V. *encycl.*) ‖ *Fig.* Personnage dont on est coiffé : *Un jeune homme qui est la coqueluche du quartier.* ◆ **coquelucheux, euse** adj. et n. Atteint de la coqueluche. ◆ **coqueluchoïde** adj. *Toux coqueluchoïde,* toux quinteuse ressemblant à celle de la coqueluche.

— ENCYCL. ***coqueluche.*** La coqueluche débute, après une incubation de 8 jours en moyenne, par un catarrhe respiratoire d'une durée de 10 à 15 jours. Les quintes surviennent alors ; leur nombre peut aller de 10 à 40 par 24 heures ; la période des quintes se termine au bout de 3 à 4 semaines. La convalescence est longue. Des complications respiratoires et nerveuses peuvent survenir et font toute la gravité de la maladie chez l'enfant avant deux ans. Le traitement de la coqueluche non compliquée comporte l'isolement, l'administration d'antibiotiques, de sédatifs, voire de globulines spécifiques.

coquelucheux, coqueluchoïde → COQUELUCHE.

coquemar n. m. (du néerl. *kookmoor ;* de *kooken,* bouillir, et *moor,* chaudron). Bouilloire à couvercle, très répandue jusqu'au XVIIIe s.

Coquerel (Athanase), pasteur protestant français (Amsterdam 1820 - Fismes, Marne, 1875). Il créa une Eglise libérale « indépendante » et fut l'un des fondateurs de la Société de l'histoire du protestantisme français (1852).

coqueret n. m. V. ALKÉKENGE.

Coqueret (COLLÈGE DE), anc. collège de Paris, situé sur la montagne Sainte-Geneviève. Dorat en devint le principal en 1547 et y donna son enseignement à Ronsard et à ses amis.

coquerico n. m. Chant du coq. (Syn. COCORICO.)

coquerie → COQ 2.

coqueron → COQUE.

Coques, Cocks ou **Cox** (Gonzales), peintre flamand (Anvers 1614 - *id.* 1684). Portraitiste de la riche bourgeoisie, il campe ses personnages dans des intérieurs minutieusement décrits (musées d'Anvers, de Bruxelles, de Cassel et de La Haye).

coquesigrue n. f. V. COQUECIGRUE.

coquet, ette adj. et n. (de *coq*). Qui cherche

à plaire à une personne d'un autre sexe : *Faire le coquet avec les dames.* || *Spécialem.* et *péjor.* Femme qui cherche les hommages par pur esprit de conquête, sans vouloir s'attacher : *Être trompé par une coquette.* || Qui cherche à plaire par sa mise ; qui a le goût de la toilette, de la parure : *Un magasin fréquenté par les coquettes.* || Qui est inspiré par la coquetterie : *Une mine coquette.* || Elégant, gracieux : *Un appartement coquet.* || *Fam.* D'une importance assez considérable : *Le magot est coquet.* || — SYN. : *flirteur, galant ; aguicheur, allumeur, provocant ; élégant, gracieux, joli, rondelet.* ◆ **coqueter** v. intr. (conj. **4**). User de coquetterie : *Coqueter au milieu d'un groupe de femmes.* || *Fig.* Montrer de la sympathie pour certaines idées, certain parti, sans s'engager complètement. ◆ **coquette** n. f. Nom de divers poissons vivement colorés : labre, chétodon, blennie, etc. ● *Grande coquette* ou, simplem., *coquette,* emploi féminin de personnage élégant et séduisant. — Actrice qui remplit cet emploi. ◆ **coquettement** adv. De façon coquette : *Une femme coquettement vêtue.* ◆ **coquetterie** [kɔkɛtri] n. f. Désir de plaire : *Se mettre en frais de coquetterie.* || Disposition de qui cherche à plaire à une personne de l'autre sexe : *En toute femme il existe un fond de coquetterie.* || Recherche pour se faire valoir, pour plaire. || *Partic.* Recherche pour plaire à une personne de l'autre sexe par une attitude quelque peu provocante : *Se laisser prendre aux coquetteries d'une femme.* || Manières, manège de coquette : *Des coquetteries aguichantes.* || Recherche parfois excessive de la toilette, de la parure. || *Fig.* Recherche dans la manière de parler, d'écrire, etc. : *Les coquetteries du style, du pinceau.*

coqueter → COQ 1 et COQUET.

coquetier, coquetière → COQUE.

coquette, coquettement, coquetterie → COQUET.

Coquilhatville. V. MBANDAKA.

coquillage → COQUILLE 1.

coquillard → COQUART 1 et COQUILLE 1.

coquillart → COQUILLE 1.

1. coquille n. f. (lat. pop. *conchylia,* modifié sous l'influence de *coquet*). Squelette externe calcaire, fréquent chez les mollusques et les brachiopodes. (V. *encycl.*) || Coque de l'œuf des oiseaux. || Coque de fruit. || Nom donné à des préparations culinaires à base de viande, de poisson ou de légumes, incorporées à une béchamelle et que l'on sert comme hors-d'œuvre ou entrées dans une coquille. || Objet en forme de coquille, et, *partic.,* d'une des valves des coquilles bivalves : *Coquille de beurre.* || Elément décoratif qui abonde dans le style Louis XV. || Intrados de la voûte rampante formée par l'assemblage des marches d'un escalier. || Voûte formant la

coquilles

sabre de cavalerie (Restauration)

Larousse

épée de duel 1900 *musée de l'Armée*

Larousse

coquille Louis XV *musée des Arts décoratifs*

Giraudon

partie supérieure d'une niche en arcade de plein cintre. || Figure héraldique en forme de coquille Saint-Jacques. (Vues du côté concave, les coquilles portent le nom de *vannets.*) || Plaque de métal qui sort du bain galvanique dans le clichage par galvanoplastie. || Vase dont la disposition générale rappelle la forme d'une coquille. || *Sculpt.* Petit ornement taillé sur le contour d'un quart-de-rond. || Pièce métallique placée dans la masse d'un moule en sable et contre laquelle se solidifie le métal. (Ce système de moulage convient particulièrement pour la coulée des alliages à point de fusion inférieur à 800 °C.) || Moule métallique utilisé en fonderie. || Qualité de papier à écrire qui portait l'empreinte d'une coquille dans le filigrane*. || Format de papier aux dimensions de 0,44 × 0,56 m. || Appareil de protection du ventre et du bas-ventre, dont le port est obligatoire dans chaque combat de boxe. || Plâtre amovible utilisé dans le traitement de certaines affections de la colonne vertébrale. || Expansion inférieure de la garde d'une épée ou d'un sabre, servant à protéger la main. ● *Coquille de noix,* très petite embarcation. || *Coquille d'œuf,* porcelaine japonaise de très faible épaisseur. || *Coquille de perle,* nacre. || *Coquille Saint-Jacques,* v. PECTEN. || *Ordre de la Coquille,* v. SAINT-JACQUES (*ordre de*). || *Rentrer dans sa coquille,* se retirer prudemment après s'être un peu trop avancé. || *Rester dans sa coquille* ou *ne pas sortir de sa coquille,* rester chez soi, fuir la société. || *Sortir de sa coquille,* fréquenter le monde; être tout jeune, sans expérience. ◆ **coquillage** n. m. Mollusque testacé, animal revêtu d'une coquille. || Partie molle, vivante, qui est à l'intérieur : *Manger des coquillages.* || La coquille même : *Grotte ornée de coquillages.* ◆ **coquillard** n. m. Mendiant qui, soi-disant pèlerin de Saint-Jacques, cousait des coquilles à ses vêtements. ◆ **coquillart** n. m. Pierre à bâtir contenant une grande variété de coquilles. ◆ **coquillé, e** adj. Se dit d'une pierre de taille calcaire renfermant de nombreux débris de coquilles. ● *Pigeons coquillés,* pigeons possédant une coquille de plumes redressées derrière la tête. (On dit aussi PIGEONS CASQUÉS.) || — ***coquillé*** n. m. Modèle en relief sur lequel on estampe le métal. ◆ **coquiller** v. intr. Former des coquilles, des boursouflures, en parlant de la croûte du pain. ◆ **coquillet** n. m. Pierre calcaire renfermant une très grande quantité de coquilles. ◆ **coquillette** n. f. Pâte alimentaire en forme de petite coquille. ◆ **coquillier, ère** adj. *Géol.* Qui contient des coquilles : *Sable coquillier.* || — ***coquillier*** n. m. Armoire à nombreux tiroirs servant à conserver des collections de coquillages (XVIIe et XVIIIe s.). [La mode de ces collections fit naître au XVIIIe s. des meubles spéciaux, dont certains sont remarquables par leur décoration.]

— ENCYCL. **coquille.** La coquille des mollusques est formée de couches superposées, constituées de calcaire en prismes et d'un ciment organique (*conchyoline*). Parfois recouverte extérieurement d'un enduit dit *drap marin* (auquel certaines espèces doivent leur belle couleur), la coquille est tapissée intérieurement de *nacre.* Chez les gastropodes, elle est ordinairement spirale, à enroulement dextre autour d'une columelle; chez les bivalves, les deux valves sont souvent articulées par une charnière faite de dents alternées et peuvent être identiques (coque) ou différentes (huître). Chez les céphalopodes règne une grande diversité : spirale comparti-

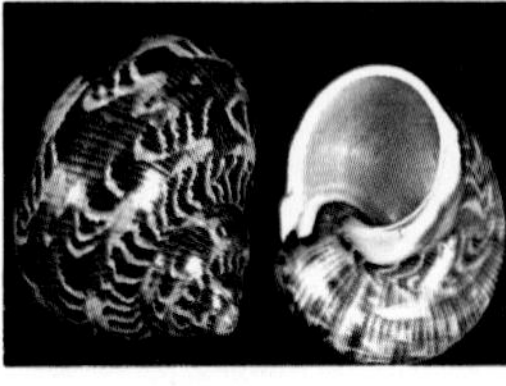

Six

coquilles de turbo

mentée externe du nautile, interne de la spirule, « os » de la seiche (calcaire), « plume » cornée du calmar, etc. Les deux valves des brachiopodes, l'une ventrale et l'autre dorsale, diffèrent grandement. De rares annélides marines, comme les serpules, ont une coquille tubulaire.

2. coquille n. f. Substitution d'une lettre à une autre, dans une composition typographique.

Coquille (Guy), jurisconsulte et publiciste français (Decize 1523 - Nevers 1603). Procureur général du duché de Nevers en 1571, il fut l'un des grands adversaires des ligueurs. Député du tiers aux états de Blois (1576 et 1588), il en rédigea les cahiers. Il est l'auteur du *Traité des libertés de l'Eglise de France* (1594), de l'*Institution au droit des Français,* d'une *Histoire du Nivernais* (1595).

coquillé, coquiller, coquillet, coquillette, coquillier → COQUILLE 1.

coquimbite n. f. (de *Coquimbo,* v. du Chili). Sulfate ferrique hydraté naturel.

Coquimbo, port du nord du Chili; 52 700 h. Exportation de cuivre.

coquin, e n. (sans doute de *coq*). Individu vil, sans honneur ni probité : *Un fieffé coquin.* || Terme de colère ou d'injure sans signification précise. ✦ n. et adj. Etre malicieux, espiègle, souvent en parlant d'un enfant : *Petit coquin.* || Marque parfois simplement une sympathie amusée, drôle : *Ah! le coquin d'enfant; il m'a encore tout dérangé!* ● *Coquin de sort!,* exclamation de surprise méridionale. || *Yeux coquins, regard coquin,* yeux, regard qui expriment la malice, un esprit égrillard, etc. ◆ **coquinerie** n. f. Caractère de coquin. || Action, manières de coquin : *Commettre des coquineries.* ◆ **coquinet, ette** n. et adj. Petit coquin.

1. cor n. m. (lat. *cornu,* corne). Corne ou défense d'éléphant, dont les peuples primitifs ont fait un instrument d'appel. ‖ Instrument en cuivre, composé d'une embouchure, d'un long tube conique enroulé sur lui-même et terminé par un pavillon évasé. (Les pistons, inventés en 1815 par Stölzel, permirent d'émettre des sons précis et facilitèrent le jeu de l'instrument.) ‖ Figure d'héraldique. (Sans attache, c'est un *huchet ;* de forme circulaire, il se nomme *grêlier.*) ● *A cor et à cri* (Fig.), à grand bruit ; en insistant vivement : *Réclamer quelqu'un à cor et à cri.* ‖ *Chasser à cor et à cri,* chasser à grand bruit. ‖ *Cor anglais,* hautbois sonnant une quinte en dessous du hautbois ordinaire. ‖ *Cor de basset,* anc. nom de la CLARINETTE ALTO. ‖ *Cor de chasse,* anc. attribut des troupes d'infanterie légère sous l'Ancien Régime, et, auj., insigne des chasseurs. — Instrument de musique employé dans les fanfares des chasseurs. ‖ *Cor d'harmonie,* anc. cor, sans perforations. ◆ **corniste** n. Personne qui joue du cor.

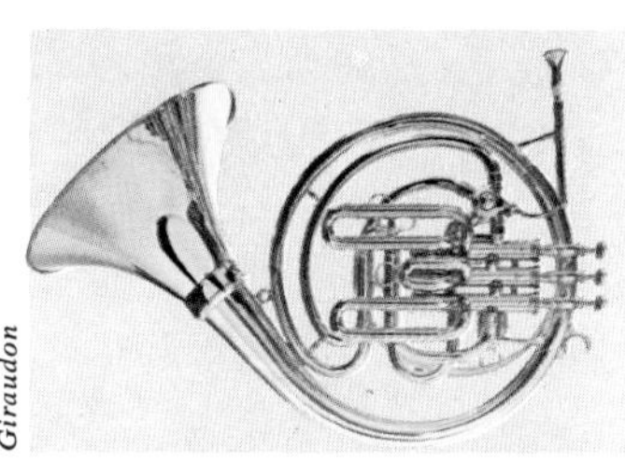

Giraudon

cor d'harmonie

2. cor n. m. (lat. *cornu,* corne). Chacune des branches adventices du bois* d'un cerf. (Pour être compté, il doit pouvoir accrocher trompe ou bouteille.) ● *Cerf dix cors,* cerf qui a atteint sept ans. (Il l'est « jeunement » à six ans, « royal » à huit ans.)

3. cor n. m. (lat. *cornu,* corne). *Pathol.* Epaississement douloureux de la couche cornée de l'épiderme au niveau d'un orteil, dû à la compression des téguments par une chaussure trop étroite. ‖ Mortification de la peau du cheval, de l'âne, due à la pression répétée d'une pièce de harnachement. ◆ **corricide** ou **coricide** n. m. Substance propre à détruire les cors aux pieds.

coraciadiformes n. m. pl. Ordre d'oiseaux voisins des passereaux et dont le rollier (*coracias*) est le type. (Ce sont des carnassiers ou des insectivores, nichant dans des trous et vivant surtout dans les régions chaudes. Leur plumage est brillamment coloré. On y range les coraciadidés [rollier], les méropidés [guêpier], les alcédinidés [martin-pêcheur], les bucérotidés [calao].)

coracle ou **curragh** n. m. Type d'embarcation qu'on trouve encore dans le pays de Galles et sur la côte ouest d'Irlande.

coraco-brachial, e, aux [ki] adj. et n. m. Se dit d'un muscle supérieur, étendu de l'apophyse coracoïde à la face interne de l'humérus. (Syn. CORACO-HUMÉRAL, E, AUX.)

coracoïde adj. et n. f. Se dit d'une apophyse située sur le bord supérieur de l'omoplate, que sa forme a fait comparer au bec d'un corbeau. ◆ **coracoïdien, enne** adj. Qui appartient à l'apophyse coracoïde.

Coraï ou **Koraís** (Adamándios), érudit et écrivain grec (Smyrne 1743 - Paris 1833). Il passa une grande partie de sa vie en Hollande, puis en France, et consacra toutes ses forces à la renaissance de la Grèce. Auteur d'essais, de nouvelles, il a laissé aussi une correspondance qui permet de mesurer l'efficacité de son effort dans le mouvement du philhellénisme en Occident.

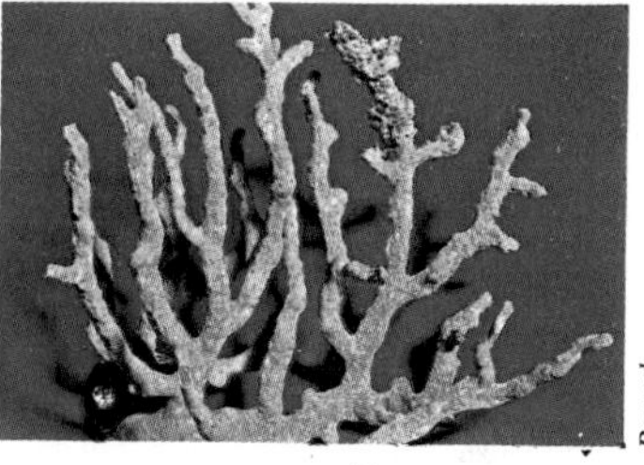

Brunel

corail

Coraichites ou **Coreichites.** V. QURAYCHITES.

corail [kɔraj] n. m. sing. (bas lat. *corallum*). Polypier non constructeur, rouge, des rochers du littoral méditerranéen, classé dans l'ordre des gorgonaires. (Le squelette, calcaire, rouge, est interne, mais assez lacuneux pour que les parties vivantes y trouvent un abri en cas de danger ; le développement rappelle celui d'une plante, un seul œuf donnant plusieurs polypes disposés sur des branches comme des fleurs sur un arbuste.) ‖ Matière première de bijouterie, constituée par des fragments de squelette du polypier de même nom. ‖ *Poét.* Couleur d'un rouge éclatant : *Bouche, lèvres de corail.* ● *Bois corail,* bois rouge vineux du *pterocarpus.* (Syn. PADOUK.) ‖ *Serpent corail,* autre nom de l'ÉLAPS*. ◆ **coraillé, e** adj. Se dit d'un bijou dans l'ornementation duquel il entre du corail. ◆ **coraillère** ou **coralière** n. f. Espèce de chaloupe en usage dans le Levant pour la pêche du corail. ◆

corailleur n. m. Pêcheur ou tailleur de corail. ◆ **corallien, enne** adj. Formé de coraux. (Syn. RÉCIFAL.) ● *Calcaire corallien,* calcaire composé de débris de coraux fossiles. ◆ **corallifère** ou **coralligère** adj. Porteur de coraux : *Des fonds rocheux corallifères.* ◆ **coralligène** adj. Qui élabore le corail : *Le tissu coralligène des polypiers.* ◆ **corallin, e** adj. Rouge comme le corail : *Lèvres corallines.* ‖ — ***coralline*** n. f. Algue rhodophycée recouverte d'une croûte calcaire, qui vit sur les rochers du littoral ou en épiphyte d'autres algues. (Type de la famille des *corallinacées.*) ‖ Agate cornaline, de la couleur du corail. ◆ **coralloïde** adj. Qui ressemble au corail par la ramure. ◆ **coraux** n. m. pl. Polypiers constructeurs de toutes sortes. (V. RÉCIF.)

Corail (CÔTE DU), nom donné jadis au littoral de l'Algérie orientale et de la Tunisie septentrionale, à cause de ses très importantes pêcheries de corail. La base principale était le Bastion* de France, près de La Calle, et aussi Bône et Collo.

Corail (MER DE), partie de l'océan Pacifique, au N.-E. de l'Australie, célèbre pour ses coraux. Les Anglo-Américains y remportèrent une victoire aéronavale contre les Japonais (4-8 mai 1942).

coraillé → CORAIL.

corailler v. intr. Crier, en parlant du corbeau. (On dit plutôt CROASSER.)

coraillère, corailleur → CORAIL.

Coral (Etienne), typographe français du XVe s., né à Lyon. Il fut le premier qui établit une imprimerie à Parme (1473) et donna des éditions d'auteurs latins fort estimées.

coralière → CORAIL.

Coralli Peracini (Jean), danseur et chorégraphe français (Paris 1779 - *id.* 1854). Il présenta de nombreux ballets à Milan, à Lisbonne, à Marseille, puis à Paris. Son nom reste attaché à des compositions comme *le Diable boiteux* (1836), *la Péri* (1843), et surtout *Giselle ou les Wilis* (1841), œuvre à laquelle collabora J. Perrot.

coralliaires n. m. pl. Autre nom des ANTHOZOAIRES.

corallien, corallifère ou **coralligère, coralligène, corallin, coralline** → CORAIL.

coralliorhiza n. f. Orchidacée sans chlorophylle ni feuilles, qui vit en saprophyte dans les bois et dont les racines ont l'aspect de branches de corail.

coralloïde → CORAIL.

corallus [lys] n. m. Petit boa constricteur de l'Amérique du Sud (long. 2 m), d'un beau vert-jaune annelé de blanc, grand mangeur de perroquets.

Coran ou **Koran,** autref. **Alcoran** (de l'ar. *al-Qur'ān,* « la Lecture »), livre sacré des musulmans, parole incréée de Dieu, transmise à Mahomet par l'archange Gabriel. Il comprend 114 chapitres ou *sourates* (*sūra*). Recueil de dogmes et de préceptes moraux, il est pour les pays musulmans la source du droit, de la morale, de l'administration, etc. Sa rédaction définitive remonte au troisième calife 'Uthmān. Ecrit en arabe, il ne pouvait être lu et commenté que dans cette langue. Toutefois, certaines sectes admettent aujourd'hui sa traduction en langue étrangère.

B. N.

page du Coran
manuscrit arabe du XIVe s.
Bibliothèque nationale

coranique adj. Relatif au Coran ; qui est dans l'esprit du Coran.

Coroado(s) ou **Bororo(s),** Indiens du Brésil.

Corap (André Georges), général français (Pont-Audemer 1878 - Fontainebleau 1953). Commandant en 1940, dans les Ardennes, la IXe armée, qui reçut le choc de la masse des chars allemands et qui fut anéantie, il fut hâtivement rendu responsable de l'échec de la manœuvre d'ensemble et remplacé dans son commandement par Giraud.

Corato, comm. d'Italie (Pouilles, prov. de Bari) ; 39 450 h. Centre agricole.

coraux → CORAIL.

Corazzini (Sergio), poète italien (Rome 1886 - *id.* 1907). Il est l'un des principaux représentants des poètes « crépusculaires » : *l'Amaro calice* (1905), *Libro per la sera della domenica* (1906).

corb n. m. (de *corbeau,* à cause de sa couleur noire). Poisson percomorphe de la Méditerranée, excellent comestible.

corbeau n. m. (du lat. *corvus*). Grand passereau noir à bec fort, dont les narines sont recouvertes de plumes raides, et qui a les ailes amples et longues, dépassant 1 m d'envergure. (Omnivore, il est le type de la famille des *corvidés.* Le terme de « corbeau » s'emploie, par extens., pour d'autres corvidés de moindre taille [corneille, freux, choucas, etc.] et même, abusivement, pour d'autres oiseaux comme le vautour pape [*corbeau blanc*], le calao [*corbeau cornu*], le cormoran [*corbeau de mer*], la hulotte ou l'engoulevent [*corbeaux de nuit*], le rollier [*corbeau bleu*] ; par anal., il s'emploie pour désigner le trigle noir [*corbeau de mer*].) || Variété de cépage

corbeaux

Office du tourisme britannique

noir du Jura et de la Savoie. || Grosse pierre ou pièce de bois, ou encore pièce de fer, encastrée dans la maçonnerie et mise en saillie comme une console, pour servir de support à une poutre portant les solives. || Machine pour élever des fardeaux. || Anc. machine de guerre navale romaine. || *Fig.* Personne dont la rencontre semble porter malheur. || Auteur de lettres anonymes. || *Péjor.* Prêtre vêtu de noir. || Personnage rapace et sans scrupules. ● *Corbeau démolisseur,* poutre qui était destinée à arracher les pierres des murailles d'une forteresse. || *Corbeau de rempart,* perche destinée à enlever les défenseurs des remparts. || *Noir comme un corbeau* (Fam.), extrêmement noir. ◆ **corbeautière** n. f. Colonie de freux. ◆ **corbillat** ou **corbillot** n. m. Petit du corbeau. ◆ **corbin** adj. Recourbé (ne s'emploie qu'avec *bec* ou *nez*) : *Un nez corbin.* ✦ n. m. Nom collectif d'instruments terminés en pointe recourbée, que l'on désigne sous les appellations de *bec-de-corbin* ou, encore, de *bec-à-corbin.* || Corneille ou choucas. ◆ **corbine** n. f. Corneille. ◆ **corbivau** n. m. Grand corbeau des montagnes d'Afrique.

Corbeau (en lat. *Corvus, -i*), petite constellation* de l'hémisphère austral, au-dessous de la *Vierge,* et dessinée par une dizaine d'étoiles visibles à l'œil nu, dont les plus brillantes dessinent un quadrilatère de forme caractéristique. (V. CIEL.)

Corbeau (LE), film français réalisé en 1943 par H. G. Clouzot. C'est l'histoire d'une petite ville de province bouleversée par un flot de lettres anonymes.

Corbeaux (LES), pièce en 4 actes d'Henry Becque (1882). Des gens d'affaires, les « corbeaux », se disputent les dépouilles d'un grand industriel mort subitement. Sa femme et ses enfants ne se sauvent que grâce au sacrifice de l'une des filles.

Corbeaux (BOIS DES), lieu-dit de la bataille de Verdun, près de Cumières (perdu par les Français en 1916 et repris par eux en 1917).

corbeautière → CORBEAU.

Corbehem, comm. du Pas-de-Calais (arr. d'Arras), sur la Scarpe, à 3,5 km au S. de Douai ; 2 611 h. Métallurgie. Sucrerie. Papeterie et cartonnerie.

Corbeil-Essonnes, ch.-l. de c. de l'Essonne (arr. d'Evry), au confluent de la Seine et de l'Essonne, à 35 km au S. de Paris ; 39 223 h. (*Corbeillessonnois*). Eglise Saint-Spire (XIIe-XVe s.). Minoteries les plus importantes de France ; matériel ferroviaire ; machines électroniques ; imprimerie ; papeterie ; produits alimentaires ; etc. Anc. capit. d'un comté carolingien, Corbeil fut annexé au royaume de France en 1108.

Corbeil (PIERRE DE). V. PIERRE DE CORBEIL.

corbeille n. f. (bas lat. *corbicula ;* de *corbis,* panier). Panier sans anse ou n'ayant que de petites anses sur les côtés ou sur les bords : *Corbeille d'osier. Corbeille à ouvrage.* || Quantité d'objets qui remplissent un panier de ce genre ; panier lui-même plein de ces objets : *Une corbeille de fleurs, de fruits.* || Dans certains théâtres, premier balcon, et, dans d'autres, les trois premiers rangs des fauteuils d'orchestre. || Dans le chapiteau corinthien et le chapiteau à feuillage, partie comprise entre l'astragale et le tailloir. || Fauteuil pour deux personnes, en vannerie ou rotin, en forme de corbeille. || Elément décoratif du style Louis XVI. || Cavité du tibia des pattes postérieures de l'abeille ouvrière, destinée à contenir le pollen. || Espace vide et circulaire ou ovale, qui, à la Bourse de Paris (et dans certaines autres villes de province), est réservé au centre du parquet, et qui est entouré d'une balustrade autour de laquelle les agents de change se font verbalement leurs offres et demandes mutuelles. || Ensemble de plantes à fleurs disposées régulièrement et avec art dans un cercle ou un ovale. (V. MOSAÏCULTURE.) ||

Quantité de personnes ou d'objets réunis et harmonieusement disposés dans un milieu choisi : *Une corbeille de femmes élégantes.* ● *Corbeille à courrier,* panier plat, métallique ou en bois, utilisé pour ranger les lettres et documents en instance sur un bureau. ‖ *Corbeille de mariage, de noces,* ou, simplem., *corbeille,* présents offerts à une fiancée, particulièrement par son fiancé, à l'occasion du mariage, et qui était jadis envoyés dans une riche corbeille. ‖ *Corbeille à papier,* récipient dans lequel on jette les vieux papiers, emballages, etc. ◆ **corbeille-d'argent** n. f. et **corbeille-d'or** n. f. Crucifères ornementales du genre *alyssum,* aux fleurs jaunes ou bleues, aux feuilles grises, utilisées en horticulture pour border les parterres. — Pl. *des* CORBEILLES-D'ARGENT, *des* CORBEILLES-D'OR. ◆ **corbillon** n. m. Jeu de société où chacun doit, sous peine de donner un gage, répondre par un mot en *on* à la question *Dans mon corbillon, qu'y met-on?*

corbel n. m. Variété de cépage rouge à fruits ronds et juteux (Drôme, Ardèche, Isère).

Corbeny, comm. de l'Aisne (arr. et à 19 km au S.-E. de Laon) ; 495 h. Corbeny était une des résidences royales de Pépin, Charlemagne et Charles le Simple.

Corberan (Guillaume), relieur français du XVIIe s. Etabli à Aix-en-Provence, il travaillait en 1633 pour l'érudit et bibliophile Nicolas Fabri de Peiresc.

Corbet (Charles Louis), sculpteur français (Douai 1758 - Paris 1808). Il est surtout connu par un buste de *Bonaparte* (1799, musées de Versailles et de Lille). On lui doit plusieurs bas-reliefs de la colonne Vendôme.

Corbie, ch.-l. de c. de la Somme (arr. et à 17 km à l'E. d'Amiens), sur la Somme (r. dr.), en amont d'Amiens ; 5 566 h. (*Corbéens*). Bonneterie ; tubes isolateurs. Patrie de sainte Colette et de saint Anschaire. L'abbaye de Corbie, fondée en 657 par sainte Bathilde, adopta vers 700 la règle bénédictine. Elle essaima en Angleterre et en Allemagne.

Corbière (Edouard Joachim, dit **Tristan**), poète français (domaine de Coat Congar, comm. de Ploujean, près de Morlaix, 1845 - *id.* 1875). Sa mauvaise santé l'obligea à interrompre ses études et à s'établir à Roscoff dans une résidence d'été appartenant à sa famille. En 1873, il réunit en un volume, *les Amours jaunes,* ses vers d'un lyrisme douloureux et baroque, que personne ne remarqua. Mais, onze ans plus tard, Verlaine révéla au public Tristan Corbière dans ses *Poètes maudits.*

Corbières (les), région du midi de la France (Aude), formée par la bordure des Pyrénées au-dessus des plaines de l'Aude et du bas Languedoc. Elevage de moutons et de bovins ; vignobles réputés.

Corbigny, ch.-l. de c. de la Nièvre (arr. et à 30 km au S. de Clamecy) ; 2 529 h. Anc. abbaye reconstruite au XVIIIe s. Marché de bestiaux. Carrières de granite.

corbillard [bijar] n. m. (de *Corbeil*). Coche d'eau qui faisait jadis le service entre Paris et *Corbeil.* (On a dit aussi CORBILLAS et CORBILLAT.) ‖ Char funèbre ou fourgon automobile sur lequel on transporte les morts.

corbillat → CORBEAU.

corbillon → CORBEILLE.

corbillot, corbin → CORBEAU.

Corbin (Raymond), médailleur et sculpteur français (Rochefort 1907). Il est représenté au musée national d'Art moderne (buste de *Madeleine,* 1942 ; *la Liseuse*), à Bourges (*Baigneuse,* jardin de l'hôtel de ville). Parmi ses médailles, citons celles de *Zola,* de *Cézanne* et de *Colette.*

corbine → CORBEAU.

Corbineau (Jean-Baptiste Juvénal, comte), général français (Marchiennes 1776 - Paris 1848). Il découvrit le gué de la Berezina et permit le passage de la Grande Armée (1812). Il sauva la vie de Napoléon à Brienne en 1814 et fit arrêter à Boulogne le prince Louis-Napoléon le 6 mars 1840.

corbis [bis] n. m. Mollusque bivalve de l'océan Indien et des mers de Chine, à la coquille fortement renflée et couverte de stries d'accroissement saillantes. (Famille des lucinidés.)

corbivau → CORBEAU.

corbleu ! interj. (altér. de *corps Dieu*). Juron anc. (On disait aussi CORBIEU !)

Corbulon. V. DOMITIUS CORBULO.

Tristan **Corbière** par Bourdelle

Bulloz

Corby, v. de Grande-Bretagne (Northampton), au N. de Kettering, fondée en 1950 ; 47 700 h. Métallurgie.

corchorus [kɔrys] n. m. Tiliacée tropicale aux fibres textiles constituant le jute*. (Les feuilles sont consommées aux Indes comme des épinards. La rosacée *Kerria japonica* est parfois appelée à tort *corchorus*.)

Corcieux, ch.-l. de c. des Vosges (arr. et à 20 km au S.-S.-O. de Saint-Dié) ; 1 790 h.

Corcovado, pic en forme de pain de sucre qui domine la baie de Rio de Janeiro et qui porte une immense statue du Christ, par Landowski ; alt. 704 m.

Corcyre, en gr. **Kerkura.** *Géogr. anc.* Ile de la mer Ionienne (auj. *Corfou*), colonie corinthienne dès la fin du VIIIe s. av. J.-C. L'aide demandée par Corcyre à Athènes contre Corinthe déclencha la guerre du Péloponnèse (433 av. J.-C.).

cordage, cordager → CORDE.

cordaïtales n. f pl. Ordre entièrement fossile de plantes gymnospermes voisines des conifères et des cycadacées. (C'étaient des arbres de 30 à 40 m de haut, aux longues feuilles rubanées. On les trouve du dévonien au permien. Leur type est la *cordaïte*.)

cordat → CORDE.

Corday d'Armont (Charlotte DE) [Saint-Saturnin-des-Ligneries, près de Sées, 1768 - Paris 1793], descendante de Corneille. Son ardeur girondine et sa haine des excès révolutionnaires la poussèrent à tuer Marat. Venue pour cela de Caen à Paris, elle le poignarda dans son bain, le 13 juill. 1793. Elle fut guillotinée.

corde n. f. (lat. *chorda*, boyau, corde d'un instrument de musique). Fil de boyau, de soie, de Nylon ou d'acier, tendu au-dessus de la table de résonance d'un instrument de musique et dont les vibrations transversales sont amplifiées par celle-ci. (Selon les instruments, les cordes sont pincées par les doigts [luth, guitare, mandoline, harpe] ou par un mécanisme à clavier [clavecin], frappées [piano], ou frottées par un archet [violon, alto, violoncelle, contrebasse].) [V. *encycl.*] ‖ Assemblage de brins de chanvre ou de toute autre matière textile, tordus ensemble et servant à des usages divers : *Se laisser glisser le long d'une corde.* ‖ Câble tendu en l'air sur lequel dansent certains bateleurs. ‖ Tortis de boyau, de crin, de chanvre, servant à bander une arme de jet (arc, arbalète, etc.). ‖ Fil dont est tissée une étoffe. (Spécialem., dans les locutions : *Montrer la corde, être usé jusqu'à la corde,* en parlant d'un tissu, être si usé que les fils de la trame apparaissent.) ‖ Fil de chaîne, dans l'industrie des tissus Jacquard et des tapis. ‖ Mesure anc. utilisée principalement pour le bois de chauffage, et dont la valeur variait de 2,33 st à 5 st, selon les régions. ‖ Brin de poudre à section pleine. ‖ Segment de droite joignant deux points d'une courbe. ‖ Traînée dans la masse du verre. (On dit aussi STRIE.) ‖ Nom donné à certains muscles ou tendons des animaux faisant saillie sous la peau : *Corde du flanc. Corde du jarret.* ‖ *Fig.* Source d'inspiration, d'émotion : *Savoir toucher les différentes cordes de l'âme.* ‖ Sujet, matière à traiter : *Toucher une corde délicate. C'est une corde qu'il ne faut pas toucher.* ● *Avoir plus d'une, plusieurs cordes à son arc,* V. ARC. ‖ *Bois de corde,* bois débité et déposé en tas. (Syn. BOIS DE STÈRE, BOIS DE CHAUFFAGE.) ‖ *Corde commune à deux courbes,* segment de droite joignant deux de leurs points communs. ‖ *Corde dorsale,* tigelle élastique située dans la région dorsale de l'embryon, entre le tube digestif et le tube nerveux, qui régresse chez tous les vertébrés pour être remplacée par le squelette vertébral. (On dit aussi CHORDE DORSALE.) ‖ *Corde flottante,* ligne soutenue par des morceaux de liège, pour pêcher entre deux eaux ou en surface. ‖ *Corde de montre,* fil de boyau qui servait, dans les anciennes montres, à tendre le grand ressort. ‖ *Corde à nœuds,* grosse corde garnie de nœuds, qui sert à monter à la force des bras. ‖ *Corde à piano,* fil d'acier à très haute résistance (200 kg/mm²), employé à divers usages. ‖ *Corde de piste,* corde qui, dans les hippodromes, limite la piste sur laquelle courent les chevaux ; raie peinte sur le sol de la piste des vélodromes et autodromes, près du bord intérieur de cette piste. ‖ *Corde à sauter,* mince corde dont les enfants se servent pour sauter. ‖ *Cordes supplémentaires d'une conique,* deux cordes joignant un point de la conique aux extrémités d'un diamètre. ‖ *Corde du tympan,* rameau nerveux, branche du nerf facial, qui traverse la caisse du tympan, rejoint le nerf lingual et va innerver les glandes sous-maxillaires et sublinguales. ‖ *Corde vibrante,* v. *encycl.* ‖ *Cordes vocales,* muscles et ligaments du larynx, limitant latéralement l'orifice glottique et dont les vibrations sont à l'origine de la voix. ‖ *Etre, marcher, danser, faire l'équilibre sur la corde raide* (Fig.), se trouver dans une situation délicate : *Faire de la corde raide pour équilibrer son budget.* ‖ *Faire vibrer, toucher la corde sensible,* parler à quelqu'un de ce qui lui touche le plus au cœur. ‖ *Il ne vaut pas la corde pour le pendre,* il est des plus méprisables. ‖ *Montrer la corde,* être à bout de ressources. ‖ *Parler de corde dans la maison d'un pendu,* faire une allusion maladroite, rappeler un souvenir fâcheux. ‖ *Prendre un virage à la corde,* en serrant de très près le bord de la route, en suivant le plus court trajet. ‖ *Se mettre la corde,* se priver. ‖ *Se mettre la corde au cou* (Fam.), se mettre dans une situation désespérée ; et, *par plaisant.*, se marier. ‖ *Tenir la corde,* se dit du coureur, du cheval, etc., le plus près du bord intérieur de la piste. ‖ *Usé jusqu'à la corde,* rebattu : *C'est un argument usé jusqu'à la corde.* ‖

— **cordes** n. f. pl. Limites d'un ring, constituées principalement par des cordes : *Le boxeur alla dans les cordes.* ‖ Ensemble des instruments de musique à cordes dans un orchestre. ● *Etre, aller dans les cordes* (Fig.), être dans une situation désespérée. ◆ **cordage** n. m. Nom générique des cordes et des câbles employés au gréement et à la manœuvre des machines ou engins quelconques. ‖ Façon de mesurer le bois à la corde. ◆ **cordager** v. intr. (conj. **1**). Faire de menues cordes. ◆ **cordat** n. m. Grosse serge de laine, croisée et drapée. ‖ Grosse toile d'emballage. ◆ **cordé, e** adj. En forme de corde. ● *Flanc cordé,* flanc d'un animal montrant une saillie oblique formée par le muscle ilio-abdominal. (C'est un indice de souffrances abdominales.) ‖ *Lave cordée,* lave dont la surface, en coulant, a pris l'aspect de paquets de cordages. ◆ **cordeau** n. m. Petite corde qui sert le plus souvent pour tracer une ligne droite, pour aligner. ‖ Nom donné à des lignes de fond utilisées en rivière. ● *Au cordeau* (Fig.), de façon nette et régulière. ‖ *Cordeau Bickford,* cordeau de matière fusante, pour l'allumage des explosifs. (Il brûle assez lentement pour permettre à l'utilisateur de s'éloigner.) [Syn. MÈCHE LENTE.] ‖ *Cordeau détonant,* artifice comprenant une âme d'explosif (mélinite, tolite, penthrite) dans une gaine en métal, en textile ou en matière plastique de 5 à 6 mm de diamètre. (Amorcé par un détonateur, il transmet la détonation simultanément à plusieurs charges à la vitesse de 5 000 à 7 000 m/s.) ‖ *Cordeau instantané* ou *cordeau porte-feu,* artifice semblable au cordeau Bickford, mais dont l'âme, garnie d'une mèche à étoupille, brûle plus rapidement et sans assurer une vitesse de combustion constante. ◆ **corde-de-chat** n. f. Veine de quartz blanc, parallèle au plan de fissilité du schiste. — Pl. *des* CORDES-DE-CHAT. ◆ **cordée** n. f. Ce qui peut être entouré par une corde : *Une cordée de bois.* ‖ Caravane d'alpinistes liés par une corde attachée à la taille, pour faire une ascension. ‖ *Min.* Déplacement de la cage du fond au jour et réciproquement. ● *Premier de cordée,* le guide d'une caravane d'alpinistes. ◆ **cordeler** v. tr. (conj. **3**). Tresser en corde, tordre, tortiller : *Cordeler ses cheveux.* ◆ **cordelet** n. m. Genre de velours. ● *Cordelet lisse,* tissu qui comprend une armure de fond toile. ◆ **cordelette** n. f. Petite corde. ◆ **cordelier** n. m. Nom donné, en France, par le peuple, à l'origine, aux Frères mineurs. (Le premier couvent des cordeliers fut fondé par Saint Louis en 1230, à Paris. A partir du XVe s., le nom a été réservé aux observants [v. FRANCISCAINS]. Les 248 couvents des cordeliers existant en France, à la veille de la Révolution, furent fermés en 1790.) ◆ **cordelière** n. f. Corde à trois nœuds, portée par les religieux de Saint-François. ‖ Ganse ronde, tressée, de coton, de laine ou de soie, employée suivant la grosseur dans l'ameublement ou dans l'habillement : *La cordelière d'une robe de chambre.* ‖ Rang de vignettes légères, servant d'encadrement à une composition artistique. ‖ Loquet dont le battant se soulève au moyen d'une clef. (On l'appelle aussi VIELLE, OU LOQUET À VIELLE.) ‖ Serge rase, anciennement fabriquée en Champagne, de laine d'Espagne mêlée de laine du pays. ◆ **cordeline** n. f. Lisière d'un tissu de soie. ‖ Baguette métallique avec laquelle on prend le verre pour former le cordon du goulot des bouteilles. ◆ **cordelle** n. f. Petite corde. ‖ Corde qui sert au halage des bateaux, et, en mer, à divers usages. ◆ **corder** v. tr. Mettre en corde : *Corder du chanvre.* ‖ Rouler, tortiller en forme de corde : *Corder du tabac.* ‖ Lier, serrer avec des cordes : *Corder une malle.* ‖ Mesurer à la corde : *Corder du bois.* ● *Corder une raquette,* la garnir de boyaux. ‖ — **se corder** v. pr. *Hortic.* Devenir filandreux. ◆ **corderie** n. f. Industrie de la fabrication des ficelles, des cordes et des câbles non métalliques. ‖ Lieu où l'on pratique cette industrie. ◆ **cordés** ou **chordés** n. m. pl. Très grand groupe (clade) d'animaux, comprenant tous ceux qui ont une corde dorsale, c'est-à-dire les *stomocordés,* les *procordés* et les *vertébrés.* (V. *encycl.*) ◆ **cordier** n. m. Ouvrier qui fait des cordes. ‖ Marchand qui vend des cordes. ‖ Bateau à voiles ou à vapeur qui fait la pêche aux cordes. ‖ Syn. de CÂBLEUR. ‖ Ouvrier capable d'assurer le filage du fil de caret, puis le commettage par torsion de plusieurs fils, en vue de la fabrication de cordes. ‖ Joueur de pelote basque, généralement armé d'un gant de cuir, au jeu de rebot. ◆ **cordon** n. m. Chacune des petites cordes qui en composent une plus grosse : *Une corde à deux ou trois cordons.* ‖ Tresse ronde ou plate, servant à attacher, à suspendre, à tirer, etc. : *Cordon de sonnette, de souliers.* ‖ Ganse ronde utilisée parfois en confection comme bordure. ‖ *Absol.* Corde au moyen de laquelle un concierge ouvrait la porte d'un immeuble : *La concierge, endormie, fut longue à tirer le cordon.* ‖ Tout objet ayant l'aspect d'un cordon : *Le cordon de la moelle épinière.* ‖ Ligne formée par une suite d'objets, de personnes : *Disposer un cordon de policiers autour d'un immeuble.* ‖ Arbre fruitier de petite taille, formé d'une seule branche de charpente horizontale, verticale ou oblique, suivant les cas. (On utilise la vigne, les poiriers en cordons verticaux pour garnir les murs élevés; les pommiers et les poiriers permettent la garniture des murs plus bas, en cordons obliques; les cordons horizontaux sont surtout fournis par les pommiers, dont la branche est fixée sur un fil de fer à 40 cm du sol. ‖ Dispositif de troupes échelonné en longueur, en vue d'assurer une surveillance linéaire : *Un cordon de troupes;* et, *par anal. : Un cordon de postes, de places fortes.* ‖ Cercle métallique renforçant le canon d'une pièce d'artillerie. ‖ Nom donné à divers organes en raison de leur forme et de leur disposition. || Moulure peu saillante régnant sur une façade pour souligner la division des étages. || Ensemble de traits obliques que certains croisements forment sur l'étoffe. || Fil double ou triple que, dans le tissage de la soie, on ajoute à la chaîne pour la formation des lisières de l'étoffe. || Conducteur électrique très souple, servant surtout à alimenter les appareils d'usage domestique. || Surépaisseur sur le contour d'un flan monétaire, destinée à favoriser la formation du listel*. || Large ruban servant d'insigne à une décoration : *Recevoir le grand cordon de la Légion d'honneur* (être promu grand-croix). || Celui qui porte cet insigne. || Rubans distinctifs des grades de la franc-maçonnerie. || Insigne héraldique qui accompagne l'écu d'un dignitaire ecclésiastique. ● *Cordon bleu, cordon rouge,* sous l'Ancien Régime, insignes respectifs des chevaliers du Saint-Esprit, de Saint-Louis. — *Par extens.* Titulaires de ces dignités. || *Cordon littoral,* flèche de sable accumulé par la dérive littorale. (Les cordons littoraux peuvent isoler le fond de certains golfes et constituer des lagunes.) || *Cordon ombilical,* ensemble des éléments qui relient le fœtus au placenta. (V. *encycl.*) || *Cordon de Saint-François,* insigne des franciscains et des tertiaires de Saint-François-d'Assise. || *Cordon sanitaire,* ensemble de postes de surveillance qui isolent une région où règne une maladie épidémique. || *Cordon spermatique,* pédicule qui comprend le canal déférent, les artères spermatique et déférentielle, les veines spermatiques, et qui va du canal inguinal au testicule. || *Cordon tire-feu,* petite corde permettant d'agir à distance sur le système de percussion d'une pièce d'artillerie. || *Point de cordon* (Brod.), v. BOURDON. ◆ **cordonal, e, aux** adj. Se dit des neurones dont le cylindraxe, ou axone, appartient aux cordons blancs de la moelle épinière. ◆ **cordon-bleu** n. m. Cuisinière très habile. || Petit oiseau de cage du groupe des astrilds, brun et bleu, avec une tache orangée sur la joue. — Pl. *des* CORDONS-BLEUS. ◆ **cordonnage** n. m. Opération de la fabrication des monnaies, qui a pour objet de refouler le métal sur le contour du flan, en vue de la formation du cordon, et, à la frappe, du listel. (L'opération permet aussi d'imprimer une inscription sur la tranche.) ◆ **cordonner** v. tr. Réunir en tresse, par torsion, les brins de toute nature textile : *Cordonner de la soie, du chanvre,* etc. || *Archit.* Entourer d'un cordon ornemental. || Refouler le métal sur le contour du flan monétaire. ◆ **cordonne** n. m. Cordon très fin, de fil, de soie, d'or ou d'argent, que l'on emploie en broderie. || Fil de soie torse à trois brins. ◆ **cordonneuse** n. f. Appareil utilisé pour le cordonnage des flans monétaires.

— ENCYCL. **corde.** *Acoust.* Quand on provoque les vibrations d'une corde d'une manière quelconque, elle vibre en formant un fuseau dont les extrémités sont les points fixes de la corde. Elle émet alors le *son fondamental,* ou *premier partiel,* dont la fréquence est

$$N = \frac{1}{2l}\sqrt{\frac{F}{\mu}},$$

où l représente la longueur de la corde, F sa tension, et μ sa masse par unité de longueur. Mais une corde peut également vibrer en formant plusieurs fuseaux, si l'on immobilise certains de ses points. Elle rend alors des sons, nommés *partiels,* qui s'écartent peu des harmoniques du son fondamental.

— **cordés.** Le plan de symétrie (plan sagittal) d'un cordé comprend cinq axes longitudinaux disposés du dos au ventre dans l'ordre suivant :

1° Un *névraxe* (ou axe nerveux) élargi en un cerveau à l'avant;

2° La *corde dorsale* (ou chorde, ou notocorde), élastique, remplacée chez les vertébrés par la série des corps vertébraux, ou *colonne vertébrale ;*

3° Une *aorte,* où du sang oxygéné circule d'avant en arrière ;

4° Un *tube digestif,* ventralement porteur de replis pharyngiens respiratoires (branchies ou poumons) ;

5° Un *vaisseau ventral* (veine cave), associé au cœur et où le sang désoxygéné circule d'arrière en avant.

— **cordon.** *Obstétr.* Le *cordon ombilical* relie le fœtus au placenta. Il contient le canal de l'ouraque et les vaisseaux ombilicaux, qui portent au placenta le sang veineux du fœtus et ramènent le sang artériel. Sa longueur varie entre 40 et 60 cm. Son diamètre est d'environ 3 cm. Dès la naissance, le cordon, une fois lié, doit être coupé à 2 ou 3 cm de l'ombilic. Un cordon trop court peut entraîner un décollement prématuré du placenta ; un cordon trop long peut s'enrouler autour du cou du fœtus (circulaire) et provoquer l'asphyxie. La procidence du cordon doit être traitée d'urgence, pour éviter la mort du fœtus.

cordé, cordeau, corde-de-chat, cordée, cordeler, cordelet, cordelette, cordelier → CORDE.

Cordelier (LE VIEUX), journal rédigé par Camille Desmoulins (7 numéros [déc. 1793]). Il réclamait l'indulgence et condamnait le régime de terreur.

Cordeliers (CLUB DES), club révolutionnaire, fondé à Paris, en juill. 1790, par Danton, Marat, Camille Desmoulins, sous le nom de *Société des droits de l'homme et du citoyen.* Il s'installa dans le couvent désaffecté des Cordeliers. Ses opinions avancées en firent l'élément moteur des journées révolutionnaires. Il disparut avec les hébertistes en mars 1794.

cordelière, cordeline, cordelle, corder, corderie → CORDE.

Cordes, ch.-l. de c. du Tarn (arr. et à 25 km au N.-O. d'Albi) ; 1 067 h. (*Cordais*). Cette ancienne bastide, fondée en 1222 par Ray-

Lang-Rapho

Cordes

mond VII, comte de Toulouse, doit son nom à Cordoue. Perché sur une colline, le village domine la vallée du Cérou. Il eut quatre enceintes successives, dont subsistent des portes fortifiées. Le XIVe s. a laissé des halles, l'église Saint-Michel et de très belles demeures.

cordés → CORDE.

cordial, e, aux adj. (lat. médiév. *cordialis;* de *cor, cordis,* cœur). Qui donne du cœur; qui réconforte : *Boisson, potion cordiale.* ‖ *Fig.* Qui vient du cœur, profond et sincère : *Une affection cordiale;* et, par antiphrase : *Une haine cordiale.* ‖ *Partic.* Qui manifeste de la bienveillance, de la sympathie : *Une cordiale poignée de main.* ‖ — **cordial** n. m. Potion tonique, réconfortante : *Boire un cordial.* ◆ **cordialement** adv. Du fond du cœur; de façon bienveillante, affectueuse : *Saluer cordialement un ami;* et, péjor. : *Détester cordialement.* ◆ **cordialité** n. f. Bienveillance qui part du cœur : *Accueillir quelqu'un avec cordialité.* ‖ — **cordialités** n. f. pl. Manifestations de ce sentiment : *Ne pas ménager ses cordialités.*

cordier → CORDE.

Cordier (Nicolas), sculpteur français (en Lorraine v. 1567 - Rome 1612). Il fit carrière à Rome, près des papes. Son œuvre principale est la statue colossale, en bronze, d'Henri IV, à Saint-Jean-de-Latran (1608).

Cordier (Louis), géologue français (Abbeville 1777 - Paris 1861). Professeur au Muséum, pair de France, il fut un des premiers à avoir employé les méthodes chimiques, mécaniques et microscopiques pour l'étude des roches à grain fin. (Acad. des sc., 1822.)

Cordière (la Belle). V. LABÉ (Louise).

cordiérite n. f. (de L. *Cordier*). Silicate naturel d'aluminium, de magnésium et de fer, dont les cristaux prismatiques, du système orthorhombique, présentent un polychroïsme marqué. (Syn. DICHROÏTE.)

cordiforme adj. En forme de cœur.

cordillère n. f. (esp. *cordillera*). Chaîne de montagnes, principalement en Amérique latine et en Espagne : *La cordillère des Andes.*

Cordillère annamitique. V. ANNAMITIQUE.

Cordillère australienne, ensemble de hauteurs et de plateaux de l'est de l'Australie; 2 241 m au *mont Kosciusko.*

Cordillère bétique. V. BÉTIQUE (*chaîne*).

Cordillère centrale, nom de plusieurs chaînes des Andes, en Colombie et au Pérou. — Chaîne de montagnes de l'est d'Haïti (républ. Dominicaine).

cordite n. f. Poudre propulsive, d'origine britannique, dont le premier type avait été mis au point par F. Abel et J. Dewar.

córdoba n. m. Unité monétaire du Nicaragua, divisée en 100 centavos.

Córdoba, nom esp. de **Cordoue.**

Córdoba, v. d'Argentine, ch.-l. de prov., sur le río Primero; 781 600 h. Archevêché. Carrefour ferroviaire et centre industriel (textiles, produits chimiques, constructions aéronautiques et automobiles).

Córdoba (SIERRA DE), chaîne de montagnes à l'E. des Andes, en Argentine; 2 880 m.

Córdoba (Gonzalo FERNÁNDEZ DE). V. GONZALVE DE CORDOUE.

Córdoba (Fernando FERNÁNDEZ DE). V. FERNÁNDEZ DE CÓRDOBA (Fernando).

Córdoba (Francisco FERNÁNDEZ DE). V. FERNÁNDEZ DE CÓRDOBA (Francisco).

Córdoba (José María), général colombien (Concepción, dép. d'Antioquia, 1799 - hacienda de Santuario 1829). Avec Sucre, il remporta la victoire d'Ayacucho.

cordon, cordonal, cordon-bleu, cordonnage, cordonner → CORDE.

cordonnerie → CORDONNIER.

cordonnet, cordonneuse → CORDE.

cordonnier, ère n. (anc. franç. *cordoanier,* ouvrier en *cordoan* [cuir de Cordoue]). Qui fait, répare et vend des chaussures. ◆ **cordonnerie** n. f. Métier, commerce de cordonnier. ‖ Ouvrage de cordonnier. ‖ Lieu où l'on fabrique, où l'on vend des chaussures.

cordouan, e adj. et n. Qui se rapporte à Cordoue; habitant ou originaire de cette ville.

Cordouan, rocher du golfe de Gascogne, au large de l'estuaire de la Gironde. Phare dit *tour de Cordouan.* Son foyer est à 63 m de hauteur.

Cordoue, en esp. **Córdoba,** v. d'Espagne, en Andalousie, ch.-l. de prov., sur le Guadalquivir ; 235 600 h. Evêché. Affinage du cuivre ; jadis, fabrication de cuirs maroquinés, les *cordouans,* ou *cuirs de Cordoue ;* orfèvrerie. La ville garde un pont romain (reconstruit par les Maures) et divers édifices musulmans et mudéjars. Le plus important est la cathédrale, ancienne grande mosquée omeyyade commencée par ʻAbd al-Raḥmān Ier en 785 et continuée par ses successeurs jusqu'au xe s. : ses 19 nefs soutenues par des arcs à double volée reposent sur plus de 800 colonnes.

● *Histoire.* Fondée par les Phéniciens, conquise par les Romains en 152 av. J.-C., Cordoue fut la capitale de l'Espagne Ultérieure, puis de la Bétique. Occupée par les Arabes, elle devint en 756 la capitale d'un émirat indépendant. Saint Ferdinand III la reconquit en 1236.

corduroy n. m. (mot angl. signif. *velours côtelé*). Velours à côtes, utilisé dans les installations de lavage d'alluvions aurifères pour retenir les paillettes d'or au fond des sluices.

Ferlet-Bottin

Cordoue
la cathédrale

cordyceps n. m. Champignon ascomycète, parasite des chenilles.

cordylobie n. f. Mouche africaine jaunâtre, dont la larve (*ver du Cayor*) vit sous la peau de l'homme et du chien, déterminant une myiase furonculeuse. (Famille des calliphoridés.)

cordylophora n. m. Petit hydroïde, seule espèce d'eau douce d'un groupe marin.

coré n. f. (gr. *korê,* jeune fille). Statue primitive de jeune fille, dans la Grèce archaïque (VIIe-VIe s. av. J.-C.). [Le musée de l'Acropole en conserve plusieurs.]

Coré, en gr. **Korê.** *Myth. gr.* Fille de Déméter, assimilée à Perséphone*.

Coré ou **Qorah,** membre de la famille lévitique de Caath, qui, avec Dathan et Abiron, se révolta contre Moïse (Livre des Nombres, XVI).

corectopie n. f. (gr. *korê,* pupille, et *ektopos,* déplacé). Anomalie congénitale de position de la pupille, qui se trouve placée en dehors du centre de l'iris et de l'axe antéropostérieur de l'œil.

Corée, en coréen **Hankuk,** péninsule de l'Asie orientale, entre la mer Jaune et la mer du Japon, partagée depuis 1945 en deux Etats. Langue : *coréen.* Religion : *bouddhisme.*

Géographie.

Un massif de roches cristallines et des chaînons calcaires occupent la partie orientale de la péninsule (2 730 m au N., au *mont Kwanmo*). Ils dominent une fosse marine profonde de 2 500 m. La côte orientale, rocheuse, raide et rectiligne, s'oppose aux côtes occidentale et méridionale, basses et très sinueuses. Des plaines et des collines s'étendent sur le centre et l'ouest de la péninsule. Au N., des massifs en partie volcaniques isolent celle-ci du continent. Le climat est de type tempéré continental, avec des hivers froids et la mousson en été. Les forêts contiennent des essences très variées. La ressource principale de la Corée est l'agriculture : riz dans les plaines et sur des terrasses irriguées ; soja, blé, orge, millet sur les pentes. Le tabac, le chanvre, la soie et le coton sont en partie exportés. La pêche est favorisée par la présence d'un courant froid près de la côte orientale (saumons, sardines, harengs, etc.).

— La *République populaire démocratique de Corée,* ou *Corée du Nord,* a 120 500 km^2 et 17 millions d'h. ; capit. *Pyongyang.* Elle est limitée au N. par le Ya-lou et au S. par la frontière fixée en 1953. Sa production agricole est faible, mais elle dispose de la plus grande partie de l'industrie de la péninsule. Le sous-sol donne du minerai de fer, de l'or, des minerais divers, du charbon. Industries chimiques (engrais), sidérurgie, usines d'aluminium et de magnésium, industries textiles, etc.

— La *République de Corée,* ou *Corée du Sud,* a 98 400 km^2 et 37 millions d'h. ; capit. *Séoul.* Elle dispose des trois quarts de la production agricole : riz, blé, orge. L'industrie s'est développée considérablement (textiles, métallurgie, papier journal, etc.). Le sous-sol produit du charbon, du tungstène, du molybdène et de l'argent.

Histoire.

La légende attribue la fondation de l'ancien pays de Chôsen à un certain Tangun, chef de tribus nomades en Corée du Nord,

Mousset

Séoul

vingt-quatre siècles av. J.-C. L'archéologie confirme cette lointaine occupation du sol : les plus anciennes poteries néolithiques remontent à l'an 2000 av. J.-C. env. L'influence chinoise sur le royaume de Chôsen fut forte. Selon les récits légendaires, c'est un chef chinois, Kija, qui, en 1122 av. J.-C., s'établit à Pyongyang et fonda une dynastie, dont une nouvelle invasion chinoise provoqua la disparition en 108 av. J.-C. Mais la suzeraineté chinoise s'allégea peu à peu et, au milieu du Ier s. av. J.-C., se créèrent trois royaumes indigènes distincts : celui de Kokuryo, de part et d'autre du fleuve Yalou, celui de Paikche, au S.-O., et celui de Silla, au S.-E. Au VIIe s. apr. J.-C., avec l'aide de la Chine, le royaume de Silla unifia la péninsule sous son hégémonie : la philosophie confucéenne se répandit parallèlement au bouddhisme, introduit au IVe s. et devenu religion officielle au VIe s. Sous la poussée des nomades, la dynastie de Silla s'effondra en 935 et fut remplacée par celle de Koryo. Les Mongols occupèrent la Corée (1231-1260) et, à la dynastie Koryo, succéda en 1392 celle des Li, avec Séoul comme capitale. En 1592, pour atteindre la Chine des Ming, le dictateur militaire japonais Hideyoshi envahit la Corée, mais fut battu à Pyongyang, en 1596, par les forces chinoises et coréennes réunies. Un essai ultérieur pour conquérir la Corée échoua totalement grâce à la supériorité technique de la marine, dotée des premiers navires cuirassés. Au début du XVIIe s., la Corée était placée sous la vassalité de la Chine ; elle développa une politique isolationniste pour sauvegarder son indépendance en face des influences étrangères. Cette politique d' « ermite » fut maintenue jusqu'en 1876, date à laquelle le Japon obtint la signature d'un traité de commerce avec la Corée. Ouvrant la voie aux nations européennes, les Etats-Unis obtinrent de même des accords commerciaux en 1882. A l'issue de la guerre sino-japonaise (1894-1895) qui se déroula en Corée, le Japon, victorieux, obligea la Chine à abandonner sa suzeraineté sur la Corée. La Corée du Nord fut le champ de bataille de la guerre russo-japonaise (1904-1905). De nouveau victorieux, le Japon obtint pleine liberté d'action en Corée (1910). Dès la fin de la Première Guerre mondiale, les diri-

statues précédant le tombeau des empereurs

Mousset

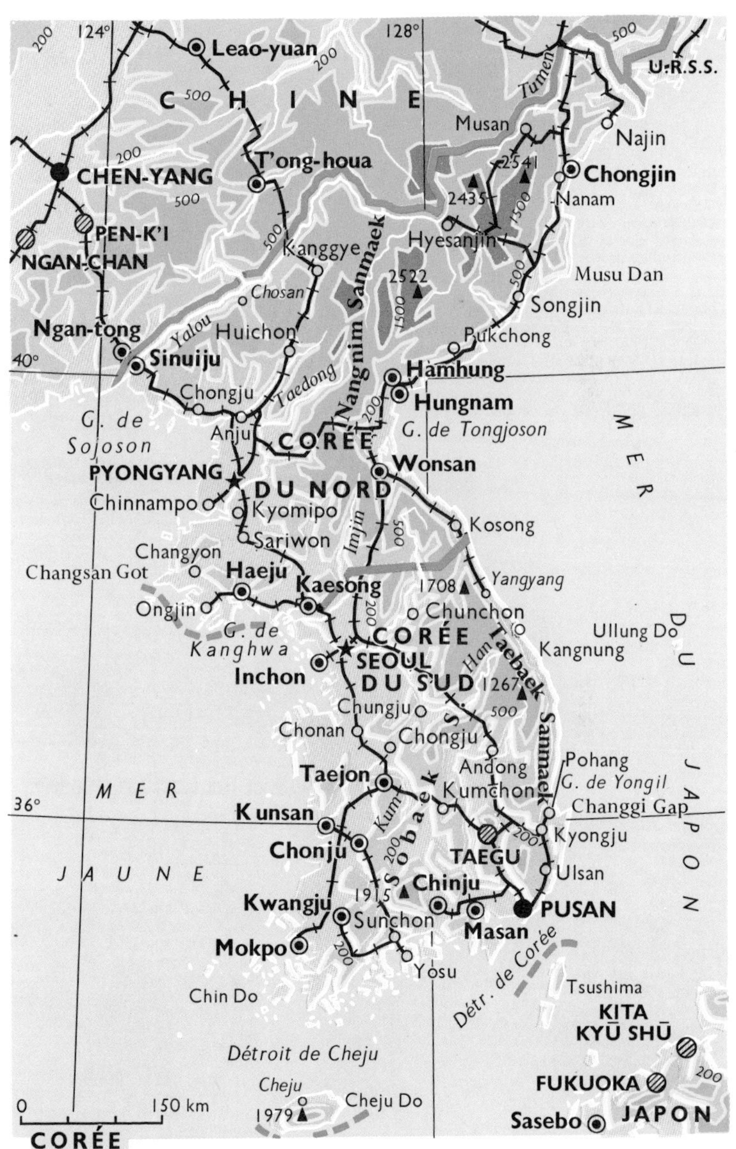
CHINE
U.R.S.S.
Leao-yuan
T'ong-houa
CHEN-YANG
PEN-K'I
NGAN-CHAN
Ngan-tong
Sinuiju
Kanggye
Chosan
Huichon
Musan
Najin
Chongjin
Nanam
Hyesanjin
Musu Dan
Songjin
Pukchong
Hamhung
Hungnam
G. de Tongjoson
Tumen
Yalou
Taedong
Nangnim Sanmaek
Chongju
G. de Sojoson
Anju
CORÉE DU NORD
PYONGYANG
Chinnampo
Kyomipo
Sariwon
Wonsan
Kosong
Imjin
Changyon
Changsan Got
Haeju
Kaesong
Ongjin
G. de Kanghwa
Yangyang
Chunchon
CORÉE DU SUD
SEOUL
Inchon
Han
Taebaek Sanmaek
Kangnung
Ullung Do
Chungju
Chonan
Chongju
Andong
Pohang
G. de Yongil
Taejon
Kumchon
Changgi Gap
Kunsan
Kum
Sobaek
Kyongju
Chonju
TAEGU
Ulsan
Chinju
Kwangju
Sunchon
PUSAN
Masan
Mokpo
Yosu
Détr. de Corée
Tsushima
Chin Do
MER JAUNE
MER DU JAPON
KITA KYŪ SHŪ
Détroit de Cheju
FUKUOKA
Cheju
Cheju Do
Sasebo
JAPON
124°
128°
40°
36°
2541
2435
2522
1708
1267
1915
1979
200
500
1500
0
150 km
CORÉE

geants nationalistes coréens en exil constituèrent un gouvernement provisoire à Changhai pour résister à l'occupation nippone. Au cours de la Seconde Guerre mondiale, à la conférence du Caire (1943), les Etats-Unis, la Grande-Bretagne et la Chine promirent de reconnaître l'indépendance de la Corée. Mais, lorsque la Corée fut libérée par la capitulation japonaise, le 15 août 1945, elle était occupée au N. par les troupes soviétiques, au S. par l'armée américaine, la démarcation s'établissant selon la ligne du 38ᵉ parallèle. La coopération entre les deux zones se révéla impossible. En 1948, la division fut acquise par l'établissement de deux régimes distincts : à Séoul, la République de Corée, avec le Dʳ Syngman Rhee comme président ; au N., la République populaire démocratique de Corée, avec Pyongyang comme capitale. De 1950 à 1953, un conflit armé opposa les deux Etats (v. art. spécial). Devant le triomphe du parti démocratique aux élections de 1960, le Dʳ Syngman Rhee dut abandonner la présidence, au profit de Yoon Bo Sun. En mai 1961, une « junte » militaire, présidée par le général Chang Po Yung, prit le pouvoir à Séoul. Le général Park Chung Hee, constamment réélu à la présidence depuis 1963, établit un régime autoritaire. Il est assassiné en 1979. Son successeur, Choy Kya Ha, reçoit la mission de mettre au point une nouvelle Constitution. En Corée du Nord, le maréchal Kim Il Song, secrétaire général du parti des travailleurs depuis 1948, est élu chef de l'Etat en 1972.

Corée (DÉTROIT DE), bras de mer entre le Japon (archipel de Tsushima) et la Corée.

Corée (GUERRE DE), conflit qui opposa les deux Corées de 1950 à 1953 et qui marqua le point culminant de la guerre froide entre l'Est et l'Ouest. Répondant à l'appel de l'O. N. U., qui avait condamné l'agression de la Corée du Sud par la Corée du Nord (juin 1950), puis l'intervention en faveur de cette dernière de la Chine populaire (févr. 1951), Truman engagea aux côtés de la Corée du

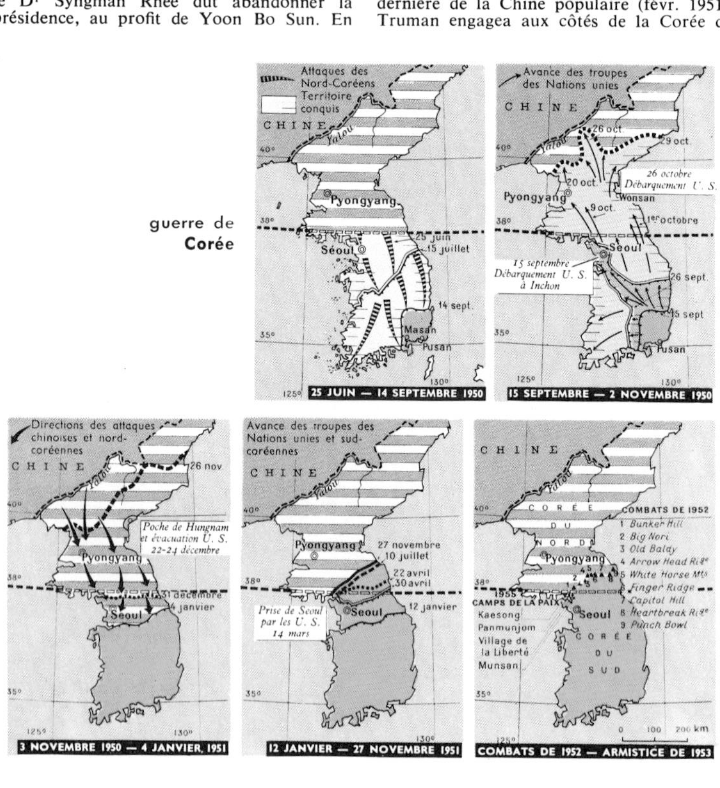

guerre de **Corée**

Sud les forces américaines, auxquelles vinrent se joindre des détachements belges, français, néerlandais et turcs. Les troupes des Nations unies, conduites par MacArthur, partant de la tête de pont de Pusan et débarquant à Inchon, repoussèrent les Nord-Coréens (janv. 1951). Afin d'éviter un conflit avec la Chine populaire, les Etats-Unis remplacèrent MacArthur, partisan de l'offensive, par Ridgway (avr. 1951), puis par Clark (1952). Le front se stabilisa, et les négociations, engagées (juill. 1951) puis rompues (août 1951) à Kaesong, reprirent à Panmunjom (oct. 1951) et aboutirent le 27 juillet 1953 à une reconnaissance respective des deux Corées par les Etats-Unis et l'U. R. S. S.

Corée (MÉDAILLE COMMÉMORATIVE FRANÇAISE DES OPÉRATIONS DE L'O. N. U. EN), décoration française créée en 1952 pour les militaires français ayant participé au moins deux mois aux opérations de l'O. N. U. en Corée. Ruban aux couleurs de l'O. N. U., bordé de deux bandes tricolores.

coréen, enne adj. et n. Qui se rapporte à la Corée; habitant ou originaire de cette région. || — ***coréen*** n. m. Langue parlée en Corée, transcrite en un syllabaire particulier.

corégence → CORÉGENT.

corégent n. m. Personne qui partage avec une autre la régence d'un royaume. ◆ **corégence** n. f. Fonctions, dignité de corégent.

corégone n. m. (gr. *korê,* pupille, et *gônia,* angle). Poisson salmonidé des lacs de l'Europe centrale, muni d'une bouche très réduite et ne se nourrissant que de plancton. (La pisciculture entretient méthodiquement les populations de corégones des lacs suisses en vue de leur pêche au filet, car ce sont d'excellents comestibles. Chaque lac a sa variété propre : *bondelle* [lac de Neuchâtel], *féra* et *gravenche* [Léman], *lavaret* [lac du Bourget], etc.)

coréidés n. m. pl. (gr. *koris,* punaise). Punaises suceuses de sève, nauséabondes, munies d'excroissances aux pattes.

coreligionnaire n. Celui, celle qui professe la même religion qu'un autre : *Soutenir ses coreligionnaires.* || Personne qui professe les mêmes opinions, les mêmes doctrines que d'autres : *Un coreligionnaire politique.*

Corelli (Arcangelo), compositeur italien (Fusignano 1653 - Rome 1713). Après des études avec des maîtres de Bologne, il se fixa à Rome, où il fut reçu chez Christine de Suède et chez le cardinal Ottoboni. Il dirigea plusieurs orchestres, notamment à Saint-Louis-des-Français. Son œuvre comprend six recueils de musique pour cordes : sonates en trio, sonates pour violon et basse, concertos grossos. Corelli est considéré comme le fondateur de l'école classique du violon. Il a exercé une influence modératrice à un moment où la virtuosité l'emportait chez beaucoup de musiciens.

Loirat-Rapho

Corfou
couvent de Vlakherne

Corentin (saint), évêque de Cornouaille, considéré comme le premier évêque de Quimper. — Fête le 12 déc.

Corenzio (Belisario), peintre italien (en Grèce v. 1558 - Naples v. 1643). Elève du Tintoret, il exécuta de nombreuses fresques pour les églises de Naples (1591-1641).

coréopsis [psis] n. m. Composée ornementale très rustique, surtout employée en bordures.

Coresi, diacre et typographe roumain († v. 1580). Il dirigea l'imprimerie de Brașov, où il publia des textes religieux, diffusant une langue qui allait devenir panroumaine et jouant, au point de vue linguistique, dans son pays, un rôle semblable à celui de Luther en Allemagne.

corèthre n. f. (gr. *korêthron,* balai). Moustique grêle, non piqueur, de nos régions.

corfiote adj. et n. Qui se rapporte à Corfou; habitant ou originaire de cette île.

Corfou, en gr. moderne **Kerkyra** ou **Kérkira,** île grecque de la mer Ionienne, séparée

Arcangelo **Corelli**
gravure de Van der Gucht

Larousse

de la côte par le *détroit de Corfou ;* 589 km² ; 92 900 h. (*Corfiotes*).

● *Histoire.* L'ancienne Corcyre* fut prise par les Normands, puis appartint à Byzance, à Venise (1207-1214), qui l'inféoda au despotat d'Epire (1214-1259), au royaume angevin de Naples (1267-1386) et à Venise de nouveau (1386). L'île fut possession française de 1807 à 1815, anglaise de 1815 à 1864. C'est à Corfou que se reconstitua l'armée serbe en 1916. La rade fut occupée par une force navale française de 1916 à 1918 pour empêcher la flotte autrichienne de sortir de l'Adriatique. L'union politique des Serbes, des Croates et des Slovènes fut conclue par le *pacte de Corfou,* en 1917.

Corfou, v. de Grèce, ch.-l. de nome, sur la côte est de l'île ; 30 700 h. Minoteries.

Cori (Carl Ferdinand), biochimiste américain d'origine tchèque (Prague 1896). En 1947, il obtint, avec sa femme GERTY THERESA (Prague 1896 - Saint Louis, Missouri, 1957), le prix Nobel de médecine pour leurs travaux sur le métabolisme des hydrates de carbone.

coriace adj. (lat. *coriaceus ;* de *corium,* cuir). Dur sous la dent comme du cuir : *De la viande coriace.* ‖ *Fig.* Dur, tenace, entêté : *Un adversaire coriace.* ‖ *Partic.* Avare dont on ne peut rien tirer. ◆ **coriacité** n. f. Caractère de ce qui est coriace : *La coriacité d'un caractère.*

coriandre n. f. (gr. *koriandron*). Ombellifère à fleurs blanches, dont le fruit sert de condiment et dont l'huile, obtenue par distillation, a de nombreux usages.

coricide → COR 3.

corie n. f. (du lat. *corium,* cuir). Base indurée de l'hémélytre des insectes hétéroptères.

Corigliano Calabro, v. d'Italie (Calabre, prov. de Cosenza) ; 24 300 h. Production d'huile et de vins.

corindon n. m. (mot d'une langue de l'Inde). Alumine cristallisée, naturelle ou artificielle, utilisée comme abrasif.

— ENCYCL. Le corindon, qui cristallise dans le système rhomboédrique, est, après le diamant, le plus dur des minéraux naturels. Il est généralement transparent ou translucide, avec un éclat vitreux. Diverses variétés colorées sont connues en joaillerie sous le nom de *gemmes orientales.* L'*émeri* est un corindon ferrifère. Le corindon artificiel est fabriqué au four électrique, en chauffant un mélange de bauxite et de coke. Il sert à la fabrication de meules, utilisées pour le travail des métaux, l'affûtage des outils, etc.

corindon

Brunel

Corinne, en gr. **Korinna,** poétesse grecque (fin du VIᵉ s. av. J.-C.), qui vécut à Thèbes ou à Tanagra. Rivale de Pindare dans les concours de poésie, elle le vainquit parfois. Il ne reste de son œuvre que des fragments.

Corinne ou l'Italie, roman de Mᵐᵉ de Staël (1807). Corinne, poétesse italienne, couronnée au Capitole, jouit à Rome de sa gloire et aime Oswald Nelvil, jeune lord mélancolique. Celui-ci l'abandonne. Elle en meurt.

Corinth (Lovis), peintre allemand (Tapiau, Prusse-Orientale, 1858 - Zandvoort, Hollande, 1925). Il connut le succès à Paris, avant de devenir un des principaux exposants de la Sécession de Berlin (1900). Il est l'auteur de compositions mythologiques ou religieuses (*Déposition de croix,* musée de Leipzig), de paysages et de portraits.

Corinthe, en gr. **Korinthos** ou **Kóritho,** v. de Grèce, ch.-l. du nome de Corinthie, au fond du *golfe de Corinthe,* sur l'isthme homonyme ; 20 700 h. Détruite en 1858 et en 1928 par un tremblement de terre, la ville a été reconstruite sur un plan régulier. Centre commercial.

● *Histoire.* Cité dorienne, longtemps sous la domination d'Argos, Corinthe eut un rôle important dans le monde mycénien. Après la dynastie légendaire des Héraclides, la famille des Bacchiades renversa la royauté (v. 750 av. J.-C.). Un siècle plus tard, Cypselos, tyran populaire, en lutte contre l'oligarchie, s'empara du pouvoir. Son fils Périandre* compte parmi les Sept Sages de la Grèce. Les Cypsélides s'attachèrent au développement économique de leur cité. Après eux, une oligarchie tempérée détint le pouvoir. La situation de la ville, qui lui permettait d'avoir un port de chaque côté de l'isthme (Lechaion et Cenchréai), en fit une puissance maritime florissante. Les constructions navales, les poteries largement exportées contribuèrent à sa richesse. Le luxe corinthien devint célèbre. Corinthe fonda d'importantes colonies, avec lesquelles elle conserva d'étroites relations commerciales ; Syracuse, Corcyre, Potidée et Apollonie en sont les principales. Adversaire naturelle d'Athènes, sa rivale maritime, Corinthe fut l'alliée traditionnelle de Sparte. Le soutien qu'Athènes fournit aux colonies corinthiennes révoltées provoqua la guerre du Péloponnèse (431 av. J.-C.). Toutefois, en 395, Corinthe s'allia avec Athènes, Argos et Thèbes contre Sparte, et fut vaincue. Après la bataille de Chéronée (338 av. J.-C.), Corinthe devint le centre à partir duquel s'exerça l'hégémonie macédonienne. Ralliée à la Ligue achéenne, elle en devint le siège (196 av. J.-C.). Ses richesses attirant la cupidité des Romains, elle fut mise à sac en 146 av. J.-C. César y établit une colonie romaine en 44 av. J.-C. et en fit la capitale de la province d'Achaïe. Saint Paul évangélisa Corinthe au cours de son deuxième voyage, en 50-52, et écrivit ultérieurement deux épîtres à l'intention de la jeune Eglise corinthienne. A la suite de la quatrième croisade, Corinthe fut conquise par Villehardouin. Les Turcs en firent la conquête en 1458 ; les Vénitiens, en 1687. Elle appartint de nouveau aux Turcs de 1715

Loirat-Rapho

Corinthe : restes d'une basilique romaine

à 1821, date de son rattachement définitif à la Grèce.
● *Archéologie.* Les fouilles ont révélé le site préhellénique de Korakou, la ville détruite en 146 av. J.-C. et rebâtie en 44 av. J.-C., le temple d'Apollon (7 colonnes debout), une agora, des basiliques, des bains, un odéon, un théâtre, divers quartiers, des fortifications antiques et médiévales.

Corinthe (CANAL DE), voie navigable de Grèce, percée à travers l'*isthme de Corinthe,* entre les mers Adriatique et Ionienne et la mer Egée.

corinthe n. m. Variété de cépage abondante en Grèce, à petits fruits très sucrés sans pépins, que l'on utilise séchés, en confiserie.

Corinthie, en gr. **Korinthia,** nome de Grèce ; 112 500 h.

corinthien, enne adj. et n. Qui se rapporte à Corinthe ; habitant ou originaire de cette ville. ● *Ordre corinthien,* v. ORDRE.

Corinthiens (EPÎTRES AUX). V. EPÎTRES.

Coriolan, en lat. **Caius Marcius Coriolanus,** général romain (ve s. av. J.-C.). Il prit Corioli, capitale des Volsques, dans le Latium. Sa politique oligarchique lui valut d'être exilé. A la tête des armées volsques il se tourna contre Rome, qu'il épargna devant les supplications de sa mère et de sa femme.

Coriolan, drame de Shakespeare (v. 1607). S'inspirant du récit de Plutarque, l'auteur présente un Coriolan aveuglé par l'orgueil, opposé à sa mère Volumnia, le type achevé de la matrone romaine.

Coriolan, ouverture en *ut* mineur (opus 62, 1807) de Beethoven, destinée à précéder le drame en prose du poète autrichien H. Collin.

Coriolis (Gaspard), ingénieur et mathématicien (Paris 1792 - *id.* 1843). Professeur d'analyse géométrique et de mécanique générale

Larousse

Gaspard **Coriolis**
par Belliard
arch. de l'Académie des sciences

à l'Ecole centrale des arts et manufactures, il est connu pour le théorème qui porte son nom. (Acad. des sc., 1836.)

Coriolis (THÉORÈME DE). Dans le mouvement relatif, l'accélération résultante est la somme géométrique de l'*accélération d'entraînement,* de l'*accélération relative* et d'une *accélération complémentaire,* ou *accélération de Coriolis,* égale à deux fois le produit vectoriel de la rotation d'entraînement et de la vitesse relative. Ce théorème se prête à l'étude des mouvements à la surface de la Terre, compte tenu de la rotation diurne. Ainsi, la rotation de la Terre dévie tous les courants aériens vers la droite sur l'hémisphère Nord et vers la gauche sur l'hémisphère Sud : le vent n'est donc pas parallèle aux isobares, mais suit ces dernières.

Corisande (la Belle), nom donné à Diane **d'Andouins,** comtesse **de Gramont,** vicomtesse **de Louvigny** (Hagetmau, Gascogne,

1554 - en Navarre 1620). Veuve en 1580 de Philibert de Gramont, comte de Guiche, elle aurait été la maîtresse d'Henri de Navarre de 1573 à 1591.

corise n. f. (gr. *koris,* punaise). Punaise aquatique aplatie et allongée, qui fixe ses œufs aux plantes aquatiques. (Au Mexique, ces œufs sont utilisés pour faire des galettes. Type de la famille des *corisidés.*)

Cork, en gaél. **Corcaigh,** v. de la république d'Irlande, capit. de la prov. de Munster, sur l'estuaire de la Lee; 128 600 h. Evêchés catholique et protestant. Université. Aéroport. Le port exporte des produits agricoles. Constructions navales; industries mécaniques; raffinerie de pétrole.

Cork (Richard BOYLE, 1er comte DE), homme politique anglais (Canterbury 1566 - Youghal, comté de Cork, 1643). Etabli en Irlande, devenu l'un des plus riches propriétaires, il brisa la révolte de 1641-1643.

corkscrew [korkskru] n. m. (mot angl. signif. *tire-bouchon*). Lainage anglais croisé, réalisé avec une armure dérivée du cannelé oblique.

Corlay, ch.-l. de c. des Côtes-du-Nord (arr. et à 35 km au S.-O. de Saint-Brieuc); 1 215 h. (*Corlaisiens*). Elevage de chevaux réputé.

corlieu n. m. Petit courlis au bec court, à la tête rayée. (Syn. LIVERGIN.)

Corliss (George Henry), ingénieur américain (Easton, New York, 1817 - Providence 1888). Il inventa la machine à vapeur (1849) et le mode de distribution qui portent son nom.

Cormatin (Pierre DEZOTEUX, dit **baron de**), un des chefs de la chouannerie (Paris 1753 - Lyon 1812). Successeur de Puisaye comme major général de l'armée royaliste de Bretagne, il signa les traités de La Jaunaie et de La Mabilais. Arrêté en 1795, il fut emprisonné jusqu'en 1812.

corme → CORMIER.

Cormeilles, ch.-l. de c. de l'Eure (arr. de Bernay), à 17 km au S.-O. de Pont-Audemer; 1 163 h. (*Cormeillais*).

Cormeilles-en-Parisis, ch.-l. de c. du Val-d'Oise (arr. d'Argenteuil), à 12 km au N.-O. de Paris; 14 309 h. (*Cormeillais*). Eglise des XIIIe, XVe et XVIe s.

Cormery, comm. d'Indre-et-Loire (arr. et à 18 km au S.-E. de Tours), sur l'Indre (r. g.); 1 106 h. Restes d'une abbaye fondée entre 770 et 791 (tours médiévales, vestiges d'une église carolingienne, réfectoire du XVe s.). Eglise romane.

cormier n. m. V. SORBIER. ◆ **corme** n. f. Fruit du sorbier*.

Cormon (Fernand PIESTRE, dit), peintre français (Paris 1845 - *id.* 1924). Il fut professeur pendant près de quarante ans à l'Ecole nationale supérieure des beaux-arts, et de très nombreux peintres contemporains ont été ses élèves. Il exécuta des peintures murales assez académiques.

Cormont (Thomas DE), architecte français († Amiens 1228). Il succéda à Robert de Luzarches comme maître d'œuvre de la cathédrale d'Amiens, charge reprise par son fils RENAUD († Amiens apr. 1288).

Cormontaigne (Louis DE), ingénieur militaire français (Strasbourg 1697 - Metz 1752). Elève et imitateur de Vauban, il fortifia Thionville et Metz.

cormophytes n. m. pl. (gr. *kormos,* tige, et *phuton,* plante). Ensemble des plantes supérieures ayant une tige et des tissus différenciés : mousses, fougères, plantes à graines. (Contr. THALLOPHYTES.)

cormoran n. m. (anc. franç. *corp,* corbeau, et *marenc,* de mer). Oiseau aquatique (long. 70 cm) au plumage sombre, au cou assez long, au bec fort, aux pieds entièrement palmés, qui se nourrit de poissons qu'il capture en plongeant. (Il vit sur tous les rivages et est l'un des grands producteurs du guano chilien; en Chine, on le dresse à la pêche, un anneau autour du cou l'empêchant d'avaler ses proies. Famille des phalacrocoracidés.)

Six

cormoran

cormus [mys] n. m. (gr. *kormos,* tige). Tige souterraine courte, tubéreuse, entourée d'écailles étagées, comme chez le glaïeul, le safran, le muscari. (Syn. BULBE SOLIDE.)

cornac n. m. (portug. *cornaca,* empr. à un

parler de l'Inde). Celui qui est chargé de soigner et de conduire un éléphant : *Le cornac est armé d'un long bâton terminé en crochet.* || Conducteur, montreur de bêtes sauvages. || *Fig.* et *fam.* Guide de voyageurs : *Un groupe de touristes guidé par son cornac.* || Personne qui se fait l'introducteur, le prôneur d'une autre : *Se faire présenter à une personnalité par un cornac.*

cornacées n. f. pl. Famille d'arbustes à feuilles opposées et à fleurs tétramères, de l'ordre des ombellales, dont le type est le cornouiller.

cornacuspongiées n. f. pl. Sous-classe d'éponges, comprenant les formes au squelette corné et souvent siliceux, mais non calcaire. (Syn. ÉPONGES CORNÉES.)

cornage, cornaline, cornard → CORNE.

Cornaro, famille vénitienne, qui a donné quatre doges à la ville et Catherine **Cornaro**

Scala

Catherine **Cornaro**
par Titien
musée des Offices, Florence

(1454 - Venise 1510), épouse de Jacques II de Lusignan, roi de Chypre. Celle-ci gouverna l'île dès 1472. En 1489 elle abdiqua en faveur de la république de Venise. Elle vécut en grande dame de la Renaissance, entourée d'une cour de poètes et d'artistes.

Cornaro (PALAIS). V. CORNER (*palais*).

Corn Belt, région des Etats-Unis, s'étendant de l'Ohio au Nebraska, où prédominait la culture du maïs (*corn*).

corne n. f. (lat. *cornu*). Excroissance pointue de la tête de certains mammifères, constituant une arme défensive. (V. *encycl.*) || *Par extens.* Toute excroissance céphalique : *Les cornes de l'escargot, de la vipère céraste, du grand duc,* etc. || Tout ce qui se termine en pointe comme une corne : *Les cornes de la Lune* (les pointes du croissant). || Angle saillant et recourbé en forme de corne : *Les cornes d'un pavillon chinois.* || Extrémité relevée d'un chapeau : *Un chapeau à trois cornes.* || Appareil fait primitivement d'une corne d'animal, dans laquelle on soufflait pour en tirer des sons : *Souffler dans une corne.* || Trompe, appareil de métal actionné pneumatiquement et qui a servi d'avertisseur : *Une corne d'auto.* || Attribut que l'on prête au diable et à certaines divinités du paganisme : *Les cornes du satyre.* || *Par plaisant.* Attribut que l'on prête aux maris trompés : *Porter des cornes. Donner, planter des cornes à son mari.* || Matière de la corne : *Le sabot du cheval est fait de corne.* (Syn. KÉRATINE.) || Ce qui est fait avec la matière des cornes : *Peigne, tabatière de corne. Manche de couteau en corne de cerf, en corne de daim.* (Hors ce cas, on ne dit pas CORNE DE CERF ou DE DAIM, mais BOIS.) || Ce qui est fait d'une corne : *Une corne à chaussure* (chausse-pied fait d'une moitié de corne sciée dans sa longueur). || Callosité de la peau. || *Anat.* Nom donné à certaines portions d'organes en raison de leur forme : *Cornes de l'utérus. Cornes de la vessie, des ventricules latéraux.* || Appellation donnée, en topographie militaire, à l'extrémité apparente d'un angle saillant : *La corne d'un bois.* || Coin du chef d'une pièce de toile, sur lequel on inscrit la marque et le métrage. || Appendice ménagé sur l'ampoule d'un tube électronique et servant à connecter isolément une électrode à un circuit extérieur. || Défaut d'emboutissage rencontré sur une tôle possédant une forte orientation préférentielle dans son aptitude à la déformation. (Syn. OREILLE.) || Vergue s'appuyant sur le mât par une mâchoire, et dont l'autre extrémité est soulevée en l'air à poste fixe par la drisse de pic. || Roche métamorphique à cassure courbe. (Un des termes du métamorphisme des calcaires.) ● *C'est le diable et ses cornes,* c'est une chose difficile ou très considérable. || *Corne à boire,* corne de bœuf employée par les Barbares comme vase à boire. || *Cornes de la moelle,* nom donné à trois renflements de la substance grise de la moelle : antérieur, latéral, postérieur. || *Corne de vache,* évidement que l'on pratique quelquefois sur les arêtes des voûtes. || *Faire une corne à une carte de visite,* replier un coin en la déposant, pour marquer qu'on est venu soi-même. || *Faire les cornes à quelqu'un,* geste enfantin de moquerie, consistant à avancer vers quelqu'un l'index et le médius ouverts et écartés, les autres doigts étant fermés, ou encore à pointer vers lui l'index de chaque main. ||

Faire des cornes à un livre, replier les coins des pages par négligence ou pour faire une marque. || *Montrer les cornes,* se montrer prêt à l'attaque ou à la défense, faire le méchant. ◆ **cornage** n. m. Disposition et forme des cornes. || Respiration sifflante et bruyante d'origine laryngo-trachéale. || Ronflement ou sifflement accompagnant la respiration de certains animaux (cheval, bovins) et dû à un rétrécissement transitoire ou chronique des voies aériennes (fosses nasales, larynx, trachée). ◆ **cornaline** n. f. Variété d'agate translucide, de couleur rouge, employée en

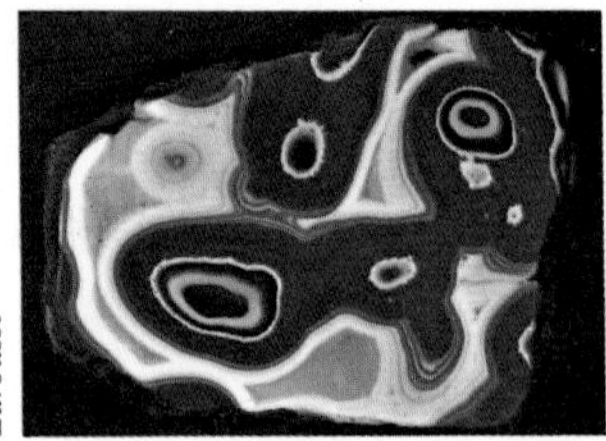

Larousse

cornaline

bijouterie. ◆ **cornard** adj. m. et n. m. Qui a des cornes. || Atteint de cornage. || *Fig.* et *pop.* Se dit d'un mari trompé par sa femme. ✦ n. m. Outil métallique qui se termine par un crochet un peu relevé et qui sert, dans la fabrication des glaces, à déplacer les pots ou creusets dans le four, ou encore à les débarrasser du verre y adhérant. ◆ **corné, e** adj. Qui est de la nature ou qui a l'apparence de la corne. ● *Albumen corné,* albumen riche en protéines, comme celui du café. || *Eponges cornées,* v. CORNACUSPONGIÉES. || *Harengs cornés,* harengs sur le point de frayer. || *Pierre cornée,* nom donné à divers minéraux présentant l'aspect de la corne : *Silex corné.* ◆ **corner** v. intr. Sonner de la corne, du cornet, de la trompe. || Faire entendre un bruit d'avertisseur : *La sirène d'un bateau corne dans la brume.* || Parler dans un cornet pour se faire entendre au loin. || Parler très fort pour se faire entendre d'une personne sourde. || Etre atteint de cornage. ✦ v. tr. Appeler ou avertir en sonnant de la corne, de la trompe, du Klaxon, etc. : *Corner quelqu'un.* || Annoncer à son de corne ; répéter partout ou sans cesse : *Corner une nouvelle par le pays, aux oreilles de quelqu'un.* || Faire un pli, une corne à : *Corner sa carte de visite.* ◆ **cornet** n. m. Petite trompe rustique ou petit cor : *Cornet à pistons.* || Trompe grossière, faite d'une corne de bœuf, au son de laquelle les pâtres réunissent leurs troupeaux. || Tout ce qui a la forme d'un cornet : *Un cornet de pâtisserie.* || Morceau de papier roulé en cône, contenant certaines poudres ou de menus objets : *Cornet de bonbons.* || Eteignoir placé à l'extrémité d'un bâton et dont on se sert dans les églises pour éteindre les grands cierges. || Tranche mince de jambon ou d'autre viande roulée en forme de cornet. || *Anat.* Nom donné à trois petites lames osseuses de la paroi externe des fosses nasales : les cornets *supérieur, moyen* et *inférieur.* || Cavité s'ouvrant au sommet de la couronne des incisives du cheval et s'amenuisant avec l'âge. || Cépage noir de la Drôme, à fruits juteux et sucrés. ● *Cornet à dés,* sorte de cornet dans lequel on place les dés avant de les lancer sur la table. ◆ **cornetier** n. m. Ouvrier qui prépare la corne. ◆ **cornette** n. f. Coiffure de certaines religieuses, par exemple les Filles de la Charité jusqu'en 1964. || Anc. étendard d'une compagnie de cavalerie : *La cornette était aux couleurs du capitaine.* || Cette compagnie elle-même (XVIe s.). || Porte-étendard, puis sous-lieutenant de cavalerie (XVIe-XVIIIe s.). || Pavillon d'un chef d'escadre dans la marine de l'Ancien Régime. || *Bourrell.* Outil dont la lame, concave d'un bord et convexe de l'autre, coupe des deux côtés. || Ferrement protégeant un coin de mur. ◆ **cornettiste** n. Personne qui joue du cornet, du cornet à pistons. ◆ **corneur, euse** adj. Atteint de cornage. (Syn. SIFFLEUR.) ◆ **corneux, euse** adj. Se dit du cuir qui, par suite d'un mauvais tannage, présente des parties dures. ◆ **cornier, ère** adj. *Constr.* Qui est à la corne, à l'angle d'un mur : *Poteau cornier.* ● *Jointure cornière,* ou *cornière* n. f., sorte de chéneau en tuiles, placé à la jonction de deux combles pour recevoir les eaux pluviales. || — ***cornier*** n. m. et adj. m. Arbre situé au coin d'une coupe forestière. || — ***cornière*** n. f. Chacun des angles droits d'une ardoise. || Rangée de tuiles placée à la jonction de deux pentes de toit et qui forme chéneau pour l'écoulement des eaux pluviales. || Pièce métallique profilée à deux branches, appelées *ailes,* dont la section est généralement un angle droit. ◆ **cornillon** n. m. Excroissance osseuse paire de l'os frontal des ruminants, entourée (bœuf) ou surmontée (cerf) d'une corne. ◆ **cornu, e** adj. Qui a, qui porte des cornes : *Un diable cornu.* || Qui a des angles saillants, des saillies en forme de corne : *Un vase au bec cornu.* || *Fam.* Mari trompé. ● *Argument cornu,* anc. nom du dilemme ou argument dont la majeure contient deux propositions contradictoires, conduisant l'une et l'autre à la même conclusion. || — ***cornu*** n. m. *Fam.* et *absol.* Le Diable. || — ***cornue*** n. f. Vase en verre, en grès ou en métal, à col étroit et courbé, servant aux distillations en chimie. || Capacité réfractaire, de forme allongée et de section oblongue, recevant dans un four le charbon destiné à la distillation. ● *Charbon de cornue,* v. GRAPHITE. || *Tête de cornue,* pièce en fonte fixée à l'avant d'une cornue à gaz et extérieurement au four, destinée à assurer la communication de la cornue avec le barillet et à recevoir un tampon qui la ferme hermétiquement pendant la distillation du charbon introduit.

— ENCYCL. **corne.** Une ou deux cornes médianes existent chez les rhinocéros, sur le nez. Une paire de cornes existe chez la plupart des ruminants (mais les camélidés n'en ont pas, et le tétracère de l'Inde en a deux paires). Tantôt le mâle seul a des cornes (cerf, mouton); tantôt les deux sexes ont des cornes identiques (bœuf, chèvre, renne). Chez les ruminants *cavicornes,* la corne est une formation épidermique analogue au sabot, creuse, persistante, soutenue par un *cornillon* osseux. Chez les cervidés, le cornillon est réduit, et la corne, pleine, rameuse, tombant et repoussant chaque année, est une formation dermique dite plutôt *bois,* parfois recouverte par l'épiderme (daim). Chez les girafes, une peau banale recouvre un petit cornillon osseux.

Corne d'Or (la), baie turque du Bosphore, divisant Istanbul en *Stanbul,* au S., et *Galata,* au N.

corné → CORNE.

corned beef [kɔrnbif] n. m. (mots angl.; *corned,* salé, et *beef,* bœuf). Conserve de viande de bœuf salée.

cornée n. f. (lat. [*tunica*] *cornea,* tunique de corne). ● *Cornée transparente,* partie différenciée de la sclérotique, qui, en avant de l'œil, se bombe légèrement en verre de montre et devient transparente pour laisser pénétrer les rayons lumineux dans la chambre oculaire. (La cornée transparente peut être le siège d'un certain nombre d'affections qui viennent gêner ou supprimer la vision, opacités ou taies d'origines variées.) ◆ **cornéen, enne** adj. Relatif à la cornée transparente : *Taie cornéenne.* ‖ — ***cornéenne*** n. f. Variété de silex. ◆ **cornéule** n. f. Facette de la cornée dans l'œil des insectes. (Chaque cornéule fournit une image distincte.)

Corneilla-de-Conflent, comm. des Pyrénées-Orientales (arr. et à 6 km au S. de Prades); 365 h. Eglise romane à trois nefs.

corneille n. f. (lat. *cornicula*). Petit corbeau noir commun en France, omnivore, plus utile que nuisible. (Son jeune est appelé *corneillon.*) ● *Bayer aux corneilles* (Fam.), v. BAYER.

Corneille, v. d'Algérie. V. MÉROUANA.

Corneille (saint), centurion romain, le premier incirconcis admis dans l'Eglise. Il aurait été le premier évêque de Césarée. — Fête le 2 févr.

Corneille (saint) [† Civitavecchia 253], pape (251-253). Contre Novatien, et soutenu par saint Cyprien, il se montra miséricordieux à l'égard des *lapsi.* Il mourut martyr. — Fête le 14 sept.

Corneille de Lyon, peintre français d'origine hollandaise (La Haye v. 1505 - Lyon v. 1574). Peintre de Catherine de Médicis, il est l'auteur de nombreux petits portraits peints en clair sur bois à fond vert ou bleu : *le Duc de Montpensier; Louise de Rieux, marquise d'Elbeuf* (Louvre). Il est également représenté dans les musées de Lyon, d'Avignon, de Berlin et de Londres.

Giraudon

Corneille de Lyon
portrait d'homme à la barbe blonde
musée d'Agen

Corneille (Pierre), poète dramatique français (Rouen 1606 - Paris 1684). Avocat, comme son père, dans sa ville natale, il se sent attiré par les Lettres. Ses premiers vers sont de 1625. En 1629 ou 1630, il fait jouer au théâtre du Marais, à Paris, une comédie, *Mélite,* suivie d'une tragi-comédie, *Clitandre* (1630-1631), puis de quatre comédies : *la Veuve* (1631), *la Galerie du Palais* (1631-1632), *la Suivante* (1632-1633), *la Place Royale* (1633-1634). Richelieu l'accueille dès 1633 parmi les cinq auteurs qui travaillent selon ses directives, mais Corneille reprend sa liberté. En 1635, il compose sa première tragédie, *Médée.* L'année suivante, il crée sa comédie la plus originale, *l'Illusion* comique,* suivie de la tragi-comédie du *Cid*,* qui reçoit un accueil triomphal de la part du public, mais à propos de laquelle critiques et érudits font des réserves. Il s'ensuit une polémique (v. l'article CID). Après trois ans de silence, Corneille présente au public des tragédies « régulières » : *Horace** (1640), *Cinna** (1641), *Polyeucte** (1641 ou 1642), *la Mort de Pompée* (1642-1643), *Rodogune**

Giraudon

Pierre **Corneille**
peinture anonyme du XVIIe s.
musée de Versailles

(1644-1645), *Héraclius** (1647), *Nicomède** (1651). Il est académicien en 1647. Il ne renonce pas à la comédie et fait jouer entre-temps *le Menteur** (1643), *la Suite du Menteur* (1643-1644), et une comédie héroïque, *Don Sanche d'Aragon* (1650). Après l'échec de *Pertharite* (fin de 1651), il abandonne le théâtre et s'occupe d'une traduction en vers de l'*Imitation de Jésus-Christ* (parue en 1656). En 1659, il veut reconquérir le public avec *Œdipe,* mais il doit bientôt compter avec la concurrence de Racine, qui s'accorde mieux au goût des jeunes générations. Corneille fait jouer *Sertorius** (1662), *Sophonisbe* (1663), *Othon* (1664), *Agésilas** (1666), *Attila** (1667). La victoire de Racine éclate en 1670, quand ils s'affrontent sur le même sujet, Corneille donnant *Tite et Bérénice* une semaine après *Bérénice* de Racine. Le génie de Corneille lance un dernier éclat avec *Psyché**, faite en collaboration avec Molière. Après *Suréna** (1674), Corneille prend sa retraite. Il a contribué à hausser définitivement la comédie au rang d'un grand genre littéraire, mais c'est la tragi-comédie et la comédie héroïque qui ont sa préférence, car elles laissent plus de liberté à l'imagination du poète. Cependant c'est dans le domaine de la tragédie que Corneille a eu l'influence la plus durable : il est le premier à lui avoir donné son esprit, en fondant l'intérêt de la tragédie sur la peinture des caractères. Ses héros, déterminés par le souci de la gloire, sont passionnément attirés par les sentiments les plus élevés : passion de l'honneur, dévouement patriotique, foi mystique.

Corneille (Thomas), poète dramatique français (Rouen 1625 - Les Andelys 1709), frère de Pierre Corneille. Il composa quarante-trois pièces de théâtre : des comédies comme *la Devineresse* (1679); des tragédies comme *Ariane* (1672), *le Comte d'Essex* (1678); une tragi-comédie, *Circé* (1675); un opéra, *Bellérophon* (1679). [Acad. fr., 1685.]

Corneille, famille de peintres et de graveurs français du XVIIe s. Les principaux sont : MICHEL Ier, dit *le Père* (Orléans 1601 - Paris 1664), un des fondateurs de l'Académie de peinture, surtout célèbre pour ses eaux-fortes; — Son fils MICHEL II, dit *l'Aîné* ou *Corneille des Gobelins* (Paris 1642 - *id.* 1708), collabora à maintes décorations (les Invalides, Versailles, le Trianon, Chantilly); — JEAN-BAPTISTE (Paris 1649 - *id.* 1695), frère du précédent, a gravé d'après les dessins de la collection Jabach. Il est l'auteur de compositions décoratives (*Histoire de Psyché,* hôtel Amelot de Bisseuil, Paris).

Cornejo y Roldán. V. DUQUE CORNEJO Y ROLDÁN (Pedro).

Cornelia (GENS), famille patricienne de l'ancienne Rome. La branche la plus connue est celle des *Scipions**.

Cornelia, fille de Scipion l'Africain (v. 189 - † v. 110 av. J.-C.). Epouse de Tiberius Sempronius Gracchus, elle fut la mère des Gracques.

Cornelia, fille de Cinna († 68 av. J.-C.), épouse de César (83 av. J.-C.).

Cornelia, fille de Scipion Metellus, mariée à Publius Licinius Crassus, puis au grand Pompée.

cornélien, enne adj. Ecrit ou conçu par Pierre Corneille : *L'héroïsme cornélien.* ‖ A la manière de Corneille : *Style cornélien.* ‖ Se dit d'une situation, d'un drame, etc., dans lesquels se rencontre un conflit de sentiments, de devoirs analogue à ceux des tragédies de Corneille : *Un débat cornélien.* • *Sentiments, personnages cornéliens,* sentiments, personnages héroïques dignes des héros de Corneille.

Cornelisz (Cornelis), dit **Cornelisz Van Haarlem,** peintre hollandais (Haarlem 1562 - *id.* 1638). Influencé par l'art italien, il exécuta surtout des figures d'une certaine vérité anatomique : *Adam et Eve* (Rijksmuseum, Amsterdam), *Bacchus et satyre* (musée de Rotterdam), *Vénus et Adonis* (musée de Caen).

Cornelisz Van Oostzanen (Jacob), peintre hollandais (Oostzanen v. 1470 - Amsterdam 1533). Influencé par Dürer dans ses gravures, il est l'auteur de portraits réalistes (musée de Rotterdam).

Cornelius (Peter VON), peintre allemand (Düsseldorf 1783 - Berlin 1867). Il se consacra à évoquer le passé national et fit partie, à Rome, du groupe des nazaréens (musées d'Anvers, de Bâle, de Berlin et de Dresde).

Cornelius Balbus (Lucius), consul romain en 40 av. J.-C., né à Cadix. Son droit à la citoyenneté romaine fut défendu avec succès par Cicéron dans son *Pro Balbo.*

Cornelius Cinna. V. CINNA.

Cornelius Dolabella (Cneius), consul en 81 av. J.-C., vainqueur des Thraces en 78.

Cornelius Dolabella (Publius), consul romain (v. 70 av. J.-C. - Laodicée 43 av. J.-C.). Consul en 44, gouverneur de Syrie, il fit périr le proconsul d'Asie Trebonius.

Cornelius Gallus. V. GALLUS.

Cornelius Nepos, historien latin (Pavie v. 99 av. J.-C. - † v. 24 av. J.-C.). Seule une partie de son œuvre nous est parvenue. Il est l'auteur d'une *Chronique,* des *Exempla,* d'un *De excellentibus ducibus,* d'une vie de Caton et d'une vie d'Atticus, provenant d'un *De historicis latinis,* ainsi que d'une vie de Cicéron.

Cornelius Scipio. V. SCIPION.

Cornelius Sulla. V. SULLA.

Cornély (Emile), inventeur français (Strasbourg 1824 - Paris 1913). En 1865, il mit au point une machine à broder que venait de construire l'ingénieur Bonnaz. (V. BRODERIE *Cornély.*)

cornemuse n. f. (de *corne,* instrument de musique, et *muser*). Instrument de musique à réservoir d'air, de caractère pastoral, universellement connu, mais surtout répandu

cornemuse

Goldner

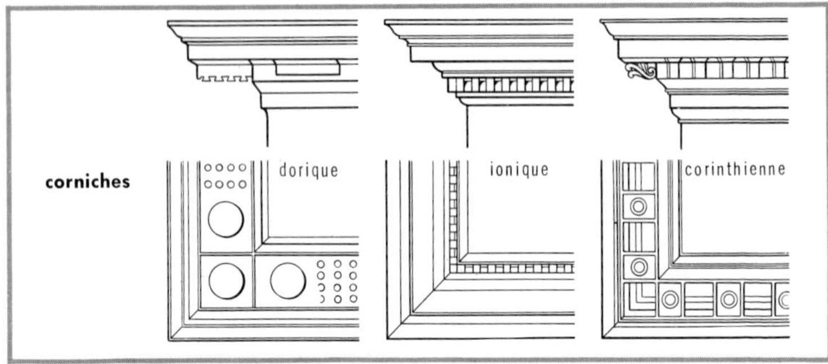

en Europe. ◆ **cornemuseur** n. m. Joueur de cornemuse.

corner → CORNE.

corner [nər] n. m. (mot angl. signif. *coin*). Entente entre spéculateurs en vue d'acquérir le stock disponible d'une marchandise et d'imposer ainsi une hausse artificielle des cours. ‖ Au football, coup franc accordé à une équipe quand un adversaire a envoyé le ballon derrière sa propre ligne de but, mais ailleurs qu'entre les poteaux. (Le ballon est placé à terre au coin des lignes de touche et de but.)

Corner ou **Cornaro** (PALAIS) ou palais **della Ca' Grande,** fastueux palais vénitien élevé en 1537 par l'architecte florentin Sansovino.

Corner Brook, v. du Canada, sur la côte ouest de Terre-Neuve ; 25 200 h. Industrie du papier.

cornet → CORNE.

Cornet (Nicolas), théologien français (Amiens 1592 - Paris 1663). Il est l'auteur des sept propositions résumant les erreurs de Jansénius dans l'*Augustinus**. Bossuet prononça son oraison funèbre.

Cornet (Paul), sculpteur français (Paris 1892 - Saint-Martin-de-Nigelles 1977). Il fut influencé par Rodin, puis par le cubisme (*Figure de jeune fille,* parvis du palais de Chaillot). Il est représenté au musée national d'Art moderne : *Baigneuse au repos* (1934).

cornetier, cornette, cornettiste → CORNE.

cornéule → CORNÉE.

corneur, corneux → CORNE.

corn-husker [kɔrnœskər] n. m. (mots angl.). *Instr. agric.* Ramasseuse* de maïs. — Pl. *des* CORN-HUSKERS.

corniaud ou **corniot** n. m. Chien bâtard. ‖ *Pop.* Imbécile.

1. corniche n. f. *Arg. scol.* Groupe des élèves préparant l'Ecole spéciale militaire de Saint-Cyr.

2. corniche n. f. (ital. *cornice*). Ensemble de moulures superposées, en saillie, couronnant l'entablement d'un édifice et, par extens., d'un mur, d'un meuble. ‖ Escarpement rocheux abrupt surmontant une pente plus douce. ● *Corniche massive,* corniche taillée en plein bois. ‖ *Corniche volante,* corniche formée d'une seule planche moulurée.

cornichon n. m. Variété de concombre* à petits fruits. (Le cornichon, petit et vert, peut être confit dans du vinaigre et servir comme condiment.) ✦ n. et adj. m. *Fig.* et *pop.* Sot, niais, imbécile : *Avoir un air cornichon.* ✦ n. m. *Arg. scol.* Elève de la classe préparatoire à Saint-Cyr.

cornicule n. f. (lat. *corniculum*). Insigne de récompense porté sur le casque par les Romains.

cornier, cornière → CORNE.

Cornil (Victor), médecin et homme politique français (Cusset 1837 - Menton 1908). Député, professeur à la faculté de médecine de Paris, il est l'auteur de travaux sur l'histologie et la bactériologie. (Acad. de méd., 1884.)

cornillas [nijas] n. m. Syn. de CORNEILLON.

cornillon → CORNE.

Cornimont, comm. des Vosges (arr. d'Epinal), sur la Moselotte, à 20 km au S. de Gérardmer ; 5 225 h. (*Cornimontais*). Filature et tissage du coton.

cornique n. m. Langue celte de la Cornouailles anglaise.

corniste → COR 1.

Corn-Laws (« lois sur le blé »), nom de la législation qui protégeait la production céréalière britannique par la fixation de prix limites au-dessous desquels les importations de blé étaient interdites, tandis que les exportations bénéficiaient de prix garantis par des subventions. Mise sur pied dans la seconde moitié du XVIIe s., cette législation fut abolie en 1849.

Corno Grande, sommet du massif du Gran Sasso, dans les Abruzzes (Italie) ; 2 914 m. Station touristique sur ses pentes, d'où Mussolini fut libéré par les Allemands (12 sept. 1943).

cornouaillais n. m. Un des quatre principaux dialectes bretons, parlé dans le sud du Finistère.

Cornouaille, région du sud-ouest de la Bretagne, entre la pointe du Raz et l'embouchure de la Laïta.

Cornouailles, comté d'Angleterre. V. CORNWALL.

cornouille → CORNOUILLER.

cornouiller n. m. Arbrisseau atteignant 5 m de haut, commun dans les haies et les taillis. (Type de la famille des cornacées.) ◆ **cornouille** n. f. Fruit du cornouiller.

corn-picker [kɔrnpikœr] n. m. (mots angl.). Ramasseuse* de maïs. — Pl. *des* CORN-PICKERS.

corn-picker-sheller [kɔrnpikər∫elər] n. m. (mots angl.). Ramasseuse-égreneuse de maïs. — Pl. *des* CORN-PICKER-SHELLERS.

corn-sheller [kɔrn∫elər] n. m. (mots angl.). Egreneuse* de maïs. — Pl. *des* CORN-SHELLERS.

cornu → CORNE.

Cornu (Alfred), physicien français (Orléans 1841 - La Chansonnerie, près de Romorantin, 1902). Ses principaux travaux ont été consacrés à la minéralogie, puis à l'optique (mesure de la vitesse de la lumière, étude photographique des radiations ultraviolettes, etc.). [Acad. des sc., 1878.]

Cornu (Maxime), agronome français (Orléans 1843 - Paris 1901). Il a étudié les cryptogames et les maladies des plantes (phylloxéra), et introduit de nombreuses plantes utiles dans les colonies françaises.

cornue → CORNE.

cornulaire n. f. Petit alcyonaire de la Méditerranée, pourvu d'une enveloppe cornée.

Cornus, ch.-l. de c. de l'Aveyron (arr. de Millau), à 15 km au S. de La Cavalerie ; 510 h.

Cornutus (Lucius Annaeus), philosophe stoïcien (Leptis, Afrique, Ier s.), mis à mort, croit-on, sur l'ordre de Néron, dont les prétentions d'historien avaient attiré ses moqueries.

Cornwall, en franç. **Cornouailles,** comté de Grande-Bretagne, s'étendant sur la péninsule qui forme le sud-ouest de l'Angleterre ; 403 500 h. Ch.-l. *Truro.*

Cornwall, v. du Canada (Ontario), sur le *canal de Cornwall ;* 43 600 h. Centre commercial et industriel. Centrale hydraulique.

Cornwall (Barry). V. PROCTER.

Cornwallis (Charles **Cornwallis,** 1er marquis), général et administrateur britannique (Londres 1738 - Ghāzīpur, prov. de Bénarès, 1805). Commandant en second de l'armée britannique contre les « Insurgents », il fut bloqué dans Yorktown et dut capituler (1781). Nommé gouverneur général et commandant en chef pour l'Inde en 1786, il soumit Tippoo Sahib, sultan du Mysore. Vice-roi d'Irlande (1798-1801), il en réprima l'insurrection. Il participa aux négociations du traité d'Amiens (1802).

corœbus [rebys] n. m. Petit bupreste allongé, très nuisible aux chênes du midi de la France.

Corogne (LA), en esp. **La Coruña,** port d'Espagne, en Galice, ch.-l. de province ; 190 200 h. Pêche. Usine d'aluminium. Raffinerie de pétrole. Centre touristique.

corollaire n. m. (lat. *corollarium ;* de *corolla,* petite couronne, supplément). Proposition qui se déduit immédiatement d'une proposition déjà démontrée. ‖ Conséquence nécessaire et évidente ; fait résultant inévitablement d'un autre fait : *Le droit n'est qu'un corollaire du devoir.* ◆ **corollairement** adv. En vertu d'un théorème qu'on vient d'énoncer. ‖ En vertu d'un corollaire.

corolle n. f. (lat. *corolla,* petite couronne). Le plus interne des verticilles floraux non sexués, dans les fleurs où il en existe deux. — ENCYCL. Les pièces de la corolle, ou *pétales,* sont généralement colorées, plus

corolles

liseron des haies — Noailles

mauve — Jidébé

anémone des Alpes — Lambert-Rapho

lis tigré — Jidébé

grandes et plus caduques que les sépales du calice, ou verticille externe, de sorte que le langage commun appelle *pétales* les pièces périanthaires colorées, et *corolle* le verticille qu'elles composent, même s'il est seul. Pour le botaniste, un verticille unique est un *calice,* et ses pièces sont des *sépales,* même s'ils sont pétaloïdes. On a même créé le mot *tépales* pour désigner les pièces périanthaires des monocotylédones.

La corolle est dite *irrégulière* ou, mieux, *zygomorphe* quand elle est symétrique par rapport à un plan, *régulière* ou *actinomorphe* quand elle possède un axe de répétition. Elle est dite *double* dans les variétés horticoles aux pétales plus nombreux que chez le type. Elle est *dialypétale* quand ses pièces sont entièrement séparées, *gamopétale* pour peu qu'elles soit soudées.

Coromandel (CÔTE DE), partie orientale de la péninsule de l'Inde, entre le détroit de Palk et l'embouchure de la Godāvari. C'est une côte basse, parfois lagunaire.

Coromandel (LAQUES DE), laques chinois exportés en quantité vers l'Europe aux XVIIe et XVIIIe s. Ce sont en majorité des paravents (fonds noirs, brun foncé, parfois rouges; décor par incisions emplies de couleurs vives).

laques de **Coromandel**
détail d'un paravent

Brunel

coron n. m. (mot picard; de *cor,* au sens ancien d'angle). Déchets de matières textiles. || Groupe de maisons ouvrières dans le pays minier du Nord et du Pas-de-Calais.

Corona (EFFET). V. COURONNE *électrique.*

coronaire adj. (lat. *coronarius;* de *corona,* couronne). Se dit de certains organes en raison de leur disposition en couronne. ● *Artère coronaire,* chacune des deux artères qui naissent de l'aorte immédiatement après son origine. (Elles fournissent la vascularisation artérielle du cœur.) || *Artère et veine coronaires stomachiques,* vaisseaux contribuant à la vascularisation de l'estomac. || *Grande veine coronaire,* veine qui draine la plus grande partie du sang veineux du cœur. || *Or coronaire* (*aurum coronarium*), à l'origine, couronne d'or offerte à un général vainqueur. (Plus tard, elle fut remplacée par une taxe.) || A partir de Constantin, taxe extraordinaire en or ou en argent, payée à l'empereur par l'aristocratie municipale. || *Os coronaire,* deuxième phalange du cheval. ◆ **coronarien, enne** adj. Relatif aux artères coronaires. ◆ **coronarite** n. f. Inflammation des artères coronaires et, par extens., toute lésion de ces vaisseaux aboutissant à des troubles de la vascularisation cardiaque. (V. MYOCARDE et ANGINE *de poitrine.*) ◆ **coronographie** n. f. Méthode radiologique ayant pour objet de rendre visibles les deux artères coronaires et leurs branches de division, grâce à l'injection, au niveau du sinus de Valsalva (origine de l'aorte), d'un produit opaque aux rayons X.

coronal, e, aux adj. Qui concerne la couronne* solaire.

coronarien, coronarite → CORONAIRE.

Coronée, en gr. **Korôneia.** *Géogr. anc.* Ville de Grèce, en Béotie. Victoire des Béotiens sur les Athéniens en 447 av. J.-C.

Coronel, port du Chili central; 17 400 h. Bataille navale anglo-allemande au début de la Première Guerre mondiale. L'escadre de l'amiral Cradock y fut battue par celle de l'amiral von Spee (1er nov. 1914).

coronelle n. f. Sorte de couleuvre*.

Coronelli (Vincenzo), géographe italien (Venise 1650 - *id.* 1718), auteur des *Globes de Marly,* construits pour Louis XIV et mesurant 4 m de diamètre.

coroner [kɔrɔnər] n. m. (mot angl.; du lat. *corona,* couronne). Officier de justice anglo-saxon, dont la charge fut créée vers la fin du XIIe s. avec une partie des attributions judiciaires du shérif, et dont les fonctions sont actuellement limitées à l'enquête sur la cause des morts violentes, non naturelles ou mystérieuses.

coronille n. f. (esp. *coronilla,* petite couronne; du lat. *corona,* couronne). Papilionacée ornementale, aux graines toxiques.

coronis [nis] n. m. (mot gr.). Signe employé

par les grammairiens grecs, analogue à l'esprit doux, et servant à marquer une crase.

coronographe n. m. (lat. *corona,* couronne, et gr. *graphein,* écrire). Instrument d'optique inventé par Bernard Lyot vers 1931, et permettant en tout temps l'étude de l'atmosphère solaire en lumière intégrale.

coronographie → CORONAIRE.

coronoïde adj. (gr. *korônê,* corneille, et *eidos,* aspect). *Anat.* Se dit de certaines apophyses que leur forme a fait comparer au bec d'une corneille. ● *Apophyse coronoïde du cubitus,* apophyse coronoïde du maxillaire inférieur. ◆ **coronoïdien, enne** adj. Qui appartient à une apophyse.

coronule n. f. (lat. *coronula*). Etre ou organe en forme de petite couronne. ‖ *Partic.* Couronne de la fleur de jonquille. ‖ Sommet de l'oogone des charales. ‖ Crustacé cirripède à muraille hexagonale régulière, qui vit fixé sur les baleines.

coroplaste n. m. (du gr. *korê,* jeune fille, et *plastein,* modeler). Modeleur de figurines en argile, comme celles qui furent trouvées à Tanagra, en Béotie.

Coropuna, sommet des Andes du Pérou; 6 613 m.

corossolier n. m. (mot créole). Annonacée arborescente des tropiques, fleurissant toute l'année, et dont le fruit (*corossol*) contient une pulpe charnue, comestible, très rafraîchissante.

Corot (Jean-Baptiste *Camille*), peintre français (Paris 1796 - *id.* 1875). Il travaille chez Michallon, puis chez J.-V. Bertin, et peint d'après nature près de Paris (Fontainebleau, Ville-d'Avray) et en Normandie. Les séjours qu'il fait en Italie (1825-1828, 1834, 1843) ont une influence décisive sur une partie de son œuvre : *Florence, vue des jardins Boboli; les Jardins de la villa d'Este* (Louvre). Il représente surtout des paysages dont il sait rendre l'atmosphère avec une gamme restreinte de tons et un sens subtil des valeurs : *Cathédrale de Chartres* (Louvre). Vers 1855, il commence à peindre d'après ses souvenirs : *Souvenir de Mortefontaine* (1863, Louvre), *l'Etoile du berger* (1864, musée de Toulouse). Il est aussi l'auteur de figures : *la Femme à la perle* (v. 1868, Louvre), *l'Atelier* (1870, musée de Lyon), *la Femme en bleu* (1874, Louvre). A la fin de sa vie, il a peint quelques toiles d'une grande sensibilité pré-impressionniste : *le Beffroi de Douai* (1871, Louvre), *Intérieur de la cathédrale de Sens* (1874, Louvre).

Camille **Corot**

la cathédrale de Chartres, *Louvre*

autoportrait, *Louvre*

Giraudon

corozo n. m. (mot esp.). Matière blanche et dure tirée de l'albumen des graines du phytelephas et d'autres plantes américaines, et dont on fait des boutons et divers objets. (Syn. IVOIRE VÉGÉTAL.)

corporal n. m. (du lat. *corpus, -oris,* corps). Linge sacré, en lin, représentant symboliquement le suaire de Jésus-Christ, et que le prêtre étend sur l'autel pour y déposer les espèces consacrées.

corporalité → CORPS.

corporant, corporatif → CORPORATION.

corporation n. f. (angl. *corporation;* du lat. *corpus,* corps). Organisme social qui groupe tous les membres d'une même profession. (V. *encycl.*) ‖ *Dr. angl.* Personne morale d'un type particulier, qui jouit d'une capacité juridique limitée. ◆ **corporant, e** n. Membre d'une corporation. ◆ **corporatif, ive** adj. Relatif, propre aux corporations, aux corps de métiers : *Une action purement corporative.* ‖ *Partic.* Qui tend à former une corporation, à favoriser les corporations : *Organisation corporative.* ‖ Fondé sur les corporations : *Un régime corporatif.* ● *Esprit corporatif,* esprit de solidarité favorable au développement, à la bonne marche des corporations. ◆ **corporatisme** n. m. Doctrine économico-sociale, dont l'un des articles essentiels est l'existence d'institutions professionnelles corporatives. ● *Corporatisme d'association,* corporatisme qui conçoit l'organisation professionnelle comme résultant du libre exercice du droit d'association par les divers métiers et les divers éléments de ces métiers. ‖ *Corporatisme d'Etat,* corporatisme qui envisage l'organisation professionnelle comme instituée, contrôlée et dirigée par les pouvoirs publics. ◆ **corporatiste** n. et adj. Partisan du corporatisme : *Des conceptions corporatistes.*

— ENCYCL. ***corporation.*** *Hist.* On peut trouver des antécédents à ces communautés de métiers dans les *collèges* gallo-romains du Bas-Empire et dans les *guildes* ou les *hanses* des marchands nordiques du haut Moyen Age. Au XIe s., avec le renouveau du commerce occidental, se créèrent des associations de métiers, dont les institutions furent fixées au XIIIe s. Ces groupements, appelés parfois *métiers jurés,* par oppos. aux *métiers libres,* comprenaient toute une hiérarchie : *apprentis,* soumis à un nombre variable d'années d'apprentissage non payé ; *compagnons,* ou ouvriers salariés ; *maîtres,* ou patrons, parmi lesquels étaient choisis les *jurés,* chefs de la corporation. Ces communautés de métiers, souvent doublées de *confréries**, furent régies par des statuts de plus en plus stricts, réglant la fabrication et les conditions de travail pour éviter la concurrence. L'accès à la maîtrise, à l'origine ouverte à tout apprenti ayant exécuté un chef-d'œuvre, finit par être réservé par hérédité à la classe des maîtres. La vente des lettres de maîtrise par l'autorité royale à la fin du XVIe s. renforça encore ce recrutement oligarchique. Après une crise due aux transformations économiques et morales du XVIe s., le système corporatif, pris en main par la royauté, qui tenta de l'étendre à tout le royaume (édits de 1581 et de 1597), fut étroitement réglementé et contrôlé par Colbert. Dès lors apparurent des signes de déclin ; les corporations, privées de leur autonomie, écrasées sous la fiscalité royale, perdirent leur dynamisme et se sclérosèrent dans des règlements étroits. Après un premier essai d'abolition par Turgot (édit de 1776), elles furent définitivement supprimées par la Révolution (décrets des 2-17 mars 1791). Néanmoins, les tendances corporatives n'ont pas totalement disparu du monde contemporain (corporatisme étatisé de l'Italie fasciste, organisé en particulier par la loi Rocco de 1926 et la « charte du travail » de 1927, essai de Salazar au Portugal), et la recherche d'organisations professionnelles entre syndicats patronaux et ouvriers procède également d'un certain esprit corporatif.

Held

corporation des fourreurs au XIIIe s.
vitrail de la cathédrale de Chartres *(détail)*

corporatisme, corporatiste → CORPORATION.

corporéité, corporel, corporellement, corporifier ou **corporiser** → CORPS.

corps [kɔr] n. m. (lat. *corpus*). La partie matérielle des êtres animés : *L'hippopotame est remarquable par son corps pesant.* ‖ *Partic.* Le corps humain : *Avoir tout le corps transi de froid.* ‖ Le corps humain opposé à l'esprit ou à l'âme : *Les plaisirs du corps.* ‖ Le corps après la mort, cadavre : *Donner* *son corps à la faculté de médecine.* ‖ La personne humaine : *Garde du corps. C'est un beau corps.* ‖ Le tronc, par oppos. aux membres et à la tête. ‖ *Par extens.* Partie principale du vêtement recouvrant au minimum le buste : *Le corps d'une robe. Corps d'armure. Corps de cuirasse.* ‖ Tout objet, toute substance matérielle : *Les trois dimensions des corps.* ‖ Nom de divers organes : *Corps caverneux. Corps vitré.* (V. CAVERNEUX, VITRÉ.) ‖ Epaisseur, consistance; vigueur de l'arôme : *Etoffe qui a du corps. Vin qui prend du corps en vieillissant.* ‖ *Fig.* Puissance, vigueur : *Donner du corps à une œuvre.* ‖ La partie principale de certaines choses : *Le corps d'un violon, d'une lampe, d'un poêle. Corps de meuble.* ‖ Partie de cuir ou de peau formant l'élément principal d'un article de sellerie-maroquinerie. ‖ Partie principale d'un appareil chaudronné, d'une vanne, d'une pompe, etc. (On dit aussi CALANDRE.) ‖ Groupe de lames d'un métier à tisser, participant à l'élaboration d'une partie d'un tissu. ‖ En algèbre moderne, anneau tel que, si l'on supprime l'élément neutre de la première loi de composition interne, l'ensemble restant forme un groupe par rapport à la seconde loi : *Les nombres réels forment un corps relativement à l'addition et à la multiplication.* ‖ Collection, recueil de textes, d'ouvrages : *Corps du droit civil.* ‖ Ensemble de règles, de principes : *Corps de doctrine.* ‖ Ensemble des personnes formant un groupe social : *Le corps enseignant. Le corps médical.* ‖ Ensemble des cadres d'une armée, d'une arme ou d'un service : *Le corps des officiers. Le corps du génie. Corps médical.* ● *Contrainte par corps,* v. CONTRAINTE. ‖ *Corps aérien,* réunion, sous un même commandement, de plusieurs grandes unités aériennes et des services nécessaires à leur mise en œuvre : *Un corps aérien est commandé par un général* de corps aérien* (4 étoiles). ‖ *Corps aérien tactique,* grande unité aérienne, généralement adaptée à une armée terrestre. ‖ *Corps et âme,* tout entier, sans réserve : *Se vouer corps et âme à une tâche.* ‖ *Corps sans âme,* corps privé de vie spirituelle; être ou objet incomplet, dépourvu de quelque chose d'essentiel : *Une armée sans général est comme un corps sans âme.* — Personne embarrassée, désorientée. ‖ *Corps d'armée,* grande unité militaire disposant à la fois de formations de combat (divisions, brigades, etc.), en nombre variable suivant la mission reçue, et d'éléments permanents des armes et services (dits *éléments organiques de corps d'armée*). ‖ *Corps de ballet,* v. BALLET. ‖ *Corps de bataille,* v. BATAILLE. ‖ *Corps et biens,* les personnes aussi bien que les propriétés, les biens matériels : *S'obliger corps et biens. Ce navire a péri corps et biens.* ‖ *Corps blindé, corps de cavalerie,* groupement, temporaire ou permanent, de grandes unités d'engins blindés ou de cavalerie. ‖ *Corps certain* (Dr.), chose corporelle, définie dans son individualité de telle sorte qu'elle n'est pas interchangeable, par oppos. aux choses fongibles : *Un cheval de course est un corps certain.* ‖ *Corps de chauffe,* partie d'un appareil producteur de chaleur, dans laquelle une énergie chimique ou électrique est transformée en énergie calorifique; dans un poêle, ensemble comportant les éléments suivants : parois, chambre de combustion, boîte à fumée, buse, etc. ‖ *Corps de chauffe* ou *corps tubulaire,* ensemble constitué, sur une locomotive, par le faisceau tubulaire, les plaques de foyer et la boîte à fumée. ‖ *Corps clignotant,* troisième paupière, située dans l'angle nasal de l'œil du cheval et des bovins. ‖ *Corps composé,* corps formé par l'union de plusieurs éléments chimiques différents. ‖ *Corps constitués,* corps chargés des fonctions législatives ou gouvernementales supérieures. ‖ *Corps cylindrique,* capacité cylindrique constituant la partie la plus volumineuse d'une chaudière à grand volume d'eau. ‖ *Corps de délit,* v. DÉLIT. ‖ *Corps diplomatique,* personnel des ambassades. ‖ *Corps d'un édifice,* grosse maçonnerie, sans la charpente ni la menuiserie. ‖ *Corps de l'Eglise,* ensemble des fidèles, ou encore son organisation matérielle, par oppos. à sa vie spirituelle. ‖ *Corps étranger,* corps ne faisant pas partie de l'organisme, soit qu'il ait été apporté du dehors (objet dégluti, projectile), soit qu'il se constitue sur place (calcul, fragment d'os). ‖ *Corps expéditionnaire,* corps constitué spécialement pour mener une expédition lointaine : *Les corps expéditionnaires d'Alger (1830), de Crimée (1854), du Mexique (1862), des Dardanelles (1915), d'Indochine (1945).* ‖ *Corps franc,* formation de volontaires levée dans des circonstances exceptionnelles : *Les corps francs des Vosges en 1814, les corps francs allemands des pays baltes en 1918.* — Troupe de faible effectif, spécialisée dans des opérations de combat délicates. (On dit auj. COMMANDO.) ‖ *Corps de garde,* troupe assurant la garde d'un bâtiment militaire. (Syn. POSTE.) — Local assigné à cette troupe. ‖ *Corps glorieux,* le corps transfiguré des bienheureux après la résurrection. ‖ *Corps jaune,* cicatrice chargée de lutéine, que laissent, dans l'ovaire, la rupture de la vésicule de De Graaf et la chute de l'ovule. (Quand l'ovule est fécondé, le corps jaune, plus persistant, sécrète la progestérone*, hormone nécessaire à la poursuite de la grossesse.) ‖ *Corps législatif,* nom donné par diverses constitutions (1791, an VIII, 1852, etc.) à la Chambre des députés. ‖ *Corps d'une lettre,* épaisseur d'un caractère d'imprimerie dans la partie qui porte l'œil; trait principal qui dessine la lettre; dans une missive, l'essentiel, indépendamment des formules de politesse, date, signature, etc. ‖ *Corps de logis,* partie principale d'un bâtiment. (On dit AVANT-CORPS s'il est en saillie.) ‖ *Corps de métier,* corporation. ‖ *Corps de meuble,* ensemble de la menuiserie qui le compose; parties formant un tout, qui peuvent se réunir. ‖ *Corps de minerai,* masse minéralisée compacte. || *Corps mort,* grosse poutre de culée sur laquelle s'appuie un pont militaire ; groupe d'ancres réunies par des chaînes et servant à l'amarrage des navires dans les rades. || *Corps noir,* v. NOIR. || *Corps d'ouvrage,* ensemble des opérations effectuées après la couture et avant la couvrure, lors de la reliure d'un livre. || *Corps de place,* expression qui désignait l'ensemble des ouvrages entourant une place forte. || *Corps de pompe,* cylindre creux d'une pompe, dans lequel se déplace un piston. || *Corps de preuves,* ensemble de preuves. || *Corps pur,* espèce chimique, ayant des propriétés parfaitement définies. || *Corps de roue,* ensemble de la roue comprenant le moyeu, la toile ou les rayons et la jante, à l'exclusion du bandage, qui est rapporté sur la jante. || *Corps de siège,* ensemble des troupes assiégeantes. || *Corps simple,* corps ne contenant qu'un élément chimique. || *Corps de sonde,* ensemble de tiges reliant le trépan à la sondeuse au jour. (Syn. TRAIN DE SONDE.) || *Corps strié,* masse grise située à la base du cerveau de l'homme. || *Corps de troupe,* unité organique d'une arme ou d'un service, constituée de forces permanentes et dotée des moyens nécessaires pour s'administrer de façon indépendante : *Le corps de troupe par excellence est le régiment.* || *Corps de ville* ou *corps municipal,* anc. administration locale qui était formée des officiers municipaux. || *Esprit de corps,* sentiment de solidarité qui unit les membres d'un même corps. || *Etre folle, faire folie de son corps,* s'adonner au libertinage, en parlant d'une femme. || *Faire corps avec,* adhérer à, ne faire qu'un avec quelque chose. || *Grands corps de l'Etat,* ensemble des fonctionnaires supérieurs (Conseil d'Etat, Inspection des Finances, Cour des comptes, diplomatie, etc.). || *Général de corps d'armée,* v. GÉNÉRAL. || *N'avoir rien dans le corps,* être sans force, sans énergie ; n'avoir rien mangé. || *Ordonnance de prise de corps,* disposition par laquelle, dans l'arrêt de mise en accusation, la chambre d'accusation ordonne que l'accusé soit conduit dans la maison de justice établie près la cour d'assises où il est renvoyé. || *Passer sur le corps,* culbuter, fouler aux pieds (au *pr.* et au *fig.*). || *Passer sur le corps à quelqu'un, de quelqu'un* (Fig.), l'emporter vivement sur un concurrent qui faisait obstacle. || *Prendre corps,* prendre consistance ; commencer à devenir réel, se matérialiser : *Un projet qui prend corps.* || *Problème des trois corps,* problème de mécanique céleste dans lequel on cherche à déterminer, à un instant quelconque, les positions respectives de trois points matériels de masses connues, soumis deux à deux à la loi de gravitation et occupant, à un moment donné, des positions connues dans l'espace, leurs vitesses étant connues en grandeur et en direction. || *Séparation de corps,* v. SÉPARATION. || *Unité formant corps,* unité constituée en corps de troupe (les bataillons de chasseurs, par exemple). ● LOC. ADV. *A bras le corps,* par le milieu du corps. || *A corps perdu,* sans ménager sa personne, impétueusement : *Se jeter à corps perdu dans la mêlée.* || *A mi-corps,* v. à son ordre alphab. || *Corps à corps,* de près, en s'attaquant directement au corps de l'adversaire : *Lutter corps à corps avec son agresseur.* — *Substantiv.* Mêlée : *En venir au corps à corps.* ◆ **corporalité** ou **corporéité** n. f. Syn. de MATÉRIALITÉ. ◆ **corporel, elle** adj. Qui a un corps (par oppos. à *spirituel*) : *Dieu n'est point corporel.* || Qui concerne le corps : *Infirmités corporelles. Punition corporelle.* ◆ **corporellement** adv. D'une façon qui touche, qui affecte le corps : *Punir corporellement.* || Matériellement, physiquement.

Corps, ch.-l. de c. de l'Isère (arr. de Grenoble), à 25 km au S.-E. de La Mure ; 504 h. (*Corpensais*). Pèlerinage à Notre-Dame-de-la-Salette.

corpulence n. f. Grandeur et grosseur du corps humain. ◆ **corpulent, e** adj. Qui est d'une forte corpulence.

corpus [kɔrpys] n. m. Recueil formant un ensemble dans une même matière : *Il existe des corpus d'inscriptions latines et grecques.* || *Linguist.* Ensemble fini d'énoncés, appartenant en principe à un seul dialecte ou à un seul style, et qui constitue le matériau destiné à la description linguistique.

— ENCYCL. Les principaux corpus sont : le *Corpus juris civilis,* recueil de droit civil romain ; le *Corpus inscriptionum graecarum,* recueil des inscriptions grecques ; le *Corpus inscriptionum latinarum,* recueil des inscriptions latines ; le *Corpus inscriptionum semiticarum,* recueil des inscriptions phéniciennes, hébraïques, araméennes ; le *Corpus juris canonici,* recueil de droit canon.

Corpus Christi, port des Etats-Unis (Texas), sur le golfe du Mexique ; 204 500 h. Raffinage de pétrole et pétrochimie. Base navale.

corpusculaire → CORPUSCULE.

corpuscule n. m. (lat. *corpusculum ;* de *corpus,* corps). Corps d'une petitesse extrême. || Poussière très fine en suspension dans l'air. || *Partic.* Fragment de matière qui voltige habituellement dans l'air à l'état de poussière et qui n'est visible à l'œil nu qu'éclairé directement par le Soleil dans un endroit plus ou moins obscur. || Particule élémentaire, électrisée ou non, provenant de la désintégration d'un atome. ● *Corpuscule basal* (Biol.), petit corpuscule arrondi, dérivé du centrosome, sur lequel s'implante un cil vibratile. (Syn. BLÉPHAROBLASTE, MASTIGOSOME.) || *Corpuscules de Möller,* corps ovoïdes minuscules que récoltent les fourmis (*Azteca milleri*) vivant sur les cécropias. ◆ **corpusculaire** adj. Relatif aux corpuscules, aux atomes. ● *Philosophie corpusculaire,* système dans lequel on explique les phénomènes par le mouvement, le repos, la position de corpuscules.

corral n. m. Enclos où l'on enferme les bœufs et les chevaux en Amérique latine et dans le sud des Etats-Unis, et les éléphants dans l'Inde. || Cour attenante aux arènes tauromachiques.

corrasion n. f. Attaque mécanique des roches par le vent, dans les régions arides.

corre ou **corret** n. m. Filet qu'on laisse aller au courant de l'eau.

corréalité n. f. *Dr. rom.* Lien entre plusieurs créanciers ou plusieurs débiteurs, tel que chaque créancier avait le droit de se faire payer toute la dette, ou que chaque débiteur était obligé de la payer en totalité.

correct, e adj. (lat. *correctus*). Conforme aux règles de la grammaire, de l'art, du goût, etc. : *Une prononciation correcte.* || Conforme aux règles de la bienséance, de la morale : *Conduite correcte.* || *Fig.* Juste, fidèle, exact, conforme à la réalité : *Description correcte.* || Normal, régulier, satisfaisant : *Fonctionnement correct d'une machine.* || *Péjor.* De qualité moyenne; passable : *C'est un logement modeste, mais correct.* || *Fam.* Acceptable : *Le prix est correct.* || En parlant des personnes, qui respecte les règles : *Ecrivain, peintre correct.* || Qui respecte les bienséances : *Personne correcte.* || — SYN. : *châtié, pur ; bienséant, décent, exact, fidèle, juste ; normal, régulier ; acceptable, moyen, passable ; honnête, régulier, scrupuleux.* ◆ **correctement** adv. De façon correcte : *Ecrire correctement.*

correcteur, correctif, correction → CORRIGER.

correctionnalisation, correctionnaliser, correctionnalité → CORRECTIONNEL.

correctionnel, elle adj. Qui réprime les actes qualifiés « délits » par la loi. || Qui appartient à ces délits eux-mêmes et aux tribunaux spéciaux qui en connaissent. ◆ **correctionnalisation** n. f. Phénomène par lequel des infractions classées dans la catégorie des crimes sont soumises ultérieurement au régime des délits correctionnels. ● *Correctionnalisation judiciaire,* pratique des parquets et des tribunaux, grâce à laquelle une infraction dont le législateur n'a pas modifié la qualification est soumise à l'examen des tribunaux correctionnels et échappe à la cour d'assises, qui devrait normalement en connaître. ◆ **correctionnaliser** v. tr. Déclasser un crime au rang de délit correctionnel. ◆ **correctionnalité** n. f. Caractère d'une affaire qui ressortit aux attributions de la justice correctionnelle. ◆ **correctionnelle** n. f. Tribunal* correctionnel. ◆ **correctionnellement** adv. D'une manière correctionnelle ; devant la juridiction correctionnelle.

correctrice → CORRIGER.

Corrège (Antonio ALLEGRI, dit **il Correggio,** en franç. **le**), peintre italien (Correggio, près de Parme, v. 1489 - *id.* 1534). A Mantoue, il fut influencé par Mantegna. En 1518, à Parme, il décora une voûte du couvent Saint-Paul, l'église Saint-Jean-l'Evangéliste (*le Couronnement de la Vierge,* 1520-1524 ; *l'Ascension*) et la cathédrale (*Assomption de la Vierge,* 1526-1530) ; vers 1530, il orna le palais de Mantoue : *Io* et *Ganymède* (musée de Vienne), *Léda* (Berlin), *Danaé* (Rome,

le Corrège
« Ganymède »
(détail)
musée de Vienne

Held

Giraudon

le Corrège
« Mariage mystique
de sainte Catherine d'Alexandrie »
Louvre

villa Borghèse). Ses figures voluptueuses, harmonieusement groupées, baignent dans une lumière diffuse et argentée : *Madone de saint Jérôme* (Parme), *Mariage mystique de sainte Catherine, Sommeil d'Antiope* (Louvre).

corregidor n. m. (mot esp.). Dans l'anc. Espagne, premier officier de justice de certaines villes. (Il avait des fonctions administratives et judiciaires. De nombreux corregidores furent nommés en Amérique latine.)

Corregidor, île des Philippines, à l'entrée de la baie de Manille. Les troupes de MacArthur y résistèrent plusieurs mois aux Japonais avant de l'évacuer (1941-1942). Elle fut réoccupée par les Américains en février 1945. (V. PHILIPPINES [*bataille des*].)

corrélatif → CORRÉLATION.

corrélation n. f. Rapport d'objets, de termes, dont l'un appelle logiquement l'autre. ‖ Fonction des termes appelés « corrélatifs » ; rapport exprimé par ces termes. ‖ Coexistence habituelle, dans le même être vivant, de plusieurs caractères qui n'ont aucun rapport d'origine, mais qui sont tous nécessaires à un même mode de vie ou à un même acte physiologique : *Il y a corrélation entre le long cou et les longues pattes chez les oiseaux échassiers.* ‖ Caractère commun découvert dans les diagrammes de mesures physiques effectuées dans plusieurs puits de pétrole forés sur une même structure ou dans un même bassin. ‖ Degré de similitude en grandeur et en sens de variation entre les valeurs correspondantes des caractères de deux ou de plusieurs variables ou séries statistiques. ‖ *Par extens.* Toute dépendance ou covariation : *Il y a une corrélation importante entre la consommation d'électricité à haute tension et l'indice de la production industrielle.* ● *Coefficient de corrélation,* indice mesurant le degré de liaison entre deux caractères quantitatifs. ‖ *En corrélation avec quelque chose,* en rapports étroits avec elle. ‖ *Loi de corrélation,* règle énoncée par Vieille au sujet de la stabilité des poudres à la nitrocellulose. ◆ **corrélatif, ive** adj. Se dit de choses ou de termes qui sont en corrélation étroite, dans la dépendance réciproque les uns des autres, comme l'effet et la cause, le conséquent et l'antécédent, etc. ● *Mot corrélatif,* ou *corrélatif* n. m., mot qui sert à indiquer une relation entre deux membres d'une phrase, comme les mots *tellement* et *que*. (Se dit plus spécialement du premier de ces deux mots [*tellement*], qui sert d'antécédent au second.) ‖ *Obligation corrélative,* obligation dépendant de l'accomplissement d'une autre obligation. ◆ **corrélativement** adv. De façon corrélative. ◆ **correler** v. tr. Etre en corrélation sur le plan statistique.

correspondance → CORRESPONDRE.

Correspondance littéraire, sorte de gazette adressée de Paris à des souverains d'Allemagne pour les renseigner sur la vie intellectuelle et artistique en France. Commencée par l'abbé Raynal, elle fut continuée de 1754 à 1773 par Grimm (pour la littérature) et par Diderot (pour la critique d'art), et même jusqu'en 1790 par Meister.

correspondancier, correspondant → CORRESPONDRE.

Correspondant (LE), journal français créé dès 1829, mais important seulement à partir de 1856, quand il devint l'organe du catholicisme libéral. Il cessa de paraître en 1933.

correspondre v. tr. ind. [**à**] (lat. scolast. *correspondere ;* de *cum,* avec, et *respondere,* répondre). Etre en rapport de symétrie : *Un objet qui correspond à un autre.* ‖ Etre en rapport de proportion, d'harmonie : *La fin doit correspondre au commencement.* ‖ Etre conforme à ; coïncider avec : *Chercher la réponse qui correspond à la question.* ✦ v. intr. Etre en rapport de communication mutuelle : *Pavillons, appartements, pièces qui correspondent. Lignes, voitures qui correspondent.* ‖ En parlant des personnes, entretenir des relations épistolaires : *Correspondre avec un ami absent.* ‖ — SYN. : *faire pendant ; s'accorder, aller, convenir, s'harmoniser ; concorder, se conformer, répondre ; communiquer.* ◆ **correspondance** n. f. Rapport de symétrie : *La correspondance de deux membres d'une phrase.* ‖ Rapport d'harmonie : *Correspondance d'idées entre deux personnes.* ‖ Rapport de conformité. ‖ Communication entre plusieurs lieux : *Etablir une correspondance aérienne entre* *deux capitales.* || *Partic.* Concordance d'horaire, relation commode entre deux moyens de transport, entre une ligne principale et des lignes secondaires : *L'omnibus assure la correspondance avec le rapide de Paris.* || Le moyen de transport qui assure cette concordance : *Attendre la correspondance.* || Communication entre plusieurs personnes par l'échange de lettres : *Etre en correspondance avec quelqu'un.* || Les lettres elles-mêmes : *Dépouiller la correspondance d'un écrivain.* || *Partic.* Chronique adressée à un journal par un correspondant bénévole ou attitré. || Loi mathématique définissant le passage d'un élément d'un ensemble E à un élément d'un second ensemble E′. (La correspondance est *univoque* si chaque élément de E a un correspondant et un seul dans E′, *biunivoque* si, de plus, tout élément de E′ est le correspondant d'un élément unique de E; elle réalise alors une *application de E sur E′*.) ● *Carnet de correspondance,* carnet où sont consignées les notes d'un élève, les appréciations des professeurs, et qui doit être contresigné par les parents. || *Correspondance diplomatique,* communications échangées entre gouvernements par leurs représentants à l'étranger, ou entre un gouvernement et son représentant accrédité. || *Théorie des correspondances,* théorie suivant laquelle l'univers recèle de multiples et mystérieuses analogies entre ses divers éléments ou domaines (Goethe, Novalis, Balzac, Baudelaire). ◆ **correspondancier, ère** n. Employé chargé plus particulièrement de la correspondance avec la clientèle. ◆ **correspondant, e** n. Personne avec qui l'on correspond par lettres, etc. || Tout commerçant avec lequel on correspond pour affaires. (En ce sens, syn. : CLIENT, FOURNISSEUR, COMMISSIONNAIRE, ENTREPOSITAIRE, REPRÉSENTANT, etc.) || Membre de certaines sociétés savantes en rapport épistolaire avec elles. || Personne chargée de veiller sur un élève interne d'un établissement d'enseignement. || Transporteur assurant, dans une localité, le groupage et la distribution des colis transportés par le chemin de fer. || Bureau avec lequel on est en relation ou en communication directe. ● *Correspondant de presse,* collaborateur local d'un journal, dont le statut est variable suivant qu'il exerce à temps plein ou à temps partiel le journalisme, ou qu'il se borne à envoyer de temps à autre quelques informations. ✦ adj. Se dit des choses qui ont un rapport entre elles : *Je voudrais la couleur correspondante, dans une autre qualité.* || Se dit des membres de certaines sociétés savantes en rapport épistolaire avec elles : *Membre correspondant de l'Académie des sciences morales et politiques.* || Se dit de deux angles formés par une sécante coupant deux droites, situés d'un même côté de la sécante, l'un interne, l'autre externe. ● *Etats correspondants,* états de deux corps gazeux dont les températures absolues et les pressions sont les mêmes multiples des valeurs critiques de ces grandeurs. (Ces corps ont alors des propriétés comparables.)

corret n. m. V. CORRE.

Corrette (Michel), organiste et compositeur français (Rouen 1709 - Paris 1795). Il a laissé de nombreuses œuvres d'une instrumentation intéressante et des méthodes (pour violon, pour flûte).

Corrèze (la), riv. du Limousin, affl. de la Vézère ; 85 km. Elle passe à Tulle et à Brive.

Corrèze, ch.-l. de c. de la Corrèze (arr. et à 20 km au N.-E. de Tulle), sur la *Corrèze ;* 1 678 h. (*Corréziens*). Hôtel des princes de Rohan. Pèlerinage.

Corrèze (DÉPARTEMENT DE LA), dép. du Massif central, en bordure du bassin d'Aquitaine ; 5 888 km^2 ; 240 363 h. Ch.-l. *Tulle.* Le département appartient dans son entier à la partie cristalline du Limousin. On y distingue une partie élevée au N., le *plateau de Millevaches* (978 m), pays des landes à moutons ; au S. et à l'O., les plateaux bocagers du bas Limousin sont couverts de prairies naturelles irriguées, qui engraissent des bovins réputés pour la boucherie. Le *bassin de Brive* est une région de riche polyculture. Le département compte peu d'industries (travail du bois, fabriques d'armement), et sa population est en diminution. (V., pour les beaux-arts, LIMOUSIN ET MARCHE.)

→ V. carte et tableau pages suivantes.

Corrib (LOUGH), lac d'Irlande, dans l'ouest de la plaine centrale.

corricide → COR 3.

corrida n. f. (mot esp. ; de *correr,* courir). Course de taureaux. (V. TAUROMACHIE.) || *Fig.* et *fam.* Course tumultueuse et désordonnée, bousculade : *Ce fut une vraie corrida à travers les couloirs et les escaliers.*

corridor n. m. (ital. *corridore*). Passage étroit en général, qui met en communication diverses pièces d'un appartement, d'un étage, ou qui donne accès à une maison. || *Par extens.* Territoire resserré entre deux Etats : *L'ancien corridor de Dantzig.* || Passage établi derrière les murailles d'une ville fortifiée. || Au théâtre, sorte de balcon de bois suspendu, à droite ou à gauche des cintres.

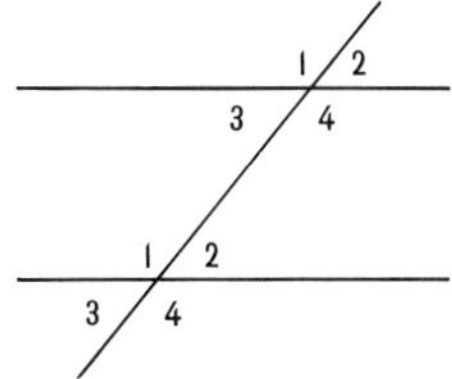

angles **correspondants** (math.)

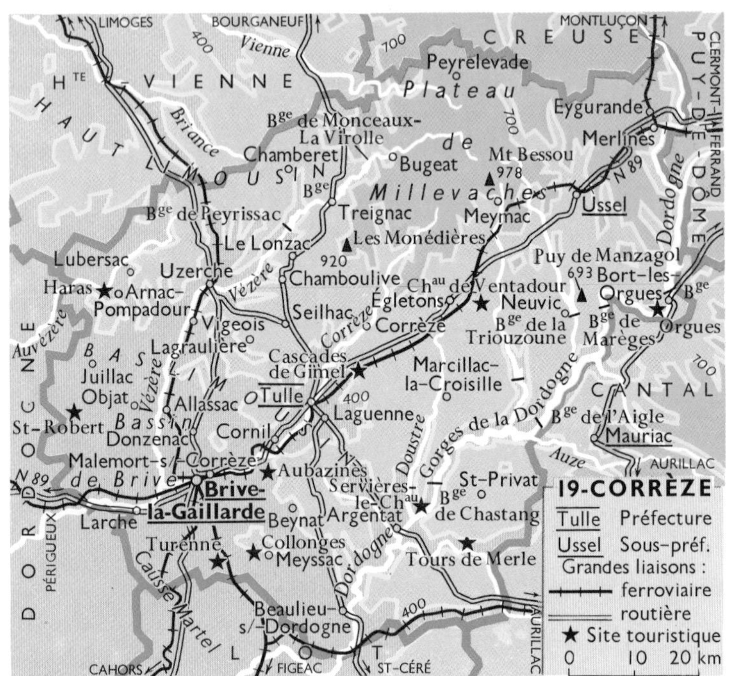

corriedale n. m. Race de moutons d'origine néo-zélandaise.

Corrientes, v. d'Argentine, sur le río Paraná ; 136 900 h. Archevêché.

Corriere della sera (IL), quotidien milanais fondé en 1876. Il est le plus grand journal italien et représente la tendance libérale. Depuis la libération de l'Italie, il a pris le titre de *Il Nuovo Corriere della sera.*

Corrigan (sir Dominic), médecin irlandais (Dublin 1802 - *id.* 1880). Il donna une description, demeurée classique, de l'insuffisance aortique (1832).

corrigé → CORRIGER.

corriger v. tr. (lat. *corrigere ;* de *regere,* redresser). Ramener à la règle ce qui s'en écarte : *Corriger les défauts de quelqu'un.* ‖ *Partic.* Redresser ce qui est fautif ou défectueux, dans des ouvrages de l'esprit : *Corriger des maladresses de composition.* ‖ Relever et redresser les fautes d'un devoir. ‖ Ramener à la mesure par une action contraire : *Corriger la vue par des lunettes. Corriger des jugements trop entiers.* ‖ Ramener à la règle en punissant : *Corriger des garnements.* ‖ *Partic.* Infliger un châtiment corporel : *Si tu continues, tu seras corrigé.* ‖ Relever et faire disparaître d'une composition d'imprimerie les fautes et les irrégularités signalées par le correcteur. ‖ *Absol.* Exercer les fonctions de correcteur. ‖ — SYN. : *amender, redresser, réformer ; rectifier, retoucher, revoir ; adoucir, atténuer, compenser ; racheter, réparer ; châtier, fustiger, punir ; battre, rosser.* ● *Corriger la route d'un navire,* déterminer, par l'observation, les différentes erreurs provenant du compas ou de la dérive, et modifier la route en conséquence. ◆ **correcteur, trice** n. Personne qui corrige en relevant les fautes : *Correcteur du baccalauréat.* ‖ Personne chargée de lire les épreuves d'imprimerie et de corriger ou de signaler les fautes au moyen de signes conventionnels. ‖ — ***correcteur*** n. m. Soutien-gorge convenant aux personnes fortes et comportant une bande qui descend jusqu'à la taille pour s'attacher sur la gaine ou la ceinture. ‖ *Cybern.* Organe ayant pour rôle de créer une action supplémentaire ou un réaction secondaire correctrice au moyen de systèmes simples ou complexes. ● *Cor-*

département de la Corrèze

arrondissements (3)	cantons (30)	nombre d'hab. du canton	nombre de comm.
Brive-la-Gaillarde (115 323 h.)	Ayen	7 573	11
	Beaulieu-sur-Dordogne	4 627	13
	Beynat	3 175	7
	Brive-la-Gaillarde canton Nord	34 542	5
	Brive-la-Gaillarde canton Sud	27 862	8
	Donzenac	8 402	6
	Juillac	5 097	10
	Larche	6 968	8
	Lubersac	8 449	12
	Meyssac	4 704	14
	Vigeois	3 924	6
Tulle (86 636 h.)	Argentat	6 927	11
	Corrèze	4 207	9
	Égletons	7 370	8
	Lapleau	2 467	8
	Mercœur	3 309	10
	Roche-Canillac (La)	3 397	11
	Saint-Privat	4 746	10
	Seilhac	6 269	9
	Treignac	6 122	12
	Tulle canton Nord	18 244	7
	Tulle canton Sud	15 472	15
	Uzerche	8 106	9
Ussel (38 404 h.)	Bort-les-Orgues	6 840	10
	Bugeat	3 014	11
	Eygurande	3 589	10
	Meymac	4 716	10
	Neuvic	4 055	10
	Sornac-Saint-Germain-Lavolps	3 284	7
	Ussel	12 906	11

LES DIX PREMIÈRES COMMUNES

Brive-la-Gaillarde	54 766 h.	*Malemort-sur-Corrèze*	4 750 h.
Tulle	21 634 h.	*Argentat*	3 735 h.
Ussel	11 280 h.	*Alassac*	3 594 h.
Égletons	5 885 h.	*Objat*	3 228 h.
Bort-les-Orgues	5 612 h.	*Uzerche*	3 221 h.

RÉGION MILITAIRE : *Bordeaux* (IVe). — COUR D'APPEL : *Limoges*.
ACADÉMIE : *Limoges*. — ARCHEVÊCHÉ : *Bourges*.

recteur d'assiette, dispositif de la suspension hydropneumatique qui maintient à un niveau invariable la hauteur d'un véhicule au-dessus du sol. (V. RESSORT *pneumatique*.) ‖ **— correctrice** n. f. Machine facilitant le dépouillement des questionnaires dans lesquels le candidat doit répondre à des questions sous forme de choix entre plusieurs réponses possibles. ◆ **correctif, ive** adj. Propre à corriger : *Gymnastique corrective.* ‖ **— correctif** n. m. Ce qui atténue, apporte une compensation : *Trouver un correctif à une situation dangereuse.* ‖ Ce par quoi on adoucit l'expression de la pensée : *Faire suivre chacune de ses phrases d'un correctif.* ◆ **correction** n. f. Action de corriger, de redresser : *La correction d'une date erronée. La correction des abus.* ‖ *Partic.* Action de corriger des copies d'écolier, des épreuves d'examen : *La correction de l'écrit n'est pas encore terminée.* ‖ Changement apporté à un ouvrage, à une partie d'un ouvrage, en vue de l'améliorer. ‖ Réprimande ou punition destinée à corriger. ‖ *Partic.* Châtiment corporel, coups donnés à quelqu'un : *Un gamin qui mérite une correction.* ‖ Qualité de ce qui est correct, conforme aux règles, aux bienséances, à la morale : *Un homme d'une parfaite correction.* ‖ Travail du correcteur, qui indique les fautes ou les changements à faire sur une épreuve imprimée, avant le tirage définitif. ‖ L'une de ces rectifications. ‖ Bureau où travaillent les correcteurs. ‖ Mécanisme de l'appareil télégraphique Hughes, destiné à rectifier la position de la roue des types réceptrice dès qu'un écart se produit. ● *Cor-*

rections des éléments initiaux du tir, coefficients théoriques (balistiques et aérologiques) ou expérimentaux affectés aux données des tables de tir. ‖ *Droit de correction,* droit reconnu au père et, en certains cas, à la mère de demander le placement, pendant un temps déterminé, dans une maison d'éducation surveillée, du mineur non émancipé qui leur aurait donné de graves sujets de mécontentement. (Depuis 1958, le droit de correction a cédé la place aux mesures d'assistance éducative.) ‖ *Maison de correction,* prison destinée à recevoir les condamnés à l'emprisonnement correctionnel. ‖ *Sauf correction,* sous réserve d'erreur (formule destinée à atténuer ce qu'on vient de dire). ◆ **corrigé** n. m. Devoir proposé comme modèle aux écoliers qui ont travaillé sur le même sujet : *Un corrigé de thème. Cahier de corrigés.* ◆ **corrigeur, euse** n. Dans un atelier d'imprimerie, ouvrier, ouvrière qui effectue sur le plomb les corrections indiquées par l'auteur ou par le correcteur. ◆ **corrigible** adj. Qui peut être corrigé.

corroborant, corroboration → CORROBORER.

corroborer v. tr. (lat. *corroborare;* de *robur,* force). Renforcer une idée, une opinion par un fait ou par un raisonnement : *Une nouvelle qui corrobore ma version des événements.* ◆ **corroborant, e** adj. Qui corrobore, confirme : *Preuve corroborante.* ◆ **corroboration** n. f. Action de corroborer ; son résultat.

corrodant → CORRODER.

corroder v. tr. (lat. *corrodere;* de *rodere,* ronger). Ronger, entamer progressivement par une action chimique : *Les acides corrodent les métaux. Les rivières corrodent les rivages.* ◆ **corrodant, e** adj. et n. m. Qui corrode, ronge : *L'action corrodante des acides.* ◆ **corrosif, ive** adj. Qui a la propriété de corroder. ‖ *Fig.* Mordant, caustique : *Des propos corrosifs.* ● *Sublimé corrosif,* nom usuel du *chlorure mercurique* $HgCl_2$. ‖ *Substance corrosive,* ou *corrosif* n. m., substance qui désorganise lentement les tissus vivants. ◆ **corrosion** n. f. Action de corroder ; résultat de cette action. (On protège les métaux de la corrosion soit par électrolyse [nickelage, chromage, cadmiage, zingage, étamage], soit par shérardisation ou par parkérisation. Pour les aciers, on utilise aussi des enduits et des vernis.) ‖ Attaque superficielle des roches, due à des processus chimiques. ‖ *Fig.* Destruction progressive.

corroi, corroierie → CORROYER.

corrompre v. tr. (lat. *corrumpere ;* de *rumpere,* briser complètement) [conj. **46**]. Gâter par décomposition, par putréfaction : *La chaleur corrompt la viande.* ‖ Altérer ce qu'il y a de sain et d'honnête dans l'âme, dépraver, pervertir : *Des mœurs corrompues.* ‖ Soudoyer par des présents ou des promesses. ‖ Séduire, suborner [une femme] : *Corrompre une jeune fille.* ‖ *Fig.* Altérer ce qui est juste, correct : *Corrompre le goût du public. Corrompre un texte,* déformer, dénaturer son sens. ◆ **corrupteur, trice** adj. et n. Qui corrompt, gâte le goût, le jugement, le langage. ‖ Qui détruit ce qu'il y a de sain, d'honnête dans l'âme ; qui déprave, pervertit : *L'effet corrupteur de l'argent.* ‖ *Partic.* Qui achète, soudoie quelqu'un. ◆ **corruptibilité** n. f. Caractère de ce qui est corruptible. ◆ **corruptible** adj. Sujet à la corruption matérielle : *Les corps les plus humides sont les plus corruptibles.* ‖ Sujet à la corruption morale ; capable de se laisser séduire : *Des fonctionnaires corruptibles.* ◆ **corruption** n. f. Action de corrompre, de putréfier ; état de ce qui est corrompu, putréfié : *La corruption des viandes est attribuée aux ferments.* ‖ *Fig.* Action de corrompre, de gâter le jugement, le goût, le langage. ‖ *Partic.* Altération d'un texte, d'un mot. ‖ Action de corrompre, d'altérer ce qu'il y a de sain, d'honnête dans l'âme ; état de l'âme ainsi corrompue : *La corruption des mœurs.* ‖ Action de séduire par de l'argent, des présents, des promesses ; état de la personne séduite. ● *Corruption électorale,* délit consistant à fausser par des dons et des promesses l'exercice du droit de suffrage. ‖ *Corruption de fonctionnaire,* délit consistant soit à corrompre un fonctionnaire par de l'argent, des présents ou des promesses (*corruption active*), soit, pour ledit fonctionnaire, à trafiquer de son activité ou de son autorité (*corruption passive*).

corrosif, corrosion → CORRODER.

corroyage → CORROYER.

corroyer [rwaje] v. tr. (lat. pop. **corredare,* empr. au germ.) [conj. **2**]. Soumettre les cuirs au corroyage. ‖ Pétrir, malaxer : *Corroyer du mortier.* ‖ Revêtir de corroi : *Corroyer un bassin de fontaine.* ‖ Battre et souder à chaud, en parlant des métaux. ‖ Passer les étoffes au corroi. ‖ Agglomérer à l'aide de rouleaux compresseurs les digues de retenue d'eau. ◆ **corroi** n. m. Façon donnée au cuir. ‖ Lit de terre glaise ou béton pilonné dont on revêt le fond et les parois des fontaines, des réservoirs, des canaux, des barrages, etc., pour les rendre étanches. ◆ **corroierie** n. f. Art, action de corroyer. ‖ Atelier de corroyage. ◆ **corroyage** n. m. Action de corroyer ; son résultat. ‖ Action de forger ou de souder ensemble à chaud plusieurs barres métalliques ou tôles. ‖ Effet produit sur le métal par le travail à chaud (par oppos. à l'*écrouissage,* qui est un travail à froid). ‖ Série d'opérations par lesquelles le cuir brut de tannage est amené à l'état de cuir fini. ‖ Travail d'une pièce de bois scié, avivée, en vue de lui donner la planitude et les dimensions requises pour l'usinage définitif. ● *Coefficient de corroyage,* rapport de la section primitive du lingot à sa section finale. ◆ **corroyère** n. f. Nom donné aux diverses plantes dont se servaient autref. les corroyeurs, notamment le redoul et le sumac. ◆

corroyeur n. et adj. m. Ouvrier procédant à la préparation des cuirs en croûte.

Corroyer (Edouard Jules), architecte français (Amiens 1837 - Paris 1904). Elève de Viollet-le-Duc, il construisit plusieurs églises et publia *l'Architecture romane* et *l'Architecture gothique* (1888).

corroyère, corroyeur → CORROYER.

Corrozet (Gilles), écrivain et libraire français (Paris 1510 - *id.* 1568). Son ouvrage *Fleur des antiquités de Paris* (1532-1550) renseigne sur la topographie de la capitale.

corrupteur, corruptibilité, corruptible, corruption → CORROMPRE.

corsac n. m. (russe *korsak*). Petit renard pâle, aux oreilles courtes, des plaines du Sud sibérien. (Syn. KARAGAN.)

corsage n. m. Vêtement ou partie de vêtement féminin qui recouvre le buste. ● *Corsage d'un cerf,* son poitrail.

corsaire n. m. et adj. (ital. *corsaro,* pirate). Navire armé en course* en vue de courir sus aux bâtiments ennemis, employé aux XVIIe et XVIIIe s. (Les prises étaient soumises à un tribunal des prises. La guerre de course en mer fut interdite par le congrès de Paris en 1856). ‖ *Par extens.* Nom donné, pendant les deux guerres mondiales, à un navire ou à un hydravion effectuant des raids contre les navires marchands de l'adversaire. ✦ n. m. Marin naviguant sur un corsaire et qui, faisant légitimement la guerre (à la différence du pirate), devait, en cas de capture, être considéré comme prisonnier de guerre et non comme brigand. ‖ Pantalon féminin collant, laissant paraître la naissance du mollet. ‖ Au croquet, joueur ayant terminé complètement le trajet, mais qui n'a pas touché le second piquet.

Corsaire, cruiser à voiles pour la petite croisière. C'est un *dériveur* lesté à bouchains vifs, et dont le gréement comporte une grand-voile, un foc ou un tourmentin, et un spinnaker.

Corse (ÎLE DE), île française de la Méditerranée, partagée depuis 1975 entre les départements de la *Corse-du-Sud* (4 014 km^2 ; 128 634 h. ; ch.-l. *Ajaccio*) et de la *Haute-Corse* (4 666 km^2 ; 161 208 h. ; ch.-l. *Bastia*).

● *Géographie.* Des montagnes cristallines occupent la partie occidentale et centrale de l'île (*monte Cinto,* 2 710 m) ; l'érosion y a entaillé de profondes vallées qui débouchent sur une côte escarpée, ouverte par de larges golfes (Porto, Sagone, Ajaccio et Valinco). Le relief est plus morcelé dans les montagnes schisteuses de l'Est. La plus grande partie de la côte orientale est plate et rectiligne ; elle compte de nombreuses lagunes. Le maquis recouvre la plus grande partie de l'île ; entre 700 et 900 m d'alt. apparaît la forêt de châtaigniers ; plus haut, les forêts sont formées de pins et de hêtres. On cultive la vigne dans de nombreuses régions, surtout dans la plaine orientale ; les cultures maraîchères s'étendent autour d'Ajaccio ; les cultures fruitières sont en plein développement dans la plaine orientale. L'élevage tient une place plus grande que dans le passé (fromages de brebis parfois affinés à Roquefort). La Corse a peu d'industries (bois), et l'activité économique y reste très faible. L'émigration est trop souvent la seule issue pour les Corses à la rechecrhe d'un emploi, mais les ressources apportées par le tourisme se développent constamment.

● *Histoire.* La Corse fut occupée dès l'époque néolithique par des populations

Bastia

2A- CORSE-DU-SUD
2B- HAUTE-CORSE
Ajaccio Préfecture
Corte Sous-préfecture
Route principale
Route touristique
Site touristique
0 10 20 km
I. de la Giraglia
Cap Corse
Pino
Canari
Nonza
Golfe de St-Florent
Bastia
Désert des Agriates
St-Florent
Oletta
L'Ile-Rousse
Sta-Reparata-di-Balagna
Algajola
Calvi
Sant' Antonino
Speloncato
NEBBIO
Sto-Pietro-di-Tenda
Défilé de Lancone
Murato
ÉTANG DE LA BIGUGLIA
Borgo
Calenzana
Moltifao
Vescovato
Golo
Venzolasca
HAUTE-
BALAGNE
1000
Gges
Asco
Scala di Santa Regina
Mte San Pietro
1766
G. de Galéria
Cirque de Bonifato
2710
Mt Cinto
Lozzi
NIOLO
Orezza
CORSE
Albertacce
Calacuccia
Cervione
CASTAGNICCIA
Golfe de Porto
Les Calanche
La Spelunca
Forêt d'Aïtone
Tavignano
Corte
Bravone
Gges
Evisa
Venaco
Porto
Piana
Mte Rotondo
2625
Soccia
Vico
Orto
Vezzani
2391
Guagno
Mte d'Oro
Pte d'Orchino
Cargèse
Sagone
Pastricciola
Forêt de Vizzavona
Ghisoni
ÉT.G DE DIANA
Liamone
Bocognano
Aléria
Golfe de Sagone
2357
Mte Renoso
Défilé de l'Inzecca
Plaine d'Aléria
200
ÉT.G D'URBINO
Ucciani
Bastelica
Ghisonaccia
CORSE-
Gges
Gravone
Prunelli
1000
Palneca
C. de Feno
Ajaccio
Cozzano
Travo
Frasseto
Cauro
Zicavo
Iles Sanguinaires
Golfe d'Ajaccio
Porticcio
Sta-Maria-Siché
2136
Incudine
Solenzara
Pila-Canale
Petreto-Bicchisano
Col de Bavella
DU-
Taravo
Aullène
Quenza
C. di Muro
Serra-di-Scopamène
Zonza
Conca
Carbini
Olmeto
Levie
Propriano
Sta-Lucia-di-Tallano
Forêt de l'Ospedale
G. de Valinco
Sartène
Ortolo
Mgne de Cagna
G. de Porto-Vecchio
SUD
C. Senetosa
Porto-Vecchio
Iles Cerbicale
200
Figari
Les Moines
Falaises et grotte du Sdragonato
G. de Santa Manza
Pta Capicciolo
I. de Cavallo
Bonifacio
C. Pertusato
Bouches de Bonifacio
MER MÉDITERRANÉE
MER TYRRHÉNIENNE

département de la Haute-Corse

arrondissements (3)	cantons (29)	nombre d'hab. du canton	nombre de comm. (236)
Bastia (98 320 h.)	Alto-di-Casaconi	4 137	13
	Bastia (5 cant.)	52 000	2
	Borgo	7 140	4
	Campoloro-di-Moriani	4 795	9
	Capobianco	3 138	10
	Conca-d'Oro (La)	3 945	8
	Fiumalto-d'Ampugnani	4 509	20
	Haut-Nebbio (Le)	3 711	10
	Gagro-di-Santa-Giulia	3 265	8
	San-Martino-di-Lota	6 266	3
	Vescovato	6 044	7
Calvi (16 469 h.)	Belgodère	4 273	19
	Calenzana	3 382	6
	Calvi	4 416	2
	Ile-Rousse (L')	4 398	6
Corte (46 419 h.)	Bustanico	4 131	24
	Castifao-Morosaglia	3 913	10
	Corte	6 062	1
	Ghisoni	4 785	4
	Moïta-Verde	7 664	14
	Niolu-Omessa	5 206	12
	Orezza-Alesani	3 204	23
	Prunelli-di-Fiumorbo	6 010	7
	Venaco	3 154	7
	Vezzani	2 577	7

LES DIX PREMIÈRES COMMUNES

Bastia	52 000 h.	*Borgo*	2 650 h.
Corte	6 062 h.	*Ile-Rousse (L')*	2 650 h.
Calvi	3 684 h.	*San-Martino-di-Lota*	2 564 h.
Ghisonaccia	3 240 h.	*Lucciana*	2 507 h.
Aléria	2 726 h.	*Ventiseri*	2 100 h.

RÉGION MILITAIRE : *Marseille* (VIIe). — COUR D'APPEL : *Bastia.*
ACADÉMIE : *Nice.* — ARCHEVÊCHÉ : *Aix-en-Provence.*

d'origine ibère et celto-ligure. Les Phéniciens y abordèrent dès le Ier millénaire. Les Phocéens fondèrent *Alalia* en 564 av. J.-C. Etrusques, Syracusains, Carthaginois colonisèrent successivement les rivages de l'île. Les Romains en firent la conquête (260-162) et y implantèrent leur civilisation. La domination byzantine (VIe et VIIe s.) pesa lourdement sur le pays. Du IXe au XIe s., les côtes furent troublées par les raids sarrasins. La population dut se réfugier à l'intérieur de l'île. En 1078, la Corse se plaça sous la suzeraineté du Saint-Siège, qui en confia l'administration à Pise. Elle connut alors une période prospère. Les Génois se substituèrent lentement aux Pisans, et leur influence prima toutes les autres à partir du milieu du XIVe s. Ils se livrèrent à une véritable exploitation du pays. Alors prirent naissance la résistance et le maquis. L'administration fut, en fait, confiée à une société privée, la *Maona,* qui reçut le monopole du commerce entre la Corse et le continent. Puis, après une période de revendication de la Corse par les rois d'Aragon, au début du XVe s., l'administration passa à la Banque de Saint-Georges. La pression qu'elle exerça sur les féodaux du sud de l'île provoqua la première émigration corse vers la France, qui permit à François Ier de créer un régiment corse (1485-1505). Conquise par la France sur les Génois en 1553, elle fut restituée par le traité de Cateau-Cambrésis (1559). A partir de 1729, la Corse fut en état de révolte presque permanent contre Gênes. Un aventurier allemand, Théodore de Neuhof, y établit une royauté éphémère (1736). Menée par Pascal Paoli*, nommé général en chef en 1755, l'opposition à Gênes se développa. Par le traité de Versailles (1768), Gênes céda l'île à la France. Paoli se tourna

département de la Corse-du-Sud

arrondissements (2)	cantons (20)	nombre d'hab. du canton	nombre de comm. (124)
Ajaccio (85 165 h.)	Ajaccio (5 cant.)	51 770	8
	Bastelica	3 556	5
	Celavo-Mezzana	4 663	10
	Cruzini-Cinarca	3 059	13
	Deux-Sevi (Les)	3 958	9
	Deux-Sorru (Les)	5 150	11
	Santa-Maria-Siché	6 760	17
	Zicavo	4 460	9
Sartène (43 469 h.)	Bonifacio	3 015	1
	Figari	4 541	4
	Levie	4 870	4
	Olmeto	5 105	6
	Petreto-Bicchisano	3 200	6
	Porto-Vecchio	11 256	4
	Sartène	6 611	7
	Tallano-Scopamène	4 871	12

LES DIX PREMIÈRES COMMUNES

Ajaccio	51 770 h.	*Levie*	2 100 h.
Porto-Vecchio	7 802 h.	*Vico*	1 970 h.
Sartène	6 049 h.	*Bastelica*	1 780 h.
Bonifacio	3 015 h.	*Sari-di-Porto-Vecchio*	1 541 h.
Propriano	2 942 h.	*Figari*	1 502 h.

RÉGION MILITAIRE : *Marseille* (VIIe). — COUR D'APPEL : *Bastia.*

ACADÉMIE : *Nice.* — ARCHEVÊCHÉ : *Aix-en-Provence.*

Ajaccio : le port

Carl-Images et Textes

alors contre celle-ci, mais il dut abandonner le pays après sa défaite de Pontenuovo en 1769. Soutenu par l'Angleterre, il fomenta une tentative de sécession (1793-1795), qui fut étouffée par Bonaparte (1796).
La Corse, où la résistance à l'occupation italienne et allemande (1942) s'organisa tôt, fut le premier département libéré par les troupes françaises, venues d'Algérie sur l'initiative du général Giraud (sept. 1943), après qu'Ajaccio se fut soulevé contre les Allemands à la nouvelle de la capitulation italienne.
Les problèmes économiques et sociaux de l'île engendrent aujourd'hui des difficultés, qui se manifestent par certaines aspirations à l'autonomie ou même à l'indépendance.

corse adj. et n. Qui se rapporte à la Corse ; habitant ou originaire de cette île.

Corse (CAP), péninsule de la Corse, formant l'extrémité septentrionale de l'île. Vignobles.

corsé → CORSER.

corselet n. m. Sorte de bustier. ‖ Corsage d'un costume régional, que l'on lace par-devant. ‖ Cuirasse composée d'un plastron et d'une dossière. (Sous Henri IV, les piquiers et les hallebardiers, qui la portaient, étaient appelés, par extens., les *corselets*.) ‖ Prothorax ou thorax entier des insectes.

corser v. tr. Donner du corps, de la saveur, de la force : *Corser du vin. Corser une difficulté.* ● *Corser un repas,* le rendre plus copieux. ‖ *L'histoire, l'affaire se corse,* se complique, devient plus palpitante. ◆ **corsé, e** adj. Qui a un goût relevé : *Sauce corsée. Vin corsé.* ‖ Plantureux, copieux : *Repas corsé.* ‖ *Fig.* Qui contient des détails scabreux : *Histoire corsée.* ‖ Qui est d'importance : *Affaire corsée. Semonce corsée.*

corset n. m. (de *corps*). Sous-vêtement plus ou moins baleiné, destiné à maintenir le buste et les hanches, et à supporter les bas à l'aide de jarretelles. ‖ Appareil qu'on place autour des jeunes arbres pour les protéger des chocs et des mutilations. (On construit les corsets en fer, en bois, en branches, en paille.) ● *Corset orthopédique,* corset qui sert soit à redresser les déviations de la colonne vertébrale, soit à éviter leur aggravation, ou encore à soulager les articulations intervertébrales (lombalgies). ◆ **corset-ceinture** n. m. Sous-vêtement baleiné que portent certains hommes. — Pl. *des* CORSETS-CEINTURES. ◆ **corseter** v. tr. (conj. **4**). Mettre un corset à. ‖ **— se corseter** v. pr. Mettre son corset, sa gaine ou son combiné. ◆ **corsetier, ère** n. et adj. Celui, celle qui fait des corsets.

Corsini, famille florentine installée à Rome au XVIe s. Ses membres les plus connus sont : saint ANDRÉ* (Florence 1301 - Fiesole 1373) ; — LORENZO (1652 - 1740), qui devint le pape Clément* XII ; — NERI, neveu du précédent, cardinal (Florence 1685 - Rome 1770), qui gouverna l'Eglise lorsque son oncle fut devenu aveugle.

Corsini (PALAIS), un des plus beaux palais de

plastron de **corselet** *musée de l'Armée*

Larousse

Rome, jadis propriété des Riarii, transformé par F. Fuga en 1688-1689. Il abrita la galerie nationale d'Art ancien, avant de devenir la bibliothèque Corsini.

corso n. m. Nom que les Italiens donnent à leurs promenades publiques. ‖ *Absol.* Nom donné à la rue principale de Rome, et qui partage la ville en deux, de la piazza del Popolo à la piazza Venezia, sur le tracé de l'antique via Flaminia. (Prend une majuscule en ce sens.) ‖ Cortège de chars : *Un corso fleuri.*

Cort (Cornelis), graveur et dessinateur hollandais (Hoorn 1533 - Rome 1578). Elève de Hieronymus Cock, il travailla à Anvers, puis à Venise pour Titien ; il fonda ensuite une

corset 1900 *bibliothèque des Arts décoratifs*

Larousse

école de graveurs à Rome. Il imagina des tailles spéciales pour chaque matière à représenter.

cortada n. f. (mot esp.). A la pelote basque, balle lancée avec force, au ras de la raie horizontale.

Cortambert (Pierre François Eugène), géographe français (Toulouse 1805 - Paris 1881). Il contribua au progrès et à la vulgarisation des études géographiques en France.

Cortázar (Julio), écrivain argentin (Bruxelles 1914). Disciple de Borges, influencé par Octavio Paz et Luis Buñuel, il évoque, dans ses romans et ses nouvelles, un monde étrange où se mêlent le réel et l'imaginaire (*Armes secrètes,* 1959; *Marelle,* 1963; *Livre de Manuel,* 1974).

Corte, ch.-l. d'arr. de la Haute-Corse, dans le centre de l'île, à 70 km au S.-O. de Bastia; 5 491 h. (*Cortenais*). Citadelle. Centre commercial et militaire. Ce fut le siège du gouvernement de Paoli. Patrie de Joseph Bonaparte.

cortège n. m. (ital. *corteggio;* de *corte,* cour). Suite de personnes qui en accompagnent une autre pour lui faire honneur : *Le cortège princier.* || Groupe de personnes ou d'animaux qui suit quelqu'un ou quelque chose : *Un cortège de manifestants.* || *Fig.* Ce qui accompagne : *La vie provinciale avec son cortège de petitesses.*

Cortemaggiore, comm. d'Italie (Emilie, prov. de Plaisance); 6 100 h. Exploitation de méthane surtout et de pétrole.

Corte Real, famille de navigateurs portugais du XVIe s. Ils parvinrent sur la côte est du Canada, où ils se perdirent successivement.

Corte Real (Jerónimo), poète et peintre portugais (Lisbonne 1535 - Vale de Palma 1588). Il servit aux Indes et en Afrique. Il est l'auteur de trois poèmes célèbres : *Second Siège de Diu* (1574), *l'Austriade* (en espagnol, 1578) et *le Naufrage de Sepúlveda* (1594).

Cortes [tɛs] n. f. pl. (mot esp.). Assemblée politique espagnole et portugaise.
— ENCYCL. Les Cortes étaient, à l'origine, des assemblées à caractère local. Au XIIIe s., les rois de Castille réunirent des Cortes générales. Ces assemblées comprenaient des nobles, des clercs et des procurateurs élus par les villes. En Castille, le roi décidait de leur date de réunion. En Aragon, il était tenu de les réunir une fois par an. Elles consentaient les subsides au roi et en recevaient le serment de fidélité aux lois du pays. Elles acquirent un rôle politique par le fait qu'elles devaient reconnaître les nouveaux souverains et pouvaient exprimer leurs doléances. En outre, en Castille, les Cortes décidaient de la paix et de la guerre. Cette institution fut à son apogée du XVIe au XVIIIe s. Son importance s'affaiblit ensuite à mesure que s'accrut l'absolutisme royal. La Constitution napoléonienne de 1802 en appliqua le nom à l'Assemblée législative, et, au XIXe s., le mot devint synonyme de Parlement.

Cortés (Hernán), en franç. Fernand **Cortez,** conquérant espagnol du Mexique (Medellín, Estrémadure, 1485 - Castilleja de la Cuesta, près de Séville, 1547). Il s'embarqua en 1504 pour Saint-Domingue et participa à la conquête de Cuba en 1511. En 1518, il partit à la conquête du Mexique. Après avoir visité la côte du Yucatán, il fonda la ville de Vera-

Dominguez Ramos

Hernán Cortés
musée naval de Madrid

cruz (1519). Il vainquit le royaume de Tlaxcala, avec lequel il s'allia contre les Aztèques. Il entra ensuite à Tenochtitlán (Mexico), où il fut bien accueilli par l'empereur Moctezuma, dont il obtint pourtant la soumission; les Aztèques s'étant révoltés, Moctezuma fut tué. Cortés sortit de la ville et l'investit méthodiquement; la cité aztèque fut prise et détruite en août 1521, et le dernier empereur, fait prisonnier et exécuté en 1525. Ainsi maître de l'Empire aztèque, Cortès fut nommé par Charles Quint gouverneur général du pays, désormais baptisé Nouvelle-Espagne. Il y fit peser lourdement le joug espagnol. Ses ambitions inquiétèrent la cour de Madrid. Rentré en Espagne en 1541, il participa à l'expédition d'Alger, mais termina ses jours dans une certaine disgrâce.

cortex n. m. (lat. *cortex,* écorce). Partie externe de tous les organes animaux ou végétaux à structure plus ou moins concentrique : *Cortex cérébral.* ● *Cortex surrénal,* partie périphérique de la glande surrénale*. ◆ **cortical, e, aux** adj. Relatif au cortex ou à l'écorce : *Cellules corticales.* ● *Substance corticale,* nom donné à diverses substances qui forment la couche extérieure de certains organes : *Substance corticale des glandes surrénales.* ◆ **corticectomie** n. f. V. TOPECTOMIE. ◆ **corticoïde** adj. et n. m. Se dit des hormones corticosurrénales et des substances de synthèse ayant une action similaire. (Les corticoïdes de synthèse ont une action anti-inflammatoire plus forte que la cortisone et moins d'inconvénients. L'A. C. T. H. agit indirectement comme les corticoïdes.) ◆ **corticostéroïde** n. m. *Biochim.* et *Endocrinol.* Stéroïde rencontré dans le cortex surrénal. (On a isolé plus de dix corticostéroïdes différents.) ◆ **corticostimuline** n. f. *Endocrinol.* Hormone sécrétée par l'hypophyse, et qui excite la sécrétion du cortex surrénal. (Syn. : A. C. T. H., CORTICOTROPHINE.) ◆ **corticosurrénal, e, aux** adj. *Endocrinol.* Relatif au cortex surrénal. ◆ **corticosurrénalome** n. m. Tumeur de l'écorce surrénale, observée surtout chez la femme. ◆ **corticothérapie** n. f. Emploi, à des fins thérapeutiques, des hormones corticosurrénales ou de leurs dérivés. ◆ **corticotrophine** n. f. Syn. de CORTICOSTIMULINE.

corticicole adj. Qui vit sous les écorces. (C'est le cas de nombreux insectes : cloportes, mille-pattes, chélifères, araignées, etc.)

corticium [sjɔm] n. m. Champignon basidiomycète, agent du rhizoctone brun de la pomme de terre.

corticoïde, corticostéroïde, corticostimuline, corticosurrénal, corticosurrénalome, corticothérapie, corticotrophine → CORTEX.

cortile [le] n. m. (mot ital.). En Italie, cour intérieure, généralement à arcades, correspondant au *patio* espagnol.

Cortina d'Ampezzo, comm. d'Italie (Vénétie, prov. de Belluno), dans les Dolomites ; 7 000 h. Centre touristique à 1 210 m d'alt. Jeux Olympiques d'hiver de 1956.

cortinaire n. m. (dérivé du lat. *cortina,* chaudron). Champignon basidiomycète muni d'un voile partiel, ou *cortine,* et dont les nombreuses espèces, parfois vivement colorées, sont comestibles.

cortine n. f. (lat. *cortina*). Ensemble d'hormones (extraites du cortex surrénal) découvert en 1935 par l'Américain Kendall.

cortiqueux, euse adj. Muni d'une écorce. (Ne se dit guère que des fruits : orange, citron, etc.)

cortisone n. f. Une des hormones sécrétées par le cortex surrénal, recréée synthétiquement depuis 1943 et possédant une action anti-inflammatoire puissante.

corton n. m. Vin de Bourgogne récolté dans la commune d'Aloxe-Corton. (Le corton blanc est un des meilleurs vins bourguignons. En fait, le terme désigne plutôt un climat favorable aux vins blancs. A Aloxe même, on récolte du corton rouge.)

Cortona, v. d'Italie (Toscane, prov. d'Arezzo) ; 26 700 h. Evêché. Musée étrusque.

Cortone (Pietro BERRETTINI DA CORTONA, dit **Pierre de**), peintre et architecte italien (Cortona 1596 - Rome 1669). Il étudia à Florence, puis vint à Rome en 1612. Il fut, avec le Bernin et Borromini, un des promoteurs du baroque. L'église Saint-Luc-et-Sainte-Martine, qu'il construisit à Rome, fut un des premiers exemples du nouveau style (1635). Il s'imposa aussi comme décorateur (plafond du palais Barberini et coupole de Santa Maria in Valicella, à Rome ; plafond du palais Pitti, à Florence).

Cortot (Jean-Pierre), sculpteur français (Paris 1787 - *id.* 1843). Il exécuta le fronton du Palais-Bourbon (1842), *l'Apothéose de Napoléon* (1833, Arc de triomphe de l'Etoile) et *Marie-Antoinette aux pieds de la religion* (Chapelle expiatoire).

Cortot (Alfred), pianiste et chef d'orchestre français (Nyon, Suisse, 1877 - Lausanne 1962). Virtuose de renommée internationale, il fut professeur au Conservatoire (1907-1920) et fonda l'Ecole normale de musique (1920).

corubis [bis] n. m. Corindon artificiel, d'une grande dureté.

Çorum, v. de Turquie, à l'E.-N.-E. d'Ankara ; 34 700 h. Centre commercial.

Corumbá, v. du Brésil (Mato Grosso) ; 36 700 h. Centre métallurgique (manganèse).

coruscant, e adj. (du lat. *coruscare*). *Poét.* Brillant, étincelant.

corvéable → CORVÉE.

corvée n. f. (bas lat. *corrogata* [*opera*], [travail] auquel on est prié de participer). Service collectif demandé par le seigneur ; journées de travail gratuit que le serf et le tenancier lui devaient. (V. *encycl.*) ‖ Travail, obligations pénibles ou fastidieuses : *Les débutants héritent souvent de toutes les corvées.* ‖ Travaux domestiques et d'entretien exécutés par les soldats : *Corvée de quartier.* ‖ Equipe de soldats chargés de ces travaux : *Envoyer une corvée.* ◆ **corvéable** adj. A qui l'on peut imposer la corvée.

— ENCYCL. **corvée.** Les paysans, serfs ou tenanciers, devaient assurer gratuitement l'entretien et l'exploitation des domaines seigneuriaux en échange du droit d'exploitation des tenures*. Les corvées, l'une des formes de l'imposition seigneuriale, assuraient la mise en valeur de la *réserve**, le transport des produits et l'entretien des outils de travail, des constructions, des fossés, etc. A l'époque franque, les corvées étaient lourdes, le serf était *corvéable à merci ;* l'amélioration des techniques agricoles, l'accroissement démographique permirent à la coutume de les réduire à quelques jours par an pour des travaux d'intérêt général. A partir de Louis XIV, les paysans, soumis à la taille, devaient au roi un certain nombre de jours par an pour la construction et l'entretien des routes : ce fut la *corvée royale,* qui ne devint institution d'Etat que sous Louis XV. Charge très lourde, elle donna lieu à de nombreux abus et mesures arbitraires. Louis XVI la remplaça par une taxe. Les corvées seigneuriales ou royales furent abolies par l'Assemblée constituante (nuit du 4 août 1789 et loi du 15 mars 1790).

corvettard → CORVETTE.

corvette n. f. (moyen néerl. *korver,* bateau chasseur). Ancien bâtiment de guerre à trois mâts, fin et bien voilé, intermédiaire entre la frégate et le brick. ‖ Petit bâtiment spécialement armé pour la chasse au sous-marin et l'escorte des convois. ● *Capitaine de corvette,* premier grade des officiers supérieurs dans la marine (quatre galons). ◆ **corvettard** n. m. *Arg.* Capitaine de corvette.

Larousse

corvette « le Sphinx »
musée de la Marine

Corvisart
par Lemonnier
Faculté de médecine

Giraudon

Corvetto (Louis Emmanuel, comte), homme politique français, d'origine italienne (Gênes 1756 - *id.* 1821). Il fut président du directoire exécutif de la République ligurienne, créée par Bonaparte en 1797. Nommé conseiller d'Etat (1806) et comte d'Empire (1809), il fut ministre des Finances de 1815 à 1818. Sa politique financière permit la libération anticipée du territoire national.

Corvey, en lat. **Corbeia Nova,** abbaye d'Allemagne, fondée en 822 par les moines de *Corbie.* Elle eut un très grand rayonnement intellectuel au IXe et au Xe s.

corvidés n. m. pl. (du lat. *corvus,* corbeau). Famille d'oiseaux passereaux de grande taille, dont les principaux types sont le corbeau (*corvus*), la corneille et le geai.

Corvin (Jean). V. HUNYADI.

Corvin (Mathias). V. MATHIAS Ier.

Corvisart (baron Jean), médecin français (Dricourt, Ardennes, 1755 - Paris 1821), titulaire de la première chaire de clinique interne à l'hôpital de la Charité. Sa réputation de clinicien lui valut d'être nommé en 1799 médecin du gouvernement, puis premier médecin de Napoléon, qui le fit baron en 1805. Il chercha à établir la clinique sur des bases scientifiques et vulgarisa la méthode de la percussion dans les affections de poitrine. (Institut, 1811.)

Corvus, nom lat. de la constellation du Corbeau* (au génit. : *Corvi ;* abrév. : [Crv]).

corybante n. m. (gr. *korubas, -antos*). *Antiq. gr.* Prêtre de Cybèle, en Phrygie.

corydalis [lis] n. f. Grand insecte mégaloptère, carnassier nocturne, aux mandibules allongées, dont la larve est aquatique et respire par des branchies. (Type de la famille des *corydalidés.*)

corydallis [lis] n. m. Plante à fleurs qui pousse dans les rocailles. (Famille des fumariacées.)

Corydon, en gr. **Korudôn.** *Myth. gr.* Nom de berger, chez les poètes bucoliques.

corymbe n. m. (gr. *korumbos,* ce qui fait saillie). Inflorescence dans laquelle les fleurs sont groupées en plateau, bien que leur pédoncule s'insère à divers niveaux sur la tige, comme chez le poirier, le prunier, le cerisier.

corynanthe n. m. Plante africaine fournissant la yohimbine. (Famille des rubiacées.)

corynébactérium [rjɔm] n. m. ou **corynébactérie** n. f. Groupe de microbes se rapprochant des mycobactériums. (Il comprend notamment les bacilles diphtériques et pseudo-diphtériques, le bacille de la morve.)

corynète n. m. Petit coléoptère cléridé qui

vit dans les parquets et qui se rend utile en dévorant les coléoptères xylophages, telles les vrillettes.

coryneum [neɔm] n. m. Champignon de l'ordre des mélanconiales, responsable de la maladie du même nom (dite aussi CRIBLURE), qui se manifeste chez le pêcher, l'abricotier, le cerisier et les pruniers par des taches rouges sur les feuilles, bientôt remplacées par des trous. (Les fruits, eux aussi, se détachent et tombent.) [Syn. CLASTEROSPORIUM.]

corypha n. m. (gr. *koruphê,* sommet). Palmier asiatique et malais, au bois dur, employé en construction, et aux feuilles en éventail.

coryphée n. m. (lat. *coryphaeus;* du gr. *koruphaios;* de *koruphê,* sommet). Chef du chœur, dans la tragédie et la comédie antiques. || Echelon intermédiaire dans la hiérarchie du corps de ballet, entre les quadrilles et les sujets. || Danseur ou danseuse à la tête des premier et second quadrilles. || *Par iron.* Celui qui est le plus en vue, au premier rang : *Etre le coryphée d'une doctrine.*

coryphène n. m. (gr. *koruphê,* sommet, et *phainos,* brillant). Poisson osseux des mers chaudes, aux couleurs étincelantes, voisin des scombridés.

coryste n. m. (gr. *korustês,* armé d'un casque). Crabe européen au très long rostre, aux antennes couvertes de soies. (Type de la famille des *corystéidés.*)

Corythos, en gr. **Koruthos.** *Myth. gr.* Fils de Zeus et de la fille d'Atlas, Electre. Il est le fondateur de Cortona. — Fils de Pâris et d'Œnone, nymphe de l'Ida.

coryza n. m. (gr. *koruza*). Inflammation de la muqueuse des fosses nasales, qui donne lieu à des éternuements et à un écoulement plus ou moins abondant, avec parfois accès fébrile et mal de tête. ● *Coryza contagieux des volailles,* maladie infectieuse grave, caractérisée par une inflammation de la muqueuse nasale, de la conjonctive et des sinus voisins. || *Coryza gangréneux des bovins,* maladie infectieuse grave, mais peu contagieuse, due à un ultravirus. || *Coryza spasmodique périodique,* forme de coryza survenant chez certains sujets à l'époque de la floraison des graminées, et considérée comme un équivalent de l'asthme. (Syn. RHUME DES FOINS.)

Corzola. V. KORČULA.

cos, symbole de *cosinus.*

Cos, en gr. **Kôs** ou **Kó,** île grecque du Dodécanèse (Sporades du Sud), près de la côte de Turquie, en face du *golfe de Cos;* 19 100 h. Ch.-l. *Cos* (8 800 h.). De peuplement mycénien, puis dorien, Cos fut membre de l'Hexapolis dorienne. Alliée d'Athènes, puis soumise par l'Egypte, elle fut, sous les Ptolémées, un centre littéraire florissant. Elle demeura prospère sous la domination romaine.

Cosa (Juan DE LA), géographe et navigateur espagnol (Santoña, Biscaye, v. 1460 - Tabasco, Darién, 1510), compagnon de Christophe Colomb, d'Alonso de Hojeda et de Vespucci.

cosaque n. m. et adj. (du russe *kazak* ou du kirghiz *kosak,* nomade). Soldat à pied ou à cheval, recruté, suivant des règles particulières, parmi les populations nomades ou semi-sédentaires du sud-est de la Russie d'Europe, de l'Oural, du Turkestan et de la Sibérie. (Les unités de cosaques étaient particulièrement réputées dans l'armée russe comme dans les forces soviétiques.) || Cavalier de l'armée iranienne, recruté sur la rive méridionale de la Caspienne. || *Fig.* Homme dur, brutal : *Il se conduit comme un cosaque.*

Cosaques, populations nomades ou semi-nomades installées à partir du XVe s. dans les steppes de la Russie méridionale. A l'origine, les Cosaques étaient des réfugiés de la Grande Russie moscovite, qui, pour échapper aux impôts et au service militaire, s'étaient enfuis vers les frontières incertaines du Sud-Est. Ils s'y organisèrent militairement pour vivre de pillage, au détriment des Tatars ou des Russes. Répartis en circonscriptions territoriales, ou cercles, ils élisaient leur chef (*ataman* ou *hetman*). Les *Cosaques du Dniepr,* rattachés au groupe linguistique petit-russien, s'étaient établis en Ukraine. Les rois de Pologne s'efforcèrent d'atténuer le danger qu'ils représentaient pour eux, en les enrôlant à leur service. Mais, vers le milieu du XVIe s., les Cosaques établis « au-delà des cataractes du Dniepr », ou Zaporogues, entreprirent, sous la direction de Khmelnitski, de s'affranchir de la souveraineté polonaise. Ils furent victorieux à Zborovo (1649), mais ils durent se soumettre à la Russie; l'accord de Péreïaslavl' (1654) reconnut les libertés du peuple cosaque. Ces libertés furent abolies par Catherine II en 1764. Les unités cosaques furent intégrées à l'armée russe, puis transférées au Kouban' (1794). Les *Cosaques du Don* appartiennent au groupe linguistique grand-russien. Ils luttèrent pour accroître leur domaine aux dépens des Tatars de Crimée. Ils aidèrent les tsars à refouler les nomades asiatiques. Ils participèrent à la conquête de Kazan' (1552) et d'Astrakhan' (1556), et firent celle du khānat de Sibérie (1582). Dans les périodes de troubles, les Cosaques prirent souvent la tête des insurrections paysannes (Stenka Razine, 1669-1671; Pougatchev, 1771-1774). La réforme agraire de 1861 accorda aux communautés cosaques, en échange du service militaire, la propriété des deux tiers de leurs terres. Par le décret du 1er juin 1918, le régime communiste abolit le statut spécial dont ils bénéficiaient.

Coşbuc (Gheorghe), poète roumain (Hordau, Transylvanie, 1866 - Bucarest 1918). Son œuvre exalte les traditions villageoises et prêche l'énergie.

cosécante n. f. Inverse du sinus d'un angle ou d'un arc (symb. cosec).

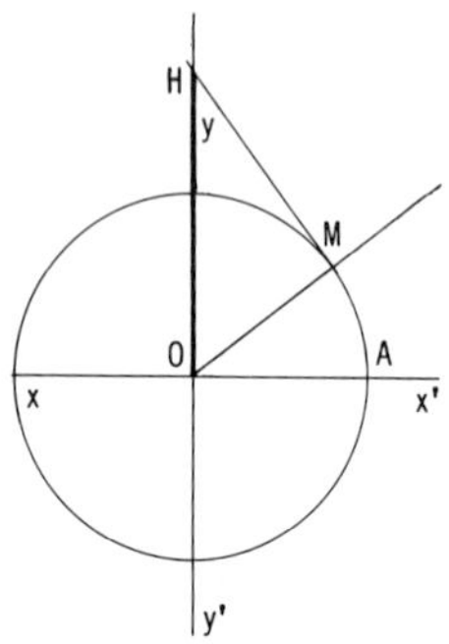

cosécante
la cosécante de l'arc AM ou de l'angle AOM est l'ordonnée OH du point H

coseigneurie n. f. Fief indivis entre plusieurs coseigneurs.

Cosenza, v. d'Italie (Calabre) ; 102 200 h. Archevêché. Centre agricole et commercial.

Cosette, personnage des *Misérables** de Victor Hugo, fille de Fantine, élevée par Jean Valjean et aimée de Marius.

Cosgrave (William Thomas), homme politique irlandais (Dublin 1880 - *id.* 1965). Membre de la société secrète Sinn Fein, il participa à la révolte de Pâques 1916. En 1921, il opta pour la fraction modérée du parti nationaliste, dont il devint le chef. Président du Conseil exécutif de l'Etat libre (1922-1932), il régla les problèmes diplomatiques et économiques du nouvel Etat. Il conserva jusqu'en 1944 la direction de son parti, devenu principal parti d'opposition.

Cosi fan tutte, opéra bouffe en 2 actes, de Mozart, sur un livret de Lorenzo Da Ponte, créé en 1790 au Burgtheater de Vienne. Cette partition se recommande par son esprit bouffe et sa vivacité.

cosignataire n. Personne qui a signé avec d'autres.

Cosimo (Piero DI). V. PIERO DI COSIMO.

cosinus [nys] n. m. Sinus du complément d'un angle (symb. cos). ● *Cosinus hyperbolique* (symb. ch), fonction de la variable x :

$$\text{ch}\, x = \frac{e^{x} + e^{-x}}{2}.$$

Cosinus phi (cos φ), expression mathématique du facteur de puissance d'un circuit parcouru par un courant alternatif sinusoïdal. (Dans cette expression, φ est l'angle de déphasage entre la tension et l'intensité.)

cosiste n. f. Ligne qui réunit tous les points où la secousse d'un séisme s'est fait sentir au même instant.

Cosmas ou **Kosmas,** surnommé **Indikopleustês,** c'est-à-dire « Voyageur cosmographe dans l'Inde », marchand et voyageur du VIe s. apr. J.-C., né à Alexandrie. Il visita l'Ethiopie et une partie de l'Asie. Il est l'auteur d'une *Topographie chrétienne de l'univers.*

Cosmas, prêtre bulgare du Xe s., auteur d'un *Traité contre les bogomiles,* écrit vers 972, et qui est une des œuvres les plus intéressantes de la vieille littérature bulgare.

Cosmati (les) ou les **Cosma,** famille de marbriers, sculpteurs et ornemanistes romains (XIIe et XIIIe s.). Ils firent des décors géométriques de marbres polychromes (pavements, éléments architecturaux ; façade de l'église de Civita Castellana [1210]).

Cosme (saint). V. CÔME.

cosmétique n. m. (gr. *kosmêtikos,* relatif à la parure). Substance ou préparation utilisée en cosmétologie. ‖ Produit capillaire servant à fixer la chevelure. ✦ adj. *Ethnogr.* Se dit d'une ornementation directe du corps humain. (Temporaires ou permanentes, les décorations cosmétiques constituent une marque, pour leur porteur, de valeur symbolique, religieuse, initiatoire ou juridique.) ◆ **cosmétiqué, e** adj. Enduit de cosmétique. ◆ **cosmétiquer** v. tr. Enduire de cosmétique. ◆ **cosmétologie** n. f. Etude de tout ce qui se rapporte aussi bien aux produits cosmétiques terminés, à leur activité et à leur mode d'emploi, qu'aux produits de base servant à leur préparation.

cosmie n. f. (gr. *kosmios,* orné). Papillon noctuidé aux chenilles férocement cannibales.

cosmique → COSMOS.

cosmogénie n. f. Formation de l'univers. ◆ **cosmogénique** adj. Relatif à la cosmogénie : *Principes cosmogéniques.*

cosmogonie n. f. (du gr. *kosmogonia ;* de

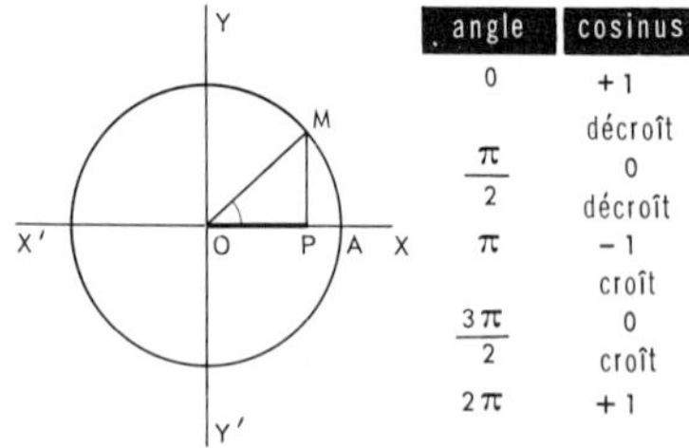

cosinus
le cosinus de l'arc AM ou de l'angle AOM est l'abscisse OP du point P

kosmos, monde, et *gonos,* génération). Science de la formation des objets célestes : planètes, étoiles, systèmes d'étoiles, etc. (V. ASTRONOMIE, *encycl.*) || Système de la formation du monde : *La cosmogonie d'Hésiode.* ◆ **cosmogonique** adj. Qui a rapport à la cosmogonie : *Système cosmogonique.* ◆ **cosmogoniquement** adv. Du point de vue cosmogonique.

cosmographe → COSMOGRAPHIE.

cosmographie n. f. Partie de l'astronomie* qui se borne à une simple description de l'univers. ◆ **cosmographe** n. Personne qui étudie la cosmographie, qui écrit sur cette matière. ◆ **cosmographique** adj. Relatif à la cosmographie. ◆ **cosmographiquement** adv. Du point de vue de la cosmographie.

cosmologie n. f. Science des lois générales qui gouvernent l'univers. (Toute grande philosophie a sa cosmologie, sa théorie de la nature et de la substance des choses.) || Branche de l'astronomie qui étudie la structure et l'évolution de l'univers à l'échelle la plus vaste possible. ● *Cosmologie rationnelle,* selon Kant, ensemble des problèmes métaphysiques concernant le monde et son origine. ◆ **cosmologique** adj. Relatif à la cosmologie.

cosmonaute n. Voyageur des espaces intersidéraux.

cosmonomie n. f. Ensemble des lois qui régissent l'univers. ◆ **cosmonomique** adj. Relatif à la cosmonomie.

cosmopathologie n. f. Partie de la climatologie qui étudie l'action des facteurs cosmiques (Lune, Soleil, rayons cosmiques) sur l'organisme.

cosmopolite n. Personne qui vit tantôt dans un pays, tantôt dans un autre, qui change facilement de mœurs et d'habitudes. ✦ adj. Propre au cosmopolite : *Existence cosmopolite. Goûts cosmopolites.* || Qui comprend des éléments de multiples nations : *Foule, ville cosmopolite.* || Se dit d'une espèce animale ou végétale répandue dans le monde entier, généralement du fait de l'homme. (Syn. UBIQUISTE.) ◆ **cosmopolitisme** n. m. Sentiments de cosmopolite. || Système du cosmopolite. || Manière de vivre, existence du cosmopolite. || Caractère de ce qui comprend des éléments de multiples nations : *Le cosmopolitisme de certaines villes américaines.* || Doctrine morale des stoïciens, reprise par Kant, qui concerne l'homme, indépendamment de sa nationalité, comme « citoyen du monde ».

cosmorama n. m. Panorama représentant les sites et les monuments les plus réputés de l'univers.

cosmos [mɔs ou mos] n. m. (gr. *kosmos,* monde). L'univers et ses lois ou, plus généralement. tout univers, réel ou émanant d'une création imaginative ou intellectuelle : *Le cosmos de Pythagore.* || Un « tout », un ensemble bien ordonné. || Espace intersidéral : *La fusée est allée se perdre dans le cosmos.* ◆ **cosmique** adj. Relatif à l'univers, à son ordre général : *Espaces cosmiques.* || Infini comme l'univers, vertigineux : *Une révolution aux effets cosmiques.* ● *Matière cosmique,* matière dont sont formés les mondes. || *Musique cosmique,* s'est dit, dans la philosophie pythagoricienne, des harmonies répandues dans la nature. || *Rayons cosmiques,* trajectoires de particules, d'origine hypothétique, qui pénètrent dans l'atmosphère en provenant des espaces intersidéraux.

— ENCYCL. ***cosmique.*** *Rayons cosmiques.*

rayons **cosmiques**

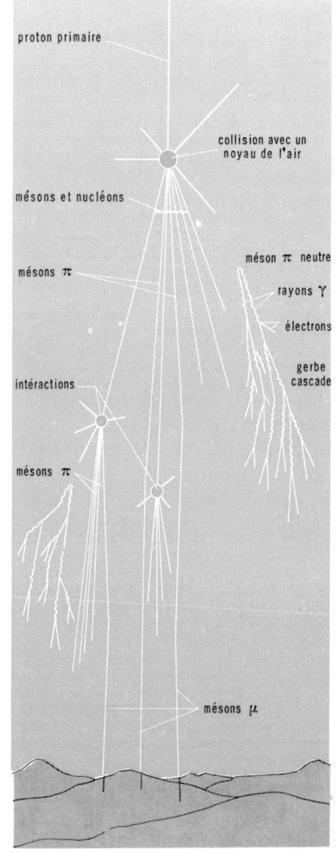

Les rayons cosmiques, découverts par Hess en 1911, sont formés de particules diverses et de photons, dont l'énergie peut largement dépasser celle des rayonnements radio-actifs. On les étudie à l'aide : de la chambre de Wilson ou de la chambre à bulles, qui permettent de matérialiser leurs trajectoires ; du compteur de Geiger-Muller, qui sert à les dénombrer ; et de la plaque photographique. Ils provoquent, en traversant l'atmosphère, divers effets. Ils déterminent une ionisation de l'air par suite de l'arrachement d'électrons aux atomes et peuvent désintégrer des noyaux atomiques en provoquant des gerbes de rayons secondaires. La plus grande partie d'entre eux est ainsi absorbée par l'atmosphère, d'où l'intérêt de les étudier à grande altitude.

cosmos n. m. Composée décorative d'origine mexicaine, aux fleurs rouges ou jaunes.

cosmotriche n. f. Papillon lasiocampidé d'été, dit aussi BUVEUSE, dont la chenille vit sur le brome et sur d'autres graminées.

cosmotron n. m. Accélérateur pouvant communiquer aux particules élémentaires une énergie comparable à celle des rayons cosmiques.

Cosne-sur-Loire, ch.-l. d'arr. de la Nièvre, sur la rive droite de la Loire, à 41 km au S.-E. de Gien ; 12 312 h. (*Cosnois*). La ville doit son origine à une station gauloise et à une cité romaine (*Condate carnutum*). Métallurgie (limes, machines agricoles, etc.).

cospidosome n. m. Minuscule hyménoptère chalcididé, qui pond jusqu'à 2 500 œufs dans une seule chenille de mamestre du chou. (La chenille nourrit les larves et meurt au moment de se chrysalider ; les cospidosomes adultes quittent alors son cadavre.)

Cossa. V. JEAN XXIII, pape.

Cossa (Francesco del). V. DEL COSSA.

cossard → COSSE 3.

1. cosse n. f. (bas lat. *cossa*). Enveloppe constituant le fruit des légumineuses et enfermant les graines jusqu'à maturité. (Le fruit, appelé *gousse*, se compose de la cosse et des graines ; celles-ci répandues, la cosse reste seule attenante au pied.) || Anneau métallique présentant une gorge extérieure, dans laquelle s'engage le filin qui l'estrope. || Pièce conductrice fixée à l'extrémité d'un conducteur et servant à effectuer sa connexion. || Partie de la veine ou du gisement voisine des affleurements. || Dispositif destiné à relier sans rupture un fil métallique à une pièce d'appareil. ● *Cosses baguées*, anneaux engagés l'un dans l'autre. || *Parchemin en cosse*, peau de mouton telle que la fournit la mégisserie.

2. cosse n. f. Insecte qui, comme la bruche, mange les graines et ne laisse que la cosse. ◆ **cosson** n. m. Petit charançon du saule et du peuplier.

3. cosse n. f. *Fig.* et *pop.* Grande paresse : *Avoir la cosse.* ◆ **cossard, e** adj. et n. *Pop.* Paresseux : *Etre cossard pour sortir du lit.*

Cossé (Artus DE), seigneur **de Gonnor,** comte **de Secondigny,** maréchal de France (1512 - Gonnor [auj. Gonnord], Maine-et-Loire, 1582). Gouverneur de Metz, puis de Marienbourg, il devint intendant des Finances en 1563, maréchal de France en 1567, puis gouverneur et lieutenant général de l'Orléanais et des pays de la Loire en 1569.

Cossé-Brissac. V. BRISSAC.

Cossé-le-Vivien, ch.-l. de c. de la Mayenne (arr. de Château-Gontier), à 18 km au S.-O. de Laval ; 2 626 h. Carrosseries.

cosser v. tr. (ital. *cozzare*). Se heurter la tête, en parlant des béliers.

cossette n. f. Morceau de betterave en fine lanière. || Nom donné à de petits morceaux de racine de chicorée à café, séchés avant la torréfaction.

cossidés → COSSUS.

Cossiers (Jan), peintre flamand (Anvers 1600 - *id.* 1671). Caravagiste, il exécuta des œuvres religieuses (église du béguinage de Malines) et des scènes de taverne.

cosson → COSSE 2.

Cosson (le), riv. de Sologne, affl. du Beuvron (r. g.) ; 100 km. Un défluent, qui rejoint la Loire, constitue le *Vieux-Cosson.*

cossu, e adj. Qui a une large aisance : *Bourgeois cossu.* || Qui dénote une large aisance : *Une maison cossue.*

cossus [sys] n. m. Principal genre de la famille des cossidés. (Dit aussi GÂTE-BOIS, ce papillon, à l'état de chenille, endommage gravement les jeunes ormes et d'autres arbres en y creusant des galeries profondes pendant ses deux à trois ans de vie larvaire.) ◆ **cossidés** n. m. pl. Famille de gros papillons nocturnes dont les femelles ont une tarière et pondent leurs œufs sous l'écorce des arbres. (Les chenilles dévorent le bois à l'aide de fortes mandibules.)

Costa (Lorenzo), dit **l'Ancien,** peintre italien (Ferrare v. 1450 - Mantoue 1535). Influencé par Tura (*Saint Sébastien*, Dresde), puis par Bellini (*Pala de San Petronio*, Bologne, 1492), il travailla à Bologne, à Padoue et à Mantoue (« studiolo » d'Isabelle).

Costa (Joachim), sculpteur français (Lézignan 1888). Dans son livre *Modeleurs et tailleurs de pierre* (1921), il prôna la taille directe.

Costa (Lúcio), architecte brésilien (Toulon 1902). Il étudia en France et fut chargé, en 1956, d'établir le plan d'urbanisme de Brasília. Il est l'auteur de la Maison du Brésil à la Cité universitaire de Paris (1959).

Costa Brava, littoral de la Catalogne, entre

la frontière française et l'embouchure du río Tordera. Nombreuses stations balnéaires.

Costa del Sol, partie du littoral méditerranéen de l'Espagne, d'Almería jusqu'au-delà de Málaga. Stations balnéaires.

costal → CÔTE 1.

Costantini (Celso), cardinal italien (Zoppola, Udine, 1876 - Rome 1958). Il fut secrétaire de la congrégation de la Propagande en 1935, cardinal en 1953, chancelier de l'Eglise catholique en 1954.

costard → COSTUME.

Costa Rica, république de l'Amérique centrale; 50 900 km²; 2 millions d'hab. Capit. *San José.* Langue : *espagnol.* Religion : *catholicisme.*

Géographie.

Une chaîne volcanique, qui atteint 3 452 m au volcan Irazú, domine les plaines du Nord, couvertes d'épaisses forêts. Les plateaux centraux sont une riche région agricole (café). Au S., la *cordillère de Talamanca* atteint 3 837 m au *Chirripó Grande.* La côte du Pacifique est formée de plaines et de massifs montagneux. Le Costa Rica est un pays à l'économie agricole développée; il produit du café, des bananes, de la canne à sucre, du cacao, du tabac. Le secteur industriel est réduit (produits alimentaires et textiles). La population du Costa Rica se caractérise par sa forte prédominance blanche (80 p. 100); l'analphabétisme est faible, et le pays bénéficie d'un des niveaux de vie les plus élevés de l'Amérique latine (v. carte p. 427).

Histoire.

Christophe Colomb reconnut le rivage oriental du Costa Rica en 1502. Rattaché à la capitainerie générale de Guatemala, avec Cartago pour capitale, il acquit son indépendance en 1821. De 1824 à 1839, le Costa Rica fit partie de la République fédérale de l'Amérique centrale, puis reprit son autonomie. L'*United Fruit Company* et les Etats-Unis de l'Amérique du Nord exercèrent une réelle influence sur la vie du pays. Après le libéral Orlich Bolmarich (1962-1966), c'est un conservateur, Trejos Fernandez, qui accède à la présidence de la République. Des candidats du centre-gauche lui succèdent : José Figueres Ferrer (1970), puis Daniel Oduber (1974). En 1978, le candidat de la droite libérale, Rodrigo Carazo Odio, devient président.

Littérature.

V. AMÉRIQUE LATINE (tableau des *littératures de l'*).

costaricien, enne adj. et n. Qui se rapporte au Costa Rica; habitant ou originaire de ce pays.

costaud (fém. **costaude** ou **costaud**) adj. et n. (du provenç. *costo,* côte). *Fam.* Fort, robuste : *Un garçon costaud.* ‖ Solide, résistant : *Un tissu costaud. Un jeune homme qui n'est guère costaud.*

Costeley (Guillaume), compositeur français (Pont-Audemer? v. 1531 - Evreux 1606). Organiste de Charles IX et d'Henri III, puis conseiller du roi à Evreux, il est l'auteur de chansons polyphoniques très raffinées.

Costello (John Aloysius), homme politique irlandais (Dublin 1891 - *id.* 1976), Premier ministre de 1948 à 1951 et de 1954 à 1957.

Coster (Laurens JANSZOON, dit), imprimeur hollandais (v. 1405 - Haarlem v. 1484). Il au-

Costa Rica

Cartago

Lanks-Holmes-Lebel

rait, dès 1423, avant Gutenberg, inventé l'impression en caractères mobiles.

Coster (Charles DE). V. DE COSTER.

Coster Saint-Victor (Jean-Baptiste), conspirateur royaliste (Epinal 1771 - Paris 1804). Il participa au complot dit « de la machine infernale » (1800).

Costes (Dieudonné), aviateur français (Septfonds, Tarn-et-Garonne, 1892 - Paris 1973). Pilote de grand raid, il effectua, avec Joseph Le Brix, un tour du monde célèbre (oct. 1927-avr. 1928). Avec Maurice Bellonte, sur le Breguet XIX *Point-d'Interrogation*, il s'attribua le record du monde de distance en ligne droite (Paris-Tsitsihar, 7 905 km, du 27 au 29 sept. 1929) et réalisa, après une tentative infructueuse (1929), la première liaison Paris-New York (1er - 2 sept. 1930).

costiase n. f. Maladie épidémique des alevins de truite.

costière n. f. Autre forme de CÔTIÈRE. ‖ Rainure garnie de fer, pratiquée dans le plancher de la scène, et à l'aide de laquelle se fait le jeu des portants.

costiforme → CÔTE 1.

coston n. m. Artifice du genre « feu de bengale », servant autref. à la signalisation de nuit entre bâtiments de guerre.

costotome, costo-vertébral → CÔTE 1.

costule, costulé → CÔTE 1.

costume n. m. (ital. *costume*, coutume; sens qu'avait aussi autref. le mot français). Manière de s'habiller propre à tel pays, à telle époque, à telle condition, etc. : *La science du costume*. (En ce sens, syn. HABILLEMENT). ‖ Ensemble des différentes parties d'un vêtement : *Un costume voyant*. ‖ Ensemble composant le vêtement d'homme, et comprenant généralement veston, gilet et pantalon : *Costume de deux, trois pièces. Costume sur mesure, de confection*. ‖ *Partic*. En peinture, observation du type, des habillements, des armes, à telle époque, chez telle nation. ‖ — SYN. : *accoutrement, habillement, habit, mise, tenue, vêtement; complet, déguisement, travesti*. ● *Costume tailleur*, V. TAILLEUR. ‖ *En, dans le costume d'Adam* (Fam.), tout nu. ◆ **costard** n. m. *Arg*. Costume. ◆ **costumer** v. tr. Revêtir d'un costume ou d'un déguisement : *Costumer une fillette en Colombine*. ◆ **costumier, ère** n. Personne qui fait, vend ou loue des costumes de bal, de théâtre. ‖ Personne qui, dans un théâtre, a la garde des costumes.

Costume (MUSÉE DU), musée de la Ville de Paris, créé en 1956 au musée d'Art moderne de la Ville de Paris. Il comprend l'ancien fonds des collections du musée Carnavalet, et les collections données à ce même musée en 1923 par la Société d'histoire du costume (fondée en 1907 par Maurice Leloir).

costumer, costumier → COSTUME.

cosy [kɔzi] n. m. (mot angl. signif. *confortable, calfeutré*). Enveloppe en forme de bonnet rembourré, dont on couvre les théières pour conserver la chaleur.

cosy-corner ou **cosy** n. m. (mot angl. signif. *coin confortable*). Divan de coin, encastré dans une boiserie formant armoires et étagères. — Pl. *des* COSIES-CORNERS ; *des* COSYS.

Cosyn ou **Cosyns** (Jan), architecte et sculpteur flamand († v. 1708). A Bruxelles, il éleva plusieurs façades sur la Grand-Place. Il exécuta des reliefs et des statuettes d'ivoire (bacchanales enfantines, musée de Munich).

côt n. m. *Vitic*. V. MALBEC.

cotable → COTE.

cotangente n. f. Inverse de la tangente d'un angle (symb. cotg).

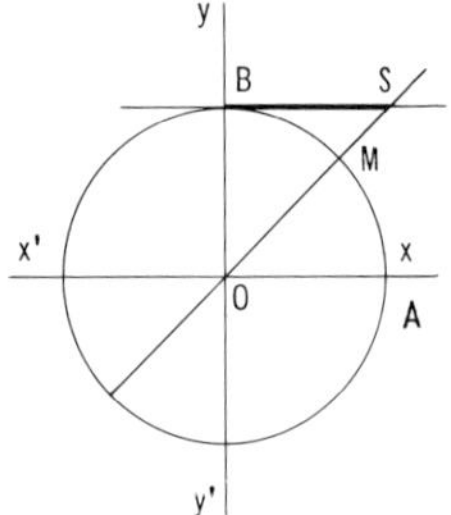

cotangente
la cotangente de l'arc AM ou de l'angle AOM est l'abscisse BS du point S

cotation → COTE.

cote n. f. (lat. médiév. *quota* [*pars*], [part] qui revient à chacun). Montant de la cotisation imposée à chaque contribuable : *La cote mobilière*. ‖ Constatation officielle ou officieuse des cours d'une marchandise, d'une monnaie ou d'une valeur mobilière négociée par un intermédiaire qualifié : *Les cotes se sont un peu raffermies*. ‖ Publication périodique reproduisant ces cours : *La cote des agents de change*. ‖ Valeur attribuée à une personne ou à une chose : *La cote d'un acteur peut se mesurer par les recettes de la représentation*. ‖ *Partic*. Note attribuée à un devoir, à une réponse. ‖ Marque alphabétique ou numérale servant à classer les pièces d'un dossier ou d'un inventaire, les pages d'un registre de commerce, d'état civil, les livres d'une bibliothèque, etc. ‖ Chemise ou enveloppe portant cette marque : *Les cotes d'un procès*. ‖ Chiffre indiquant la différence entre deux niveaux, dans l'opération du nivellement. ‖ Chiffre indiquant une dimension sur un dessin. || Altitude, niveau d'un point par rapport au plan de comparaison. || Dans la presse, chacun des fragments de copie numérotés par le prote ou le metteur en pages. || Chacun des feuillets du manuscrit découpé, que le chef d'atelier remet aux compositeurs. || Premier symbole de classification donné à un navire par une société de classification, et qui caractérise l'état du navire. || Chances de succès d'un concurrent, comparées aux risques d'échec. ● *Avoir la cote* (Fam.), être favorablement apprécié, estimé : *Un professeur qui a la cote parmi les élèves.* || *Cote d'amour,* note bienveillante donnée à un candidat pour sa valeur morale, sociale. || *Cote mal taillée,* compromis boiteux. || *Cote nominale,* dimension fixée à l'avance pour l'exécution d'une pièce. || *Cotes sur nœud,* pour le cubage d'un bloc équarri, cotes du parallélépipède rectangle exinscrit aux aspérités les plus grandes. || *Hors cote,* se dit du marché des valeurs mobilières qui ne sont pas négociées sous le contrôle des chambres syndicales d'agents de change. ◆ **cotable** adj. Susceptible d'être coté à la Bourse des valeurs : *Une valeur cotable.* ◆ **cotation** n. f. Action de coter. ◆ **coté, e** adj. *Fam.* Apprécié, estimé; qui a la cote : *Un auteur très coté.* ● *Croquis coté,* représentation d'un solide par ses projections sur un, deux ou trois plans rectangulaires, avec indication des dimensions. || *Géométrie cotée,* étude des figures de l'espace à l'aide de projections sur un plan horizontal (plan de comparaison). [V. *encycl.*] ◆ **coter** v. tr. Faire rentrer dans une catégorie en marquant de lettres ou de numéros ; classer : *Coter des livres.* || Fixer la quote-part de la contribution d'un contribuable. || Fixer le cours d'une marchandise, d'une monnaie, d'une valeur mobilière. || Inscrire un numéro d'ordre sur chaque page d'un registre : *Le livre de paie doit être coté, paraphé et visé par le juge d'instance.* || Indiquer sur un plan par des chiffres les dimensions correspondantes des divers éléments du plan, par rapport à un niveau comparatif donné. (Un plan d'architecte qui porte ces indications s'appelle un *plan coté.*) || Noter les niveaux en géodésie. || *Partic.* Noter un devoir, une réponse d'élève : *Cet examinateur cote sec.* || *Fig.* Apprécier, estimer, évaluer : *Coter quelqu'un à sa juste valeur.* ● *Coter un navire,* le faire enregistrer au Bureau Veritas ou au Lloyd's Registrer, où il recevra sa cote après expertise. ◆ **cotier** n. m. Agent des hippodromes chargé d'indiquer les fluctuations des cotes.

— ENCYCL. ***géométrie cotée.*** Un point est représenté par sa projection et par sa cote (distance au plan de comparaison). Il est dit de *cote ronde* si sa cote est un nombre entier. L'épure d'une droite comprend sa projection (une droite ; exceptionnellement un point dans le cas d'une verticale) avec les cotes de deux de ses points. Sa *pente* est le rapport entre la différence des cotes et la distance des projections de deux de ses points. Si les cotes diffèrent d'une unité, la distance des projections s'appelle *intervalle.* L'intervalle est l'inverse de la pente. Un plan est généralement défini par une *ligne de pente,* représentée par un double trait. Une surface peut être définie soit par ses *lignes de niveau* de cote ronde (sections par des plans horizontaux), soit à l'aide de *profils* (sections par des plans verticaux, rabattues sur le plan de comparaison).

Cote 304, Cote 344, positions des environs de Verdun, situées respectivement sur la rive gauche et sur la rive droite de la Meuse, célèbres par les combats acharnés qui s'y déroulèrent pendant la Première Guerre mondiale, en 1916 et en 1917.

1. côte n. f. (lat. *costa*). Chacun des os plats et allongés qui forment les parties latérales de la cage thoracique : *Les côtes s'articulent toutes en arrière avec les vertèbres dorsales.* (V. *encycl.*) || Chez les vertébrés, chacun des organes homologues des côtes de l'homme, mais pouvant s'étendre à la région lombaire et, chez les serpents, aider à la reptation. ● *Avoir les côtes en long* (Fam.), être paresseux. || *Caresser, chatouiller les côtes à quelqu'un* (Fam.), le battre. || *Côte de bœuf,* partie supérieure de la côte de cet animal, avec les muscles qui la recouvrent. || *Etre sorti de la côte de* (Fam.), descendre de : *Nous sommes tous sortis de la côte d'Adam* (allusion à Eve, formée d'une côte d'Adam). || *On lui compterait, on lui voit les côtes,* il est très maigre. || *Plat de côtes,* partie moyenne des côtes du bœuf, avec les muscles qui les recouvrent. || *Se tenir les côtes de rire* et, ellipt., *se tenir les côtes,* rire à se tordre. || *Train de côtes,* morceau de bœuf comprenant huit côtes ; maniement pratiqué au niveau de la dernière côte du bœuf. ● LOC. ADV. *Côte à côte,* l'un à côté de l'autre : *Marcher côte à côte.* — *Fig.* Ensemble, sans se séparer. ◆ **costal, e, aux** adj. *Anat.* Qui appartient aux côtes ou qui est en rapport avec elles : *Cartilages costaux.* ● *Nervure costale,* nervure qui longe le bord antérieur de l'aile des insectes. (La nervure voisine est dite *sous-costale.*) ◆ **costiforme** adj. Qui ressemble aux côtes. ● *Apophyses costiformes,* nom donné aux apophyses transverses des vertèbres lombaires. ◆ **costotome** n. m. *Chirurg.* Sorte de sécateur servant à couper les côtes. ◆ **costo-vertébral, e, aux** adj. Se dit des articulations de la tête des côtes avec le corps des vertèbres. ◆ **costule** n. f. Strie longitudinale d'une coquille ou d'un organe végétal. ◆ **costulé, e** adj. Muni de costules. ◆ **côtelette** n. f. Côte de petits animaux de boucherie. || Pièce de viande de veau ou de mouton prélevée soit au niveau des côtes (*côtelettes découvertes, secondes, premières*), soit dans le filet. (Les côtelettes de gigot viennent de la selle du mouton.) ● *Côtelette de gibier, de volaille,* partie désossée d'un gibier ou d'une

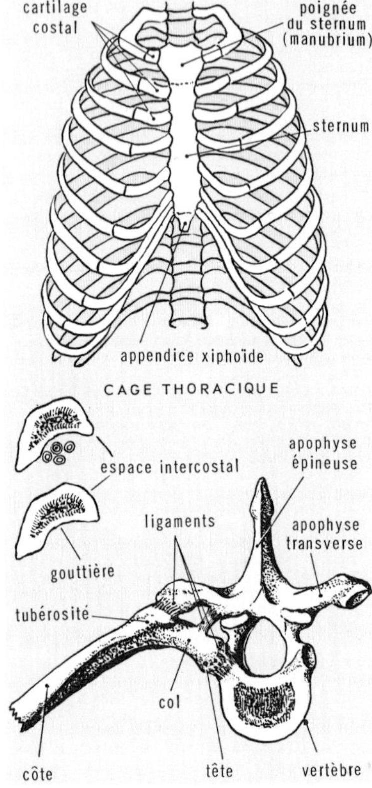

côtes

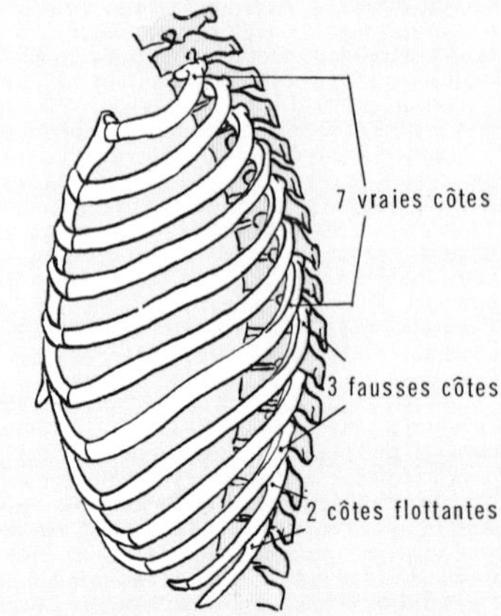

volaille, et présentée en forme de côtelette : *Côtelette de perdreau.*

— ENCYCL. **côte.** Chez l'homme, les côtes sont au nombre de douze de chaque côté. Elles décrivent une courbe concave en dedans. Elles s'articulent en arrière avec la colonne vertébrale ; en avant, la côte rejoint le cartilage costal, qui continue la direction de la côte et forme avec elle l'arc costal. On distingue trois catégories de côtes : les vraies côtes (de la 1re à la 7e), qui sont unies au sternum par les cartilages costaux ; les fausses côtes (8e, 9e, 10e), qui s'unissent au cartilage costal sus-jacent, en rejoignant ainsi le sternum par le 7e cartilage costal ; les côtes flottantes (11e, 12e), dont le cartilage reste libre. Chaque côte présente des caractères particuliers. Les côtes donnent insertion à de nombreux muscles (notamment au diaphragme), dont le jeu modifie les dimensions du thorax, ce qui permet la respiration.

2. côte n. f. (lat. *costa*). Toute saillie plus ou moins longitudinale et à peu près linéaire : *Les côtes d'un melon.* ‖ Saillie qui divise, dans le sens de la hauteur, la surface d'un dôme ou d'une voûte. ‖ Listel entre les cannelures d'une colonne. ‖ Saillie longue et étroite présentée par le dessin d'une étoffe. (Suivant que les côtes occupent, par rapport à la longueur de l'étoffe, une position longitudinale, diagonale ou transversale, les tissus prennent respectivement le nom de *cannelés,* de *diagonales,* de *piqués,* ou *reps.*) ◆ **côtelé, e** adj. Se dit d'un tissu qui présente des côtes, des saillies rectilignes : *Velours côtelé.* ◆ **côteline** n. f. Tissu à côtes plus ou moins rapprochées, le plus souvent en coton.

3. côte n. f. (lat. *costa*). Pente d'une montagne, d'une colline ; et, *spécialem.,* route ascendante ou descendante : *Monter une côte.* ‖ Forme de relief constituée, d'un côté, par un talus (*front*) à profil concave, en pente raide, et, de l'autre, par un plateau (*revers*) doucement incliné en sens inverse. (V. *encycl.*) ‖ Zone de contact entre la terre et la mer, entre la limite d'influence de la mer vers l'intérieur (dunes, embruns) et la ligne des plus basses mers. (V. *encycl.*) ● *Etre à la côte* (Fam.), être sans argent, sans ressources. ‖ *Faire côte, se jeter à la côte, aller à la côte,* s'échouer devant le rivage. ‖ *Vins de côte,* vins récoltés sur les coteaux. ◆ **coteau** n. m. Versant d'une colline, d'un plateau : *Coteau planté de vignes.* ‖ Vignobles : *Coteaux mûris par le soleil.* ◆ **côtier, ère** adj. Relatif aux rivages de la mer ; qui se pratique, qui se trouve sur les côtes : *Communications cô-*

tières. *Pêche côtière. Batteries côtières.* ● *Chemin côtier,* qui longe la côte. ‖ *Cheval côtier* ou *côtier* n. m., cheval de renfort pour monter une côte. ‖ *Fleuve côtier,* fleuve dont la source est peu éloignée de la côte : *L'Aa est un fleuve côtier.* ✦ adj. et n. m. *Pilote côtier* ou *côtier* n. m., qui connaît bien les côtes. ‖ — **côtier** n. m. Caboteur, bateau qui ne s'éloigne pas des côtes. ‖ Habitant de la côte. ‖ — **côtière** n. f. Suite de coteaux : *La côtière de la Dombes domine les vallées du Rhône et de l'Ain.* ‖ Pente assez douce pour être labourée à la charrue. ‖ Plate-bande inclinée, le long d'un mur exposé au midi. ‖ Chacun des pilastres, de part et d'autre d'une cheminée, quand le tuyau fait saillie.

— ENCYCL. **côte.** *Géomorphol.* Le véritable relief de côte répond à des conditions structurales bien définies : une couche dure doucement inclinée doit surmonter une couche tendre ; la surface de la première constitue le revers de la côte, et de son épaisseur dépend la corniche, qui, fréquemment, couronne le front de côte ; la couche tendre forme la partie inférieure du talus concave du front. Le relief de côte est particulièrement fréquent dans les bassins sédimentaires, comme le Bassin parisien par exemple.

Le front de côte domine une dépression allongée creusée dans la couche tendre, dénommée *dépression subséquente ;* la rivière qui y coule, parallèle au front, est dénommée *rivière subséquente.* En revanche, les rivières dont les directions correspondent au sens général du pendage des couches, sur les revers des côtes, sont des *rivières conséquentes.* La pente des couches, l'épaisseur relative de la couche dure et de la couche tendre déterminent l'aspect général de la côte.

— *Océanogr.* La position d'une côte se modifie à la suite d'une variation du niveau de la mer, par suite de l'érosion ou d'accumulations littorales, enfin en raison de mouvements du sol (soulèvements, effondrements). Le façonnement d'une côte est le résultat d'actions multiples. Pour exercer une action érosive efficace, les vagues doivent inclure une charge solide (sable ou galets). De toute façon, leur action est nulle au-delà de quelques mètres de profondeur. Le vent édifie des dunes littorales à partir du sable des plages.

Les accumulations littorales peuvent être sableuses, vaseuses, constituées de galets plus ou moins gros, ou de constructions biologiques (coraux dans les mers chaudes).

Les différentes formes littorales sont : les *falaises,* variables selon la nature de la roche et sa structure ; les *plages,* formées de sables ou de galets. Certaines plages, constituant des flèches de sable, raccordent des îles au rivage (tombolos). Les autres formes littorales les plus fréquentes sont : les *estuaires,* les *marais côtiers,* les *deltas* (ces formes sont généralement couvertes, dans leurs parties les plus hautes, par une végétation herbacée ou, dans les pays tropicaux, par des palétu-

Ch. Sappa

côte près de Saint-Valéry-en-Caux

Ch. Sappa

côte près d'Etel

côtes

côte du Pacifique (États-Unis)

Everts-Rapho

viers ; les parties les plus basses sont nues ; les deltas se rencontrent surtout dans les mers à marée faible ou nulle) ; les *récifs coralliens,* construits par les coraux et par divers organismes calcaires associés, présentant des types variés : atolls, récifs-barrières (à quelque distance de la terre), récifs frangeants (à proximité immédiate de la terre).
Les épisodes de l'évolution d'une côte peuvent lui donner un aspect original ; la remontée du niveau marin après la fonte des grands glaciers quaternaires a provoqué la submersion des vallées fluviales encaissées (formation de *rias*) ou de vallées glaciaires (*fjords*). Le type de côte peut encore être déterminé par la structure géologique (côtes correspondant à des régions dont les plissements sont parallèles ou perpendiculaires au rivage ; côtes de faille ; côtes volcaniques). En principe, les côtes évoluent vers la régularisation par érosion des saillants et par comblement des rentrants. Mais l'érosion marine accentue parfois les irrégularités en creusant particulièrement les zones de roches les plus tendres.

Côte (la), nom donné à la partie nord du rivage du lac Léman. Vignobles.

Côte d'Argent, littoral français de l'Atlantique, entre la Gironde et la Bidassoa.

Côte d'Azur, nom donné à une partie des côtes françaises de la Méditerranée, entre la frontière italienne et Cassis. Son exposition vers le S. et l'abri formé par les montagnes de Provence et les Alpes lui valent un ensoleillement exceptionnel. Les Anglais fréquentèrent Nice dès le début du XIXe s. Puis, Cannes, Monaco et Menton devinrent les séjours d'hiver de l'aristocratie européenne. Après la Seconde Guerre mondiale, la généralisation des congés payés amena un prodigieux essor touristique de l'ensemble de la côte pendant l'été. Elle est actuellement la plus grande région touristique française.

Côte d'Émeraude, littoral français de la Manche, entre Cancale et le cap Fréhel.

Côte des Esclaves, ancien nom du littoral du golfe du Bénin (Guinée), où se pratiquait la traite des Noirs.

Côte d'Or, talus calcaire formant la bordure du Bassin parisien au-dessus de la plaine de la Saône, entre la Dheune et l'Ouche. Son vignoble célèbre bénéficie d'étés secs et lumineux. On y distingue plusieurs secteurs : la petite côte de Dijon, la côte de Nuits et la côte de Beaune. Le grand marché de ces vins est Beaune.

Côte-d'Or. V. à l'ordre alphab. strict.

Côtes lorraines, escarpements du bassin de Paris, faisant face aux Vosges et comprenant les Côtes de Moselle, à l'E., et les Côtes de Meuse, à l'O.

Côtes de Meuse ou **Hauts de Meuse,** escarpements monoclinaux du bassin de Paris, entre Neufchâteau et Dun-sur-Meuse, dominant la plaine de la Woëvre.

Côtes de Moselle, escarpements de la partie orientale du bassin de Paris, dominant la dépression de la Seille. Ils recèlent, aux environs de Nancy et de Thionville, de riches gisements de minerai de fer.

coté → COTE.

côté n. m. Partie latérale extérieure de la poitrine, chez l'homme et les animaux : *Avoir une douleur au côté droit.* ‖ Flanc, partie latérale du corps tout entier : *Le côté du cœur. Mettre un malade sur le côté droit.* ‖ Partie latérale d'une chose en général ou d'une plante (par oppos. au *milieu* ou à l'autre partie) : *Les côtés d'un monument, de la route. Suivre le côté gauche de la rivière.* ‖ Partie opposée à une autre : *Le côté espagnol des Pyrénées. L'autre côté de l'eau.* ‖ Direction : *Se diriger du côté de la mer.* ‖ Chacune des lignes qui limitent une figure géométrique : *Les côtés d'un angle, d'un triangle.* ‖ *Fig.* Point de vue, aspect sous lequel on considère les personnes ou les choses : *Un des côtés de la question.* ‖ Parti, faction, cause : *Passer du côté du plus fort. Mettre quelqu'un de son côté.* ‖ Ligne de parenté : *Le côté paternel, maternel.* ● *Côté extérieur,* ligne qui joint les deux angles saillants des bastions d'un fort. ‖ *Côté gauche,* extraction illégitime ; concubinage : *Avoir un fils du côté gauche. Se marier du côté gauche.* ‖ *Côté plein,* côté constitué par une muraille pleine. ‖ *Côté de première,* forme d'imprimerie qui contient la première page de la feuille ; côté de la feuille imprimée qui contient la première page. ‖ *Côté de seconde,* ou *côté de deux,* forme de cette même feuille qui renferme la seconde page ; côté de la feuille imprimée qui contient cette même page. ‖ *Côté du roi,* autref., côté droit du théâtre, où se trouvait la loge du roi ; et *côté de la reine,* côté gauche, où se trouvait celle de la reine. (Elles ont été remplacées, depuis la Révolution, la première, par *côté cour,* et la seconde, par *côté jardin,* parce que, dans le théâtre du château des Tuileries, le côté droit donnait sur la cour, et le côté gauche, sur le jardin.) ‖ *Mettre les rieurs de son côté* (Fig. et fam.), se faire des partisans dans une discussion en ridiculisant ses adversaires. ‖ *Ne savoir de quel côté se tourner* (Fig. et fam.), être surchargé d'occupations. ‖ *Point de côté,* douleur aiguë et spontanée, siégeant le plus souvent à la partie latérale et postérieure du thorax, et accompagnant une affection viscérale (plèvre, poumon, cœur, rate, etc.). ‖ *Porter un cheval de côté,* faire décrire aux membres antérieurs et postérieurs d'un cheval deux pistes parallèles. ● LOC. ADV. *A côté,* à une place voisine, en un lieu voisin : *Il habite à côté. Passons à côté.* — Non loin, mais en manquant le but : *La balle passa à côté. A côté !;* et, au *fig. : Il n'a rien compris, il est passé à côté.* ‖ *De côté,* obliquement, en biais : *Se tourner* *de côté. Faire un bond de côté.* — Sur la partie latérale, vers le bord : *Tirez-vous de côté, voici une voiture.* — A part, en réserve : *Mettre de l'argent de côté;* et, absol. : *Il faut savoir mettre de côté.* — A l'écart, en oubli : *Mettre de côté ses répugnances.* ‖ *De côté et d'autre,* de plusieurs endroits. ‖ *De tous côtés, de tout côté,* de toutes parts. ‖ *Laisser quelqu'un, quelque chose de côté,* le négliger. ‖ *Laisser de côté ses soucis,* ne plus s'en préoccuper. ‖ *Regard de côté,* regard furtif, de tendresse, de dédain, de ressentiment ou d'embarras. ● LOC. PRÉP. *A côté de,* auprès de : *Habiter à côté de l'église.* — En comparaison de : *La mouche est minuscule à côté de l'éléphant.* — En dehors de : *Etre à côté de la vérité. Passer à côté de la question, de la difficulté.* ‖ *Au côté, aux côtés de,* auprès de : *Se tenir aux côtés des officiels.* ‖ *Du côté de,* auprès de : *Rester du côté de la sortie.* — Dans la direction de, vers : *Regarder du côté des invités.* — Relativement à : *Etre mal partagé du côté de la fortune.* — Quant à, pour la part de : *De mon côté, je me tiendrai tranquille.*

coteau → CÔTE 3.

Coteau (LE), comm. de la Loire (arr. de Roanne), sur la Loire, en face de Roanne ; 8 494 h. (*Costellois*). Bonneterie, tissages du coton.

Côte-de-l'Or, nom franç. de la **Gold Coast,** l'actuel Ghāna*.

Côte-des-Neiges, anc. banlieue de Montréal (Canada), auj. dans la ville.

Côte-d'Ivoire, république de l'Afrique occidentale, sur le golfe de Guinée ; 322 463 km² ; 4 770 000 h. Capit. *Abidjan.* Langue : *français.*

Géographie.

La Côte-d'Ivoire s'étend sur un plateau doucement incliné du N.-O. vers le littoral, qui est bordé de lagunes. La végétation passe de la savane, au N., à une zone de forêt dense, au S. Le climat est de type guinéen. Les pluies se produisent de mai à nov. au S.; elles diminuent peu à peu vers le N. Les principaux cours d'eau, coupés de rapides, sont la Sassandra, à l'O., le Bandama, au centre, et la Comoé, à l'E.
La population de la Côte-d'Ivoire est formée d'agriculteurs, qui se répartissent en trois

Côte-d'Ivoire

DÉPARTEMENT	SUPERFICIE EN KM²	NOMBRE D'HABITANTS	CHEF-LIEU
Centre	62 729	1 130 000	*Bouaké*
Centre-Ouest	29 611	340 000	*Daloa*
Est	44 655	260 000	*Abengourou*
Nord	94 725	810 000	*Korhogo*
Ouest	30 807	460 000	*Man*
Sud	57 295	1 000 000	*Abidjan*

ci-dessous

à gauche, marché de Man

à droite, régimes de bananes avant expédition

Droullé - Images et Textes

Droullé - Images et Textes

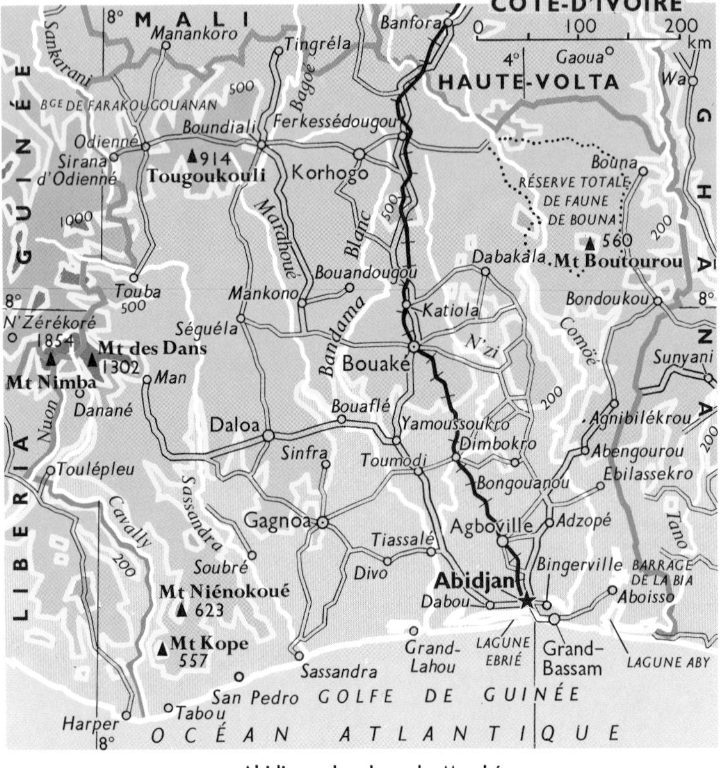

CÔTE-D'IVOIRE

0 100 200 km

MALI
HAUTE-VOLTA
GUINÉE
GHANA
LIBERIA
GOLFE DE GUINÉE
OCÉAN ATLANTIQUE

Manankoro
Tingréla
Banfora
Gaoua
Wa
Sankarani
Bagoé
BGE DE FARAKOUGOUANAN
Boundiali
Ferkessédougou
Odienné
Sirana d'Odienné
914 Tougoukouli
Korhogo
Bouna
RÉSERVE TOTALE DE FAUNE DE BOUNA
Marahoué
Blanc
560 Mt Boutourou
Dabakala
Touba
Bouandougou
Mankono
Bondoukou
N'Zérékoré
Séguéla
Katiola
Bandama
N'zi
Comoé
1854
Mt des Dans 1302
Mt Nimba
Man
Bouaké
Sunyani
Danané
Nuon
Bouaflé
Daloa
Yamoussoukro
Agnibilékrou
Dimbokro
Abengourou
Sinfra
Toumodi
Toulépleu
Ebilassekro
Sassandra
Bongouanou
Cavally
Gagnoa
Agboville
Adzopé
Tano
Tiassalé
Soubré
Divo
Bingerville
BARRAGE DE LA BIA
Abidjan
Aboisso
Mt Niénokoué 623
Dabou
Mt Kope 557
Grand-Lahou
LAGUNE EBRIÉ
Grand-Bassam
LAGUNE ABY
Sassandra
San Pedro
Harper
Tabou

Abidjan : la place du Marché

Vincent - Atlas-Photo

grands groupes linguistiques : les Voltaïques, les Sénoufos et les Mandés, au N. ; le groupe agni-achanti ; le groupe méridional, formé de très nombreuses tribus. Les principales cultures vivrières sont l'igname, le mil, le millet et le sorgho ; les rizières sont localisées dans le Sud-Ouest. Les cultures commerciales jouent un rôle de premier plan et valent à l'économie ivoirienne une grande activité : les bananiers, les caféiers et les cacaoyers du Sud représentent la plus grande partie des exportations. Les forêts donnent du bois d'ébénisterie. Le sous-sol fournit des diamants et de l'or. L'industrie est représentée par les textiles de Bouaké et, surtout, par des huileries et des conserveries. L'effort économique a porté aussi sur l'équipement du port d'Abidjan.

Histoire.

Dans ce pays, où il est aujourd'hui difficile de distinguer les autochtones, comme les Sénoufos, des envahisseurs mandingues, akans ou baoulés, les Européens ne font pas de tentative sérieuse d'installation avant 1842, quand les Français découvrent l'intérêt des sites lagunaires de Grand-Bassam et d'Assinie. La domination française s'étend progressivement sous le second Empire. La création officielle d'une colonie française de la Côte-d'Ivoire est liée au décret du 10 mars 1893 ; mais le premier gouverneur, Binger, et le colonel Monteil mettent des années (1893-1898) à vaincre Samory, maître des savanes. En 1899, la Côte-d'Ivoire est intégrée à l'A.-O. F. Les dernières résistances sont brisées par le gouverneur Angoulvant (1908-1915), qui renforce la centralisation administrative coloniale. Les liaisons ferroviaires réalisées à partir de 1912 en fonction d'Abidjan — capitale en 1934 — expliquent en partie le rattachement de la Haute-Volta à la Côte-d'Ivoire de 1932 à 1947.
A partir de 1944, un jeune médecin, Félix Houphouët-Boigny, prend la tête du syndicat agricole africain, premier mouvement ivoirien dépassant le cadre des résistances ethniques. Elu à l'Assemblée nationale française (1945), il fonde le Rassemblement démocratique africain. Quand la Côte-d'Ivoire, d'abord république autonome (1958), devient Etat indépendant (1960), il est élu président de la République.

Côte-d'Or (DÉPARTEMENT DE LA), dép. des confins orientaux du Bassin parisien, qui tire son nom de la ligne de hauteurs s'allongeant au S. de Dijon ; 8 787 km² ; 456 070 h. Ch.-l. *Dijon*. Le département s'étend en Bourgogne et un peu en Champagne. Sans unité géographique, il comprend : au N.-O., le *Châtillonnais* et les prolongements du *plateau de Langres*, pays forestiers très peu peuplés ; au S.-E., les *plaines de la Saône*, également boisées. Mais, au S. de Dijon, la *Côte d'Or* porte un des plus riches vignobles de France. On élève des bovins et des ovins sur les collines et plateaux ; le val de Saône est occupé par de riches cultures maraîchères. Les industries sont localisées principalement vers Dijon (constructions mécaniques et électriques, produits alimentaires). [V., pour les beaux-arts, BOURGOGNE.]
→ V. carte et tableau pages suivantes.

côtelé → CÔTE 2.

côtelette → CÔTE 1.

côteline → CÔTE 2.

Cotentin, région de Normandie (Manche), comprise entre l'embouchure de la Vire et le golfe normand-breton. C'est une péninsule constituée par un fragment du Massif armoricain ; deux zones de hauteurs entourent une région marécageuse, le « col » du Cotentin. La côte, accidentée à l'O., comprend des secteurs marécageux à l'E. (baie des Veys). Au N., Cherbourg est un port d'escale et une place militaire. L'économie du Cotentin est tournée essentiellement vers l'élevage (bovins et ovins).

Cotentin (RACE DU), race de moutons de grande taille, élevée dans la Manche pour la production d'agneaux réputés pour la qualité de leur viande (prés-salés).

cotepalis [li] n. m. Etoffe légère de soie et de poil de chèvre.

coter → COTE.

coteras ou **cotereaux** n. m. pl. Cordages qui maintiennent en place les tramails entre deux eaux.

cotereaux n. m. pl. (de *coterel*). Nom donné, dans la seconde moitié du XIIe s., à des bandes de routiers et de pillards.

coterie n. f. (de l'anc. franç. *cotier,* relatif à un bien roturier). Cercle de personnes qui se soutiennent dans un intérêt commun : *Un esprit de coterie.* ‖ *Pop.* Compagnons : *Ohé, la coterie !...* ‖ — SYN. : *bande, cercle, chapelle, clan, clique, maffia.*

Côte-Rôtie, vignoble situé dans la commune d'Ampuis, sur la rive droite du Rhône (dép. du Rhône), à 26 km de Lyon, et exposé au S.-O. Crus principaux : *Côte-Brune* et *Côte-Blonde.*

côte-rôtie n. m. Vin rouge estimé des côtes du Rhône.

Cotes (Roger), astronome et mathématicien anglais (Burbage, Leicester, 1682 - Cambridge 1716). Il prit la défense de Newton contre les cartésiens.

Cotes (Francis), peintre anglais (Londres v. 1725 - *id.* 1770). Portraitiste (*le Paysagiste Sandby,* National Gallery, Londres), il fut un des fondateurs de la Royal Academy.

Côte-Saint-André (LA), ch.-l. de c. de l'Isère (arr. de Vienne), à 25 km au S. de Bourgoin ; 4 448 h. (*Côtois*). Grandes halles du XVIe s. Musée Berlioz. Tissage de la soie. Patrie de Berlioz.

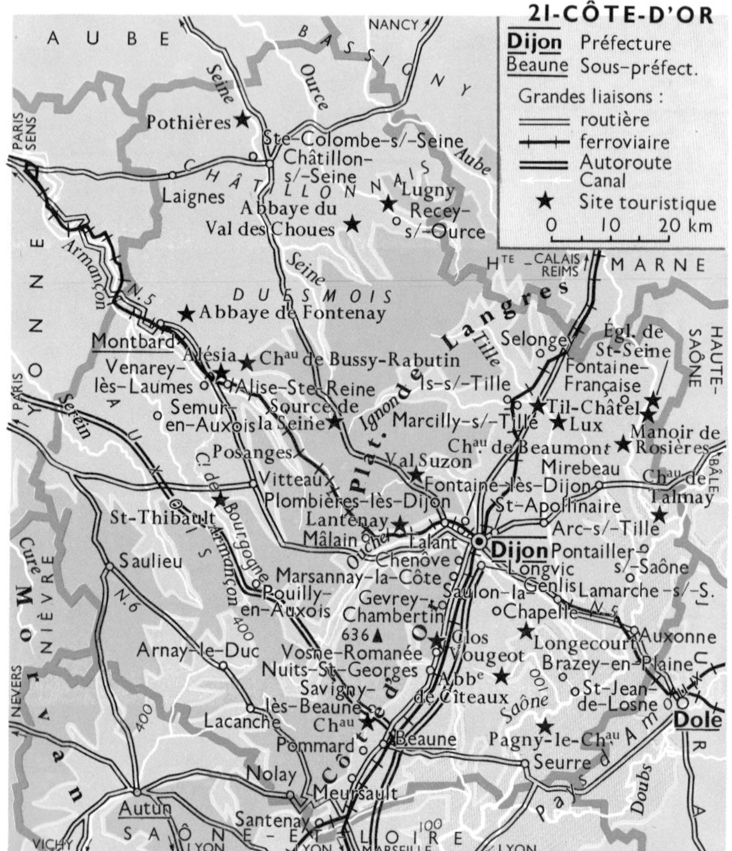

Côtes-du-Nord (DÉPARTEMENT DES), dép. de l'ouest de la France, en Bretagne ; 7 218 km^2 ; 525 556 h. Ch.-l. *Saint-Brieuc.* Dans ses parties méridionales et occidentales, le département est accidenté par de hautes collines (prolongements de la *montagne d'Arrée, landes du Méné* [341 m]) dominant un ensemble de collines assez uniformes. La côte est découpée par de profondes « rias », en particulier au N.-O., dans le Trégorrois. Le département s'étend tout entier sur des régions de bocage, formées de prairies et de champs coupés de haies. L'économie rurale est tournée vers une polyculture qui associe les céréales (blé, avoine, orge) aux plantes fourragères. L'élevage des bovins joue un rôle essentiel. Dans les pays littoraux, de riches cultures de primeurs apparaissent. La pêche (Paimpol, Bréhat, Perros-Guirec) et le tourisme estival complètent les ressources d'une région où l'industrie reste secondaire. (V., pour les beaux-arts, BRETAGNE.)
→ V. carte et tableau pages suivantes.

Côte vermeille, littoral français de la Méditerranée, de Collioure à Cerbère.

Cotgrave (Randle), lexicographe anglais (Cheshire, seconde moitié du XVIe s. - † v. 1634), auteur du premier dictionnaire

département de la Côte-d'Or

arrondissements (3)	cantons (43)	nombre d'hab. du canton	nombre de comm.
Beaune (84 024 h.)	Arnay-le-Duc	7 086	20
	Beaune canton Nord	13 738	15
	Beaune canton Sud	17 185	17
	Bligny-sur-Ouche	2 782	22
	Liernais	2 928	14
	Nolay	6 328	17
	Nuits-Saint-Georges	11 854	25
	Pouilly-en-Auxois	4 753	25
	Saint-Jean-de-Losne	9 578	17
	Seurre	7 792	23
Dijon (301 973 h.)	Auxonne	11 289	14
	Chenôve	25 196	6
	Dijon (8 cant.)	188 985	32
	Fontaine-Française	2 518	11
	Fontaine-lès-Dijon	16 139	13
	Genlis	12 312	27
	Gevrey-Chambertin	11 472	32
	Grancey-le-Château-Neuvelle	1 242	10
	Is-sur-Tille	9 858	24
	Mirebeau	5 652	21
	Pontailler-sur-Saône	6 476	19
	Saint-Seine-l'Abbaye	2 888	20
	Selongey	3 793	8
	Sombernon	4 153	28
Montbard (70 073 h.)	Aignay-le-Duc	2 203	16
	Baigneux-les-Juifs	2 062	15
	Châtillon-sur-Seine	13 192	28
	Laignes	3 948	22
	Montbard	12 651	27
	Montigny-sur-Aube	2 965	16
	Précy-sous-Thil	2 860	18
	Recey-sur-Ource	2 699	17
	Saulieu	6 545	14
	Semur-en-Auxois	8 855	29
	Venarey-lès-Laumes	8 624	24
	Vitteaux	3 469	28

LES DIX PREMIÈRES COMMUNES

Dijon	156 787 h.	*Longvic*	7 456 h.
Chenôve	21 548 h.	*Auxonne*	6 943 h.
Beaune	19 972 h.	*Marsannay-la-Côte*	6 590 h.
Châtillon-sur-Seine	7 931 h.	*Chevigny-Saint-Sauveur*	5 647 h.
Montbard	7 749 h.	*Semur-en-Auxois*	5 371 h.

RÉGION MILITAIRE : *Metz* (VIe). — COUR D'APPEL : *Dijon*.
ACADÉMIE : *Dijon*. — ARCHEVÊCHÉ : *Lyon*.

français à l'usage des Anglais : *A Dictionarie of the French and English Tongues* (1611).

Cothon, nom donné dans l'Antiquité au port de Carthage*.

cothurne n. m. (gr. *kothornos*). *Antiq*. Brodequin qui couvrait la moitié de la jambe et se laçait par-devant. ‖ Chaussure à semelle épaisse qui rehaussait la taille des acteurs tragiques chez les Grecs et chez les Romains ‖ *Poét*. Genre, style tragique. ● *Chausser le cothurne,* composer, jouer des tragédies, prendre un style tragique.

cotice n. f. *Hérald*. Bande diminuée de largeur. ◆ **coticé** n. m. *Hérald*. Nom que prend la bande quand le nombre de divisions est égal ou supérieur à dix.

coticule n. f. Pierre de touche, utilisée en orfèvrerie. (Syn. YETTE.)

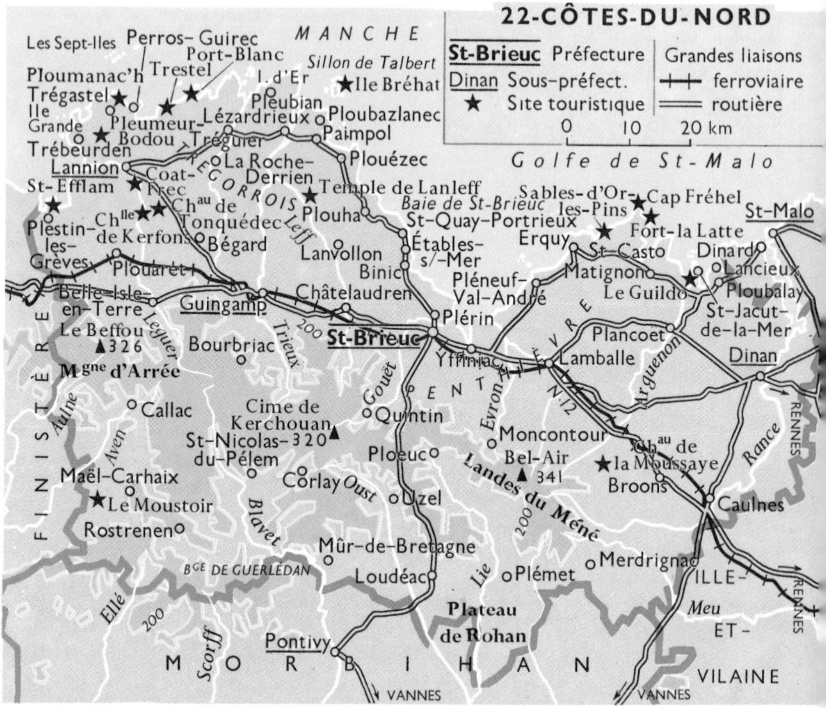

22-CÔTES-DU-NORD

département des Côtes-du-Nord

arrondis-sements (4)	cantons (48)	nombre d'hab. du canton	nombre de comm.
Dinan (111 381 h.)	Broons	9 212	9
	Caulnes	5 732	8
	Collinée	4 549	6
	Dinan canton Est	15 094	6
	Dinan canton Ouest	20 238	13
	Evran	6 063	8
	Jugon	7 316	6
	Matignon	12 323	10
	Merdrignac	8 239	9
	Plancoët	10 537	9
	Plélan-le-Petit	4 370	9
	Ploubalay	7 708	8
Guingamp (92 430 h.)	Bégard	8 328	7
	Belle-Isle-en-Terre	6 523	7
	Bourbriac	5 202	7
	Callac	8 937	11
	Gouarec	4 435	8
	Guingamp	20 778	8
Guingamp	Maël-Carhaix	5 969	8
	Mûr-de-Bretagne	3 798	5
	Plouagat	4 861	7
	Pontrieux	6 978	7
	Rostrenen	11 281	6
	Saint-Nicolas-du-Pélem	5 340	8
Lannion (88 338 h.)	Lannion	21 551	5
	Lézardrieux	9 217	7
	Perros-Guirec	20 819	9
	Plestin-les-Grèves	8 177	9
	Plouaret	10 605	9
	Roche-Derrien (La)	5 470	11
	Tréguier	12 499	10
Saint-Brieuc (233 407 h.)	Châtelaudren	6 446	8
	Chèze (La)	8 505	9
	Corlay	3 907	5
	Étables-sur-Mer	9 922	6
	Lamballe	14 958	11
	Lanvollon	6 896	11
	Loudéac	13 756	6

cotidal, e, aux adj. (angl. *cotidal;* de *tide*, marée). Se dit d'une courbe passant par tous les points où la marée a lieu à la même heure.

cotier → COTE.

côtier, côtière → CÔTE 3.

Côtière, nom de la bordure de la Dombes. On distingue : la *Côtière de Rhône,* la *Côtière d'Ain* et la *Côtière de Saône.*

cotignac n. m. (provenç. *coudougnac ;* dérivé de *codon,* qui vient du lat. *cotoneum,* coing). Pâte de coings, dont la plus réputée se fabrique à Orléans.

Cotignac, ch.-l. de c. du Var (arr. de Draguignan), à 24 km au N.-E. de Brignoles ; 1 636 h. (*Cotignacéens*). — Aux environs, église Notre-Dame-des-Grâces, premier siège de la congrégation de l'Oratoire.

cotillon → COTTE.

Cotin (Charles), prédicateur et écrivain français (Paris 1604 - *id.* 1682). Aumônier du roi, il écrivait des vers de salon et se distinguait comme prédicateur de carême. Il composa également des œuvres de philosophie morale et le violent pamphlet de *la Ménagerie* (1660) contre Ménage. Molière et Boileau, à leur tour, ne l'épargnèrent pas. (Acad. fr., 1655.)

cotinga n. m. Oiseau passereau aux couleurs vives et brillantes, de l'Amérique du Sud. ◆ **cotingidés** n. m. pl. Famille d'oiseaux de l'Amérique du Sud, comprenant les cotingas, les coqs de roche, les arapongas, etc.

cotinus [nys] n. m. Grande plante des coteaux, à nombreuses petites fleurs jaunes. (Famille des anacardiacées.)

cotir v. tr. (du gr. *koptein,* frapper). Meurtrir, en parlant des fruits.

cotisable, cotisant, cotisation → COTISER.

cotiser v. intr. Verser une somme pour contribuer aux dépenses d'une association : *Cotiser à un parti.* ‖ — ***se cotiser*** v. pr. Organiser entre soi une collecte de fonds, en vue d'une dépense commune : *Ses enfants se cotisèrent pour lui offrir un cadeau d'anniversaire.* ◆ **cotisable** adj. Qui peut être soumis à cotisation. ◆ **cotisant** adj. et n. Qui verse une cotisation : *Membre cotisant.* ◆ **cotisation** n. f. Somme versée en vue de contribuer à une dépense commune. ‖ Action de cotiser ou de se cotiser. ‖ *Partic.* Imposition faite par cote : ***Cotisation additionnelle à l'impôt foncier.***

Cotman (John Sell), peintre et graveur anglais (Norwich 1782 - Londres 1842). Aquarelliste vigoureux, il fut l'un des meilleurs représentants de l'école de Norwich (*Vue de Swansea,* British Museum).

côtoiement → CÔTOYER.

coton n. m. (ar. *koton*). Fibre textile constituée par le duvet soyeux qui enveloppe les graines du cotonnier*. (V. *encycl.*) ‖ Étoffe que l'on fabrique avec cette matière : *Coton lavé et empesé.* ‖ Fil de coton, plat ou tordu, mat ou brillant, utilisé pour exécuter des travaux de broderie. ‖ Duvet qui recouvre les feuilles de certaines plantes. ‖ Duvet qui couvre les corps des oiseaux avant qu'ils aient les plumes. ‖ Cotonnier, plante qui produit le coton. ‖ *Fig.* Douceur excessive ; vie molle : *Elever ses enfants dans du coton. Se mettre dans du coton.* ‖ *Fam.* Brouillard : *A Londres, certains jours, on s'avance dans du coton.* ● ***Avoir du coton dans les oreilles*** (Fam.), être sourd, entendre confusément à la suite d'un brusque changement d'altitude, etc. ; être insensible à certaines influences. ‖ *Avoir les jambes, les bras en*

aint-Brieuc	Moncoutour	9 921	9
	Paimpol	18 501	7
	Pléneuf-Val-André	10 976	5
	Ploeuc-sur-Lié	8 064	6
	Plouguenast	6 927	5
	Plouha	6 217	5
	Quintin	7 874	8
	Saint-Brieux canton Nord	35 278	6
	Saint-Brieux canton Sud	60 935	8
	Uzel	4 324	7

LES DIX PREMIÈRES COMMUNES

Saint-Brieuc	56 282 h.
Lannion	17 936 h.
Dinan	16 367 h.
Guingamp	10 752 h.
Lamballe	10 169 h.
Loudéac	10 135 h.
Plérin	9 893 h.
Paimpol	8 498 h.
Ploufragan	8 395 h.
Perros-Guirec	7 793 h.

RÉGION MILITAIRE : *Rennes* (IIIe). — COUR D'APPEL : *Rennes.*
ACADÉMIE : *Rennes.* — ARCHEVÊCHÉ : *Rennes.*

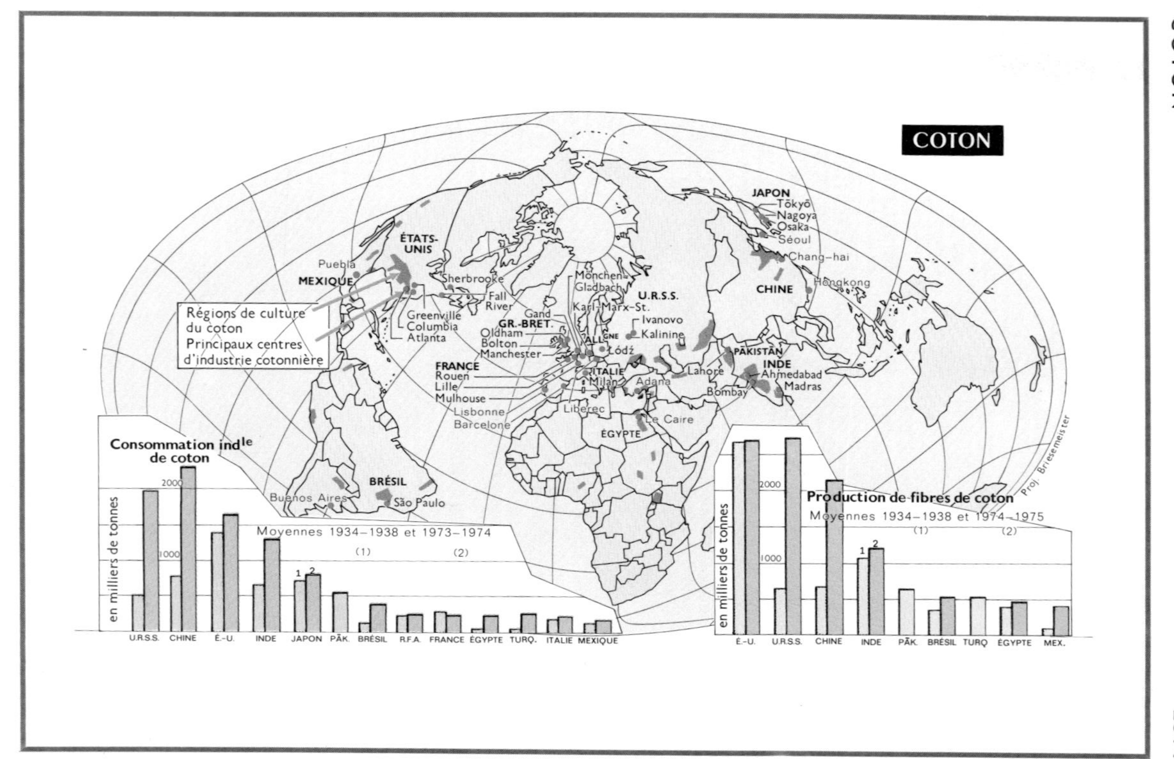
COTON
Régions de culture du coton
Principaux centres d'industrie cotonnière
ÉTATS-UNIS
Puebla
MEXIQUE
Sherbrooke
Fall River
Greenville
Columbia
Atlanta
Mönchen-Gladbach
U.R.S.S.
Karl-Marx-St.
Gand
GR.-BRET.
Oldham
Bolton
Manchester
Ivanovo
Kalinine
Łódź
FRANCE
Rouen
Lille
Mulhouse
Lisbonne
Barcelone
ITALIE
Milan
Adana
Liberec
Le Caire
ÉGYPTE
JAPON
Tōkyō
Nagoya
Osaka
Séoul
Chang-hai
CHINE
Hongkong
PAKISTAN
INDE
Lahore
Ahmedabad
Madras
Bombay
BRÉSIL
Buenos Aires
São Paulo
Proj. Briesemeister
Consommation indle de coton
Moyennes 1934–1938 et 1973–1974
(1) (2)
en milliers de tonnes
2000
1000
1 2
U.R.S.S. CHINE É.-U. INDE JAPON PĀK. BRÉSIL R.F.A. FRANCE ÉGYPTE TURQ. ITALIE MEXIQUE
Production de fibres de coton
Moyennes 1934–1938 et 1974–1975
(1) (2)
en milliers de tonnes
2000
1000
1 2
É.-U. U.R.S.S. CHINE INDE PĀK. BRÉSIL TURQ ÉGYPTE MEX.

coton, se sentir tout en coton (Fam.), avoir peine à se tenir, se sentir très faible. || *Coton de verre,* masse formée par des fils de verre très fins ayant l'apparence de fils de coton. || *Filer un mauvais coton, un vilain coton* (Fam.), être atteint dans sa santé, ses affaires, etc. : *Il file un mauvais coton, il a beaucoup maigri.* ✦ adj. *Fam.* Difficile : *Ça, c'est coton !* ◆ **coton-collodion** n. m. Nitrocellulose dont le taux d'azote est voisin de 12 p. 100, entièrement soluble dans le mélange d'alcool et d'éther. — Pl. *des* COTONS-COLLODIONS. ◆ **cotonnade** n. f. Etoffe tissée avec des fibres de coton pur ou en mélange avec des fibres différentes. ◆ **cotonne** ou **cotonnette** n. f. Etoffe de coton commune. ◆ **cotonner** v. tr. Garnir, bourrer de coton ou d'une matière analogue : *Les oiseaux cotonnent leur nid.* ✦ v. intr. Se couvrir d'une sorte de bourre, en parlant d'étoffe : *Du drap qui cotonne, qui commence à cotonner.* || **— se cotonner** v. pr. Prendre une pulpe molle et spongieuse (en parlant des fruits). ◆ **cotonnerie** n. f. Culture du coton. || Lieu où se travaille le coton. || Terrain planté de cotonniers. ◆ **cotonneux, euse** adj. Qui a la consistance du coton. || *Partic.* Recouvert de duvet : *Des feuilles cotonneuses.* || Se dit d'un fruit dont la pulpe est devenue spongieuse et fade. — Disposé en flocons ; couvert de flocons, de brume, etc. : *Les sommets cotonneux de la montagne.* ● *Bruit cotonneux,* bruit sourd, comme étouffé à travers de la ouate. || *Se sentir tout cotonneux,* se sentir faible. ◆ **cotonnier, ère** adj. Relatif au coton, à la fabrication des fils en tissu de coton. ✦ n. Ouvrier, ouvrière des filatures de coton. || **— *cotonnier*** n. m. Plante herbacée ou arbustive du genre *gossypium,* dont les graines fournissent le *coton.* (Famille des malvacées.) [V. *encycl.*] ◆ **coton-poudre** ou **fulmicoton** n. m. Explosif formé de nitrocellulose, obtenu en traitant du coton cardé par un mélange d'acides nitrique et sulfurique. — Pl. *des* COTONS-POUDRE.

— ENCYCL. **coton.** Connu dès la plus haute antiquité égyptienne, le coton a été introduit en Europe par les Phéniciens et les Arabes. Longtemps un produit de luxe, il ne se répandit qu'avec l'invention des métiers à filer mécaniques. On le classe pour sa qualité suivant la longueur de ses fibres : *coton courtes fibres,* inférieures à 25 mm ; *coton moyennes fibres,* de 25 à 32 mm ; *coton longues fibres,* supérieures à 32 mm. Chimiquement, il est constitué de cellulose pure avec quelques traces de cire et de graisse. Physiquement, il se présente sous la forme d'une fibre rubanée, tordue sur elle-même, dont le diamètre varie de 18 à 25 μ suivant la qualité. La résistance des fibres est de 5 à 8 g. Le coton est utilisé en filature, dans l'industrie chimique, dans celle des textiles artificiels et en thérapeutique, sous forme de *coton cardé* et de *coton hydrophile aseptique.*

— *Géogr.* Après n'avoir été longtemps utilisé que dans les pays où il était traditionnellement produit, le coton est devenu un textile d'usage universel au XIXe s. C'est en effet dans l'industrie cotonnière que la révolution industrielle s'est manifestée en ce qui concerne les textiles. La production de coton dépasse aujourd'hui 11 millions de tonnes, soit la moitié de la production totale des fibres textiles.

R. et S. Michaud-Rapho

champs de coton en U. R. S. S.

Les plus grands producteurs mondiaux sont les Etats-Unis (presque 30 p. 100 de la production mondiale, dans le Sud) et l'U. R. S. S. (15 p. 100, dans les régions de la dépression aralo-caspienne et en Transcaucasie). Viennent ensuite l'Inde, le Brésil, l'Egypte (qui produit un coton de haute qualité), le Mexique, le Pākistān et la Turquie. La production chinoise n'est pas connue avec précision. Les principaux exportateurs sont les Etats-Unis (la moitié des exportations mondiales), l'Egypte, le Mexique, le Soudan. Les grands pays importateurs sont ceux de l'Europe occidentale.

Les pays manufacturiers peuvent se classer en deux catégories : ceux de l'Europe occidentale, qui ne produisent pas de coton, mais possèdent une très ancienne et puissante industrie cotonnière (Grande-Bretagne, France, Allemagne, Italie) ; ceux dont l'industrie textile, plus récente, utilise généralement une matière première d'origine nationale (Etats-Unis, U. R. S. S., Inde, Brésil, Egypte, Argentine).

Les plus puissantes industries cotonnières

sont celles des Etats-Unis, de l'U. R. S. S., de l'Inde, du Japon et de la Grande-Bretagne. — ***cotonnier.*** Le cotonnier exige un climat chaud avec de fortes pluies de printemps et un été sec, ce qui limite sa culture à certaines zones tropicales. Ses diverses espèces se distinguent par leurs exigences climatiques précises, leur taille (2 m chez *Gossypium herbaceum*), l'aspect de la graine (nue ou vêtue), et surtout la longueur de la fibre (jusqu'à 70 mm chez *G. barbadense,* 15 à 30 mm chez *G. herbaceum*). Le fruit est une capsule à trois, quatre ou cinq valves contenant les graines enveloppées de coton. On récolte les capsules dès la maturité, on les fait sécher plusieurs jours, puis on égrène. Le coton est mis en balles. Les graines sont pressées et fournissent 20 p. 100 de leur poids d'une huile comestible, utilisée en conserverie, en margarinerie et en savonnerie.

Coton (le P. Pierre), jésuite français (Néronde, Forez, 1564 - Paris 1626). Confesseur d'Henri IV à partir de 1608, puis directeur spirituel du jeune Louis XIII, il fut disgracié après la mort de Concini (1617). Il est l'auteur de la *Lettre déclaratoire de la doctrine des Pères jésuites* (1610), de *l'Institution catholique* (1610) et de *Genève plagiaire* (1618).

coton-collodion → COTON.

cotonéaster [tɛr] n. m. Rosacée arbustive des lieux arides, aux fleurs roses, aux branches souvent très étalées.

cotonnade, cotonne, cotonner, cotonnerie, cotonnette, cotonneux, cotonnier → COTON.

Cotonou, port du Bénin, principale ville du pays ; 178 000 h. Archevêché. Centre commercial. Industries alimentaires.

coton-poudre → COTON.

Cotopaxi, volcan des Andes de l'Equateur ; 5 897 m. La première ascension a été effectuée par W. Reid et Escobar en 1872.

côtoyer [kotwaje] v. tr. Marcher à côté de, le long de : *Côtoyer un ravin.* ‖ Se trouver, s'étendre le long de : *La montagne côtoie la frontière.* ‖ Vivre, se trouver côte à côte avec quelqu'un, coudoyer. ‖ *Fig.* Etre au bord de, tout près de : *Côtoyer la misère, le ridicule,* etc. ‖ — SYN. : *longer ; border ; coudoyer, frôler.* ◆ **côtoiement** n. m. Action de se côtoyer.

cotre n. m. (angl. *cutter,* même sens ; de *to cut,* couper). Navire comportant un seul mât vertical, à pible ou à mât de flèche, ainsi qu'un beaupré, et gréant une grand-voile trapézoïdale, une trinquette, un flèche et deux focs.

cotswold n. m. (mot angl.). Race de moutons puissants et rustiques, originaire du sud de l'Angleterre.

Cotswold, ligne de côtes du bassin de Londres, au N.-E. de Bath.

Cotta. V. AURELIUS COTTA.

Cotta (Johann Friedrich), libraire allemand (Stuttgart 1764 - *id.* 1832). Propriétaire d'une petite librairie à Tübingen, il sut en faire la première maison d'édition de son temps, imprimant notamment Schiller, puis Goethe. En 1811, il s'installa à Stuttgart.

cottage [kɔtedʒ] n. m. (mot angl.). Petite maison de campagne d'une élégante simplicité : *Acheter un cottage en Normandie.*

Cottbus, v. d'Allemagne (Allem. or.), ch.-l. de distr., sur la Sprée ; 88 000 h. Industries textiles.

cotte n. f. (orig. germ.). Autref., tunique à l'usage des deux sexes. (La cotte apparaît au début du XIIe s. comme vêtement des deux sexes porté sur la chemise, sans ceinture, dessinant le buste. Celle des femmes, plus longue et plus ajustée, est, au XVe s., fendue sur la poitrine, à manches étroites, élargie à partir des hanches.) ‖ Jupe courte plissée à la ceinture. (Se disait surtout d'un jupon de paysanne.) ‖ Pantalon de travail : *Cotte de mécanicien, de clicheur,* etc. ● *Cotte d'armes,* appelée auparavant *cotte à armer,* vêtement

Larousse

musée du palais de Bayt al-Dīn, Liban

ample qui se portait sur l'armure. ‖ *Cotte de mailles,* sorte de tunique faite de petits anneaux de fer. (Syn. HAUBERT.) ◆ **cotillon** n. m. Jupon de paysanne. (Vx.) ‖ Auj., farandole terminant un bal. ● *Le cotillon,* les femmes en général : *Aimer courir le cotillon.* ‖ *Objets de cotillon,* objets divers en papier ou en carton (chapeaux, éventails, confetti, serpentins), utilisés au cours d'un bal.

Cotte (Robert DE), architecte français (Paris 1656 - *id.* 1735). Elève de Jules Hardouin-Mansart, architecte du roi (1689), directeur de la Manufacture des Gobelins (1699), premier architecte (1708), il fut l'une des figures les plus importantes de l'architecture civile et religieuse à la fin du XVIIe s. et au début du XVIIIe s. Ses œuvres allient la majesté louis-quatorzième à une grâce nouvelle, notamment dans l'aménagement plus pratique des intérieurs. Il dessina la chapelle du palais de Versailles, le péristyle du Grand Trianon (1687), le portail de Saint-Roch, les bâtiments monastiques destinés à remplacer l'ancienne abbaye de Saint-Denis, l'hôtel de Lude (1710), l'hôtel d'Estrées (1713), à Paris, la place Bellecour, à Lyon, la place Royale, à Bordeaux, les palais épiscopaux de Châlons-sur-Marne, de Verdun, de Strasbourg et de Saverne, ainsi que le château de Frascati à Metz. Il éleva, en Allemagne, les palais de

Bulloz

buste de Robert de **Cotte**
par Coysevox
bibliothèque Sainte-Geneviève, Paris

Bonn, de Schleissheim et de Tour-et-Taxis, ainsi que les châteaux de Brühl et de Poppelsdorf ; en Espagne, il donna les plans du palais royal de Madrid ; en Italie, ceux du château de Rivoli. Il fait la transition (*style Régence*) entre Mansart et Gabriel.

Cotte (le P. Louis), météorologiste français (Laon 1740 - Montmorency 1815), un des créateurs de la météorologie. Il découvrit, en 1766, la source sulfureuse d'Enghien.

Cottereau (LES QUATRE FRÈRES) ou **frères Chouan,** promoteurs, dans le bas Maine, de l'insurrection appelée « chouannerie* ».

cottidés n. m. pl. Famille de poissons osseux, comprenant le chabot et autres poissons épineux à tête cuirassée.

Cottiennes (Alpes), nom anc. donné aux Alpes occidentales entre les monts Cenis et Viso.

Cottius, chef ligure qui, à l'époque d'Auguste, résista longtemps aux Romains avant d'en devenir vassal.

Cottolengo (saint **Joseph Benoît**). V. JOSEPH BENOÎT.

Cotton (Aimé), physicien français (Bourg-en-Bresse 1869 - Sèvres 1951). Il a découvert le dichroïsme circulaire (1896), réalisé, avec H. Mouton, un ultramicroscope, et inventé une balance électromagnétique. (Acad. des sc., 1923.) — Son frère EMILE, mathématicien (Bourg-en-Bresse 1872 - Grenoble 1950), est l'auteur de travaux de géométrie différentielle comparée et de mécanique. (Acad. des sc., 1943.)

Cotton Belt, région agricole du sud-est des Etats-Unis, s'étendant du Texas à la Caroline du Nord, et consacrée essentiellement autrefois à la culture du coton.

Cottrell (Frederick Gardner), ingénieur chimiste américain (Oakland 1877 - Berkeley 1948). Il a inventé en 1908 un appareil électrostatique pour débarrasser les gaz des poussières et des fumées.

cotutelle n. f. Fonction du cotuteur. ◆ **cotuteur** n. m. et adj. m. Mari d'une tutrice (soit de la mère tutrice qui, par hypothèse, s'est remariée, soit d'une tutrice quelconque qui s'est mariée), et qui est solidairement responsable avec elle de la gestion de la tutelle.

Coty (François), industriel et homme politique français (Ajaccio 1874 - Louveciennes 1934). Propriétaire d'une importante industrie du parfum, il dirigea *le Figaro** et fonda *l'Ami* du peuple*.

Coty (René), homme politique français (Le Havre 1882 - *id.* 1962). Avocat, député républicain de gauche (1923-1935), sénateur (1935-1940), député en 1945, président du groupe des indépendants (1946), ministre de la Reconstruction et de l'Urbanisme (1947-1948), vice-président du Conseil de la République (1949), il fut élu président de la République le

René **Coty**

Service de presse de l'Élysée

23 déc. 1953. Il abandonna ses fonctions le 8 janv. 1959. (Acad. des sc. mor., 1959.)

cotyle n. m. (gr. *kotulê,* objet creux). Cavité articulaire d'un os. ‖ *Plus spécialem.* Cavité cotyloïde de l'os iliaque. ◆ **cotyloïde** adj. En forme de cotyle ; qui a rapport au cotyle : *La cavité cotyloïde de l'os iliaque.* ● *Cavité cotyloïde,* chez les insectes, cavité du thorax recevant une hanche (la hanche étant le premier article de la patte, comme la cuisse chez l'homme). ◆ **cotyloïdien, enne** adj. Qui a rapport, qui appartient à la cavité cotyloïde de l'os iliaque.

cotylédon n. m. (gr. *kotulêdôn,* cavité). Feuille primordiale de l'embryon des plantes à graines, souvent adaptée à digérer l'albumen et à en absorber la substance au profit de la plantule tout entière. (V. *encycl.*) ‖ Chacun des lobes du placenta. ‖ Digitation du placenta, chez les mammifères. ‖ Plante grasse ornementale de la famille des crassulacées. ◆ **cotylédoné, e** adj. Se dit des plantes pourvues de cotylédons.

— Encycl. ***cotylédon.*** *Bot.* Trois cas peuvent se présenter :

1° Les cotylédons digèrent l'albumen avant que la graine ne soit mûre (légumineuses) ; la graine est alors « sans albumen » et les cotylédons sont gorgés de réserves nutritives ; lors de la germination, qu'ils sortent de terre (haricot) ou qu'ils restent dans le sol (pois), ils ne joueront jamais le rôle de feuilles, mais se videront et tomberont ;

2° Les cotylédons digèrent l'albumen lors de la germination ; c'est le cas de l'unique cotylédon des graminacées, ou *scutellum,* qui ne devient jamais charnu et joue le rôle d'un simple suçoir ;

3° Les cotylédons ne digèrent jamais l'albumen (ricin), c'est la radicule qui s'en charge. Après la germination, les cotylédons verdissent et jouent un véritable rôle de feuilles.

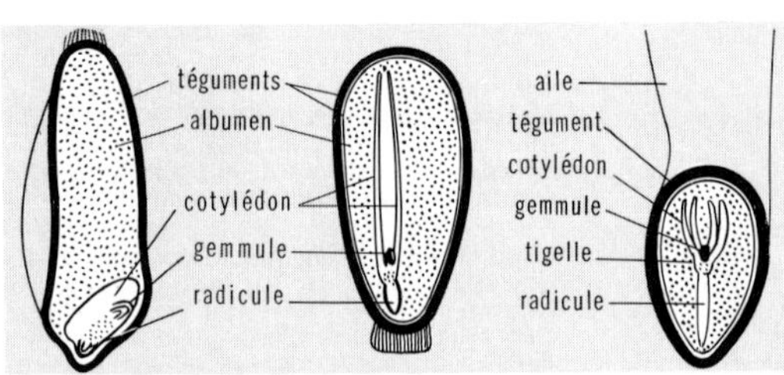

cotylédons
du blé, du ricin, du pin

cotylédoné → COTYLÉDON.

cotyloïde, cotyloïdien → COTYLE.

cotylosauriens n. m. pl. (gr. *kotulê,* objet creux, et *saura,* lézard). Ordre de reptiles du permien, voisins des stégocéphales et dont certains traits annoncent les mammifères. (Genres princ. : *seymouria, pareiasaurus.*)

Cotys, en gr. **Kotus,** nom de plusieurs rois de Thrace, du IVe au Ier s. av. J.-C.

cou n. m. (autref. *col,* qui s'emploie encore poét. ; lat. *collum*). Partie du corps qui joint

illustration, v. tête

la tête aux épaules : *S'entourer le cou d'une cravate. La girafe a un long cou.* (V. CERVICAL.) ‖ Partie longue et étroite d'un récipient : *Le cou d'une bouteille, d'une cruche.* ● *Cou de taureau,* cou large et puissant. ‖ *Jusqu'au cou,* complètement, tout à fait : *Etre dans la misère jusqu'au cou.* ‖ *La corde au cou,* corde passée autour du cou du criminel que l'on va pendre, ou simplement en signe d'humiliation ; et, au *fig.,* dans une posture humiliée comme celle d'un condamné à mort. ‖ *Se jeter, sauter au cou de quelqu'un,* l'embrasser avec effusion. ‖ *Se rompre, se casser le cou,* se tuer ou se blesser grièvement ; et, au *fig.,* se ruiner, échouer, perdre ses avantages. ‖ *Tendre le cou,* présenter le cou pour recevoir le coup mortel ; et, au *fig.,* s'offrir en victime, sans résistance. ‖ *Tordre le cou,* faire mourir en tournant le cou et en rompant les vertèbres, *partic.* à un animal pour le manger : *Tordre le cou à un poulet.* ◆ **cou-de-pied** n. m. Segment du membre inférieur qui correspond à la cheville et à l'articulation tibio-tarsienne. — Pl. *des* COUS-DE-PIED.

couac n. m. (onomatop.). Son faux ou discordant qu'émet un chanteur ou un instrument à vent.

couac ! interj. Onomatop. imitant le cri du corbeau. ◆ **couaquer** v. tr. et intr. Imiter par dérision le cri du corbeau.

couagga n. m. Zèbre de l'Afrique australe, rayé seulement à l'avant, et dont l'espèce est disparue depuis peu. (Famille des équidés.)

couaquer → COUAC ! interj.

couard, e adj. et n. (de *coue,* forme anc. de *queue*). Poltron, lâche : *Un garçon couard.* ‖ Qui annonce la lâcheté : *Mine couarde.* ‖ — ***couard*** n. m. Tronçon de la queue du cheval. ◆ **couardise** n. f. Caractère ou action de couard.

coubba ou **koubba** n. f. (ar. *qubba,* coupole, qui a donné le franç. *alcôve*). Tombeau d'un personnage vénéré, qu'on trouve principalement en Afrique du Nord. (Lieu de culte, de pèlerinage, elle est de plan carré et surmontée d'une coupole ou d'un toit à quatre pentes de tuiles vertes. Elle contient souvent des ex-voto.) [On dit parfois, improprement, MARABOUT.]

Coubertin (Pierre DE), éducateur français (Paris 1863 - Genève 1937), rénovateur des jeux Olympiques. Il réunit en 1894 quatorze nations à un « Congrès pour le rétablissement des jeux Olympiques ». En 1896 eurent lieu les premiers jeux modernes à Athènes, dans le stade de Périclès. Coubertin fut président du Comité international des jeux Olympiques de 1896 à 1925.

Pierre de **Coubertin**

Coubre (POINTE DE LA), cap de la péninsule d'Arvert (Charente-Maritime), formant l'extrémité nord de l'estuaire de la Gironde.

coucal n. m. (de *couc*[*ou*] et *al*[*ouette*]). Coucou non parasite, aux teintes brunes, à la longue queue, à l'ongle du pouce démesuré, des régions chaudes.

couch n. m. Auget où l'on recueille la gemme des pins.

Couch, Chus, Koush ou **Kuch.** *Géogr. anc.* Nom donné par les anciens Egyptiens aux régions correspondant à la Nubie et au Soudan.

couchage, couchant, couche, couché, couche-culotte → COUCHER.

coucher v. tr. (lat. *collocare,* placer). Etendre de tout son long à terre ou sur quelque chose : *Coucher un blessé sur le sol.* ‖ Mettre au lit : *C'est l'heure de coucher les enfants.* ‖ Jeter par terre, abattre, tuer : *La rafale de mitrailleuse coucha la première vague d'assaillants.* ‖ Placer dans une position horizontale : *Coucher une échelle.* ‖ Incliner dans une position presque horizontale, courber, rabattre : *Le chien couche les oreilles. Coucher son écriture. La pluie a couché les blés.* ‖ Etendre en couche, appliquer sur quelque chose un enduit. ‖ Dresser un appareil culinaire (farce, pâte ou purée), en le poussant sur une plaque à l'aide d'une douille. ‖ En parlant de l'or, l'appliquer sur la couverture ou sur les tranches d'un livre avant la dorure. ‖ *Fig.* Inscrire tout au long, mettre par écrit : *Coucher quelqu'un dans* ou *sur son testament;* et, partic. : *Coucher par écrit. Coucher noir sur blanc.* ‖ — SYN. : *allonger, étendre ; abattre, terrasser ; courber, incliner ; consigner, inscrire.* ● *Coucher des branches,* marcotter. ‖ *Coucher des couleurs,* les étendre avec le pinceau l'une à côté de l'autre avant de les fondre. ‖ *Coucher une plante,* en plier les rameaux et les couvrir de terre pour qu'ils prennent racine. ‖ *Coucher quelqu'un en joue,* le viser. ✦ v. intr. Prendre le repos de la nuit : *Coucher sur la dure. Chambre à coucher.* ‖ Loger, passer la nuit : *Coucher hors de chez soi.* ‖ Pencher, s'incliner, en parlant d'un navire. ● *Coucher avec quelqu'un,* partager son lit; et, *spécialem.* et *fam.,* avoir des relations sexuelles. ‖ *Nom, idée à coucher dehors* (Fig. et fam.), bizarre, difficile à prononcer, à expliquer : *Avoir un nom à coucher dehors.* ‖ **— se coucher** v. pr. S'étendre, s'allonger : *Se coucher à plat ventre pour ne pas être vu.* ‖ Se mettre au lit. ‖ En parlant du soleil et des astres, descendre sous l'horizon : *En hiver, le soleil se couche de bonne heure.* ● *Allez vous coucher !* (Fig. et pop.), restez tranquille, cessez de m'agacer. ‖ *Envoyer coucher quelqu'un,* se débarrasser de lui. ‖ *Se coucher comme les poules,* se mettre au lit de bonne heure. ‖ *Se coucher sur les avirons,* allonger la nage, dans une embarcation. ‖ *Se coucher sur la volte,* en parlant d'un cheval, se jeter à l'intérieur du tournant. ‖ **— coucher** n. m. Action de se coucher ou de coucher quelqu'un : *Le coucher du roi était soumis à une stricte étiquette à la cour de Louis XIV.* ‖ Fait de coucher en un lieu : *Il ne paya rien pour son coucher.* ‖ Action d'un astre qui descend sous l'horizon. ‖ Moment où cet astre se couche; aspect qu'il donne au ciel à ce moment. ◆ **couchage** n. m. Action de coucher : *Payer son couchage.* ‖ Ensemble des objets qui servent au couchage : *Prendre en adjudication le couchage des troupes.* ‖ Marcottage réalisé en couchant des rameaux. ‖ Semis de grains en couche. ‖ Dépôt, sur une feuille de papier ou de carton, d'un enduit à base d'amidon, de caséine, de cire, de paraffine ou d'une résine synthétique, destiné à lui conférer un aspect spécial et des propriétés particulières. ‖ Action de coucher les poils d'une étoffe. ‖ *Pop.* Commerce sexuel : *Raconter des histoires de couchage.* ● *Sac de couchage,* sac de toile ou de duvet dans lequel dorment les campeurs. ◆ **couchant, e** adj. *Chien couchant,* chien d'arrêt qui se couche sur le ventre pour marquer le gibier ; et, au *fig.*, vil flatteur. ‖ *Soleil couchant,* soleil près de disparaître à l'horizon ; moment de la journée où le soleil est dans cette position : *Sortir au soleil couchant.* ‖ — **couchant** n. m. Soleil qui se couche ; point de l'horizon où se trouve le centre du soleil à son coucher ; aspect du ciel dans la région où le soleil se couche : *Admirer les couleurs du couchant.* ‖ Côté de l'horizon où le soleil se couche ; occident, ouest. ‖ *Fig.* Vieillesse, déclin : *Génie à son couchant.* ◆ **couche** n. f. Lit, dans le style poétique : *Partager la couche de quelqu'un.* ‖ Linge ou matière cellulosique absorbant et doux, qui sert à envelopper la partie inférieure du corps des nourrissons : *Changer les couches.* ‖ Etendue uniforme d'une chose sur un espace déterminé : *Une couche de peinture.* ‖ Amas de matières organiques (fumier, feuilles, sciure) dont la fermentation dégage de la chaleur. (Placée sous châssis, la couche procure aux semis, aux boutures, aux greffes une température plus élevée que la température ambiante.) ‖ Epaisseur uniforme de matériaux posés dans la construction d'une chaussée. ‖ Etendue de sédiment de faible épaisseur, homogène tant au point de vue lithologique que paléontologique. ‖ Charbon ou minerai remplissant l'espace compris entre deux strates sédimentaires stériles : *Une couche de charbon.* ‖ Pièce de bois posée horizontalement à terre et sur laquelle viennent s'appuyer des étais. ‖ Catégorie, classe sociale : *Les basses couches de la société.* ● *Champignon de couche,* nom usuel de la *psalliote,* champignon comestible cultivé, dans les carrières souterraines des environs de Paris, en couches alternées de fumier et de terre calcaire, et vendu sous le nom de *champignon* sans autre précision. ‖ *Couche adhésive* ou *couche d'apprêt* (Peint.), produit bitumineux liquide que l'on applique sur le support pour faciliter le collage à la forme du revêtement étanche de couverture. ‖ *Couche antireflet,* couche mince (fluorure de magnésium) déposée à la surface des lentilles pour détruire, par interférence, la lumière réfléchie et par suite atténuer les reflets parasites. ‖ *Couche de finition,* couche de vernis, peinture ou préparation assimilée, destinée à rester en contact avec le milieu extérieur. ‖ *Couche de fondation,* partie d'une route reposant sur l'infrastructure ou sur la plate-forme, à travers laquelle les pressions sont transmises à cette plate-forme ou au sol de support. ‖ *Couche d'impression,* couche de vernis, peinture ou préparation assimilée, appliquée directement sur un subjectile absorbant. ‖ *Couche intermédiaire,* couche de vernis, peinture ou préparation assimilée, appliquée sur une couche primaire ou sur une couche d'impression et apte à recevoir une couche de finition. ‖ *Couche inférieure,* ou *plate-forme,* couche intermédiaire entre la couche de fondation et la couche de roulement d'une route. ‖ *Couche limite,* mince zone d'écoulement ralenti au voisinage immédiat d'un corps en mouvement relatif par rapport à un fluide. ‖ *Couches minces,* pellicules de substances diverses (métaux ou sels) que l'on dépose, généralement par évaporation sous vide, à la surface du verre. ‖ *Couche nuptiale* (Fig.), mariage, union conjugale : *Souiller, déshonorer la couche nuptiale.* ‖ *Couches optiques,* V. THALAMUS. ‖ *Couche primaire,* couche de vernis, peinture ou préparation assimilée, appliquée directement sur un subjectile non absorbant. ‖ *Couche de roulement,* couche supérieure de la structure d'une route. ‖ *En avoir, en tenir une couche* [de sottise] (Fig. et pop.), être très bête : *Il en tient une couche ! On ne peut rien lui faire comprendre.*

couche limite (mécan. des fl.) : dans la couche limite, l'écoulement du fluide est d'abord laminaire, puis, au-delà d'un certain point T, dit *point de transition,* cet écoulement devient turbulent

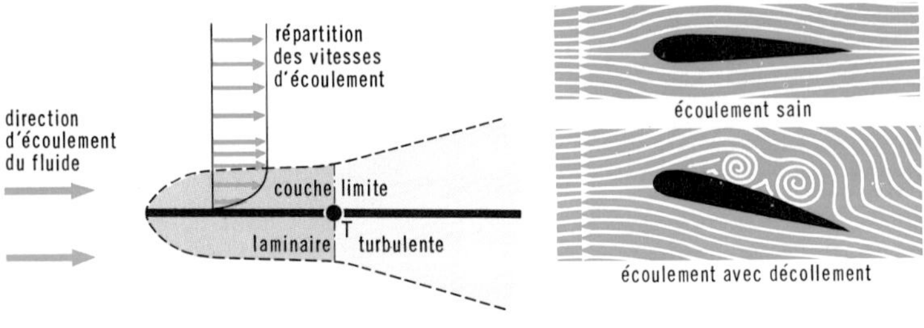

‖ *Fausse couche,* avortement; et, *pop.*, avorton sans force ni courage : *Avoir l'air d'une fausse couche.* ‖ *Plaque de couche,* plaque métallique fixée à l'extrémité arrière de la crosse du fusil, pour la renforcer et la protéger. ‖ *Soufflage de la couche limite,* méthode aérodynamique destinée à faciliter l'écoulement des filets d'air, et qui consiste à envoyer un jet d'air ou de gaz à l'intérieur de la couche limite. ‖ — **couches** n. f. pl. Alitement de la femme qui accouche; enfantement : *Une femme morte en couches.* ● *Relever de couches,* se rétablir après l'accouchement : *Reprendre le travail en relevant de couches.* ‖ *Retour de couches,* première menstruation après l'accouchement. ‖ *Suite de couches,* période qui s'étend de l'accouchement au retour de couches. ◆ **couché, e** adj. Penché : *Ecriture couchée.* ‖ *Géol.* Se dit d'un pli dont le plan axial est presque horizontal. ● *Papier couché,* V. PAPIER. ‖ — **couché** n. m. Impression unie en aplat sur feuille de métal ou autre support. ‖ Broderie composée de divers points d'ornement sur un motif déjà brodé. ◆ **couche-culotte** n. f. Petite culotte servant de couche et que l'on met aux bébés. — Pl. *des* COUCHES-CULOTTES. ◆ **coucherie** n. f. *Pop.* Commerce charnel. ◆ **couchette** n. f. Lit employé sur les navires. ‖ Banquette, escamotable ou non, que l'on peut transformer en lit provisoire dans un compartiment de chemin de fer. ◆ **coucheur, euse** n. Personne qui couche avec une autre : *Avoir une réputation de coucheur.* ‖ Ouvrier ou ouvrière couchant les feuilles d'or. ● *Mauvais coucheur* (Fig. et fam.), homme d'un caractère difficile : *On ne peut s'entendre avec ce mauvais coucheur.* ✦ adj. et n. *Feutre coucheur,* ou, plus simplem., *coucheur* n. m., feutre qui reçoit la feuille de papier humide, dans une machine à papier, et la conduit entre les deux cylindres de la presse coucheuse. ‖ *Presse coucheuse,* ou, simplem., *coucheuse* n. f., presse à deux cylindres fortement appuyés l'un contre l'autre, entre lesquels est engagée la feuille de papier humide, supportée par le feutre coucheur, de façon à éliminer l'eau. ◆ **couchis** n. m. Ensemble des pièces de bois posées sur les fermes des cintres, pendant la construction d'une voûte, pour soutenir les voussoirs. ‖ Lattis d'un plancher recevant l'aire en plâtre. ‖ Ensemble des pièces transversales qui supportent le platelage d'un pont. ◆ **couchoir** n. m. Palette du doreur. ‖ Cône tronqué, en bois, pour le commettage des cordages. ◆ **couchure** n. f. Opération de reliure consistant à appliquer les feuilles d'or avant la dorure. ‖ Dans la broderie au métier, action de fixer le fil le long du dessin.

Couches, anc. **Couches-les-Mines,** ch.-l. de c. de Saône-et-Loire (arr. d'Autun), à 16 km au N.-E. du Creusot; 1 599 h. (*Couchois*). Château de Marguerite de Bourgogne, restauré. Cartonnages.

couchette, coucheur, couchis → COUCHER.

Couchites ou **Koushites** (de *Couch*), nom que portent, dans la géographie biblique, les habitants de l'Egypte méridionale, de l'Ethiopie, et ceux aussi de l'Arabie méridionale. (On écrit aussi COUSHITES, CHUSITES, KUCHITES ou KUSHITES.)

couchitique n. m. et adj. (terme créé d'après le nom de *Couch**). Nom donné à l'ensemble des langues non sémitiques et non soudanaises de l'Abyssinie et des régions bordières de la mer Rouge et de l'océan Indien (bedja, saho, afar, somali, etc.), et plus particulièrement à l'état commun ancien de ces langues (*couchitique commun*).

couchoir, couchure → COUCHER.

Couci (FAMILLE DE). V. COUCY.

couci-couci ou **couci-couça** adv. (ital. *così così,* proprem. « ainsi ainsi »). *Fam.* Comme ci comme ça, ni bien ni mal, à peu près : *Comment vous portez-vous? — Couci-couça.* (On écrivait autref. COUSSI-COUSSI et COUSSI-COUSSA.)

coucou n. m. (onomatop.). Oiseau passereau, atteignant 35 cm et de teintes grises. (Le coucou vit dans les bois, où le retour de son

COUCOU

chant annonce le printemps. Il se nourrit d'insectes, notamment de chenilles. Il dépose ses œufs dans le nid d'autres espèces d'oiseaux, qui se chargent de nourrir ses petits. Il émigre en Afrique pendant l'hiver. Type de la famille des *cuculidés.*) ‖ *Par anal.* Race de poules dont le plumage rappelle celui du coucou. (Ex. : *coucou de Rennes,* élevé en Bretagne.) ‖ Primevère à haute tige, à fleurs jaunes, qui fleurit au printemps. ‖ Petite locomotive de manœuvre, employée dans les gares, chantiers, usines, pour le service local. ‖ Horloge de bois dont les heures et les demi-heures sont indiquées par l'apparition et le chant d'un coucou. ‖ *Pop.* Montre; avion démodé. ● *Coucou!* ou *Coucou, le voilà!,* interj. qui s'emploie pour attirer gaiement l'attention de quelqu'un à qui l'on se montre par surprise.

coucoumelle n. f. (provenç. *coucoumèlo*). Nom usuel de l'*amanite vaginée*, champignon comestible à chapeau gris ou jaunâtre.

Coucouron, ch.-l. de c. de l'Ardèche (arr. de Largentière), à 20,5 km au N.-E. de Langogne ; 710 h. Dentelles.

Coucy (FAMILLE DE), famille française originaire de la localité de Coucy-le-Château. Le fondateur de la dynastie est Enguerrand de Boves (fin du XIe s.). Le château de Coucy fut construit par Enguerrand III en 1230-1242. Le frère du roi de France Charles VI, Louis, duc d'Orléans, acheta la terre de Coucy.

Coucy (Robert DE). V. ROBERT DE COUCY.

Coucy-le-Château-Auffrique, ch.-l. de c. de l'Aisne (arr. de Laon), à 17 km au N. de Soissons ; 1 207 h. Sucreries, verreries. En 1917, les Allemands en retraite firent sauter le château et son donjon, qui constituaient l'une des plus belles ruines féodales. Le donjon avait 31 m de diamètre sur 60 m de hauteur. — La *forêt de Coucy* s'étend au N. de la localité.

Bottin

enceinte de **Coucy-le-Château**

coude n. m. (lat. *cubitus*). Région du membre supérieur, correspondant à l'articulation du bras avec l'avant-bras : *S'appuyer sur les coudes.* || Articulation constituée par l'extrémité inférieure de l'humérus et l'extrémité supérieure du radius et du cubitus : *Une luxation du coude.* (L'articulation du coude est, en réalité, composée de trois articulations : huméro-cubitale, huméro-radiale, radio-cubitale supérieure. Anatomiquement, ces trois articulations sont confondues en une seule : il n'existe en effet qu'une seule cavité articulaire, une seule synoviale, une seule capsule et le même appareil ligamenteux. L'articulation du coude peut exécuter des mouvements de flexion et d'extension, qui se passent dans l'articulation huméro-antibrachiale, et des mouvements de pronation et de supination, qui se produisent dans les articulations huméro-radiale et radio-cubitale supérieure.) || Chez le cheval, l'âne, région du membre antérieur située à l'extrémité supérieure du cubitus. || Partie de la manche du vêtement qui recouvre le coude : *Habit percé au coude.* || Angle saillant, changement brusque de direction ; courbure brusque d'un objet : *Le coude d'un mur, d'une rue, d'un tuyau.* ● *Coude à coude,* très proches l'un de l'autre : *Travailler coude à coude ;* et, au *fig.*, avec un vif sentiment de solidarité. || *Donner un coup de coude* ou *pousser du coude,* pousser légèrement quelqu'un avec le coude pour attirer son attention discrètement. || *Jouer des coudes,* se faire un passage dans la foule ; et, au *fig.*, manœuvrer pour arriver à ses fins. || *Lâche-moi le coude* (Fig. et fam.), laisse-moi tranquille. || *Le coude à coude,* le coudoiement : *Le coude à coude dans le travail donne du courage.* || *Lever, hausser le coude* (Fig.), boire copieusement : *Il lève bien le coude.* || *Pli du coude,* région antérieure du

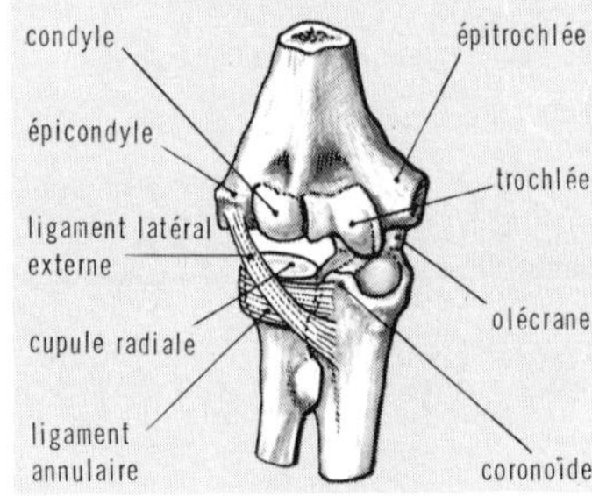

vue antérieure

coude

vue latérale

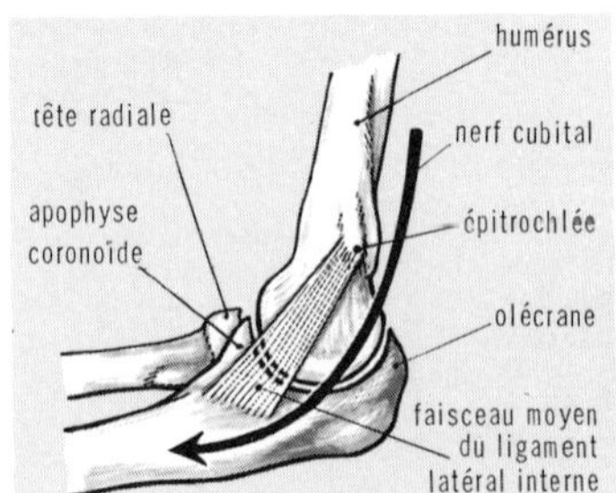

coude, ainsi nommée en raison du pli de flexion de l'avant-bras sur le bras. || *Se fourrer le doigt dans l'œil jusqu'au coude* (Fig. et pop.), se tromper complètement. || *Se sentir, se serrer, se tenir les coudes* (Fig.), se soutenir mutuellement. ◆ **coudée** n. f. Mesure de longueur en usage chez les Anciens et, plus récemment, en Turquie et au Bengale, variable suivant les pays (distance qui sépare le coude de l'extrémité du doigt du milieu, env. 50 cm). ● *Avoir les coudées franches,* avoir une entière liberté d'agir. || *Cent coudées,* distance ou quantité considérable : *Il est à cent coudées de la vérité.* ◆ **couder** v. tr. Plier en forme de coude : *Couder une barre de fer.* ◆ **coudoiement** n. m. Action de coudoyer quelqu'un; fréquentation habituelle : *Aimer le coudoiement de la foule.* ◆ **coudoyer** v. tr. (conj. **2**). Etre en contact avec, passer fréquemment près de : *Coudoyer des gens de tous les milieux.* || *Fig.* Etre fort voisin de : *Coudoyer la faillite.* || — SYN. : *côtoyer, fréquenter, frôler.*

Coudekerque-Branche, comm. du Nord (arr. de Dunkerque), dans la banlieue sud de Dunkerque; 25 100 h. (*Coudekerquois*). Industries diverses.

cou-de-pied → COU.

couder → COUDE.

Couder (Auguste), peintre français (Paris 1790 - *id.* 1873), auteur de tableaux d'histoire. (Acad. des bx-arts, 1839.) — Son frère JEAN-BAPTISTE AMÉDÉE, architecte, dessinateur industriel, écrivain d'art (Paris 1797 - *id.* 1865), fut un des promoteurs des expositions d'art appliqué à l'industrie.

Couder (André), astronome français (Alençon 1897 - Suresnes 1979). Astronome à l'Observatoire de Paris (1943), vice-président de l'Union astronomique internationale (1946), président du Bureau des longitudes (1951), il est l'auteur de recherches variées concernant les instruments de l'astronomie et de l'astrophysique modernes, ainsi que les conditions de leur utilisation. Les grandes pièces d'optique (lentilles objectives, miroirs de télescopes, etc.) mises en service depuis trente ans dans les observatoires ont été réalisées dans son laboratoire. (Acad. des sc., 1954.)

coudoiement → COUDE.

coudou n. m. Grande antilope à crinière, aux cornes longues et spiralées (d'où le nom sc. : *strepsiceros*), qui vit en Afrique (Kilimandjaro, Zambèze, Benguela).

coudoyer → COUDE.

coudraie → COUDRIER.

Coudray-Montpensier, hameau d'Indre-et-Loire (comm. de Seuilly, arr. et à 9 km au S.-O. de Chinon). Château élevé au XVe s., et ayant appartenu à Maurice Maeterlinck.

Coudray-Saint-Germer (LE), ch.-l. de c. de l'Oise (arr. de Beauvais), à 14 km au S.-E. de Gournay-en-Bray; 415 h.

coudre v. tr. (lat. pop. *cosere;* de *consuere*). Assembler par une suite de points faits avec un fil passé dans une aiguille : *Coudre du linge, un bouton, un cahier;* et, absol. : *Apprendre à coudre.* || Enfermer dans un sac cousu : *Coudre un cadavre dans un sac.* || Passer un fil textile successivement à l'intérieur de chacun des cahiers d'un livre à brocher ou à relier, en pratiquant à chaque extrémité un nœud de chaînette pour arrêter le fil, de manière à maintenir ces cahiers assemblés. ● *Avoir, tenir la bouche cousue,* garder le silence ou le secret. || *Bouche cousue !* (Ellipt.), gardez le secret : *L'enquête commence : bouche cousue !* || *Coudre une*

Larousse

André Couder

coudou

Jidébé

plaie, en réunir les bords au moyen d'une suture. || *Machine à coudre,* machine substituant une opération mécanique au travail manuel dans tous les travaux de couture et, en général, dans tous les travaux qui se font à l'aiguille. (V. *encycl.*) ◆ **cousette** n. f. *Fam.* Jeune ouvrière de la couture. || Petit étui pour le sac qui contient les objets indispensables à la couture. ◆ **couseuse** n. f. Ouvrière effectuant la couture. || Machine à coudre les feuilles d'un livre. || Machine à coudre faisant l'assemblage du tissu. || Ouvrière conduisant cette machine. ◆ **cousoir** n. m. Métier sur lequel s'opère la couture manuelle des livres à brocher ou à relier. ◆ **cousu, e** adj. Couturé, semé de marques analogues à des points de couture : *Un visage cousu de coups, de blessures.* || Se dit des pièces héraldiques lorsqu'elles sont appliquees, dans un écu, couleur sur couleur ou métal sur métal. ● *C'est du cousu main* (Substantiv. et pop.), c'est de première qualité (comme un objet cousu à la main). || *Cousu de,* possédant en abondance : *Un homme cousu d'or, de pistoles. Un livre cousu de citations.* || *Cousu de fil blanc,* aussi facile à voir que du fil blanc sur une étoffe noire : *Finesses, malices cousues de fil blanc.* || *Cousu main* (Fam.), cousu à la main. ◆ **couturage** n. m. Action de piquer à la machine les coutures de vêtements. ◆ **couture** n. f. Action ou art de coudre : *Ouvrière habile en couture.* || Profession de qui confectionne les vêtements féminins : *Travailler dans la couture.* || Suite de points par lesquels des étoffes sont cousues : *Des coutures mal faites.* || Assemblage des tricots à l'aide d'une machine à coudre. || Assemblage de deux feuilles de métal, que l'on obtient en pliant, puis en rabattant le bord de chacune d'elles. || Marque des joints du moule, sur une figure coulée en plâtre. || Bavure laissée sur une fonte. || Ligne de réunion de deux tôles au moyen de rivets. || Sillon à bords arrondis à la surface d'une pièce moulée. ● *Battre à plate couture,* rabattre les coutures à plat; et, au *fig.,* battre vigoureusement, défaire complètement : *Battre une armée à plate couture.* || *Couture artisanale,* couture pratiquée par une couturière travaillant seule ou avec peu d'ouvrières. || *Couture création,* groupe de maisons de haute couture présentant, deux fois par an, une collection dont les modèles sont agréés par une commission fondée au sein de la Chambre syndicale de la couture parisienne. || *Couture sellier,* procédé d'assemblage des cuirs ou des peaux au moyen d'une couture spéciale, exécutée avec une alêne particulière pour la perforation des trous et une aiguille à chaque extrémité du fil. || *Examiner sous toutes les coutures* (Fig.), examiner dans tous les sens, très attentivement. || *Haute couture,* ensemble des grands couturiers qui créent et présentent des modèles de couture à chaque saison. || *Maison de couture,* commerce de haute couture. || *Rabattre les coutures,* les aplatir avec le carreau, le dé. ◆ **couturer** v. tr. Couvrir de coutures, de cicatrices : *Un visage couturé.* ◆ **couturier, ère** n. Personne qui confectionne des vêtements féminins d'après des modèles ou qui crée elle-même ses modèles. || — **couturier** adj. m. et n. m. Long muscle superficiel, qui prend en écharpe toute la face antérieure de la cuisse. || — **couturière** adj. f. *Fauvette couturière,* v. ORTHOTOME.

— Encycl. **machine à coudre.** La machine à coudre fut inventée en 1830 par un tailleur d'Amplepuis (Rhône), Thimonnier, qui prit un brevet pour une machine réalisant mécaniquement la couture par point de chaînette. En 1846, l'Américain Elias Howe perfectionna ce premier modèle en utilisant une petite navette travaillant en liaison avec

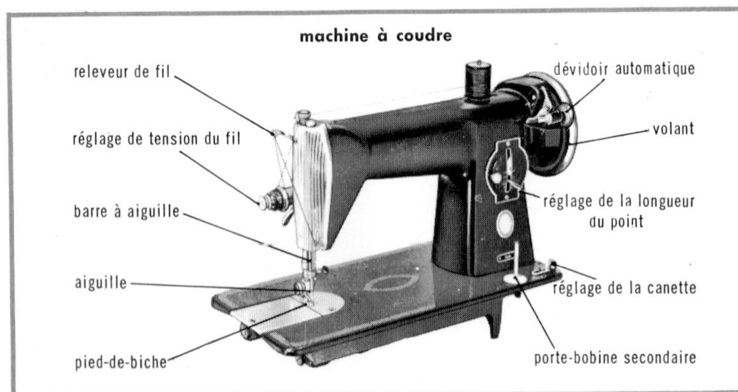

Doc. Singer

l'aiguille. Toutes les machines modernes dérivent de ce type, qui comprend une aiguille verticale dans laquelle passe un fil provenant d'une bobine. Cette aiguille descend, perce l'étoffe à coudre en formant une boucle sous l'étoffe, puis remonte légèrement. Une petite navette placée sous l'étoffe et contenant une canette de fil traverse alors la boucle. Dès que la boucle a été ainsi traversée, l'aiguille se relève, tire avec elle son propre fil, serre la boucle qu'emprisonne le fil provenant de la navette. Ce processus est répété tout le long de la couture grâce à un mouvement de déplacement du tissu.
De nos jours, les machines à coudre sont entraînées par un petit moteur électrique, et elles peuvent exécuter des broderies et du reprisage.

coudrement → COUDRER.

coudrer v. tr. Soumettre les peaux à l'action d'un bain, afin de les déchauler, de les confiter ou de les tanner. ◆ **coudrement** n. m. Action de coudrer. ◆ **coudreuse** n. f. Cuve dans laquelle on effectue le coudrement.

coudrier n. m. Nom usuel du *noisetier.* ◆ **coudraie** n. f. Lieu planté de coudriers.

Coué (Emile), pharmacien et psychothérapeute français (Troyes 1857 - Nancy 1926), auteur d'une méthode de guérison par autosuggestion.

couenne [kwan] n. f. (lat. pop **cutinna;* de *cutis,* peau). Peau épaisse et dure du porc, qui s'emploie pour préparer, en charcuterie, des fromages de tête et, en cuisine, les jus et les fonds de viande braisée. ‖ Partie supérieure de la phase solide du sang coagulé ou centrifugé, contenant les globules blancs. ‖ *Pop.* Peau, chair de l'homme. ● *Se gratter la couenne* (Pop.), se raser. ✦ n. et adj. *Pop.* Sot, maladroit, niais : *Quelle couenne!* ◆ **couenneux** [kwanœ], **euse** adj. Qui ressemble à la couenne. ‖ Qui est couvert d'une couenne. ● *Angine couenneuse,* V. DIPHTÉRIE.

Couëron, comm. de la Loire-Atlantique (arr. de Saint-Nazaire), sur la rive droite de l'estuaire de la Loire, à 13 km à l'O. de Nantes; 13 396 h. Métallurgie.

Couesnon (le), fl. côtier des confins de la Normandie et de la Bretagne; 90 km. Il finit dans la baie du Mont-Saint-Michel.

couette n. f. (lat. *culcita*). Lit de plume. ‖ Chacune des fortes pièces de bois sur lesquelles on élève la charpente d'un navire. (On écrit aussi COITTE.) ‖ Crapaudine sur laquelle tourne un des pivots du tour.

couette n. f. (de *coue,* anc. forme de *queue*). *Fam.* Mèche de cheveux.

couffa n. m. V. KOUFFA.

couffe n. f. Panier circulaire plat, suspendu horizontalement dans l'eau et autour duquel on attache des hameçons. ◆ **couffin** n. m. Cabas pour le transport des marchandises.

Couffé, comm. de la Loire-Atlantique (arr. et à 8 km au N.-O. d'Ancenis); 1 264 h. Château de la Contrie, où naquit Charette.

couffin → COUFFE.

çoufi n. m., **çoufisme** n. m. V. SOUFI, SOUFISME.

coufique ou **kūfique** adj. et n. m. Se dit d'une écriture arabe ancienne, aux caractères angulaires et raides, originaire de *Kūfa,* et employée pour la calligraphie du Coran, puis pour les inscriptions sur les monuments et les monnaies.

cougouar n. m. (nom inventé par Buffon d'après un mot brésil.). Autre nom du PUMA*.

cougourde n. m. Potiron, courge (Provence). ◆ **cougourdette** n. f. Courgette (Provence).

Couhé, anc. **Couhé-Vérac,** ch.-l. de c. de la Vienne (arr. de Montmorillon), à 36 km au S. de Poitiers; 2 129 h.

couic n. m. Onomatop. qui désigne le cri d'un petit animal; et, *partic.,* d'un animal qu'on étrangle, qu'on tue. ● *Faire couic* (Pop.), mourir. ‖ *N'y voir, n'y comprendre que couic,* n'y rien voir, n'y rien comprendre.

couillard → COUILLE.

couille n. f. (bas lat. *colia;* lat. *coleus;* gr. *koleos,* proprem. « fourreau », « gaine »). *Pop.* Testicule. ◆ **couillard** adj. m. *Pop.* Qui a de gros testicules. ✦ n. m. Court filet maigre, que l'on met à la fin d'un chapitre ou pour séparer l'un de l'autre deux titres ou deux articles de journal. ◆ **couillon** n. m. et adj. m. *Fig.* et *pop.* Sot, imbécile : *Agir comme un couillon.* ◆ **couillonnade** n. f. *Pop.* Erreur, sottise : *Faire une couillonnade.* ◆ **couillonner** v. tr. *Pop.* Attraper, duper : *Chacun cherche à couillonner son rival.* ◆ **couillonnerie** n. f. *Pop.* Action de couillonner. ‖ Badinerie, plaisanterie.

Couillet, comm. de Belgique (Hainaut, arr. et à 1 km au S.-E. de Charleroi); 15 000 h. Industries diverses.

couillon, couillonnade, couillonner, couillonnerie → COUILLE.

Couilly - Pont - aux - Dames, comm. de Seine-et-Marne (arr. et à 10 km au S. de Meaux), sur la rive droite du Grand Morin; 1 044 h. (V. PONT-AUX-DAMES.)

couinement → COUINER.

couiner v. intr. Faire entendre un couinement. ‖ *Pop.* Pleurnicher : *Un enfant qui ne cesse de couiner.* ◆ **couinement** n. m. Cri du lièvre, du lapin, lorsqu'ils succombent sous la dent des chiens. ‖ Cri d'autres animaux : *Des couinements de porcs.* ‖ *Fam.* Bruit léger que font entendre les chaussures neuves et certains objets qui frottent; grincement aigu : *Le couinement d'un frein.* ‖ Sifflement, son bref et aigu : *Le couinement d'un fouet de caoutchouc.*

Couiza, ch.-l. de c. de l'Aude (arr. et à 15 km au S. de Limoux), sur l'Aude ; 1 314 h. Château des ducs de Joyeuse. Chapeaux.

coulabilité, coulage → COULER.

Coulanges (Philippe Emmanuel DE), gentilhomme français (Paris 1633 - *id.* 1716), cousin de Mme de Sévigné et auteur de chansons (1692 et 1698) et de *Mémoires* (publiés en 1820).

Coulanges-la-Vineuse, ch.-l. de c. de l'Yonne (arr. et à 17 km au S. d'Auxerre) ; 1 125 h. (*Coulangeois*). Vins rouges.

Coulanges-sur-Yonne, ch.-l. de c. de l'Yonne (arr. d'Auxerre), sur l'Yonne, à 8 km au N. de Clamecy ; 609 h. (*Coulangeois*).

coulant → COULER.

1. coule → COULER.

2. coule n. f. (lat. *cucullus*). Robe à capuchon et larges manches de certains religieux.

coulé, coulée → COULER.

coulemelle n. f. V. LÉPIOTE.

couler v. tr. (lat. *colare,* filtrer). Faire passer un liquide d'un lieu à un autre d'un mouvement continu : *Couler un sirop sur un gâteau.* ‖ *Partic.* Filtrer, passer : *Couler du lait.* ‖ Jeter dans le moule une matière en fusion : *Couler du plomb.* ‖ Fabriquer un objet en métal fondu : *Couler une statue.* ‖ Extraire un produit d'une installation de raffinage. (On dit que *l'on coule le gas-oil,* ou que *le gas-oil coule.*) ‖ Introduire doucement ; glisser furtivement : *Se couler à travers le trou d'une haie.* ‖ Envoyer un navire au fond de l'eau. (On dit aussi COULER BAS.) ‖ Exécuter les notes de musique en les liant dans un même coup d'archet, de langue ou de gosier. ● *Couler de la chaux,* la délayer lorsqu'elle est éteinte et la verser dans un bassin. ‖ *Couler des jours heureux,* vivre dans une parfaite quiétude. ‖ *Couler en chute, par gravité,* ou *en descente,* effectuer une coulée de métal directe, par gravité. ‖ *Couler une glace,* verser la matière sur une table *ad hoc.* ‖ *Couler la lessive,* faire bouillir le linge dans une lessiveuse. ‖ *Couler la pierre,* la sceller avec du plâtre ou du ciment. ‖ *Couler en pluie,* verser le métal liquide dans une poche intermédiaire percée de nombreux trous, permettant ainsi de régulariser et de répartir le métal fondu dans le moule sous forme de jets fins. ‖ *Couler quelqu'un* (Fig. et fam.), le discréditer, le perdre : *Couler quelqu'un auprès de l'opinion publique.* ‖ *Couler un regard, les yeux* (Fig.), lancer un regard furtif : *Couler un regard de convoitise vers un étalage de pâtisserie.* ‖ *Couler à vert,* couler dans un moule en sable vert non séché. ‖ *Se la couler douce* (Fam.), mener une vie heureuse, sans efforts ni complications. ‖ *Tirer à couler bas,* tirer aux environs de la flottaison, pour couler le navire. ✦ v. intr. Aller d'un lieu à un autre d'un mouvement continu (en parlant d'un liquide) : *Le ruisseau coule à travers la prairie.* ‖ *Partic.* S'épancher, s'échapper hors de : *Les larmes coulent de ses yeux.* ‖ Passer facilement (en parlant du temps), s'écouler : *Une vie qui coule monotone.* ‖ En escrime, exécuter la feinte appelée *coulé.* ‖ Laisser échapper un liquide : *Robinet qui coule.* ‖ S'échapper du moule par quelque fente, en parlant d'un métal en fusion. ‖ Se liquéfier : *Le beurre coule au soleil.* ‖ Glisser doucement le long d'une chose : *Se laisser couler le long de la gouttière.* ‖ Avorter, ne pas venir à terme, en parlant d'un fruit : *Des fruits qui coulent.* ‖ *Fig.* Etre naturel, aisé, facile, en parlant du style. ● *Couler,* ou *couler bas,* s'abîmer au fond de l'eau (en parlant d'un navire). ‖ *Couler une bielle,* v. BIELLE. ‖ *Couler à pic,* se noyer subitement. ‖ *Couler de source,* venir sans effort ; résulter naturellement, d'une façon non douteuse : *Orateur dont les paroles coulent de source. Si je fais ce travail, me payerez-vous? — Cela coule de source.* ‖ *Faire couler de l'encre,* en parlant d'un événement, faire beaucoup écrire. ‖ *Faire couler de la salive,* faire beaucoup parler. ‖ *Faire couler le sang,* être responsable d'une guerre, d'un massacre, d'un assassinat. ‖ *Le sang coule,* il y a des morts, des blessés. ◆ **coulabilité** n. f. Aptitude d'un métal ou d'un alliage à remplir un moule dans tous ses détails, lorsqu'on le verse dans ce moule à l'état liquide et qu'il se solidifie. ◆ **coulage** n. m. Action de faire couler une matière en fusion, un liquide : *Le coulage d'un métal, du vin.* ‖ Action de couler, en parlant d'un liquide ou d'une matière en fusion : *Le coulage d'une chandelle.* ‖ En céramique, technique de façonnage consistant à verser une barbotine dans un moule de plâtre poreux et sec, qui absorbe l'eau de la barbotine. ‖ Elongation que produisent sur les câbles sous-marins les écarts dans la marche du navire câblier et les sinuosités du fond de l'eau. ‖ Produit de la première distillation du pétrole brut, qui peut couler directement aux réservoirs. ‖ *Par extens.* Tout produit liquide sortant d'une unité de raffinage. ‖ *Fig.* et *fam.* Déperdition par gaspillage : *Une entreprise où il y a du coulage.* ● *Coulage de mailles* (Text.), démaillage sur une ligne, à la suite d'une rupture de fil. ◆ **coulant, e** adj. Fluide, qui coule facilement : *De l'encre coulante.* ‖ *Fig.* Aisé, naturel : *Prose coulante. Vers coulants.* ‖ Accommodant : *Homme coulant en affaires.* ● *Nœud coulant,* nœud qui se serre et se desserre à volonté. ‖ *Vin coulant,* vin qui est dépourvu d'âpreté. ‖ — **coulant** n. m. Anneau mobile que l'on dispose pour serrer, fermer, rapprocher : *Coulant de serviette, de bourse,* etc. ‖ Nom générique de tous les nœuds qui se serrent lorsqu'on fait force sur la corde que l'on tient en main. ‖ Anneau de cuir semblable au passant, mais coulissant sur la courroie. ‖ Toute pièce destinée à glisser librement sur une autre :

Coulants d'un bracelet. ‖ *Pêch.* Anneau rendant solidaires le fil de la ligne et le flotteur. ‖ Sorte de herse des anciennes forteresses, appelée aussi PASSANT-COULANT ou PORTE-COULANT. ‖ Enveloppe cylindrique en cuivre, portant le verre d'une lampe à pétrole. ‖ *Bot.* V. STOLON. ◆ **coule** n. f. *Fam.* Menus gaspillages causés, dans une maison, dans une entreprise, par la négligence ou l'indélicatesse. (Syn. COULAGE.) ● *A la coule* (Fam.), au courant, averti : *Etre à la coule.* ◆ **coulé, e** adj. *Arbor.* Avorté à la floraison. ● *Carte coulée* (Prestidig.), carte changée de place et substituée à une autre dans le paquet par un mouvement de doigt. ‖ *Ecriture coulée,* écriture penchée de droite à gauche, dont les déliés sont de bas en haut, contrairement à l'*écriture anglaise.* ‖ — **coulé** n. m. En escrime, feinte qui consiste à glisser le fleuret le long de la lame de l'adversaire, l'incitant à se découvrir. ‖ Au billard, coup qui consiste à faire accompagner par sa propre bille la bille sur laquelle on joue. ‖ En musique, passage lié d'une note à une autre. ‖ Ouvrage de fonderie jeté en moule. ‖ — ***coulée*** n. f.

Brunel

coulée de bronze dans un moule

Action de s'écouler. ‖ Action de verser un métal en fusion dans un moule ou une lingotière où il doit se solidifier. ‖ Masse de matière en fusion que l'on verse dans un moule : *Une coulée de métal en fusion.* ‖ Orifice en forme de conduit permettant au métal fondu d'atteindre l'empreinte même du moule. ‖ Courbure des fonds extérieurs de la carène d'un navire. ‖ Action de verser du verre en fusion sur une table en fonte. ‖ Endroit de pêche dégagé entre deux herbiers. ‖ Laps de temps pendant lequel une ligne flottante dérive. ‖ En natation, glissée immergée en position allongée. ‖ Petit sentier que suit un animal. ‖ *Fig.* Flot, torrent : *La rue étroite ne pouvait absorber la coulée de la foule.* ● *Coulée boueuse,* écoulement en masse de boue gorgée d'eau, transportant parfois d'énormes blocs. ‖ *Coulée centrifuge,* coulée durant laquelle la lingotière, animée d'un mouvement de rotation, effectue une centrifugation du métal liquide contre les parois. ‖ *Coulée continue,* coulée en permanence de métal à la partie inférieure du creuset, dans un moule ou une lingotière ouverts, permettant l'évacuation continue du produit solidifié. ‖ *Coulée en coquille,* coulée de métal dans un moule métallique, ou coquille. ‖ *Coulée par gravité, en descente* ou *en chute,* coulée directe du métal par chute verticale dans le moule. ‖ *Coulée de lave,* masse minérale qui s'est épanchée à l'état liquide lors d'une éruption volcanique et qui s'est écoulée selon la pente. ‖ *Coulée sous pression,* coulée dans laquelle on alimente la coquille métallique par le métal comprimé, liquide ou pâteux. ‖ *Coulée en sable,* coulée du métal dans un moule en sable de fonderie. ‖ *Coulée en source,* coulée du métal dans un canal vertical alimentant le moule par la partie inférieure. ‖ *Coulée tranquille* (procédé Durville), coulée permettant de laisser continuellement les scories ou le laitier à la partie supérieure du bain, sans entraînement dans le moule. ◆ **couleur, euse** n. Ouvrier, ouvrière qui effectue un coulage ou une coulée. ‖ Fabricant de bougies. ◆ **coulotte** n. f. Espèce d'auge formée par deux planches clouées l'une sur l'autre à angle droit, dont les maçons font usage pour amener le mortier au fond d'une fouille. ‖ Caisse carrée employée pour couler du béton sous l'eau. ◆ **coulure** n. f. Mouvement d'un liquide qui s'écoule. ‖ Trace laissée sur une surface par un corps liquide ou visqueux qui a coulé : *Des coulures de peinture.* ‖ Partie du métal qui s'échappe à travers les joints du moule, au moment de la fonte. ‖ Amas de glaçure, de couverte, dans les cavités et les parties déclives des poteries. ‖ Chute des fleurs ou des fruits jeunes, par suite d'une entrave accidentelle à la fécondation (fortes averses, action d'un parasite, stérilité, etc.). ‖ Corde d'une seine destinée à maintenir l'engin dans une position verticale.

coulette n. f. Truble montée sur un support en forme de raquette.

couleur n. f. (lat. *color*). Impression produite sur l'œil par la lumière, suivant sa nature propre ou suivant la manière dont elle est diffusée dans les corps : *Les couleurs de l'arc-en-ciel.* (V. *encycl.*) ‖ *Partic.* Dans le langage courant, s'oppose à « noir » et à « blanc » : *Porter des vêtements de couleur.* ‖ Substance colorante : *Un peintre qui gaspille la couleur* (v. *encycl.*) ; et, au *fig.*, éclat, brillant comparable à la couleur, partic. en parlant de l'expression et du style : *Un spectacle qui a de la couleur.* ‖ Chacun des quatre attributs qui distinguent les cartes à jouer (trèfle, carreau, cœur, pique). ‖ *Fig.* Qualité du timbre d'une voyelle : *La couleur de la voyelle « è » est claire.* ‖ Caractère propre à une opinion, à un parti politique : *Des opinions de toutes couleurs.* || Apparence : *Peindre l'avenir sous de belles couleurs.* || — Syn. : *coloration, coloris, nuance, teinte, ton, tonalité ; carnation, teint ; colorant, peinture ; brillant, éclat, vivacité.* ● *Changer de couleur,* devenir pâle : *A cette nouvelle, il changea de couleur.* || *Couleur locale,* ensemble de détails destinés à évoquer d'une façon précise les coutumes d'un peuple, d'une époque. || *Couleurs matrices,* couleurs dont les autres dérivent, chez les teinturiers. || *Couleur de revenu,* ensemble de teintes que prend un acier après trempe et revenu. || *Couleurs de signalisation* ou *de sécurité,* couleurs que l'on confère à différentes surfaces, dans les lieux de travail, afin d'attirer l'attention des travailleurs sur certains dangers, de leur indiquer les chemins de circulation et de leur signaler spécialement les dispositifs de sécurité et les postes de secours. || *Haut en couleur,* qui a le visage très coloré, très rouge : *Un homme à la carrure puissante, haut en couleur.* — *Fig.* Coloré, savoureux par sa verdeur; truculent : *Le style de Rabelais est haut en couleur.* || *Homme, femme de couleur,* nom donné aux Noirs et aux mulâtres. || *Jouer la couleur,* à la roulette, parier sur rouge ou sur noir. || *L'affaire prend couleur,* on commence à discerner la tournure qu'elle va prendre. || *On ne connaît pas la couleur de son argent,* il ne paie jamais ses dettes. || *On ne connaît pas la couleur de sa voix, de ses paroles,* il n'ouvre pas la bouche, il est muet, taciturne. || *Prendre couleur,* prendre une teinte foncée (en parlant d'une viande, d'un pain à la cuisson). ● Loc. prép. *Sous couleur de,* sous prétexte de. ✦ adj. invar. *Couleur de,* ou *couleur,* qui a la couleur de : *Echarpe couleur de feu. Rubans couleur de rose.* || — **couleurs** n. f. pl. Marque distinctive de la nationalité, qui consiste dans la coloration des drapeaux, pavillons, enseignes. || Drapeau national lui-même. || Teint, coloration du visage : *Avoir de bonnes couleurs.* || Signes distinctifs portés par les jockeys, permettant de reconnaître les écuries des chevaux de course. || *Hérald.* Emaux autres que l'or et l'argent : azur (bleu), gueules (rouge), sable (noir), sinople (vert) et pourpre (violacé). ● *Amener les couleurs,* descendre le pavillon national d'un navire, pour indiquer qu'il se rend ou capitule. || *En dire de toutes les couleurs sur quelqu'un* (Fig.), faire à son sujet toutes sortes de commérages peu flatteurs. || *En faire voir de toutes les couleurs à quelqu'un* (Fig.), lui faire subir toutes sortes d'avanies, de désagréments. || *Envoyer, hisser* ou *rentrer les couleurs,* les hisser au mât le matin, les descendre le soir (au cours de la *cérémonie* dite *des couleurs*). || *Hisser, montrer ses couleurs,* sur un bâtiment naviguant sans marque distinctive, déployer le pavillon national à sa place réglementaire. || *Passer par toutes les couleurs,* pâlir, rougir, etc., sous le coup d'une émotion violente. || *Perdre ses couleurs,* pâlir.

— Encycl. **couleur.** *Bx-arts.* Les diverses couleurs ont des facultés de rayonnement particulières. Certaines irradient plus que d'autres et dénaturent les voisines. Ces différences de rayonnement procurent une sensation de mouvement : les tons froids (du violet au bleu) reculent; les tons chauds (des rouges aux verts) avancent. Cela crée l'illusion d'une troisième dimension en peinture. La nature de la surface colorée a de l'importance : lisse, elle réfléchit mieux et davantage la lumière que grenue, cas où la lumière est réfléchie dans une infinité de directions; ainsi la valeur est affaiblie. Or, la valeur se détermine par la quantité de blanc ou de noir mélangée au ton pur, d'où l'intensité relative des tons. La couleur est relativement définissable; on suppose trois couleurs primaires : bleu, rouge, jaune; leurs combinaisons engendrent tous les tons. Des artistes (Delacroix), des théoriciens (Chevreul) ont édifié des systèmes aisément représentables par des appareils simples (cercle chromatique, rapporteur esthétique, etc.). D'autres supposent quatre couleurs primaires : rouge, vert, jaune, bleu (Léonard de Vinci). Il faut avant tout distinguer la couleur des matières colorantes et celle de la lumière.
L'énergétique de la couleur agit fortement sur notre sensibilité; elle conditionne même la physiologie des êtres organisés. Toutefois, les constatations expérimentales ne sauraient suffire à fonder une doctrine. C'est sur le plan de la thérapeutique et de la prophylaxie que ces propriétés ont été le mieux utilisées. La médecine, dès 1913, plus récemment l'industrie en ont tiré parti. Des couleurs conventionnelles sont aujourd'hui universellement appliquées à la signalisation; mais elles peuvent se trouver en contradiction avec certaines recherches d'action psychologique. L'architecture à son tour s'attache à l'emploi des couleurs, non seulement selon le goût, mais aussi suivant la psychotechnique.

— *Opt.* C'est à Newton que l'on doit la théorie de la couleur des corps. Comme le montre son analyse par le prisme, la lumière solaire est formée par une infinité de radiations, allant du rouge au violet. Or, une surface frappée par l'ensemble de ces radiations peut soit les diffuser toutes également, et alors la surface est dite *blanche,* soit en absorber plus ou moins certaines, d'où une coloration due à la superposition des radiations renvoyées. Les corps *noirs* sont ceux qui absorbent toute la lumière incidente. On comprend par suite que la couleur des corps dépend non seulement de leur nature, mais aussi de la composition de la lumière qui les éclaire. Pour ce qui est des corps transparents, ils agissent comme des filtres qui ne laissent passer que certaines radiations.
Les *couleurs simples* sont les radiations du

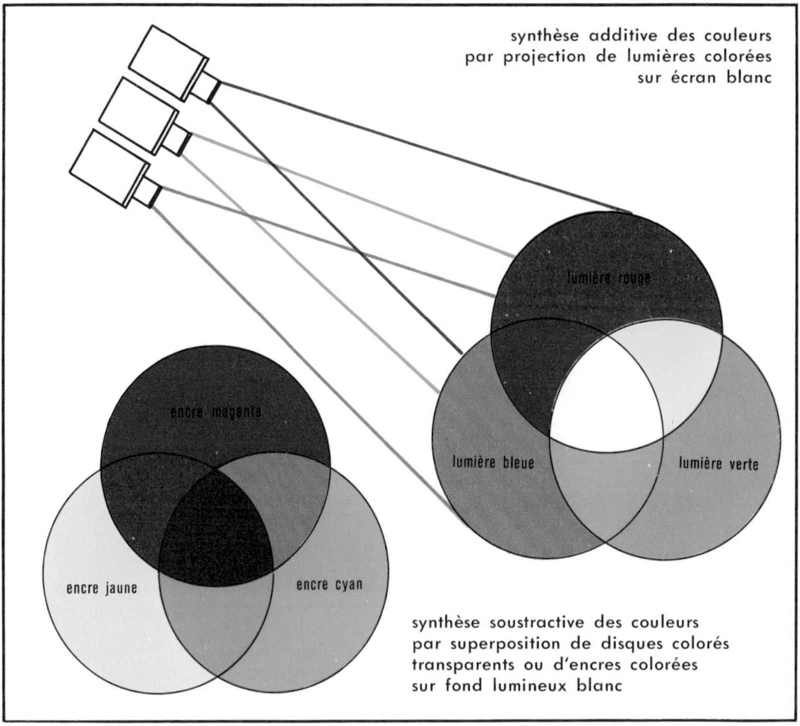

synthèse additive des couleurs
par projection de lumières colorées
sur écran blanc

lumière rouge

lumière bleue

lumière verte

encre magenta

encre jaune

encre cyan

synthèse soustractive des couleurs
par superposition de disques colorés
transparents ou d'encres colorées
sur fond lumineux blanc

spectre, dont chacune est caractérisée par une longueur d'onde, allant de 0,4 μ pour le violet à 0,8 μ pour le rouge. Associées entre elles, elles fournissent des teintes diverses, qui sont dites *couleurs composées*. Celles dont le mélange donne la sensation du blanc sont appelées *couleurs complémentaires*.

couleur → COULER.

spectre de la lumière blanche

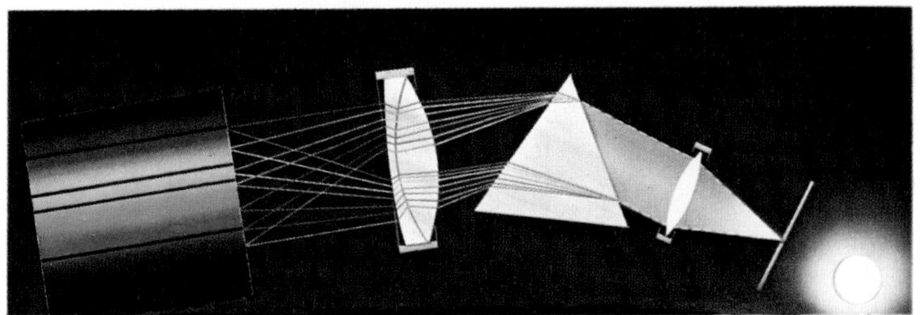

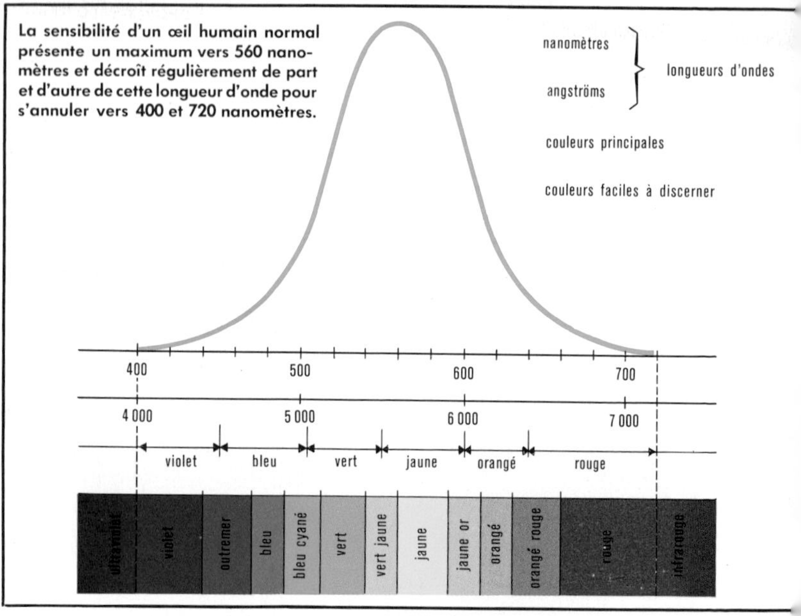

La sensibilité d'un œil humain normal présente un maximum vers 560 nanomètres et décroît régulièrement de part et d'autre de cette longueur d'onde pour s'annuler vers 400 et 720 nanomètres.

nanomètres
angströms
} longueurs d'ondes

couleurs principales

couleurs faciles à discerner

400 500 600 700

4 000 5 000 6 000 7 000

violet bleu vert jaune orangé rouge

ultraviolet violet outremer bleu bleu cyané vert vert jaune jaune jaune or orangé orangé rouge rouge infrarouge

la sensibilité de notre œil aux couleurs
issues de la décomposition de la lumière blanche par le prisme

couleuvre n. f. (lat. pop. *colobra ;* lat. class. *colubra*). Nom donné aux serpents colubridés, ovipares, inoffensifs pour l'homme, soit faute de venin, soit parce que leurs crochets sont à l'arrière de la bouche. (V. *encycl.*) ‖ Lézarde produite dans une voûte par un vice de construction. ‖ Figure héraldique représentant un serpent généralement *tortillé* ou *ondoyant.* ‖ *Fig.* Symbole de la souplesse, de l'habileté ou de la paresse : *Se glisser comme une couleuvre. Paresseux comme une couleuvre.* ● *Avaler des couleuvres,* subir des affronts sans protester. ◆ **couleuvreau** n. m. Petit d'une couleuvre.

— ENCYCL. ***couleuvre.*** Toutes les couleuvres ont une pupille ronde et une queue difficile à distinguer du tronc. La France en héberge une dizaine d'espèces, qui se rendent utiles en détruisant les petits rongeurs. Leur taille varie, selon l'espèce, de 0,70 à 2,50 m. Les

couleuvre à collier

Six

détail de la tête

Six

couleuvres à collier, qui peuvent atteindre 1,50 m, semi-aquatiques, se nourrissent de poissons et de grenouilles. Les *couleuvres vipérines,* plus petites (au plus 0,70 m), ressemblent aux vipères par leur coloration brun roussâtre et leurs dessins en zigzags; elles fréquentent le bord des rivières et des étangs. Les *couleuvres vert et jaune,* qui atteignent 2 m, vivent dans un milieu plus sec et se montrent plus agressives. Une espèce, *Coronella austriaca* (coronelle), est vivipare; elle ne dépasse pas 0,70 m et se nourrit d'insectes et de lézards.

couleuvreau → COULEUVRE.

couleuvrine ou **coulevrine** n. f. (de *couleuvre*). Anc. bouche à feu, fine et longue, utilisée surtout comme pièce de siège ou de place (XVe-XVIIe s.). ‖ Arme à feu individuelle. ◆ **couleuvrinier** ou **coulevrinier** n. m. Cavalier ou fantassin armé d'une couleuvrine à main.

coulis adj. invar. Ne s'emploie que dans la locution *vent coulis,* vent qui se glisse par des fentes ou des clôtures mal jointes : *Un petit vent coulis qui glisse sous la porte;* et, substantiv. : *Des coulis d'air froid.* ✦ n. m. Jus d'une substance que l'on a fait cuire lentement et qui est ensuite passée au tamis. ‖ Mortier obtenu par mise en suspension dans l'eau de divers matériaux (argile, ciment, etc.), et assez fluide pour couler librement dans les joints ainsi que dans les cavités d'un ouvrage de maçonnerie.

coulissant → COULISSE.

coulisse n. f. Rainure dans laquelle on fait glisser une pièce mobile : *Les coulisses d'un tiroir.* ‖ Objet mobile qui glisse dans une coulisse : volet, cloison. ‖ Rempli d'un vêtement dans lequel on fait glisser un cordon pour serrer ou desserrer. ‖ Ce cordon lui-même. ‖ *Anat.* Rainure tapissée d'une membrane synoviale et servant au glissement des tendons. ‖ Segment coulissant sur les tubes parallèles du trombone et qui permet de modifier la hauteur des sons. ‖ Organe des locomotives, imaginé par Stephenson pour faire varier la détente et changer la direction de la marche, employé aussi dans les machines marines. ‖ Conduit carré en bois qui, partant du point le plus élevé d'une construction, va porter les déblais jusqu'en bas. ‖ Commande directe d'un pêne dormant à l'aide d'un bouton. ‖ Coche faite dans un pêne dormant pour le maintenir parallèle aux empênages. ‖ Instrument intercalé dans les tiges de forage et permettant de leur imprimer des chocs violents en cas de coincement. ‖ Marché non officiel où opéraient des intermédiaires de Bourse qui négociaient pour le compte de leurs clients les valeurs auxquelles ne s'étendait pas le privilège des agents de change*, parce qu'elles n'étaient pas inscrites à la cote officielle du parquet*. ● *Coulisse bicipitale interne* ou *externe,* chacune des deux gouttières situées de part et d'autre du tendon du biceps au niveau du coude. ‖ *Yeux en coulisse, regard en coulisse* (Fam.), regard oblique pour voir en cachette; coup d'œil d'intelligence lancé à la dérobée; regard tendre : *Jeter un regard en coulisse.* ‖

Larousse

couleuvrine du XVIe s. *musée de l'Armée*

— ***coulisses*** n. f. pl. Parties du théâtre situées sur les côtés et en arrière de la scène, entre le décor et les murs de la cage de scène. (C'est une abréviation de *châssis de coulisse,* nom donné aux panneaux latéraux qui coulissaient dans les costières.) ‖ Théâtre considéré dans les relations des acteurs entre eux et avec les auteurs. ‖ *Fig.* Ce qui se passe dans l'isolement, loin du public et à son insu; côté secret, dessous des cartes : *Les coulisses de la politique.* ● *Se tenir dans la coulisse* (au sing.), manœuvrer caché, sans se laisser voir. ◆ **coulissant, e** adj. Qui coulisse : *Porte coulissante.* ◆ **coulissé, e** adj. *Hérald.*

Se dit des châteaux ou des tours munis d'une herse. ◆ **coulisseau** n. m. Bande de zinc utilisée pour réunir les bandes de recouvrement, dans les couvertures en zinc. ‖ Petite ferrure en forme de T amarrée de proche en proche à la ralingue d'envergure d'une voile de yacht, et glissant dans le chemin de fer du mât ou de la bôme. ‖ Petite pièce mobile dans une coulisse, sur laquelle s'articule une bielle. ‖ Traverse intérieure d'un meuble, sur laquelle glisse un tiroir. ◆ **coulissement** n. m. Glissement en coulisse : *Le coulissement d'une porte de placard, des anneaux sur une tringle.* ◆ **coulisser** v. tr. Garnir de coulisses : *Coulisser un tiroir. Coulisser les côtés d'une scène.* ‖ Coudre en faisant des points devant sans tirer l'aiguille, en vue de froncer un tissu en tirant le fil en une seule fois. ✦ v. intr. Glisser en coulisse : *Porte qui coulisse.* ◆ **coulissier** n. m. Intermédiaire de Bourse qui négociait les valeurs non inscrites à la cote officielle du parquet sous le nom de *banquier en valeurs près la Bourse de Paris.*

Coulmiers, comm. du Loiret (arr. et à 23,5 km à l'O. d'Orléans) ; 301 h. Victoire de l'armée de la Loire, commandée par Aurelle de Paladines, sur les Bavarois (9 nov. 1870).

Coulogne, comm. du Pas-de-Calais (arr. et à 2 km au S.-E. de Calais) ; 5 228 h. (*Coulonnois*).

couloir n. m. Passage étroit servant de dégagement pour aller d'une pièce dans une autre. ‖ Passage plus ou moins étroit en général : *Le couloir rhodanien.* ‖ Chacune des zones d'une piste dans laquelle chaque concurrent doit se tenir pendant une course. ‖ Partie d'un terrain de tennis agrandissant celui-ci de chaque côté et qui n'est valable que pour les doubles. ‖ Ravin raide et étroit qui entaille un versant montagneux. (Les couloirs sont des voies d'ascension.) ‖ Passage qui entoure les loges, l'orchestre et le parterre. ‖ Rigole ou glissière disposée suivant une pente assez forte pour assurer le glissement du charbon ou du minerai. ● *Couloir aérien,* itinéraire géographiquement défini et doté de balises radio-électriques, que doivent suivre obligatoirement les aéronefs de transport, dans certaines conditions. ‖ *Couloir d'avalanches,* chemin emprunté régulièrement par des avalanches et constitué par un vallonnement du versant. ‖ *Couloir oscillant,* couloir suspendu à des chaînes ou roulant sur des galets, agité d'un mouvement de va-et-vient dissymétrique assurant le transport d'un matériau sur une faible pente, et même horizontalement. ‖ — ***couloirs*** n. m. pl. Lieux où se transmettent officieusement des informations, où s'opèrent des tractations secrètes, etc. : *Bruits de couloirs. Nouvelle recueillie dans les couloirs de l'Assemblée.*

Coulomb (Charles DE), physicien français

Boyer

Charles de **Coulomb**

(Angoulême 1736 - Paris 1806). Après des études sur le frottement et sur la torsion, il établit les bases expérimentales et théoriques du magnétisme et de l'électrostatique, découvrit la loi qui porte son nom, l'électrisation superficielle des conducteurs et l'effet d'écran électrique produit par les conducteurs creux. (Acad. des sc., 1781.)

Coulomb (LOI DE), loi aux termes de laquelle deux charges électriques ponctuelles exercent l'une sur l'autre des forces inversement proportionnelles au carré de leur distance.

coulomb n. m. (du physicien *Coulomb*). Unité de mesure de quantité d'électricité et de charge électrique (symb. : C) équivalant à la quantité d'électricité transportée en 1 seconde par un courant de 1 ampère. ● *Coulomb par kilogramme,* unité de mesure d'exposition (symb. : C/kg) équivalant à l'exposition telle que la charge de tous les ions d'un même signe produits dans l'air, lorsque les électrons (négatifs et positifs) libérés par les photons de façon uniforme dans une masse d'air égale à 1 kilogramme sont complètement arrêtés dans l'air, est égale en valeur absolue à 1 coulomb. ◆ **coulombmètre** n. m. Appareil pour mesurer les quantités d'électricité qui passent par une canalisation électrique. (On utilise de préférence l'AMPÈREHEUREMÈTRE, ou COMPTEUR DE QUANTITÉ.)

Coulomb (Jean), physicien français (Blida 1904), directeur de l'Institut de physique du globe. Ses principaux travaux concernent la contraction thermique de la Terre, les variations séculaires du géomagnétisme et la séismologie. (Acad. des sc., 1960.)

Coulommes, comm. de Seine-et-Marne (arr. et à 12 km au S. de Meaux) ; 278 h. Exploitation de pétrole.

coulommiers n. m. Fromage à pâte molle fermentée, préparé avec du lait de vache dans l'est du Bassin parisien. (Syn. PETIT BRIE.)

|| Fromage épais, vendu sous le nom de *double-crème.*

Coulommiers, ch.-l. de c. de Seine-et-Marne (arr. et à 29 km au S.-E. de Meaux), sur le Grand Morin ; 11 989 h. (*Columériens*). Anc. place forte des comtes de Champagne. Eglise Saint-Denis (XIIIe au XVIe s.), désaffectée. Imprimerie ; sucrerie ; orfèvrerie. Pépinières. Coulommiers a donné son nom à un fromage réputé. Patrie de Valentin de Boullongne.

coulon n. m. (lat. *columbus,* pigeon). Nom du pigeon dans le nord de la France. ● *Coulon de mer,* nom donné à la *mouette* par les pêcheurs du Pas-de-Calais. ◆ **coulonneux** n. m. Eleveur de pigeons voyageurs, dans le nord de la France.

Coulon (le), riv. des Préalpes du Sud, affl. de la Durance (r. dr.) ; 94 km.

Coulon de Thévenot. V. THÉVENOT.

Coulonges-sur-l'Autize, ch.-l. de c. des Deux-Sèvres (arr. de Niort), à 18 km à l'E. de Fontenay-le-Comte ; 2 030 h. (*Coulongeois*).

coulonneux → COULON.

coulotte → COULER.

Coulounieix-Chamiers, comm. de la Dordogne (arr. et à 6 km au N.-O. de Périgueux) ; 8 485 h.

coulpe n. f. (lat. *culpa*). Faute, péché. (Vx.) || Aveu public des fautes extérieures commises contre la règle, dans certains ordres religieux. ● *Battre sa coulpe,* se frapper la poitrine en disant « mea culpa » ; et, au *fig.,* témoigner son repentir.

coulure → COULER.

Coumanie, région de Hongrie où 40 000 familles coumanes se réfugièrent en 1238 pour fuir la conquête mongole.

Coumans ou **Comans** (gr. *Komanoi*), peuple turc, appelé aussi **Kiptchaks** par les Turcs et **Polovtsy** par les Russes, installé en Russie méridionale du XIe au XIIIe s. Après l'écrasement des Petchenègues*, puis des Oghouz* (1065), les Coumans furent maîtres des steppes allant de l'Oural à l'embouchure du Danube. Ils s'opposèrent aux Russes de Kiev, dont ils s'efforcèrent de ruiner le commerce par le Dniepr. Ils réussirent le sac de Kiev en 1203, mais ils furent à leur tour vaincus par les Mongols de Gengis khān, en 1222. En 1237, ils durent se soumettre à la domination mongole. Un certain nombre se réfugia en Hongrie, dans la région appelée *Coumanie.*

coumarine n. f. Lactone de l'acide coumarinique, de formule $C_9H_6O_2$. (La coumarine, que l'on retire de la fève tonka*, peut être préparée à partir de l'aldéhyde salicylique et de l'acide acétique ; elle forme des cristaux peu solubles dans l'eau, fondant à 67 ^{0}C ; son odeur agréable la fait employer en parfumerie. Les dérivés de la coumarine sont utilisés comme anticoagulants pour le traitement des thromboses.) ◆ **coumarinique** adj. Se dit d'un acide de formule $C_9H_8O_3$, orthohydroxycis-cinnamique. ◆ **coumarique** adj. Se dit de l'acide-phénol orthohydroxy-trans-cinnamique $C_9H_8O_3$, obtenu par hydratation de la coumarine. ◆ **coumarone** n. f. Liquide, de formule C_8H_6O, retiré du goudron de houille, dont la polymérisation fournit des résines artificielles jaunes thermoplastiques.

coumarouna n. m. Papilionacée arborescente, qui fournit, outre son bois très dur, la fève tonka*.

Coumassie. V. KOUMASSI.

Counaxa. *Géogr. anc.* V. de l'Empire perse, où, en 401 av. J.-C., une bataille opposa Artaxerxès II à son frère Cyrus, révolté contre lui. Cyrus fut tué, mais ses mercenaires grecs, restés maîtres du terrain, entreprirent la retraite des Dix* Mille.

Council Bluffs, v. des Etats-Unis (Iowa) ; 54 400 h. Fondée par les Mormons sous le nom de *Kanesville* (1846). Industries alimentaires et mécaniques.

coup n. m. (lat. pop. *colaphus;* gr. *kolaphos*). **1.** Choc qui résulte du mouvement d'un corps qui vient en frapper un autre : *Coup de poing. Coup de couteau, de bâton. Porter, recevoir, parer un coup.* || *Fig.* Acte, action qui frappe quelqu'un physiquement ou moralement : *L'échec à l'examen lui a porté un coup très sensible.* || **2.** Action de se battre, voies de fait (au plur. en ce sens) : *En venir aux coups.* || Combat à main armée (au plur. en ce sens) : *La diplomatie ne se tait que lorsque les coups empêchent qu'on l'entende.* || Marque d'un coup, blessure : *Avoir le corps noir de coups. Tomber percé de coups.* || *Partic.* En parlant des armes à feu, décharge, détonation : *Un chasseur qui n'a pas tiré un coup de fusil.* || Son que rendent certains corps quand on les frappe : *Le rideau se lève après les trois coups.* || *Partic.* Heure précise sonnée par une horloge : *Au coup, sur le coup de midi.* || **3.** Mouvement violent ou soudain des éléments, du temps : *Coup de mer. Coup de roulis. Un coup de vent a emporté les tuiles du toit.* || **4.** Action, entreprise ou acte décisif : *Manquer, réussir son coup. Tenter le coup.* (Souvent péjorativement : *C'est lui qui a fait le coup.*) || **5.** Mouvement, action rapide effectués par une partie du corps ou au moyen d'un instrument : *Coup de coude. Coup d'épaule. Coup de fouet. Coup de peigne.* || *Fam.* Savoir-faire, adresse d'exécution : *Il a eu vite pris le coup. Vous avez le coup.* || **6.** Ce qu'on absorbe en une fois : *Boire un coup de blanc.* || **7.** En termes de jeu ou de sports, chacune des actions ou combinaisons que fait un joueur au cours d'une partie : *Recourir à des coups défendus.* || *Fig.* Chance, favorable ou défavorable : *Coup du* ciel, de la Providence. ● *Avoir un coup dans le nez, dans l'aile* (Fam.), être éméché. ‖ *Beau coup,* coup particulièrement réussi ; et, par antiphrase, sottise : *Il a fait là un beau coup.* ‖ *Coup anormal,* mesure s'écartant notablement du groupe des nombreuses autres mesures effectuées dans une opération statistique, alors qu'elle est notée comme obtenue dans les mêmes conditions que les autres. ‖ *Coup d'arc,* éblouissement causé par un arc électrique. ‖ *Coup de balai, coup de torchon* (Fig. et fam.), élimination, épuration violente d'éléments indésirables. ‖ *Coup de barre,* mouvement brusque et prononcé donné à la barre du gouvernail par l'homme chargé de la manœuvrer ; et, au *fig.,* changement brusque dans la conduite d'une affaire. ‖ *Coup bas,* en boxe, coup interdit porté au-dessous de la ceinture ; et, au *fig.,* manœuvre déloyale. ‖ *Coup de bec, coup de dent, coup d'épingle, coup de griffe, coup de langue, coup de patte* (Fig.), parole, réflexion désobligeante pour quelqu'un. ‖ *Coup de bélier,* v. BÉLIER. ‖ *Coups et blessures,* expression couvrant diverses incriminations voisines, mais que le Code pénal différencie assez profondément les unes des autres et qui, supposant soit une lésion produite sur le corps de la victime (fracture, plaie, brûlure), soit un heurt ou un choc infligé à la victime directement ou à l'aide d'un instrument, sont punies différemment, selon les circonstances, comme contraventions, délits ou crimes. ‖ *Coup de charge,* pression temporaire anormalement forte provenant du toit et pouvant provoquer l'éboulement du chantier, dans une mine. ‖ *Coup de chien* (Fam.), traîtrise, acte sournois ; événement qui frappe brutalement, d'une manière inattendue ; et, *partic.,* tempête subite ; émeute, tumulte séditieux : *S'attendre à un coup de chien.* ‖ *Coup de crayon, coup de pinceau,* aptitude, habileté à dessiner, à peindre. ‖ *Coup de désespoir, de folie,* action violente, subite, provoquée par le désespoir, la folie. ‖ *Coup double,* coup de fusil qui tue deux pièces de gibier. ‖ *Coup droit,* au tennis, au Ping-Pong, frappe de la balle du côté où l'on tient normalement la raquette. ‖ *Coup dur* (Fig.), événement fâcheux. ‖ *Coup d'eau,* venue d'eau brutale et importante, pouvant noyer un chantier ou même toute la mine. ‖ *Coup d'épée dans l'eau, coup en l'air,* tentative inutile. ‖ *Coup d'éclat,* action, exploit qui fait grand bruit, attire un grand renom ; et aussi action qui rompt brutalement avec des habitudes, une situation. ‖ *Coup d'envoi,* v. ENVOI. ‖ *Coup d'essai,* v. ESSAI. ‖ *Coup d'Etat,* v. ETAT. ‖ *Coup de feu,* coup tiré avec une arme à feu. — Dans une chaudière, accident consistant dans la brûlure d'une partie de la surface de chauffe exposée au rayonnement du foyer ou au contact de la flamme, et insuffisamment refroidie par l'eau. — Hausse brutale de la température du foyer qui brûle un plat ; trace laissée par un feu trop vif ; et, au *fig.* et *fam.,* moment de presse : *A midi, c'est le coup de feu à la cuisine.* ‖ *Coup de fil* (Fam.), communication téléphonique. ‖ *Coup de force,* mesures violentes prises par les autorités, contrairement au droit. ‖ *Coup de fouet,* v. SOUBRESAUT. ‖ *Coup fourré,* entreprise sans résultat. — En escrime, coup que reçoit et coup que donne en même temps chacun des deux adversaires, et appelé aussi COUP DOUBLE. ‖ *Coup franc,* coup de pied donné, au rugby, à la suite d'un arrêt de volée, et, au football, accordé à la suite d'une irrégularité de l'adversaire. ‖ *Coup de glotte,* en phonétique, fermeture rapide du larynx, provoquant une attaque brusque du son. (Phénomène rare en français, fréquent en danois ou en arabe.) ‖ *Coup de grisou,* inflammation d'air grisouteux à teneur explosive, de caractère brutal et important, ayant de graves conséquences. ‖ *Coup de hache,* dépression située entre l'encolure et le garrot d'un cheval. ‖ *Coup de lance,* cavité au bas de l'encolure, à l'épaule, au bras, à la fesse d'un cheval. ‖ *Coup de langue,* médisance, raillerie. ‖ *Coup de main,* opération militaire locale, menée par surprise en vue d'obtenir des renseignements sur l'ennemi. (Elle est appelée *coup de main de va-et-vient* quand elle a pour but de s'emparer de prisonniers, de matériel, etc.) ‖ *Coup de maître,* v. MAÎTRE. ‖ *Coup de mer,* gros paquet de mer venant frapper le navire et embarquant à bord. ‖ *Coup de mine,* détonation de l'explosif dans un trou de mine. ‖ *Coup d'œil,* regard rapide : *Reconnaître quelqu'un d'un coup d'œil.* — Examen rapide : *D'un seul coup d'œil, le chirurgien comprit l'état du blessé.* — Aspect, vue d'ensemble : *Le coup d'œil était magnifique.* — Aptitude à voir, à juger, à comprendre rapidement : *Il avait un étonnant coup d'œil.* ‖ *Coup du père François* (Fam.), coup exécuté par deux compères dont l'un étrangle le passant avec un foulard, tandis que l'autre lui vide les poches ; et, au *fig.,* manœuvre déloyale. ‖ *Coup de poing sur la table* (Fig.), acte d'autorité absolue accompli avec soudaineté et violence. ‖ *Coup de pompe* (Fam.), défaillance, perte subite des forces. ‖ *Coup de pouce* (Fam.), légère rectification que le modeleur apporte à la pâte modelée au moyen du pouce ; et, au *fig.,* légère aide, souvent frauduleuse : *Il a donné un coup de pouce à la vérité.* ‖ *Coup de poussière,* propagation de la combustion des poussières de charbon déposées dans des galeries de mine, qui sont soulevées et brûlent dans un tourbillon d'air. ‖ *Coup du roi,* coup de fusil tiré à peu près verticalement au-dessus du chasseur. ‖ *Coup de roulis,* inclinaison du navire de droite à gauche, ou inversement. ‖ *Coup de sang,* v. SANG. ‖ *Coup de tangage,* mouvement du navire de l'arrière à l'avant, ou inversement. ‖ *Coup de tête,* action brutale et irréfléchie. ‖ *Coup de torchon* (Arg.), lutte à coups de poing ; brusque accident. ‖ *Coup de vent,* augmentation considérable dans l'intensité du vent. (On dit aussi, *fam.,* COUP DE TABAC.) ‖ *En mettre, en jeter un coup* (Fam.), faire un gros effort : *En mettre un coup pour finir son travail.* || *En prendre un coup, un bon coup,* subir une atteinte grave : *Une réputation qui en prend un bon coup.* || *Etre, mettre aux cent coups,* être, mettre dans une folle inquiétude. || *Etre, mettre dans le coup,* participer, faire participer à l'action, à l'opération ; être au courant, mettre au courant. || *Expliquer le coup,* mettre au courant d'une opération, d'une situation : *Le chef de bande explique le coup à ses complices.* || *Faire les cent coups, les quatre cents coups,* faire grand tapage ; se livrer à toutes sortes d'excès ; mener une vie de débauche. || *Faire coup double* ou *faire d'une pierre deux coups,* obtenir un double résultat par un seul acte. || *Faire le coup de poing,* se battre à coups de poing. || *Le coup de pied de l'âne* (par allus. à la fable de Phèdre, reprise par La Fontaine, *le Lion devenu vieux*), insulte, atteinte lâchement portée à quelqu'un qui ne peut plus se défendre. || *Manquer son coup,* V. MANQUER. || *Marquer le coup,* mettre en relief un détail, un incident ; célébrer un événement : *On boira du champagne pour marquer le coup.* — Montrer par ses réactions qu'on a été sensible à une atteinte qu'on a reçue. (On dit aussi, en ce sens, ACCUSER LE COUP.) || *Pêche au coup,* pêche à la ligne autre que le lancer. || *Prendre un coup de vieux* (Fam.), vieillir brutalement. || *Recevoir un coup de pied, un coup de pied au cul* (Pop.), subir un échec, un outrage. || *Regarder, compter les coups* (Fig.), juger des coups, assister en spectateur à une lutte, à une querelle, en évitant soigneusement d'y prendre part. || *Sale coup, sale coup pour la fanfare* (Fam.), accident, événement qui atteint d'une façon particulièrement pénible : *La sécheresse a été un sale coup pour l'agriculture.* — Traîtrise ; action malhonnête. || *Se monter le coup,* V. MONTER. || *Tenir le coup,* résister, supporter la fatigue, l'adversité : *Une entreprise qui réussit à tenir le coup malgré la concurrence.* || *Valoir le coup* (Fam.), valoir la peine qu'on se donne. ● LOC. ADV. *A tout coup, à tous les coups,* à chaque fois, en toute occasion : *A tous les coups l'on gagne.* || *Après coup,* une fois la chose faite, trop tard. || *Au premier coup, du premier coup,* la première fois, à la première fois. || *Coup par coup,* mode de tir d'une arme automatique par lequel on ne tire qu'une cartouche à la fois (par oppos. au tir *par rafales*). || *Coup sur coup,* en se succédant sans interruption. || *Du coup,* dans ces conditions, par le fait même : *Un coup de sifflet retentit ; du coup, l'automobiliste s'arrêta.* || *Du même coup,* en même temps, par la même occasion. || *D'un coup, d'un seul coup,* en une seule fois ; soudainement : *Conquérir d'un seul coup la notoriété et la fortune.* || *Pour ce coup, pour le coup,* cette fois. || *Sous le coup,* sous l'effet d'un choc qui abat : *Sous le coup, il ne put articuler un mot.* || *Tout à coup,* soudainement et d'une manière inattendue : *S'apercevoir tout à coup qu'on est en retard.* || *Tout d'un coup,* en une seule fois ; soudainement : *Il a gagné plusieurs millions tout d'un coup. Tout d'un coup, il se tut.* ● LOC. PRÉP. *A coups de,* en frappant ou en attaquant avec : *A coups de canon. A coups de fusil.* — En se servant de, en ne se servant que de : *Traduire un texte à coups de dictionnaire.* || *Sous le coup de,* sous l'influence, la menace de : *Bredouiller sous le coup de l'émotion.* ◆ **coup-de-poing** n. m. *Préhist.* Instrument très répandu, en forme d'amande, taillé sur les deux faces. (De forme et de taille très variables, le coup-de-poing est l'instrument type du paléolithique inférieur.) [Syn. BIFACE.] — Pl. *des* COUPS-DE-POING. ● *Coup-de-poing américain,* arme consistant en une pièce métallique munie ou non de pointes, et percée de trous dans lesquels on passe les doigts.

coupable adj. et n. (lat. *culpabilis ;* de *culpa,* faute). Qui a commis un crime, un délit, une faute : *L'accusé a été reconnu coupable.* || Responsable d'un acte indifférent ou louable : *Il est coupable de cette plaisanterie.* ✦ adj. En parlant des choses, condamnable, criminel : *Un amour coupable.* || — SYN. : *criminel, délinquant, fautif, responsable ; blâmable, condamnable, délictueux, illégitime, illicite, répréhensible.* ◆ **coupablement** adv. De façon coupable.

coupage, coupailler, coupant → COUPER.

coup-de-poing → COUP.

1. coupe → COUPER.

2. coupe n. f. (lat. *cuppa ;* de *cupa,* barrique). Vase à boire en cristal, en verre ou en métal, porté sur un pied et ordinairement plus large que profond. || Son contenu : *Boire une coupe de champagne.* || Partie d'un vase à boire dans laquelle on verse le liquide : *La coupe et le pied d'un calice.* || Prix donné au vainqueur dans certaines courses ou dans certains concours. || Petit canal pratiqué sous les appuis des croisées, servant à l'écoulement des eaux pluviales. || *Fig.* Source de biens ou de maux : *La coupe du plaisir, du malheur.* ● *Boire la coupe jusqu'à la lie,* ne se voir épargner aucune douleur, aucune humiliation. ◆ **coupellation** n. f. Opération ayant pour objet de séparer par oxydation un ou plusieurs éléments à partir d'un mélange liquide, lorsque leur affinité pour l'oxygène est différente. ◆ **coupelle** n. f. Petite coupe. || Petit creuset de terre réfractaire, de porcelaine, de cristal, de grès, etc., utilisé dans les laboratoires. || Petit creuset en os calcinés, pour la coupellation. (Syn. CENDRÉE D'AFFINAGE, CASSE D'AFFINAGE.) || Accessoire de colonne à plateaux. (Syn. CALOTTE, CHAPEAU, CLOCHE.) || Partie d'un brûleur où est amené le combustible liquide et où s'effectue la gazéification. || Calotte protectrice des filaments émissifs dans une lampe fluorescente à cathode chaude. || Bille

Kempter

coupe grecque : « Achille et Penthésilée »
glyptothèque de Munich

Giraudon

coupe chinoise
en argent et or gravés
époque T'ang
musée Guimet

découpée dans une maîtresse branche. ◆ **coupeller** v. tr. Passer à la coupelle ; essayer par coupellation : *Coupeller de l'or.*

Coupe (en lat. *Crater, -eris*), petite constellation* de l'hémisphère austral, à l'E. de la constellation du *Corbeau.* Elle est dessinée par des étoiles peu brillantes. (V. CIEL.)

coupé, coupe-air, coupe-chou ou **coupe-choux, coupe-cigares, coupe-circuit, coupe-cors, coupe-coupe, coupée, coupe-feu, coupe-file, coupe-gaz, coupe-gorge, coupe-jambon, coupe-jarret, coupe-légumes, coupé-lit** → COUPER.

coupellation, coupelle, coupeller → COUPE 2.

coupement, coupe-mottes, coupe-ongles, coupe-papier, coupe-pâte, coupe-queue → COUPER.

couper v. tr. (de *coup*). Séparer au moyen d'un instrument tranchant : *Couper une tranche de pain.* ‖ *Partic.* Amputer un membre : *Couper un bras, une jambe.* ‖ Châtrer : *Couper un chat, un chien.* ‖ *Absol.* Trancher : *Couteau qui coupe bien.* ‖ Blesser, écorcher, entamer : *Il s'est coupé la peau.* ‖ Tailler selon un patron, en vue de la confection d'un vêtement. ‖ Diviser, partager : *Le fleuve coupe la ville en deux parties.* ‖ Distribuer les parties d'une œuvre littéraire : *Trois ou cinq actes, c'est la manière la plus usitée de couper les œuvres dramatiques.* ‖ Intercepter, interrompre, arrêter le développement de : *Couper une route, le ravitaillement, les communications, les gaz, le contact, Des entretiens coupés de pauses.* ‖ Ménager des repos dans la phrase : *Il ne faut pas trop couper son style.* ‖ *Fig.* Séparer : *Couper l'ennemi de ses bases.* ‖ Passer à travers ; croiser : *Le sentier coupe un coin de la forêt.* ‖ Tempérer par un autre liquide : *Couper le vin d'eau.* ‖ Retrancher, supprimer : *Couper un chapitre dans un ouvrage.* ‖ Causer une sensation comparable à une coupure : *Vent qui coupe le visage.* ‖ — SYN. : *amputer, arrêter, diviser, intercepter, interrompre, partager, sectionner, séparer, tailler, trancher.* ● *A couper au couteau, à couper par tranches* (Fam.), extrêmement épais : *Brouillard à couper au couteau. Bêtise à couper au couteau.* ‖ *Couper à* ou *dans la racine, couper la racine, couper par le pied* (Fam.), extirper radicalement : *Couper le mal dans la racine.* ‖ *Couper l'appétit,* enlever le désir de manger. ‖ *Couper la balle,* au tennis, au Ping-Pong, lui donner un effet*. ‖ *Couper les bras* ou *couper bras et jambes à quelqu'un* (Fig. et fam.), lui causer une stupeur profonde ; lui ôter tout moyen d'agir. ‖ *Couper* ou *fendre un cheveu en quatre* (Fam.), analyser trop rigoureusement, chicaner. ‖ *Couper une communication téléphonique,* l'interrompre ; et, absol. : *Ne coupez pas, s. v. p.* ‖ *Couper la fièvre,* arrêter la montée de la température. ‖ *Couper l'herbe sous le pied de quelqu'un,* le supplanter dans quelque affaire. ‖ *Couper l'or,* partager une feuille d'or en quatre parties, dans l'opération du battage. ‖ *Couper du papier* ou *du carton,* mettre sous forme de rames le papier ou le carton. ‖ *Couper la parole,* interrompre une personne qui parle. (On dit aussi familièrement COUPER QUELQU'UN.) ‖ *Couper les ponts,* rompre avec quelqu'un. ‖ *Couper la respiration, le souffle,* suffoquer : *La magnificence du spectacle lui coupa le souffle.* ‖ *Couper la route à un navire,* suivre une route qui fait passer sur l'avant de ce navire. ‖ *Couper le sifflet à quelqu'un* (Pop.), lui couper la parole de manière qu'il ne sache plus que dire. (On dit, plus familièrement encore, *Ça te la coupe !*) ‖ *Couper la voie*, en parlant d'un cavalier, d'un véhicule, traverser le passage de l'animal de chasse. ✦ v. tr. ind. [**à, de**]. *Fam.* Eviter adroitement une fatigue ou un travail ; échapper à : *Couper à toutes les corvées.* ● *Y couper de* (Fam.), échapper à : *Il n'y coupera pas des travaux forcés.* ✦ v. intr. Aller directement : *Couper par le plus court chemin.* ‖ Séparer en deux paquets les cartes d'un jeu après qu'elles ont été battues par l'adversaire. ‖ Prendre une carte de l'adversaire avec un atout. ‖ Abréger un discours : *Coupons court.* ‖ *Fig.* et *fam.* Tomber dans un piège ; accepter, admettre, croire naïvement : *Couper dans le panneau.* ‖ **— se couper** v. pr. *Fam.* Se contredire par inadvertance, se trahir : *Il s'est coupé, on connaît maintenant son secret.* ‖ En parlant d'un petit enfant, avoir une irritation de la peau par suite de frottements. ‖ En parlant d'une étoffe, s'user à l'endroit des plis. ● *Se couper en quatre pour quelqu'un*, lui être absolument dévoué. ◆ **coupage** n. m. Action de couper. ‖ Mélange de divers vins, pour unifier la récolte d'une cave ou obtenir un vin mieux constitué à partir de vins de qualité différente. ‖ Mélange d'eaux-de-vie de degré alcoolique différent. ‖ Addition d'eau à un liquide quelconque dont on veut diminuer la force. (Cette sorte de coupage, ou MOUILLAGE, appliquée au vin, est une falsification.) ‖ Autref., découpage des flans monétaires. (On dit auj. DÉCOUPAGE.) ● *Coupage d'éponte, coupage du mur* ou *du toit*, action d'entailler le mur ou le toit d'une couche mince, pour avoir suffisamment de hauteur dans le creusement d'une galerie de mine. ◆ **coupailler** v. tr. *Fam.* Couper maladroitement. ◆ **coupant, e** adj. Qui coupe bien, affilé : *Des ciseaux coupants. Herbe coupante.* ‖ *Fig.* Brutal, autoritaire, qui n'admet pas de réplique : *Parler d'un ton coupant.* ‖ — SYN. : *tranchant.* ◆ **coupe** n. f. Action de couper : *La coupe des foins.* ‖ Abattage des arbres forestiers : *Diriger la coupe d'un bois.* ‖ Etendue de bois abattu ou à abattre : *Une forêt éclaircie par de nombreuses coupes.* ‖ Endroit où une chose a été coupée : *La coupe d'un tronc d'arbre.* ‖ Action qui consiste à tailler du tissu pour en faire un vêtement : *Une bonne coupe. Leçon de coupe.* ‖ Métrage déterminé d'un tissu quelconque : *Une coupe de soierie.* ‖ Manière dont un vêtement est fait : *Habit d'une coupe élégante.* ‖ Manière de couper les cheveux : *Une coupe moderne.* ‖ Art de tailler les pierres de construction. ‖ Manière de découper les carcasses d'animaux de boucherie, qui varie suivant les régions. ‖ Chacune des tontes subies par les étoffes de laine. ‖ Opération par laquelle un outil tranchant enlève, sous forme de copeaux, de la matière d'une pièce à façonner. ‖ Dessin d'architecture représentant l'intérieur d'un édifice supposé coupé suivant un plan vertical, longitudinal ou transversal. ‖ Endroit du vers où un groupe tonique finit et où un autre commence. ‖ Action de séparer en deux un paquet de cartes à jouer, en mettant ensuite au-dessus du paquet ce qui était en dessous. ‖ Manière de disposer le joint par rapport aux pièces de bois assemblées. ‖ Produit obtenu par fractionnement d'un mélange pétrolier. ‖ Dans le triage par gravité, ensemble de wagons qui sont dirigés sur une même voie. ‖ *Fig.* Contour, forme : *Une coupe de visage régulière.* ● *A coupe perdue*, se dit des bottes de lames de parquet lorsque celles-ci sont d'inégales longueurs. ‖ *Coupe binaire, ternaire*, division d'un morceau de musique en deux ou trois sections. ‖ *Coupe à blanc*, suppression totale : *Faire une coupe à blanc dans un bois.* ‖ *Coupe à blanc estoc*, partie d'un bois entièrement exploitée. ‖ *Coupe définitive*, opération qui consiste à couper les arbres qui ont subsisté après la coupe d'ensemencement et la coupe secondaire, quand les nouveaux arbres sont assez vigoureux. ‖ *Coupe géologique*, figure établie suivant un tracé linéaire d'après une carte topographique et la carte géologique qui y correspond. (On y représente les couches géologiques qui sont proches de la surface du sol. La coupe géologique fait ressortir la structure d'une région.) ‖ *Coupe histologique*, tranche mince débitée dans un organe animal ou végétal en vue de l'observation au microscope par transparence. (Les coupes botaniques n'ont besoin que d'être colorées après exécution ; les coupes zoologiques, beaucoup plus difficiles, ne peuvent être réalisées que sur des organes préalablement fixés, déshydratés et inclus dans la paraffine ; après avoir coupé, on réhydrate et on colore ; zoologiques ou botaniques, les coupes peuvent être rendues indestructibles par montage entre lame et lamelle

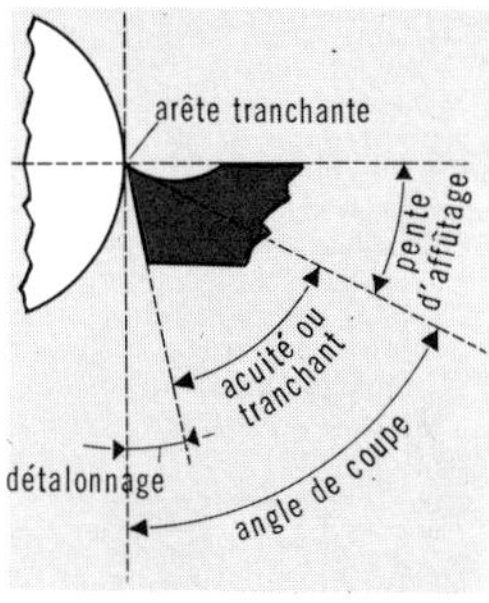

coupe (mécan.)

dans du baume du Canada.) || *Coupe du papier* ou *du carton,* mise en rames du papier ou du carton. || *Coupe de la phrase,* division de la phrase en éléments ou groupes rythmiques. || *Coupe réglée,* coupe annuelle d'une partie de bois déterminée. || *Coupe secondaire,* coupe d'une partie des arbres laissés par la coupe sombre, pour donner air et lumière aux jeunes semis. || *Coupe sombre* ou *coupe d'ensemencement,* coupe d'une partie des arbres d'un massif, permettant l'ensemencement du sol par les graines des arbres restants ; et, au *fig.,* suppression importante : *Coupes sombres dans un manuscrit.* — *Partic.* Economies, licenciements massifs : *Coupes sombres dans le budget, dans le personnel.* || *Coupe syllabique,* division du mot en syllabes. || *Coupe en usance,* partie d'un bois en exploitation. || *Coupe usée,* partie d'un bois dans laquelle la coupe a été faite et vidée. || *Faire sauter la coupe,* rétablir avec dextérité les paquets de cartes comme ils étaient avant la coupe. || *Fausse coupe,* reste d'une pièce d'étoffe insuffisant pour faire un vêtement : *Utiliser une fausse coupe pour faire un vêtement d'enfant.* || *Mettre quelque chose en coupe réglée,* opérer régulièrement des prélèvements au détriment de cette chose. || *Outil de coupe,* outil utilisé pour le travail de coupe des métaux. || *Tomber, être sous la coupe de quelqu'un,* tomber, être sous sa dépendance. ◆ **coupé, e** adj. Dessiné, formé : *Un visage bien coupé.* || En héraldique, se dit de l'écu divisé en deux par une ligne horizontale. ● *Pan coupé,* surface plane qui remplace l'angle, à la jonction de deux parois. || *Spectacle coupé,* représentation où l'on joue des fragments de différentes pièces, ou programme composé de plusieurs pièces courtes.

Larousse

coupé de ville
bibliothèque des Arts décoratifs

|| — ***coupé*** n. m. Voiture fermée, à quatre roues, généralement à deux places. || Compartiment d'une voiture de chemin de fer ne comportant qu'une seule banquette. || Partie antérieure d'une diligence. || Anc. forme de carrosserie pour automobile de ville, comportant, à l'avant, le siège du chauffeur et, à l'arrière, une caisse fermée avec ou sans strapontin. ◆ **coupe-air** n. m. invar. Syn. de GARDE D'EAU. ◆ **coupe-chou** ou **coupe-choux** n. m. Sabre très court, porté par les fantassins de 1831 à 1866. || Sabre d'abattis que portaient les tirailleurs sénégalais. || *Fam.* Rasoir. ◆ **coupe-cigares** n. m. invar. Instrument de forme variable, pour couper le bout des cigares. ◆ **coupe-circuit** n. m. invar. (abrév. de *coupe-circuit à fusible*). Appareil destiné à couper, par la fusion d'un de ses éléments, prévu à cet effet, le circuit dans lequel il est inséré, lorsque le courant qui le parcourt dépasse une certaine valeur. ◆ **coupe-cors** n. m. invar. Instrument tranchant à lame légèrement recourbée, pour couper les cors et les durillons. ◆ **coupe-coupe** n. m. invar. Sabre d'abattis utilisé dans la forêt vierge. || Arme blanche qui équipait notamment les tirailleurs sénégalais. ◆ **coupée** n. f. Ouverture pratiquée dans le flanc d'un navire pour permettre d'y accéder grâce à l'*échelle* dite *de coupée.* (C'est « à la coupée » que les honneurs réglementaires sont rendus aux officiers ou aux personnalités qui montent à bord ou quittent le navire.) ◆ **coupe-feu** n. m. et adj. invar. Dispositif artificiel (mur, espace sans arbres dans une forêt) destiné à empêcher la propagation des incendies. ● *Portes, rideaux coupe-feu,* systèmes verticaux, à fermeture automatique, obstruant les ouvertures d'un mur coupe-feu. ◆ **coupe-file** n. m. invar. Laissez-passer délivré par les services de police, qui permet de franchir les barrages de police, les files de voitures. ◆ **coupe-gaz** n. m. invar. Appareil de sécurité destiné à interrompre le passage du gaz au brûleur, en cas d'insuffisance de la pression. ◆ **coupe-gorge** n. m. invar. Lieu écarté, endroit suspect où l'on court le risque d'être assassiné : *Cette ruelle est un véritable coupe-gorge.* || Endroit où il se commet ordinairement quelque injustice criante, quelque friponnerie : *Cet hôtel est un véritable coupe-gorge.* || Tripot où les joueurs honnêtes ont peu de chances de gagner. ◆ **coupe-jambon** n. m. invar. Couteau mécanique pour débiter en tranches le jambon désossé. ◆ **coupe-jarret** n. m. Brigand, assassin de profession : *Recruter des gardes du corps parmi les coupe-jarrets.* — Pl. *des* COUPE-JARRETS. ◆ **coupe-légumes** n. m. invar. Instrument servant à couper les légumes en menus morceaux ou en morceaux de dessin déterminé. (Syn. HACHE-LÉGUMES.) ◆ **coupé-lit** n. m. *Ch. de f.* Coupé de voiture à voyageurs dont le dossier bascule en arrière et transforme le siège en lit. — Pl. *des* COUPÉS-LITS. ◆ **coupement** n. m. Action de couper. ◆ **coupe-mottes** n. m. invar. Appareil de préparation des argiles sèches, destiné à les réduire en petits fragments. (Syn. BRISE-MOTTES.) ◆ **coupe-ongles** n. m. invar. Sorte de ciseaux en acier, à lames courtes et courbes, ou de pinces servant à couper les ongles des mains et des pieds. ◆ **coupe-papier** n. m. invar. Couteau en bois, en os, etc., pour couper le papier, séparer les feuillets d'un livre, etc. ◆ **coupe-pâte** n. m. invar. Couteau avec lequel le boulanger racle le pétrin. || Instrument

utilisé en pâtisserie pour découper dans la pâte des morceaux de diverses formes. ◆ **coupe-queue** n. m. invar. Instrument permettant de couper la queue des animaux. ◆ **coupe-racines** n. m. invar. Machine qui sert à découper en lamelles ou en cossettes les racines ou les tubercules destinés à la nourriture des animaux ou à la distillerie. ◆ **couperet** n. m. Couteau large et court de boucherie et de cuisine, pour couper la viande. || Grosse lame tranchante ; et, *partic.*, couteau de la guillotine. || Masse utilisée par le carrier pour débiter des blocs en vue de faire des pavés. ● *Se mettre la tête sous le couperet* (Fig.), agir imprudemment. ◆ **couperie** n. f. Atelier où l'on coupe les poils destinés à la fabrication des feutres. ◆ **coupe-tirage** n. m. invar. Dispositif de régulation automatique du tirage. ◆ **coupe-tube** n. m. invar. Instrument employé en mécanique et en métallurgie pour sectionner les tubes. ◆ **coupe-vent** n. m. et adj. invar. Dispositif de tôle en forme de V placé à l'avant de véhicules rapides pour réduire la résistance de l'air. ◆ **coupeur, euse** n. Personne qui coupe, fait couper : *Coupeur de têtes.* || Ouvrier ou ouvrière sachant couper et essayer un vêtement d'après un modèle, et organiser l'ensemble du travail dans un atelier de couture. || Ouvrier qui débite en pavés le granite ou le grès. || Ouvrier chargé de découper les flans destinés à être frappés en monnaies ou médailles. (On dit aussi DÉCOUPEUR.) ● *Coupeur de bourses,* voleur adroit. || *Coupeur de cheveux, de fil en quatre* (Fam.), chicaneur subtil. || *Coupeur d'oreilles,* querelleur, spadassin. || — ***coupeuse*** n. f. Machine à couper. || Matériel découpant en feuilles, ou formant le papier ou le carton à partir de bobines ou de rouleaux. ● *Coupeuses de feuilles,* fourmis qui récoltent des fragments de feuilles et les rapportent au nid comme milieu de culture pour les champignons dont elles se nourrissent. ◆ **coupoir** n. m. Outil pour couper les corps durs. || Outil des typographes, qui leur permet de couper les interlignes, filets, espaces, etc., à la justification voulue. ◆ **coupure** n. f. Séparation, division produite par un instrument tranchant : *Se faire une coupure avec un couteau.* || Fente qui se produit dans les plis de la peau. || Interruption d'un courant électrique. || Fossé pour l'écoulement des eaux. || Elément de fortification bastionnée servant à flanquer le fossé de demi-lune. || Fossé, obstacle naturel, formé par un fleuve, une vallée ou un autre accident géographique, s'opposant à la progression des troupes : *La défense d'une coupure.* || *Fig.* Séparation marquée, rupture de continuité. || Suppression d'une réplique, d'un fragment de scène ou d'acte, d'une ou plusieurs séquences. || Objet coupé ; et, partic. : *Coupures de journaux* (articles découpés de journaux). || Fraction d'un titre formant un tout, mais dont les parties peuvent être acquises séparément. || Billet de banque d'une valeur moindre que celle du billet type. || Procédé de définition d'un nombre réel, notamment d'un nombre irrationnel, comme limite commune de deux suites infinies de nombres. || Dans le plan de la variable complexe, trait ne pouvant être franchi par la variable et destiné à rendre uniformes les diverses déterminations d'une fonction multiforme. || Dans la fonderie des caractères typographiques, opération qui consiste à faire la gouttière, le talus et le cran des lettres. ● *Coupure à air libre,* passage spécial donnant issue aux flammes et aux fumées qui proviennent d'un local dangereux. || *Coupure d'antenne,* discontinuité extrêmement réduite et à large surface, séparant l'antenne de l'installation réceptrice radio-électrique, et dont le rôle est de protéger les appareils contre les fortes décharges atmosphériques. || *Station point de coupure,* station télégraphique où les lignes sont arrêtées sur des isolateurs, arrêts doubles, de manière à être coupées facilement lorsque les besoins l'exigent. || — ***coupures*** n. f. pl. Rognures dans la fabrication des tabacs.

Couperin, dynastie française d'organistes, clavecinistes, compositeurs, fixée en Brie dès le XVIe s. LOUIS (Chaumes-en-Brie v. 1626 - Paris 1661), violiste, organiste de Saint-Gervais, a écrit des pièces pour orgue, clavecin et violes. Par la qualité et l'audace de son langage harmonique, il reste l'un des plus grands musiciens de son temps. — Son frère

Couperin le Grand
gravure de J. Ch. Flipart
d'après Bouys
coll. part.

Larousse

FRANÇOIS Ier (Chaumes-en-Brie v. 1630 - Paris 1701) fut organiste et professeur de clavecin. — CHARLES (Chaumes-en-Brie 1638 - Paris 1679), frère des précédents, fut organiste de Saint-Gervais. — FRANÇOIS, dit **Couperin le Grand** (Paris 1668 - *id.* 1733), fils du précédent, organiste de Saint-Gervais, puis de la chapelle royale, claveciniste du roi, a écrit 14 motets (*Laudate pueri,* 1697), 3 leçons de ténèbres (1715), 2 messes pour orgue, 240 pièces de clavecin, groupées en quatre livres, de la musique de chambre : sonates en trio (reprises et enrichies en 1726), 4 *Concerts royaux,* 10 concerts des *Goûts réunis, Apothéose de Corelli* (1724), *Apothéose de Lully* (1725), 2 *Suites* de violes. En des œuvres plus intimes qu'éclatantes, Couperin allie les styles français et italien. — Après lui, la dynastie des Couperin se continua jusqu'au début du XIXe s. par des clavecinistes, des chanteuses, des organistes.

couperose n. f. (lat. *cuprirosa,* rose de cuivre). Nom usuel de divers sulfates hydratés : *couperose verte* (sulfate de fer), *bleue* (de cuivre), *blanche* (de zinc). || Affection cutanée du visage, caractérisée par une coloration vive avec dilatation vasculaire, s'accompagnant parfois d'acné (acné rosacée) et même d'hypertrophie du nez (rhinophyma). ◆ **couperosé, e** adj. Marqué de couperose.

Couperus (Louis), écrivain néerlandais (La Haye 1863 - De Steeg 1923). Il devint célèbre avec un roman réaliste, *Eline Vere* (1889), qui se déroule dans les milieux décadents de La Haye, mais ses meilleures œuvres furent par la suite des romans historiques et idéologiques : *les Livres des petites âmes* (1901-1903), *la Montagne de lumière* (1905-1906), *Iskander* (1920).

coupe-tirage, coupe-tube, coupeur, coupeuse → COUPER.

couplage → COUPLER.

Couplan, vallée des Hautes-Pyrénées, arrosée par la *Neste de Couplan,* affl. de la Neste d'Aure.

couple, couplé, couplement → COUPLER.

coupler v. tr. (lat. *copulare*). Attacher avec une couple : *Coupler les chiens.* || Couvrir, en parlant du loup : *Le loup a couplé la louve.* || Assembler deux à deux. || Connecter entre eux des appareils électriques : *Coupler deux moteurs en série.* || Réunir deux pièces, deux appareils, deux voitures motrices, etc., pour rendre leur manœuvre ou leur commande solidaire et simultanée. ● *Coupler du linge,* attacher par une couture certaines pièces, avant de les donner à blanchir. || *Coupler un train de bois,* en rassembler les parties, et les lier deux à deux sur le même front. ◆ **couplage** ou **couplement** n. m. Action de coupler. || Mode d'association de générateurs, de récepteurs ou de résistances électriques. || Action d'associer deux circuits, de façon que les variations de courant produites dans l'un se répercutent dans l'autre, sous forme de courants induits. || Assemblage de pièces mécaniques. (On dit aussi ACCOUPLEMENT.) || Liaison de deux circuits radio-électriques, permettant le transfert réciproque de leur énergie électrique. ● *Couplage d'autorails,* ensemble de deux autorails constituant un seul train, mais conduits chacun par un conducteur. || *Couplage critique,* limite du couplage radio-électrique entre deux circuits accordés, au-delà de laquelle la courbe de résonance présente un sommet dédoublé. || *Couplage lâche,* couplage radio-électrique dont le coefficient est inférieur à celui du couplage critique. || *Couplage réactif* ou *rétroactif,* couplage radio-électrique permettant de ramener vers des circuits antérieurs une partie de l'énergie des circuits suivants. || *Couplage serré,* couplage radio-électrique plus fort que le couplage critique. ◆ **couple** n. f. Lien pour attacher par deux. || Réunion accidentelle de deux choses de même espèce : *Une couple de mouchoirs.* ◆ **couple** n. m. Homme et femme unis par les liens du mariage ou de l'amour : *Un couple de vieillards assis sur un banc.* || Deux personnes réunies provisoirement au cours d'une danse, d'une promenade, etc. : *Les couples dansaient.* || Deux personnes animées d'un même sentiment, d'une même volonté : *Un couple d'amis.* || Se dit d'animaux réunis deux à

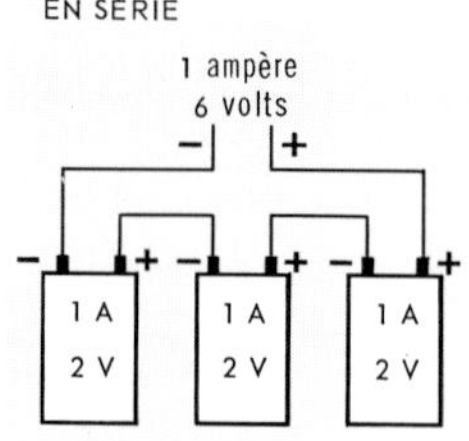

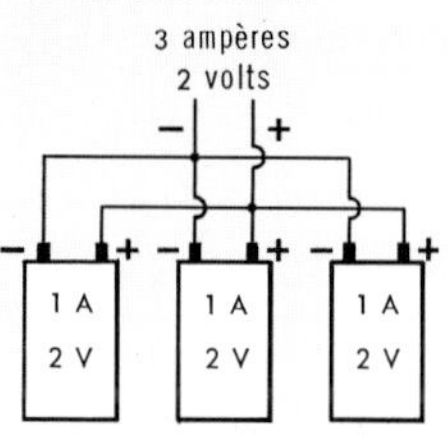

couplages électriques

deux, mâle et femelle, ou appariés pour un même travail : *Un couple de pigeons.* (PAIRE remplace *couple* quand on parle de choses qui vont toujours par deux : *Une paire de gants.*) ‖ Système de deux forces égales, parallèles et dirigées en sens contraire l'une de l'autre : *Un couple est caractérisé par son moment.* ‖ Ensemble de deux vecteurs parallèles, de sens contraire et de même longueur. (Son moment résultant, longtemps appelé *axe du couple,* est le même pour tous les points de l'espace.) ‖ Chacun des éléments transversaux de la coque d'un navire. ‖ Pièce entrant dans la construction des fuselages et placée perpendiculairement à l'axe de chacun d'eux. ‖ *Fig.* Sentiments, idées étroitement associés : *Le couple éternel de l'amour et de la jeunesse.* ● *Couple conique,* ensemble des pignons d'engrenage d'une transmission, associés par paire, qui renvoient à angle droit le mouvement moteur à la machine utilisatrice. ‖ *Couple moteur,* travail d'un moteur considéré dans son effort instantané : *Le couple moteur s'exprime en mètres-kilogrammes (mkg).* ‖ *Couple de renversement,* tendance que manifeste tout avion monomoteur à hélice à tourner autour du même axe que l'hélice, mais en sens inverse. ‖ *Couple thermo-électrique,* circuit formé par deux métaux différents entre les soudures desquels on a établi une différence de température, qui se traduit par l'apparition d'une force électromotrice. ‖ *Couple voltaïque,* ensemble de deux électrodes de nature différente, immergées dans un liquide et pouvant développer une force électromotrice. ‖ *Maître couple,* couple situé à la plus grande largeur d'un navire. ‖ *Pêcher à couple,* pêcher sur une même base à l'aide de deux bateaux amarrés l'un à l'autre. ‖ *Remorqueur à couple,* remorqueur qui tient le remorqué à côté de lui. ‖ *S'amarrer à couple d'un navire,* s'amarrer à côté de ce navire. ◆ **couplé, e** adj. *Chevaux couplés,* ou *couplé* n. m., V. PARI. ‖ *Machines couplées,* machines agissant sur un même arbre, de telle manière que, lorsque la bielle de l'une rencontre l'axe de l'arbre, celle de l'autre en est alors à sa distance maximale. ‖ *Roues couplées,* roues d'un diamètre égal et réunies deux à deux au moyen de bielles, dites *bielles d'accouplement.* ‖ *Télémètre couplé,* télémètre incorporé à l'appareil photographique et indiquant la distance pendant que se fait la mise au point. ‖ — **couplé** n. m. *Couplé stéréoscopique,* ensemble de deux vues tirées sur la même plaque, et destinées à être examinées au stéréoscope. ◆ **couplet** n. m. Stance faisant partie d'une chanson : *Une chanson à trois couplets.* ‖ Vers destinés à être chantés, intercalés dans les scènes d'un vaudeville. ‖ Tirade, morceau d'une certaine étendue, après lequel il y a un repos : *Les couplets héroïques d'Horace et de Curiace.* ‖ Ensemble de deux pattes métalliques jointes avec des charnières et des rivures. ‖ *Fam.* Ce que quelqu'un répète volontiers à tout propos : *Il n'a pas manqué de placer son couplet sur la vie chère.* ● *Couplet de facture,* couplet composé pour l'effet, et qui se distingue par la richesse et le redoublement des rimes. ◆ **coupleur** n. m. Pièce femelle fixée à l'extrémité d'une voiture à voyageurs, et qui reçoit la fiche du câblot de chauffage électrique fixé à la voiture voisine. ‖ Dispositif de connexion des circuits d'un appareil ou d'un ensemble d'appareils électriques. ● *Coupleur centrifuge,* appareil qui, monté sur l'arbre d'un moteur, règle les conditions de démarrage au moyen de dispositifs à force centrifuge. ‖ *Coupleur à poudre,* embrayage automatique et limiteur de couple, dont l'élément de liaison entre l'organe conducteur et l'organe conduit est une poudre métallique graphitée qui se comporte comme un pseudo-fluide.

coupoir → COUPER.

coupole n. f. (ital. *cupola;* du lat. *cuppa,* coupe). Voûte hémisphérique, en forme de coupe renversée. (V. *encycl.*) ‖ Intérieur, partie concave d'un dôme : *La coupole du Panthéon.* ‖ *Absol.* L'Institut ; et, *partic.,* l'Académie française : *Il mourait d'envie d'entrer sous la Coupole.* (Dans ce sens, prend une majuscule.) ‖ Partie supérieure apparente d'un cuirassement ou d'une tourelle, dont le bombement est destiné à faciliter le ricochet des projectiles. ‖ Petite tasse pour la dégustation des vins. (Syn. TÂTE-VIN.)

— ENCYCL. *Archit.* La coupole est le couronnement normal des constructions circulaires. Pour les constructions quadrangulaires, on rejoint le plan circulaire soit par des pendentifs (triangles concaves en encorbellement dans les angles du carré), soit par des trompes (arcs coupant les angles du carré et transformant celui-ci en octogone). La coupole est la partie intérieure de la voûte, le dôme est la partie extérieure. L'Antiquité éleva des coupoles, puis Rome, Byzance, l'Orient chrétien, l'Occident roman (Cahors, Saint-Front de Périgueux, sur pendentifs ; Conques, Notre-Dame-du-Port à Clermont-Ferrand, sur trompes). La Renaissance, puis le classicisme les adoptèrent (Santa Maria del Fiore, à Florence ; Saint-Pierre de Rome ; à Paris, le Val-de-Grâce, le collège des Quatre-Nations [Institut], le Panthéon, etc.).

— *Astron.* Les instruments fixes d'observatoires sont abrités sous des coupoles rotatives. La plus grande coupole existant actuellement est celle de l'observatoire du Mont-Palomar (Californie), dont la hauteur dépasse 30 m.

Coupole du Rocher (*Qubbat al-Ṣakhra*), édifice de Jérusalem, appelé aussi MOSQUÉE D'OMAR, bâti en 691 par le calife omeyyade 'Abd al-Malik.
→ V. illustration page suivante.

coupon n. m. (de *couper*). Reste d'une pièce d'étoffe : *Acheter un coupon à bon marché.* ‖ Titre d'intérêt, de dividende ou d'arrérages, joint à une valeur mobilière, et que l'on dé-

Brihat - Rapho

du Rocher, à Jérusalem

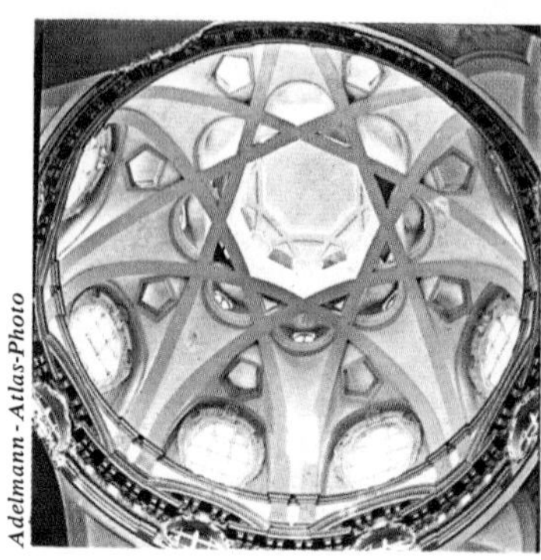
Adelmann - Atlas-Photo

de San Lorenzo, à Turin

coupoles

astronomique du Mont-Palomar (États-Unis)

California Institute of Technology

tache à l'échéance dont il porte l'indication. ‖ Bulletin remis au guichet d'un théâtre, à la personne qui achète ou loue une place ou une loge. ‖ Partie d'une coupe de bois. ‖ Nombre défini de bûches liées ensemble. ‖ Rail de longueur inférieure à la longueur normale des barres. ◆ **coupon-réponse** n. m. Coupon que l'on met dans une lettre à destination de l'étranger et qui est échangé contre un timbre dans le pays de destination en vue de payer le port d'une lettre ordinaire. — Pl. *des* COUPONS-RÉPONSE.

Couptrain, ch.-l. de c. de la Mayenne (arr. de Mayenne), sur la Mayenne, à 16 km au S.-E. de Bagnoles-de-l'Orne ; 219 h.

coupure → COUPER.

couque n. f. (mot d'orig. flam.). Terme de pâtisserie flamande désignant divers gâteaux, les uns en pâte briochée avec des raisins de Corinthe, les autres en pâte feuilletée glacée, les autres enfin en pain d'épice.

cour n. f. (bas lat. *curtis*). **1.** Espace découvert, entouré de murs ou de bâtiments, dépendant d'une habitation : *Un appartement qui donne sur cour.* ‖ A Paris, rue dont les extrémités étaient closes par des bâtiments : *La cour des Fermes.* ‖ **2.** Résidence du souverain et de son entourage : *Les courtisans résidaient à la cour.* ‖ Entourage du souverain : *Molière divertit la cour de Louis XIV.* ‖ Souverain et son conseil ; et, *partic.*, parti du souverain : *Condé se rallia au parlement, Turenne à la cour.* (Prend souvent une majuscule en ce sens.) ‖ Gouvernement, cabinet du souverain dans ses relations avec les autres gouvernements. ‖ Suite d'un prince, d'un grand seigneur : *Condé s'entourait d'une cour nombreuse.* ‖ Suite, entourage de personnes empressées à plaire à une autre, et particulièrement à une dame : *Cette femme a toute une cour auprès d'elle.* ‖ **3.** Juridiction d'ordre supérieur, dont les décisions portent le nom d'« arrêts ». ‖ Membres d'un tribunal supérieur siégeant en commun. ‖ Lieu où ce tribunal siège. ● *Abbé de cour,* abbé élégant et mondain, comme certains de ceux qui fréquentaient l'ancienne cour des rois de France. ‖ *Avocat à la cour,* avocat inscrit au barreau établi au siège d'une cour d'appel. || *Avocat à la Cour de cassation et au Conseil d'Etat,* officier ministériel chargé de faire la procédure et de plaider devant ces assemblées. || *Côté cour,* v. CÔTÉ. || *Cour des aides,* v. AIDES. || *Cours d'amour,* nom sous lequel on a désigné, du XIIe au XVe s., les réunions mondaines où les hommes se formaient, dans la société des femmes, à la politesse et à la courtoisie. || *Cour anglaise,* courette sur laquelle débouchent les fenêtres d'un sous-sol. (Syn. SAUT-DE-LOUP.) || *Cour d'appel,* juridiction du second degré (dont le ressort porte parfois sur plusieurs départements), qui, composée de conseillers, connaît des appels de toutes les juridictions de droit commun et d'exception situées dans son ressort. || *Cour d'assises,* juridiction répressive de droit commun (une par département), qui, composée de magistrats des cours d'appel et des tribunaux de grande instance, ainsi que d'un jury de neuf membres, est chargée de juger sans appel les personnes accusées d'avoir commis des crimes. || *Cour d'honneur,* principale cour d'un palais, d'un château : *La cour d'honneur du palais de Fontainebleau.* || *Cour des Miracles,* nom donné autref. à des lieux où vivaient rassemblés des truands et des malandrins. (Il en existait dans toutes les grandes villes de France. Au XVIIe s., Paris en comptait une douzaine.) || *Cour des monnaies,* cour souveraine à partir de 1552 et qui avait juridiction sur tous les délits concernant les monnaies. (Ressortissant au parlement de Paris, elle avait juridiction sur la France entière.) || *Cour plénière,* assemblée d'apparat tenue par les rois dans les circonstances solennelles. || *Cour prévôtale,* v. PRÉVÔTAL. || *Cour de renvoi,* cour d'appel à laquelle est confiée une affaire par un arrêt de renvoi de la Cour de cassation. || *Cour du roi,* v. CURIA REGIS, et CONSEIL, *Conseil du roi.* || *Etre bien, être mal en cour,* être, ne pas être en faveur. || *Faire la cour à une femme,* chercher à lui plaire, à gagner ses faveurs par ses assiduités, son empressement galant. || *Faire sa cour,* se présenter à la cour du souverain ou devant les puissants du jour, pour leur témoigner son respect et son dévouement et gagner leur faveur. || *Faire un doigt, un brin de cour,* manifester quelque empressement auprès d'une femme. || *Habit, robe, manteau de cour,* vêtements prescrits par l'étiquette de la cour. || *Homme, femme, gens de cour,* personnes qui ont le ton, les manières des courtisans. ◆ **courette** n. f. Petite cour.

Cour de cassation, la plus haute des juridictions de l'ordre judiciaire, qui, formée d'un premier président, de 5 présidents de chambres et de 77 conseillers répartis en cinq chambres (une criminelle et quatre civiles), a pour mission de casser, lorsqu'elles violent la loi, les décisions en dernier ressort qui lui sont déférées, jugeant ainsi la décision et non pas l'affaire elle-même (elle juge en droit et non en fait). L'affaire dont le jugement est cassé est renvoyée devant un tribunal de même ordre et de même rang, qui l'étudie et la juge de nouveau ; après deux cassations pour un même motif, la solution de la Cour de cassation (rendue toutes Chambres réunies) s'impose à la juridiction de renvoi.

Cour des comptes, juridiction financière de droit commun, qui, composée de conseillers et d'auditeurs ayant le statut de magistrats inamovibles, a une compétence juridictionnelle sur les comptes des comptables publics et des attributions de contrôle supérieur sur les administrations. (Ces dernières attributions ne cessent de s'accroître.)

Cour de discipline budgétaire, juridiction administrative, créée en 1948, compétente pour sanctionner la responsabilité des ordonnateurs.

Cour internationale de justice, juridiction créée, en vertu de l'article 92 de la Charte des Nations unies, en remplacement de la Cour permanente de justice internationale de La Haye. Son statut, qui est entré en vigueur le 24 nov. 1945, lui donne le même siège et les mêmes fonctions. Composée de 15 membres élus pour neuf ans, elle a pour mission de régler les différends entre les Etats et de donner des avis sur toute question juridique qui lui est soumise par l'O. N. U. ou ses institutions annexes.

Cour de justice (HAUTE), juridiction définie par une ordonnance du 2 janv. 1959, qui, composée de juges élus par l'Assemblée nationale et le Sénat, statue, sans recours possible, sur les accusations, décidées par un vote identique des deux Chambres au scrutin public et à la majorité absolue des membres les composant, visant soit le président de la République pour haute trahison, soit les ministres pour les actes accomplis dans l'exercice de leurs fonctions et même les complices éventuels en cas de complot contre la sûreté de l'Etat.

Cour de justice des communautés européennes, juridiction internationale siégeant à Luxembourg, dont le rôle est d'assurer le respect du droit dans l'application des traités qui ont institué les trois communautés européennes* (C. E. C. A., C. E. E., C. E. E. A. [Euratom]).

Cour militaire de justice, juridiction d'exception créée à Paris le 1er juin 1962, pour juger sans recours les crimes contre la sûreté de l'Etat en relation avec les événements d'Algérie. Elle fut remplacée par la *Cour de sûreté de l'Etat* en 1963.

Cour permanente d'arbitrage, juridiction internationale créée à La Haye en 1899 et qui, composée de juristes compétents en droit international et désignés par les puissances contractantes accréditées dans la capitale des Pays-Bas, a pour mission d'arbitrer les différends survenus entre ces puissances.

Cour permanente de justice internationale, cour internationale créée par le pacte de la S. D. N., qui siégeait au palais de la Paix, à La Haye, pour résoudre les litiges entre Etats sur la base d'un compromis entre les parties (dans certains cas exceptionnels, la décision de la Cour était obligatoire), et pour donner son avis au Conseil ou à l'Assemblée de la S. D. N. Elle a été remplacée en 1945 par la *Cour internationale de justice.*

Cour de sûreté de l'Etat, juridiction permanente et unique créée en 1963, en remplacement de la *Cour militaire de justice,* pour connaître en temps de paix des crimes et délits contre la sûreté de l'Etat ou la discipline des armées, de la rébellion avec armes, de la provocation ou participation à un attroupement, des entraves à la circulation routière, des crimes et délits de commerce, de fabrication et de détention de matériel de guerre, des arrestations illégales et séquestrations de personnes. Elle comprend une chambre de jugement permanente, une chambre de contrôle de l'instruction permanente et, le cas échéant, des chambres temporaires. Les décisions sont rendues sans appel, mais peuvent être déférées à la Cour de cassation.

courable → COURIR.

courage n. m. (dérivé anc. de *cœur*). Fermeté du cœur, force d'âme, qui fait braver le danger, la souffrance, les revers avec constance : *Faire preuve de courage dans l'adversité.* ‖ Zèle, ardeur, énergie : *Travailler avec courage.* ‖ Dureté de cœur, insensibilité : *Ne pas avoir le courage de résister aux larmes de quelqu'un.* ‖ — SYN. : *bravoure, constance, cran, énergie, fermeté, force d'âme, hardiesse, héroïsme, résolution, témérité, vaillance, valeur; ardeur, volonté, zèle.* ● *Avoir le courage de ses opinions,* manifester une fermeté de caractère qui pousse à afficher ses opinions et à en accepter toutes les conséquences. ‖ *Courage !,* prenez courage !, n'hésitez pas !, tenez bon ! ‖ *Prendre son courage à deux mains* (Fam.), faire appel à toute son énergie. ◆ **courageusement** adv. Avec courage, avec ardeur, énergie : *Se battre courageusement.* ◆ **courageux, euse** adj. et n. Qui a du courage, de la fermeté. ‖ Qui montre du zèle, de l'ardeur, de l'énergie : *Un ouvrier courageux.* ✦ adj. Qui dénote du courage : *Entreprise courageuse.*

courailler, courailleur → COURIR.

couralin n. m. Embarcation à fond plat dont on se sert pour mouiller et relever les filets. ‖ Aux Antilles, pirogue à fond plat.

couramment → COURIR.

Courances, comm. de l'Essonne, à 22 km au S.-O. de Melun; 290 h. Château reconstruit aux XVIᵉ et XVIIᵉ s.; parc dessiné par Le Nôtre.

courant n. m. Mouvement rapide de l'eau ou d'un liquide dans une direction quelconque : *Remonter le courant d'un fleuve.* (V. *encycl.*) ‖ Masse d'eau en mouvement. ‖ Mouvements de la mer : *Le bain est dangereux sur cette plage à cause des courants.* (V. *encycl.*) ‖ Mouvement continu de personnes ou de choses tendant vers un même lieu, suivant une même direction : *Le courant de l'immigration.* ‖ Cours du temps, de la période présente : *Le courant des âges. Dans le courant du mois de juillet.* ‖ Mois actuel, mois qui court : *Paiement à la fin courant.* ‖ Terme qui court, en parlant des intérêts : *Payer l'arriéré, puis le courant.* ‖ Partie d'une manœuvre qui passe dans les poulies. ‖ *Fig.* Cours, mouvement des sentiments et des idées, tendance : *Les courants de l'opinion.* ● *Au courant,* en parlant des personnes, qui a suivi la marche régulière des affaires; à jour. ‖ *Au courant de la plume,* en écrivant sans effort. ‖ *Courant alternatif,* courant électrique circulant alternativement dans un

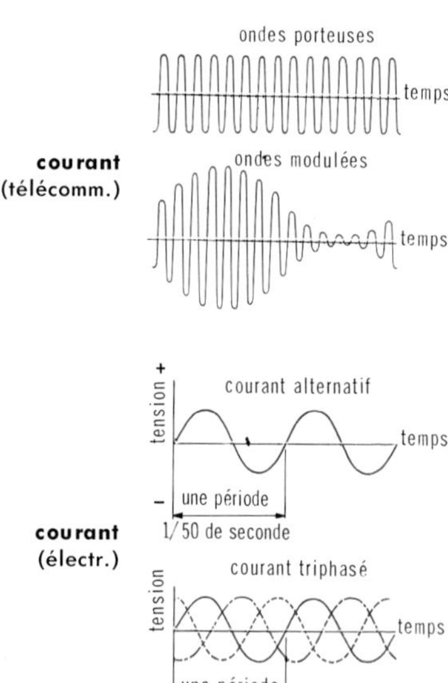

sens, puis dans l'autre, et dont l'intensité est une fonction périodique du temps, de valeur moyenne nulle. (Les plus importants sont les courants sinusoïdaux, dont l'intensité est de la forme $i = I_m \sin 2 \pi Nt$, où I_m est l'amplitude et N la fréquence.) ‖ *Courant continu,* courant électrique ayant toujours le même sens et dont l'intensité est constante. ‖ *Courant électrique,* déplacement d'électricité à travers un conducteur. (V. *encycl.*) ‖ *Courants de Foucault,* courants induits dans les masses métalliques placées dans des champs magnétiques variables. ‖ *Courant du marché,* prix actuel des denrées. ‖ *Courant monophasé,* courant produit par une force électromotrice simple. ‖ *Courant polyphasé,* courant résultant d'un ensemble de forces électromotrices de même pulsation, mais décalées les unes par rapport aux autres d'une même fraction de période. (On utilise principalement les courants diphasés, triphasés et hexaphasés.) ‖ *Courant porteur,* courant alternatif de fréquence élevée que l'on module en vue de transmettre des signaux. ‖ *Courant primaire, secondaire,* courant circulant dans l'enroulement primaire ou dans l'enroulement secondaire d'un transformateur ou d'une bobine d'induction. ‖ *Courant de retour,* courant s'établissant entre les locomotives et les sous-stations électriques, et assurant la fermeture du circuit d'alimentation. ‖ *Courant de suite,* courant débité par le réseau de distribution à travers l'arc amorcé dans un parafoudre par une surtension, lorsque l'onde de surtension a disparu. ‖ *Etre au courant,* être bien renseigné. ‖ *Le courant des affaires,* les affaires ordinaires. ‖ *Remonter le courant* (Fig.), réagir contre une tendance, une habitude nuisibles, des forces hostiles ; relever ses affaires. ‖ *Tenir, mettre au courant,* renseigner. ◆ **courantille** n. f. Filet, sorte de tramail dont on se sert pour prendre le thon. ◆ **courantographe** n. m. Appareil enregistreur déterminant la vitesse et la direction des courants marins. ◆ **courantomètre** n. m. Appareil à lecture directe pour déterminer la vitesse des courants marins et leur direction.

— ENCYCL. **courant électrique.** Un conducteur est traversé par un courant électrique lorsqu'on peut observer les trois phénomènes suivants : 1° le conducteur est le siège d'un dégagement de chaleur (effet calorifique) ; 2° une aiguille aimantée placée près du conducteur est soumise à des forces, et, réciproquement, un aimant exerce une action sur le conducteur (effet électromagnétique) ; 3° si l'on coupe le conducteur et si l'on plonge ses deux extrémités dans une solution saline, celle-ci subit une décomposition chimique (effet électrolytique).

● *Nature du courant.* *a*) Dans les conducteurs métalliques, il existe des électrons libres, qui se déplacent d'un mouvement désordonné entre les atomes. Si l'on applique une différence de potentiel entre deux points du conducteur, on établit un champ électrique qui imprime à ces électrons une translation d'ensemble en sens inverse du champ.

b) Dans les électrolytes, le courant est lié à un double mouvement d'ions, atomes ou groupements d'atomes ayant perdu des électrons (cations) ou en ayant gagné (anions). Au contact des électrodes, ces ions se transforment en atomes ordinaires.

c) Dans certaines circonstances (haute température dans l'effet thermo-électronique, lumière dans l'effet thermo-électrique), des électrons sont libérés dans un vide poussé. Soumis à un champ électrique, ces électrons se mettent en mouvement (rayons cathodiques).

d) Dans les gaz sous faible pression, le courant est dû à la circulation, dans les deux sens, d'ions positifs ou négatifs.

Quel que soit le sens réel du déplacement des particules électrisées, le courant est équivalent à un déplacement de charges positives, qui définit le *sens du courant.*

● *Intensité du courant.* Si l'on désigne par dq la charge positive transportée pendant un temps infinitésimal dt, l'intensité du courant est $i = \frac{dq}{dt}$.

— **courants fluviaux.** La mesure des courants fluviaux s'effectuait autrefois à l'aide de flotteurs ; on emploie surtout aujourd'hui des moulinets à hélice. La vitesse des courants dépend de la pente superficielle, des profondeurs et de la rugosité du lit fluvial ; ses valeurs les plus élevées se mesurent à la surface, à mi-distance des berges. Pour beaucoup de fleuves et de rivières, les vitesses sont comprises entre quelques dizaines de centimètres et 1 m à la seconde. En dehors des montagnes, des fleuves abondants et aux pentes relativement fortes, comme le Rhin et le Rhône médians, ont des courants qui peuvent atteindre 1,80 m à la seconde ; pendant les crues, leur vitesse peut être de l'ordre de 4 m/s. L'écoulement des courants fluviaux est caractérisé par une turbulence à peu près générale, marquée en particulier par des tourbillons, des rides, des dévers qui peuvent atteindre 1 m sur les rives concaves des méandres.

— **courants marins.** Certains courants marins sont engendrés par l'action des vagues : en déferlant sur le rivage, elles provoquent la dérive littorale. Les marées déterminent des courants parfois très violents, comme ceux du raz Blanchart, à l'O. du Cotentin, qui dépassent 18 km/h par grande marée. Dans les détroits, les courants sont déterminés par les différences de température et de salinité entre les deux masses d'eau situées de part et d'autre du détroit (Gibraltar).

Les courants les plus puissants sont les courants généraux des océans, dus aux vents dominants ou aux inégalités de répartition des densités ; leur vitesse n'est pas très forte (inférieure à 1 m/s), mais ils écoulent d'énormes débits, car leur section est considérable ; le Gulf Stream transporterait au large de la baie de Chesapeake 74 millions de mètres cubes par seconde (les plus fortes crues de l'Amazone ne dépassent pas 200 000 m³). Un seul courant fait le tour de la Terre, le courant circumpolaire antarctique, qui circule d'O. en E. Dans la zone intertropicale, les côtes occidentales de l'Afrique et de l'Amérique sont longées par les courants froids provoqués par les alizés : courants de Benguela et du Pérou dans l'hémisphère Sud; courants de Mauritanie et de Californie dans l'hémisphère Nord. En arrivant près de l'équateur, ces quatre courants, qui se sont progressivement échauffés, sont déviés vers l'O. et forment les courants équatoriaux, qui circulent d'E. en O. dans l'Atlantique et le Pacifique. Le long de la côte orientale des continents circulent des courants chauds : courants du Brésil (du N. vers le S.) et du Gulf Stream (du S. vers le N.) dans l'Atlantique; courant du Kuroshio dans le Pacifique Nord; courant est-australien dans l'hémisphère Sud. Ces courants affectent les couches marines superficielles, mais il existe aussi des courants de profondeur, qui jouent également un rôle considérable dans la répartition des masses d'eau.

courant, courante → COURIR.

courantille, courantographe, courantomètre → COURANT.

courbage → COURBER.

courbaril [ril] n. m. Grand arbre équatorial, très résineux, fournissant un excellent bois de charpente, de tournage et d'ébénisterie. (Famille des césalpiniacées.)

courbatu, e adj. (de *court* et *battu;* littéral. «battu à court, à bras raccourcis»). Se dit d'un cheval qui, par suite d'un excès de fatigue, souffre provisoirement d'une raideur musculaire généralisée. || En parlant des personnes, extrêmement las : *Etre tout courbatu après une longue marche.* ◆ **courbature** n. f. Lassitude accompagnée de douleurs musculaires due au surmenage musculaire, à une attitude trop longtemps maintenue, à l'immobilité dans le froid humide ou encore à certaines infections à microbes neurotropes (grippe, poliomyélite, etc.). || Extrême lassitude qui se manifeste, surtout après un long effort, chez les chevaux mal entraînés. ◆ **courbaturé, e** adj. Syn. de COURBATU. ◆ **courbaturer** v. tr. Causer une courbature : *Attitude qui courbature le corps.*

courbe, courbement → COURBER.

courber v. tr. (lat. pop. **curbare;* lat. class. *curvare*). Rendre courbe : *Courber un bâton.* || Incliner, faire pencher : *Courber la tête.* || *Fig.* Abaisser, soumettre : *Courber un peuple sous le joug.* || — SYN. : *arquer, arrondir, cintrer, contourner, fléchir, incurver, plier, ployer, recourber, replier, tordre, voûter.* ● *Courber le genou, le dos, le front,* s'incliner en signe de soumission, d'humilité. ✦ v. intr. Plier, fléchir : *Les fruits font courber les branches.* || — **se courber** v. pr. S'incliner pour saluer : *Se courber devant un personnage important.* ◆ **courbage** n. m. Action de courber : *Le courbage des tiges d'osier.* ◆ **courbe** adj. Qui s'infléchit sans contenir aucune portion de ligne droite : *Ligne courbe. Surface courbe.* ● *Ligne courbe* (Fig.), conduite détournée, indirecte : *Prendre la ligne courbe.* ✦ n. f. Ligne courbe; ligne engendrée par un point mobile. || Représentation graphique d'une fonction. || Portion de voie ferrée affectant la forme d'un arc de cercle. || Support en toile de cretonne fixé à l'intérieur du pavillon d'une voiture. || *Fig.* Marche, évolution d'une idée, d'un sentiment, d'un phénomène : *La courbe du progrès. La courbe des ventes.* ● *Courbe algébrique,* dans le plan, courbe définie par l'équation $f(x, y) = 0$, $f(x, y)$ étant un polynôme en x et y. (Le degré de ce polynôme est le degré de la courbe.) — Dans l'espace, intersection de deux surfaces algébriques. || *Courbe arithmétique,* courbe traduisant les variations de deux grandeurs. || *Courbe chronologique,* courbe permettant d'étudier les valeurs successives d'une grandeur en fonction du temps. || *Courbe cumulative,* courbe permettant de juger du degré d'évolution d'un phénomène depuis le début de l'observation. (On dit aussi, improprement, COURBE INTÉGRALE.) || *Courbe de déplacement,* courbe donnant le déplacement du navire en fonction de ses différents tirants d'eau. (V. ÉCHELLE *de charge.*) || *Courbe de fréquence,* courbe représentative de la distribution de fréquence d'une série statistique en fonction d'un critère déterminé. || *Courbe gauche,* courbe dont les points ne sont pas tous dans un même plan. (Syn. COURBE À DOUBLE COURBURE.) || *Courbe de Jordan,* courbe continue sans points multiples. || *Courbe logarithmique,* courbe construite avec les logarithmes des nombres qui représentent les grandeurs. || *Courbe de niveau,* section d'une surface par un plan horizontal; ligne passant par les différents points de

courbes de niveau

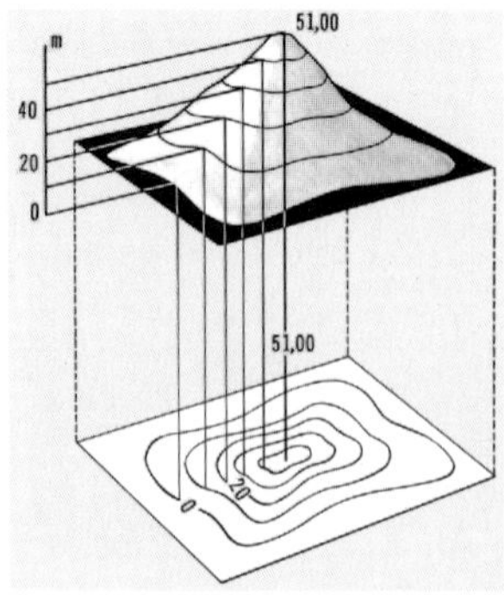

même cote sur un plan donné. (V. NIVELLEMENT.) || *Courbe d'une pendule à équation,* pièce en forme d'ellipse, qui rentre deux fois sur elle-même. || *Courbe plane,* courbe dont tous les points sont dans un même plan. || *Courbe des pressions,* courbe formée par la réunion des points de chacun des joints d'une voûte. || *Courbe rampante,* limon courbe d'un escalier. || *Courbe de sécurité,* courbe enveloppant toutes les trajectoires des projectiles tirés par une même arme avec la même vitesse initiale, l'angle au niveau variant seul de 0 à 90°. || *Courbe semi-logarithmique,* courbe où seule l'ordonnée est dressée à une échelle logarithmique, l'abscisse restant arithmétique. || *Courbe thermique,* graphique des températures du matin et du soir chez les sujets sains ou malades. || *Courbe unicursale,* courbe dont les points ont leurs coordonnées exprimées en fonctions rationnelles d'un paramètre. ◆ **courbement** n. m. Action de courber; son résultat : *Le courbement du dos.* ◆ **courbette** n. f. *Fam.* Révérence obséquieuse, salut exagéré; marque servile de déférence : *Faire des courbettes.* ◆ **courbure** n. f. Inflexion, état, forme d'une chose courbée : *Courbure d'une jante de roue.* || Partie courbe : *La courbure d'une voûte.* || Envers courbe des feuilles de chapiteaux. || Inclinaison d'un dôme, d'une ligne en arc rampant. || Syn. d'ARCURE. ● *Centre de courbure en un point d'une courbe,* centre du cercle de courbure en ce point. (Ce centre s'obtient en portant sur la normale, dans le sens de la concavité, une longueur égale au rayon de courbure.) || *Cercle de courbure en un point d'une courbe,* cercle tangent à cette courbe en ce point et ayant pour rayon le rayon de courbure : *Le cercle de courbure s'identifie au cercle osculateur.* || *Courbure du champ,* aberration d'un système optique centré, qui donne d'un objet plan une image non plane. || *Courbures de croissance,* v. AUXINE, TROPISME. || *Courbure moyenne d'un arc de courbe plane,* rapport entre l'angle des tangentes aux extrémités de cet arc et la longueur de cet arc. || *Courbure en un point donné d'une courbe,* limite de la courbure moyenne d'un arc de cette courbe, sur lequel se trouve le point donné, lorsque les extrémités de cet arc se rapprochent indéfiniment du point donné. (Sa valeur est égale à $\frac{d\alpha}{ds}$, $d\alpha$ étant l'angle des tangentes aux extrémités de l'arc, appelé *angle de contingence,* et ds la différentielle de l'arc.) || *Courbure de l'univers* (Phys.), v. *encycl.* || *Ligne de courbure d'une surface,* ligne tracée sur une surface et telle que les normales en ses différents points forment des surfaces développables. (V. *encycl.*) || *Rayon de courbure,* inverse de la courbure, soit $\frac{ds}{d\alpha}$. || *Seconde courbure* ou *torsion en un point donné d'une courbe gauche,* limite du rapport de l'angle de deux plans osculateurs, en deux points infiniment voisins, à l'arc infiniment petit qui joint ces points.

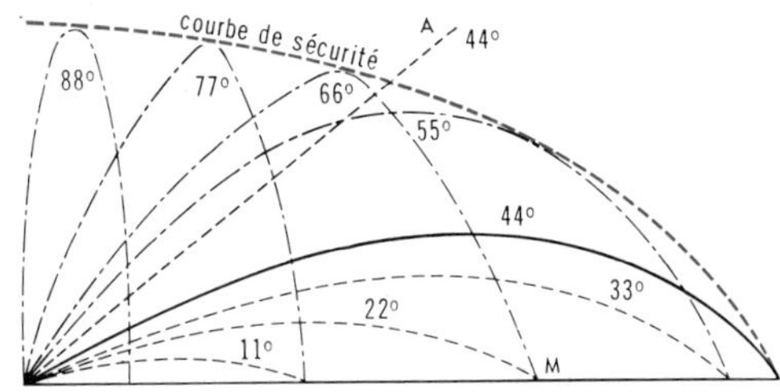

courbe de sécurité dans le cas d'une vitesse initiale inférieure à 1 000 m/s (balist.)

— ENCYCL. **courbure.** *Math.* ● *Courbure d'une surface.* Parmi toutes les sections normales d'une surface passant par un point donné, il y en a deux, contenues dans des plans rectangulaires, qui présentent, l'une, un rayon de courbure maximal, l'autre, un rayon de courbure minimal : ce sont les sections principales; si R_1 et R_2 sont les *rayons de courbure principaux,* la somme $\frac{1}{R_1} + \frac{1}{R_2}$ est la *courbure moyenne* de la surface, et le produit $\frac{1}{R_1 R_2}$ a reçu le nom de *courbure totale.*

● *Lignes de courbure d'une surface.* En chaque point d'une surface passent deux lignes de courbure, qui, définies par une équation différentielle du premier ordre et du second degré, sont tangentes aux sections normales principales. Sur une surface de révolution, les lignes de courbure sont les parallèles et les méridiens; sur une surface développable, le premier système de lignes de courbure est formé par les génératrices rectilignes, l'autre, par les trajectoires orthogonales de ces génératrices.

Giraudon

« les Demoiselles
des bords
de la Seine »
Petit Palais,
Paris

Held

Gustave
Courbet

**« la Remise
des chevreuils
en hiver »**
musée de Lyon

— *Phys. Courbure de l'univers.* Selon les théories relativistes, les phénomènes physiques ont lieu dans un espace-temps à quatre dimensions, dans lequel la présence de matière crée une courbure d'autant plus forte que la densité de matière est plus grande.

Courbet (Jean Désiré Gustave), peintre français (Ornans 1819 - La Tour-de-Peilz, Suisse, 1877). Il fait des études au petit séminaire d'Ornans, puis au collège de Besançon. Il vient à Paris faire du droit, et, bientôt, se consacre exclusivement à la peinture. Romantique, il copie, au Louvre, les maîtres espagnols, flamands, hollandais, exécute des paysages à Fontainebleau, des portraits, est admis au Salon (1844, 1845), puis y est refusé, en raison de sa conversion au réalisme. Il voyage en Hollande, s'enthousiasme pour Rembrandt, Holbein, Van Ostade, Van Craesbeeck. Dès 1849, il use d'une palette sombre et connaît le succès. Il rencontre Proudhon, dont il partagera les idées sociales. En 1855, le jury de l'Exposition universelle admet onze de ses œuvres, mais en refuse d'autres; il organise alors avenue Montaigne, dans des baraques, une exposition de ses œuvres et écrit, pour le catalogue, un texte intitulé *Art vivant.* Il fera désormais figure de chef de l'école réaliste. Pendant la guerre de 1870, il participe à l'inventaire du Louvre et est élu membre de la Commune. En 1871, accusé d'avoir fait renverser la colonne Vendôme, il est condamné à six mois de prison et à une grosse amende. En 1873, il se réfugie en Suisse. Parmi ses œuvres les plus célèbres, citons : *l'Atelier* du peintre* (Louvre), *l'Enterrement* à Ornans* (Louvre), *la Remise des chevreuils* (Louvre et musée de Lyon), *Bonjour, M. Courbet!* (musée de Montpellier).

Courbet (Amédée Anatole), amiral français (Abbeville 1827 - les Pescadores 1885). Polytechnicien, successeur de Rivière au Tonkin, il établit le protectorat français sur l'Annam (traité de Hué, 25 août 1883) et combattit les Pavillons-Noirs. Après la violation du traité de T'ien-tsin par les Chinois, il fut nommé commandant en chef, bombarda Foutcheou (1884), occupa Formose, anéantit la flotte chinoise et s'empara des Pescadores. Il mourut à bord du *Bayard* deux jours après la signature de la paix (9 juin 1885).

courbette → COURBER.

Courbevoie, ch.-l. de c. des Hauts-de-Seine (arr. de Nanterre), à 3 km au N.-O. de Paris, sur la Seine; 54 578 h. (*Courbevoisiens*). Eglise du XVIIIe s. Constructions mécaniques et aéronautiques, etc.

courbure → COURBER.

courcailler → COURCAILLET.

courcaillet n. m. Cri de la caille. ‖ Appeau qui imite ce cri. ◆ **courcailler** v. intr. Crier, en parlant de la caille femelle.

Courcelette, comm. de la Somme (arr. de Péronne), à 9,5 km au N.-E. d'Albert; 176 h. Ce village fut, le 5 sept. 1916, le théâtre des premiers engagements de chars de combat anglais.

Courcelles, comm. de Belgique (Hainaut, arr. et à 10 km au N.-O. de Charleroi); 17 300 h. Verreries, métallurgie de l'aluminium.

Courcelle-lès-Lens, comm. du Pas-de-Calais (arr. de Lens), à 6 km à l'E. d'Hénin-Liétard; 5 874 h. Houille.

Courchevel, section de la comm. de Saint-Bon-Tarentaise (Savoie, arrond. d'Albertville), à 24 km au S.-E. de Moûtiers. Station de sports d'hiver.

Cour-Cheverny, comm. de Loir-et-Cher (arr. et à 13 km au S.-E. de Blois); 1 863 h. Château dit « de Cheverny* ».

courcin adj. et n. m. Se dit d'un bois trop court pour être admis dans le commerce, et utilisé comme bois à brûler. (On dit aussi COURÇON.)

Courçon, ch.-l. de c. de la Charente-Maritime (arr. et à 29,5 km au N.-E. de La Rochelle); 965 h. (*Courçonnais*). Eglise romane fortifiée.

Courçon (Robert DE). V. ROBERT DE COURÇON.

Courdemanche, comm. de la Sarthe (arr. du Mans); à 13 km au N. de La Chartre; 674 h. Collège fondé au XVIe s.

Courètes ou **Curètes,** en gr. **Kourêtes.** *Myth.* Génies chthoniens qui exécutaient des danses guerrières autour du berceau de Zeus, pour que Cronos n'entende pas ses vagissements.

courette → COUR.

coureur, coureuse → COURIR.

courge n. f. (lat. *cucurbita*). Plante potagère ou ornementale de la famille des cucurbitacées. (V. *encycl.*) ◆ **courgette** n. f. Variété de courge à fruits longs.

— ENCYCL. ***courge.*** Légumes à valeur nutritive faible, les courges se répartissent en trois espèces du même genre *cucurbita,* comprenant chacune de nombreuses variétés cultivées : *Cucurbita maxima,* à tiges traînantes et à fruits souvent énormes, dont la chair farineuse est utilisée pour les potages (potiron, courge marron, courge olive, courge baleine, giraumons); *Cucurbita moschata,* à tiges traînantes et à fruits farineux et sucrés, dont la chair est utilisée dans les potages (courge pleine de Naples, courge musquée de Provence); *Cucurbita pepo,* comprenant des fruits de formes et de couleurs très diverses. Les courges se cultivent facilement; on les sème au printemps, en poquets.

courgée n. f. *Vitic.* Taille longue qui laisse d'assez nombreux yeux sur le sarment. ‖ Ce sarment lui-même. (On dit aussi ASTE.)

courgette → COURGE.

Courier (Paul-Louis), écrivain français (Paris 1772 - Véretz, Indre-et-Loire, 1825). Après une carrière d'officier (1793-1809), qui le mène plusieurs fois en Italie, il démissionne et vient satisfaire à Florence son goût pour les auteurs grecs. Il découvre un passage inédit du *Daphnis et Chloé* de Longus, mais fait une tache d'encre sur ce texte; dans sa *Lettre à Renouard* (1810), il s'en prend au bibliothécaire italien, Del Furia, qui lui reproche d'avoir voulu rendre le manuscrit illisible. C'est le début d'une longue carrière de pamphlétaire. Revenu en France en 1812, il épouse la fille de l'helléniste Clavier (1814) et achète le domaine de la Chavonnière, près de Véretz, où il va vivre jusqu'à sa mort. C'est là qu'il compose les pamphlets par lesquels il harcèle le gouvernement de la Restauration. Le *Simple Discours,* où il critique le don du château de Chambord au duc de Bordeaux qui vient de naître (1821), lui vaut une condamnation à deux mois de prison. La *Pétition pour des villageois que l'on empêche de danser* (1822) lui attire un second procès, qui lui inspire son chef-d'œuvre, *le Pamphlet* des pamphlets* (1824). Le 10 avr. 1825, P.-L. Courier est assassiné dans sa forêt de Larçais. Ses *Lettres écrites de France et d'Italie* (publiées pour la plupart après sa mort) demeurent son œuvre la plus séduisante.

Paul-Louis **Courier**
par Ary Scheffer
château de Versailles

Giraudon

Courion. *Géogr. anc.* V. de la côte sud de Chypre. (Auj. *Episkopi.*) — Le *trésor de Courion,* conservé à New York, témoigne des influences de civilisation qui s'y exercèrent entre la Grèce et l'Orient.

courir v. intr. (lat. *currere*) [conj. **21**]. Se déplacer rapidement, par élans successifs, en s'appuyant alternativement sur l'une et l'autre jambe en parlant de l'homme, ou sur l'une et l'autre patte en parlant des animaux : *Un enfant qui court à la rencontre de ses parents.* ‖ *Par exagér.* Marcher plus vite que d'habitude; presser le pas, se hâter : *Ce n'est pas la peine de courir, nous avons le temps.* ‖ Se déplacer rapidement par un moyen quelconque : *Des insectes courent à la surface de l'eau.* ‖ *Fig.* Approcher de : *Courir sur ses trente ans.* ‖ Se précipiter en masse, affluer : *Tout Paris court à cette pièce. Ce spectacle fait courir tout Paris.* ‖ Disputer une épreuve de course : *Ce cheval a bien couru.* ‖ En parlant des choses, se mouvoir rapidement : *Des nuages courent dans le ciel;* et, au *fig. : Le chemin court sur la colline.* ‖ Aller çà et là, de divers côtés; circuler : *Courir toute une journée sans trouver ce qu'on cherche.* ‖ *Partic.* Faire des courses, des démarches. ‖ Etre répandu, circuler, se propager : *Des bruits alarmants courent périodiquement.* ‖ Passer, suivre son cours sans interruption : *Le temps court, les intérêts courent.* ‖ Se prolonger, s'étendre le long de : *Une vigne court le long de la maison.* ● *Courir à l'abîme,* à la mort. ‖ *Courir après,* chercher à atteindre quelqu'un ou quelque chose le plus rapidement possible; poursuivre : *Courir après la gloire.* ‖ *Courir après l'argent,* le rechercher par tous les moyens. ‖ *Courir aux armes,* prendre les armes en toute hâte. ‖ *Courir après son ombre,* poursuivre en vain un but inaccessible. ‖ *Courir après une femme* (Partic.), la poursuivre de ses assiduités à des fins galantes. ‖ *Courir à sa perte, à la ruine,* se ruiner par des dépenses inconsidérées. ‖ *Courir à toutes jambes, ventre à terre, à fond de train, à perdre haleine, comme le vent, comme un dératé, comme un cerf, un lapin, un lévrier, un lièvre, un zèbre,* courir très vite. ‖ *Courir au plus pressé,* faire d'abord ce qui est le plus urgent. ‖ *Courir sur, sus à,* poursuivre, souvent avec des intentions hostiles : *Ce chien court sur les passants.* — *Fig.* Combattre de toutes ses forces : *Courir sus aux abus.* ‖ *Courir sur la place,* abonder sur le marché, d'où être déconsidéré (en parlant des effets de commerce dont on cherche à se défaire). ‖ *En courant,* à la hâte, superficiellement : *Lire un livre en courant. Faire un travail en courant.* ‖ *Faire courir,* engager, faire participer dans une épreuve de course. ‖ *Faire le quart à courir,* sur un navire, prendre le service à tour de rôle. ‖ *Il court encore,* il n'arrête pas de courir. (Expression hyperbolique consacrée, qui exprime la hâte que l'on met à fuir un danger.) ‖ *Laisser courir,* laisser se poursuivre. ‖ *Manœuvrer à courir,* dans la marine, tirer sur les manœuvres au pas de gymnastique. ‖ *Par le temps qui court,* par le temps présent, dans les circonstances actuelles. ✦ v. tr. Poursuivre, chercher à saisir à la chasse : *Courir un cerf.* ‖ Disputer une épreuve de course :

Courir un cent mètres. || Parcourir, sillonner, traverser : *Courir les bois, la campagne.* || Fréquenter habituellement, se rendre assidûment dans : *Courir les bals, les spectacles, les magasins.* || *Fig.* Etre répandu à travers, se propager : *Un nom qui court les salles de rédaction.* || S'exposer à, risquer, affronter : *Courir sa chance.* || Rechercher avec empressement : *Courir les honneurs.* || *Partic.* Rechercher à des fins galantes : *Courir les filles.* || — REM. A la différence de la plupart des verbes de mouvement, *courir* intransitif se conjugue avec l'auxiliaire *avoir.* — Transitif, il se conjugue tout naturellement avec *avoir* et, au passif, avec l'auxiliaire *être : Le trajet fut rapidement couru.* ● *Courir les champs,* errer à travers champs. || *Courir le guilledou, la pretentaine,* aller de côté et d'autre, spécialement en matière de galanterie ; en parlant d'une femme, faire des démarches équivoques, contraires à la bienséance, etc. (V. GUILLEDOU.) || *Courir les rues,* être commun, banal, en parlant des choses. || *Courir quelqu'un, courir le ciboulot, courir sur le haricot, sur le système* (Pop.) [le complément de personne est toujours un pronom personnel], importuner : *Il nous court avec ses boniments.* ◆ **courable** adj. Se dit, en vénerie, d'un gibier qui peut être couru : *Le daguet est courable, la biche ne l'est pas.* ◆ **courailler** v. intr. *Péjor.* et *fam.* Courir sans cesse de côté et d'autre. ◆ **courailleur, euse** adj. et n. *Fam.* Qui couraille. ◆ **couramment** adv. De façon courante, aisément, facilement : *Parler couramment l'anglais.* || D'une façon habituelle : *On croit couramment que...* ◆ **courant, e** adj. Qui court (ne s'emploie au sens propre que pour désigner les chiens qui chassent à courre) : *Une chienne courante ;* et, substantiv. : *Une courante bonne pour les lapins.* || Qui coule continûment : *Une fontaine à eau courante.* || Qui s'écoule actuellement, en parlant des divisions du temps : *Mois courant. Terme courant.* (L'usage a aussi consacré l'expression elliptique : *Le 10, le 20 courant,* pour *le 10, le 20 du mois courant ;* s'écrit parfois *ct.*) || Qui est en cours actuellement : *Le gouvernement démissionnaire expédiera les affaires courantes.* || *Fig.* Usuel, habituel, ordinaire : *Le langage courant. Dépenses courantes. D'une manière courante.* || Banal, facile : *C'est un problème courant.* || Qui a un cours, un taux légal : *Monnaie courante.* ● *Eau courante,* eau qui arrive au robinet : *Une maison dépourvue d'eau courante.* || *Prix courant,* liste des prix des articles vendus par une maison de commerce. || — ***courante*** n. f. Basse danse à trois temps, déjà citée au XVIe s. (Très en vogue sous Louis XIV, elle est utilisée dans la suite instrumentale, généralement après l'allemande.) || Sorte d'écriture cursive, rapide. || *Pop.* Diarrhée : *Avoir la courante.* ◆ **coureur, euse** n. Personne rapide à la course : *Un coureur infatigable ;* et, adjectiv. : *Jument coureuse.* || Athlète qui participe à une course sportive : *Donner le signal aux coureurs.* || Homme chargé de porter des dépêches : *Le coureur de Marathon.* || Jusqu'au XVIIIe s., cavalier envoyé en reconnaissance. || *Fam.* Celui qui fréquente ou recherche assidûment certaines personnes ou certaines choses : *Coureur de filles. Un coureur d'aventures.* || *Partic.* Homme qui recherche les aventures galantes : *Avoir une réputation de coureur ;* et, adjectiv. : *Il est très coureur.* ● *Coureur des bois,* chasseur ou trafiquant de pelleteries, qui, pour se procurer des fourrures, pénétrait en plein cœur des pays occupés par les tribus indiennes de la Nouvelle-France (Canada). || *Coureur indien,* canard domestique originaire de Java, marcheur très rapide, au port presque vertical. (Excellente race pondeuse.) || — ***coureuse*** n. f. Femme de mœurs légères. || Machine pour la fabrication des cordes et des câbles, pouvant se mouvoir sur rails. || — ***coureurs*** n. m. pl. Anc. nom commun à deux groupes d'animaux : les oiseaux nommés actuellement ratites*, et les orthoptères marcheurs, tels que la mante. ◆ **courre** v. tr. et intr. Poursuivre avec des chiens courants : *Courre un cerf.* ● *Chasse à courre,* chasse où l'on poursuit le gibier avec des chiens courants. ◆ **couru, e** adj. Recherché : *Spectacle couru.* ● *C'est couru !* (Fig. et fam.) [locution empruntée au vocabulaire des parieurs aux courses de chevaux], le résultat est certain d'avance, il n'y a pas d'hésitation possible. || — ***courue*** n. f. Durée de l'écoulement des eaux d'un réservoir spécial dans les cours d'eau où l'on jette les bois flottés.

courlan ou **courliri** n. m. Oiseau ralliforme des marécages de l'Amérique chaude, voisin du courlis. (Ses cris l'ont fait surnommer l'*oiseau des lamentations.* On a créé pour lui la famille des aramidés.)

Courlande, en letton **Kurzeme,** région de Lettonie (U. R. S. S.), entre la Baltique et la Dvina. V. princ. *Liepaia.*

● *Histoire.* Primitivement occupé par les Koures, appartenant au groupe finno-ougrien, le pays fut conquis au XIIIe s. par les chevaliers Porte-Glaive, qui y fondèrent un Etat (1237). Devant la menace russe, il fut, de 1561 à 1795, un duché placé sous la suzeraineté de la Pologne. En 1795, la Russie l'annexa officiellement.

courlis n. m. Grand oiseau échassier, de teinte brune, au bec arqué, que l'on rencontre par grandes troupes sur les rivages de l'Europe occidentale lors de ses migrations annuelles. (Famille des charadriidés.)

→ V. illustration page suivante.

Courmayeur, comm. d'Italie, dans le Val d'Aoste, au pied du mont Blanc ; 1 700 h. Centre touristique et d'alpinisme, près du débouché du tunnel du Mont-Blanc. Téléphérique vers le col du Géant.

Merlet - Atlas-Photo

courlis

Tairraz

Courmayeur

Cournand (André), médecin français (Paris 1895). Ses recherches sur l'insuffisance ventriculaire droite, menées à bien depuis 1937 au Rockefeller Institute, à New York, lui ont valu le prix Nobel (1956).

Courneuve (La), ch.-l. de c. de la Seine-Saint-Denis (arr. de Bobigny), à 3 km au N.-E. de Paris ; 37 958 h. Parc départemental. La ville fut dévastée le 15 mars 1918 par l'explosion d'un dépôt de grenades.

Cournot (Antoine Augustin), mathématicien, économiste et philosophe français (Gray 1801 - Paris 1877). Professeur de mathématiques, il fut recteur de l'académie de Grenoble (1835-1838) et de celle de Dijon (1848-1862). Ses premières études furent consacrées à l'économie politique ; ses *Recherches sur les principes mathématiques de la théorie des richesses* (1838) en font le précurseur de l'école mathématique. En philosophie, il chercha à appliquer les résultats de ses recherches mathématiques sur le calcul des probabilités ; sa philosophie est un probabilisme fondé sur l'idée de hasard. Il a écrit : *Exposition de la théorie des chances et des probabilités* (1843), *Essai sur les fondements de nos connaissances et sur les caractères de la critique philosophique* (1831), *Traité de l'enchaînement des idées fondamentales dans les sciences et dans l'histoire* (1861).

courol n. m. (de *cou*[*cou*] et *rol*[*lier*]). Oiseau coraciadiforme de Madagascar, au corps étroit, voisin du rollier.

couronne n. f. (lat. *corona ;* gr. *korônê*, chose courbe). Cercle de fleurs ou de feuillage, qui enserre la tête comme parure ou comme signe de distinction : *Couronne de roses.* ‖ *Fig.* Récompense, prix : *Recevoir une couronne de lauriers à une distribution de prix.* ‖ Cercle de métal qui enserre la tête comme un insigne de dignité, d'autorité, de puissance : *Couronne impériale. Mettre la couronne.* ‖ Puissance, dignité souveraine : *Briguer la couronne.* ‖ Personne du souverain ; dynastie souveraine ; gouvernement d'un souverain : *Le peuple français, sous la Révolution, défiait les couronnes.* ‖ Etat gouverné par un roi : *Services rendus à la couronne d'Angleterre.* ‖ Ce qui a la forme d'une couronne : *Une couronne de pain.* — Le pain lui-même. ‖ *Partic.* Ornement en forme de couronne : *Couronne funéraire. Ni fleurs ni couronnes.* ‖ Partie de la dent recouverte d'émail, qui émerge normalement du maxillaire. (Elle est séparée de la racine par le collet.) ‖ Appareil dentaire en forme de capsule, destiné à reconstituer la partie coronaire d'une dent. ‖ Unité monétaire principale dans divers pays, notamment dans les pays nordiques. ‖ Portion de plan limitée par deux cercles concentriques. ‖ Duvet qui recouvre circulairement le haut du bec du faucon. ‖ Bois de cerf dont les andouillers forment entre eux une espèce de couronne. ‖ Partie inférieure du paturon du cheval, audessus du bord supérieur du sabot. ‖ Système de fortification mis au point par Vauban et composé de plusieurs ouvrages à cornes. ‖ Tout verticille de pièces courtes et serrées. ‖ Ensemble des ligules, soudées ou non, de la corolle des narcisses, lauriers-

couronne de lauriers

roses, passiflores, silènes, etc. ; ensemble des fleurs ligulées des composées radiées. || Ensemble des feuilles de l'ananas situées au-dessus du fruit. || Nom de diverses plantes : fritillaire, gléchome, etc. || Tonsure des clercs et des moines. || En héraldique, meuble fréquemment représenté ; ornement qui surmonte l'écu. || Cercle en fonte à empreintes, fixé à un cabestan ou à un treuil. || Partie d'une lampe à pétrole sur laquelle repose le verre. || Ensemble des facettes d'un brillant comprises entre la table et le rondis. || Plafond d'une galerie de mine. || Terrain qui est au-dessus d'une galerie de mine. || Traverse en fonte reliant, à leur partie supérieure, les bâtis latéraux des métiers à tisser. || Canalisation fermée sur elle-même, qui contourne intérieurement un immeuble, et placée dans le sous-sol (*couronne basse*) ou dans les combles (*couronne haute*). ● *Couronne académique,* prix remporté à la suite d'un concours académique. || *Couronne électrique,* effluve qui se produit autour des conducteurs cylindriques lorsqu'ils se trouvent portés à une grande différence de potentiel avec l'air ambiant. (L'*effet de couronne,* ou *effet corona,* est le phénomène lumineux que produisent ces effluves sur les lignes électriques à très haute tension.) || *Couronne d'épines,* couronne portée par Jésus-Christ lors de sa crucifixion. (Par dérision, les soldats du procurateur romain en coiffèrent le Christ au prétoire. La sainte relique fut offerte par l'empereur de Constantinople à Saint Louis en 1238. Celui-ci fit construire, pour l'abriter, la Sainte-Chapelle du Palais. Elle y demeura jusqu'en 1791. Depuis 1804, elle est conservée au trésor de Notre-Dame de Paris.) || *Couronne de fer,* couronne byzantine dont le nom vient du cercle de fer qui s'y trouvait incrusté, et qui aurait été faite en partie d'un des clous de la vraie croix. (Charlemagne la ceignit en 774, Frédéric IV, en 1452, Charles Quint, en 1530,

couronne d'épines

Dominguez - Ramos

couronnes héraldiques

couronnement de la Vierge
Heures de François de Guise, XIVe s.
musée Condé, Chantilly

Giraudon

et Napoléon Ier, en 1805.) || *Couronne de fil,* fil métallique enroulé en forme de couronne. || *Couronne de gloire,* béatitude éternelle. || *Couronne solaire,* atmosphère lumineuse très diffuse environnant le Soleil. || *Couronne de sondage,* trépan de forme annulaire, garni de diamants ou de dents de métal dur, qui tourne au fond du trou de sonde en désagrégeant le terrain. || *En couronne,* se dit des bras de la danseuse, lorsqu'elle les tient légèrement arrondis au-dessus de la tête. || *Greffe en couronne,* V. GREFFE. || *Mine en couronne,* trou de mine placé à la partie supérieure d'un front. || *Triple couronne,* la tiare papale. ✦ n. f. et adj. Format de papier aux dimensions de 0,36 × 0,46 m en papeterie, et de 0,37 ×0,47 m en édition, et dont le nom vient de ce qu'il portait une couronne dans son filigrane* : *Papier couronne.* ◆ **couronné, e** adj. Se dit d'un cheval qui garde une trace (cicatrice, poils blancs) d'une blessure profonde faite au genou. || *Hérald.* Se dit des personnages ou des animaux représentés avec une couronne sur la tête. ● *Arbre couronné,* vieil arbre dont la tête seule donne des branches. || *Brindille couronnée,* brindille terminée par un bouton à fruits. || *Cerf couronné,* vieux cerf dont la ramure se termine en couronne. || *Tête couronnée,* se dit parfois d'un souverain, d'un roi. ◆ **couronnement** n. m. Action de couronner : *Le couronnement d'un roi.* || Action de garnir la partie supérieure d'une chose. || Partie supérieure d'un édifice, d'un meuble, etc. : *Le couronnement de l'édifice est constitué par une balustrade.* || Partie supérieure de l'arrière d'un navire. || Ornement qui décore l'écusson d'une serrure. || Lésion d'un cheval couronné. || Phase délicate des opérations de siège, consistant à se retrancher dans un emplacement enlevé à l'assiégé. || *Par extens.* Conquête d'une position. || *Fig.* Achèvement, perfection : *Le couronnement d'une carrière.* ◆ **couronner** v. tr. Mettre une couronne sur la tête : *Des enfants s'amusaient à se couronner de fleurs des champs.* || Récompenser par un prix : *Couronner un poète. Couronner un ouvrage.* || Poser solennellement une couronne sur la tête d'un souverain pour le consacrer : *Napoléon voulut se faire couronner par le pape.* || Faire quelqu'un roi : *Napoléon Ier couronna ses frères.* || Entourer, orner comme d'une couronne : *Une tête couronnée de cheveux blancs.* || Entourer, surplomber, dominer : *Une enceinte couronne la citadelle.* || *Fig.* Mettre le comble à, amener à la perfection : *Son entrée à l'Académie couronnerait sa carrière.* ● *Couronner un cheval,* le laisser tomber de telle sorte qu'il se fait une plaie aux genoux. || *Couronner une dent,* lui mettre une couronne. || *Couronner une position,* l'occuper après en avoir chassé les défenseurs. || *Couronner les vœux,* les réaliser, les accomplir. ◆ **couronnure** n. f. Empaumure de la tête d'un cerf lorsque ses épois sont groupés en forme de couronne.

couronne solaire éclipse du 25 février 1952

couronne (AFFAIRE DE LA), procès politique qui fut soulevé par Eschine contre Démosthène (330 av. J.-C.). [V. DÉMOSTHÈNE.]

Couronne (ORDRE DE LA), nom porté par de nombreux ordres créés à l'étranger, dont ceux :
— *de Belgique,* créé en 1897. Six classes ; ruban rouge ponceau ;
— *du Japon,* créé en 1888 ;
— *du Luxembourg* (ordre de la Couronne de chêne), créé en 1841. Cinq classes ; ruban à 5 bandes (2 jaune-orangé et 3 vertes).

Couronne, nom donné à deux constellations* : l'une dans l'hémisphère austral, l'autre dans l'hémisphère boréal. 1° La *Couronne australe* (en lat. *Corona Austrina*) paraît à peine sur l'horizon de Paris. Elle n'est composée que de faibles étoiles, dont les magnitudes sont comprises entre 4 et 5. 2° La *Couronne boréale* (en lat. *Corona Borealis*) a comme étoile principale la *Perle,* de magnitude 2,3 ; les autres sont peu brillantes. Cette constellation a été, en 1866, puis en 1946, le siège de l'apparition d'une remarquable étoile temporaire, dite *nova**, l'étoile T *Coronae Borealis,* qui, dans ces deux circonstances, est passée de la magnitude 9 à une magnitude comprise entre 2 et 3. (V. CIEL.)

Couronne (CAP), cap formé par la chaîne de l'Estaque (Bouches-du-Rhône), sur la Méditerranée.

Couronne (LA), autref. **La Palud,** ch.-l. de c. de la Charente (arr. et à 8 km au S.-O. d'Angoulême) ; 6 568 h. Ruines d'une abbaye de chanoines réguliers de Saint-Augustin (XIIe s.). Fabriques de papier. Cimenterie.

couronné → COURONNE.

Couronné (le **Grand-**). V. GRAND-COURONNÉ.

Couronnés (LES QUATRE), nom de quatre martyrs sous Dioclétien (304). Patrons des sculpteurs, des plâtriers et des maçons.

couronnement → COURONNE.

Couronnement de Poppée (LE), opéra de Busenello, musique de Monteverdi, représenté à Venise au théâtre des Saints-Jean-et-Paul, en 1642.

couronner, couronnure → COURONNE.

couros ou **kouros** n. m. (mot gr. signif. *jeune homme*). Statue de jeune homme nu, caractéristique de la sculpture grecque archaïque (par ex. l'*Apollon de Piombino,* Louvre). — Pl. *des* COUROI.

couroucou n. m. Nom commun aux oiseaux de l'ordre des *trogoniformes,* habitant les forêts équatoriales, et caractérisés par le renversement du doigt interne des pattes vers l'arrière. (Ils ont une tache rouge sur la poitrine, une longue queue. Ils nichent dans des trous qu'ils creusent dans les arbres.)

Courpière, ch.-l. de c. du Puy-de-Dôme (arr. et à 16 km au S. de Thiers), sur la Dore ; 4 602 h. Eglise romane auvergnate. Coutellerie ; carrosseries d'automobiles.

courre → COURIR.

Courrèges (André), couturier français (Pau 1923). En 1965, il lança la minijupe, la vogue du blanc et une mode très architecturée, conçue à l'intention des filles jeunes et sportives.

courrier n. m. (ital. *corriere ;* de *correre,* courir). Homme qui précédait la poste à cheval pour faire préparer les relais. || Celui qui portait les lettres en malle-poste : *L'Affaire du courrier de Lyon.* || Porteur de dépêches : *Le courrier du roi.* || Valet de pied, coureur : *Les grands seigneurs avaient des courriers à leur service.* || Voiture automobile, navire, avion, etc., qui assure le transport des dépêches, lettres, journaux. || Lettres envoyées ou reçues par la poste ; ensemble de la correspondance : *Ecrire, expédier son courrier.* || Nom donné à un grand nombre de journaux. || Chronique d'un journal transmettant les nouvelles de la mode, du théâtre, des lettres, etc. : *Courrier mondain. Courrier littéraire. Courrier de la Bourse. Courrier de Paris. Courrier de la mode.* ● *Courrier de cabinet, courrier diplomatique* ou *courrier d'ambassade,* agent du ministère des Affaires étrangères chargé de transporter soit la valise diplomatique, soit des dépêches importantes et urgentes aux ambassadeurs. || *Courrier du cœur,* correspondance entre les lecteurs et le journaliste spécialiste des problèmes sentimentaux. || *Courrier des lecteurs,* chronique d'un journal où sont publiées les lettres des lecteurs, et éventuellement les réponses qui leur sont faites. || *Machine à courrier,* machine à ouvrir les enveloppes (400 à la minute) et à les fermer par pliage et collage (580 à la minute). ◆ **courriériste** n. Journaliste qui rédige une chronique appelée « courrier » : *Etre courriériste dans un hebdomadaire.*

Courrier de Lyon (LE), mélodrame en 5 actes de Moreau, Siraudin et Delacour (1850). Il s'inspire du crime imputé à Lesurques, qui fut condamné à mort en 1797, peut-être à tort, pour l'assassinat du courrier de Lyon.

Courrier (Robert), médecin français (Saxon-Sion, Meurthe-et-Moselle, 1895). Agrégé des facultés de médecine, docteur ès sciences, professeur de morphologie expérimentale et d'endocrinologie au Collège de France, il a consacré ses travaux à l'endocrinologie, notamment à la thyroïde et aux glandes sexuelles. (Acad. des sc., 1944 ; secrétaire perpétuel, 1948.)

Courrières, comm. du Pas-de-Calais (arr. de Lens), sur la Deûle, à 4 km au N. d'Hénin-Liétard ; 12 493 h. Houille. Chaudronnerie. En 1906, une terrible catastrophe fit 1 200 victimes parmi les mineurs.

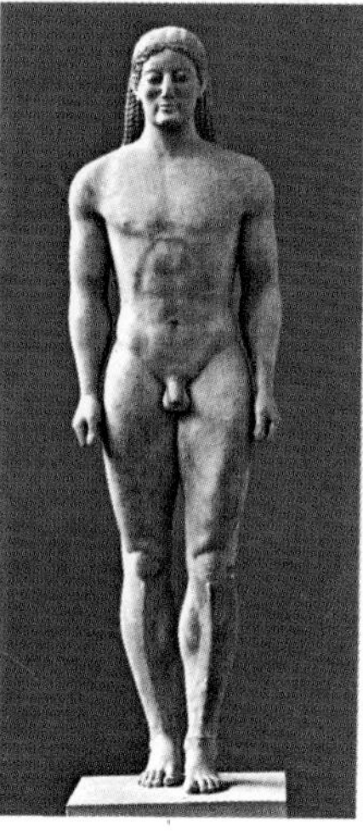
Percheron

couros
musée national d'Athènes

courriériste → COURRIER.

courroie n. f. (lat. *corrigia*). Bande de cuir ou, *par extens.,* de toute autre matière. || Organe de transmission constitué par une bande souple servant à mettre en liaison deux axes de rotation par le moyen de poulies.

courroucer v. tr. (lat. pop. **corruptiare ;* de *corrumpere,* corrompre ; par suite, irriter) [conj. **1**]. Irriter vivement, mettre en colère : *Etre courroucé par une réflexion désagréable.* ◆ **courroux** [kuru] n. m. Violente irritation contre un offenseur (s'emploie de préférence en poésie ou dans le style soutenu) : *Contenir difficilement son courroux.* ‖ *Poétiq.* Violente agitation : *Le courroux du ciel.* ‖ — SYN. : *colère, emportement, fureur.*

cours [kur] n. m. (lat. *cursus;* de *currere,* courir). Ecoulement des eaux des fleuves, rivières, ruisseaux. ‖ Etendue, parcours d'une masse liquide : *Le cours d'une rivière. La Loire, dans son cours, arrose une délicieuse contrée.* ‖ *Absol.* Etendue de terre, allée servant de promenade : *Jouer aux boules sur le cours.* ‖ Mouvement réel et apparent des astres : *Le cours de la Lune. Le cours du Soleil.* ‖ *Fig.* Suite, mouvement continu dans le temps, enchaînement : *Le cours de sa carrière a été brisé par la maladie.* ‖ Prix de vente d'une marchandise, d'une denrée ou d'une valeur mobilière : *Les cours officiels ou officieux sont publiés dans une cote* (*Bourse, automobiles d'occasion*) *ou dans une mercuriale* (*halles, marchés*). ‖ Circulation régulière d'effets de commerce ou de monnaies. ‖ Crédit, vogue : *Cet usage n'a plus cours.* ‖ Série de leçons données par un professeur sur une même matière. ‖ Chacune des leçons qui forment la série : *Etre absent à un cours.* ‖ Traité renfermant une série de leçons sur la même matière : *Cours polycopié.* ‖ Etablissement qui limite son enseignement à une catégorie d'élèves ou à une discipline particulière : *Un cours de jeunes filles. Un cours de danse.* ‖ Dans l'enseignement du premier degré, chacune des divisions entre lesquelles est réparti le programme des études. (On distingue le *cours préparatoire* [6 à 7 ans], le *cours élémentaire* [7 à 9 ans], le *cours moyen* [9 à 11 ans], le *cours supérieur* [11 à 12 ans], le *cours de fin d'études* [12 à 14 ans].) ● *Cours d'eau,* nom très général donné à toutes les eaux courantes de quelque importance. ‖ *Cours d'assise,* rang de pierres de même hauteur posées sans interruption dans toute la longueur d'un mur. ‖ *Cours de Bourse,* prix atteint par une valeur mobilière au cours d'une séance de la Bourse et publié à la cote après la séance. ‖ *Cours de compensation,* cours fictif servant, à chaque liquidation, de base de règlement entre acheteurs et vendeurs, qui continuent leurs opérations en se faisant reporter. (Il clôt le compte de la liquidation écoulée et fixe le point de départ de la liquidation nouvelle.) ‖ *Cours complémentaires,* ancien nom des collèges d'enseignement général et des collèges d'enseignement technique. ‖ *Cours forcé,* régime de circulation du billet de banque, dans lequel les banques sont dispensées de l'obligation de rembourser leurs billets en or ou en argent. ‖ *Cours légal,* régime monétaire dans lequel, sur le territoire national, les signes monétaires émis conformément aux dispositions de la loi doivent être acceptés pour leur valeur nominale par les caisses publiques et les particuliers. (Ces signes monétaires sont échangeables aux guichets de l'institut d'émission contre des monnaies — ou des lingots — de métal précieux.) ‖ *Cours moyen,* moyenne des cours d'une valeur dans une séance de Bourse. ‖ *Dernier cours* ou *cours de clôture,* prix auquel une valeur est citée en dernier lieu, dans une séance de Bourse. ‖ *Donner cours, libre cours,* laisser s'exprimer : *Donner libre cours à sa joie.* ‖ *Donner cours à une rumeur,* l'accréditer. ‖ *Premier cours* ou *cours d'ouverture,* prix auquel une valeur est citée à l'ouverture d'une séance de Bourse. ‖ *Prendre cours,* entrer en usage : *Un slogan qui prend cours.* ‖ *Suivre son cours,* en parlant d'une maladie, passer par certaines périodes inévitables. ‖ *Voyage au long cours,* longue traversée effectuée par un navire. ● LOC. PRÉP. *Au cours de, en cours de,* pendant.

Cours de philosophie positive, par Auguste Comte (Paris 1830-1842), exposé du système du positivisme*, moins la morale et la religion, et où se trouve énoncée la célèbre loi des trois états (théologique, métaphysique, positif) de la connaissance.

Cours-la-Reine (le), promenade de Paris, au bord de la Seine, de la place de la Concorde vers l'aval. Elle fut créée par Marie de Médicis, en 1616.

Cours-la-Ville, comm. du Rhône (arr. de Villefranche-sur-Saône), à 9,5 km au N. de Thizy ; 5 556 h. (*Coursiauds*). Industries textiles : couvertures, tissage du coton.

Coursan, ch.-l. de c. de l'Aude (arr. et à 7 km au N.-E. de Narbonne), sur l'Aude ; 3 335 h. (*Coursannais*). Eaux thermales.

course n. f. (ital. *corsa;* de *correre,* courir). Action de courir : *Malgré notre course, nous avons manqué le train.* ‖ *Par exagér.* Marche rapide : *La course au succès.* ‖ Lutte de vitesse : *La course à la conquête de l'espace.* ‖ Lutte sportive : *Des courses de chevaux.* (V. *encycl.*) ‖ Marche, progression de ce qui est en mouvement : *Le bateau poursuit sa course.* ‖ Ensemble des opérations des navires corsaires*, constituant un moyen de guerre légitime et régulier, très employé aux XVIIe et XVIIIe s., et qui a été abandonné par la déclaration de Paris du 16 avr. 1856. ‖ Action de parcourir. ‖ *Partic.* Excursion, promenade. ‖ Ensemble des actions auxquelles se livre une cordée d'alpinistes pour gravir une montagne et en redescendre. ‖ Trajet accompli d'une traite par un véhicule : *Faire un trajet d'une seule course.* ‖ Prix du trajet ‖ Démarche d'affaires ; commission : *Faire des courses.* ‖ Espace où se déplace un organe assujetti à un mouvement de va-et-vient : *La course du piston dans une pompe.* ‖ Longue tuyauterie pour produit pétrolier dans une raffinerie ou un dépôt. ‖ Armement spécial d'un navire destiné à une compétition sportive. ‖ Dans le métier Jacquard, quantité de cartons compris dans une révolution entière du jeu. ‖ Amplitude du déplacement de la navette du métier à tisser.

● *A bout de course,* épuisé. ‖ *En fin de course,* sur son déclin. ‖ *Etre dans la course,* participer à une compétition; et, au *fig.*, être au courant, être mêlé à une affaire : *Ça ne m'intéresse pas, je ne suis pas dans la course.* ‖ *Hors de course,* hors d'état de servir. ‖ *La course du temps* et, absol., *la course,* la suite des jours, la vie : *Arriver au bout de la course.* ‖ *Règles de course,* règles élaborées par les autorités nationales ou internationales pour définir en détail les conditions dans lesquelles doivent se mesurer les yachts de course. ‖ — **courses** n. f. pl. Turf : *Le monde des courses.* ◆ **course-croisière** n. f. Compétition de yachting qui consiste en une course à la voile sur un parcours en haute mer dépassant, en général, 100 milles. — Pl. *des* COURSES-CROISIÈRES. ◆ **coursier** n. m. Personne qui fait les courses en ville pour une administration, un commerçant, un atelier, etc. ‖ *Poétiq.* Cheval de bataille ou de tournoi. ‖ Canon placé sur la coursie, à bord d'une galère ou d'une chaloupe, pour tirer dans l'axe vers l'avant. ◆ **coursière** n. f. Sentier qui coupe à travers champs ou sur les flancs d'une montagne : *Prendre par les coursières pour arriver plus vite.* ‖ Galerie de circulation très étroite, ménagée au-dessus des grandes arcades de la nef d'une église. ‖ Chemin de ronde d'une forteresse. ‖ Pièce d'une machine à coudre, qui conduit une navette. ‖ Rigole amenant dans les moules le métal en fusion sortant du haut fourneau.

— ENCYCL. **course.** *Sports.* En athlétisme, les *courses pédestres* sont classées, d'après la distance, en courses de vitesse (jusqu'au 800 m exclu), de demi-fond (800 m à 3 000 m), de fond (3 000 m à 15 km) et de grand fond (au-dessus de 15 km). On distingue les courses plates, les courses d'obstacles et les courses de relais.

Presse-Sports

course à pied

Les *courses cyclistes* se disputent soit sur route, soit sur piste. Parmi les premières, on distingue les courses en ligne, de distance variable (Paris-Roubaix, Critérium national, Bordeaux-Paris, etc.), les courses par étapes (Tour de France, Tour d'Italie, etc.) et les courses contre la montre (Grand Prix des Nations, Grand Prix de Suisse). Parmi les épreuves sur piste, il faut citer : la vitesse, la poursuite, le demi-fond, les Six-Jours, etc. Les *courses d'automobiles* sont disputées entre voitures de différentes marques sur autodromes, circuits routiers, ou sur route, par étapes. Les voitures sont généralement divisées par catégories suivant leur cylindrée. Parmi les principales courses d'automobiles,

course de chevaux

Dautreppe - Atlas-Photo

E. Legros - C. E. D. R. I.

course automobile : Vingt-Quatre Heures du Mans 1977

il faut citer : les Vingt-Quatre Heures du Mans, le Grand Prix de l'A. C. F. et la Targa Florio.
— *Turf.* Les *courses de chevaux* avaient pour objet, à l'origine, l'amélioration de la race chevaline par la sélection; elles ne furent vraiment organisées en France que vers le milieu du XIXe s. Les principaux hippodromes sont : Chantilly, Longchamp, Maisons-Laffitte, Saint-Cloud, Le Tremblay, Vincennes, Auteuil, Enghien. Les courses de chevaux sont l'objet de paris*. Parmi les plus célèbres, citons : le Grand Prix du président de la République et le Grand Steeple, en obstacles; le Grand Prix de Paris et le Prix de l'Arc-de-Triomphe, en plat. Il existe trois catégories de courses de chevaux : le plat, l'obstacle et le trot (monté ou attelé).

course cycliste

Presse-Sports

Course à la mer (la), nom donné à l'ensemble des opérations qui, du 18 sept. au 15 nov. 1914, ont fait suite à la bataille de la Marne et ont marqué l'échec du plan allemand visant à occuper les rivages du pas de Calais. Grâce aux efforts des Alliés, coordonnés par Foch, le front occidental fut stabilisé jusqu'à la mer.

course-croisière → COURSE.

Coursegoules, ch.-l. de c. des Alpes-Maritimes (arr. de Grasse), à 16 km au N. de Vence; 155 h.

Courseulles-sur-Mer, comm. du Calvados

(arr. et à 18 km au N. de Caen), sur la côte de la Manche; 2 553 h. (*Courseullais*). Ostréiculture. Lieu de débarquement de la 3e division canadienne le 6 juin 1944.

coursie n. f. Passage ménagé sur une galère entre les bancs des forçats, et allant de la poupe à la proue. (On disait aussi COURSIVE.) ● *Canon de coursie,* syn. de COURSIER.

coursier, coursière → COURSE.

coursive n. f. (ital. *corsiva,* fém. de l'adj. *corsivo,* où l'on peut courir). Galerie de circulation desservant plusieurs appartements, dite « extérieure » si elle est directement éclairée en façade, « intérieure » si elle est dans l'axe du bâtiment. || Passage dans le sens de la longueur d'un navire.

courson, onne adj. Se dit d'une branche placée sur la branche mère et portant la branche à fruits de l'année. || — ***courson*** n. m. Branche courte. || Partie du sarment de la vigne à deux ou trois yeux, laissée sur la branche mère après la taille d'hiver. || Avivé* de petite longueur.

Courson-les-Carrières, ch.-l. de c. de l'Yonne (arr. d'Auxerre), à 19 km au N. de Clamecy; 701 h. Eglise du XVIe s. Carrières de pierre calcaire, tendre et blanche.

court, e adj. (lat. *curtus*). Qui a peu ou trop peu d'étendue, soit en longueur, soit en hauteur : *Avoir les jambes courtes.* || Qui est insuffisant : *Le dîner était un peu court.* || Qui a peu de durée : *Une courte discussion. Les semaines de vacances paraissent trop courtes.* || Prompt, rapide, facile par suite de son peu de durée : *Ce sera plus court de faire le trajet à pied.* || — SYN. : *concis; petit, ramassé, trapu, insuffisant; borné, bref, éphémère, fugace, fugitif, passager, prompt, rapide.* ● *A courte vue,* sans souci de l'avenir : *Politique à courte vue.* || *Avoir la mémoire courte,* oublier vite. || *Avoir la vue courte,* ne pas voir de loin; et, au *fig.,* manquer de prévoyance. || *Court d'haleine,* se dit d'un cheval atteint de dyspnée. || *Courte paille,* jeu d'enfant consistant à tenir dans la main des brins de paille, de papier, etc., de longueurs différentes, dont une seule extrémité apparaît. (Celui qui prend le brin le plus court gagne ou perd suivant les conventions.) || — ***court*** n. m. *Couper au court, au plus court,* prendre le plus court chemin : *Couper au court à travers les prés.* ✦ adv. D'une manière courte : *Des arbres taillés court.* ● *Couper court, trancher court, arrêter court,* cesser brusquement un entretien, finir en peu de mots. || *Couper court à,* mettre fin à, faire cesser brusquement : *Couper court aux compliments.* || *Demeurer court, rester court, se trouver court,* s'arrêter net faute d'idées, de mémoire, de ressources. || *Etre pendu haut et court,* être suspendu par le cou tout en haut de la potence, ce qui place le corps haut et rend la corde courte. || *Prendre de court,* prendre au dépourvu, sans laisser le temps d'agir. || *S'arrêter court,* s'arrêter brusquement : *Le cheval s'arrêta court devant l'obstacle.* || *Tourner court,* tourner dans un très petit espace, changer brusquement de direction; et, au *fig.,* passer brusquement d'une chose à une autre; cesser, finir brusquement : *La conversation a tourné court.* || *Tout court,* d'une manière tout à fait courte : *Cheveux coupés tout court.* — Brusquement, subitement : *S'arrêter tout court.* — Sans rien ajouter : *Appelez-moi « Monsieur » tout court.* ● LOC. PRÉP. *A court de,* manquant de : *Etre à court d'argent.* ◆ **courtaud, e** adj. et n. *Fam.* Se dit d'une personne grosse et de petite taille. || — ***courtaud*** n. m. Cheval court de reins et de taille moyenne qui servait au Moyen Age de seconde monture aux chevaliers. ◆ **courtauder** v. tr. Priver de la queue et des oreilles : *Courtauder un chien, un cheval.*

court n. m. (mot angl. signif. *espace enclos,* et qui n'est autre que la forme anc. et étym. du fr. *cour*). Emplacement sur lequel on joue au tennis.

Court (les), famille d'orfèvres et d'émailleurs de Limoges. JEAN Ier (1487 - 1541) eut pour fils JEAN II, dit *Vigier,* dont la fille SUZANNE (1560 - 1627) fut célèbre dès 1600.

Court (Antoine), pasteur français (Villeneuve-de-Bèze, Vivarais, 1695 - Lausanne 1760). Après avoir restauré au « Désert » les Eglises réformées, il les dota, en 1729, à Lausanne, d'un séminaire. Il a écrit une *Histoire des troubles des Cévennes* (guerre des Camisards) [1760].

courtage → COURTIER.

courtaud, courtauder → COURT.

Courtauld (COLLECTION et INSTITUT), à Londres, ensemble de tableaux, surtout impressionnistes, donnés, en 1923, à la Tate Gallery par l'industriel Samuel Courtauld (1876-1947), qui fonda, en 1931, un institut d'art.

Courtaulds Ltd., société industrielle britannique, fondée en 1816 à Bocking (Essex) par Samuel Courtauld (1793-1881). Cette firme est devenue, depuis le début du XXe s., le plus important fabricant de rayonne et de fibranne du Commonwealth, et l'une des plus importantes entreprises textiles du monde.

court-bouillon n. m. Bouillon généralement composé d'eau salée aromatisée à laquelle on ajoute du vin blanc ou rouge et même du lait et qui sert particulièrement à la cuisson du poisson. — Pl. *des* COURTS-BOUILLONS.

court-circuit n. m. Phénomène électrique qui se produit quand on réunit par un conducteur de résistance très faible deux points entre lesquels existe une différence de potentiel. (Le court-circuit peut être volontaire [mise hors circuit d'un galvanomètre, allumage d'une lampe à arc], mais quand il est accidentel [fils qui se touchent, par ex.], l'intensité peut prendre une valeur dangereuse pour les appareils, d'où l'emploi de fusibles, de disjoncteurs, etc.) — Pl. *des* COURTS-CIRCUITS. ● *Mettre une machine en court-circuit,* la faire débiter sur un circuit de très faible résistance. ‖ *Montage d'un va-et-vient en court-circuit,* V. VA-ET-VIENT. ‖ *Tension de court-circuit d'un transformateur,* tension qu'il est nécessaire d'appliquer à l'enroulement primaire pour que l'enroulement secondaire, mis au préalable en court-circuit, soit parcouru par son courant nominal. ◆ **court-circuiter** v. tr. Mettre en court-circuit. ‖ *Fig.* Passer par une voie plus courte que la normale : *Il n'est pas mauvais parfois de court-circuiter la voie hiérarchique.*

Courtecuisse (Jean), prélat français (Allaines, diocèse du Mans - † Genève 1423). Défenseur de la grande ordonnance de réforme, dite « ordonnance cabochienne », en 1413, il devint en 1418 chancelier de l'Université de Paris. Il fut nommé évêque de Paris, mais les Anglais lui interdirent d'exercer ses fonctions.

courte-lettre n. f. Nom donné par les fondeurs de caractères à toute lettre dont le corps doit être coupé sur les côtés, pour laisser l'œil isolé. — Pl. *des* COURTES-LETTRES.

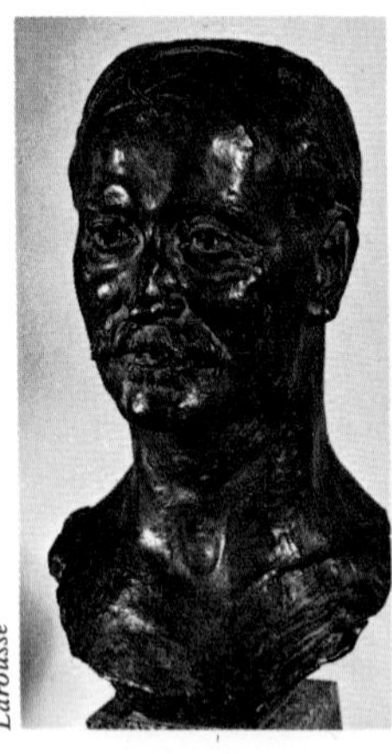

Larousse

Courteline bronze par Félix Benneteau *Comédie-Française*

Courteline (Georges MOINAUX, dit **Georges**), écrivain français (Tours 1858 - Paris 1929). Il a laissé une œuvre abondante, remarquable par la justesse de l'observation, la précision du trait, la vivacité de la satire, souvent amère, encore que voilée de bouffonnerie. Parmi ses récits, on peut citer : *les Gaîtés de l'escadron* (1886), *le Train de 8 heures 47* (1888), *Messieurs les ronds-de-cuir* (1893). Ses courtes comédies sont restées célèbres : *Boubouroche** (1893), *Le gendarme est sans pitié* (1899), *Le commissaire est bon enfant* (1899), *l'Article 330* (1900), *la Paix chez soi* (1903). [Acad. Goncourt, 1926.]

Courtenay, ch.-l. de c. du Loiret (arr. et à 25 km à l'E. de Montargis) ; 2 576 h. (*Curtiniens*). Château du XVIIIe s. Patrie d'Aristide Bruant.

Courtenay (MAISONS DE), familles qui ont possédé la seigneurie de Courtenay.
A la *première maison de Courtenay* appartient JOCELIN Ier *le Grand* († Alep 1131), seigneur de Tibériade (1115), puis comte d'Edesse (1119). La maison anglaise de Courtenay est peut-être issue de GEOFFROI CHARPALU, troisième fils de Jocelin Ier.
La *deuxième maison de Courtenay* est issue de PIERRE Ier de France (1125 - 1182), seigneur **de Courtenay,** et d'Elisabeth **de Courtenay.** — PIERRE II (v. 1167 - 1217), leur fils aîné, devint, par un premier mariage, comte de Nevers, d'Auxerre et de Tonnerre. Un second mariage avec Yolande de Flandre le fit empereur latin d'Orient (1217). — BAUDOUIN II (1240 - 1273) perdit Constantinople en 1261. La famille de Courtenay ne fut plus dès lors que souverain titulaire de l'Empire latin. — La petite-fille de Baudouin II, CATHERINE Ire (1283 - 1307), apporta l'Empire latin à son mari Charles Ier de Valois.

Courtenay (Henry), comte **de Devon** et marquis **d'Exeter,** courtisan et diplomate anglais (v. 1496 - Londres 1538), petit-fils d'Edouard IV. Il fut décapité sur ordre de Cromwell. — Son fils EDWARD, comte de Devonshire (v. 1526 - Padoue 1556), fut emprisonné sous Edouard VI, complota contre Marie Ire et dut s'exiler.

courtepointe n. f. (altér. de *coiltepointe,* croisé avec *court ;* lat. *culcita puncta,* couverture piquée). Couverture de lit, ouatée et piquée.

Courtes-Chausses (BOIS DE), lieu-dit de la forêt d'Argonne, sur la commune de La Chalade, qui fut le théâtre de violents combats (1914-1916).

Courteys (les), famille de peintres émailleurs limousins, qui a compté parmi ses membres : JEAN (Limoges 1511 - *id.* 1586), qui a produit des œuvres d'un seul ton, aux compositions compliquées (musée de Limoges) ; — PIERRE Ier (Limoges 1520 - *id.* 1586), auteur de douze plaques émaillées pour le château de Madrid (près de Paris) ; — PIERRE II (Limoges 1550 - *id.* 1611), fils aîné de Pierre Ier ; — PIERRE III (Limoges 1556 - *id.* 1617), second fils de Pierre Ier, peintre et émailleur ; — MARTIAL, peintre et orfèvre († v. 1579), frère des précédents.

Courthézon, comm. de Vaucluse (arr.

d'Avignon), à 8 km au S.-E. d'Orange; 4 382 h. Enceinte médiévale.

courtier, ère n. (provenç. *courratier,* coureur). Commerçant dont la profession consiste à rapprocher des personnes qui désirent contracter, et qui, en faisant connaître à chaque partie les conditions de l'autre, s'efforce d'arriver à une conciliation des intérêts, conseille la conclusion du contrat et parfois collabore à la rédaction de l'acte qui le constate. || *Par extens.* Représentant; commissionnaire. ● *Courtier interprète et conducteur de navires,* ou *courtier maritime,* officier ministériel ayant le monopole du courtage des affrètements et de la traduction devant les tribunaux des contrats maritimes. (Les courtiers maritimes servent seuls d'introducteurs aux capitaines de navires de commerce étrangers auprès des autorités françaises en ce qui concerne la « conduite » du navire [ensemble des diverses formalités imposées aux navires entrant dans un port].) || *Courtier de marchandises,* personne assermentée, qui constate les cours, évalue les marchandises déposées dans les magasins généraux et procède à la vente publique de certaines marchandises. ◆ **courtage** n. m. Action accomplie par le courtier. || Rémunération du courtier.

courtilière n. f. (de l'anc. franç. *courtil,* jardin). Insecte orthoptère fouisseur, insectivore, aux élytres courts, au corps brun et allongé.

Six

courtilière

courtille n. f. Enclos, jardin champêtre.

courtine n. f. (lat. *cortina,* tenture). Rideau de fenêtre ou de lit (XVIIe s.). || Façade terminée par deux pavillons. || Mur joignant les flancs de deux bastions voisins. || *Hérald.* Chacune des parties du pavillon entourant un écu royal.

Courtine-Le-Trucq (LA), ch.-l. de c. de la Creuse (arr. d'Aubusson), à 20 km au N. d'Ussel; 1 364 h. Grand camp militaire. En 1917, à l'annonce de la révolution, une des brigades russes qui avaient combattu en Champagne s'y mutina.

courtisan n. m. (ital. *cortigiano;* de *corte,* cour). Celui qui fait partie de la cour d'un roi, d'un prince, etc. || Celui qui cherche à plaire par la flatterie : *Le peuple a ses courtisans.* || *Partic.* Individu qui courtise une femme : *La beauté n'a jamais manqué de courtisans.* || — **courtisan, e** adj. Qui concerne le courtisan, la courtisane : *Les manières courtisanes. La souplesse courtisane. Un style courtisan.* (V. aussi COURTISANE.) ◆ **courtisanerie** n. f. Conduite, caractère, manières de courtisan : *Courtisanerie obséquieuse.* ◆ **courtisanesque** adj. Propre aux courtisans : *Une obséquiosité courtisanesque.*

Courtisan (LE) [*Cortegiano*], traité composé par Baldassarre Castiglione entre 1508 et 1518, et publié à Venise en 1528. Durant quatre soirées, des personnes dialoguent à la cour d'Urbino sur les qualités physiques et morales que doit posséder le parfait courtisan.

courtisane n. f. Femme qui vend ses faveurs; femme de mauvaise vie, en général. (V. aussi COURTISAN.)

courtisanerie, courtisanesque → COURTISAN.

courtiser v. tr. (de l'anc. franç. *courtoyer,* fréquenter la cour; refait d'après *courtisan*). Faire sa cour à, chercher à plaire à : *Courtiser les puissants du jour.* || Faire la cour à une femme, rechercher ses faveurs : *Courtiser une jeune fille.* || — SYN. : *aduler, flatter, louanger.* ● *Courtiser la gloire, la fortune* (Fig.), les rechercher. || *Courtiser les muses* (Fig.), s'adonner à la poésie.

court-jointé, e adj. Qui a des paturons trop courts, en parlant d'un cheval : *Juments court-jointées.*

court-noué n. m. Maladie à virus de la vigne, se transmettant par la greffe et produisant une dégénérescence des ceps, des irrégularités de croissance, une altération des feuilles.

courtois, e adj. (de *cour,* qui s'est écrit *court*). En parlant des personnes, qui parle, agit avec une politesse raffinée, avec un grand désir de ne pas déplaire à autrui : *Un homme courtois.* || En parlant de choses, qui témoigne d'une politesse raffinée : *Manières courtoises.* || — SYN. : *aimable, civil, gracieux, poli.* ● *Armes courtoises,* armes de tournois, à la pointe et au tranchant émoussés : *Combattre à armes courtoises.* — *Fig.* Moyens honnêtes et loyaux : *L'injure n'est jamais une arme courtoise.* ● *Littérature courtoise,* littérature subtile née dans de petites cours seigneuriales, surtout dans celles du midi de la France. (V. *encycl.*) ◆ **courtoisement** adv. De façon courtoise. ◆ **courtoisie** n. f. Civilité, politesse, relevées d'élégance et de générosité : *Manquer de courtoisie envers les dames.* || — SYN. :

amabilité, civilité, politesse. ● *Courtoisie internationale,* ensemble de règles qui, sans être juridiquement obligatoires, coopèrent au maintien des bonnes relations entre les Etats, et dont le développement a influé sur le progrès du droit international.

— ENCYCL. **courtois.** *Littérature courtoise.* ● *La poésie.* Les premières œuvres sont méridionales et sont composées en langue d'oc par des *troubadours,* auteurs de *sirventès* (serventois), de *jeux partis,* de *pastourelles* et d'*aubes,* où l'on raffine sur l'amour et que le poète voue à sa dame. Ces poésies sont accompagnées de la vielle, de la gigue (violon) ou de la rote (petite harpe). Citons dans l'ordre chronologique, parmi les troubadours : Guillaume IX, duc d'Aquitaine († 1127), Jaufré Rudel, Marcabru, Bernard de Ventadour, Guiraut de Borneil, Bertran de Born. La croisade des albigeois (début du XIIIe s.) provoque le déclin de la poésie méridionale. Toutefois, la fondation à Toulouse, en 1323, du « Consistoire du gai savoir », noyau de la future académie des jeux* Floraux, prouve que le lyrisme n'est pas mort en pays d'oc. Il a d'ailleurs essaimé en Italie, en Sicile, en Catalogne, en Galice et dans le nord de la France, où les trouvères Chrétien de Troyes, Gace Brulé, Conon de Béthune, Guiot de Provins, Thibaut IV, comte de Champagne, Jean Bodel, Adam le Bossu sont des imitateurs des poètes courtois du Midi. Au XVe s., les derniers tenants de la poésie courtoise sont Christine de Pisan, Alain Chartier et Charles d'Orléans. Ces trouvères ont eux-mêmes exercé une influence sur les Minnesänger d'Allemagne.
● *Le roman.* Alors que le Midi s'est contenté du lyrisme (au XIIIe s.), le Nord joint à ce genre celui du roman. Chrétien de Troyes est à la fois poète courtois et auteur de romans où l'on voit vivre les héros célèbres (Lancelot, Yvain, Perceval) du cycle d'Arthur. Thomas et Béroul écrivent la tragique histoire de *Tristan* et Iseut.* Marie de France compose des *Lais bretons,* sortes de nouvelles féeriques. Le XIIIe s. substitue la prose au vers de huit syllabes dans un vaste *Lancelot,* dans une admirable *Queste du Graal* et dans la *Mort d'Arthur. Le Roman de la Rose,* inachevé, de Guillaume de Lorris (v. 1236), est comme la somme de l'esprit courtois. Le roman courtois termine sa carrière au XVe s. avec *le Petit Jehan de Saintré* (v. 1460), d'Antoine de La Sale. Il ne survivra plus au XVIe s. que dans l'*Amadis de Gaule,* dont les exploits monteront à la tête de Don Quichotte.

Courtois (Jean), peintre-verrier français (Tours 1508 - *id.* 1584). Il travailla pour La Ferté-Bernard, Chartres, Dreux, Tours.

Courtois (Jacques), dit **le Bourguignon,** peintre français (Saint-Hippolyte, Franche-Comté, 1621 - Rome 1676). Il partit à quinze ans pour l'Italie, suivit pendant trois ans une armée en campagne et dessina des scènes

Held

Jacques Courtois
autoportrait
Offices, Florence

militaires. Revenu à Milan, puis à Bologne et enfin à Rome, il connut la célébrité comme peintre de batailles, dont il choisit les épisodes les plus fougueux. A la fin de sa vie, il entra dans la Compagnie de Jésus et peignit des compositions religieuses. Ses œuvres figurent au Louvre et dans les musées de Dresde, de Leningrad, de Stockholm.

Courtois (Bernard), chimiste et pharmacien français (Dijon 1777 - Paris 1838). Il découvrit la morphine dans l'opium au cours de ses travaux avec Seguin. Il est surtout célèbre pour avoir isolé l'iode en 1811.

courtoisement, courtoisie → COURTOIS.

Courtomer, ch.-l. de c. de l'Orne (arr. d'Alençon), à 15 km à l'E. de Sées ; 699 h. Château du XVIIIe s.

Courtonne (Jean), architecte français (Paris 1671 - *id.* 1739). Architecte du roi, il éleva des hôtels à Paris (hôtel Matignon, 1721) et le château de Villarceaux. On lui doit un *Traité de perspective pratique* (1725).

Courtrai, en flam. **Kortrijk,** v. de Belgique, ch.-l. d'arr. de la Flandre-Occidentale, à 15 km au N.-N.-E. de Tourcoing ; 44 800 h. Industries textiles. Nombreux monuments du XIIIe au XVe s. (églises, hôtel de ville, beffroi, etc.). Victoire des milices des villes de Flandres révoltées contre le roi de France à l'instigation de Bruges (11 juill. 1302).

Court-Saint-Etienne, comm. de Belgique (Brabant, arr. et à 20 km à l'E.-N.-E. de Nivelles) ; 5 500 h. Tanneries.

court-vêtu, e adj. Qui porte un vêtement court : *Des personnes court-vêtues.*

couru, courue → COURIR.

Courville-sur-Eure, ch.-l. de c. d'Eure-et-Loir (arr. et à 19 km à l'O. de Chartres), sur l'Eure ; 2 055 h. (*Courvillois*). Belle église et retable de la Renaissance.

courvite n. m. (pour *court-vite*). Oiseau de l'Afrique du Nord, qui vit surtout dans les déserts et court rapidement sur ses longues pattes. (Famille des glaréolidés.)

couscous [kuskus] n. m. (mot ar.). Plat de l'Afrique du Nord, composé de semoule de blé dur dont les grains sont cuits à la vapeur et servis avec un bouillon de pois chiches, de carottes, de navets, de viande (mouton, poulet et parfois jeune chameau), le tout très pimenté.

Couserans, région des Pyrénées centrales (Ariège), dans le bassin supérieur du Salat, en amont de Saint-Girons.

cousette, couseuse → COUDRE.

cousin, e n. (lat. *consobrinus*). Personne issue de l'oncle ou de la tante. (Les cousins au 4ᵉ degré sont des cousins germains ; au-delà ce sont des petits-cousins.) ‖ *Fam.* Ami intime : *Faites cela, et nous serons cousins.* ‖ Personne ou chose qui a de grands rapports avec une autre ; qui n'en diffère que peu : *Voleurs et escrocs sont cousins.* ◆ **cousinage** n. m. Parenté qui existe entre cousins. ‖ Les cousins, la parenté : *Avoir un nombreux cousinage.* ‖ *Fig.* Rapport, lien, affinité : *Il y a bien quelque cousinage entre le mensonge et la traîtrise.* ◆ **cousiner** v. intr. Traiter en cousin ou de cousin : *Cousiner avec de certaines connaissances.* ‖ Vivre en bonne intelligence, se fréquenter.

Cousin Pons (LE), roman d'Honoré de Balzac (1847). Pons est un musicien qui dépense ses maigres ressources à collectionner des objets d'art. Personne ne soupçonne la valeur de son musée et il est traité en « parent pauvre ». Quand on apprend l'importance de sa collection, on s'arrange pour la lui extorquer. Il meurt malade et désespéré de se voir dépouillé.

Cousine Bette (LA), roman d'Honoré de Balzac (1846). Bette, d'abord simple paysanne, devient une femme du monde d'une perversité infernale. Autour d'elle gravitent des personnages inquiétants, tel le lubrique baron Hulot.

cousin n. m. (lat. *culicinus*, dimin. de *culex*). Moustique de nos régions, bourdonnant et piqueur, mais ne transmettant ordinairement aucune maladie. (La larve est aquatique, l'adulte ne s'éloigne guère des lieux humides ; la femelle seule suce le sang.)

Cousin (le), riv. de Bourgogne, affl. de la Cure (r. dr.) ; 64 km. Il naît dans le Morvan.

Cousin (sainte **Germaine**). V. GERMAINE.

Cousin (Jean), navigateur dieppois du XVᵉ s. Selon certaines traditions, il aurait découvert l'Amérique avant Christophe Colomb.

Cousin (Jean Iᵉʳ), peintre français (Soucy, près de Sens, v. 1490 - Paris v. 1561). Il a été longtemps célèbre comme peintre-verrier ; auj., on ne lui attribue que des cartons de vitraux. Il fit aussi des cartons de tapisseries, des tableaux (*Eva Prima pandora* [Louvre]) et publia un *Traité de perspective* (1560). — Son fils JEAN II (Sens v. 1522 - Paris v. 1594)

Jean **Cousin** : « Eva Prima pandora », *Louvre*

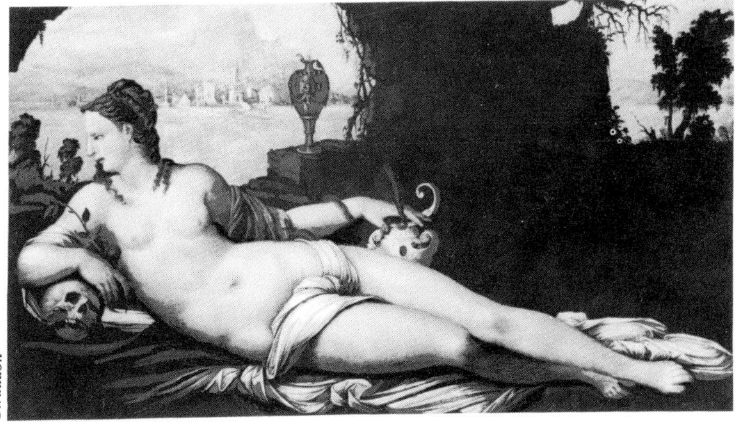

Giraudon

appartint comme lui à la première école de Fontainebleau. Peintre (*Jugement dernier* [Louvre]), décorateur et dessinateur, il fut influencé par les maniéristes anversois.

Cousin (Victor), philosophe français (Paris 1792 - Cannes 1867). Professeur à l'Ecole normale, puis à la faculté des lettres de Paris, il dirigea l'Ecole normale sous la monarchie de Juillet et devint ministre de l'Instruction publique dans le cabinet Thiers (1840). Chef de l'école éclectique, il est l'auteur du traité *Du vrai, du beau, du bien* (1853), d'ouvrages d'histoire de la philosophie, d'études littéraires sur le XVIIe s. Cousin s'est efforcé de combiner les idées de Descartes, de l'école écossaise, de Kant, dans un spiritualisme peu cohérent mais brillamment exprimé. (Acad. fr., 1830; Acad. des sc. mor., 1832.)

cousinage → COUSIN.

Cousineau (Georges), luthier et facteur de harpes (Meschant, Vendée, 1734 - Paris 1800). Il fut luthier de la reine et perfectionna la harpe. — Son fils JACQUES GEORGES (Paris 1760 - *id.* 1824), harpiste de l'Opéra, maître de harpe de l'impératrice Joséphine, est l'auteur de pièces pour harpe.

cousiner → COUSIN.

Cousinet (Ambroise Nicolas), sculpteur et orfèvre français (Paris 1710 - *id.* 1788). Il exécuta de célèbres statuettes pour le roi de Portugal (1755; musée d'Art ancien, Lisbonne).

Cousin-Montauban (Charles), comte **de Palikao,** général français (Paris 1796 - Versailles 1878). Commandant les troupes françaises en Chine, il battit les Chinois au pont de Palikao (1860). Il succéda à Ollivier comme chef du dernier gouvernement de Napoléon III (9 août-4 sept. 1870).

cousoir → COUDRE.

Coussac-Bonneval, comm. de la Haute-Vienne (arr. de Limoges), à 12 km à l'E. de Saint-Yrieix-la-Perche; 1 723 h. Aux environs, château fort (XIIe-XVe s.).

Coussemaker (Edmond DE), musicologue français (Bailleul 1805 - Lille 1876). Il a été l'un des premiers à publier des travaux sur la musique du Moyen Age.

Cousser, alias **Kusser** (Johann Sigismund), compositeur allemand (Presbourg 1660 - Dublin 1727). Il fut élève de Lully. Il se déplaça beaucoup en Allemagne et à l'étranger. Par ses opéras, il orienta la musique allemande vers un style dramatique plus ferme, sous les influences italienne et française.

Coussey, ch.-l. de c. des Vosges (arr. et à 11 km au N. de Neufchâteau), sur la Meuse; 619 h.

coussin n. m. (anc. *coissin;* bas lat. *coxinus;* de *coxa,* cuisse). Enveloppe de tissu rembourrée, utilisée comme élément de confort et de décor en ameublement. || Assemblage de tissu ou de peau avec de l'ouate, du crin ou de la filasse, servant à la protection et au calage d'articles fragiles ou précieux. || Pièce de garniture d'une voiture, constituée de la carcasse, de la matelassure et de la couverture, et sur laquelle on s'assied. || Métier à dentelle, appelé aussi CARREAU, qui est formé d'une boîte carrée rembourrée extérieurement. || Sac plein de sable fin, sur lequel le ciseleur fixe les pièces qu'il veut travailler. (On dit aussi COUSSINET.) || Partie rembourrée d'un collier de cheval. || Petit tremplin placé sur la piste de cirque et utilisé par les écuyers voltigeurs pour sauter à cheval. ● *Coussin d'air,* système de suspension d'un véhicule, d'un navire, dans lequel la fonction de portage est réalisée par de l'air sous une légère pression — en général inférieure à 0,1 bar — insufflé sous l'appareil. (Il existe deux techniques différentes pour la réalisation de la surpression : celle du voile périphérique, utilisée par les Anglo-Saxons [Hovercraft], et celle des jupes souples réparties, utilisée par les ingénieurs français [Bertin] sur le Naviplane et l'Aérotrain.) || *Sel de coussin,* sel embarqué sur un navire et sur lequel ont été déposés des poissons. ◆ **coussinet** n. m. Petit coussin : *Un coussinet de duvet.* || Partie molle du dessous du pied des mammifères. incliné de façon à recevoir la retombée de l'arc. || Pièce de fonte ou d'acier fixée sur la traverse et destinée à recevoir soit le rail, soit des pièces spéciales d'appareils de voie, telles que des lames d'aiguille. || Pièce de bronze ou de fonte, garnie de métal antifriction, transmettant le poids du véhicule de la boîte d'essieu à la fusée. || Douille cylindrique,

coussinets mécaniques

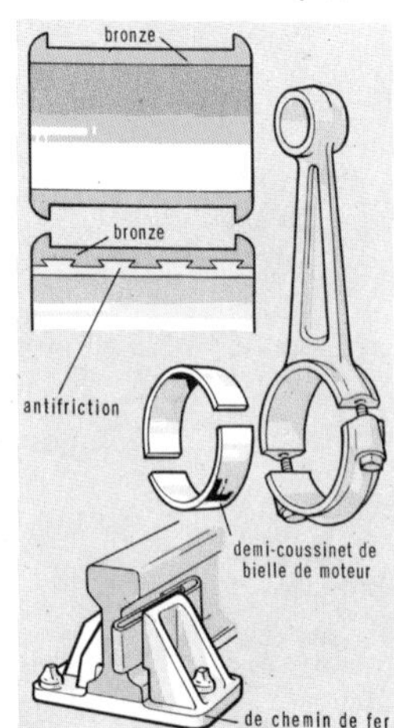

généralement en bronze, parfois garnie de métal antifriction, qui permet, par un frottement très doux, la rotation de l'axe qu'elle supporte. || Ecrou d'acier fondu, trempé, qui sert à fileter les tiges et les vis. || Rouleau de paille que les couvreurs attachent au sommet de leur échelle. ● *Coussinet à billes,* coussinet dans lequel l'arbre repose sur une couronne de billes pour diminuer le frottement. || *Coussinet oculaire,* tissu adipeux interposé entre le globe oculaire et l'orbite osseuse.

Cousteau (Jacques Yves), officier de marine, océanographe et cinéaste français (Saint-André-de-Cubzac 1910). A bord du navire océanographique *Calypso,* dont il a dirigé l'aménagement, il a effectué plusieurs croisières de recherches. On lui doit l'invention d'une scaphandre autonome, d'une caméra sous-marine spéciale et d'une « île flottante » permettant les observations océanographiques. Il est l'auteur de nombreux films sous-marins : *Epaves* (1945), *le Monde du silence* (1955), *le Monde sans soleil* (1964), ainsi que d'ouvrages sur ses plongées, recherches et campagnes. Il dirige le Musée océanographique de Monaco.

Larousse
Jacques Yves **Cousteau**

Nicolas **Coustou** « Vénus à la colombe »
jardin des Tuileries
Larousse

Guillaume **Coustou,** « le Rhône et la Saône »

Larousse

coustilier, coustilleux → COUTILLE.

Coustou (Nicolas), sculpteur français (Lyon 1658 - Paris 1733), neveu et élève de Coysevox. Il exécuta de nombreux ouvrages (*Descente de Croix,* à Notre-Dame de Paris ; *Tritons,* à Versailles ; *le Passage du Rhin,* au Louvre). — Son frère GUILLAUME (Lyon 1677 - Paris 1746) est notamment l'auteur des *Chevaux de Marly* (place de la Concorde à Paris) et de la statue de *Marie Leszczyńska en Junon* (1731, Louvre). — Son fils GUILLAUME II (Paris 1716 - *id.* 1777) sculpta les mausolées du Dauphin et de sa femme Marie-Josèphe de Saxe (cathédrale de Sens).

Cousturier (Lucie), peintre et écrivain français (Paris 1870 - *id.* 1925). Elle a pratiqué le divisionnisme (*Portrait de Mlle G. Bosq,* 1908 ; musée national d'Art moderne).

cousu → COUDRE.

coût → COÛTER.

Coutances, ch.-l. d'arr. de la Manche, sur la Soulle, à 27 km au S.-O. de Saint-Lô ; 11 920 h. (*Coutançais*). Evêché. La ville a été très endommagée en 1944. Cathédrale de la première moitié du XIIIe s., chef-d'œuvre du gothique normand (tour lanterne) ; église Saint-Pierre (XVe-XVIe s.). Imprimeries.

Coutaud (Lucien), peintre et graveur français (Meynes, Gard, 1904 - Paris 1977). Il est l'auteur de compositions où le réel et l'irréel se conjuguent (*la Jupe verte,* 1945, musée national d'Art moderne), et a donné de nombreux décors et costumes de théâtre (*le Soulier de satin,* à la Comédie-Française).

coute → COUTEAU.

couteau n. m. (lat. *cultellus ;* de *culter,* couteau). Instrument tranchant, composé d'un manche muni d'une lame : *Couper la viande*

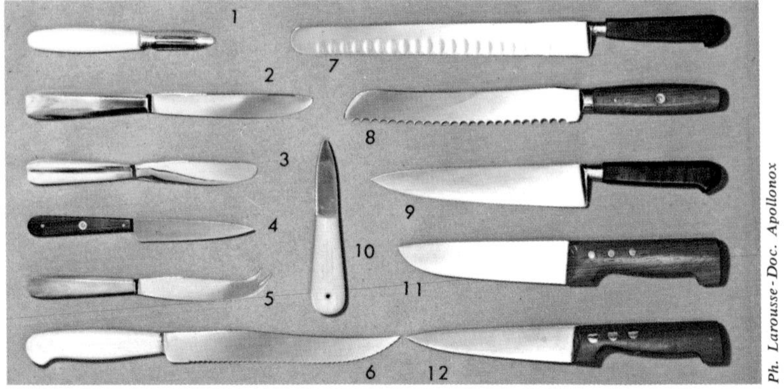

couteaux

1. Eplucheur; 2. De table; 3. A beurre; 4. D'office; 5. A fromage; 6. A découper; 7. A jambon; 8. A pain; 9. De cuisine; 10. A huîtres; 11. De boucher; 12. A saigner

avec un couteau. ‖ Couperet de la guillotine. ‖ Outil servant à la taille des engrenages sur les machines usinant par génération. ‖ Lame tranchante d'une dérouleuse à bois ou d'une trancheuse. ‖ Arête de prisme triangulaire, supportant le fléau ou les plateaux d'une balance. ‖ Coquillage bivalve des plages de l'Europe occidentale, en forme de long rectangle enfoncé verticalement dans le sable à marée basse. (On le pêche en déposant du sel sur son trou, ce qui le fait remonter en surface.) ● *Avoir le couteau sur la gorge, être sous le couteau* (Fig.), être sous le coup d'une menace qui force à agir contrairement à ce qu'on voudrait faire. ‖ *Brouillard à couper au couteau,* très épais. ‖ *Couteau anglais,* instrument servant à rogner le sabot du cheval. ‖ *Couteau à armer,* courte épée; et, *par extens.,* toute arme de taille ou d'estoc (Moyen Age). ‖ *Couteau de brèche,* sabre utilisé pour la défense des remparts (XVIe s.). ‖ *Couteau de chaleur,* lame souple avec laquelle on enlève la sueur d'un cheval en transpiration. ‖ *Couteau à drayer,* lame incurvée, employée en mégisserie. ‖ *Couteau à désoperculer,* lame servant à enlever les opercules des rayons de miel. ‖ *Couteau à main,* lame en acier, fixée à un manche droit, utilisée par les selliers. ‖ *Couteau mécanique,* appareil constitué d'une lame d'acier et d'un guide, permettant la coupe rapide et précise de grandes longueurs de cuir. ‖ *Couteau à palette,* petite truelle d'acier flexible, utilisée par les peintres pour mélanger les couleurs ou pour peindre en pleine pâte. ‖ *Couteau à pied,* outil composé d'une lame d'acier et d'un manche très court, qui permet d'exercer une très forte pression. ‖ *Couteau de tranchée* ou *couteau-poignard,* couteau de chasse utilisé pour le combat au corps à corps (armement réglementaire des commandos et des parachutistes). ‖ *Enfoncer, remuer, retourner le couteau dans la plaie* (Fig.), aviver un chagrin. ‖ *En lame de couteau* (Fig.), allongé, très mince, au profil tranchant : *Visage en lame de couteau.* ‖ *Etre à couteaux tirés,* être en inimitié déclarée, en guerre ouverte. ‖ *Jouer du couteau,* se battre au couteau ou à l'épée : *Un individu toujours prêt à jouer du couteau.* ‖ *Mettre le couteau sous* (ou *sur*) *la gorge à quelqu'un,* le réduire à une cruelle extrémité, le contraindre à agir contre sa volonté. ◆ **coute** n. m. Serpe à long manche, utilisée pour la coupe des roseaux. ◆ **coutelas** n. m. Sabre court et large qui ne tranche que d'un côté. ‖ Grand couteau de cuisine. ◆ **coutelier, ère** adj. et n. Qui fabrique ou vend des couteaux et autres instruments tranchants : *Ouvrier coutelier. L'industrie coutelière.* ‖ — ***coutelière*** n. f. Coffret de bois, tapissé de velours ou de drap, divisé en compartiments où l'on range les couteaux de table. ◆ **coutellerie** n. f. Art, métier du coutelier. ‖ Fabrique ou magasin du coutelier. ‖ Produits qui font l'objet du commerce du coutelier.

coûter v. intr. (lat. *constare*). Nécessiter une certaine somme pour être acquis; être vendu un certain prix : *Les fruits coûtent tant le kilo.* ‖ Entraîner des dépenses : *Les études coûtent cher.* ‖ *Fig.* Etre pénible : *Démarches qui coûtent.* ✦ v. tr. *Fig.* Causer quelque effort, quelque souffrance : *Cela m'a coûté de gros ennuis.* ‖ Causer une perte : *Cette absence lui a coûté sa situation.* ✦ v. impers. *Il en coûte,* il est pénible, difficile. ‖ — REM. Lorsque *coûter* a le sens figuré de

« causer », « occasionner », il est transitif, et le participe passé, conjugué avec *avoir*, doit s'accorder avec le complément d'objet direct si celui-ci le précède; dans les autres cas, il est intransitif : *Les peines que ce travail m'a coûtées. Les mille francs que cet ouvrage m'a coûté* (compl. de prix). ● *A prix coûtant,* au prix qu'une chose a coûté. ‖ *Coûte que coûte,* quelque dépense ou quelque sacrifice qu'il en résulte, à tout prix. ‖ *Coûter les yeux de la tête* (Fam.), occasionner des dépenses excessives. ◆ **coût** n. m. Prix, somme que coûte une chose : *Le coût d'un acte;* et, au *fig. : Le coût d'une imprudence.* ● *Coût de distribution,* ensemble des frais accumulés à tous les stades de la distribution, depuis le producteur jusqu'au consommateur d'un bien ou d'un service. ‖ *Coût de production,* ensemble des dépenses nécessaires pour créer un produit ou un service et pour le mettre à la disposition des consommateurs. ‖ *Coût de vente,* ensemble des dépenses engagées par le vendeur pour informer le consommateur de la qualité et des avantages du produit, et pour le persuader d'acheter le produit ou le service considéré. ‖ *Coût de la vie,* pour un individu ou une famille déterminés, considérés à diverses époques, ensemble des dépenses exigées par le genre de vie qu'ils mènent. (D'un point de vue comparatif ou diachronique, c'est le « rapport des dépenses en monnaie qu'un individu doit faire pour s'assurer un même niveau de vie dans deux situations qui diffèrent seulement par les prix ».) ‖ *Indice du coût de la vie,* indice des prix de détail des biens et services d'usage courant, pondérés par les quantités que semblent consommer les familles de revenus modestes. ◆ **coûteusement** adv. De façon coûteuse. ◆ **coûteux, euse** adj. Qui coûte cher, qui fait faire de grandes dépenses : *Voyages coûteux.* ‖ *Fig.* Qui exige de grands sacrifices, qui a des conséquences fâcheuses : *La victoire a été coûteuse.* ‖ — SYN. : *cher, dispendieux, hors de prix, ruineux.*

Couthon (Georges), homme politique français (Orcet, Auvergne, 1755 - Paris 1794). Président du tribunal de Clermont-Ferrand (1789), député à la Législative, puis à la Convention, il fut membre du Comité de salut public. Avec Robespierre et Saint-Just, il forma le « triumvirat ». Il réprima l'insurrection de Lyon (1793) et fit voter la loi du 22 prairial, qui organisait la « Grande Terreur ». Il fut arrêté et guillotiné en même temps que Robespierre le 10 thermidor. Il était paralysé des jambes.

coutil [ti] n. m. (de *coute,* forme anc. de *couette*). Tissu d'armure croisée, très serré, que l'on utilise pour la confection de matelas, de vêtements de travail et de chasse.

coutilier → COUTILLE.

coutille n. f. (de *coutel*). Dague courte et large, ou arme d'host longue et à large lame, dite LANGUE-DE-BŒUF. ◆ **coutilier, coustilier, coustilleux** n. m. Homme de pied armé d'une lance et d'une dague (XIVe et XVe s.).

Coutras, ch.-l. de c. de la Gironde (arr. et à 17 km au N.-E. de Libourne); 6 145 h. (*Coutrasiens,* en patois *Coutrillons*). Vignobles importants, produisant des vins renommés. Le 20 oct. 1587, Henri de Navarre, futur Henri IV, y défit les catholiques commandés par le duc de Joyeuse.

coutre n. m. (lat. *culter,* couteau). Sorte de hache à bois. ‖ Partie de la charrue située en avant du soc, qui découpe le sol verticalement. ◆ **coutrière** n. f. Pièce reliant le manche du coutre à l'age de la charrue.

Couttet (James), champion français de ski (Les Bossons, Haute-Savoie, 1921). Plusieurs fois champion de France, il fut second en slalom aux jeux Olympiques de 1948.

coutume n. f. (lat. *consuetudo;* d'où d'abord *coustume*). Manière d'agir établie par l'usage chez un peuple, un groupe social : *Chaque province a ses coutumes.* ‖ Manière habituelle d'agir, de parler, etc., propre à un individu : *Selon sa coutume, il reste silencieux.* ‖ Usages anciens et généraux ayant force de loi, et dont l'ensemble forme le droit coutumier. (Les coutumes françaises ont commencé à être rédigées à la suite de l'ordonnance de Montil-lès-Tours de 1454; les Codes napoléoniens les ont en grande partie codifiées et abrogées. Auj., les coutumes ou usages sont le complément des lois.) ‖ Recueil des coutumes d'un pays. ‖ — SYN. : *habitude, tradition, usage.* ● *Avoir coutume,* avoir l'habitude : *Avoir coutume de faire une promenade à pied chaque jour.* ‖ *Certificat de coutume,* document délivré par un magistrat ou par un juriste qualifié, en vue de faire connaître à une autorité étrangère un point particulier du droit d'un pays donné. ‖ *Charte de coutume,* charte octroyée par le roi ou par un seigneur à une ville, lui accordant un statut, fondé le plus souvent sur le droit antérieur. ‖ *Droit de coutume,* redevance payée au seigneur pour les denrées vendues dans sa seigneurie. ‖ *Us et coutumes,* règles pratiques qu'on observe dans certains pays, certaines circonstances. ● LOC. ADV. *De coutume,* habituellement, ordinairement : *Etre plus aimable que de coutume.* ◆ **coutumier, ère** adj. Passé en coutume, habituel : *Prendre le chemin coutumier.* ‖ Etabli par la coutume. ‖ Régi par la coutume. (Les pays coutumiers du nord de la France étaient jadis régis par la coutume, à la différence des pays du Midi, régis par le droit romain écrit.) ● *Coutumier du fait,* qui a coutume d'accomplir un acte. (Ne se prend guère qu'en mauvaise part.) ‖ — ***coutumier*** n. m. Recueil des règles fixées par le droit coutumier. ◆ **coutumièrement** adv. Selon la coutume, ordinairement : *User coutumièrement de proverbes.*

couturage → COUDRE.

Couturat (Louis), philosophe et mathématicien français (Paris 1868 - Ris-Orangis 1914). On lui doit : *De l'infini mathématique* (1896), *la Logique de Leibniz* (1901), *Histoire de la langue universelle* (avec L. Léau, 1903), *l'Algèbre de la logique* (1905).

couture → COUDRE.

Couture (Guillaume Martin), architecte français (Rouen 1732 - Paris 1799), auteur du pavillon de Bellevue, à Sèvres.

Couture (Thomas), peintre français (Senlis 1815 - Villiers-le-Bel 1879). Son tableau le plus célèbre, *les Romains de la décadence* (1847), est au Louvre. Il a laissé de bons portraits (*Bruyas,* musée de Montpellier) et fut le maître de Manet.

couturer → COUDRE.

Coutures-sur-Loir, comm. de Loir-et-Cher (arr. de Vendôme), à 9 km à l'E. de La Chartre ; 535 h. — Aux environs, château de la Possonnière, où est né Ronsard.

couturier, couturière → COUDRE.

Couturier (Robert), sculpteur français (Angoulême 1905). Après avoir travaillé avec Maillol, il s'est écarté de plus en plus du classicisme pour réaliser des figures où le souci de l'arabesque l'emporte sur celui de représenter la nature.

couvage, couvain, couvaison, couvée → COUVER.

Couve de Murville (Maurice), homme politique français (Reims 1907). Inspecteur des Finances (1930), commissaire aux finances du Comité français de Libération nationale (1943), il est ambassadeur de France au Caire (1950-1954), à Washington (1955-1956), puis à Bonn (1956-1958). Ministre des Affaires étrangères de 1958 à 1968, il succède à G. Pompidou comme Premier ministre, fonction qu'il assume jusqu'au départ du général de Gaulle (avril 1969).

couvent n. m. (lat. *conventus,* assemblée ; d'où *convent,* puis *couvent*). Maison de religieux ou de religieuses. (V. *encycl.*) ‖ Communauté des religieux qui l'habitent. ‖ Pensionnat de jeunes filles tenu par des religieuses. ◆ **couventine** n. f. Religieuse qui vit dans un couvent.

— ENCYCL. ***couvent.*** A l'origine, en Occident, la vie conventuelle se concentra dans les abbayes*, installées d'ordinaire à la campagne. A partir du XIIIe s., les communautés religieuses tendirent à s'installer dans les villes, où elles furent libres de toutes les servitudes temporelles de l'abbaye. On leur donna le nom de « couvent ». Le terme désigna aussi les maisons de congréganistes qui ne prononçaient que des vœux simples et qui n'étaient pas astreints à la clôture.

couventine → COUVENT.

couver v. tr. (lat. *cubare,* être couché). En parlant des oiseaux, se tenir étendu sur les œufs pour les chauffer et permettre le développement de l'embryon : *La femelle couve ses œufs pendant que le mâle va chercher la nourriture ;* et, absol. : *Une poule qui couve.* ‖ *Fig.* Entourer de soins attentifs, de tendresse : *Couver un enfant.* ‖ Nourrir, entretenir, préparer secrètement : *Couver une vengeance.* ✦ v. intr. Etre entretenu, nourri, préparé sourdement, en attendant d'éclore, d'éclater : *Une épidémie qui couve.* ● *Couver une maladie,* en porter en soi les germes. ‖ *Couver des yeux, du regard,* regarder fixement, avec tendresse, passion, convoitise : *Couver une femme des yeux.* ‖ *Surpris comme une poule qui a couvé un œuf de cane,* très surpris. ◆ **couvage** n. m. Syn. de COUVAISON. ◆ **couvain** n. m. Œufs des insectes qui vivent en société. ‖ Partie d'un rayon de ruche contenant des œufs, des larves et des nymphes d'abeilles. (V. *encycl.*) ◆ **couvaison** n. f. Action de couver. (Chez la plupart des oiseaux, elle est assurée en alternance par les deux parents ; chez quelques espèces, par la femelle seule, tandis que le mâle va chercher la nourriture. Le coucou fait couver ses œufs par d'autres oiseaux. L'autruche laisse au soleil le soin de les chauffer. La durée de la couvaison est variable suivant les espèces [21 jours chez la poule, 28 jours chez la dinde et la cane, 36 jours chez la cane de Barbarie].) [On dit aussi COUVAGE et COUVERIE.] ‖ Temps où les oiseaux couvent. ◆ **couvée** n. f. Ensemble des œufs couvés en même temps, ou des jeunes éclos en même temps. ‖ Action de faire couver un oiseau de basse-cour. ‖ *Fam.* Enfants, famille nombreuse : *Une mère et sa couvée.* ◆ **couverie** n. f. Syn. de COUVAISON. ◆ **couveuse** n. f. Femelle d'oiseau de basse-cour apte à couver : *Une bonne couveuse.* ‖ *Pédiatr.* V. INCUBATEUR. ● *Couveuse artificielle,* appareil permettant l'éclosion des œufs sans femelle couveuse. (Syn. INCUBATEUR.) [V. *encycl.*] ◆ **couvi** adj. m. (de l'anc. provenç. *covadis*). Se dit d'un œuf à moitié couvé ou gâté. ◆ **couvoir** n. m. Nid, panier

couveuse à pétrole pour petit élevage

où l'on met les œufs pour une couveuse (poule, dinde). || Local où sont placés les appareils d'incubation artificielle. (V. INCUBATEUR.) || Entreprise commerciale d'incubation artificielle pour la vente des poussins.

— ENCYCL. **couvain.** Le couvain est placé sur les rayons du centre de la ruche; trois jours après la ponte, l'œuf donne une larve, qui grossit rapidement et emplit tout l'alvéole cinq jours plus tard; les abeilles ferment alors d'un opercule de cire l'alvéole, où la larve se transforme en nymphe, puis en insecte parfait; celui-ci sort vingt et un jours après la ponte de l'œuf.
Le couvain ouvert est formé des alvéoles non operculés (œufs et jeunes larves); le couvain fermé comprend les alvéoles operculés (nymphes). Le nid à couvain est l'ensemble des zones de couvain des différents rayons. Le « couvain des mâles » ne se rencontre qu'aux saisons chaudes; il contient les œufs non fécondés, puis les larves et les nymphes qui fourniront les mâles, ou faux bourdons.

— **couveuse.** Une couveuse artificielle est constituée d'une caisse à parois isolantes, où l'on peut maintenir une température et une humidité régulières (température de 37 °C à 39 °C et hygrométrie de 65 à 95 p. 100 suivant les espèces). Dans la terminologie moderne, on réserve de plus en plus le nom de « couveuse » aux appareils de petite capacité (de 24 à 600 œufs), et le terme d' « incubateur » aux appareils plus importants (de 1 000 à 50 000 œufs). Appréciée lorsqu'on pratiquait l'incubation naturelle, la faculté pour une poule de couver ses œufs est plutôt considérée maintenant comme un défaut, qu'on cherche à éliminer par sélection. Les races lourdes (sussex, faverolles, maran, etc.) ont, en général, une plus grande tendance à couver que les races légères (leghorn, bresse, gâtinaise, etc.).

couvercle n. m. (lat. *cooperculum;* de *cooperire,* couvrir). Ce qui sert à couvrir une ouverture quelconque. || Disque de métal, avec ou sans rebord, plat ou bombé, utilisé pour couvrir les casseroles ou les plats afin de protéger leur contenu. || Plateau et manchon de fonte servant à fermer un cylindre à vapeur du côté correspondant au haut de course du piston. (La fermeture du cylindre opposée à celle-ci est le fond.)

couverie → COUVER.

couvert, couverte, couverture → COUVRIR.

couveuse, couvi, couvoir → COUVER.

couvraille, couvrante, couvre-amorce, couvre-barbe, couvre-bouche, couvre-canon, couvre-chef, couvre-culasse, couvre-feu, couvre-joint, couvre-lit, couvre-lumière, couvre-nuque, couvre-objet, couvre-pied, couvre-plat, couvre-platine, couvre-radiateur, couvre-shako, couvreur → COUVRIR.

couvrir v. tr. (lat. *cooperire;* d'*operire,* couvrir) [conj. **10**]. Mettre un couvercle, une couverture à : *Couvrir une marmite, un lit, un livre.* || Munir d'un toit : *Une maison couverte d'ardoise.* || *Partic.* S'accoupler à, en parlant de l'animal mâle. || Répandre quelque chose sur, parsemer : *Couvrir une table de fleurs. Couvrir quelqu'un de baisers.* || Protéger à l'aide de quelque chose qu'on met par-dessus, par-devant ou autour : *Bien couvrir un enfant;* et, au *fig. : Couvrir quelqu'un de son corps; partic.* (au sens militaire) : *Couvrir sa retraite, une place, une armée.* || Protéger en étant par-dessus ou par-devant, en parlant des choses : *Ce vêtement le couvre bien.* || Cacher en étant par-dessus ou par-devant : *Un mouchoir qui couvre la tête contre le soleil;* et, au *fig. : Couvrir de mobiles nobles une action criminelle.* || Cacher en mettant quelque chose par-dessus ou autour : *Couvrir ses yeux de ses mains.* || Dominer, étouffer (un bruit) : *Le bruit de la rue couvre la voix.* || *Fig.* Combler, accabler : *Couvrir de honte, d'opprobre, de ridicule.* || Etre répandu, éparpillé sur quelque chose : *Des affiches qui couvrent les murs.* || En droit, effacer : *L'amnistie couvre ce délit.* || Prendre sur soi la responsabilité de ce qu'a fait un autre : *Couvrir un ami coupable.* || Compenser, balancer : *Couvrir les frais.* || *Fam.* Dans le langage des journalistes, assurer une information complète sur un événement. ● *Couvrir de boue, de fange,* salir la réputation de. || *Couvrir une carte,* mettre une carte sur celle qui vient d'être jouée par l'adversaire. || *Couvrir une distance,* la parcourir. || *Couvrir l'échec,* aux échecs, le faire cesser en interposant une autre pièce entre la pièce visée et la pièce attaquante. || *Couvrir un emprunt,* assurer la souscription. || *Couvrir une enchère,* surenchérir. || *Couvrir un enjeu,* tenir cet enjeu; au jacquet, mettre une autre dame sur la même flèche. || *Couvrir le feu,* mettre de la cendre dessus pour le conserver. || *Couvrir son jeu,* tenir son jeu caché. || *Couvrir sa marche,* la cacher aux regards de l'ennemi, et aussi la protéger; et, au *fig.,* dissimuler sa conduite, ses démarches. || *Couvrir quelqu'un d'or, d'argent, d'éloges,* lui en donner beaucoup. || *Couvrir les risques,* y faire face, en assurer la responsabilité : *Votre police d'assurance couvre-t-elle tous vos risques?* || *Couvrir de ténèbres,* obscurcir, assombrir, attrister. || *Couvrir la terre,* la ramener sur les sillons pour recouvrir le grain semé. || *Couvrir un train,* le protéger par les dispositifs réglementaires d'avertissement. || *Couvrir une troupe, une manœuvre, une marche,* la protéger par un dispositif de sécurité approprié. || *Peinture qui couvre bien* (Absol.), qui ne laisse pas apparaître la couleur de la couche sur laquelle elle est passée. ✦ v. intr. Disparaître sous l'eau à pleine mer, en parlant de récifs. || — **se couvrir** v. pr. *Partic.* et *absol.* Mettre son chapeau, sa coiffure : *Couvrez-vous, je vous prie.* || Pour un boxeur, placer ses bras de façon à empêcher l'adversaire de le frapper. ‖ En escrime, écarter l'épée de son adversaire de la ligne de son propre corps. ‖ *Fig.* Dégager sa responsabilité. ● *L'horizon, le ciel, le temps se couvre,* des nuages s'étendent sur le ciel; et, au *fig.*, des dangers, des menaces surgissent (en parlant surtout de la situation politique). ‖ *Se couvrir de lauriers,* remporter d'éclatants succès. ‖ *Se couvrir du manteau de la vertu,* feindre hypocritement la vertu. ‖ *Se couvrir de sang,* commettre de nombreux meurtres. ◆ **couvert, e** adj. (Usité partic. dans un certain nombre de loc. div.) *Allée couverte,* allée dont les arbres unissent leurs branches au-dessus de la tête des promeneurs : *Un sentier couvert.* ‖ *Batterie couverte,* batterie placée sous le pont d'un navire (par oppos. à *batterie de gaillard,* ou *batterie découverte*). ‖ *Mots, termes couverts,* paroles voilées donnant à entendre des choses qu'on ne veut pas exprimer clairement : *Révéler un scandale à mots couverts.* ‖ *Pays couvert,* pays boisé. ‖ *Voix couverte,* voix enrouée ou volontairement assourdie : *Il a la voix couverte.* ‖ — **couvert** n. m. Abri, logement (partic. dans l'expression « le vivre et le couvert ») : *Donner le vivre et le couvert à un domestique.* ‖ Abri, ombre que donne le feuillage : *Le gibier s'est réfugié sous les couverts.* ‖ Ce que l'on dispose sur une table pour les repas (nappe, assiettes, verres, cuillers, couteaux, fourchettes, etc.) : *Mettre le couvert.* ‖ Ensemble des trois ustensiles individuels dont on se sert pour manger, et qui comprend le couteau, la fourchette et la cuiller. ‖ Nom que l'on donne aux cultures capables de servir d'abri au gibier. ‖ Abri formé par l'ensemble des houppiers d'une forêt. ‖ Protection naturelle ou artificielle dérobant une troupe aux vues de l'ennemi : *Les bois offrent de bons couverts.* (L'*abri,* au contraire, protège à la fois des vues et des coups.) ● *Avoir son couvert mis chez quelqu'un,* être certain qu'on y sera toujours reçu à dîner, à déjeuner. ‖ *Être à couvert,* avoir des garanties assurées pour le solde d'une créance. ‖ *Grand couvert,* repas de cérémonie. ‖ *Petit couvert,* repas sans cérémonie (chez rois et princes). ‖ *Vendre à couvert,* vendre des valeurs qu'on a en sa possession au moment même du marché. ● Loc. ADV. *A couvert,* à l'abri : *Se mettre à couvert sous un arbre.* — *Fig.* Hors de toute atteinte, de tout danger : *Mettre sa fortune, son honneur, sa réputation à couvert.* ● Loc. PRÉP. *A couvert de,* à l'abri de : *Se mettre à couvert de la pluie.* ‖ *Sous le couvert de, sous couvert de,* sous enveloppe adressée à une personne chargée de transmettre au destinataire réel de l'envoi; et, au *fig.*, sous la responsabilité de : *Agir sous le couvert de ses chefs.* — Sous les dehors, sous l'apparence de : *Tartuffe menait une vie de libertin sous le couvert de la dévotion.* ‖ — **couverte** n. f. Enduit dont les lithographes protègent l'image sur la pierre. ‖ *Céram.* Glaçure mince, parfois colorée d'oxydes, fusible à une température voisine de celle de la cuisson de la pâte. (Le *décor sous couverte,* en couleurs non vitrifiables, est posé directement sur la porcelaine crue ou dégourdie; le *décor sur émail cuit* est peint sous la couverte.) ‖ Composition

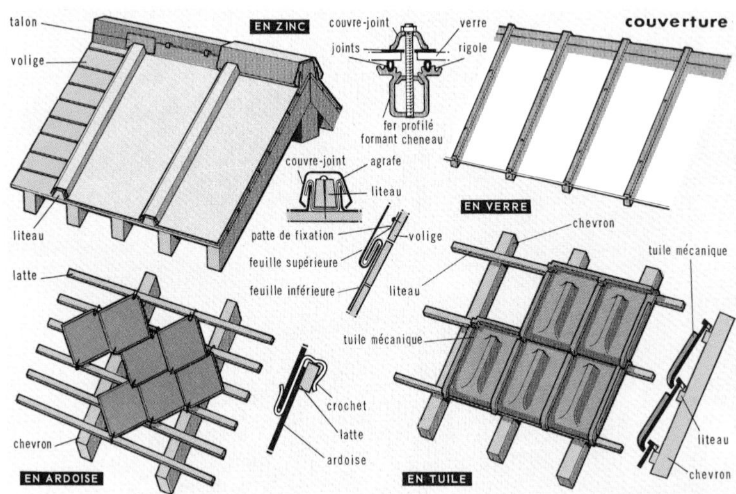

feldspathique devenant transparente à la cuisson et servant à donner un émail brillant à la porcelaine. || Courroie sans fin qui, dans la fabrication mécanique du papier, marche avec la toile métallique et émarge la pâte humide dans son trajet sur les rouleaux. || Toile de coton pour emballer des marchandises. ◆ **couverture** n. f. Tout ce qui sert à couvrir. || *Partic.* Toit d'une maison (charpente et tuiles ou ardoises, etc.) : *Faire réparer la couverture d'un immeuble.* || Tissu de laine ou de coton qu'on met au-dessus du drap supérieur pour se protéger du froid. || Partie extérieure du livre relié, portant le titre, et dans laquelle le bloc des cahiers cousus est emboîté. || Couche de paille, de fumier, etc., qu'on étend sur les semis, au pied des arbres, pour conserver au sol chaleur ou humidité. || Couche végétale couvrant le sol des forêts (herbes, mousses, feuilles mortes). || Graisse couvrant le corps des animaux de boucherie. || Ensemble des valeurs ou sommes déposées entre les mains d'un intermédiaire à titre de garantie des différences résultant des opérations à terme exécutées pour le compte du donneur d'ordres. || Valeur servant à la garantie d'une opération financière ou commerciale. || Dispositif de protection militaire établi pour éviter la surprise et conserver sa liberté d'action : *Une armée en marche ou en stationnement doit assurer sa couverture.* || Action de couvrir, de protéger un train. || *Fig.* Moyen de se couvrir ; masque, prétexte. ● *Couverture aérienne,* ensemble des opérations destinées à protéger une troupe ou un territoire des attaques aériennes (avions, missiles) de l'adversaire. (La couverture aérienne du territoire est assurée par la Défense aérienne.) || *Couverture de brochure,* partie extérieure du livre broché, collée au dos des cahiers cousus. (Le titre du livre y est imprimé.) || *Couverture chauffante,* couverture réalisée en matière textile, pourvue d'un corps de chauffe électrique, et qui, placée sur un lit, permet de le chauffer. || *Couverture photographique,* expression désignant soit l'ampleur de la zone reconnue par une photographie aérienne, soit le type de photographie réalisée (couverture de base, de zone de combat, d'itinéraire, etc.). || *Engrais en couverture,* engrais solubles (nitrates) qu'on répand sur le sol sans les enfouir. || *Faire la couverture,* relever ensemble le drap et les couvertures d'un lit après qu'il est fait, pour qu'on puisse s'y glisser aisément. || *Tirer la couverture à soi* (Fig. et fam.), prendre la meilleure part. || — ***couvertures*** n. f. pl. Plumes qui recouvrent la base des grandes pennes de l'aile et de la queue. || Sédiments imperméables sous lesquels le pétrole ou le gaz ont pu s'accumuler en quantités suffisantes pour être exploitables. ◆ **couvraille** n. f. Action de recouvrir de terre la graine semée. ◆ **couvrante** n. f. *Pop.* Couverture. ◆ **couvre-amorce** n. m. Sorte de petite capsule qui recouvre l'amorce des cartouches métalliques. — Pl. *des* COUVRE-AMORCES. ◆ **couvre-barbe** n. f. Syn. de PLANCHE. — Pl. *des* COUVRE-BARBES. ◆ **couvre-bouche** n. m. Coiffe couvrant la bouche d'un canon pour le préserver des intempéries. — Pl. *des* COUVRE-BOUCHES. ◆ **couvre-canon** n. m. Bâche qui recouvre les canons pour les préserver des intempéries. — Pl. *des* COUVRE-CANONS. ◆ **couvre-chef** n. m. *Fam.* Chapeau. || Au Moyen Age, toute pièce de tissu léger servant soit à envelopper la chevelure ou la coiffe, soit à d'autres usages. — Pl. *des* COUVRE-CHEFS. ◆ **couvre-culasse** n. m. Partie supérieure, fixe ou non, de la boîte de culasse. || Enveloppe qui protège la culasse de l'action des agents extérieurs. — Pl. *des* COUVRE-CULASSES. ◆ **couvre-feu** n. m. Ustensile dont on couvrait le feu pour le conserver sans danger : *Un couvre-feu de terre.* || Signal par lequel on ordonnait de couvrir les feux et d'éteindre les lumières : *Sonner le couvre-feu. L'heure du couvre-feu.* || Interdiction de sortir des maisons dans un pays en état de siège : *Décréter le couvre-feu.* || Heure du couvre-feu : *Se rejoindre au couvre-feu.* — Pl. *des* COUVRE-FEUX. ◆ **couvre-joint** n. m. Languette de bois, mince et étroite, qu'on cloue de façon à couvrir les joints des planches jointives mais non assemblées. || Plaque métallique servant à recouvrir la jointure de deux pièces métalliques. || Ciment dont on remplit les joints. — Pl. *des* COUVRE-JOINTS. ◆ **couvre-lit** n. m. V. DESSUS-DE-LIT. — Pl. *des* COUVRE-LITS. ◆ **couvre-lumière** n. m. Pièce de bois qu'on plaçait sur le canal de lumière des anciennes bouches à feu pour le protéger des intempéries. — Pl. *des* COUVRE-LUMIÈRES. ◆ **couvre-nuque** n. m. Partie du casque couvrant la nuque (Moyen Age). || Pièce d'étoffe fixée à la coiffure pour protéger la nuque des effets du soleil (ancienne armée d'Afrique). — Pl. *des* COUVRE-NUQUES. ◆ **couvre-objet** n. m. Mince lame de verre dont on recouvre les objets examinés au microscope. — Pl. *des* COUVRE-OBJETS. ◆ **couvre-pied** ou **couvre-pieds** n. m. Couverture constituée par deux tissus superposés, garnis intérieurement de laine ou de duvet, et piqués de dessins décoratifs. — Pl. *des* COUVRE-PIEDS. ◆ **couvre-plat** n. m. Cloche en métal que l'on place sur les plats dressés, pour les empêcher de refroidir. — Pl. *des* COUVRE-PLATS. ◆ **couvre-platine** n. m. Morceau de cuir dont on couvrait la platine d'un fusil (XVIIIe et XIXe s.). — Pl. *des* COUVRE-PLATINES. ◆ **couvre-radiateur** n. m. Gaine protégeant du froid le radiateur d'une automobile. — Pl. *des* COUVRE-RADIATEURS. ◆ **couvre-shako** n. m. Etui de toile cirée protégeant le shako. — Pl. *des* COUVRE-SHAKOS. ◆ **couvreur** n. m. Entrepreneur spécialisé dans l'exécution ou la réparation des toitures des maisons. || Ouvrier procédant au revêtement des toitures en tuile ou en ardoise. ● *Couvreur plombier-zingueur,* ouvrier procédant à la pose des toitures en plomb, en cuivre ou en zinc, ainsi qu'à celle des tuyaux de descente et des gouttières. ◆ **couvrure** n. f. Action d'appliquer sur le livre, après l'apprêture, la matière de recouvrement préalablement encollée. ‖ Dans la brochure, action d'appliquer la couverture sur le bloc des cahiers cousus ou encollés.

Couza. V. CUZA.

Covadonga, hameau d'Espagne (Asturies, prov. d'Oviedo), au S.-E. de Llanes. Victoire légendaire des Asturiens, commandés par Pélage, sur les Arabes (718).

covalence n. f. Liaison chimique de deux atomes dans une molécule, par mise en commun d'électrons provenant de chacun des deux atomes.

covariance n. f. Moyenne des produits des termes homologues de deux variables centrées. (On dit aussi COEFFICIENT DE COVARIANCE.) ◆ **covariant** n. m. *Math.* Dans un espace vectoriel, forme linéaire

$$y_1x_1 + y_2x_2 + y_3x_3$$

(grandeur scalaire) des composantes x_1, x_2, x_3 d'un vecteur $\vec{V}$. (Cette dénomination provient de ce que, dans un changement de base, les nouveaux coefficients Y_1, Y_2, Y_3 de cette forme se calculent linéairement en fonction des anciens avec le même déterminant que celui qui a servi à exprimer les vecteurs $\vec{R}_1$, $\vec{R}_2$, $\vec{R}_3$ de la nouvelle base en fonction des vecteurs $\vec{r}_1$, $\vec{r}_2$, $\vec{r}_3$ de l'ancienne. Cette propriété de covariance s'applique à un espace à *n* dimensions.) ◆ **covariation** n. f. Liaison entre les variations, dans le temps, de deux ou de plusieurs grandeurs ou séries statistiques, tout accroissement ou réduction de l'une se traduisant par un accroissement ou une réduction des autres, avec éventuellement certains décalages dans les dates.

Covarrubias (Alonso DE), architecte espagnol (Torrigos, prov. de Burgos, 1488 - Tolède 1570). Architecte de Charles Quint, il introduisit à Tolède le style de la Renaissance italienne. Il édifia la cathédrale de Tolède (1534), reconstruisit l'Alcazar de cette ville (1538), agrandit le palais archiépiscopal d'Alcalá de Henares et éleva la façade du Colegio del Arzobispo de Salamanque.

Covarrubias y Leyva (Diego), jurisconsulte et prélat espagnol (Tolède 1512 - Madrid 1577). Professeur de droit canon à Salamanque et à Oviedo, archevêque de Saint-Domingue, il rédigea plusieurs décrets de réformation au concile de Trente.

covelline ou **covellite** n. f. Sulfure naturel de cuivre CuS, en lamelles cristallines indigo.

covenant n. m. (mot angl. dérivé de l'anc. franç. et signif. *convention, pacte*). En Ecosse, association formée en vue d'une action commune. (Le plus célèbre est le *National Covenant* de 1638, qui s'opposait à l'introduction de l'anglicanisme en Ecosse. Il ouvrit la crise anglaise de 1641.)

covendeur, euse n. Qui vend une chose conjointement avec un autre.

Covent Garden, quartier du centre de Londres. — Théâtre d'opéra fondé en 1732.

Marton

théâtre de **Covent Garden**

Coventry, v. de Grande-Bretagne (West Midlands; 334 800 h. Centre lainier au Moyen Age. Au XXe s. se sont développées des industries mécaniques (automobiles, aviation, matériel électrique) et chimiques. Pendant la bataille d'Angleterre, Coventry servit de cible à l'aviation allemande. Le raid de la nuit du 14 au 15 nov. 1940 est resté célèbre. Il donna lieu à la création du verbe « coventriser », synonyme d'*anéantir*.

cover-coat [prononc. angl. kœvərkout] n. m. Etoffe de laine, d'origine anglaise.

cover-crop [prononc. angl. kœvərkrɔp] n. m. *Instr. agric.* Lourd pulvériseur à deux rangées de disques.

cover-girl [prononc. angl. kœvərgərl] n. f. (mot angl., de *cover,* couverture, et *girl,* fille). Jeune femme posant pour les photographies d'illustrés, en particulier pour la page de couverture.

Covilhã, v. du Portugal (distr. de Castelo Branco); 26 500 h. Centre lainier.

Covilhã (Pêro DA), voyageur portugais (Covilhã - † en Ethiopie v. 1545). Il reçut de Jean II de Portugal la mission d'explorer les régions du Levant et de l'Ethiopie.

Covington, v. des Etats-Unis (Kentucky); 60 400 h. Fonderies; papeteries.

covolume n. m. Volume limite qu'occuperait une masse gazeuse sous une pression infiniment grande. || Paramètre caractéristique d'une substance explosive, et qui figure dans la formule de Noble et Abel.

Cowansville, v. du Canada (Québec) ; 10 700 h. Industrie textile, meubles.

Coward (Noel), auteur dramatique anglais (Teddington 1899 - Port Maria, île de la Jamaïque, 1973). Ses pièces sont d'un mouvement et d'une gaieté endiablés : *Hay Fever* (1925), populaire à Paris sous le titre de *Week-End* (1928) ; *Private Lives* (1930), jouée à Paris et adaptée au cinéma sous le titre *les Amants terribles* (1935) ; *Cavalcade* (1932) ; *Felicity* (1955) ; *Waiting in the Wings* (1960) ; etc. Parmi les scénarios de films, mentionnons ceux qu'il a écrits pour le réalisateur David Lean : *L'esprit s'amuse* (1943), *Brève Rencontre* (1946).

cow-boy ou **cowboy** [prononc. angl. kaubɔi] n. m. (mot angl. signif. *garçon de vaches*). Gardien de bestiaux dans les ranches américains. — Pl. *des* COW-BOYS.

cow-catcher [kaukatʃər] n. m. (angl. *cow,* vache, et *catcher,* attrapeur). Appareil métallique adapté à l'avant des locomotives américaines pour chasser les animaux qui pourraient se trouver sur la voie ferrée. — Pl. *des* COW-CATCHERS.

Cowes, v. de Grande-Bretagne, sur la côte nord de l'île de Wight ; 17 000 h. Centre principal du yachting européen.

Cowley (Abraham), poète anglais (Londres 1618 - Chertsey 1667). Partisan du roi Charles Ier, il suivit la reine Henriette en France après la victoire des puritains et devint son secrétaire. C'est de cette époque que datent ses poésies anacréontiques, comme *l'Amant,* et ses *Odes* à la manière de Pindare. Il écrivit des essais (*Essai sur moi-même,* 1656).

cowper [prononc. angl. kaupər] n. m. (du nom de l'inventeur). Appareil à inversion utilisé en sidérurgie pour la récupération de la chaleur latente des gaz sortant des hauts fourneaux et pour le réchauffage de l'air envoyé aux tuyères.

Cowper (William COWPER, 1er comte), magistrat et homme politique anglais (1665 ? - Hertingfordbury, Hertfordshire, 1723), premier lord chancelier de Grande-Bretagne (1707-1710, 1714-1718).

Cowper (William), anatomiste anglais (Alresford, Hampshire, 1666 - Londres 1709). On lui doit la description des glandes situées de part et d'autre du bulbe de l'urètre chez l'homme (glandes bulbo-urétrales ou *glandes de Cowper*).

Cowper (William), poète anglais (Great Berkhamsted, Hertfordshire, 1731 - East Dereham, Norfolk, 1800). Son recueil poétique, *Propos de table* (1782), est une satire pleine d'humour. Sa grande œuvre est *la Tâche* (1784), poème où il chante la campagne et les joies du foyer. Son œuvre forme le lien entre les classiques et les romantiques.

cow-pox [prononc. angl. kaupoks] n. m. (angl. *cow,* vache, et *pox,* syphilis). Maladie contagieuse atteignant la vache. (Dû à un ultravirus, le cow-pox se manifeste par des vésicules, surtout sur le mamelles. La maladie peut se transmettre à l'homme, qui se trouve alors immunisé contre la variole.) [Syn. VACCINE.]

Cox (Richard), prélat anglais (Whaddon,

cow-boy

Holmes-Lebel

cowper

trajet des gaz du gueulard pendant la période de combustion

trajet du vent venant de la soufflerie pendant la période de récupération

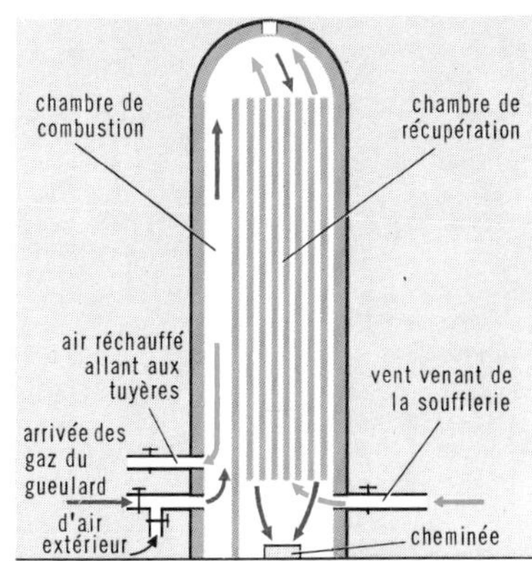

Buckinghamshire, 1500 - † 1581). Sous Edouard VI, il participa à la rédaction des deux premiers livres de prières officiels. Il fut nommé évêque de Norwich, puis d'Ely (1559-1580).

coxal, e, aux adj. Relatif à la hanche.

coxalgie n. f. Ostéo-arthrite tuberculeuse de la hanche, qui atteint l'enfant et l'adulte. (Elle se révèle par des douleurs de la hanche ou parfois du genou, par une légère boiterie et par une altération de l'état général. Son pronostic s'est considérablement amélioré avec la chimiothérapie antituberculeuse.) ◆ **coxalgique** adj. Relatif à la coxalgie. ✦ n. et adj. Qui est atteint de coxalgie.

coxaplana n. f. Affection acquise de l'articulation coxo-fémorale, caractérisée par l'aplatissement de l'épiphyse fémorale supérieure.

coxarthrose ou **coxarthrie** n. f. Rhumatisme chronique non inflammatoire de la hanche, survenant après la cinquantaine et se manifestant par des douleurs et de l'impotence fonctionnelle.

coxavalga n. f. Malformation provoquée par l'ouverture de l'angle que fait le col du fémur avec la diaphyse fémorale.

coxavara n. f. Malformation caractérisée par la fermeture de l'angle que fait le col du fémur avec la diaphyse fémorale.

Coxcie ou **Coxie** (Michiel), peintre flamand (Malines 1499 - *id.* 1592). Il subit, à Rome, l'influence de Raphaël. Peintre en titre de Philippe II, il exécuta des compositions religieuses (*Martyre de saint Sébastien,* musée d'Anvers), des portraits, des cartons de tapisseries et de vitraux. — Son fils RAFAËL (Malines 1540 - † 1616), également peintre, est l'auteur d'un *Jugement dernier* (musée de Gand).

coxo-fémoral, e, aux adj. Se dit de l'articulation de la hanche.

coxopodite n. m. Article basal des pattes des crustacés supérieurs.

coyau n. m. Petite charpente prolongeant le comble d'une toiture jusqu'au-delà de la partie extérieure du mur.

coyer n. m. (de *coe,* anc. forme de *queue*). Pièce de bois placée horizontalement dans l'enrayure* d'une croupe, et recevant le pied de l'arêtier ou de la noue. ‖ Etui conique où se met la pierre à aiguiser les faux. (Syn. COFFIN.)

Coyne (André), ingénieur français (Paris 1891 - Neuilly-sur-Seine 1960). Inspecteur général des ponts et chaussées, il est l'auteur de plus de quatre-vingts barrages tant en France qu'à l'étranger (Marèges, L'Aigle, Chastang, Bort, Tignes, Bin el-Ouidane, etc.). Il a perfectionné la technique des barrages-voûtes, créé des procédés originaux de stabilisation des ouvrages d'art par tirants tendus, imaginé le déversoir en saut-de-ski, et inventé les « témoins sonores », qui révèlent les contraintes à l'intérieur des constructions.

coyot [kojo] n. m. Instrument employé dans l'industrie de l'impression sur étoffes, et qui sert à maintenir bien déployés les tissus qui sont mouillés.

coyote [kɔjɔt] n. m. (de l'aztèque *coyotl*). Chacal des prairies de l'Amérique du Nord.

coyoté n. m. Variété de coton des Philippines, de couleur cannelle. ‖ Tissu fabriqué avec ce coton.

Coypel, famille de peintres français. NOËL (Paris 1628 - *id.* 1707) fut directeur de l'Académie de France à Rome (1672) et travailla à la décoration du Louvre, de Versailles, du parlement de Rennes. — Son fils ANTOINE (Paris 1661 - *id.* 1722) est l'auteur de peintures décoratives (Palais-Royal, Meudon, Trianon, Invalides, chapelle de Versailles [*Dieu le Père dans sa gloire*]). — NOËL NICOLAS (Paris 1690 - *id.* 1734), frère du précédent, a exécuté des compositions mythologiques (*Vénus Anadyomène,* Leningrad; *Vénus, Bacchus et l'Amour,* Louvre). — CHARLES ANTOINE (Paris 1694 - *id.* 1752), fils d'Antoine, se consacra à la peinture de genre et exécuta des cartons de tapisseries pour les Gobelins (*Don Quichotte*).

Giraudon

Antoine Coypel
« Jeune Fille caressant un chien »
Louvre

coypou n. m. V. MYOPOTAME.

Coysevox (Antoine), sculpteur français (Lyon 1640 - Paris 1720). Il se fixa à Paris où il fut directeur de l'Académie (1702). Il participa à la décoration de Versailles (*Passage du Rhin par Louis XIV,* salon de la

Guerre; *la Garonne et la Dordogne,* parterre d'eau). Il exécuta pour Marly *les Chevaux* de l'abreuvoir.* On lui doit également des tombeaux (celui de *Mazarin,* Institut de France) et de nombreux bustes : *le Grand Condé, Colbert, Le Brun* (Louvre).

Larousse

Coysevox
« la Renommée »
un des « Chevaux de l'abreuvoir »
à l'entrée du Jardin des Tuileries

Cozes, ch.-l. de c. de la Charente-Maritime (arr. de Saintes), à 17 km au S.-E. de Royan ; 1 711 h. Eglise romane.

Cozette (Pierre François), tapissier français (Paris 1714 - *id.* 1801). Il exécuta surtout des portraits de grands personnages (*Louis XV,* d'après Van Loo, musée de Versailles).

Cozzarelli (Giacomo), sculpteur et architecte italien (Sienne 1453 - *id.* 1515). Il éleva l'église de l'Observance près de Sienne, le palazzo del Magnifico à Sienne, et exécuta de nombreuses statues de bois.

CP1, CP2, abrév. de COTON-POUDRE* n° 1 et de COTON-POUDRE n° 2.

C. Q. F. D., abrév. de CE QU'IL FALLAIT DÉMONTRER. (Sert de conclusion à un raisonnement démonstratif.)

Cr, symbole chimique du *chrome.*

Crabbe (George), poète anglais (Aldeburgh, Suffolk, 1754 - Trowbridge 1832). De modeste origine, il s'intéressa à la vie des paysans et revendiqua pour eux des réformes sociales dans *le Village* (1783), *le Registre paroissial* (1807), *le Bourg* (1810).

crabe n. m. (moyen néerl. *crabbe*). Nom commun à tous les crustacés décapodes à l'abdomen réduit et replié sous le thorax, dits aussi *brachyoures.* (V. *encycl.*) ‖ Nom donné à un véhicule chenillé américain, particulièrement apte à circuler dans la neige ou les terrains marécageux, et utilisé par l'armée française en Indochine (1946-1954). ‖ *Pop.* Individu têtu, borné, ridicule : *C'est un vieux crabe.* ● *Marcher en crabe* (Fig.), marcher de côté. ‖ *Panier de crabes* (Fig.), groupement d'individus qui se dressent mutuellement des embûches, qui cherchent à se nuire les uns aux autres. ‖ *Vol en crabe,* vol d'un avion lorsque l'axe du fuselage n'est pas orienté dans la direction du déplacement. ◆ **crabier, ère** adj. Qui se nourrit de crabes : *Héron crabier.* ● *Phoque crabier,* v. PHOQUE.
— ENCYCL. **crabe.** Les crabes sont tous de féroces carnassiers aux pinces redoutables. De rares espèces peuvent nager grâce à l'aplatissement en palettes des pattes thoraciques postérieures (ex. : l'*étrille*), mais la plupart ne peuvent que marcher sur le fond, parfois ils ne peuvent progresser que latéralement à cause de l'excessive largeur de leur thorax. Mais leur forme aplatie leur permet

v. crustacés

de se glisser dans les fentes étroites des rochers, et leurs chambres branchiales à ouverture très réduite peuvent fonctionner comme des poumons, de sorte qu'ils supportent de vivre très longtemps hors de l'eau. Certaines espèces sont d'ailleurs terrestres à l'âge adulte et ne passent dans l'eau que leur vie larvaire. Rien n'est plus varié que le sous-ordre des crabes, dont la taille varie de quelques millimètres à plus de 2 m, dont la forme peut être triangulaire, ovale ou rectangulaire, dont l'aspect peut être modifié par un véritable vêtement d'algues ou se confondre avec celui d'un caillou, et dont certaines espèces utilisent des actinies vivantes comme armes offensives et défensives.

Crabes (ÎLE DES). V. VIEQUES (*île*).

Crabeth (Dirck), peintre-verrier hollandais († Gouda 1577), auteur de neuf vitraux pour Saint-Jean de Gouda. — Son frère WOUTER († Gouda v. 1590) exécuta dans la même église de nombreux vitraux.

crabier → CRABE.

Crabos (René), joueur français de rugby (Saint-Sever, Landes, 1899 - *id.* 1964). International de 1920 à 1924 et capitaine de l'équipe de France, Crabos jouait au poste de trois-quarts centre. Il devint, en 1952, président de la Fédération française de rugby.

crabot n. m. Dent d'entraînement dans un manchon d'embrayage à griffes.

crabotage n. m. Sous-cavage de la veine d'ardoise pour faciliter l'abattage. ‖ Dispositif mécanique employé pour rendre deux demi-arbres solidaires l'un de l'autre.

crabro ou **crabron** n. m. (lat. *crabro,* frelon). Gros sphex ressemblant à un frelon, qui nidifie dans des cavités déjà existantes et approvisionne son nid surtout d'insectes diptères.

crac! interj. Onomatop. qui exprime soit le bruit d'une chose qui craque, soit la soudaineté : *La branche se casse : crac! le voilà par terre. Soudain c'est la panne : crac! nous voilà dans le noir.*

crac n. m. V. KRAK.

Crac (MONSIEUR DE), personnage comique, type de hâbleur. Il est le héros de *Monsieur de Crac dans son petit castel* (1791), de Collin d'Harleville, inspiré des aventures du baron von Münchhausen*.

crachat, craché, crachement → CRACHER.

cracher v. tr. (lat. **craccare,* d'origine onomatopéique). Lancer hors de la bouche par un mouvement particulier des joues, des lèvres et de la langue : *Cracher un noyau de cerise, une bouchée de viande.* || Jeter, lancer : *Un canon qui crache ses projectiles.* || *Fam.* Dire avec abondance : *Cracher du latin.* || Dire crûment : *Cracher son fait à quelqu'un.* || Prononcer avec colère : *Cracher des injures. Cracher sa malédiction.* || *Pop.* Débourser : *On lui a fait cracher une grosse somme.* ● *Cracher ses poumons* (Pop.), tousser et cracher beaucoup. ✦ v. intr. Expectorer des crachats ou de la salive : *Il cracha par terre d'un air dédaigneux.* || En parlant d'une plume, faire éclabousser l'encre en gouttelettes. || En parlant d'un poste de radio, faire entendre des bruits parasites par suite d'un faux contact, d'un mauvais réglage, etc. ● *Cracher sur, cracher dessus* (Fam.), dédaigner, montrer du mépris pour. || *Ne pas cracher sur,* aimer, apprécier fort : *Ne pas cracher sur les bons morceaux.* ◆ **crachat** n. m. Substance faite de mucus, de pus, ou de sang, sécrétée par les muqueuses des voies respiratoires et que l'on rejette par la bouche. || Défaut d'une glace, qui ressemble assez à une toile d'araignée. || *Fig.* et *fam.* Décoration d'un ordre de chevalerie ; et, *plus spécialem.,* plaque des degrés supérieurs de l'ordre. ● *Crachat de coucou,* écume riche en sève, provoquée par la piqûre des cercopes* sur les plantes. || *Se noyer dans un crachat* (Fam.), se laisser arrêter par la moindre difficulté. ◆ **craché, e** adj. *Fam.* Tout à fait ressemblant : *Etre le portrait craché* (ou *tout craché*) *de quelqu'un.* ◆ **crachement** n. m. Rejet, par la bouche, des matières expectorées ou provenant du rhinopharynx ou de la bouche : *Crachement de sang, de pus.* || Projection ou bruit semblable à celui d'un crachement : *Le crachement d'une mitrailleuse. Les crachements d'un poste de radio.* || Ejection d'un métal coulé à travers un défaut du moule. || Fuite de vapeur peu importante aux soupapes d'une chaudière ou à un joint d'une machine ou d'un récipient à vapeur. || Projection de gaz par la culasse d'une arme à feu, soit par défaut d'obturation, soit par rupture du culot de l'étui. ◆ **cracheur, euse** adj. et n. Qui crache continuellement ou fréquemment. ◆ **crachin** n. m. Pluie très fine, persistante, résultant du passage du front chaud ou d'un mécanisme de condensation accélérée au sein d'un brouillard. (Le crachin est fréquent en climat océanique.) ◆ **crachis** n. m. Ensemble d'éclaboussures obtenues à l'aide d'un treillis et d'une petite brosse, et que le lithographe projette sur les parties d'un dessin qu'on veut teinter ou renforcer. (On obtient ainsi un pointillé.) ◆ **crachoir** n. m. Récipient muni ou non d'un couvercle, souvent rempli de sciure de bois, dans lequel on crache. ● *Tenir le crachoir* (Fig. et fam.), parler longuement, entretenir ou accaparer la conversation. ◆ **crachotement** n. m. Action de crachoter. ◆ **crachoter** v. intr. Cracher souvent, et peu à la fois. ◆ **crachoteur** ou **crachoteux, euse** adj. et n. Qui crachote. ◆ **crachouiller** v. intr. *Fam.* Cracher continuellement d'une manière dégoûtante.

cracidés n. m. pl. Famille d'oiseaux gallinacés de l'Amérique chaude, dont le type est le hocco (*crax*).

crack n. m. (angl. *crack,* fameux). Cheval exceptionnellement bon. || *Fam.* Personne qui se distingue dans un sport ou une matière quelconque.

cracking [kiŋ] n. m. (mot angl.). Procédé de raffinage qui modifie la composition d'une fraction pétrolière par l'effet combiné de la température, de la pression et, dans certains cas, d'un catalyseur. (On dit aussi CRAQUAGE.) ◆ **craquer** v. tr. Modifier un produit pétrolier par cracking.

Cracovie, en polon. **Kraków,** v. de Pologne, sur la haute Vistule ; 610 000 h. Archevêché. Université. Barbacane (XVe s.). Vaste place (Rynek Głowny) entourée d'édifices historiques : église Notre-Dame (retable de Wit Stwosz ; chapelle de Sigismond) ; beffroi du XVIe s. ; halle aux draps (Renaissance). Château (Wawel). Cette ville médiévale est célèbre par l'ancienneté et l'intensité de son activité économique et intellectuelle. Sa vieille métallurgie a été renforcée par l'édification récente du grand centre sidérurgique moderne de Nowa-Huta dans la banlieue.

● *Histoire.* Premier foyer chrétien en Pologne, Cracovie devint évêché dès le XIe s. Elle fut la capitale de la Pologne du XIVe au XVIe s. Son université a été fondée en 1364. République semi-autonome de 1815 à 1846, elle fut, à cette date et jusqu'en 1918, occupée par l'Autriche.

cracovienne n. f. Danse polonaise à deux temps, originaire du district de Cracovie. (Chopin s'inspira de ce rythme lorsqu'il écrivit, en 1828, un *Rondo de concert* ou *Krakowiak.* Vers 1840, la danseuse Fanny Elssler, en créant cette danse sur scène, la rendit, pour un temps, populaire en France.)

Cradock (Christopher), amiral britannique (Hartford 1862 - † combat naval de Coronel

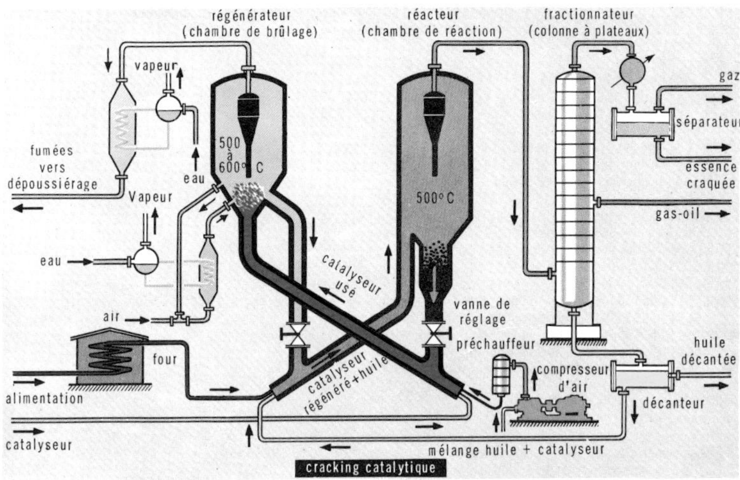

cracking catalytique

[au large du Chili] 1914). Placé à la tête d'un groupe de bâtiments, il tenta d'empêcher l'escadre allemande du Pacifique de passer dans l'Atlantique. Il fut battu par l'amiral von Spee et coula avec le *Good Hope*.

crafe ou **crasse** n. f. Banc de terre ou de pierre, que l'on rencontre dans une couche ardoisière, et qui en gêne l'exploitation (Rimogne).

craie [krɛ] n. f. (lat. *creta*). Roche calcaire, blanche ou très pâle, pulvérulente, traçante : *Les caves champenoises sont creusées dans la craie.* (V. *encycl.*) ‖ Petit bâton de cette substance, dont on se sert pour écrire sur un tableau noir, une ardoise, un mur, etc. : *Une inscription à la craie. Casser sa craie au tableau.* ◆ **crayère** [krɛjɛr] n. f. Lieu d'où l'on extrait de la craie. ◆ **crayeux** [krɛjœ], **euse** adj. De la nature de la craie : *Un sol crayeux.* ‖ Qui a l'aspect, la consistance de la craie : *Blanc crayeux.*

— Encycl. ***craie.*** La craie est un calcaire blanc friable, formé, entre autres, par des foraminifères. Elle s'est déposée dans des mers peu profondes (100 à 300 m), au crétacé supérieur (cénomanien, turonien, sénonien dans le Bassin parisien). On distingue diverses variétés de craies selon leurs fossiles (craies à micraster, à bélemnites, à baculites), ou selon les impuretés (craie glauconieuse, craie marneuse). On l'emploie comme pierre à chaux, comme pierre à ciment.

craïer [kraje] n. m. V. crayer.

Craig (sir James Henry), officier et administrateur anglais (Gibraltar 1748 - Londres 1812), gouverneur du Cap (1795-1797), gouverneur général du Canada (1807-1811).

Craig (James), 1er vicomte **Craigavon,** homme politique britannique (Sydenham, près de Belfast, Ulster, 1871 - Glencraig 1940). Ami d'Edward Carson, membre du parti unioniste, il fut Premier ministre d'Irlande du Nord (1921-1940).

Craig (Edward Gordon), metteur en scène anglais (Londres 1872 - Vence, Alpes-Maritimes, 1966). Sa conception d'un animateur capable de créer un spectacle total, d'écrire le texte aussi bien que de régler les éclairages a eu une grande influence sur les metteurs en scène contemporains.

craillement → crailler.

crailler [kraje] v. intr. Crier, en parlant de la corneille, et, *par extens.,* de certains oiseaux sauvages dont le cri imite celui de la corneille. ◆ **craillement** n. m. Cri de la corneille et de certains oiseaux sauvages.

crain n. m. Dans le Pas-de-Calais, accident géologique réduisant localement l'épaisseur d'une couche de houille.

craindre v. tr. (lat. vulg. **cremere;* altér. de *tremere,* sous l'influence d'un gaulois **crit-*) [conj. **55**]. Eprouver un sentiment de recul, d'inquiétude, devant ce qu'on croit dangereux ou pénible : *Un malfaiteur qui craint l'arrivée de la police. Nous craignons d'être en retard.* ‖ Eprouver un sentiment d'infériorité devant quelqu'un de qui on redoute du mal : *Un tyran que craignait tout son entourage.* ‖ Eprouver un sentiment de respect, de timidité, envers les puissants;

respecter, révérer : *Un homme qui craint Dieu.* || Etre sensible à, risquer d'être endommagé par : *Les jeunes plantes craignent la gelée.* || Tenir pour possible, sinon pour probable, la venue d'un mal ; appréhender : *Le médecin craint une rechute.* || Mesurer, être chiche de : *Ne pas craindre sa peine.* || — SYN. : *appréhender, avoir peur, redouter, trembler.* ● *Craindre pour quelqu'un,* redouter qu'il ne lui arrive du mal. || *Ne craindre ni Dieu ni diable,* ne se laisser arrêter par rien. || *Ne pas craindre,* avoir l'audace, se donner la peine : *Ne craignons pas d'insister. Ne craignez pas de frotter.* || *Ne pas craindre* (Fam.), signifie parfois, par litote, user volontiers de, avoir du goût pour : *Je ne crains pas un peu de cognac dans le lapin sauté.* || — REM. 1° On emploie *craindre de* et l'infinitif quand cet infinitif doit avoir le même sujet logique que *craindre ; craindre que* et le subjonctif quand il y a changement de sujet : *Je crains de me tromper. Je crains que vous ne vous trompiez.* — 2° *Craindre que* est suivi ordinairement du subjonctif précédé de la négation *ne,* exprimant un effet que l'on craint de voir se produire : *Il craignait qu'elle ne fût malade.* Mais l'omission de *ne* est assez fréquente : *Nous craignons qu'il soit trop tard.* A la forme négative, on omet *ne : Tu ne crains pas qu'il vienne. Craindre que* est suivi du subjonctif accompagné de *ne... pas* lorsqu'il exprime un effet dont on craint qu'il ne se produise pas : *Je crains qu'il ne vienne pas demain.* ◆ **crainte** n. f. Sentiment d'inquiétude en face de ce qu'on juge dangereux ou pénible : *La crainte d'une chute, des moustiques, du ridicule.* || Respect, vénération : *Un enfant élevé dans la crainte de Dieu.* || Désir d'éviter un mal, un inconvénient : *La crainte de vous déranger m'a empêché de vous rendre visite.* || — SYN. : *angoisse, anxiété, appréhension, effroi, épouvante, frayeur, peur, terreur.* ● *Crainte révérentielle,* désir de ne pas déplaire à un père, à une mère ou à un ascendant, et qui pousse une personne à conclure un contrat. ● LOC. PRÉP. *Dans la crainte de, de crainte de, crainte de,* craignant de : *Nous roulions lentement, de crainte de déraper.* ● LOC. CONJ. *Dans la crainte que, de crainte que, par crainte que, crainte que,* craignant que (avec le subjonctif) : *Hâtons-nous, de crainte qu'il ne pleuve.* || — REM. Les locutions *de, par crainte que* sont suivies de la négation *ne* explétive dans les mêmes conditions que *craindre* que.* ◆ **craintif, ive** adj. et n. Porté, sujet à la crainte : *Un animal craintif.* ✦ adj. Qui dénote la crainte : *S'avancer d'un air craintif.* ◆ **craintivement** adv. Avec crainte.

Crainquebille, courte pièce d'A. France (1903), tirée d'une de ses nouvelles. Crainquebille est un vieux marchand des quatre-saisons qui est traduit devant les tribunaux et condamné sur le témoignage d'un agent qui prétend l'avoir entendu crier : « Mort aux vaches ! »

crainte, craintif, craintivement → CRAINDRE.

Craiova, v. de Roumanie, ch.-l. de la région d'Olténie ; 183 000 h. Métallurgie ; industries chimiques et alimentaires.

craken [ken] n. m. Poulpe géant des mers de Norvège, probablement purement imaginaire.

cramailler [maje] n. m. Sorte de râteau denté, qui fait partie du mécanisme d'une montre à répétition.

1. crambe n. m. Papillon pyralidé, dit aussi TEIGNE DES PRAIRIES.

2. crambe n. m. Plante crucifère comestible des rivages, dite aussi CHOU MARIN, et cultivée en Angleterre pour ses jeunes pousses.

cramer v. intr. (lat. *cremare,* brûler). *Pop.* Se consumer : *La maison a cramé.*

Cramer (Gabriel), mathématicien suisse (Genève 1704 - Bagnols 1752). Son *Introduction à l'analyse des courbes algébriques* (1750) constitue l'un des premiers traités de géométrie analytique. Son nom est attaché à l'étude des systèmes d'équations linéaires.

Cramer (les), famille de musiciens allemands dont le chef est JACOB, violoniste (en Silésie 1705 - Mannheim 1770). — Ses fils JOHANN (né en 1743) et WILHELM (1745 - 1799) furent musiciens ; ce dernier, célèbre violoniste et chef d'orchestre. — JOHANN BAPTIST (Mannheim 1771 - Londres 1858), fils de Wilhelm, pianiste, élève de Clementi, est considéré comme le fondateur de l'école moderne du piano ; il a laissé des ouvrages pédagogiques : *84 Etudes, Ecole de la vélocité,* etc.

cramoisi, e adj. (ar. *qirm'zī,* rouge de kermès). Rouge vif : *Une étoffe cramoisie.* || Tout à fait rouge d'émotion, de colère, de honte : *En découvrant son erreur, il devint cramoisi.* || — **cramoisi** n. m. Couleur rouge foncé, très vive, que l'on donne aux étoffes.

Cramoisy (les), famille d'imprimeurs et de libraires parisiens (XVIe-XVIIe s.). SÉBASTIEN II (Paris 1585 - *id.* 1669), libraire et imprimeur en 1602, fut le plus grand éditeur de livres grecs et latins de son temps. Directeur de l'Imprimerie royale du Louvre, lors de sa fondation en 1640, il commença la publication de la *Byzantine du Louvre.* — Son petit-fils Sébastien MÂBRE (1642 - 1687) lui succéda sous le nom de **Mâbre-Cramoisy.**

crampe n. f. (francique **kramp,* recourbé). Contraction musculaire involontaire, douloureuse, survenant brusquement. || Anneau dans lequel passent les lanières reliant les fontes à la selle. || *Fig.* et *fam.* Personne ou chose importune, ennuyeuse : *Quelle crampe !* ● *Crampe d'estomac,* contraction douloureuse de la musculature gastrique, ressentie comme une torsion au niveau de cet organe. ◆ **crampillon** n. m. Sorte de clou recourbé en forme d'U, à deux pointes parallèles. || Fil de fer recourbé en forme d'U, servant à fixer le grillage ou la ronce sur les supports en bois. (Syn. CAVALIER.) ◆ **crampon** n. m. Pièce de métal recourbée, servant à attacher ou à saisir fortement. ‖ Pièce métallique servant à serrer deux objets l'un contre l'autre. ‖ Bande de fer plat dont on entoure une cheminée en brique pour renforcer la maçonnerie. ‖ Partie métallique en forme de pont, qui se fixe aux brancards d'une voiture pour recevoir les courroies de reculement. ‖ Partie recourbée, ménagée aux extrémités d'un fer à cheval. ‖ Petite pièce d'acier en forme de cube ou de pyramide, qu'on place sous les fers d'un cheval qui doit travailler en terrain glissant. (Il existe également des crampons à glace, très pointus.) ‖ Petit bourrelet de cuir fixé à la semelle des chaussures des joueurs de rugby, de football, etc., pour les empêcher de déraper. ‖ Semelle métallique garnie de pointes effilées, que les alpinistes fixent sous leurs chaussures au moyen de courroies, afin d'obtenir une adhérence suffisante dans la neige et sur la glace. ‖ Organe de fixation des plantes ou des animaux aquatiques à leur support, lorsque cet organe n'exerce aucune fonction d'absorption. (Sinon, c'est une *racine* pour les plantes, un *suçoir* chez les animaux et chez certaines plantes parasites.) ✦ n. et adj. *Fam.* Personne importune, dont on a peine à se défaire. ◆ **cramponnant, e** adj. *Fam.* Importun, d'un attachement qui lasse. ◆ **cramponné, e** adj. *Hérald.* Se dit de pièces courbées en crampon (forme de Z aux extrémités aiguisées) ou portant une demi-potence à leur extrémité. ◆ **cramponnement** n. m. Action de cramponner, de se cramponner. ◆ **cramponner** v. tr. Attacher, fixer au moyen d'un crampon : *Cramponner des pierres.* ‖ S'emploie surtout au participe passé *cramponné,* attaché, agrippé : *Des naufragés cramponnés à une épave ;* et, au *fig. : Il attendait toujours, cramponné à cet espoir.* ● *Cramponner quelqu'un* (Fam.), s'attacher obstinément à lui. ‖ — ***se cramponner*** v. pr. S'attacher, ne pas lâcher prise, s'agripper : *Il dut se cramponner à son siège.* ◆ **cramponnet** n. m. Syn. de PICOLET.

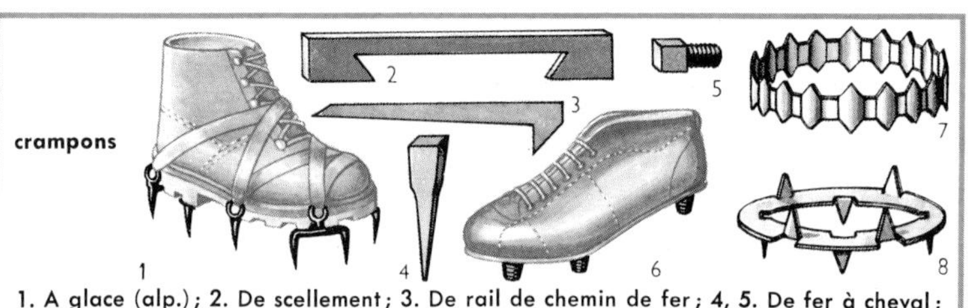

1. A glace (alp.) ; 2. De scellement ; 3. De rail de chemin de fer ; 4, 5. De fer à cheval ; 6. De chaussure de football ; 7, 8. De charpente

Crampel (Paul), explorateur français (Nancy 1864 - El-Kouti 1891). Il explora (1888-1889) le nord du Congo français, et fut tué alors qu'il tentait d'unir, sur les rives du Tchad, les possessions françaises du Soudan, de l'Algérie et du Congo.

crampillon, crampon, cramponnant, cramponné, cramponnement, cramponner, cramponnet → CRAMPE.

Crampton (Thomas Russell), ingénieur anglais (Broadstairs 1816 - Londres 1888). On lui doit un type de locomotive à grande vitesse, qui eut une longue et brillante carrière en Angleterre et en France. Il travailla également au premier câble sous-marin Calais-Douvres et construisit le réseau hydraulique de Berlin en 1855.

Crampton (LOCOMOTIVE), type de machine à un essieu moteur à grandes roues, et à deux essieux porteurs, répondant au symbole 210. Elle fut la première machine de vitesse à grandes roues.

v. locomotive

Crampton (TUYAU), tuyau de prise de vapeur dans le dôme de la chaudière d'une locomotive.

cran n. m. (gaulois **krinare,* entailler). Entaille faite dans un corps dur pour en accrocher un autre. ‖ Entaille pratiquée sur une pièce d'armement pour pouvoir l'immobiliser ou en immobiliser une autre : *Cran de l'armé, de départ, de l'abattu,* etc. ‖ Petite entaille pratiquée sur une des faces de chaque caractère d'imprimerie, pour indiquer à l'ouvrier compositeur le sens dans lequel ce type doit être tourné. ‖ Défaut superficiel d'une pièce métallique forgée ou étirée. ‖ Petite coupure faite avec les ciseaux au bord du tissu, soit comme point de repère, soit pour faciliter le développement d'un rempli. ‖ Ondulation des cheveux. ‖ *Fig.* Fermeté, assurance énergique : *Il a supporté l'épreuve avec beaucoup de cran.* ● *Avancer, monter, hausser d'un cran, descendre, baisser d'un cran* (Fam.), passer à quelque chose de supérieur ou d'inférieur ; gagner ou perdre en importance, en force, etc. : *Son crédit a baissé d'un cran.* ‖ *Cran de marche,* position de la barre de relevage commandant l'admis-

Held

« Vénus et l'Amour
piqué par une abeille »
coll. part.

Held

« Femme nue »
musée de Genève

Cranach l'Ancien

sion de la vapeur sur une locomotive. || *Cran de mire,* entaille pratiquée sur la hausse, et qui, avec le guidon, détermine la ligne de mire. || *Cran de retour,* très importante faille de charriage qui coupe dans sa longueur le bassin houiller du Nord. || *Cran de sûreté,* cran qui a pour objet, en calant la gâchette d'une arme, d'empêcher le départ du coup. || *Etre à cran* (Fam.), être prêt à se mettre en colère. || *Se serrer d'un cran, se mettre un cran* (sous-entendu *à la ceinture*) [Fam.], se priver, se modérer. ◆ **craner** v. tr. Faire des échancrures, au moyen d'un cranoir, au pied de chaque dent d'une roue d'engrenage. ◆ **cranoir** n. m. Lime employée par les horlogers pour craner les roues dentées. ◆ **cranter** v. tr. Pratiquer des crans : *Cranter une ceinture.*

Cranach (Lucas), dit **l'Ancien,** peintre et graveur allemand (Kronach, près de Bamberg, Haute-Franconie, 1472 - Weimar 1553). Il peignit dans un style voisin de celui d'Altdorfer et des maîtres de l'école du Danube. Peintre de l'Electeur de Saxe, il s'installa à Wittenberg, adhéra à la Réforme et contribua à l'établissement de l'iconographie de la nouvelle religion. Il connut la célébrité à la tête d'un atelier important. On lui doit des tableaux religieux (*Martyre de sainte Catherine,* 1506, Dresde), des scènes bibliques (*David et Bethsabée,* 1562, Berlin), des compositions mythologiques (*Vénus,* Louvre), et surtout d'admirables portraits (*Henri le Pieux et sa femme,* 1514, Dresde). De ses anachronismes savoureux et de ses nus précieux émane un charme étrange. — Son fils LUCAS, dit *le Jeune* (Wittenberg 1515 - Weimar 1586), travailla dans sa manière (*la Fontaine de Jouvence,* 1546, Berlin).

crâne n. m. (lat. *cranium;* gr. *kranion*). Boîte osseuse qui contient le cerveau, chez l'homme et chez les vertébrés. (V. *encycl.*) || *Fig.* Cervelle, intelligence : *Avoir le crâne étroit, dur.* ◆ **crânien, enne** adj. Relatif au crâne : *La boîte crânienne.* ● *Indice crânien,* rapport entre deux des mensurations du crâne, qui permet, en anthropologie, d'établir les différents types de crânes.

— ENCYCL. **crâne.** *Anat.* Chez l'homme, le crâne a une forme ovoïde. Il s'articule en bas et en arrière avec la colonne vertébrale; en avant, il supporte les os de la face. Le crâne est constitué par l'assemblage de quatre os impairs et médians (le frontal, l'ethmoïde, le sphénoïde, l'occipital) et de quatre os pairs (les deux temporaux et les deux pariétaux). On lui distingue deux parties : 1° la *voûte crânienne,* bombée, qui forme la partie supérieure; 2° la *base du crâne,* aplatie, traversée par de nombreux orifices qu'empruntent les éléments nerveux et vasculaires.
Le crâne a des formes très diverses selon les

races ; on distingue ainsi les brachycéphales, dont le crâne est presque arrondi, et les dolichocéphales, dont le crâne est très allongé. Le crâne est primitivement membraneux ; les points d'ossification apparaissent secondairement. A la naissance, les différents os sont séparés par des espaces membraneux non ossifiés, les fontanelles*.

— *Anat. comp.* Le crâne, propre aux vertébrés, est une boîte cartilagineuse ou osseuse, entourant et protégeant non seulement l'encéphale, mais encore les *capsules sensorielles :* orbites, oreille interne et moyenne, région olfactive des narines. Il s'articule à la colonne vertébrale par *deux condyles* chez les mammifères et chez leurs ancêtres amphibiens et reptiles, par *un seul condyle* chez les oiseaux et chez les amphibiens et reptiles dont ils descendent ; ce caractère est un guide précieux pour les paléontologistes.

crâne adj. (de *crâne* n. m.). Qui affiche du courage, de la décision : *Nos soldats se sont montrés crânes. Un air crâne.* ‖ Gaillard, bien portant : *Il relève de maladie et n'est pas encore bien crâne.* ● *Faire le crâne,* afficher du courage d'un air de bravade. ◆ **crânement** adv. *Fam.* De façon crâne : *Il s'est défendu crânement.* ◆ **crâner** v. intr. Faire le brave : *Il crânait encore devant ses juges.* ‖ *Péjor.* Faire le fier, prendre des airs vaniteux. ◆ **crânerie** n. f. Fierté, bravoure un peu provocante. ◆ **crâneur, euse** adj. et n. *Péjor.* Qui se montre prétentieux ou fanfaron.

Crane (Walter), peintre anglais (Liverpool 1845 - Londres 1915). Elève de son père THOMAS, miniaturiste (1808-1859), il adhéra au préraphaélisme et dirigea l'école d'art de Manchester. Il est l'un des promoteurs de l'art décoratif moderne, mais est surtout

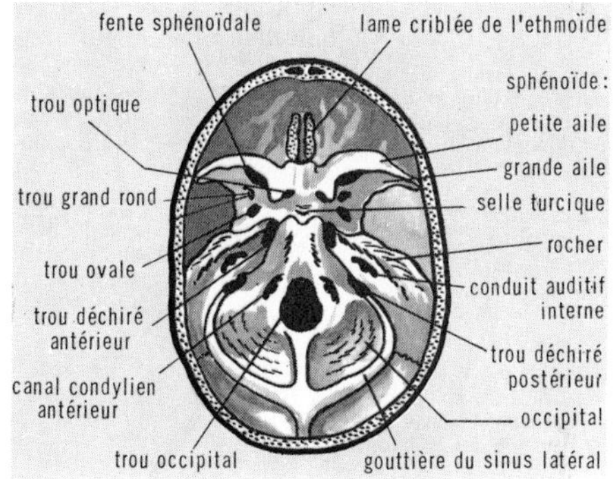

base du crâne (vue interne)

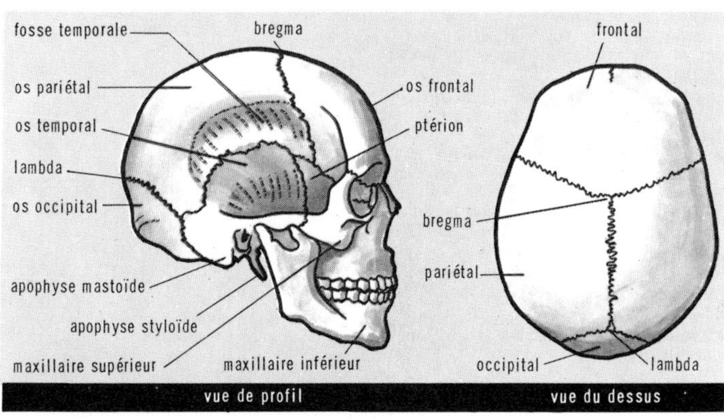

vue de profil

vue du dessus

apprécié comme aquarelliste et illustrateur de livres pour enfants (*le Vaisseau enchanté*).

Crane (Stephen), journaliste et romancier américain (Newark, New Jersey, 1871 - Badenweiler 1900). Il est l'auteur de plusieurs romans qui ont provoqué l'évolution de la prose américaine moderne par leur « réalisme magique » : *Maggie, fille des rues* (1893), *la Conquête du courage* (1895). Il est considéré comme un des créateurs de la nouvelle contemporaine (*short story*).

Crane (Hart), poète américain (Garettsville, Ohio, 1899 - mer des Caraïbes 1932). Influencé par le transcendantalisme d'Emerson, les théories dionysiaques de Nietzsche et le panthéisme de Tagore, reconnaissant pour maîtres Blake, Rimbaud et Whitman, il tenta de réconcilier la poésie et la civilisation industrielle américaine (*Blanches Constructions,* 1926 ; *le Pont,* 1930 ; *la Tour brisée,* 1932).

crânement → CRÂNE adj.

cranequin n. m. (de l'allem. *Kränchen,* petite grue). Petit cric pour tendre les arbalètes ; et, *par extens.,* l'arbalète elle-même (XVe s.). ◆ **cranequinier** n. m. Arbalétrier à pied ou à cheval, dont l'arbalète se tendait à l'aide du cranequin (XVe s.).

craner → CRAN.

crâner, crânerie, crâneur → CRÂNE adj.

Cran-Gevrier, comm. de la Haute-Savoie (arr. et dans la banlieue ouest d'Annecy) ; 12 662 h. (*Gévriens*). Industries diverses.

crangon n. m. Autre nom de la SALICOQUE ou CREVETTE GRISE des mers d'Europe.

crania n. m. Brachiopode connu à tous les étages fossilifères et encore existant, mais rare, dans les mers d'Europe. (Il est caractérisé par l'absence de pédoncule et de squelette brachial.)

crânien → CRÂNE n. m.

craniographe n. m. Appareil permettant de radiographier le crâne suivant des incidences précises et variées.

craniologie n. f. Partie de l'anthropologie qui s'occupe des formes comparatives du crâne dans les différentes races humaines.

craniomalacie n. f. Ramollissement des os du crâne chez les enfants du premier âge atteints de rachitisme. (On dit aussi CRANIOTABÈS.)

craniomètre n. m. Compas d'épaisseur, pour mesurer les divers diamètres du crâne.

cranio-pharyngiome n. m. *Neurol.* Tumeur développée à partir des vestiges du tractus embryonnaire reliant le pharynx à l'hypophyse.

cranioplastie n. f. Opération consistant à réparer une perte de substance de la boîte crânienne.

craniotomie n. f. Opération consistant à sectionner les os du crâne, dans le dessein de pratiquer une intervention neurochirurgicale (ablation d'une tumeur cérébrale, par ex.).

Cranko (John), danseur et chorégraphe sud-africain (Rustenburg, Transvaal, 1927 - 1973). Il a composé : *la Belle Hélène* (1955), *le Prince des pagodes* (1957), *Card Games* (1966), *Romeo et Juliette* (1967), *Poème de l'extase* (1970), *Song of my People Forest People Sea* (1972), *Spuren* (1973). A partir de 1961, il fut directeur du ballet à l'Opéra de Stuttgart.

Cranmer (Thomas), premier archevêque réformé de Canterbury (Aslacton, Nottinghamshire, 1489 - Oxford 1556). Archevêque de Canterbury (1533), il annula le mariage de Henri VIII et de Catherine d'Aragon. Il fut le promoteur des réformes religieuses de 1539, de la rédaction du *Livre de prières* officiel. Il fut brûlé comme hérétique sous le règne de Marie Tudor.

Crannon, en gr. **Krannon.** *Géogr. anc.* V. de Thessalie, dans la vallée de Tempé. Victoire d'Antipatros et de Cratère sur les Athéniens pendant la guerre lamiaque (322 av. J.-C.).

cranoir → CRAN.

Cransac, comm. de l'Aveyron (arr. de Villefranche-de-Rouergue), à 3 km à l'E. d'Aubin ; 2 930 h.

cranson n. m. V. COCHLÉARIA.

Crans-sur-Sierre, station d'été et de sports d'hiver de Suisse (Valais), à 1 500 m d'alt.

Cranston, v. des Etats-Unis (Rhode Island) ; 66 800 h. Industries textiles et chimiques.

cranter → CRAN.

Crantor, en gr. **Krantôr,** philosophe de l'ancienne Académie (né à Soles, Cilicie, v. 335 av. J.-C.). Son traité *De l'affliction* a été imité par Cicéron dans les *Tusculanes* et dans sa *Consolation.*

Crantz (Martin), imprimeur allemand (Stein, XVe s.). Il fut l'un des trois ouvriers qui vinrent diriger le premier atelier typographique fondé en France à la Sorbonne (1470).

Craon [krɑ̃], ch.-l. de c. de la Mayenne (arr. et à 19 km à l'O. de Château-Gontier) ; 4 763 h. (*Craonnais*). Elevage de porcs dits *de race craonnaise.* Patrie de Volney.

craonnais [kraɔnɛ ou kranɛ], **e** adj. *Race craonnaise,* race de porcs originaire de la Mayenne, de grande taille, appréciée pour la qualité de sa chair.

Craonnais, région s'étendant autour de Craon (Mayenne).

Craonne [kran], ch.-l. de c. de l'Aisne (arr. et à 23 km au S.-E. de Laon) ; 96 h. (*Craonnais*). Le *plateau de Craonne,* où Napoléon Ier vainquit Blücher (6-7 mars 1814), a été le théâtre de sanglants combats en 1917.

crapaud n. m. (germ. **krappa*). Vertébré amphibien terrestre, aux formes lourdes, à la peau pustuleuse, aux yeux dorés, mangeur de petites proies qu'il chasse de nuit. (Il pond dans les étangs des chapelets d'œufs ; la vie larvaire dure deux mois, mais la croissance après métamorphose dure cinq ans ; les pustules de la peau sécrètent un venin, mais le venin ne pénètre pas à travers la peau humaine ; son régime insectivore rend d'ailleurs le crapaud extrêmement utile.) || Nom

Six

crapaud

donné à certains poissons à grosse tête (chabot, rascasse, baudroie) et à certains mollusques (strombe). || Maladie du pied des solipèdes (âne, cheval, mulet), caractérisée par une inflammation de la membrane sous-ongulée et détruisant le plancher du sabot. (Syn. PODODERMATITE VÉGÉTANTE.) || Affût de mortier sans roues (XVIIIe s.). || Pièce de métal destinée à maintenir le patin du rail à l'emplacement voulu. || Petite serrure en forme de loqueteau. || Défaut d'une pierre précieuse. || Plate-forme roulante servant au transport de l'ardoise. || Appareil pour caler les pierres taillées pendant leur transport. || Rognon de pierre qui se trouve englobé dans un bloc de marbre. || Défaut d'homogénéité dans la matière du granite. || Artifice qui, après allumage, effectue une série de sauts bruyants, tantôt dans un sens, tantôt dans un autre. || Défaut de fabrication existant dans une pièce de tissu quelconque et qui est occasionné par des amas de fils. || Fauteuil évasé et bas à siège et dossier capitonnés. || Petit piano à queue. || *Fam.* Gamin, enfant. || Petit homme laid. ● *Avaler un crapaud* (Fam.), faire quelque chose qui coûte beaucoup. || *Crapaud accoucheur,* V. ALYTE. || *Crapaud de mouillage,* sorte de champignon en fonte, servant à tenir des bouées ou des torpilles mouillées à leur poste. ◆ **crapaudière** n. f. Lieu plein de crapauds. || *Partic.* Demeure entourée de fossés. || *Fig.* Repaire de gens méprisables, lieu infect : *Une crapaudière d'usuriers.* ◆ **crapaudine** n. f. Accessoire destiné à arrêter, dans le chéneau ou la gouttière, des déchets qui pourraient s'introduire à l'intérieur du tuyau de descente. || Soupape de baignoire. || Plot métallique scellé dans la maçonnerie et recevant le pivot d'une porte. || Palier de base d'un arbre vertical, servant de guide pour le mouvement de rotation et de butée pour les efforts verticaux. || Maladie particulière aux solipèdes et caractérisée par

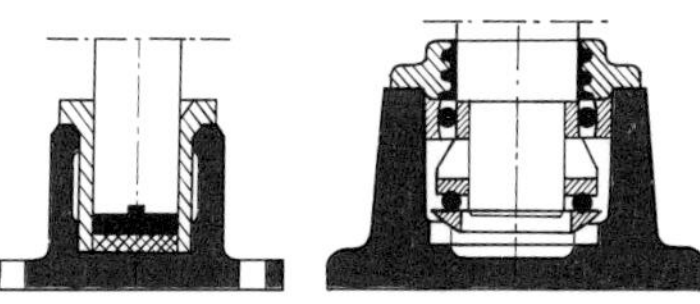

crapaudine (mécan.)

un ulcère de la partie antérieure de la couronne, entraînant une sécrétion défectueuse de la corne du sabot. (Syn. PSORIASIS DE LA COURONNE.) ● *A la crapaudine,* se dit d'une façon d'accommoder les jeunes poulets, les pigeons, et qui consiste à les désosser, à les aplatir, à leur écraser les ailes et les pattes, ce qui leur donne l'aspect d'un crapaud, et à les faire cuire sur le gril. ◆ **crapouillot** n. m. Nom populaire donné aux mortiers de tranchée employés pendant la Première Guerre mondiale. || Le projectile de ces mortiers.

crapouillot
lance-bombe Cellerier, 2e modèle 1915
musée de l'Armée

craponne n. f. (de *Craponne* n. de ville). Lime bâtarde, à l'usage des horlogers.

Craponne (Adam DE), ingénieur français (Salon 1527 - Nantes 1576), constructeur du canal qui porte son nom.

Craponne (CANAL DE), canal d'irrigation de Provence, construit vers 1558 par Adam de Craponne, et servant à irriguer une partie de la Crau, à partir de la Durance, en face de Cadenet. Il se divise en aval en deux branches ; l'une rejoint le Rhône à Arles, l'autre atteint l'étang de Berre.

Craponne-sur-Arzon, ch.-l. de c. de la Haute-Loire (arr. et à 39 km au N. du Puy) ; 3 298 h. (*Craponnais*). Bonneterie.

crapouillot → CRAPAUD.

Crapouillot (LE), revue fondée en 1915 par Jean Galtier-Boissière, alors mobilisé. Il devint après 1919 une revue d'avant-garde. A partir de 1930, *le Crapouillot* ne parut plus que sous la forme de numéros spéciaux de ton satirique. Suspendu en 1939, il reparut en 1948. Galtier-Boissière a cessé d'en être le directeur en 1965.

crapoussin, e n. *Pop.* Personne de petite taille et contrefaite.

crappe n. f. *Crappe asphaltique,* roche asphaltique pauvre en bitume.

crapule n. f. (lat. *crapula,* ivresse). Classe la plus basse et la plus pervertie de la société : *Se mêler à la crapule.* || Individu très malhonnête : *Il a été victime d'une crapule.* ◆ **crapulerie** n. f. Etat de crapule : *Vivre dans la crapulerie.* || Acte, action de crapule : *Je ne l'aurais pas cru capable d'une telle crapulerie.* ◆ **crapuleusement** adv. De façon crapuleuse. ◆ **crapuleux, euse** adj. Qui se plaît dans la crapule, qui vit dans l'infamie, dans la débauche : *Un homme crapuleux.* || Digne de la crapule. ● *Crime crapuleux,* crime sordide, accompli pour de vils intérêts.

Larousse

craquelures d'un tableau

craquage n. m. V. CRACKING.

craque → CRAQUER.

craquelage, craquelé, craquèlement → CRAQUELER.

craqueler v. tr. (conj. **3**). Fendiller la glaçure de : *Craqueler de la porcelaine.* || Fendiller, crevasser : *La sécheresse craquelle le sol.* ◆ **craquelage** n. m. Fabrication de la porcelaine craquelée. || Altération mécanique de certains films de vernis ou de peinture. (Le craquelage peut être superficiel ou profond; il forme un réseau plus ou moins serré et régulier, mais n'entraîne pas le détachement du subjectile des couches altérées.) || Défaut de fabrication du pain de savon, dont la masse est fendillée longitudinalement. ◆ **craquelé** n. m. Procédé de décoration utilisant les dessins formés par les fentes d'une glaçure dont le coefficient de dilatation ou l'élasticité ne s'accordent pas avec ceux de la pâte. (Les craquelés chinois [sur verre ou dans les céramiques] sont très appréciés.) ◆ **craquellement** ou **craquèlement** n. m. Etat de ce qui est craquelé. ◆ **craquelure** n. f. Dans un objet, et surtout à sa surface, fissure en ligne brisée, souvent associée à d'autres fissures qui dessinent des polygones ou des réseaux. (En peinture, les craquelures ont pour cause les variations atmosphériques, qui dilatent différemment les couches formant la matière d'un tableau. Elles sont subordonnées aux produits employés, aux écoles et aux époques. Leur traitement est très délicat [remplacement de la couche de vernis, à la rigueur restauration de la matière picturale elle-même].) || Fendillement produit dans les bouches à feu par l'action des gaz. || *Géol.* Fente de retrait.

craquelin n. m. Pâtisserie sèche qui craque sous la dent. || Nom donné à certains petits fours secs.

craquellement, craquelure → CRAQUELER.

craquement → CRAQUER.

craquer v. intr. (de *crac*). Produire un bruit sec par frottement, ou bien en se brisant, en se déchirant : *La branche craqua soudain sous la charge.* || Se déchirer, se défaire, céder : *Les coutures ont craqué.* || Crier, en parlant de certains oiseaux. || *Fig.* Etre ébranlé; menacer ruine : *Le régime politique craquait de toutes parts.* || *Fig.* S'effondrer nerveusement. || *Fig.* et *fam.* Echouer : *Projet qui craque.* || *Fig.* et *pop.* Se vanter faussement, dire des craques, mentir. ● *Craquer dans la main,* échapper, échouer contre toute attente : *Cette affaire m'a craqué dans la main.* || *Craquer dans les mains à quelqu'un,* lui manquer de parole, le trahir : *Il vous craquera dans les mains.* ✦ v. tr. Briser; déchirer; faire céder : *Craquer un vêtement.* || *Fam.* Dépenser, dilapider : *Craquer un héritage.* ● *Craquer une allumette,* la faire craquer, en la frottant sur un corps sec pour l'allumer. ◆ **craque** n. f. *Pop.* Mensonge, hâblerie : *Débiter des craques.* ◆ **craquement** n. m. Bruit sec que fait un corps qui craque : *Les craquements du parquet.* || *Fig.* Signe avant-coureur de la chute, de la rupture. ◆ **craqueter** v. intr. (conj. **4**). Craquer souvent et à petit bruit. || Crier, en parlant de quelques oiseaux : *Les grues, les cigognes craquettent.* ◆ **craquettement** ou **craquètement** n. m. Bruit produit par un objet ou un oiseau qui craquette. ◆ **craqure** n. f. Fente, fissure d'une tôle, d'un coussinet.

craquer → CRACKING.

craqueter, craquettement ou **craquètement, craqure** → CRAQUER.

crase n. f. (gr. *krasis,* fusion). *Linguist.* Contraction, en grec, de la voyelle ou de la diphtongue finale d'un mot avec la voyelle ou la diphtongue initiale du mot suivant, notée en grec par un signe appelé « coronis ». (Ex. : *talla* pour *ta alla.*) ● *Crase sanguine,* terme employé pour désigner les propriétés du sang qui ont rapport à la coagulation.

crash [kraʃ] n. m. (angl. *to crash,* se fracasser). Atterrissage de fortune effectué par un avion train rentré. ● *Piste de crash,* bande parallèle à la piste en dur, destinée à recevoir les appareils en difficulté.

Crashaw (Richard), poète anglais (Londres v. 1613 - Loreto, Italie, 1649). Converti au catholicisme, il vécut en Italie et y publia des poèmes religieux, qui, malgré leur préciosité, sont parmi les meilleurs de l'école métaphysique anglaise. *Le Cœur de flamme,* hymne à sainte Thérèse, est son chef-d'œuvre.

craspédote adj. (du gr. *kraspedon,* frange). Se dit des petites méduses munies d'un voile sous la cloche et qui sont les polypes reproducteurs des hydrozoaires. (Contr. ACRASPÈDE, moins usité.)

crassane n. f. Excellente variété de poire, fondante.

crasse adj. f. (lat. *crassus,* épais). Epaisse, grossière, inexcusable. (Usité seulement dans certaines expressions figurées : *Ignorance crasse. Paresse crasse.*) ✦ n. f. Couche de saleté, progressivement amassée sur la peau, le linge, différents objets : *De vieux livres pleins de crasse. Une crasse qui a résisté à la lessive.* || *Fam.* Mauvais procédé, vilenie : *Il m'a fait une crasse, mais je saurai le retrouver.* ● *Crasse des porcelets,* affection atteignant des sujets malingres, hébergeant souvent des parasites intestinaux. (Elle est caractérisée par la formation sur la peau de croûtes jaunes, puis brunes.) || *Crasse sénile* ou *kératose sénile,* taches planes ou surélevées recouvertes d'un enduit grisâtre adhérent, siégeant à la face, au cou, au dos des mains chez les sujets âgés. (Ces lésions peuvent dégénérer en cancer cutané et doivent être surveillées et traitées en conséquence.) || — **crasses** n. f. pl. Matières terreuses de divers combustibles, qui restent dans les grilles du foyer et qui constituent le mâchefer. || Scories d'un métal en fusion. ◆ **crasser** v. tr. Couvrir de crasse (surtout en parlant des armes à feu). ◆ **crasseux, euse** adj. et n. Couvert de crasse, sale : *Il portait toujours le même tablier crasseux.* || *Fig.* et *fam.* D'une avarice sordide : *Un crasseux qui refuse toujours de participer aux frais.* ◆ **crassier** n. m. Amoncellement des déchets, scories et résidus divers d'une usine métallurgique.

crassilingues n. m. pl. Groupe de reptiles, comprenant les geckos et les iguanes, dont la langue est épaisse et courte. (S'opposent aux *fissilingues* et aux *vermilingues.*)

crassula n. m. (du lat. *crassus,* épais). Genre type de la famille des crassulacées. ◆ **crassulacées** n. f. pl. Famille de plantes de l'ordre des rosales, aux parties aériennes fortement charnues, aux fleurs très colorées, aux graines légères donnant prise au vent, aux parties souterraines formant de nombreux rejets. (Ces plantes, très résistantes aux conditions défavorables, vivent dans les régions arides chaudes ou en montagne, bien que le genre type *crassula* pousse dans les lieux humides.)

Crassus (Licinius). V. LICINIUS CRASSUS.

cratægus [gys] n. m. V. AUBÉPINE.

Crater, nom lat. de la constellation de la Coupe* (au génit. : *Crateris;* abrév. : [Crt]).

cratère n. m. (lat. *crater;* gr. *kratêr,* même sens). Vase à large orifice, qui servait à

cratère d'un volcan près de Jogjakarta

P. E. Victor-Pitch

mélanger l'eau et le vin. ‖ Dépression située généralement à la partie supérieure d'un édifice volcanique (*cratère central*), mais pouvant être localisée sur les flancs ou au pied du cône (*cratère latéral* ou *parasite*), et par où sortent les projections et les laves. (V. *encycl.*) ‖ Cavité qui, dans un arc électrique à courant continu, se produit à l'extrémité du charbon positif. ‖ *Cratère météorique,* dépression fermée, en forme de cratère, constituée par le trou fait à la surface de la terre par une météorite de grandes dimensions. ‖ *Lac de cratère,* lac formé dans le cratère d'un volcan éteint. ◆ **cratériforme** adj. Qui a la forme d'un cratère de volcan. ‖ Se dit d'ulcérations dont les bords sont taillés à pic.

— ENCYCL. **cratère.** La cheminée d'un volcan aboutit au fond d'un cratère. La forme et la dimension des cratères dépendent du type d'activité volcanique et de la nature des laves émises. Lorsque l'éruption est du type explosif, le cratère est un entonnoir dont la pente des versants est en rapport avec la nature des matériaux qui le composent et l'intensité de l'explosion. Une explosion très violente donne une paroi presque verticale. Certains volcans aux laves basaltiques fluides ont des cratères souvent emboîtés, aux versants raides (*pit craters* ou *cratères-puits*). Les dépressions d'origine volcanique peuvent être très vastes et forment alors des *caldeiras,* qui résultent d'effondrements après un paroxysme d'éruption. Le fond des caldeiras est plat et porte souvent des cônes, qui sont la conséquence d'une reprise d'activité volcanique.

Giraudon

cratère des Niobides
Louvre

Cratère, en gr. **Krateros,** un des lieutenants d'Alexandre († en Phrigie ? 321 av. J.-C.). Il fit toutes les campagnes d'Alexandre, en particulier celle de l'Inde. A la mort de son chef, il fut adjoint à Antipatros pour le gouvernement de l'Europe. Il se ligua contre Perdiccas avec Antigone, mais fut tué en combattant Eumenês.

craterelle n. f. Champignon comestible noir, en forme de trompette, commun dans les bois frais et dit aussi TROMPETTE DE LA MORT OU CORNE D'ABONDANCE.

cratériforme → CRATÈRE.

Crater Lake, lac de l'ouest des Etats-Unis (Oregon), dans la chaîne des Cascades, au fond du cratère d'un volcan. Parc national.

Cratès de Thèbes, en gr. **Kratês,** philosophe grec (né à Thèbes, Béotie). Il vécut à Athènes au IVe s. av. J.-C. et fut le dernier représentant illustre de l'école cynique.

Cratinos, en gr. **Kratinos,** poète comique athénien (Ve s. av. J.-C.), un des créateurs de la comédie ancienne. Neuf de ses vingt et une pièces furent couronnées. Sa dernière comédie, *la Bouteille,* remporta en 423 le prix sur *les Nuées* d'Aristophane.

Cratippe, en gr. **Kratippos,** philosophe grec de l'école péripatéticienne, avec des tendances platoniciennes, né à Mytilène (Ier s. av. J.-C.).

Crato, v. du Portugal (distr. de Portalegre) ; 3 500 h. Depuis 1350, grand prieuré de l'ordre de Crato, branche des chevaliers de Malte.

cratomorphe n. m. (gr. *kratos,* force, et *morphê,* forme). Grand ver luisant très lumineux de l'Amérique chaude, ailé dans les deux sexes. (Insecte coléoptère, famille des lampyridés.)

Craton de Sicyone, en gr. **Kratôn,** peintre grec (époque archaïque). Il aurait découvert le dessin au trait en suivant le contour d'une ombre portée sur une tablette blanchie.

Cratyle, en gr. **Kratulos,** philosophe grec de l'école d'Héraclite (fin du Ve s. av. J.-C.), maître de Platon. Celui-ci donna son nom à l'un de ses dialogues (386 av. J.-C.), relatif à l'origine du langage.

crau n. f. (celt. *craigh,* amas de pierres). Nom commun de plusieurs régions de Provence, désignant un terroir pierreux, couvert de cailloux : *La crau d'Arles.*

Crau, région de Provence (Bouches-du-Rhône), entre le bras principal du delta du Rhône et les Alpilles. La Crau est formée par les alluvions anciennes caillouteuses du Rhône, et surtout de la Durance, qui passait par le « pertuis de Lamanon », à l'E. des Alpilles. Pâturage à moutons en hiver, cette région est aujourd'hui en partie irriguée (rizières).

Crau (Petite), plaine de Provence, au N. des Alpilles. Cultures maraîchères.

Crau (LA), ch.-l. de c. du Var (arr. de Toulon et à 7 km au N.-O. d'Hyères) ; 6 156 h. Distilleries.

cravache n. f. (allem. *Karbatsche,* venant du turc par l'intermédiaire des langues slaves). Badine courte et flexible, qui sert aux cavaliers pour stimuler ou corriger un cheval. ● *Mener à la cravache* (Fig.), conduire avec une vigueur brutale. ◆ **cravacher** v. tr. Frapper avec la cravache : *Cravacher un cheval.* ✦ v. intr. *Fam.* Aller à toute allure, comme sous la cravache.

cravant n. m. Nom usuel d'une oie bernache.

Cravant, comm. de l'Yonne (arr. et à 18,5 km au S.-E. d'Auxerre), sur l'Yonne ; 748 h. Eglise des XVe et XVIe s.

Cravant-les-Coteaux, comm. d'Indre-et-Loire (arr. et à 6 km à l'E. de Chinon) ; 681 h. Anc. église, dont la nef date de l'époque carolingienne.

cravate n. f. (de *Croates* ou *Cravates,* parce que ceux-ci portaient des bandes de linge autour du cou). Bande d'étoffe légère, qui entoure le cou et qui se noue par-devant, sous le col de la chemise : *Cravate de soie.* (La cravate fut introduite en France après 1656 par les soldats croates au service de Louis XIV.) ‖ Petite fourrure droite que les femmes nouent autour du cou : *Une cravate d'hermine.* ‖ Insigne de grades élevés de certains ordres : *Cravate de commandeur de la Légion d'honneur.* ‖ Bande d'étoffe attachée au fer de lance d'un drapeau ou d'un fanion. (Tricolore sur les drapeaux et les étendards régimentaires, la cravate porte les insignes des décorations attribuées au corps.) ‖ Petite bande de cuir séparant la poignée d'un sabre du fourreau. ‖ *Mar.* Cordage embrassant sans les serrer, mais en les soutenant, les pièces qu'on est en train de manœuvrer : *Cravate d'une bigue.* ‖ Prise de lutte dangereuse et interdite, qui consiste à entourer de son bras le cou de son adversaire pour lui faire un genre de collier de force. ‖ *Sylvic.* Chaîne qui supporte les grumes transportées par triqueballe. ● *Cravate de chanvre, cravate de justice* (Fam.), corde de potence. ‖ *S'en jeter un derrière la cravate* (Pop.), boire un verre. ◆ **cravaté, e** adj. *Pigeons cravatés,* pigeons d'agrément au bec très petit, ayant sur la poitrine un jabot de plumes retroussées. ◆ **cravater** v. tr. Mettre une cravate à : *Un homme mal cravaté.* ‖ Entourer comme d'une cravate : *Une gerbe de fleurs cravatée d'un ruban de soie.* ‖ *Pop.* Mettre en état d'arrestation : *L'inspecteur a cravaté un pickpoket.*

crave n. m. Passereau corvidé des montagnes et des rochers littoraux (Bretagne), se distinguant de la corneille par ses pattes et son bec rouges.

craw-craw [krɔkrɔ] n. m. (mot angl.). Dermatose provoquée par la présence, dans le derme, d'une filaire microscopique (*Onchocerca volvulus*).

Crawford (Thomas), sculpteur américain (New York 1813 - Londres 1857). Il travailla au fronton du Capitole de Washington.

Crawford (Billie CASSIN, dite **Joan**), actrice américaine (San Antonio, Texas, 1908 - New York 1977). Elle fut d'abord danseuse, puis vint au cinéma en 1925. Parmi ses films, citons : *Pretty Ladies* (1925), *la Possédée* (1931 et nouvelle version en 1947), *Femmes* (1939), *Mildred Pierce* (1945), *le Masque arraché* (1952), *Johnny Guitare* (1955), *le Roi des pirates* (1960), *Qu'est-il arrivé à Baby Jane ?* (1962), *Tuer n'est pas jouer* (1965).

crawl [krɔl] n. m. (angl. *to crawl,* ramper). Nage constituée par une rotation verticale alternative des bras, et un battement continu des pieds. (Le crawl est la nage la plus rapide. Il fut introduit dans la natation sportive moderne en 1900 par deux Australiens, les frères Wickham, qui avaient été élevés aux îles Salomon.) ◆ **crawlé, e** adj. Qui ressemble au crawl.

Presse-Sports

trois phases du **crawl**

Crawley, v. de Grande-Bretagne (Sussex) ; 70 500 h. Industries diverses.

Crawshay (William), maître de forges britannique (1788-1867). Il fonda l'importante industrie métallurgique de Merthyr Tydfil. Il fut surnommé LE ROI DU FER GALLOIS.

crax n. f. Autre nom du HOCCO.

crayer [kraje] n. m. Petit bâtiment portant trois mâts à pible, en usage jadis dans la Baltique. (On dit aussi CRAÏER.)

crayère, crayeux → CRAIE.

crayon [krɛjɔ̃] n. m. (de *craie*). Instrument servant à écrire, à dessiner, généralement formé d'une mine de graphite et d'une armature en bois tendre. (A partir du XVIe s., les artistes ont beaucoup usé du crayon de couleur appelé *pastel*.) || Dessin fait au crayon. || Fard dur destiné au maquillage des sourcils, des yeux, et à dessiner le bord des lèvres. || Roche calcaire impropre à la construction. || Barre à mine cylindrique, pointue à une extrémité, et dont se sert le carrier pour le forage de petits trous de mine. ● *Crayon à bille*, v. BILLE. || *Crayon lithographique*, crayon utilisé pour dessiner sur la pierre lithographique. || *Crayon médicamenteux*, préparation solide de forme cylindrique, habituellement utilisée comme caustique ou antiseptique dans le traitement des plaies ou des affections dermatologiques. || *Dessin aux deux, aux trois crayons*, dessin exécuté sur papier teinté avec un crayon noir et une craie blanche, avec, en plus, pour les trois crayons, un bâton de sanguine. ◆ **crayon-feutre** n. m. Instrument contenant une matière imbibée d'encre, utilisé pour écrire ou faire des marques. — Pl. *des* CRAYONS-FEUTRES. ◆ **crayonnage** n. m. Action de crayonner, dessin fait au crayon : *Un petit enfant qui a rempli un livre de crayonnages.* ◆ **crayonner** v. tr. Faire des traits au crayon sur : *Crayonner un mur.* || Ebaucher, esquisser : *Crayonner à la hâte un croquis.* || Ecrire rapidement (comme avec un crayon) : *Crayonner quelques notes.* ◆ **crayonneur, euse** n. Celui, celle qui crayonne, dessine, le plus souvent grossièrement.

cré adj. invar. (abrév. de *sacré*). *Cré nom de nom !, Cré bon sang !*, jurons familiers.

créance n. f. (lat. *credentia ;* de *credere*, croire). Croyance en la véracité d'un récit, d'une personne. (Usité seulement dans quelques locutions : *Mériter créance. Etre digne de créance.*) || Droit en vertu duquel une personne peut contraindre une autre à lui donner, à faire ou à ne pas faire quelque chose. || *Fauconn.* Ficelle ou filière avec laquelle on retient l'oiseau qui n'est pas encore bien assuré. ● *Créance privilégiée*, celle à laquelle, en vertu de sa nature, la loi accorde une préférence sur les autres dans l'ordre des paiements. || *Donner créance*, rendre croyable. || *Lettre de créance*, lettre qu'un ministre ou un ambassadeur remet au chef de l'Etat auprès duquel il est accrédité, et qui, mentionnant son nom et ses titres et demandant pour lui un accueil favorable, atteste de la qualité de l'envoyé. || *Oiseau de peu de créance* (Fauconn.), oiseau peu sûr. || *Trouver créance*, être cru. ◆ **créancer** v. tr. En vénerie et en fauconnerie, confirmer les qualités de dressage d'un chien courant, d'un faucon. ◆ **créancier, ère** n. et adj. Personne qui a une créance sur quelqu'un, à qui il est dû de l'argent : *Un créancier impitoyable. Une grande partie de ses gains lui sert à payer ses créanciers.* (Contr. DÉBITEUR.) ● *Créancier antichrésiste*, v. ANTICHRÈSE. || *Créancier chirographaire*, v. CHIROGRAPHE. || *Créancier gagiste*, celui qui retient un objet mobilier appartenant à son débiteur. || *Créancier hypothécaire*, celui dont la créance est garantie par une hypothèque. || *Créancier privilégié*, celui auquel la loi accorde une préférence sur les autres créanciers. || *Créancier successoral*, créancier du défunt dont les biens de la succession constituent la garantie.

créancier → CRÉANCE.

Creangă (Ion), écrivain roumain (Humuleşti 1837 - Iaşi 1889), auteur de *Contes populaires* et de *Souvenirs d'enfance*.

créat n. m. Filet pour pêcher l'esturgeon.

créateur, créatif → CRÉER.

créatine n. f. (gr. *kreas, -atos*, chair). Dérivé de la guanidine, rencontré dans le suc musculaire. ◆ **créatinine** n. f. Lactame de la créatine, existant dans l'urine de l'homme et dans la chair de certains animaux.

création → CRÉER.

Création (LA), oratorio, paroles de Gottfried Van Swieten, d'après un livret anglais extrait du *Paradis perdu* de Milton, musique de Joseph Haydn (1798). Cette œuvre est influencée par les oratorios de Händel.

créationisme, créativité, créature → CRÉER.

Créatures de Prométhée (LES), ballet en 2 actes, livret d'après Salvatore Vigano, musique de Beethoven ; chorégraphie de Serge Lifar ; décors de François Quelvée. Première mondiale de la version de Serge Lifar : Opéra de Paris, 30 déc. 1929.

Crébillon
1674-1762
par Caffieri
Théâtre-Français

Giraudon

Crébillon (Prosper JOLYOT, sieur DE CRAIS-BILLON, dit), poète tragique français (Dijon 1674 - Paris 1762). Habile à créer des effets pathétiques et des coups de théâtre terrifiants, il fit jouer neuf tragédies. Son chef-d'œuvre est *Rhadamiste et Zénobie* (1711). Ses admirateurs l'opposèrent à Voltaire dans les pièces à sujet romain, comme *Catilina** (1748) et *le Triumvirat* (1754). [Acad. fr., 1731.] — Son fils CLAUDE, dit **Crébillon fils**

(Paris 1707 - *id.* 1777), écrivit des romans licencieux dans un style élégant (*les Egarements du cœur et de l'esprit,* 1736).

crécelle n. f. (lat. pop. **crepicella ;* lat. class. *crepitaculum,* hochet). Instrument dont se servaient les lépreux, au Moyen Age, pour annoncer leur approche. ‖ Jouet d'enfant, de même forme. ● *Voix de crécelle,* voix criarde et désagréable.

crécerelle n. f. (de *cercelle,* sarcelle). Petit rapace diurne voisin du faucon (long. 35 cm), ▷ à longue queue, très commun, dit aussi ÉMOUCHET. ◆ **crécerellette** n. f. Petite crécerelle du Midi, grande mangeuse de sauterelles. (Syn. CRÉCERINE, CRESSERINE.)

crèche n. f. (francique **kripja*). Mangeoire pour animaux et bestiaux. ‖ *Absol.* Mangeoire où fut déposé Jésus à sa naissance. ‖ Petit édifice représentant l'étable de Bethléem et les scènes qui suivirent la naissance de Jésus. (La tradition fait remonter à saint François d'Assise l'usage d'aménager, au temps de Noël, des représentations de la scène de la Nativité dans les églises.) ‖ Etablissement destiné à recevoir les enfants dont la mère travaille, jusqu'à ce qu'ils puissent entrer à l'école maternelle. ‖ Maçonnerie entre deux files de palplanches, pour préserver des filtrations un ouvrage hydraulique. ‖ *Pop.* Chambre, maison.

crèche napolitaine du XVIIIe s., *coll. part.*

Giraudon

Crécy-en-Ponthieu, ch.-l. de c. de la Somme (arr. et à 18,5 km au N. d'Abbeville) ; 1 595 h. (*Crécéens*). Patrie du cardinal Lemoine. La *forêt domaniale de Crécy* s'étend sur 4 314 ha. Près de la ville, le 26 août 1346, les archers anglais écrasèrent la chevalerie française ; Philippe VI s'enfuit, tandis qu'Edouard III partait assiéger Calais.

Merlet - Atlas-Photo

Crécy-la-Chapelle, ch.-l. de c. de Seine-et-Marne (arr. de Meaux), sur le Grand Morin, à 14 km au N.-O. de Coulommiers ; 2 193 h. (*Crécois*).

Crécy-sur-Serre, ch.-l. de c. de l'Aisne (arr. et à 14 km au N. de Laon) ; 1 594 h.

crédence n. f. (de l'ital. *credenza,* croyance, confiance). Au Moyen Age, buffet sur lequel les officiers de bouche goûtaient les mets avant de les présenter aux princes, pour écarter les risques d'empoisonnement. ‖ Buffet de parade ou dressoir servant à exposer la vaisselle d'argent. ‖ *Liturg.* Table mobile sur laquelle on place les objets nécessaires au culte.

crédence du XVe s. *musée des Arts décoratifs*

Larousse

crédibilité → CRÉDIBLE.

crédible adj. (lat. *credibilis,* croyable). Qui inspire confiance ; qui est vraisemblable. ◆ **crédibilité** n. f. Caractère qui rend une chose croyable : *La crédibilité d'un récit.*

crédirentier → CRÉDIT.

crédit n. m. (lat. *creditum ;* de *credere,* croire, avoir confiance). Confiance, croyance accordée à une personne ou à une chose qu'on juge digne de foi : *Une théorie qui gagne, qui perd du crédit. Un détail qui donne du crédit à une hypothèse.* ‖ Influence dont on jouit par la confiance que l'on inspire : *Un secrétaire qui a un grand crédit auprès du directeur.* ‖ Réputation de solvabilité : *Cette entreprise jouit d'un bon crédit sur la place.* ‖ Délai accordé pour un paiement : *Avoir trois mois de crédit.* ‖ Somme allouée pour une dépense. ‖ Prêt consenti par un banquier. ‖ Partie du compte d'un tiers où figurent ses créances, son *avoir.* (A l'inverse, les créances sur ce tiers figurent au DÉBIT, ou *doit,* de son compte.) ‖ Autorisation de dépenses accordée par les autorités qui établissent, votent ou règlent les budgets. (V. *encycl.*) ● *Accorder crédit, du crédit,* accorder sa confiance, croire en quelqu'un ou à quelque chose. ‖ *Atteinte au crédit de la nation,* V. ATTEINTE. ‖ *Avoir* ou *trouver crédit,* trouver à emprunter une somme. ‖ *Carte de crédit,* document fourni par une société commerciale ou une banque, permettant à un particulier d'acquitter une facture sans faire de chèque ou de paiement en espèces. ‖ *Crédit par acceptation,* variété de crédit à court terme où interviennent deux établissements de crédit : l'un qui accepte des effets tirés sur lui par l'emprunteur, l'autre qui escompte ces effets. ‖ *Crédit en blanc,* crédit qui n'est pas assorti d'une garantie*. ‖ *Crédit de campagne,* crédit à court terme (9 à 12 mois) consenti à une industrie ou à un commerce saisonniers qui doivent constituer des stocks à un moment donné, alors que leurs fabrications ou leurs ventes s'étalent sur toute l'année. ‖ *Crédit de consommation,* crédit à court ou à moyen terme, consenti à un particulier pour le paiement de biens de consommation ou de services. (Il peut y avoir livraisons successives et paiement à date fixe — fin de mois, fin de trimestre —, ou bien livraison unique et paiements fractionnés échelonnés ; on dit alors qu'il y a *vente à tempérament.*) ‖ *Crédit à court terme,* crédit accordé pour une période qui, en France, ne peut qu'exceptionnellement dépasser neuf mois, et remboursé sur les recettes normales de l'emprunteur. (Il peut revêtir la forme d'un crédit de caisse, d'un escompte, d'une acceptation, d'un aval.) ‖ *Crédit croisé,* synonyme préconisé par l'Administration de SWAP. ‖ *Crédits pour les dépenses générales,* crédits publics répartis de plusieurs manières. (Votés par le Parlement, ils se divisent en plusieurs catégories, suivant l'objet auquel ils s'appliquent ; ils sont *ordinaires* [dépenses permanentes], *extraordinaires* [dépenses urgentes et imprévues], *additionnels* ou *supplémentaires* [servitudes prévues au budget, mais insuffisamment dotées]. Ils sont *complémentaires* lorsqu'ils sont couverts par la loi de règlement du budget.) ‖ *Crédit différé* ou *à terme différé,* opération financière réalisée par des personnes qui, désirant faire construire leur habitation et ne disposant pas des capitaux nécessaires, forment entre elles une mutualité à laquelle toutes effectuent des versements annuels dont la somme correspond au prix d'une habitation, laquelle est affectée à l'un des associés. ‖ *Crédit documentaire,* crédit à court terme ouvert au destinataire d'une marchandise par un banquier, qui s'engage à payer l'expéditeur contre remise de documents justifiant de leur livraison. ‖ *Crédit d'embouche,* crédit à court terme accordé à l'éleveur pour l'achat de bêtes maigres qu'il vend après engraissement. ‖ *Crédit à long terme,* crédit remboursé en dix ou trente ans sur les bénéfices de l'emprunteur. ‖ *Crédit à moyen terme,* crédit accordé pour une période qui, en France, ne peut excéder sept années, pour le financement des investissements. (En général, l'emprunteur rembourse avec ses bénéfices.) ‖ *Crédit municipal* (autref. *mont-de-piété*), établissement public rattaché à une commune ou à un syndicat de communes et organisé pour combattre l'usure en pratiquant à des taux modérés le prêt sur gages, les avances sur valeurs mobilières, pensions, etc. ‖ *Crédits pluriannuels,* crédits votés pour plusieurs années (crédits d'engagement, loi de programme). ‖ *Crédit public,* ensemble des phénomènes, actes et engagements qui naissent de la faculté qu'a l'Etat de contracter une dette publique par l'emprunt. (Entendu au sens strict, le crédit public est le degré de confiance dont jouit l'Etat au regard de ses prêteurs habituels ; dans son sens général, il correspond à l'ensemble des opérations mises en œuvre pour les emprunts publics.) ‖ *Crédit revolving,* crédit par acceptation, dont le montant correspond à un en-cours maximal. (Au fur et à mesure que les effets en circulation viennent à échéance, de nouveaux effets peuvent être acceptés sur présentation de nouvelles justifications.) ‖ *Epargne-crédit,* V. ÉPARGNE. ‖ *Etre, mettre en crédit,* avoir de l'influence, donner de l'influence. ‖ *Faire crédit,* vendre sans exiger immédiatement le paiement. ‖ *Faire crédit à quelqu'un,* lui donner le temps de faire ses preuves. ‖ *Lettre de crédit,* document délivré par un banquier à son client, afin de lui permettre de toucher de l'argent chez un banquier d'une autre ville. ● Loc. ADV. *A crédit,* sans exiger ou sans faire de paiement immédiat : *Vendre, acheter à crédit.* ◆ **crédit-bail** n. m. Opération de financement à moyen et long terme consistant, pour un établissement financier, à acheter les biens d'équipement dont une entreprise a besoin et à les céder ensuite à celle-ci suivant un procédé de location-vente. (Syn. LEASING.) — Pl. *des* CRÉDITS-BAILS. ◆ **crédirentier, ère** n. Personne qui a des rentes à son crédit, à qui des rentes sont dues. ◆ **créditer** v. tr. Inscrire au crédit du compte de quelqu'un. ◆ **créditeur, trice** n. Personne qui a des sommes portées à son crédit sur des livres de commerce ou à son compte en banque. ✦ adj. Relatif au crédit : *Compte créditeur.*

— ENCYCL. **crédit.** *Econ. polit.* L'opération de crédit implique l'échange volontaire de l'usage immédiat d'un bien contre la promesse de l'usage futur d'un autre bien. Elle est dominée par deux notions : le temps et la confiance. L'intérêt est tout à la fois le prix du temps et le prix du risque ; son taux a tendance à s'élever lorsque augmente la durée de l'opération ou lorsque le débiteur ne présente pas de garanties suffisantes.

● *Les principales opérations de crédit.* A côté de l'escompte*, technique traditionnelle du crédit, les opérations de crédit comprennent essentiellement :

— les *crédits à court terme,* dont le *crédit en compte courant,* où les versements effectués au compte de l'emprunteur permettent des retraits à ce dernier, qui ne paie d'intérêts débiteurs que sur le montant effectif du débit (les crédits ont une durée maximale de deux années) ;

— les *crédits à moyen et à long terme,* qui s'échelonnent de 7 à 15 ans et qui permettent essentiellement aux entreprises d'acquérir les biens d'équipement qui leur sont nécessaires ;

— les *crédits à l'exportation* (à court, à moyen ou à long terme), qui permettent à des entreprises désireuses d'effectuer des opérations commerciales avec l'étranger d'octroyer elles-mêmes du crédit à leurs clients étrangers ;

— les *autres formes de crédit,* essentiellement les crédits par signature, où la banque apporte, par sa signature, son propre crédit à une entreprise qui souhaite elle-même obtenir du crédit (par exemple d'un fournisseur étranger) [la banque se substitue au débiteur principal si celui-ci n'acquitte pas son obligation à l'échéance] ;

— *toutes les formes de crédit personnel,* permettant à de simples particuliers d'obtenir les facilités nécessaires pour leurs acquisitions, leur logement, etc. ;

— le *crédit-bail.*

● *L'organisation générale du crédit.* En France, l'activité des établissements assurant la distribution du crédit est soumise au contrôle du Conseil national du crédit, dont les activités sont associées à celles de la Banque de France.

Le *Conseil national du crédit,* présidé par le ministre de l'Economie et des Finances et dont le vice-président est le gouverneur de la Banque de France, est composé de 45 membres. Il prend des décisions de caractère général ou de caractère individuel. Les décisions sont notifiées à la Commission de contrôle des banques et à l'Association professionnelle des banques.

La *Commission de contrôle des banques,* créée en 1941, assure l'application des mesures relatives au crédit, qui sont prescrites par la loi, par le Conseil national du crédit ou par elle-même ; elle impose notamment le respect des « ratios » prescrits et elle dispose de sanctions à l'encontre des infractions commises par les banques.

L'Association professionnelle des banques, à laquelle les banques doivent être obligatoirement affiliées, transmet les décisions et les recommandations des autorités monétaires à ses adhérents.

● *La régulation du crédit.* Elle s'effectue en France par différentes techniques, qui sont :

— le *taux d'escompte,* moyen traditionnel de régulation du crédit, qui permet d'augmenter le prix que les banques doivent payer pour se refinancer (en recourant au réescompte, auprès de la Banque de France, des effets de commerce qu'elles ont en portefeuille) ;

— le « *portefeuille minimal d'effets* » *à moyen terme* que doivent obligatoirement « nourrir » les banques, qui oblige celles-ci à limiter leurs prêts à l'industrie, à court terme notamment ;

— les *réserves obligatoires,* qui, à partir d'août 1974, ont été fixées à un niveau élevé pour lutter contre l'inflation*.

● *Crédit populaire.* C'est l'ensemble des banques populaires créées pour faciliter le crédit aux petites et moyennes entreprises. Le crédit populaire se présente, après sa réorganisation pendant et après la dernière guerre, comme un appareil bancaire complet, disposant de huit cents guichets ouverts au public par une cinquantaine de banques, qui effectuent, sous le contrôle de la *Chambre syndicale* et de la *Caisse centrale de Crédit populaire,* les opérations de crédit à court terme ; les opérations de crédit à long terme sont réalisées par la *Caisse centrale de crédit hôtelier, commercial et industriel.*

Crédit commercial de France, établissement financier créé en 1894 sous le nom de *Banque suisse et française,* qui prit son nom actuel après sa fusion, en 1917, avec deux importantes banques régionales.

Crédit foncier de France, institution semi-publique de crédit à moyen terme et à long terme, créée en 1852, et qui est le véritable auxiliaire de la politique immobilière du gouvernement, son rôle consistant à régulariser le marché du crédit hypothécaire et à normaliser les taux d'intérêt pratiqués sur ce marché. Le Crédit foncier a, en outre, été chargé de gérer le Fonds national d'amélioration de l'habitat, d'assurer le service des dommages de guerre et celui des primes et des prêts spéciaux à la construction.

crédit industriel et commercial (SOCIÉTÉ GÉNÉRALE DE), établissement bancaire français, créé en 1859 à Paris, et qui, depuis

1930, a poursuivi son évolution vers la formule de banque de dépôts à base fédérative.

Crédit Lyonnais, établissement bancaire fondé en 1863, à Lyon, par Henri Germain, et nationalisé en 1946.

crédit mutuel (CONFÉDÉRATION NATIONALE DU), organisme constitué en 1958 en vue de grouper les fédérations régionales auxquelles doivent obligatoirement adhérer toutes les caisses de crédit mutuel qui ne sont régies ni par le Code rural ni par un statut spécial.

Crédit national, établissement financier semi-public, constitué en 1919 en vue de faciliter la réparation des dommages causés par la Première Guerre mondiale. Il fut ensuite chargé de distribuer aux industriels et aux commerçants des prêts d'équipement à moyen et à long terme, garantis par hypothèque, caution, etc. ; à l'origine, il finançait ses opérations grâce au produit d'emprunts obligatoires. Son rôle s'étant considérablement développé, il a utilisé les ressources du Fonds de modernisation et d'équipement et contracté divers emprunts, notamment auprès de la Caisse des dépôts et consignations ; puis il a doublé son activité de crédits directs d'une activité de crédits par signature.

crédit-bail, créditer, créditeur → CRÉDIT.

credo n. m. invar. (mot lat. signif. *je crois*). Affirmation de la foi des chrétiens en l'existence de la Sainte Trinité, Père, Fils et Saint-Esprit. (Syn. SYMBOLE* DES APÔTRES.) [V. *encycl.*] || *Fam.* Eléments fondamentaux de la religion. || Foi religieuse : *Mourir fidèle à son credo.* || Principes sur lesquels on fonde sa conduite, ses opinions politiques, littéraires, etc. : *C'est mon credo.* || — REM. *Credo* prend la majuscule quand il s'agit de la profession de foi chrétienne.

— ENCYCL. Le *Credo* fut rédigé au concile de Nicée (325). Toutefois, sa récitation ne fut introduite dans la messe en Orient qu'à la fin du Ve s. ou au début du VIe s. En Occident, le *Credo* fut récité en Espagne à partir du concile de Tolède (589). Au concile de Francfort (794). Charlemagne imposa sa récitation dans l'Empire. Mais le *Credo* récité en Occident comprenait le *Filioque**. Léon III condamna cette adjonction. En 1014, Benoît VIII l'admit définitivement dans la messe romaine, ce qui suscita de longues controverses entre Orientaux et Occidentaux.

crédule adj. (lat. *credulus ;* de *credere,* croire). Qui croit trop facilement : *Il est trop crédule pour soupçonner une mystification.* || En parlant des choses, inspiré par la crédulité : *Confiance crédule.* || — SYN. : *candide, confiant, jobard, naïf.* ◆ **crédulement** adv. De façon crédule. ◆ **crédulité** n. f. Trop grande facilité à croire : *Une crédulité désarmante. Abuser de la crédulité d'un enfant.*

créé → CRÉER.

Creed (APPAREIL), système télégraphique dérivé du système de la transmission Wheatstone (transmission automatique par bande perforée), et combiné de façon à simplifier les retransmissions. Il est dû au physicien Frederik Creed (1871-1957).

Creek(s), anc. confédération d'Indiens qui occupait à la fin du XVIIIe s. la Géorgie et l'Alabama. Ils furent vaincus en 1813-1814 par les Américains.

creep [krip] ou **creeping** [kripiŋ] n. m. (angl. *to creep,* ramper ; et *creeping,* reptation). *Géomorphol.* Lente descente du sol, résultat d'une infinité de petits déplacements de particules meubles les unes par rapport aux autres. (Le creep est dû au travail des racines, à celui des animaux fouisseurs, aux variations de volume résultant des alternatives d'humidité et de sécheresse, du gel et du dégel. C'est un des principaux processus de façonnement des versants sous couverture végétale dense.)

créer v. tr. (lat. *creare*). Faire quelque chose de rien, particulièrement en parlant de Dieu : *Dieu a créé l'univers.* || En parlant de l'homme, faire, réaliser quelque chose qui n'existait pas auparavant : *Créer un mot pour désigner un nouveau produit.* || Fonder, établir, instituer : *Créer une association.* || Etre cause de, provoquer, susciter : *Une réponse qui risque de lui créer des ennuis.* || — SYN. : *causer, composer, constituer, enfanter, engendrer, établir, faire, faire naître, fonder, former, instituer, inventer, occasionner, produire, provoquer, susciter.* ● *Créer un rôle, une pièce,* être le premier à l'interpréter, à la jouer. || *Créer un spectacle,* le mettre en scène pour la première fois. ◆ **créateur, trice** n. et adj. Celui, celle qui crée, qui tire du néant : *Adorer le Dieu créateur de l'univers.* || Inventeur ou premier auteur : *Le créateur d'un genre littéraire, d'une théorie philosophique.* || Acteur qui joue pour la première fois un rôle : *Coquelin aîné fut le créateur de Cyrano de Bergerac.* || — **Créateur** n. m. *Absol.* Dieu (dans ce cas, s'écrit avec une majuscule) : *Remercier le Créateur de ses bienfaits.* ◆ **créatif, ive** adj. Qui présente des possibilités, des dons de création : *Tendances créatives d'un enfant.* ◆ **création** n. f. Action de créer, de tirer du néant : *Création de l'homme.* || Se dit, absolument, de la création du monde ; acte par lequel Dieu produit le monde et lui donne une existence séparée. (Prend une majuscule en ce sens.) [V. GENÈSE.] || Ensemble des êtres et des choses créés : *L'homme s'efforce de dominer la création.* || Action de faire ce qui n'existait pas encore, invention : *Les créations du génie.* || Premier établissement, premier emploi, fondation : *Création d'un poste, d'un mot.* || Production, œuvre d'un artiste : *Salon de peinture où l'on peut voir les toutes dernières créations.* || Première ou nouvelle interprétation d'un rôle ; première ou nouvelle mise en scène d'un spectacle. ◆ **créationisme** n. m.

Théorie de la création des animaux et des plantes, fondée sur le texte de la Genèse pris au sens littéral : *Le créationisme voit dans chaque espèce un type immuable.* ‖ Doctrine selon laquelle Dieu crée chaque âme au moment de sa conception. (Telle est la doctrine actuellement enseignée par l'Eglise catholique.) ◆ **créativité** n. f. Pouvoir d'inventer : *La créativité des artistes naïfs.* ◆ **créature** n. f. Etre créé : *Créatures animées. Créatures inanimées.* ‖ Homme, par opposition à Dieu : *La prière unit la créature au Créateur.* ‖ *Fam.* Etre, personne : *La pauvre créature était bien malade.* ‖ Femme de mauvaise conduite : *Que peut-il trouver d'attirant dans cette créature?* ‖ *Péjor.* Personne qui ne doit sa situation qu'à la protection, à la faveur d'une autre, et qui lui est entièrement soumise : *Les créatures d'un ministre.* ◆ **créé** n. m. Ensemble des créatures, des choses créées. ‖ — CONTR. : *incréé.*

Cree(s). V. CRI(s).

Creil, ch.-l. de c. de l'Oise (arr. et à 10 km au N.-O. de Senlis), sur l'Oise; 34 236 h. (*Creillois*). Eglise gothique. Industries métallurgiques. Centrale thermique.

Crelle (August Leopold), ingénieur allemand (Eichwerder, près de Wriezen, Prusse, 1780 - Berlin 1855). Il prit une part active dans la construction de la plupart des voies de communication de la Prusse. Il fut élu en 1828 à l'académie des sciences de Berlin.

Crema, v. d'Italie (Lombardie, prov. de Crémone) ; 30 000 h. Evêché. Cathédrale des XIIIe et XIVe s. ; palais des XVe et XVIe s. Industries mécaniques et textiles.

crémage → CRÈME.

crémaillère n. f. (anc. *carmeillère;* de *cramail;* lat. pop. *cramaculus,* fait sur le gr. *kremastêr,* qui suspend). Pièce de métal munie de crans au moyen desquels on suspend un récipient au-dessus du foyer, dans une cheminée, à une hauteur variable : *Baisser, hausser la crémaillère.* ‖ Sur certaines voies ferrées, rail supplémentaire, muni de dents, sur lesquelles engrène un pignon de la locomotive : *Chemin de fer à crémaillère.* ‖ Organe rectiligne denté, engrenant avec une roue ou un pignon denté, propre à transformer un mouvement de rotation en mouvement rectiligne, ou *vice versa.* ‖ Pièce de bois ou de métal garnie de crans, dont la forme rappelle celle de la crémaillère de cheminée et qui est utilisée dans le mobilier. ‖ Tracé de fortification ou de tranchée, en dents de crémaillère, facilitant les flanquements. ● *Banc à crémaillère,* banc d'étirage dans lequel la traction de la barre se fait par l'intermédiaire d'une tenaille accrochée à une crémaillère. ‖ *Limon à crémaillère,* type de limon* d'escalier comportant des crans pour recevoir l'about des marches. (Le *faux limon,* fixé contre le mur de la cage et supportant l'autre about des marches, est communément appelé CRÉMAILLÈRE.) ‖ *Pendre la crémaillère* (Fam.), donner un repas pour célébrer son installation dans un nouveau logement; assister à ce repas (qu'on appelle parfois *repas de crémaillère*).

crémant adj. et n. m. Se dit d'un vin de Champagne qui se couvre d'une mousse légère et peu abondante (pression dans la bouteille de l'ordre de 2 à 3 kg/cm^2).

crémaster [mastɛr] n. m. (gr. *kremastêr,* suspenseur). Muscle appartenant aux enveloppes du testicule. (Sa contraction provoque l'ascension du testicule.)

crémastogaster [tɛr] n. m. (gr. *kremân,* suspendre, et *gastêr,* ventre). Petite fourmi des régions chaudes, à l'abdomen plat et très mobile qui lui sert à enduire ses ennemis de venin. (Elle niche dans les troncs d'arbres.)

crémation, crématiste, crématoire, crématorium → CRÉMER v. tr.

Crémazie (Octave), écrivain canadien d'expression française (Québec 1827 - Le Havre 1879). Libraire à Québec, il transforma son arrière-boutique en cénacle littéraire. Il publia des poèmes d'inspiration patriotique

« Vie du Rail »

chemin de fer à crémaillère

et religieuse (*Chant du vieux soldat canadien,* 1855 ; *le Drapeau de Carillon,* 1858). En 1863, une faillite l'obligea à se réfugier en France.

crème n. f. (lat. *cremum*). Produit obtenu par centrifugation du lait dans une écrémeuse, ou centrifugeuse, et constitué de lait fortement enrichi en matière grasse (20 à 50 p. 100). ‖ Mets fait ordinairement de lait, d'œufs et de sucre. ‖ Potage en purée passé au tamis et lié avec de la crème ou du lait et des jaunes d'œufs. ‖ Pommade de consistance molle, contenant une notable quantité d'eau ou d'huile, et destinée à être appliquée sur la peau. ‖ Fromage fondu ou fromage à tartiner : *Crème de gruyère.* ‖ Liqueur sirupeuse : *Crème de cassis.* ‖ *Fig.* Ce qu'il y a de meilleur : *Homme qui est la crème des maris.* ● *Crème cuite,* entremets composé de lait cuit, de jaunes d'œufs, de sucre, et aromatisé. ‖ *Crème fouettée* ou *Chantilly,* crème fraîche émulsionnée par un brassage énergique au moyen d'un fouet ou d'un batteur. ‖ *Crème fraîche,* crème fermière ou pasteurisée qui peut remplacer le beurre dans le potage, les sauces et les pâtisseries. ‖ *Crème glacée,* crème à base de produits laitiers pasteurisés à 85 °C, homogénéisés, refroidis à 4 °C pendant quelques heures et congelés dans des appareils discontinus (turbine) ou continus (freezer). ‖ *Crème renversée,* V. RENVERSÉ. ‖ *Crème de tartre,* dépôt de bitartrate de potassium qui se forme dans le vin. ✦ adj. invar. Blanc légèrement teinté de jaune. ◆ **crémage** n. m. Action de teindre en couleur crème. ‖ Opération que l'on fait subir aux fils avant tissage; résultat de cette opération. ◆ **crémer** v. intr. (conj. **5**). Se couvrir de crème, en parlant du lait : *En été, le lait crème plus vite qu'en hiver.* ✦ v. tr. Donner une teinte blanc jaunâtre : *Crémer une dentelle.* ◆ **crémerie** n. f. Lieu où l'on fait crémer le lait. ‖ Commerce spécialisé dans la vente du lait, du beurre, des œufs, de la crème et des fromages. ‖ A Paris, petit établissement où l'on consommait surtout des œufs et du laitage, mais qui servait aussi des repas à la fourchette. ◆ **crémeux, euse** adj. Qui contient beaucoup de crème : *Lait crémeux.* ◆ **crémier, ère** n. Personne qui vend de la crème, du lait, du fromage, etc. ‖ Personne qui tient une crémerie. ◆ **crémier-glacier** n. m. Pâtissier, confiseur qui fait des crèmes glacées, des glaces, etc. — Pl. *des* CRÉMIERS-GLACIERS.

crément n. m. (lat. *crementum,* accroissement). Se disait, dans une ancienne terminologie grammaticale, d'éléments supplémentaires qui viennent s'ajouter, en latin, au radical du nominatif des noms ou de la deuxième personne de l'indicatif présent des verbes : *« Dele/ve/ri/mus » est une forme à trois créments.*

crémer → CRÈME.

crémer v. tr. (lat. *cremare,* brûler) [conj. **5**]. Incinérer. ◆ **crémation** n. f. Incinération, destruction par le feu des corps morts. ◆ **crématiste** adj. Relatif à la crémation. ✦ n. m. Partisan de la crémation. ◆ **crématoire** adj. et n. m. Qui sert à l'incinération : *Four crématoire.* (Dans les camps de concentration nazis, après être passés dans la chambre à gaz, les corps des internés étaient brûlés dans des fours crématoires. Celui de Birkenau*, construit en 1942, pouvait incinérer 12 000 corps par jour. Le kommando spécial chargé de l'alimenter se révolta à l'automne 1944 et réussit à détruire l'un des fours. Les autres furent détruits lors de l'arrivée des troupes russes en janv. 1945.) ● **crématorium** [rjɔm] n. m. Lieu où l'on incinère les morts.

Cremer (sir William Randal), pacifiste anglais (Fareham, Wiltshire, 1838 - Londres 1908). Il fonda en 1870-1871 un comité ouvrier pour la défense de la neutralité, qui est à l'origine de la Workmen's Peace Association. Il est aussi le père de l'Interparliamentary Union (1888) et de l'International Arbitration League. (Prix Nobel de la paix, 1903.)

crémerie, crémeux, crémier, crémier-glacier → CRÈME.

Crémieu, ch.-l. de c. de l'Isère (arr. de La Tour-du-Pin), à 35 km à l'O. de Lyon; 2 488 h. Restes d'une enceinte médiévale. *L'île Crémieu,* ou *plateau de Crémieu,* est un petit massif isolé dans un coude du Rhône.

Crémieux (Adolphe), homme politique français (Nîmes 1796 - Paris 1880). Ministre de la Justice dans le gouvernement de la Défense nationale, il obtint la qualité de citoyens français pour les juifs d'Algérie (oct. 1870).

Crémieux (Gaston), révolutionnaire français (Nîmes 1838 - Marseille 1871). Avocat, chef de l'insurrection communale de Marseille en 1871, il fut condamné à mort et exécuté.

Crémieux (Benjamin), essayiste et critique français (Narbonne 1888 - en déportation au camp de Buchenwald 1944), introducteur et traducteur en France du théâtre de Pirandello.

crémillée [mije] n. f. Une des gardes de la serrure.

Cremona (Luigi), mathématicien et homme politique italien (Pavie 1830 - Rome 1903). Après avoir pris part à la guerre de l'Indépendance italienne (1848), il fut professeur à l'université de Bologne, puis directeur de l'Ecole d'application des ingénieurs, à Rome. Il devint ministre de l'Instruction publique en 1898.

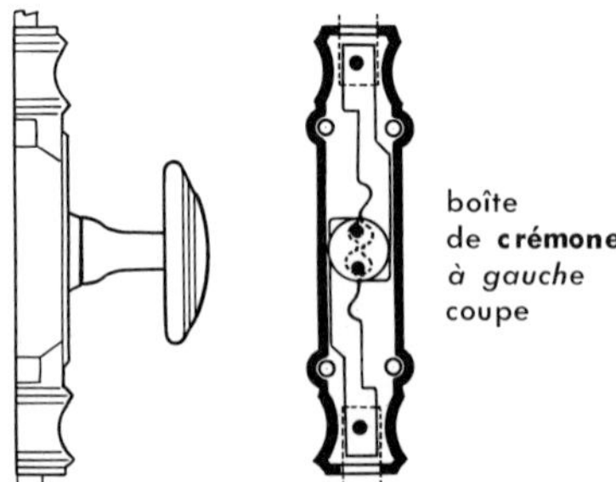
boîte de **crémone** *à gauche* coupe

crémone n. f. (de *Crémone,* v. d'Italie). Article de quincaillerie permettant le verrouillage des ouvrages de menuiserie et de serrurerie sur lesquels il est monté, par translation simultanée de deux tringles métalliques.

Crémone, en ital. **Cremona,** v. d'Italie, en Lombardie, ch.-l. de prov.; 82 400 h. Evêché. Cathédrale de style lombard; églises et palais gothiques et de la Renaissance. Industries alimentaires, mécaniques et textiles; lutheries autrefois réputées. Au cours de la guerre de la Succession d'Espagne, en 1702, Villeroi, chef de la garnison française, y fut fait prisonnier par le prince Eugène.

crénage → CRÉNER 2.

créneau n. m. (de *cren,* anc. forme de *cran*). Ouverture pratiquée dans un mur, un parapet, pour observer ou tirer à l'abri des coups de l'adversaire. (Un créneau d'artillerie s'appelle *embrasure.*) || Espace compris entre deux véhicules en stationnement. || Intervalle entre les fractions d'une troupe en marche. || Motif décoratif présentant cette disposition : *Emmanchure à créneaux.* || Chacune des ouvertures des fourneaux de cuisson de la céramique. || Encoche faite dans un écrou pour y passer une goupille destinée à empêcher le desserrage de l'écrou. ◆ **crénelage** n. m. Ensemble des stries sur la tranche des pièces de monnaie. || Etat de ce qui est crénelé. ◆ **crénelé, e** adj. Qui a des dentelures sur son épaisseur. (On dit aussi CANNELÉ OU MOLETÉ.) || *Hérald.* Pièce dont la partie supérieure est échancrée par des créneaux. ◆ **créneler** v. tr. (conj. **4**). Munir de créneaux. : *Créneler une muraille.* || Entailler de découpures, de crans : *Créneler un écrou.* || Autref., exécuter le crénelage d'une pièce de monnaie. ● *Créneler une roue,* pratiquer des dents sur la circonférence ou sur les côtés de la roue. ◆ **crénelure** n. f. Découpure en forme de créneau. || Dentelure en créneau : *Les crénelures d'une dentelle.* || Ravalement en dents de scie.

créneaux
des remparts d'Ávila

Bottin

1. créner v. tr. V. QUERNER.

2. créner v. tr. (de *cran*) [conj. **5**]. Marquer d'un cran, d'une entaille, une des faces d'une lettre, d'une interligne. ◆ **crénage** n. m. Action de créner. || Action d'évider la partie débordant le corps d'un caractère d'imprimerie.

crénilabre n. m. (lat. *crena,* fente, et *labrum,* lèvre). Beau poisson labridé, surtout méditerranéen, voisin du labre, vivement coloré, nidifiant sur le littoral.

créniot n. m. Auge des ouvriers verriers.

crénom n. m. Bloc de schiste fissile, obtenu par l'alignage.

crénothérapeute → CRÉNOTHÉRAPIE.

crénothérapie n. f. (gr. *krênê,* source, et *therapeia,* traitement). Ensemble des méthodes thérapeutiques utilisant les eaux minérales. ◆ **crénothérapeute** n. m. Médecin qui pratique la crénothérapie.

créodontes n. m. pl. Sous-ordre de mammifères carnassiers archaïques, fossiles dans le tertiaire inférieur. (Leur denture ne compte pas de vraies carnassières. Princ. genres : *arctocyon, hyaenodon, proviverra.*)

créole n. et adj. (esp. *criollo*). Personne de race blanche, née dans les plus anciennes colonies européennes (Antilles, Réunion, île Bourbon, etc.). || Se dit exceptionnellement pour distinguer le Noir né aux Antilles du Noir venu d'Afrique. ✦ n. m. Langue provenant d'un parler de type pidgin*, et devenue la seule langue d'une communauté linguistique. || *Partic.* Ensemble des langues vernaculaires en usage aux Antilles, en Guyane, en Louisiane, aux Mascareignes (Maurice, la Réunion).

Créon, ch.-l. de c. de la Gironde (arr. et à 24 km au S.-E. de Bordeaux); 692 h. (*Créonnais*). Vignobles.

Créon, en gr. **Kreôn,** tyran de Thèbes, dans la légende d'Œdipe*. Frère de Jocaste et beau-frère de Laïos, il gouverna Thèbes, après l'exil d'Œdipe, comme tuteur d'Etéocle et de Polynice, puis comme roi. Il fut tué par Thésée. Sophocle présente le personnage de Créon dans *Œdipe roi, Œdipe à Colone* et *Antigone.*

créophile n. m. (gr. *kreas,* chair, et *philos,* qui aime). Grand staphylin aux fortes mandibules, qui dévore les larves de mouches sur les cadavres. (Les larves dont il se nourrit sont aussi dites *créophiles.*)

créosol n. m. Ether-oxyde méthylique de l'homopyrocatéchine, retiré de la créosote de hêtre.

créosotage → CRÉOSOTE.

créosote n. f. (gr. *kreas,* chair, et *sôdzein,* conserver). Liquide obtenu lors de la distillation de divers goudrons. (On l'emploie dans l'industrie pour la conservation des bois et, en médecine, comme antiseptique.) ◆ **créosotage** n. m. Action de créosoter; et, *spécialem.*, procédé de préservation des bois. ◆ **créosoter** v. tr. Injecter de la créosote, en particulier dans des bois dont on veut assurer la conservation.

crêpage → CRÊPE adj.

crêpe adj. invar. (anc. franç. *crespe,* crépu; du lat. *crispus*). Se dit d'un fil qui a reçu une forte torsion, obtenue en soierie par des passages successifs sur des moulins à tordre. ✦ n. m. Tissu présentant un aspect ondulé caractéristique, obtenu par l'emploi de fils à forte torsion, dits « fils crêpe ». ‖ Caoutchouc brut obtenu par séchage à l'air chaud d'un coagulat de latex. ● *Crêpe de Chine,* crêpe de soie à gros grains. ◆ **crêpage** n. m. Action de crêper une étoffe. ‖ Action de crêper les cheveux. ‖ Fabrication du papier crêpé. ● *Crêpage de chignon, de cheveux* (Fam.), bataille de femmes. ◆ **crêpé, e** adj. *Papier crêpé,* v. PAPIER. ◆ **crêpelé, e** ou **crêpelu, e** adj. Frisé, crêpé à petites vagues : *Des cheveux crêpelés.* ◆ **crêpeline** n. f. Etoffe très mince et très légère en tissu de soie. ◆ **crêpelure** ou **crespelure** n. f. Etat des cheveux crêpelus. ◆ **crêper** v. tr. Coiffer des mèches de cheveux en rebroussant le dos de la mèche et en lissant le dessus pour obtenir un effet de coiffure bouffante. ‖ Friser, apprêter le crêpe et autres étoffes, c'est-à-dire y faire apparaître le duvet et y produire des ondulations. (On dit encore DONNER LE CRÊPE.) ‖ — **se crêper** v. pr. *Fam.* Se battre en se tirant par les cheveux, en parlant de femmes. (On dit, dans le même sens, *se crêper le chignon.*) ◆ **crêpeuse** n. f. Machine utilisée pour la fabrication du papier crêpé. ◆ **crépon** n. m. Tissu gaufré à la machine et présentant des ondulations irrégulières parallèles au sens de la chaîne. ◆ **crépu, e** adj. Frisé en touffes serrées : *Cheveux crépus.* ● *Feuilles crépues,* feuilles boursouflées entre les nervures. ◆ **crépure** n. f. Action de friser comme du crêpe : *Crépure des cheveux.*

crêpe n. f. (lat. *crispus,* frisé). Galette légère, faite de farine de blé ou de sarrasin que l'on délaie dans de l'eau ou dans du lait, avec addition de sucre, d'œufs et de quelque aromate, et que l'on fait cuire soit sur une plaque de fonte, soit dans la poêle. ‖ *Pop.* Personne dont on fait peu de cas : *Quelle crêpe!* ● *Retourner quelqu'un comme une crêpe,* l'amener très facilement à changer totalement d'opinion. ◆ **crêperie** n. f. Endroit où l'on fait, où l'on vend des crêpes. ◆ **crêpier, ère** n. Marchand, marchande de crêpes (à manger). ‖ — **crêpier** n. m. Petit appareil, électrique ou non, sur lequel on fait cuire des crêpes.

crêpé, crêpelé ou **crêpelu, crêpeline, crêpelure, crêper** → CRÊPE adj.

crêperie → CRÊPE n. f.

crêpeuse → CRÊPE adj.

crépi → CRÉPIR.

crepidula n. f. (mot lat. signif. *petite chaussure*). Mollusque gastropode prosobranche non spiralé des mers chaudes, qui vit fixé aux rochers.

crêpier → CRÊPE n. f.

Crépin et **Crépinien** (saints), martyrs (Rome - † Soissons? v. 287). Selon une Passion, ils seraient deux frères romains venus prêcher à Soissons, où ils furent martyrisés. Patrons des cordonniers. — Fête le 25 oct.

crépin n. m. Négociant en cuirs et crépins, fils et outillage de cordonnier. ‖ — **crépins** n. m. pl. Outils et marchandises servant au métier de cordonnier.

crépine n. f. (de *crêpe*). Sphère (ou cylindre) métallique percée de trous et servant à arrêter les corps étrangers à l'ouverture d'un tuyau d'aspiration. ‖ *Pétr.* Tube percé de trous ou de fentes et permettant la mise en production d'une couche tout en maintenant les parois du puits. ‖ *Bouch.* Epiploon du porc. ● *Crépine à clapet,* combinaison d'un clapet de non-retour et d'une crépine. ◆ **crépinette** n. f. *Hortic.* Variété de renouée. ‖ Viande hachée entourée de crépine et ayant la forme dure d'une saucisse.

crépir v. tr. (même orig. que *crêper,* à cause de l'aspect irrégulier du *crépi*). Enduire de crépi : *Crépir un mur.* ‖ Etre appliqué comme enduit, comme crépi : *La chaux vive crépit proprement les murs.* ● *Crépir des peaux,* leur donner un grain. ◆ **crépi** n. m. Sorte d'enduit fabriqué avec du sable grenu et de la chaux, ou avec du plâtre, ou encore avec du mortier de ciment, fouetté contre les parois d'un ouvrage soit à la truelle, soit au balai. ◆ **crépissage** n. m. Action de crépir un mur. ‖ Opération ayant pour objet de donner le grain aux peaux. ◆ **crépisseuse** n. f. Machine à crépir le maroquin. ◆ **crépissoir** n. m. Balai dur, à manche court, pour crépir les murs. ◆ **crépissure** n. f. Crépi d'une muraille; état d'une muraille crépie.

crépis [pi] n. m. Composée aux fleurs jaunes, très commune, aux nombreuses espèces.

crépissage, crépisseuse, crépissoir, crépissure → CRÉPIR.

crépitant, crépitation ou **crépitement** → CRÉPITER.

crépiter v. intr. (lat. *crepitare,* fréquentatif de *crepare,* craquer). Pétiller, faire entendre une succession de bruits secs : *La grêle crépite contre les vitres.* ◆ **crépitant, e** adj. Qui crépite. ● *Râles crépitants,* râles fins et secs perçus à la fin de l'inspiration dans les pneumonies, l'œdème aigu du poumon. (Les *râles sous-crépitants* sont des râles humides entendus aux deux temps de la respiration dans de nombreuses affections broncho-pulmonaires, dans les maladies cardiaques retentissant sur le poumon.) ◆ **crépitation** n. f.

ou **crépitement** n. m. Bruit vif, sec et fréquent; série de petites explosions : *La crépitation des sarments qui brûlent. Le crépitement des mitrailleuses.* ‖ Bruit produit par le conflit de l'air et d'un liquide pathologique, dans les alvéoles pulmonaires. ● *Crépitation osseuse,* craquement perceptible au toucher et à l'oreille, produit par le frottement des deux fragments d'un os fracturé

crépon, crépu, crépure → CRÊPE adj.

crépusculaire → CRÉPUSCULE.

crépuscule n. m. (lat. *crepusculum*). Illumination partielle que reçoit la voûte céleste avant le lever du Soleil et après son coucher : *Se promener au crépuscule.* (Ce double phénomène, qui peut prolonger notablement la durée du jour, est dû à la présence de l'atmosphère terrestre, qui, en réfléchissant comme lumière diffuse la lumière du Soleil, nous permet de jouir d'une certaine clarté alors que nous ne recevons plus directement les rayons de cet astre.) ‖ *Fig.* Déclin : *Le crépuscule de la civilisation romaine.* ● *Crépuscule astronomique,* crépuscule qui correspond à une position du Soleil à moins de 18° au-dessous de l'horizon et qui permet, théoriquement, de voir à l'œil nu les étoiles les plus faibles. ‖ *Crépuscule civil,* crépuscule qui correspond à une position du Soleil de 6° au-dessous de l'horizon. ◆ **crépusculaire** adj. Qui appartient, qui a rapport au crépuscule : *Douceur crépusculaire.* ‖ Dont la lueur est semblable à celle du crépuscule : *Un jour crépusculaire.* ‖ Se dit d'un groupe de poètes italiens du début du XXe s. (G. Gozzano, S. Corrazini, F. Gaeta), dont la mélancolie se dissimule parfois sous l'ironie. ‖ *Fig.* Qui est sur son déclin : *Beauté crépusculaire.* ● *Etat crépusculaire,* état pathologique transitoire, caractérisé par une obnubilation de la conscience avec conservation d'une activité relativement coordonnée. ‖ *Papillons crépusculaires,* ceux qui, comme le sphinx et la sésie, volent surtout au crépuscule.

Crépuscule des dieux (LE). V. TÉTRALOGIE.

Crépy-en-Laonnois (TRAITÉ DE), acte signé le 16 sept. 1544 à Crépy (auj. dans l'Aisne) par François Ier et Charles Quint.

Crépy-en-Valois, ch.-l. de c. de l'Oise (arr. et à 23 km à l'E. de Senlis); 10 920 h. (*Crépynois*). Pittoresque petite ville.

Créqui (MAISON DE), famille originaire de l'Artois, dont les membres les plus notables sont : CHARLES Ier (1578 - Crema, Italie, 1638), lieutenant général de Dauphiné en 1606, maréchal de France en 1622, ambassadeur à Rome (1633) et à Venise (1636); — Ses petits-fils : CHARLES III (1623 - Paris 1687), sire, puis duc **de Créqui,** qui fut ambassadeur à Rome (1662), puis gouverneur de Paris (1676), et ambassadeur d'Angleterre en 1677; — FRANÇOIS, marquis **de Créqui** (v. 1624 - Paris 1687), créé maréchal de France en 1668, qui conquit la Lorraine, vainquit l'Electeur de Brandebourg en 1679, et prit le Luxembourg en 1684.

Créquillon (Thomas), compositeur de l'école franco-flamande († Béthune? v. 1557). Maître de chapelle de Charles Quint, il a laissé une importante œuvre vocale polyphonique (messes, motets, chansons).

Crérar (Henry Graham), général canadien (Hamilton, Ontario, 1888 - Ottawa 1965). Il prend part, comme officier d'artillerie, sur le front français, à la Première Guerre mondiale. Pendant la Seconde Guerre mondiale, il commande le 1er corps canadien en Sicile et en Italie (1943), puis la Ire armée canadienne, qui forme l'aile gauche du dispositif allié après le débarquement en Normandie (1944).

crescendo [kreʃɛ̃ndo] adv. *Mus.* En augmentant progressivement la force des sons. ‖ *Fig.* En augmentant : *Travailler crescendo.* ✦ n. m. Suite de notes qu'on doit exécuter crescendo. (Le crescendo a été marqué par un signe spécial au milieu du XVIIIe s., mais il était en usage dès la fin du XVIIe s. Au XIXe s., il est marqué de la manière suivante : <.) ‖ *Fig.* Augmentation progressive, gradation : *Le crescendo des revendications.*

Crescens, en gr. **Krêskês,** philosophe grec de l'école cynique, né à Mégalopolis (Arcadie) au IIe s. apr. J.-C.

Crescent (saint), en lat. **Crescens,** évêque et martyr sous Trajan, disciple de saint Paul, missionnaire en Gaule. — Fête le 27 juin.

Crescent Ier ou **Crescentius,** ou **Cencius,** patrice des Romains († Rome 984?). Il dirigea l'émeute qui, en 974, expulsa du Latran le pape Benoît VI et plaça sur le trône pontifical le cardinal Francon sous le nom de Boniface VII. — Son fils JEAN **Crescent** ou **Crescentius II,** patrice des Romains († Rome 998), mit en tutelle le pape Jean XV (985-996). Après le départ de Rome d'Otton III, il obligea Grégoire V, successeur de Jean XV, à s'enfuir (996). Devenu patrice et consul des Romains, il plaça Jean XVI, antipape, sur le trône pontifical. Otton III, de retour à Rome, le fit décapiter.

crescentia n. m. Nom générique du *calebassier.*

Crescenzi (Giovanni Battista), architecte italien (Rome 1577 - Madrid 1660). Venu en Espagne en 1617, il décora le Panteón de los Reyes à l'Escorial, et construisit la Cárcel de la Corte. Il est un des précurseurs du baroque espagnol.

créseau n. m. Syn. de CARISET.

Crésilas, en gr. **Krêsilas,** sculpteur grec du Ve s. av. J.-C., originaire de Kydonia (Crète). Il fit un portrait de Périclès (copies au Vatican et au British Museum) et concourut pour le type de l'Amazone d'Ephèse (copie à Berlin).

crésol n. m. (de *créosote*). L'un quelconque des trois phénols isomères dérivés du toluène. (Syn. CRÉSYLOL.)
— ENCYCL. Les trois crésols, ortho, méta et para, $CH_3—C_6H_4—OH$, sont contenus dans les goudrons de bois et de houille, d'où on peut les retirer en épuisant à la soude les huiles moyennes. Ils sont peu solubles dans l'eau, ont une odeur rappelant celle du phénol et possèdent, comme ce dernier, des propriétés antiseptiques. Leur mélange avec des savons forme la *crésoline* et le *lysol*. Le dérivé trinitré du métacrésol est la *crésylite*, explosif brisant.

Crespel-Dellisse (Louis François-Xavier Joseph), industriel français (Lille 1789 - Neuilly 1865). Il créa à Arras, en 1810, la première fabrique française de sucre de betterave.

Cresphontès, en gr. **Kresphontês.** *Myth. gr.* Héraclide qui, avec les Doriens, conquit le Péloponnèse et reçut en partage la Messénie.

Crespi (Giovanni Battista), dit **il Cerano,** peintre italien (Cerano 1576 - Milan 1632). Il travailla à Rome, Venise, Milan (*le Baptême de saint Augustin,* San Marco, Venise). — Son fils DANIELE (Busto Arsizio 1590 - Milan 1630) fut un adepte du caravagisme (*la Vie de saint Bruno,* chartreuse de Pavie).

Crespi (Giuseppe Maria), dit **lo Spagnolo,** peintre et graveur italien (Bologne 1665 - *id.* 1747). Il imita les Carrache et le Corrège (*les Sept Sacrements,* musée de Dresde; *la Chercheuse de puces,* musée de Pise). — Son fils LUIGI (Bologne 1709 - *id.* 1779), chanoine, fut surtout un critique.

Crespin, comm. du Nord (arr. et à 15 km au N.-E. de Valenciennes); 5 328 h. Métallurgie.

Crespo (Joaquín), homme politique vénézuélien (San Francisco de Cuba 1841 - près d'Aconcagua 1898), président du Venezuela de 1884 à 1886 et de 1892 à 1898.

cressa n. m. Convolvulacée des terrains salés, aux fleurs en épis.

Cressent (Charles), ébéniste français (Amiens 1685 - Paris 1768). Fils du sculpteur sur bois François Cressent, ébéniste du Régent, il fut l'un des premiers, après Boulle, à enrichir ses marqueteries de motifs de bronze exécutés par lui-même (Louvre, Wallace Collection, Londres).

cressiculteur, cressiculture → CRESSON.

cresson [krɛ] n. m. (francique **kresso*). Nom commun à diverses crucifères servant de condiment : *Lepidium sativum* (cresson alénois), *Nasturtium officinale* (cresson de fontaine), *Cardamine pratensis* (cresson des prés, rarement cultivé), *Barbarea præcox* (cresson de jardin), etc. (Toutes ces plantes se mangent crues. Le *cresson alénois,* plante annuelle à croissance rapide, se sème à la volée et se récolte quelques semaines après. Il s'emploie comme condiment. Le *cresson de fontaine* ou *cresson d'eau,* indigène dans les lieux humides de l'hémisphère Nord, se cultive dans des fosses inondées, au fond desquelles on plante des boutures de cresson ou de jeunes plants. On le consomme cru [salade, garnitures] ou cuit. Le *cresson de jardin* ou *cresson de terre,* bisannuel, se sème en toutes saisons; on l'emploie comme condiment et comme garniture.) ◆ **cressiculteur** n. m. Personne qui cultive le cresson, entretient les cressonnières. ◆ **cressiculture** n. f. Culture du cresson. ◆ **cressonnière** n. f. Endroit consacré à la culture du cresson. (V. *encycl.*) ‖ Marchande de cresson.
— ENCYCL. **cressonnière.** La cressonnière est une fosse de 2 à 4 m de large et de 0,50 m de profondeur, et dont le fond est en pente douce. Après avoir répandu des engrais minéraux, on ensemence, puis on amène l'eau dans la fosse progressivement. La première coupe a lieu six semaines après le semis; on peut en prévoir une vingtaine dans l'année. Après chaque coupe, on tasse le cresson restant au fond de la fosse (schuellage). La cressonnière est renouvelée au bout d'une année.

cressonnette n. f. Nom usuel d'une sorte de cardamine.

cressonnière → CRESSON.

Crest, ch.-l. de c. de la Drôme (arr. de Die), sur la Drôme, à 28 km au S.-E. de Valence-sur-Rhône; 5 992 h. (*Crestois*). Décolletage; fabrique de moteurs et de boîtes métalliques; confection; tanneries.

Cresti (Domenico), dit **il Passignano,** peintre et décorateur italien (Passignano v. 1560 - Florence 1636). Il est l'auteur du *Crucifiement de saint Pierre* (Saint-Pierre de Rome), du *Martyre de saint Laurent* (couvent San Marco, Florence).

crestmoréite n. f. Silicate hydraté naturel de calcium.

commode
par Cressent
Louvre

Giraudon

Crésus, dernier roi de Lydie (v. 560 - v. 546 av. J.-C.), fils et successeur d'Alyatte, célèbre par les richesses de son royaume, dues à ses mines d'or et à la convergence des routes commerciales vers les ports égéens. Il soumit Ephèse et toute l'Asie Mineure à sa domination. Il manifesta une grande générosité envers les temples grecs, ce qui lui valut l'amitié admirative des Grecs, dont les récits d'Hérodote sont l'écho. Allié de Sparte et de l'Egypte, il prit les devants pour attaquer son puissant voisin, Cyrus (v. 546 av. J.-C.), mais il fut battu à Thymbrée et fait prisonnier dans Sardes, sa capitale.

crésus [zys] n. m. *Fig.* Homme extrêmement riche.

Crésyl n. m. (nom déposé). Mélange de crésols, d'huiles lourdes et de savon, employé en émulsion aqueuse comme désinfectant. ◆ **crésylage** n. m. Action de crésyler. ◆ **crésyler** v. tr. Désinfecter à l'aide du Crésyl.

crésylate n. m. Nom technique donné aux sels du trinitrométacrésol. ◆ **crésylite** n. f. Nom donné au trinitrométacrésol quand il est employé comme explosif.

crésyle n. m. Radical univalent $CH_3—C_6H_4—$, dérivé d'un crésol par suppression de l'hydroxyle.

crésyler → CRÉSYL.

crésylite → CRÉSYLATE.

crêt → CRÊTE.

crétacé, e adj. (lat. *cretaceus;* de *creta,* craie). Qui est de l'âge de la craie; qui a rapport à la craie. ‖ **— *crétacé*** n. m. La troisième et dernière période de l'ère secondaire. (Le crétacé va de — 110 millions d'années à — 65 millions d'années et est compris entre le jurassique et l'éocène. Il doit son nom au développement du faciès crayeux [v. CRAIE] dans les assises supérieures en Europe occidentale. Deux groupes de protozoaires, les orbitolines et les orbitoïdes, ont eu à cette période une importance particulière. Des oursins à symétrie bilatérale [*ananchytes, micraster*], de nombreux rudistes, et surtout les dernières ammonites, parfois déroulées, peuplaient les mers, où nageaient de grands reptiles, les *mosasauriens.* Sur terre, les dinosauriens, qui avaient atteint des dimensions gigantesques, étaient près de disparaître, et les oiseaux [*hesperornis, ichtyornis*] avaient encore des dents. La flore du crétacé était déjà très actuelle dans sa composition, mais pas du tout dans sa distribution géographique; c'est ainsi qu'il y avait des figuiers au Groenland.)

crétage → CRÊTE.

Crêt d'Eau ou **Credo** (**Grand**) [cette orthogr. est peut-être une altér. de *credoz,* crête], montagne du Jura (Ain); 1 624 m.

crête n. f. (lat. *crista*). Organe saillant, longitudinal et médian, surmontant la tête de certains animaux : le coq, le triton crêté, etc. (Les crêtes charnues sont souvent un caractère sexuel secondaire du mâle.) ‖ Huppe que quelques oiseaux portent sur la tête : *La crête de l'alouette.* ‖ Partie relevée qui se trouve sur la tête de quelques reptiles et de quelques poissons. ‖ Partie étroite, saillante; faîte d'un toit, d'un mur; cime d'une montagne, d'une vague. ‖ Ornement en métal découpé ou en céramique décorant, au Moyen Age et à la Renaissance, le faîtage d'un comble ou le sommet d'une châsse. ‖ Cimier de heaume. ‖ Nom donné à des saillies osseuses étroites et allongées : *Crête du tibia.* ‖ Ligne continue des sommets de la muqueuse gingivale qui sépare les deux versants des arcades dentaires. ‖ Bourrelet triangulaire de mortier ou de plâtre, formant jonction entre deux faîtières sans emboîtement posé sur embarrure. ‖ Relief allongé du fond des océans, relativement étroit. (La plus étudiée est celle qui s'allonge au milieu de l'Atlantique.) ● *Baisser la crête* (Fig. et fam.), montrer moins d'audace. ‖ *Crête iliaque,* bord supérieur de l'os iliaque. ‖ *Crête militaire,* ligne de changement de pente située dans la direction de l'ennemi en avant de la ligne de *crête topographique,* ou ligne de faîte, et permettant de voir et de tirer. ‖ *Crêtes prélittorales,* rides de sable façonnées par la houle le long des côtes. ‖ *Lever la crête* (Fig. et fam.), montrer du courage ou de la forfanterie. ‖ *Puissance de crête,* valeur instantanée maximale de la puissance d'un courant électrique pendant un certain intervalle de temps. ◆ **crêt** n. m. Sommet montagneux, arête rocheuse : *Crêt de la Neige.* ● *Crêt monoclinal* (Géomorphol.), arête formée par une couche dure redressée. ◆ **crétage** n. m. Décoration appliquée sur les chasses d'un livre relié, sous forme d'une dentelle en or fin, à l'aide d'un fer à dorer. ◆ **crêté, e** adj. Qui a une crête : *Un casque crêté.* ‖ Se dit d'un minerai dont les cristaux sont groupés de manière à imiter grossièrement des crêtes de coq : *Barytine crêtée.* ◆ **crêtes-de-coq** n. f. pl. Excroissances papillomateuses contagieuses, dues à un virus filtrant, siégeant sur les muqueuses génitales. (Syn. VÉGÉTATIONS VÉNÉRIENNES.)

Crète, au Moyen Age **Candie,** en gr. moderne **Krêté** ou **Kríti,** île grecque de la Méditerranée orientale, délimitant, au S., la *mer de Crète;* 8 331 km²; 456 600 h. (*Crétois*). Capit. *La Canée* (*Khanía*).

● *Géographie.* L'île a 265 km d'E. en O.; elle domine un socle sous-marin immergé à moins de 1 000 m. Des chaînes calcaires, culminant au mont Psilorítis ou Ida **(2 460 m),** dominent la côte sud de l'île, où les plaines sont rares; mais les montagnes s'abaissent doucement vers le N. et se prolongent par des collines. Le climat est méditerranéen, particulièrement sec en été. Elevage de moutons, de chèvres; culture de la vigne, de l'olivier et des agrumes. L'île possède quelques gisements de fer, de lignite.

● *Histoire.* La Crète a été un des plus remarquables foyers civilisateurs de l'Antiquité, et la civilisation hellénique lui a été largement redevable. Les textes crétois, de langue grecque archaïque, n'étant déchiffrés qu'en partie, on ne connaît guère cette ancienne civilisation que par l'archéologie (fouilles de Cnossos et de Mália). Dès le IVe millénaire, la Crète devint le principal foyer de la civilisation dite « égéenne ». (Les périodes successives sont appelées « minoennes ».) Au début du IIe millénaire, la Crète centrale, la plus riche, s'enrichit de villes et de palais (Cnossos, Phaïstos). Ces constructions furent dévastées vers 1700 par aux jeux sportifs. Cette civilisation crétoise a beaucoup influencé celle de la Grèce primitive. La seconde moitié du IIe millénaire fut une période de déclin, qui s'acheva par l'invasion dorienne ; la Crète ne fut plus dès lors qu'un fragment du monde grec, étant elle-même divisée en cités rivales (Cnossos, Gortyne, Cydonia). Les Romains prirent l'île en 67 av. J.-C., mettant fin à la piraterie pratiquée par les insulaires. Devenue un avant-poste byzantin face à l'islām, la Crète tomba en 825-826 aux mains des musulmans, qui y fondèrent la forteresse de Khandak (Candie). L'île, récupérée par les Byzantins en 960-961, échut, à la suite de la quatrième croisade, à Venise, qui en fit une des bases de son empire maritime, jusqu'à ce que, au

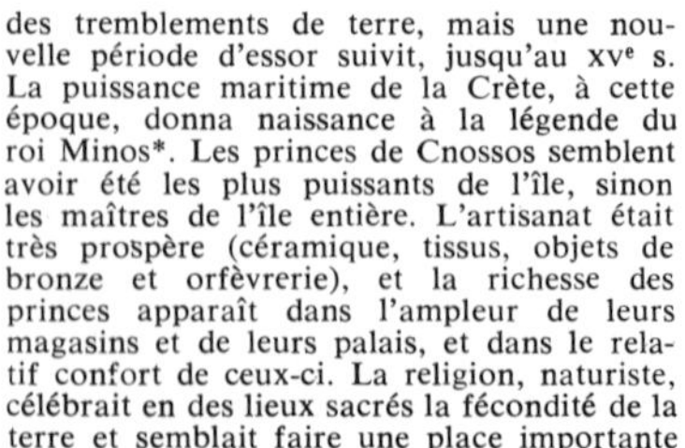

Loirat - Rapho

grande cour du palais de Phaïstos et le mont Ida

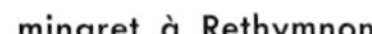

minaret à Rethymnon

Loirat - Rapho

des tremblements de terre, mais une nouvelle période d'essor suivit, jusqu'au XVe s. La puissance maritime de la Crète, à cette époque, donna naissance à la légende du roi Minos*. Les princes de Cnossos semblent avoir été les plus puissants de l'île, sinon les maîtres de l'île entière. L'artisanat était très prospère (céramique, tissus, objets de bronze et orfèvrerie), et la richesse des princes apparaît dans l'ampleur de leurs magasins et de leurs palais, et dans le relatif confort de ceux-ci. La religion, naturiste, célébrait en des lieux sacrés la fécondité de la terre et semblait faire une place importante XVIIe s., les Turcs en eussent opéré la conquête progressive. Ils laissèrent la Crète dans un état d'abandon relatif et de régression économique, et plusieurs révoltes furent réprimées ; les Crétois obtinrent cependant, en 1868, grâce à l'intervention des puissances européennes, un statut plus favorable, puis en 1898 l'autonomie sous la suzeraineté ottomane. La Crète fut rattachée à la Grèce en 1913.

● *Beaux-arts.* V. MINOEN (*art*).

Crète (BATAILLE DE), pendant la Seconde Guerre mondiale, nom donné aux opérations menées par les escadrilles allemandes de Richthofen (12-19 mai 1941) et par les troupes aéroportées de Student (20 mai-1er juin), qui aboutirent à la prise de l'île, occupée par les Anglais. Ces derniers durent se rembarquer sous la protection de leur flotte, commandée par Cunningham, après avoir subi de très lourdes pertes.

Crète (MER DE), partie méridionale de la mer Egée, entre la Crète au S., le Dodécanèse à l'E., les Cyclades méridionales au N., et le Péloponnèse à l'O.

crêté, crêtes-de-coq → CRÊTE.

Créteil, ch.-l. du Val-de-Marne, à 7 km au S.-E. de Paris, sur la rive gauche de la Marne; 59 248 h. (*Cristoliens*). Eglise des XIIe-XIIIe s. Industries diverses.

crételle n. f. Graminacée fourragère des montagnes, croissant en touffes.

crétin, e adj. et n. (forme dialect. et péjor. du lat. *christianus,* chrétien). Atteint de crétinisme. || *Fam.* Imbécile, stupide : *On ne peut pas confier ce travail à un crétin comme lui.* ◆ **crétinerie** n. f. Etat ou parole de crétin. ◆ **crétinisme** n. m. Etat de dégénérescence physique et d'arriération mentale en rapport avec une insuffisance thyroïdienne s'accompagnant souvent d'un goitre volumineux. || *Fam.* Idiotie profonde, stupidité : *Il n'est pas responsable de son crétinisme.*

Crétin (Guillaume), poète et chroniqueur français (Paris v. 1460 - † 1525). Célèbre rhétoriqueur, appelé par Marot « souverain poète français », tandis que Rabelais passe pour l'avoir travesti sous le nom de « Raminagrobis », il composa en vers ses douze livres de *Chroniques de France.*

crétinerie, crétinisme → CRÉTIN.

crétois, e adj. et n. Qui se rapporte à la Crète; habitant ou originaire de cette île. || — ***crétois*** n. m. Dialecte du grec ancien, parlé en Crète. (Syn. MINOEN, ÉTÉOCRÉTOIS.)

cretonne n. f. (de *Creton,* village de l'Eure). Tissu de coton réalisé suivant l'armure de la toile.

Creully, ch.-l. de c. du Calvados (arr. de Caen), à 13 km à l'E. de Bayeux; 692 h. Château (XIIe-XVIe s.).

Creus (CAP DE), cap du nord-est de l'Espagne, en Catalogne.

creusage → CREUX.

Creuse (la), riv. du nord du Massif central et du Berry, affl. de la Vienne (r. dr.) ; 255 km. Née dans le plateau de Millevaches, elle coule d'abord dans une vallée étroite, qui s'élargit au sortir du Massif central. Plusieurs centrales hydro-électriques sont situées sur son cours amont.

Creuse (DÉPARTEMENT DE LA), dép. du nord-ouest du Massif central; 5 606 km²; 146 214 h. Ch.-l. *Guéret.* Le département s'étend sur des contrées humides et bocagères. Au S. s'élève la Montagne limousine (plateau de Gentioux, hauteurs de la Courtine), couverte de vastes landes. La plus grande partie du département est formée par les collines de la Marche, où l'agriculture a été améliorée par le chaulage des terres et, surtout, par l'orientation vers l'élevage, activité essentielle aujourd'hui; en revanche, à l'E. (Marche de Combrailles), les cultures occupent la première place. L'industrie est peu développée (travail du bois et tapisseries à Aubusson). Ce département, presque exclusivement agricole, sans grandes villes, souffre toujours du dépeuplement. (V., pour les beaux-arts, LIMOUSIN ET MARCHE.)

Créüse, en gr. **Kreousa.** *Myth. gr.* Fille de Priam et d'Hécube, première épouse d'Enée et mère d'Ascagne. — Epouse de Jason, après qu'il eut répudié Médée.

creusement, creuser → CREUX.

creuset (anc. franç. *croisuel;* du lat. *crucibulum*). n. m. Vase généralement fait de terre réfractaire, d'alumine, de graphite, d'un métal, d'un alliage, etc., qu'on emploie dans les laboratoires pour fondre ou calciner certaines substances. || Partie inférieure d'un haut fourneau, où se rassemble le métal fondu. || *Fig.* Lieu où diverses choses se mêlent, se fondent. || Moyen d'épuration morale ou intellectuelle, moyen d'essai, d'analyse : *Le creuset de la souffrance.* ● *Acier au creuset,* acier fin élaboré par fusion dans un creuset. || *Four à creuset,* four servant à chauffer le creuset. ◆ **creusetier** n. m. Spécialiste de la fabrication des creusets et des moules en matières réfractaires. (On dit aussi CREUSISTE.)

Creusot (LE), ch.-l. de c. de Saône-et-Loire (arr. et à 30 km au S.-E. d'Autun) ; 33 480 h. (*Creusotins*). Fondée à la fin du XVIIIe s., la ville doit son origine à un riche bassin houil-

Le Creusot

Spirale

département de la Creuse

arrondissements (2)	cantons (27)	nombre d'hab. du canton	nombre de comm.
Aubusson (49826 h.)	Aubusson	8749	10
	Auzances	4809	12
	Bellegarde-en-Marche	3164	9
	Chambon-sur-Voueize	4604	11
	Chénérailles	5349	11
	Courtine (La)	2529	9
	Crocq	4605	14
	Évaux-les-Bains	3986	8
	Felletin	5228	9
	Gentioux	1782	7
	Royère	2521	7
	Saint-Sulpice-les-Champs	2504	11
Guéret (146214 h.)	Ahun	4807	11
	Bénévent-l'Abbaye	4750	10
	Bonnat	6642	13
	Bourganeuf	7642	13
	Boussac	7398	13
	Châtelus-Malvaleix	5065	10
	Dun-le-Palestel	8828	13
	Grand-Bourg (Le)	4619	7
	Guéret (3 cant.)	20684	15
	Jarnages	3946	10
	Pontarion	3650	10
	Saint-Vaury	7006	9
	Souterraine (La)	11351	10

LES DIX PREMIÈRES COMMUNES

Guéret	16147 h.	*Saint-Vaury*	2632 h.
Aubusson	6824 h.	*Ahun*	2067 h.
La Souterraine	5505 h.	*Sainte-Feyre*	1812 h.
Bourganeuf	3940 h.	*Évaux-les-Bains*	1790 h.
Felletin	3361 h.	*Auzances*	1715 h.

RÉGION MILITAIRE : *Bordeaux* (IVe). — COUR D'APPEL : *Limoges.*
ACADÉMIE : *Limoges.* — ARCHEVÊCHÉ : *Bourges.*

ler. En 1836, les frères Schneider créèrent la Société des forges et ateliers du Creusot. Le charbon s'épuisant, l'industrie se tourna vers la production d'aciers spéciaux, tôles fines, locomotives, matériel de guerre, etc. D'importantes grèves éclatèrent en janv. et mars 1870. Elles expliquent le vote négatif de la ville au plébiscite de mai 1870 et la proclamation de la Commune le 26 mars 1871.

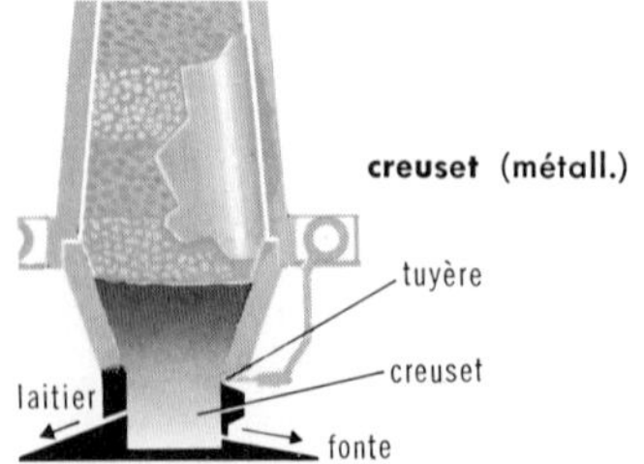

creuset (métall.)

Creusot (FORGES ET ATELIERS DU), l'une des trois filiales de la Société Schneider et Cie, qui, à la suite de la décentralisation opérée par cette société en 1949, a hérité de l'actif industriel de Schneider.

Creutz (Gustaf Philip, comte), poète et diplomate suédois (Anjala, Finlande, 1731 - Stockholm 1785). Diplomate, puis chef du gouvernement en 1783, il joua un rôle très important dans les relations culturelles entre la Suède et la France. Sa meilleure œuvre est un roman en vers, *Atis et Camilla* (1761).

Creutzwald, anc. **Creutzwald-la-Croix,** comm. de la Moselle (arr. de Boulay-Moselle), à 15 km au N. de Saint-Avold ; 15 689 h. Mines de houille.

creux, euse adj. (lat. vulg. *crosus, venu

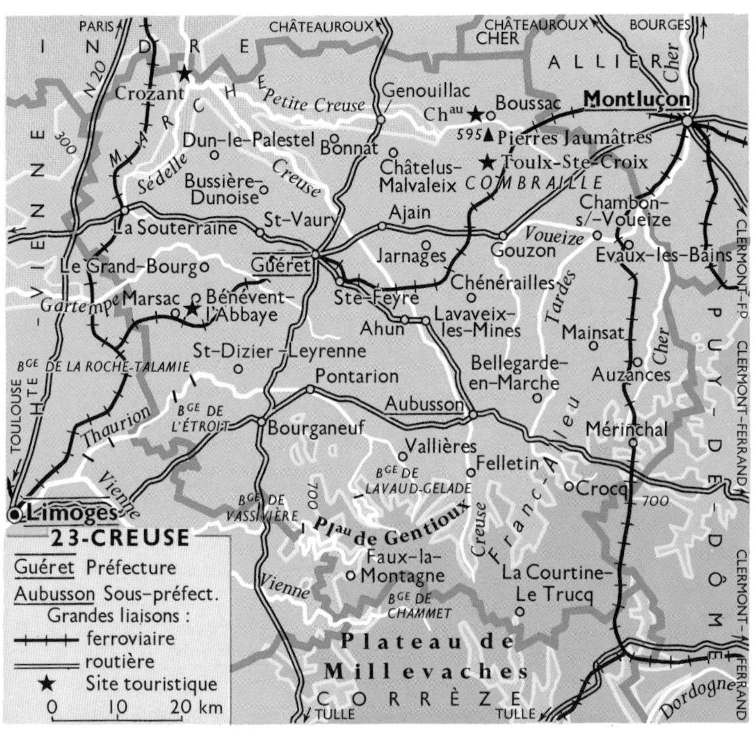

la **Creuse**

du gaulois). Qui présente un vide à l'intérieur : *Un arbre creux. Souffrir d'une dent creuse.* ‖ Qui présente une concavité, une dépression : *Une assiette creuse. Une vallée creuse.* ‖ Se dit des pièces de céramique profondes, par oppos. aux pièces *plates.* ‖ *Fig.* Vain, chimérique, peu solide, peu chargé de sens : *Idées creuses. Phrases creuses.* ‖ Inférieur au niveau normal : *Les classes creuses de la guerre.* ‖ *Fig.* Période difficile, de moindre activité : *Un creux dans les relations franco-allemandes.* ● *Avoir le nez creux* (Fam.), avoir du flair, être avisé. ‖ *Avoir le ventre creux, l'estomac creux* (Fam.), avoir besoin de manger. ‖ *Chemin creux,* encaissé. ‖ *Cuir creux, peau creuse,* cuir ou peau de qualité médiocre. ‖ *Drap creux,* drap dont le tissu est trop lâche. ‖ *Heure creuse,* heure de moindre consommation générale en force et en lumière ; et, au *plur.*, heures pendant lesquelles les activités sont réduites. ‖ *Mer creuse,* mer où se forment des lames profondes. ‖ *Son creux,* son que rend un objet vide sur lequel on frappe. ‖ *Tête creuse,* personne sans idées ou sans jugement. ‖ *Voix creuse,* voix à la fois grave et sonore, comme si elle sortait d'une profonde cavité. ‖ *Yeux creux, joues creuses,* enfoncés de maigreur. ✦ adv. *Sonner creux* (ou *le creux*) rendre un son indiquant que l'objet sur lequel on frappe est vide : *Un tonneau qui sonne creux.* ‖ — **creux** n. m. Cavité, endroit creux, partie vide : *Le creux d'un rocher.* ‖ Partie concave, renforcement : *Le creux de la main.* ‖ Profondeur intérieure d'un navire. ‖ *Statist.* Observation qui, dans une série chronologique discontinue, se trouve inférieure à chacune des deux observations voisines, et qui, dans une série chronologique, s'identifie à un point où la série passe par un minimum. ‖ Hauteur libre dans un réservoir partiellement rempli. ‖ Dans un engrenage, longueur de l'arc de la circonférence primitive compris entre deux dents. || Manière de sculpter ou de graver en formant un vide sur le plan général de la pièce. || Carcasse de demi-bœuf, sans collier ni paleron. || *Fig.* Vide, manque de solidité. || Période d'activité ralentie : *Un creux de trafic.* ● *Creux de l'estomac,* légère dépression du thorax, au niveau de l'estomac ; et, *par extens.*, région de l'estomac où se répercutent les émotions : *Une nouvelle qui vous donne un coup au creux de l'estomac.* || *Creux de la lame,* ou, simplem., *creux,* profondeur entre deux lames, mesurée de la crête à la base. || *Se sentir un creux dans l'estomac,* ressentir la faim. ◆ **creusage** ou **creusement** n. m. Action de creuser : *Le creusement d'un puits.* ◆ **creuser** v. tr. Rendre creux ; pratiquer une cavité dans : *Creuser le sol pour planter un arbre.* || Faire en creusant : *Creuser un fossé.* || Donner une forme creuse à ; marquer de creux : *Il se campa fièrement, creusant les reins.* || *Partic.* Amaigrir : *La faim lui avait creusé les joues.* || *Fig.* Approfondir, sonder, pénétrer plus avant : *Creuser une question.* || — SYN. : *évider, forer, fouiller, fouir, percer.* ● *Creuser un abîme devant,* préparer la perte, la ruine de. || *Creuser un abîme entre,* séparer, désunir complètement. || *Creuser l'estomac,* ou, absol., *creuser* (Fam.), faire éprouver un grand appétit. || *Creuser son sillon* (Fam.), poursuivre son œuvre avec persévérance. || — **se creuser** v. pr. Devenir creux : *Mur, arbre qui se creuse.* ● *Se creuser l'esprit, la tête, le cerveau* (Fig.), et, absol., *se creuser* (Fam.), se fatiguer l'esprit en réfléchissant, en méditant : *Vous ne vous êtes pas creusé pour trouver çà.*

Creuz (Friedrich Karl, baron VON), écrivain et philosophe allemand (Hamburg 1724 - *id.* 1770). Auteur de poèmes, d'une tragédie et d'ouvrages philosophiques, il fit partie des écrivains qui voulurent faire prévaloir la langue allemande sur le français et le latin.

Creuzer (Friedrich), érudit et philologue allemand (Marburg 1771 - Heidelberg 1858), auteur de *Symbolique et mythologie des peuples de l'Antiquité et surtout des Grecs* (1810-1812), interprétation hardie des mythologies antiques, et de nombreux ouvrages sur les civilisations grecque et romaine.

crevable, crevaille, crevaison, crevant, crevard → CREVER.

crevasse n. f. (lat. vulg. *crepacia ;* de *crepare*). Fente, déchirure à la surface d'un corps : *Les crevasses d'un mur, de la terre desséchée.* || Fente béante qui s'ouvre à la surface d'un glacier. || Fente peu profonde qui survient dans l'épaisseur de la peau ou à la limite des membranes muqueuses. (Les crevasses s'observent surtout aux mains. Elles sont dues à l'action de l'eau et du froid. Les crevasses du sein sont possibles dans les premiers jours de l'allaitement. Le traitement des crevasses consiste en l'application de préparations glycérinées.) || Fissure de la peau du paturon et du boulet, s'observant chez le cheval, les bovidés, par suite de l'irritation de la peau par l'eau, la boue, le purin. (L'inflammation qui l'accompagne peut rendre le membre douloureux et entraîner la boiterie.) || Dégradation produite par le tir, sous forme d'arrachement de métal, dans l'âme des bouches à feu. ◆ **crevasser** v. tr. Produire des crevasses sur : *Un immeuble crevassé par les bombardements.*

Crevaux (Jules), explorateur français (Lorquin, Moselle, 1847 - † dans le Chaco 1882). Il consacra sa vie à l'exploration de l'Amérique du Sud et fut tué par les Indiens Tobas.

crève, crevé, crève-cœur → CREVER.

Crèvecœur (Philippe DE), maréchal de France († L'Arbresle 1494). D'abord conseiller de Charles le Téméraire, qui le fit gouverneur de Péronne, Montdidier et Roye en 1463, il passa ensuite au service de Louis XI, qui le nomma gouverneur de La Rochelle. Créé maréchal de France par Charles VIII (1483), il participa aux traités d'Arras (1482) et d'Etaples (1492) ; il fut nommé grand chambellan de France.

Crèvecœur (RACE DE), race française de poules, qui a perdu par sa faible rusticité la réputation qu'elle avait acquise par sa chair et sa ponte.

Crèvecœur-en-Auge, comm. du Calvados (arr. et à 17 km à l'O. de Lisieux) ; 489 h. Le village a donné son nom à une race de volailles, réputée il y a cent ans.

Crèvecœur-le-Grand, ch.-l. de c. de l'Oise (arr. et à 22 km au N. de Beauvais) ; 2 981 h. Tissage de la laine.

Crevel (René), poète français (Paris 1900 - † par suicide à Paris 1935). Il fit partie du mouvement surréaliste et publia des œuvres sombres et violentes : *Détours* (1924), *Mon corps et moi* (1925), *la Mort difficile* (1927), *Babylone* (1927), *Etes-vous fous ?* (1929), *le Clavecin de Diderot* (1932), *les Pieds dans le plat* (1933).

crever v. tr. (lat. *crepare*) [conj. **5**]. Faire éclater, déchirer un objet gonflé : *Crever un ballon, un sac à force de le remplir.* || Rompre, faire une brèche dans : *L'ennemi a crevé nos lignes défensives.* || *Fam.* Fatiguer vivement, épuiser : *C'est un métier qui me crève.* ● *Crever un cheval* (Fam.), le tuer de fatigue. || *Crever la peau, la paillasse, la panse à quelqu'un* (Pop.), le percer de coups, le tuer. || *Crever les yeux* (Fam.), être bien visible, être tout à fait évident. ✦ v. intr. Eclater, se rompre : *Une bulle qui crève.* || Avoir une crevaison : *Un cycliste qui a crevé sur la route.* || Se résoudre en eau, en parlant des nuages : *Nuages près de crever.* || Mourir, en parlant des bêtes ; et, *pop.*, en parlant des hommes (avec mépris) : *Qu'il crève donc !* || *Fig.* Etre sur le point d'éclater à force d'être gonflé : *Crever de graisse, d'embonpoint.* ‖ Regorger, être rempli de : *Crever de jalousie, de dépit.* ● *Crever d'ennui* (Fam.), s'ennuyer à mourir. ‖ *Crever de rire* (Fam.), rire longtemps. ‖ *Faire crever du riz,* le faire gonfler et ramollir à l'eau bouillante ou à la vapeur jusqu'à ce que les grains s'ouvrent. ◆ **crevable** adj. Qui peut crever. ◆ **crevaille** n. f. *Pop.* Ripaille, repas où l'on mange à l'excès. ◆ **crevaison** n. f. Fait de crever; et, *partic. : Crevaison d'un pneu.* ‖ *Pop.* Mort; fatigue extrême. ◆ **crevant, e** adj. *Pop.* Qui fait crever, mourir de fatigue : *Un travail crevant.* ‖ Qui fait crever, éclater de rire. ◆ **crevard, e** n. et adj. *Pop.* Personne qui a toujours faim. ◆ **crève** n. f. *Pop.* Mort, maladie épuisante : *Avec ce froid, tu vas attraper la crève.* ◆ **crevé, e** adj. et n. Jeune débauché, malingre, efféminé. (On dit en général *petit crevé.*) ● *Navire crevé,* bâtiment qui, ayant touché, s'est fait une voie d'eau dans la coque. ‖ *Tuyau crevé* (Fig.), nouvelle démentie. ◆ **crève-cœur** n. m. invar. Déplaisir cuisant mêlé de dépit : *C'est un crève-cœur de ne pouvoir accompagner les autres à la promenade.* ◆ **crève-la-faim** ou **crève-de-faim** n. m. invar. Individu qui croupit dans la misère. ◆ **crève-tonneau** n. m. invar. Appareil imaginé par Pascal pour montrer que la pression des liquides sur les parois des vases qui les contiennent ne dépend que de la hauteur du liquide. (L'appareil comporte un tonneau plein d'eau, surmonté d'un tube vertical; quand on verse dans le tube une hauteur d'eau suffisante, les douves du tonneau se disjoignent.) ◆ **crève-vessie** n. m. invar. Appareil mettant en évidence la pression atmosphérique. (Il est formé d'un manchon fermé par une membrane de vessie, placé sur la platine d'une machine pneumatique; quand on fait le vide dans le manchon, la pression de l'air extérieur fait éclater la membrane.)

crevette n. f. (pour *chevrette,* les antennes étant comparées à des cornes). Nom de divers crustacés décapodes nageurs des rivages, de petite taille. (Les principales crevettes de France sont : le *pénée* [15 cm], le *crangon* ou *crevette grise* [5 cm], et surtout le *bouquet, palémon* ou *salicoque,* crevette rose de 5 à 10 cm, très savoureuse; tous ces animaux ressemblent, en plus petit, à des langoustes, et nagent aisément vers l'avant.) ◆ **crevettier** n. m. Filet à crevettes, en demi-lune ou triangulaire. (Syn. BOURRAQUE, CREVETTIÈRE, HAVENEAU, HAVENET, POUSSEUX.) ◆ **crevettine** n. f. Nom commun à divers crustacés amphipodes tels que le *talitre* ou « puce de mer » des rivages sablonneux et la *gammare* des ruisseaux.

crève-vessie → CREVER.

Crewe, v. de Grande-Bretagne (Cheshire); 52 400 h. Matériel de chemin de fer.

C. R. F., sigle de CROIX-ROUGE* FRANÇAISE.

cri → CRIER.

Çrī, déesse hindoue de la Beauté, de la Fortune et du Bonheur, épouse du dieu Vishnu, nommée aussi *Lakshmī.*

Criaerdt, ou **Criaert,** ou **Criart,** famille d'ébénistes flamands installés à Paris. ANDRÉ, sous Louis XV, suit encore le style Louis XIV. — Son frère MATHIEU (1689-1779) a plus de diversité et de fantaisie charmante. — ANTOINE MATHIEU (1724-1787), fils de Mathieu, a laissé de précieuses commodes Louis XV, à pieds élevés.

criaillement, criailler, criaillerie, criailleur, criant, criard → CRIER.

cribellum [lɔm] n. m. (mot lat. signif. *petit crible*). Plaque chitineuse des araignées, voisine des filières antérieures, et qui sécrète par de multiples pores une soie gluante. (Les espèces qui en sont pourvues sont dites *cribellates.*)

criblage, criblant → CRIBLE.

crible n. m. (lat. *cribrum*). Appareil à fond plan perforé, utilisé pour séparer suivant leur grosseur des fragments solides. ‖ *Bot.* Plaque poreuse coupant obliquement les tubes libériens et qui s'obstrue d'un *cal* pen-

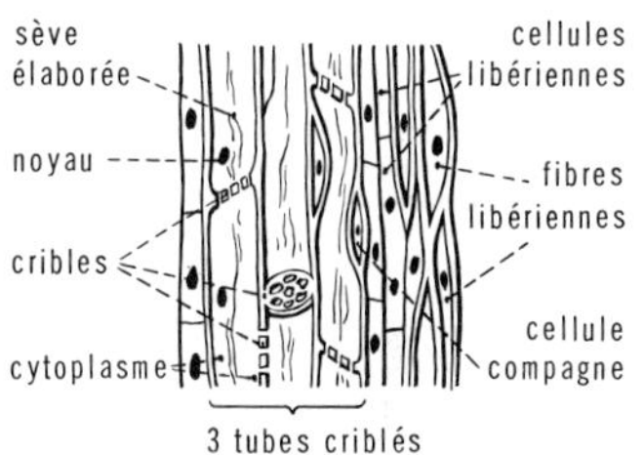

liber (coupe longitudinale)

crible (bot.)

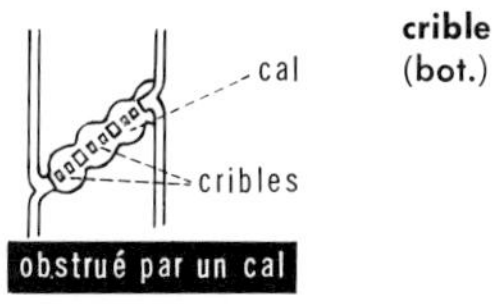

obstrué par un cal

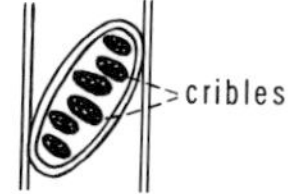

juxtaposés de vigne

cric de voiture

dant la saison de repos, interrompant la circulation de la sève élaborée. || Procédé de gravure en relief sur métal (XVe et début du XVIe s.). || *Fig.* Moyen de trier, de distinguer, en particulier le vrai du faux : *Passer au crible de la critique. Ne diffuser que des nouvelles passées au crible.* ◆ **criblage** n. m. Action de passer au crible : *Le criblage des grains.* || Opération de triage des matériaux, en vue du classement granulométrique. || Atelier, sur le carreau d'une mine, où l'on fait le triage à main du charbon. ◆ **criblant, e** adj. Qui laisse passer certains objets et en retient d'autres. ◆ **criblé, e** adj. *Charbon criblé,* ou *criblé* n. m., morceau de charbon de dimensions comprises entre deux limites matérialisées par le diamètre des trous des cribles servant à classer le charbon en grosseur. || *Lame criblée,* lame horizontale de l'os ethmoïde, perforée de nombreux trous qui livrent passage aux filets du nerf olfactif. || *Tube criblé,* vaisseau du liber où circule la sève élaborée. ◆ **cribler** v. tr. Passer à travers un crible, trier au moyen du crible : *Cribler du sable.* || *Fig.* Choisir, trier : *Il faut cribler ses pensées.* || Percer de trous comme un crible : *Visage criblé par la petite vérole.* || Accabler, harceler : *Cribler quelqu'un de coups, d'injures.* ● *Etre criblé de dettes* (Fig.), être accablé d'une foule de dettes. ◆ **cribleur, euse** n. Ouvrier, ouvrière préposé au criblage, et, par extension, au triage. || — ***cribleur*** n. m. Appareil de triage servant à séparer les grains et semences des diverses impuretés qui les accompagnent. (La partie principale du cribleur est une plaque perforée sur laquelle on fait passer les grains.) ◆ **criblure** n. f. Reste du grain criblé : *Pour éviter la propagation des plantes adventices, il faut brûler les criblures.* || Autre nom de la maladie du *coryneum* des arbres à noyau. ● *Criblures de pierres,* menues pierres provenant du triage de matériaux d'empierrement concassés.

cribwork n. m. (de l'angl. *crib,* coffre, et *work,* ouvrage). Elément de fondation d'un ouvrage d'accostage dans un terrain résistant mais affouillable, constitué par une caisse remplie de pierrailles. (Syn. CARCASSE.)

cric! [krik] interj. Onomatopée qui exprime le bruit d'une chose qu'on déchire ou, par exemple, d'une clé qui tourne dans une serrure. (On le joint souvent au mot CRAC !) ✦ n. m. Bruit d'une chose qu'on déchire : *On entendit un petit cric.*

cric [kri] n. m. Appareil agissant directement sur un fardeau par poussée, pour le soulever ou le déplacer sur une faible course. ◆ **cric-tenseur** n. m. Instrument que l'on emploie pour tendre les fils télégraphiques. (Syn. RAIDISSEUR.) — Pl. *des* CRICS-TENSEURS.

cricétomys [mis] n. m. Rat de l'Afrique équatoriale, très nuisible, dit aussi RAT DE GAMBIE.

cricetus [setys] n. m. Nom générique du *hamster.*

cricket [ket] (mot angl.). Jeu d'équipe anglais, qui se joue avec des battes de bois, des balles et des guichets. (V. *encycl.*) ◆ **cricketeur** n. m. Amateur du jeu de cricket.

— ENCYCL. ***cricket.*** Le cricket date de 1728 ; il se joue sur un terrain plat d'au moins 135 m sur 150 m, avec des battes de 95 cm de long et des balles de son recouvertes de cuir dur. Les guichets ont 70 cm de haut et sont formés de trois bâtons plantés en terre et reliés à leur partie supérieure par un quatrième. Les équipes comprennent chacune onze joueurs; ils se tiennent sur le terrain dans un ordre donné, sauf le porteur de batte. Il s'agit de renverser le guichet adverse. Chacun des joueurs à son tour lance la balle vers le guichet, alors que le batteur essaie de la renvoyer le plus loin possible. Pendant que l'adversaire va chercher la balle, le batteur fait le plus de trajets possible entre les deux guichets; mais s'il a raté la balle, il est remplacé par un coéquipier.

cricketeur → CRICKET.

crico-aryténoïdien adj. et n. m. Se dit de quatre muscles qui participent à la constitution du larynx.

cricoïde adj. (gr. *krikos,* anneau, et *eidos,* aspect). Se dit d'un cartilage qui occupe la partie inférieure du larynx, s'articule en bas avec le premier anneau de la trachée et en haut avec le cartilage thyroïde. ◆ **cricoïdien, enne** adj. Qui appartient ou qui a rapport au cartilage cricoïde.

crico-thyroïdien adj. et n. m. Se dit d'un muscle pair du larynx, étendu du cartilage cricoïde au cartilage thyroïde.

cri-cri n. m. invar. V. GRILLON.

cric-tenseur → CRIC.

cricula n. f. Papillon saturnidé indien, dont les cocons fournissent une soie jaune d'or.

criée → CRIER.

Criel-sur-Mer, comm. de la Seine-Maritime (arr. de Dieppe), près de la côte de la Manche, à 8,5 km au S. du Tréport; 2 108 h. (*Criellois*). Station balnéaire à *Criel-Plage.*

crier v. intr. (lat. pop. **critare;* lat. class. *quiritare,* appeler les citoyens [*quirites*] à son aide). Pousser un cri, ou des cris, en parlant de l'homme : *Crier de toutes ses forces pour attirer l'attention.* ‖ Elever la voix, gronder : *Crier après quelqu'un, contre quelqu'un.* ‖ En parlant des animaux, faire entendre des sons inarticulés et caractéristiques de l'espèce : *Singe qui crie.* ‖ En parlant des choses, produire un son aigre : *Une porte qui crie en tournant sur ses gonds.* ‖ *Fig.* Se plaindre hautement, réclamer, protester : *Vous avez beau crier, il faut en passer par là.* ‖ Prier avec insistance, implorer : *Crier vers Dieu.* ‖ Produire une sensation désagréable à l'œil : *Couleurs qui crient entre elles.* ‖ — SYN. : *beugler, brailler, glapir, hurler, piailler, rugir, tonitruer, vociférer.* ● *Crier à l'oppression, au scandale, à la trahison* (Fig.), protester contre, dénoncer quelque chose comme une marque d'oppression, un scandale, une trahison. ‖ *Crier sur les toits, crier à son de trompe,* proclamer partout. ‖ *Crier à tue-tête, crier comme un sourd, comme un veau, comme un perdu, comme un putois* (Fam.), etc., crier de toutes ses forces. ✦ v. tr. Dire d'une voix forte : *Je lui ai crié que je partais.* ‖ *Fig.* Dire, exprimer avec force : *Crier son indignation.* ‖ Annoncer en criant ce qu'on vend; vendre à la criée : *Crier des journaux, du poisson.* ● *Crier famine, la faim, crier misère* ou *la misère,* se plaindre de la faim, de la misère; et, en parlant des choses, dénoter la faim, la misère : *Ses vêtements criaient misère.* ‖ *Crier gare, crier casse-cou,* avertir d'un danger. ‖ *Crier grâce, merci, miséricorde,* implorer la pitié; et, aussi, s'avouer vaincu. ‖ *Crier merveille, crier miracle,* admirer, s'étonner vivement. ‖ *Crier vengeance,* mériter une vengeance, en parlant d'un acte dont le caractère est particulièrement atroce ou scandaleux. ◆ **cri** n. m. Signal sonore produit par l'homme et les animaux au moyen d'organes vibratoires particuliers associés à des cavités servant de caisses de résonance. (Les cris que poussent les animaux caractérisent chaque espèce. [V. *tableau.*] La science n'a longtemps connu que les cris aériens de fréquence sonore; depuis peu, on étudie les cris *aquatiques,* beaucoup plus nombreux et variés qu'on ne le croyait, et les messages *infra-* et *ultra-sonores.*) ‖ Son perçant que lance la voix : *Elle poussa un cri de frayeur, de joie.* ‖ Paroles lancées avec force, en signe d'appel, d'avertissement : *On entendit les cris de : A l'assassin!* ‖ Appel des marchands ambulants : *Les cris de Paris étaient pittoresques.* ‖ Bruit aigre : *Les cris de la girouette.* ‖ Opinion favorable ou défavorable manifestée avec éclat : *Un cri de réprobation contre sa conduite.* ‖ Appel, protestation qui jaillit du plus profond de l'être : *Il restait sourd aux cris des mécontents.* ‖ Phrase brève dont se servent les chasseurs pour flatter, réprimander ou exciter les chiens. ‖ Bruissement que l'on perçoit lorsqu'on presse la soie entre les doigts. (On dit aussi MANIEMENT.) ● *A cor et à cri,* v. COR. ‖ *A grands cris,* en poussant de grands cris; et, au *fig.,* avec insistance. ‖ *Cri de l'étain,* petit craquement que ce métal fait entendre lorsqu'on le plie. ‖ *Cri de guerre,* exclamation poussée autref. par les soldats au combat et parfois inscrite sur les armes. (En héraldique, le cri est inscrit sur une banderole placée en général au-dessus de l'écu.) ‖ *Cris* ou *chants séditieux* (Dr. pén.), ceux qui portent atteinte à l'autorité publique. ‖ *Dernier cri* (Fam.), du dernier genre, d'une suprême élégance, qu'il s'agisse de mode ou d'autre chose : *Une auto dernier cri.* ‖ *Il n'y a qu'un cri* ou *ce ne fut qu'un cri,* c'est une opinion unanime. ‖ *Jeter, pousser les hauts cris,* protester violemment. ◆ **criaillement** n. m., **criaillerie** n. f. Cri ou bruit répété et désagréable. ‖ Discussion aigre, querelle, récrimination (surtout au plur. en ce sens). ◆ **criailler** v. intr. Crier souvent et d'une manière désagréable. ‖ Se plaindre sans cesse : *Elle criaille bien inutilement.* ‖ Crier, en parlant du faisan, de l'oie et de la

Hulton Lib. Pict.

joueurs de cricket

CRIS D'ANIMAUX

l'aigle	*trompette, glatit*	la colombe	*roucoule*
l'alouette	*grisolle*	le coq	*chante*
l'âne	*brait*	le corbeau	*croasse*
la bécasse	*croule*	la corneille	*craille*
le bélier	*blatère*	le crapaud	*siffle*
le bœuf	*beugle, mugit, meugle*	le crocodile	*lamente*
la brebis	*bêle*	le cygne	*siffle, trompette*
le buffle	*souffle, beugle*	le dindon	*glougloute*
la caille	*margote, carcaille*	l'éléphant	*barète, barrit*
le canard	*cancane, nasille*	le faisan	*criaille*
le cerf	*brame*	le faon	*râle*
le chacal	*jappe*	le geai	*cajole*
le chameau	*blatère*	la grenouille	*coasse*
le chat	*miaule*	la grue	*glapit, trompette, craque*
le chat-huant	*hue*	le hibou	*hue, bouboule*
le cheval	*hennit*	l'hirondelle	*gazouille*
la chèvre	*bêle, béguette*	l'hyène	*hurle*
le chien	*aboie, jappe, hurle*	le jars	*jargonne*
la chouette	*chuinte, hulule*	le lapin	*clapit*
la cigale	*craquette, stridule*	le lièvre	*vagit*
la cigogne	*craquette*	le lion	*rugit*
le cochon	*grogne*	le loup	*hurle*

pintade. ◆ **criailleur, euse** adj. et n. *Fam.* Qui a l'habitude de criailler : *Des jeux d'enfants criailleurs.* ◆ **criant, e** adj. Qui provoque la plainte, qui fait pousser les hauts cris, flagrant : *Une injustice criante.* ● *Un tableau criant de vérité;* d'une vérité frappante. ◆ **criard, e** adj. et n. Qui crie sans cesse : *Un gamin criard.* ‖ Grondeur ; porté à critiquer ou à se plaindre : *Un mari criard.* ✦ adj. Qui porte à crier, à gronder : *Humeur criarde.* ‖ Qui rend un son aigre, désagréable : *Voix criarde.* ‖ *Fig.* Trop cru, qui blesse la vue : *Toilette criarde.* ● *Dettes criardes,* dettes dont le paiement est réclamé à grands cris. ◆ **criée** n. f. Annonce verbale faite jadis par un huissier ou un agent de l'autorité, sur l'ordre d'un magistrat. ● *Audience des criées,* audience consacrée à l'adjudication des immeubles, tant sur expropriation forcée que sur vente volontaire. ‖ *Vente à la criée,* vente publique aux enchères de biens meubles ou immeubles. ◆ **crieur, euse** n. Personne qui gronde sans cesse : *Tais-toi, crieur éternel!* ‖ Marchand ambulant qui annonce en criant ce qu'il vend ; et, *partic. : Crieur de journaux.* ‖ Autref., personne qui faisait une annonce publique. ● *Crieur de nuit,* personne qui, la nuit, criait les heures dans les rues. ‖ *Juré crieur,* officier public qui faisait les proclamations officielles d'édits.

Crillon (Louis Balbis de Berton de), homme de guerre français (Murs, Provence, 1543 - Avignon 1615). D'origine piémontaise, il prit part aux guerres de Religion. Il se distingua en particulier à Lépante (1571) et à Ivry (1590). Il protégea Henri III dans sa retraite, après la journée des Barricades. En 1589, il défendit le pont de Tours contre Mayenne. Il fut l'ami et le compagnon d'armes d'Henri IV. Blessé, il ne put combattre à Arques. En 1600, il commanda avec Sully l'armée de Savoie.

crime n. m. (lat. *crimen, criminis,* accusation). Infraction très grave, que la loi punit d'une peine afflictive ou infamante et qui est du ressort de la Cour d'assises. ‖ Meurtre : *Le cadavre a été découvert quelques heures après le crime.* ‖ Acte très blâmable en général qui a des conséquences fâcheuses : *Ce serait un crime que de laisser pourrir du blé.* ‖ Personnes criminelles : *Le crime triomphera-t-il de la vertu?* ● *Ce n'est pas un crime* (Fam.), ce n'est pas une faute bien grave. ‖ *Crime contre nature,* crime opposé aux prescriptions de la loi naturelle : *Le parricide est un crime contre nature.* ‖ *Crimes de guerre,* crimes contre la paix (préparation d'une guerre d'agression) ou crimes contre

Louis de **Crillon** par Jean Le Beuf *cabinet des Estampes*

Larousse

le merle	*siffle, flûte*
le moineau	*pépie*
le mouton	*bêle*
l'oie	*criaille, siffle*
l'ours	*gronde, grogne*
le paon	*braille, criaille*
la perdrix	*cacabe*
la pie	*jacasse, jase*
le pigeon	*roucoule*
le pinson	*ramage*
la pintade	*criaille*
la poule	*glousse, caquette*
le poulet	*piaule*
le ramier	*roucoule*
le renard	*glapit*
le rhinocéros	*barète*
le rossignol	*chante*
le sanglier	*grommelle, nasille*
le serpent	*siffle*
le taureau	*mugit*
le tigre	*rauque, râle*
la tourterelle	*gémit, roucoule*

l'humanité (génocide), qui furent définis par les Nations unies, jugés par les tribunaux militaires internationaux de Nuremberg (nov. 1945 - oct. 1946) et de Tōkyō (juin 1946 - nov. 1948). ‖ *Faire à quelqu'un un crime, un crime d'Etat de quelque chose* (Fam.), le lui reprocher comme une grande faute. ◆ **criminalisation** n. f. Action de criminaliser. ◆ **criminaliser** v. tr. *Dr.* Faire passer de la juridiction correctionnelle ou civile à la juridiction criminelle. ◆ **criminaliste** n. m. Personne qui s'occupe spécialement de matières criminelles. ◆ **criminalistique** n. f. Techniques qui ont pour objet de permettre ou de faciliter l'application de la loi pénale par la justice criminelle : anthropométrie (identité judiciaire), médecine légale (dans ses rapports avec la justice criminelle), psychologie judiciaire et police scientifique, etc. ◆ **criminalité** n. f. Essence de ce qui est criminel. ‖ Ensemble des infractions à la loi pénale commises dans un groupe social donné au cours d'une certaine période. (V. DÉLINQUANCE.) ◆ **criminel, elle** adj. et n. Coupable de crime, en parlant des personnes : *Il est devenu criminel par cupidité. La police a arrêté le criminel.* ‖ *Fam.* et *par plaisant.* Coupable d'une faute légère : *Voici notre criminel.* ● *Criminel de guerre,* celui qui a commis un crime de guerre. ✦ adj. Qui appartient au criminel, conçoit le crime ou sert à l'exécuter : *Un bras criminel.* ‖ Entaché de crime, qui constitue un crime : *Projets criminels. Incendie criminel.* ‖ Qui a rapport au crime ou à la répression du crime. ◆ **criminellement** adv. De façon criminelle : *Abuser criminellement de sa force.* ‖ Devant la juridiction criminelle. ◆ **criminogène** adj. Favorable au développement de la criminalité. ◆ **criminologie** n. f. Science qui étudie les causes du comportement antisocial de l'homme et préconise des remèdes. (Apparue au XVIIIe s., c'est au XIXe et au XXe s. qu'elle entreprit d'appliquer systématiquement les méthodes d'observation scientifique de la criminalité [écoles physiologique de Lombroso, sociologique de Durkheim].) ◆ **criminologiste** ou **criminologue** n. Spécialiste des questions criminelles.

Crime de Sylvestre Bonnard (LE), roman d'A. France (1881). Le héros est un vieux savant à la fois sceptique et naïf.

Crime et châtiment, roman de Dostoïevski (1866). Un étudiant pauvre, Raskolnikov, qui a tué une vieille usurière, finit par avouer son crime à une pauvre fille des rues, Sonia, puis à la police. Sonia l'accompagne en Sibérie. L'amour achève leur régénération.

Crimée, en russe **Krym,** région de l'U.R.S.S. (Ukraine), formée par une grande presqu'île qui s'avance dans la mer Noire et sépare cette dernière de la mer d'Azov ; 25 600 km^2 ; 1 201 000 h.

● *Géographie.* La côte sud est dominée par une chaîne récente (1 545 m) ; le versant nord est constitué de plateaux s'abaissant doucement vers une plaine marécageuse qui forme la partie septentrionale de la presqu'île, rattachée à la terre par l'isthme de Perekop. Le climat de la Crimée est relativement doux (surtout au S.), et cette région est en quelque sorte la Côte d'Azur des Soviétiques. Cultures arbustives dans la plaine ; gisements de pétrole et de minerai de fer dans la presqu'île de Kertch', à l'E.

● *Histoire.* Connue des anciens Grecs sous le nom de *Chersonèse Taurique,* la Crimée fut colonisée par les Grecs à partir du VIIe s. av. J.-C. Le royaume du *Bosphore cimmérien,* qui s'y constitua au Ve s. av. J.-C., fut soumis à Rome au Ier s. av. J.-C., puis à Byzance. A l'époque des grandes invasions, le pays vit déferler successivement les Goths (milieu du IIIe s.), les Huns (376), puis les Khazars (VIIIe s.). Après la prise de Constantinople par les « Latins », Venise et surtout Gênes y établirent de nombreux comptoirs. En 1237, les Mongols organisèrent le *khānat de Kiptchak.* Il succomba sous les coups de Tīmūr en 1395. Les Tatars organisèrent alors un khānat indépendant. Le *khānat de Crimée,* dont la capitale était Bakhtchissarai, dut reconnaître la suzeraineté ottomane en 1475. Il devint ainsi un avant-poste de l'islām, en lutte chronique contre la Pologne et la Moscovie. Par le traité de Kutchuk-Kaïnardji (1774), les Russes obtinrent l'indépendance des Tatars de Crimée, puis leur annexion au traité de Constantinople (1784). La Crimée conserva cependant jusqu'à la Seconde Guerre mondiale son caractère turc et musulman. Mettant à profit sa position stratégique, les Russes firent de Sébastopol' l'une de leurs plus importantes bases navales, d'où le rôle que ce port a joué lors de la guerre de 1854-1855 (v. art. suivant). Les établissements russes et ukrainiens s'y renforcèrent après la construction des chemins de fer. Au cours de la guerre civile, la Crimée fut la dernière forteresse de l'armée « blanche » de Wrangel. En 1922, elle devint une république autonome, membre de l'U. R. S. S. Au cours de la Seconde Guerre mondiale, elle fut occupée par les Allemands. Les Tatars, s'étant montrés favorables à la collaboration, furent déportés, et la Crimée, perdant son autonomie, devint un district administratif de la République fédérée de Russie (1945). Elle fut annexée à la République socialiste d'Ukraine en 1954.

Crimée (GUERRES DE). ● *Guerre de 1854-1855.* Conflit qui, en 1854 et 1855, opposa la France, la Grande-Bretagne, la Turquie et le Piémont à la Russie, et se termina par la défaite de cette dernière, consacrée par le traité de Paris de 1856.

En 1853, le tsar Nicolas Ier, après avoir adressé au Sultan un ultimatum exigeant le protectorat de tous les orthodoxes de Turquie, fit franchir le Danube à ses troupes et détruisit une escadre ottomane à Sinop (nov. 1853). Cette intervention entraîna la déclaration de guerre de l'Angleterre et de la France, auxquelles vint se joindre le Piémont (avr. 1854). Les Alliés, sous les ordres de Saint-Arnaud et de lord Raglan, portèrent leurs efforts en Crimée. Débarqués à Eupatoria, ils délogèrent à l'Alma les troupes du généralissime russe Menchikov et assiégèrent Sébastopol', défendu par Totleben. Le siège dura 11 mois, et les Alliés repoussèrent toutes les contre-attaques russes, notamment à Balaklava (25 oct. 1854), à Inkermann (5 nov. 1854), à Eupatoria (17 févr. 1855). Canrobert, qui avait succédé à Saint-Arnaud, mort du choléra (22 sept. 1854), fut à son tour remplacé par Pélissier (16 mai 1855), tandis que Simpson prenait la place de lord Raglan, atteint lui aussi du choléra (28 juin 1855). La prise du mamelon Vert et des ouvrages Blancs (7 juin 1855), le combat des Sardes de La Marmora à Traktir (16 août) et, enfin, la prise de la tour Malakov par Mac-Mahon (8 sept.) entraînèrent la chute de Sébastopol'. Le congrès de Paris, ouvert le 25 févr. 1856, aboutit au traité de paix du 30 mai 1856.

● *Campagne de 1941-1944.* Conquise en oct. et nov. 1941 par von Rundstedt, à l'exception de Sébastopol', dont la garnison tint jusqu'en juill. 1942, la Crimée fut libérée en avr. et mai 1944 par la double offensive de Tolboukhine et de Ieremenko.

criminalisation, criminaliser, criminaliste, criminalistique, criminalité, criminel, criminellement, criminogène, criminologie, criminologiste ou **criminologue** → CRIME.

crin n. m. (lat. *crinis,* cheveu). Poil plus long et plus ferme que l'ensemble du pelage, qui pousse à certains animaux, particulièrement sur le cou et la queue. (Le crin a été utilisé pour rembourrer les sièges à partir du XVIIe s. En technique chirurgicale, les crins sont employés quand on veut faire des sutures ou des ligatures de grande solidité.) || Boyau de ver à soie utilisé par les pêcheurs soit à l'état brut (florence), soit passé à la filière (racine anglaise). ● *A tous crins* (Fig.), ardent, énergique ; dans toute la force du terme : *Idéaliste à tous crins.* || *Crin végétal,* fibres à usage de crin fournies par le palmier nain (*chamærops*), la zostère, l'agave, le phormium, etc. || *Etre comme un crin* (Fam.), être d'humeur revêche. ◆ **crinelle** n. f. Bas de ligne métallique en soie d'acier tordu ou tressé, utilisé pour la pêche des poissons à dents tranchantes. ◆ **crinier** n. m. Ouvrier qui travaille le crin. ◆ **crinière** n. f. Ensemble des crins formant crête sur le cou des chevaux ; et, *par extens.,* ensemble des longs poils souples qui entourent la tête du lion mâle et d'autres animaux. || Poils longs et rudes qui garnissent tout le col d'un cerf. || Portion laissée en friche au-delà de la raie où aboutissent les sillons. || Touffe de crins tombant du sommet d'un casque par-derrière. || *Fam.* Chevelure abondante et mal soignée : *Une grande fille avec une crinière rousse.* ◆ **crinol** n. m. Crin artificiel formé de fils de rayonne acétate et tressé pour imiter le crin naturel.

crincrin n. m. (onomatop.). *Pop.* Mauvais violon : *Il faisait danser la noce avec son crincrin.* || Bruit désagréable d'un mauvais violon.

crinelle, crinier, crinière → CRIN.

crinitage → CRINITE.

Crinite n. f. (nom déposé). Acier à coupe rapide, au tungstène, déposé par fusion sur la partie utile d'un outil de coupe. ◆ **crinitage** n. m. Apport d'acier à coupe rapide, par fusion, sur le corps d'un outil en acier ordinaire.

crinoïdes n. m. pl. Classe d'échinodermes, rares actuellement, mais des plus communs à l'état fossile, et qui vivent presque tous fixés au fond de la mer.

— ENCYCL. C'est l'ère primaire qui a connu la plus grande abondance de crinoïdes, et leurs articles accumulés y ont constitué de véritables roches, les *calcaires à entroques.* Depuis lors, le groupe se raréfie régulièrement. Un crinoïde a la forme d'une tige pentagonale fixée au fond sous-marin par quelques crampons et porteuse d'un *calice* hébergeant l'appareil digestif. De ce calice partent cinq bras bifurqués et souples. Diverses expansions, pinnules, cirres, compliquent la forme. La larve est d'abord nageuse et subit des métamorphoses compliquées. Exemples : pentacrine, lis de mer, comatule.

crinol → CRIN.

crinoline n. f. Vaste jupon bouffant, maintenu par des lames d'acier ou des baleines. (Primitivement en étoffe de crins, les crino-

Larousse

crinoline
modes parisiennes 1863

lines devinrent de véritables cages de cerceaux métalliques ; elles élargissaient les jupes. Elles furent à la mode sous le second Empire.)

criobole n. m. (lat. *criobolium ;* gr. *kriobolion ;* de *krios,* bélier, et *ballein,* frapper). *Antiq.* Sacrifice d'un bélier, pratiqué en particulier en l'honneur de Cybèle.

criocéphale n. m. (gr. *krios,* bélier, et *kêphalê,* tête). Capricorne brun, dont la larve habite la souche et le tronc des conifères, notamment des pins.

crioceras [ras] n. m. (gr. *krios,* bélier, et *kéras,* corne). Ammonite aux tours décollés en une spirale, du crétacé inférieur.

criocère n. m. (gr. *krios,* bélier, et *kéras,* corne). Chrysomèle dont une espèce, d'un rouge écarlate, vit sur les lis, et dont la larve vit abritée sous ses propres excréments. (Deux autres espèces de ce genre de coléoptères sont nuisibles aux asperges.)

Cripps (sir Stafford), socialiste et économiste britannique (Londres 1889 - Zurich 1952). Membre du parti travailliste à partir de 1929, élu aux Communes en 1931, il y fut l'un des fondateurs de la Ligue socialiste (1932-1937). Il fut ambassadeur à Moscou en 1940. En 1942, il reçut la garde du Sceau privé et la direction des Communes. De 1942 à 1945, il dirigea le ministère de la Production aéronautique. Ministre du Commerce (1945-1947) dans le cabinet Attlee, il fut ministre des Affaires économiques et chancelier de l'Echiquier de 1947 à 1950. Il s'efforça de restaurer l'économie britannique par un plan d'austérité.

crique n. f. (anc. scand. *kriki*). Petite baie pouvant servir d'abri aux navires de faible tonnage. ‖ Dans l'anc. guerre de siège, fossé creusé par les assiégés pour empêcher l'établissement de tranchées ennemies. ‖ *Métall.* Fente ouverte, de profil irrégulier, provenant de la séparation entre grains sous l'effet de contraintes anormales. ◆ **criquer** v. intr. Pour un métal, se fendiller en surface avec apparition de criques. ◆ **criqûre** n. f. Crique apparaissant généralement dans un métal par corroyage, forgeage ou laminage à chaud.

criquet n. m. Nom commun aux insectes orthoptères, de la famille des acridiens (ou acrididés).

— ENCYCL. Plus petits que la sauterelle verte, les criquets sont des animaux très prolifiques, très voraces, exclusivement végétariens, très doués pour le saut et pour le vol. Lorsque des causes liées au manque de nourriture, mais encore mal connues, les rendent en outre grégaires et migrateurs, ils deviennent un terrible fléau qui, lorsqu'il s'abat sur une contrée, laisse le désert derrière lui. La *lutte antiacridienne* est alors pour l'homme une nécessité vitale, qui justifie l'importance des moyens employés : pulvérisation d'insecticides par avion, lance-flammes, incendie des cultures, creusement de fossés-pièges pour les jeunes encore non ailés, etc.

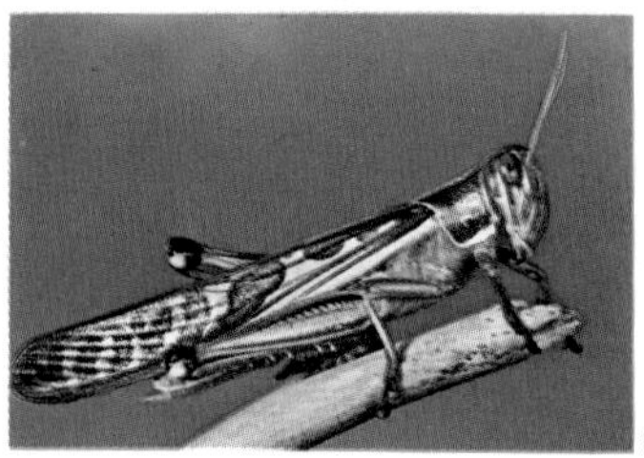
Six

criquet

Criquetot-L'Esneval, ch.-l. de c. de la Seine-Maritime (arr. du Havre), à 16,5 km au S.-O. de Fécamp ; 1 394 h. Château de la Renaissance. — Aux environs, anc. manoir de John Falstaff et Cuverville, où est enterré André Gide.

criqûre → CRIQUE.

Cri(s) ou **Cree(s),** Indiens du Canada, vivant entre le Manitoba et les montagnes Rocheuses ; 10 000 indiv. env.

Criş, nom de trois rivières de la Transylvanie occidentale, nées dans le massif du Bihor et confluant en Hongrie sous le nom de *Körös,* affl. de la Tisza (r. g.).

crise n. f. (gr. *krisis ;* de *krinein,* juger). Changement rapide qui se produit dans l'état d'un malade au cours de certaines maladies infectieuses, se manifeste par des sueurs abondantes, une augmentation de la diurèse et une chute de la fièvre, et présage de l'évolution favorable de l'affection. ‖ Manifestation violente soudaine et brève d'un état morbide : *Crise de goutte, d'épilepsie,* etc. ‖ Accident subit survenant chez une personne en bonne santé apparente : *Crise d'appendicite.* ‖ Manifestation violente d'un sentiment, enthousiasme soudain pour : *Une crise de tendresse. Travailler par crises.* ‖ *Partic.* Défaut, manque, pénurie : *Crise de main-d'œuvre. Crise du charbon, du carburant.* (V. *encycl.*) ‖ Affaiblissement, chute, désarroi : *Crise de la moralité, des esprits.* ‖ *Fig.* Moment périlleux ou décisif; période de désarroi, recherche pénible d'une solution : *Il passait par une crise religieuse.* ● *Crise ministérielle,* période intermédiaire entre la démission d'un gouvernement et la formation d'un autre gouvernement. ‖ *Crise du rouge,* maladie contagieuse des jeunes oiseaux (surtout le dindon vers deux mois), due à un protozoaire flagellé et caractérisée par l'inflammation du cæcum et du foie, et par une coloration grise, puis noirâtre de la tête. (Syn. HISTOMONOSE.) ‖ *Piquer une crise* (Fam.), être en proie à un brusque accès de colère.

— ENCYCL. *Econ. polit.* Ruptures d'équilibre entre la production et la consommation, caractérisées par un effondrement des cours et des prix, des faillites et le chômage, les crises se sont manifestées à intervalles réguliers (7 à 11 ans) depuis le début du XIXe s. jusqu'à la Seconde Guerre mondiale. La crise la plus violente, celle de 1929, débuta par le krach d'oct. 1929 à New York et s'étendit au monde entier, entraînant partout des phénomènes analogues : importante baisse des prix, effondrement des valeurs, chute de la production industrielle (38 p. 100), multiplication des chômeurs (6 millions en Allemagne, 3 millions en Grande-Bretagne, 12 millions aux Etats-Unis) et des faillites, interruption des échanges internationaux, mévente des produits agricoles. La crise de 1929 a constitué un tournant dans l'évolution de l'économie mondiale : elle a rendu nécessaire — ou du moins a justifié — la substitution, à une économie purement libérale, d'une économie dirigée ou contrôlée marquée par l'intervention de l'Etat dans les différents secteurs de la production. Après le second conflit mondial, une grave crise économique, généralisée à de nombreux pays, s'est déclarée en 1974 et en 1975.

crisia n. f. Bryozoaire marin très commun, formant des rameaux souples à deux rangées de logettes.

crispant, crispation → CRISPER.

crisper v. tr. (lat. *crispare,* rider). Contracter en ridant la surface : *Le feu crispe le cuir.* ‖ Contracter les muscles : *Un naufragé qui crispe ses doigts sur une épave. Crisper les poings de rage.* ‖ *Fig.* et *fam.* Causer des mouvements d'impatience à; agacer. ‖ — SYN. : *contracter, convulser, rider; agacer, impatienter, irriter.* ◆ **crispant, e** adj. *Fam.* Qui agace, énerve : *Enfant crispant.* ◆ **crispation** n. f. Contraction musculaire due à une irritation nerveuse ou psychique. ‖ Contraction qui diminue l'étendue d'un objet et en ride la surface.

Crispi (Francesco), homme politique italien (Ribera, Sicile, 1818 - Naples 1901). Avocat à Naples, il participa à l'insurrection de Palerme (12 janv. 1848) et fut exilé pour son opposition à la restauration des Bourbons (15 mars 1849). En 1858, il rejoignit Mazzini à Londres. De retour en Italie, en juin 1859, il fit campagne en faveur de l'unité italienne. En 1860, à Gênes, il prépara l'expédition des Mille, confiée à Garibaldi. Il entra dans le

Francesco **Crispi**

Roger-Viollet

gouvernement provisoire sicilien (30 mai). Chef de l'extrême gauche au Parlement italien (1861), il se rallia à partir de 1865 à la dynastie de Savoie et fonda le parti radical constitutionnel. Président de la Chambre (1876), il fut nommé ministre de l'Intérieur dans le cabinet Depretis (déc. 1877-1878). Le 29 juill. 1887, il devint président du Conseil. La Triple-Alliance, jointe à une entente navale avec la Grande-Bretagne, fut la base de sa politique étrangère. Il s'opposa à la France et entreprit contre elle une véritable guerre douanière. En Afrique, il mena une politique d'expansion coloniale : traité d'Uccialli (1889), établissant une sorte de protectorat italien sur l'Ethiopie; création de la colonie de l'Erythrée (1890). Momentanément écarté du pouvoir au profit de Giolitti (1891-1893), il fut rappelé pour maîtriser les troubles nés de l'agitation ouvrière en Sicile et anarchiste en Lunigiane. Il les réprima par la force. Les élections de 1895 lui furent largement favorables, mais, en mars 1896, la défaite de l'armée italienne à Adoua, en Abyssinie, l'obligea à démissionner.

crispin n. m. Manchette de cuir qui s'ajoute aux gants (d'escrime, d'apparat, etc.).

Crispin (ital. *Crispino;* du lat. *Crispinus*), nom d'un valet de comédie. Possédant quelque culture, il se sent apte à tous les métiers, mais il est surtout un flatteur doublé d'un fripon. Il est le héros de *Crispin rival de son maître,* comédie de Lesage (1707).

criss, kriss ou **crid** n. m. (du malais *kris*). Poignard malais à lame ondulée en forme de flamme.

crissement → CRISSER.

crisser v. intr. (onomatop.). Faire entendre un crissement : *Des pneus qui crissent sur le sol.* ◆ **crissement** n. m. Grincement aigu; bruit que font des corps secs qu'on écrase : *Un crissement de freins. Le crissement du gravier sous les pas.*

crissure n. f. Ride à la surface des lames de métal forgé.

cristal n. m. (lat. *crystallus ;* gr. *krustallos*). Solide anisotrope, limité naturellement par des faces planes. (V. *encycl.*) ‖ Verre composé de trois parties de silice, deux d'oxyde de plomb et une de potasse. (On dit aussi CRISTAL ARTIFICIEL, par oppos. à *cristal de roche.*) ‖ Verre blanc, très pur, limpide. ‖ Objet de cristal : *Des cristaux de Bohême.* ‖ *Partic.* Verre de cristal. ‖ *Fig.* et *littéralem.* Ce qui a la sonorité du cristal : *Etre charmé par le cristal d'une voix.* ● *Cristal de Bohême,* cristal constitué de silice, de chaux fine et de potasse. (On dit aussi VERRE DE BOHÊME.) ‖ *Cristal liquide,* substance organique qui présente à la fois les propriétés d'un liquide et celles d'un solide. (V. *encycl.*) ‖ *Cristal*

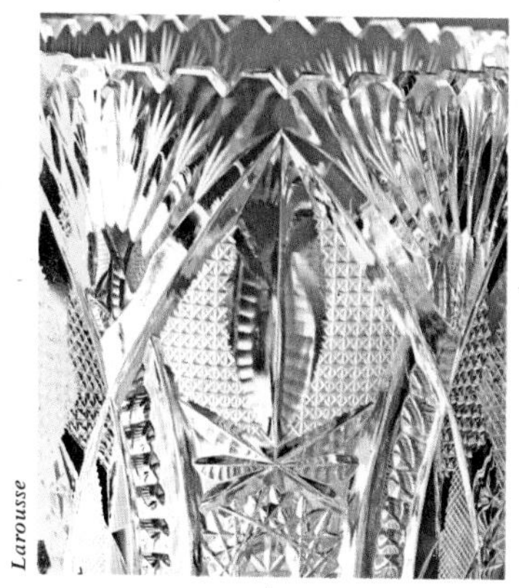

Larousse

détail d'un vase
en **cristal** de Bohême

piézo-électrique, lame de quartz ou d'un produit équivalent ayant la propriété de fournir une tension électrique proportionnelle à la pression mécanique exercée sur elle. ‖ *Cristal de roche* ou *de montagne,* quartz hyalin, dur et limpide, qui présente, dans sa forme primitive, des prismes hexagonaux terminés par deux pyramides à six pans. (Considéré comme une pierre fine, le cristal de roche a été utilisé et travaillé par les Egyptiens, les Grecs et les Romains. Depuis le Moyen Age, il sert à la fabrication

Six

cristal de roche

d'objets très divers [orfèvrerie, bijouterie, vaisselle, etc.].) ‖ *Papier cristal,* V. PAPIER. ‖ — ***cristaux*** n. m. pl. Désignation usuelle du carbonate de sodium cristallisé commercial. ◆ **cristallerie** n. f. Fabrication des objets en cristal : *La cristallerie est un art ancien.* ‖ Fabrique de ces objets : *La cristallerie de Saint-Louis; la cristallerie de Baccarat.* ◆ **cristallier** n. m. Graveur en cristaux. ◆ **cristallière** n. f. Mine de cristal de roche. ‖ Machine à travailler les cristaux. ◆ **cristallifère** adj. Qui contient des cristaux. ◆ **cristallin, e** adj. Qui appartient aux cristaux ; qui est de la nature des cristaux : *Calcaire, schiste cristallin.* ‖ Semblable au cristal par la transparence ou par la sonorité : *La transparence cristalline des ruisseaux. Voix cristalline.* ● *Roche cristalline,* roche produite par la solidification d'une masse minérale en fusion (par ex., le granite). ‖ *Système cristallin,* V. CRISTALLOGRAPHIE. ◆ **cristallisabilité** n. f. Caractère d'un corps cristallisable. ◆ **cristallisable** adj. Susceptible de cristalliser. ◆ **cristallisant, e** adj. Qui cristallise. ‖ Qui détermine la cristallisation. ◆ **cristallisation** n. f. Action de cristalliser. (La cristallisation peut être effectuée par fusion et solidification [soufre, bismuth], par sublimation et condensation [iode, arsenic], par dissolution et évaporation [sel marin], par dissolution à chaud et refroidissement [nitrate de potassium].) ‖ Corps formé d'un amas de cristaux : *Grotte contenant de belles cristallisations.* ‖ Opération de sucrerie destinée à extraire le sucre (dissous dans le sirop) sous forme cristallisée. ‖ *Fig.* Action de se rassembler, de se fixer autour d'un sentiment, d'une idée, d'un sujet, etc. : *La cristallisation de l'attention.* (Stendhal a étudié ce phénomène de croissance d'une passion dans son livre *De l'amour.* Les moindres circonstances de la vie semblent, dit-il, cristalliser autour de l'objet aimé de nouveaux charmes, de même que, dans les mines de sel de Salzbourg, un rameau d'arbre se couvre peu à peu de cristaux brillants.) ● *Cristallisation fractionnée,* séparation d'un mélange de corps dissous, grâce à leur différence de solubilité. ‖ *Eau de cristallisation,* eau existant en proportion définie dans certaines substances cristallisées (par ex., $CuSO_4$, $5H_2O$). ◆ **cristallisé, e** adj. Qui se présente sous forme de cristaux : *Sucre cristallisé.* ◆ **cristalliser** v. tr. Amener à l'état de cristaux ; donner la contexture régulière des cristaux à : *Cristalliser du sucre.* ‖ *Fig.* Rassembler des éléments épars en un tout cohérent : *Cristalliser les mécontentements.* ✦ v. intr. Se transformer en cristal. ‖ *Fig.* Se fixer, se préciser, se développer, en parlant des sentiments et des idées. ◆ **cristallisoir** n. m. Récipient dans

Larousse

cristallisoir

lequel on peut effectuer la cristallisation des corps dissous. ◆ **cristallite** n. f. Elément microscopique cristallisé, dont la présence a été reconnue dans les roches éruptives. ◆ **cristallitique** adj. Se dit des roches vitreuses riches en cristallites. ◆ **cristalloblastique** adj. Se dit de la structure des schistes cristallins, caractérisée par l'absence d'ordre cristallin. ◆ **cristallochimie** n. f. Branche de la chimie qui traite de l'étude des milieux cristallisés. ◆ **cristallogenèse** ou **cristallogénie** n. f. Science de la formation des cristaux. ◆ **cristallographe** n. Savant qui s'occupe de cristallographie. ◆ **cristallographie** n. f. Science de la matière cristallisée, des lois qui président à sa formation, de ses propriétés géométriques, physiques et chimiques. (Elle est à la base de la minéralogie et des sciences de l'état solide de la matière.) [V. *encycl.*] ◆ **cristallographique** adj. Qui se rapporte à la cristallographie. ◆ **cristalloïdal, e, aux** adj. Qui se rapporte à un cristalloïde. ◆ **cristalloïde** adj. Qui ressemble à un cristal. ✦ n. m. Substance pouvant traverser la membrane poreuse de l'osmomètre. (S'oppose à *colloïde.*) ‖ Concrétion intercellulaire des végétaux, formée de protéines peu solubles dans l'eau, et qui ressemble au premier abord à un cristal. (Les cristalloïdes abondent dans les grains dits *d'aleurone* des cellules des graines et des organes pérennants.) ◆ **cristallomancie** n. f. *Sc. occult.* Divination d'après les images qu'un sujet voit se former sur des miroirs ou un autre corps poli. ◆ **cristallométrie** n. f. Science des formes géométriques des cristaux. ◆ **cristallonomie** n. f. Science des lois de formation des cristaux. ◆ **cristallophyllien, enne** adj. Se dit de roches métamorphiques à minéraux disposés en lits (gneiss, micaschistes), datant pour la plupart du précambrien. ◆ **cristallotechnie** n. f. Art de la production des cristaux artificiels. ◆ **cristallotomie** n. f. Action de diviser, de cliver les cristaux.

— ENCYCL. ***cristal.*** Les cristaux se distinguent des solides amorphes non seulement par une forme géométrique régulière, mais par l'anisotropie de leurs propriétés et par l'existence d'éléments de symétrie. Ils sont formés par l'assemblage de particules disposées régulièrement suivant un motif, lui-même reproduit, en forme et en orientation, dans tout le cristal. Ces particules peuvent être des atomes, liés par covalence (diamant, métaux), des molécules (iode, soufre), ou des ions unis par électrovalence (chlorure de sodium Na^+Cl^-).

Il existe certains liquides anisotropes, dénommés *cristaux liquides ;* on les divise en corps smectiques* et en corps nématiques*.

— ***cristallographie.*** Le milieu cristallin est homogène, mais il est anisotrope ; certaines de ses propriétés dépendent de la direction suivant laquelle on les observe (cohésion mécanique, d'où l'existence de *plans de clivage ;* dilatation thermique, conductibilité, vitesse de propagation de la lumière, attaque par un réactif chimique, d'où résultent les *figures de corrosion*). Cette anisotropie est discontinue, c'est-à-dire qu'il existe dans un cristal des directions de plans et de droites possédant en exclusive certaines propriétés.

Il en résulte que les angles dièdres que font entre elles les faces des cristaux d'une même substance sont constants. Les cristaux présentent, en outre, des éléments de symétrie : axes, plans et centres. Par exemple, un axe de symétrie d'ordre *n* est une direction telle qu'après une rotation de $\frac{2\pi}{n}$ radians autour de cette direction le cristal reste parallèle à ce qu'il était avant le déplacement.

Ces propriétés s'interprètent par l'*hypothèse réticulaire* des cristaux (Haüy, Bravais). Les particules constitutives (v. CRISTAL) sont régulièrement disposées en rangées parallèles dans des plans parallèles équidistants. L'ensemble peut être considéré comme obtenu à partir d'un parallélépipède élémentaire, la *maille,* par des translations, multiples entiers des arêtes de cette maille. Cette hypothèse a trouvé sa confirmation dans la découverte (Laue, 1912) de la diffraction des rayons X par les cristaux. Les diagrammes obtenus permettent de déterminer la maille élémentaire. La considération des éléments de symétrie permet de distinguer sept *systèmes cristallins,* dont chacun porte le nom d'une forme type. Ce sont le système *cubique* (type le cube), le système *quadratique* (prisme droit à base carrée), le système *orthorhombique* (prisme droit à base losange), le système *hexagonal* (prisme droit à base hexagone), le système *rhomboédrique* (rhomboèdre), le système *clinorhombique* (prisme oblique à base losange), le système *triclinique* (parallélépipède quelconque). Les diverses formes cristallines d'un même cristal peuvent s'obtenir par *troncature,* soit sur les sommets, soit sur les arêtes, de la forme type, homothétique de la maille élémentaire. Quand les troncatures portent

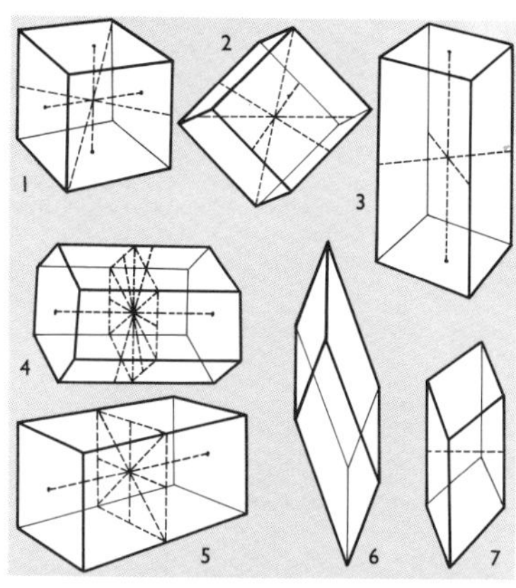

1. Cube; 2. Rhomboèdre; 3. Prisme droit à base rhombe; 4. Prisme droit hexagonal; 5. Prisme droit à base carrée; 6. Prisme oblique à base parallélogramme; 7. Prisme oblique à base rhombe

phosphate d'uranium

aigue-marine

soufre dans de la calcite

cristaux

tourmaline rouge

citrin

béryl

fluorine jaune

sur tous les éléments géométriquement semblables de la forme type, le cristal est dit *holoèdre ;* quand elles ne portent que sur une partie d'entre eux, il est *mérièdre* (*hémièdre*, par ex., s'il s'agit de la moitié).

— ***cristal liquide.*** Certains *cristaux liquides,* dits « thermotropiques nématiques », absolument transparents à l'état normal, deviennent opaques lorsqu'un champ électrique leur est appliqué, et reflètent alors la lumière qui les frappe. Cette propriété est utilisée dans certaines montres, depuis 1972, pour l'affichage digital électronique de l'heure à la lumière ambiante. Deux lames de verre, munies d'électrodes transparentes en oxyde d'étain convenablement découpées en forme de chiffres, emprisonnent une couche mince d'un liquide organique ultra-pur formé de molécules alignées dans une seule et même direction (état nématique). L'application d'une tension électrique aux électrodes entraîne une modification des caractéristiques d'absorption de la lumière par les cristaux liquides, d'où résulte une différence d'apparence entre les électrodes et les zones voisines, permettant la lecture des chiffres. La durée de vie des cristaux liquides est de l'ordre de 10 000 heures.

Cristal (MONTS DE), massif montagneux d'Afrique équatoriale formé de hauteurs cristallines de 700 à 800 m d'alt., s'étendant de part et d'autre de l'embouchure du Congo.

Cristalite n. f. (nom déposé). Matière à mouler à base d'urée-formaldéhyde.

cristallerie, cristallier, cristallière, cristallifère, cristallin adj. → CRISTAL.

cristallin n. m. (lat. *cristallinus*). Lentille vivante, biconvexe, transparente, élastique, située dans le globe oculaire, en arrière de l'iris et en avant du corps vitré. (V. *encycl.*) ◆ **cristallinien, enne** adj. Relatif au cristallin.

— ENCYCL. ***cristallin.*** Le cristallin joue un rôle très important dans la vision. Grâce à l'action du muscle ciliaire, il est capable de modifier sa courbure (accommodation*) pour permettre la formation sur la rétine d'une image nette des objets extérieurs situés à différentes distances. La diminution d'amplitude de l'accommodation, fréquente à partir d'un certain âge, constitue la presbytie*. Les différentes anomalies du cristallin sont responsables de troubles de la réfraction : myopie*, hypermétropie*, astigmatisme*. La cataracte* consiste en l'opacification partielle ou totale du cristallin.

cristallisabilité, cristallisable, cristallisant, cristallisation, cristallisé, cristalliser, cristallisoir, cristallite, cristallitique, cristalloblastique, cristallochimie, cristallogénie, cristallographe, cristallographie, cristallographique, cristalloïdal, cristalloïde, cristallomancie, cristallométrie, cristallonomie, cristallophyllien, cristallotechnie, cristallotomie → CRISTAL.

cristaria n. m. Grande moule des rivières d'Asie orientale, qui enduit de nacre les petits objets introduits sous son manteau, d'où son emploi pour la fabrication des camées*, voire de certaines perles.

cristatelle n. f. Bryozoaire des eaux douces, constituant des colonies mobiles et rampantes, en forme de semelle, couvertes de polypes sur leur face dorsale, et dont les œufs (statoblastes) peuvent passer l'hiver au froid et n'éclore qu'au printemps.

cristaux → CRISTAL.

criste-marine n. f. V. CRITHMUM.

cristi ! interj. Abrév. de *sacristi : Cristi! Vous êtes bien pressé !*

cristobalite n. f. (de *San Cristóbal,* nom de lieu). Variété de silice cristallisée. (Elle appartient au système quadratique ; c'est la forme de silice stable au-dessus de 1 470 °C.)

Cristofori (Bartolomeo), facteur italien de clavecins (Padoue 1655 - Florence 1731). Il remplaça les sautereaux du clavecin par des marteaux, permettant les nuances, ce qui le fait considérer comme l'un des inventeurs du piano.

critère ou **critérium** [rjɔm] n. m. (lat. *criterium ;* gr. *kriterion ;* de *krinein,* juger). Principe auquel on se réfère et qui permet de distinguer le vrai du faux, de juger, d'estimer : *L'évidence est, selon Descartes, le critérium de la vérité.* ◆ **critériologie** n. f. Etude logique des critères. ◆ **critérium** n. m. Syn. de CRITÈRE. ‖ Nom donné, dans certains sports, à des épreuves importantes, ayant des règlements particuliers (surtout en ce qui concerne l'admission des participants). ‖ Course pour chevaux de même âge, ayant pour objet de désigner le meilleur cheval de chaque génération. — Pl. *des* CRITÉRIUMS. ● *Critérium de service,* un des éléments de calcul du compartimentage des navires à passagers.

crithmum [mɔm] n. m. Ombellifère charnue, aux feuilles comestibles, des plages et dunes de France. (Syn. CRISTE-MARINE.)

Critias ou **Kritias,** le plus connu des Trente* (450 - 404 av. J.-C.), oncle de Platon. A la fois orateur, philosophe, poète et historien, il affichait le mépris des hommes et un amer athéisme. Il fut tué en essayant de reprendre Le Pirée sur Thrasybule.

Critias (LE) ou **l'Atlantide,** dialogue de Platon, qui semble faire suite à *la République* et au *Timée,* et qui est resté inachevé. Critias y fait la description de ce pays mystérieux, l'Atlantide, situé au-delà des colonnes d'Hercule (IVe s. av. J.-C.).

criticisme, criticiste, critiquable → CRITIQUE 2.

1. critique adj. (bas lat. *criticus ;* gr. *kritikos ;* de *krinein,* juger). *Pathol.* Qui est amené par une crise; qui décide de l'issue favorable ou défavorable d'une maladie : *Epoque critique.* ‖ Difficile, dangereux, exposé à un accident, à une catastrophe : *La situation est critique.* ● *Amortissement critique* (Mécan.), amortissement correspondant à la limite entre un régime oscillatoire amorti et le régime apériodique. ‖ *Masse critique,* masse minimale d'une substance fissile pour qu'une réaction en chaîne puisse s'y développer. ‖ *Point critique,* point représentant, pour un corps, la limite de l'état liquide et de l'état gazeux. ‖ *Température critique,* température au-dessus de laquelle un gaz ne peut être liquéfié par simple compression. ◆ **criticité** n. f. *Energ. nucl.* Etat d'un milieu ou d'un système dans lequel se développe et s'entretient une réaction nucléaire en chaîne. (L'Administration préconise l'emploi de ce terme au lieu de l'anglais *criticality.*)

2. critique adj. (même étymol.). Qui juge de la valeur d'une œuvre : *Observations critiques.* ‖ Qui examine la valeur logique d'une assertion, l'authenticité d'un texte, etc. : *Examen critique. Jugement critique.* ● *Esprit critique,* esprit de libre examen qui n'accepte aucune affirmation sans s'interroger sur sa valeur; et, *par extens.,* celui qui fait preuve de cet esprit critique; tendance à relever tous les défauts d'une œuvre, d'une personne; promptitude à critiquer. ✦ n. m. Celui qui étudie les œuvres littéraires ou artistiques, pour les expliquer et les apprécier : *Le critique littéraire attitré d'un journal.* ‖ Personne qui sait distinguer le vrai du faux : *Une supercherie qui ne saurait tromper un vrai critique.* ✦ n. f. Art d'expliquer et de juger les œuvres littéraires et artistiques. ‖ Jugement porté sur une œuvre littéraire ou sur une œuvre d'art. ‖ Ensemble de ceux qui se livrent à la critique : *La critique se déchaîna contre la pièce.* ‖ Examen raisonné, discussion ayant pour objet d'établir la vérité ou l'authenticité : *La critique historique. Pages d'excellente critique.* ‖ Dissertation, petit écrit de critique : *Sa critique n'a pas été imprimée.* ‖ Jugement défavorable : *Il ne supporte pas la moindre critique.* ‖ Tendance de l'esprit à émettre de tels jugements : *Chez lui, la critique tue la spontanéité des sentiments.* ‖ *Mil.* Exposé verbal ou écrit des enseignements d'une manœuvre ou d'un exercice. ‖ *Critique des textes,* art de déceler et de corriger les fautes d'un texte transmis. ◆ **criticisme** n. m. Système philosophique fondé sur la critique de la connaissance, et dont le promoteur fut Kant. ● *Néo-criticisme,* v. à son ordre alphab. ◆ **criticiste** adj. et n. Qui concerne ou qui soutient le criticisme. ◆ **critiquable** adj. Qui mérite critique. ◆ **critiquer** v. tr. Porter un jugement défavorable sur; blâmer, censurer : *Au lieu de critiquer les autres, il ferait mieux de se corriger.* ‖ — SYN. : *attaquer, blâmer, censurer, condamner, décrier, désapprouver, reprendre, reprocher, réprouver, trouver à redire, vitupérer.* ◆ **critiqueur, euse** adj. et n. Qui aime à critiquer, à blâmer, à censurer.

Critique du jugement, la dernière des trois critiques de Kant (1790). C'est un traité sur le beau et le sublime.

Critique de la raison pratique, ouvrage philosophique de Kant (1788), qui détermine la nature de la loi morale et le genre d'adhésion que comportent des principes pratiques. Il retrouve, sous forme de postulats, les vérités transcendantales que la raison pure ne pouvait atteindre.

Critique de la raison pure, le plus important des ouvrages de Kant (1re édition, 1781; 2e éd., 1787). Kant y trace les limites dans lesquelles doit, selon lui, s'exercer la raison spéculative de l'homme, incapable d'atteindre directement les vérités d'ordre métaphysique. L'expérience suppose des jugements synthétiques *a priori;* mais les formes de la sensibilité (espace, temps) et les catégories de l'entendement ne valent que pour le monde des phénomènes, et n'atteignent pas la chose en soi. Du point de vue de la raison pure, les idées de l'âme substance pensante, du monde conçu comme totalité des phénomènes, enfin de Dieu sont de simples idées auxquelles nous ne saurons jamais si elles correspondent à une existence.

critiquer, critiqueur → CRITIQUE.

Critolaos ou **Kritolaos,** philosophe grec péripatéticien (IIe s. av. J.-C.), né à Phasélis, en Lycie. Il alla en ambassade à Rome en 155 av. J.-C., avec Carnéade et Diogène le Babylonien.

Criton, en gr. **Kritôn,** riche Athénien, disciple de Socrate.

Criton, un des premiers dialogues de Platon, composé vers 395 av. J.-C. C'est un entretien de Socrate avec son disciple Criton, qui est venu pour offrir de le faire évader de prison. Socrate refuse et montre qu'il faut obéir aux lois de la cité, même injustes.

Crivelli (Carlo), peintre italien (Venise v. 1430 - † v. 1493). Formé par les Vivarini, il leur doit son goût pour le décor orfévré rehaussé d'or. Exilé dans les Marches, il subit l'influence de Mantegna (*Polyptyque de Massa Fermana,* 1468, municipio de Padoue). Parmi ses œuvres connues, citons : *Madone de la Candeletta* (Brera, Milan), *Saint Jacques de la Marche* (1477, Louvre).

Çrīvijaya. V. SHRĪVIJAYA.

Črna (la), ou **Cerna,** riv. de Yougoslavie, affl. du Vardar (r. dr.); 185 km. Théâtre de violents combats entre les Bulgares et les Serbes, en 1913, 1916 et 1918.

Črna Gora («Montagne Noire»), nom slave du Monténégro.

Crnojević, dynastie princière du Monténégro, au XVe s., issue de Stefan Ier (1427-1465). — IVAN (1465-1490) se rendit indépendant du duc de la Zeta ; il est le fondateur du monastère de Cetinje. — Son fils STEFAN II († v. 1514) fut vaincu et déposé par les Turcs (1499).

croassement → CROASSER.

croasser v. intr. (onomatop.). Crier, en parlant du corbeau ou de la corneille. ‖ *Fig.* Faire entendre des rumeurs médisantes ou calomnieuses. ◆ **croassement** n. m. Cri du corbeau et des oiseaux voisins, usuellement noté « croâ-croâ ». ‖ *Fig.* Rumeurs discordantes ou malveillantes : *Les croassements des envieux.*

croate adj. et n. Qui se rapporte à la Croatie ; habitant ou originaire de cette région. (Les Croates ont d'abord formé avec les Serbes un groupe unique, qui s'est ensuite divisé en deux nationalités. Les Croates, catholiques, habitent les régions des cours supérieurs de la Drave et de la Save.) ‖ Soldats colons qui, pendant les guerres de Trente Ans et de Sept Ans, formèrent des régiments de cavalerie au service des Habsbourg. (Du règne de Louis XIII à la Révolution, la France posséda un régiment de cavaliers croates, auquel, à l'époque de Louis XIV, fut donné le nom de Royal-Cravate, par déformation du mot croate.) ✦ n. m. Langue parlée en Croatie. (V. SERBO-CROATE.)

Croatie, en serbo-croate **Hrvatska,** république de la Yougoslavie ; 56 538 km^{2} ; 4 426 200 h. Capit. *Zagreb.*

● *Géographie.* La Croatie est formée de régions variées : à l'E. les plaines traversées par la Save et la Drave ; à l'O. le Karst, grande région calcaire aride, formée de plateaux et de chaînes entre lesquels s'allongent de grands poljés. Le littoral a un climat méditerranéen. Les plaines au N. de la Save produisent du blé et du maïs ; l'élevage bovin y revêt une grande extension. Associées au tabac et à la vigne, les céréales sont également cultivées sur les collines comprises entre les grandes plaines et le Karst. Cette dernière région est consacrée à l'élevage du mouton. Les ressources minières sont variées : charbon à Raša, en Istrie ; lignite, pétrole en Slavonie ; minerai de fer (Petrova Gora), bauxite le long de la côte de l'Adriatique. Les villes (Zagreb, Varaždin) sont industrialisées, et la Croatie est l'une des régions les plus avancées économiquement de la Fédération yougoslave.

● *Histoire.* A l'époque romaine, la Croatie formait une partie de la province de Pannonie. Les Croates s'y installèrent au VIIe s. et se convertirent au catholicisme au IXe s. Dès lors, ils furent opposés aux Serbes, orthodoxes. Le roi Tomislav se proclama *rex Chroatorum* en 925. Le royaume ainsi constitué annexa les régions voisines, en particulier la Dalmatie. László de Hongrie conquit le pays en 1091. Son successeur, le roi Kálmán, fut couronné roi de Croatie en 1102. Désormais unie à la Hongrie, la Croatie demeura pendant huit siècles, sous la couronne de saint Etienne, un royaume particulier ayant son *ban* et sa diète. En 1526, une partie de la Croatie passa sous le joug ottoman. Le traité de Karlowitz (1699) reprit aux Turcs leurs conquêtes en Croatie. Napoléon Ier créa en 1805, avec les territoires croates et slovènes, les Provinces-Illyriennes, qu'il perdit en 1813. Lors des insurrections nationalistes de 1848, les Croates se rapprochèrent des Habsbourg, catholiques. Après avoir songé à sacrifier les Croates aux Hongrois, le gouvernement autrichien exploita l'opposition entre les deux peuples. Lors de l'établissement du régime dualiste en Autriche-Hongrie (1866), les Croates obtinrent une certaine autonomie et l'usage de leur langue. En 1918, les Croates constituèrent avec les Serbes et les Slovènes un Etat indépendant, qui prit le nom de Yougoslavie* en 1929. Mais de cette fusion naquirent des troubles. Le particularisme croate fut défendu avec énergie par le parti paysan dirigé par Etienne Radić*. Le 6 janvier 1929, le ro Alexandre suspendit la Constitution et établit une dictature. L'agitation des nationalistes croates continua cependant. Ell culmina lors de l'assassinat du roi (1934). A la veille de la Seconde Guerre mondiale, le revendications croates avaient obtenu e partie satisfaction, par l'octroi d'une certain autonomie. De 1942 à sa libération en 1945 la Croatie fut placée sous protectorat italie et allemand. Depuis, elle fait partie de l République populaire fédérative de Yougo slavie.

● *Littérature.* Après avoir végété durant l domination turque sous diverses formes ré gionales, elle prit son essor dans la second moitié du XIXe s., grâce à l'élan donné pa Ljudevit Gaj (1809-1872) ; elle se développ avec l'œuvre des romanciers Ante Kovač (1854-1889), Eugen Kumičić (1850-1904), de poètes Silvije Kranjčević (1865-1908), Vlad mir Vidrić (1875-1909) et Vladimir Nazo (1876-1949), du critique Ante Matoš (187 1914). La littérature actuelle est dominée pa Miroslav Krleža (né en 1893), vigoureux écr vain qui a touché à tous les genres littéraire

croc [krok], onomatopée exprimant le bru d'une chose qui se brise sous la dent, so le pied.

croc [kro. — Le *c* final ne se prononce pa même devant une voyelle, excepté dans *cro en-jambe*] n. m. (francique *krôk,* crochet Tige de métal pointue et recourbée, servant suspendre quelque chose : *Un quartier bœuf pendu à un croc dans la boucherie.* Longue perche armée d'un croc, servant attirer à soi, à accrocher, à décrocher quelq chose : *Croc de marinier.* ‖ Gaffe dont servent les marins pour embarquer le po son. ‖ Gros hameçon emmanché pour pêch dans les rochers. ‖ Canine pointue de certains animaux (carnassiers notamment), dépassant les autres dents : *Un tigre qui plante ses crocs dans sa proie.* ‖ *Fam.* Dent de l'homme. ● *Avoir les crocs* (Pop.), avoir faim. ‖ *Croc d'arbalète,* crochet double en usage jusqu'au XVIe s., servant à tendre l'arbalète. ‖ *Croc d'arquebuse,* saillie permettant d'appuyer l'arquebuse et de diminuer la fatigue du tireur (XIVe s.). ‖ *Montrer les crocs* (Fig.), se montrer menaçant. ‖ *Moustache en croc,* moustache relevée et courbée en forme de croc. ◆ **croc-en-jambe** [krokɑ̃ʒɑ̃b, même au pl.] n. m. Action de passer son pied dans les jambes de quelqu'un pour le faire tomber. ‖ *Fig.* Manière adroite, mais peu loyale, de supplanter quelqu'un : *En politique, les crocs-en-jambe sont fréquents.* ◆ **croche** n. f. (de *croc*). *Mus.* Note dont la queue porte un crochet et qui dure le huitième d'une ronde. (Si elle a plusieurs crochets, on l'appelle *double, triple, quadruple... croche,* selon le nombre, et chaque crochet

croches

indique une durée qui est la moitié de la durée précédente.) ✦ adj. *Avoir les mains, les pattes croches* (Pop.), être rapace, avare. — ***croches*** n. f. pl. Tenailles dont les mâchoires, à angle droit avec le manche, permettent au forgeron de saisir le fer rouge. ◆ **croche-pied** ou, *fam.,* **croche-patte** n. m. Syn. de CROC-EN-JAMBE. ◆ **crocher** v. tr. Saisir avec un croc : *Crocher une épave.* ‖ *Fam.* Accrocher, agripper, serrer : *Sa main crochait une branche.* ‖ Courber en forme de crochet. ◆ **crochet** n. m. Petit croc. ‖ Fer coudé et pointu, fixé à une poignée en bois, et dont se servent les chiffonniers. ‖ Dans une serrure, pêne demi-tour s'accrochant dans la gâche. ‖ Tige métallique recourbée à une extrémité et servant à fixer provisoirement entre elles deux parties mobiles : *Crochet de contrevent.* ‖ Parenthèses dont les extrémités sont en forme d'équerre [ ]. ‖ Accolade qui sert à unir plusieurs lignes ou plusieurs colonnes. ‖ Trait ajouté à une note de musique. ‖ Pièce de métal fixée généralement aux câbles et aux chaînes d'engins de levage. ‖ Pièce de métal servant aux dockers pour accrocher les fardeaux difficiles à saisir à la main. ‖ Tige de métal, de bois ou de matière plastique amincie à l'une de ses extrémités et façonnée en crochet, dont on se sert pour certains travaux de tricot à la main ou à la machine. ‖ Appareil qui pénètre entre les lattes d'un plafond et se replie pour maintenir le plâtre. ‖ Instrument courbé pour ouvrir une serrure. ‖ Ornement saillant dont l'extrémité se retourne et s'enroule. (Elément du style gothique à la fin du XIIe et au XIIIe s., il orne les chapiteaux.) ‖ Sorte de houe à deux, trois ou quatre dents, ayant des usages variés. (On dit aussi CROC.) ‖ Attache de fourreau d'un sabre. ‖ En boxe, coup donné en décrivant une courbe avec le bras. ‖ En football, en rugby, changement brutal de direction. ‖ Nom donné aux dents inoculatrices des serpents venimeux. (Repliées au repos, ces dents se redressent pour piquer ; chez les solénoglyphes [vipère], elles sont à la fois creusées en aiguille à injection et situées à l'avant, ce qui les rend très redoutables ; chez les protéroglyphes [cobra], les crochets sont moins spécialisés, mais encore situés à l'avant et dangereux ; au contraire, les opisthoglyphes [couleuvre de Montpellier] ont leurs crochets en arrière de la bouche et ne peuvent piquer que les proies en cours de déglutition). ‖ Chacune des petites canines du cheval mâle. ‖ Ongle des serres de l'aigle. ‖ Dent canine du cerf. ‖ *Fig.* Concours d'artistes amateurs, dans lequel les spectateurs arrêtent, par le cri *Crochet !,* les candidats qui leur déplaisent. ● *Clou à crochet,* clou dont la tige est courbée à angle droit. ‖ *Crochet d'attelage,* crochet fixé à la caisse des véhicules de chemin de fer, et auquel on accroche la boucle de la barre d'attelage. ‖ *Crochet à bombe,* crochet servant au transport des bombes. ‖ *Crochet de fixation,* article de quincaillerie servant au soutien des matériaux de construction (ardoise, tuile, gouttière) ou à la fixation des conduits (eau et gaz). ‖ *Crochet de hauban,* crochet destiné à fixer au poteau télégraphique l'extrémité des haubans chargés d'assurer la stabilité et la verticalité du poteau. ‖ *Crochet de menuisier,* fer courbé et dentelé pour arrêter sur l'établi la pièce qu'on y rabote. ‖ *Crochet de sape,* prolongement d'un boyau destiné à couvrir les tranchées en arrière ou à servir de dépôts de matériel. ‖ *Crochets venimeux des araignées,* v. CHÉLIFÈRE. ‖ *Denture à crochet,* type de denture fréquemment utilisé sur les rubans de scie. ‖ *Effort au crochet,* force capable d'être exercée par une locomotive pour remorquer un train. ‖ *Faire un crochet* (Fam.), faire un détour et reprendre la direction première. ‖ *Taille en crochet,* taille qui réserve sur une couronne une partie de rameau à fruits et une partie pour le rajeunissement de la couronne. ‖ — ***crochets*** n. m. pl. Châssis sur lequel les portefaix assujettissent leurs fardeaux. ‖ Hotte de vitrier. ● *Vivre aux crochets de quelqu'un* (Fig. et fam.), vivre à ses dépens. ◆ **crochetage** n. m. Action de crocheter une serrure, un verrou, etc. ‖ Opération pratiquée en bonneterie, consistant à saisir un fil dans un crochet pour lui faire effectuer une évolution particulière. ◆ **crochet-bascule** n. m. Sorte de balance romaine. — Pl. *des* CROCHETS-BASCULES. ◆ **crocheter** v. tr. (conj. **4,** comme *acheter,* selon le dict.

de l'Acad.). Saisir à l'aide d'un crochet. || *Imprim.* Placer entre crochets, ou reporter à la ligne suivante (ou précédente), derrière un crochet, une portion de ligne qui ne tient pas dans la justification. || — **se crocheter** v. pr. *Pop.* Se battre, en venir aux mains. ◆ **crocheteur** n. m. Qui porte des fardeaux avec des crochets; portefaix : *Malherbe prétendait prendre pour maîtres du langage les crocheteurs du Port-au-Foin.* || Homme grossier, sans éducation. ● *Crocheteur de portes, de serrures,* individu qui, pour voler, ouvre les portes fermées à clef, verrouillées, à l'aide d'un crochet. ◆ **crochetier** n. m. Ouvrier exécutant à la machine des corps de crochets métalliques. ◆ **crochu, e** adj. Courbé en croc de crochet : *Nez crochu.* ● *Avoir les mains crochues, les doigts crochus* (Fig. et fam.), être d'un naturel rapace; avoir du penchant pour le vol. || *Cheval crochu,* cheval dont les genoux se rapprochent trop. || *Corps* ou *atomes crochus,* dans le système d'Epicure, atomes qui peuvent s'accrocher, s'agglomérer et composer ainsi l'univers; et, au *fig.*, sympathie spontanée. || *Os crochu,* le plus interne des os de la deuxième rangée du carpe.

crocallis [lis] n. f. Phalène (papillon géométridé) dont la chenille vit notamment sur le chèvrefeuille et le prunier.

Croce (Benedetto), critique, historien et philosophe italien (Pescasseroli, Abruzzes, 1866 - Naples 1952). Il passa la majeure partie de sa vie à Naples. En 1903, il fonda la revue

Keystone

Benedetto Croce

La Critica. Sénateur en 1910, il devint ministre de l'Instruction publique (1920-1921). Il refusa alors d'adhérer au mouvement de Mussolini et rédigea le *Manifeste* des intellectuels antifascistes, mais ne fut pas inquiété. En 1943, il aida à la formation d'un front commun politique dans la lutte pour la libération nationale. Président du parti libéral en 1947, il fonda en cette même année, à Naples, l'Institut italien d'études historiques. Parmi les quatre-vingts ouvrages qu'il publia, citons *l'Esthétique comme science de l'expression* (1902), *la Littérature de l'Italie nouvelle* (6 vol.; 1914-1940), *Bréviaire d'esthétique* (1913), *Ethique et politique* (1931), *l'Histoire de l'Europe au XIXe s.* (1932), qui exercèrent une grande influence sur l'évolution de la littérature et des arts en Italie. En matière d'esthétique, il affirma que dans l'œuvre littéraire et artistique une place essentielle revenait à l'intuition; il s'opposa à toute école fondée sur l'irrationalisme.

croc-en-jambe → CROC.

Crocé-Spinelli (Joseph Eustache), aéronaute français (Monbazillac 1843 - Ciron, Indre, 1875). Il tenta, avec Sivel et Gaston Tissandier, d'explorer la haute atmosphère (8 600 m) à bord du ballon *Zénith,* mais il succomba au cours de cette tentative.

croche, croche-pied ou **croche-patte, crocher, crochet, crochetage, crochet-bascule, crocheter, crocheteur, crochetier** → CROC.

crochon n. m. Partie pliée d'une couche de charbon.

crochu → CROC.

crocodile n. m. (gr. *krokodeilos*). Nom commun aux reptiles de l'ordre des crocodiliens, mais qui désigne plus particulièrement ceux du genre *crocodilus.* (V. *encycl.*) || Scie à dents inclinées, employée pour débiter la

crocodiles

pierre tendre. || Appareil placé dans l'axe d'une voie ferrée, en avant d'un signal d'arrêt, et qui est destiné à signaler celui-ci à l'attention du mécanicien. ● *Larmes de crocodile,* v. LARME. ◆ **crocodilidés** n. m. pl. Famille comprenant tous les crocodiliens sauf les gavials. ◆ **crocodiliens** n. m. pl. Ordre de reptiles comprenant les plus grands et les plus élevés en organisation, des reptiles actuels. (V. *encycl.*)

— ENCYCL. ***crocodiliens.*** Les crocodiliens sont supérieurs aux autres reptiles actuels par leur cœur à quatre cavités, permettant l'irrigation de la tête par un sang oxygéné pur, ainsi que par leurs dents alvéolées et par leur palais bien constitué. Du fait qu'ils vivent très vieux et grandissent toute leur vie, ils peuvent atteindre une grande taille (10 m chez *crocodilus*). Ce sont des animaux à poumons, mais ils vivent dans les fleuves, ne laissant dépasser de l'eau que les narines et les yeux ; ils capturent surtout des proies terrestres, qu'ils noient, puis dévorent. Ils se reposent souvent sur le rivage et laissent des oiseaux, les *pluvians,* nettoyer leur denture pointue, implantée sur des mâchoires sinueuses. Ils n'ont que de courtes pattes, égales, aux doigts munis de fortes griffes. Leur peau

Larousse

crocus

épaisse est renforcée de plaques osseuses. Ils pondent des œufs sans coquille, que dévorent souvent les ichneumons, les mangoustes et les varans. Le *crocodile* au sens strict est largement répandu dans toutes les régions chaudes, tandis que le *caïman* est surtout amazonien ; l'*alligator* est l'hôte du Mississippi (où on l'élève pour sa peau), et le *gavial* habite les fleuves de l'Inde, où il se nourrit surtout de poissons, et n'attaque pas l'homme.

Crocodilopolis, en égypt. **Per-Sobek.** *Géogr. anc.* Ville d'Egypte qui possédait un temple célèbre dédié au dieu-crocodile Sobek. Elle fut la cité, fortement hellénisée, d'*Arsinoé,* et fut très prospère jusqu'à la conquête arabe. Auj. *Médinet el-Fayoum.*

crocoïse ou **crocoïte** n. f. (gr. *krokoeis,* jaune safran). Chromate naturel de plomb $PbCrO_4$, en cristaux monocliniques rouge hyacinthe.

croconique adj. Se dit d'un acide $C_5O_5H_2$, H_2O, solide jaune résultant de l'oxydation de l'hexahydroxybenzène.

crocota n. m. (gr. *krokos,* safran). Phalène au mâle diurne, à la femelle nocturne, des montagnes françaises.

Crocq, ch.-l. de c. de la Creuse (arr. d'Aubusson), à 19,5 km à l'E. de Felletin ; 844 h. (*Croquants*). Ruines d'un château du XIIe s. et de fortifications. Préparation de fourrures.

crocus [krɔkys] n. m. (gr. *krokos,* safran). Iridacée des prairies, aux fleurs violettes, panachées ou jaunes paraissant au printemps. (Le crocus ressemble beaucoup au colchique, mais celui-ci est mauve et fleurit à l'automne.)

croire v. tr. (lat. *credere,* croire, avoir confiance) [conj. **66**]. **1.** Avec un nom de chose, une proposition conjonctive ou un infinitif comme complément d'objet, tenir pour vrai, admettre comme une certitude : *J'ai de la peine à croire ce que vous me dites. Je crois que c'est vrai. Nous croyons trop souvent avoir raison.* ‖ Tenir pour probable ; penser, juger ; avoir pour opinion : *Pourrais-je vérifier? Je crois que je me suis trompé. Il croit se souvenir d'avoir déjà vu ce visage.* ‖ Considérer (quelqu'un, quelque chose) comme (avec attribut de l'objet) : *On le croit raisonnable.* ‖ Imaginer : *Qui pourrait croire qu'il ait fait des études supérieures?* ‖ **2.** Avec un nom de personne comme complément d'objet, tenir pour vrai le témoignage de : *Croire quelqu'un sur parole.* ‖ Avoir confiance en quelqu'un ; suivre ses avis, les tenir pour valables : *Croyez vos amis.* ‖ *Absol.* Tenir pour vrai, accepter sans examen : *Il faut croire sans chercher à comprendre.* ‖ Avoir la foi religieuse : *A la suite de cette crise morale, il avait cessé de croire.* ● *C'est à n'y pas croire,* c'est une chose qui semble impossible et qu'on a de la peine à croire. ‖ *En croire,* ajouter foi, sur ce point, au témoignage de : *Ne vous fiez pas à lui : croyez-en un homme expérimenté.* ‖ *Je vous crois* (Fam.), assurément, c'est évident. (Marque une insistance sur l'affirmation.) ‖ *Ne pas en croire ses oreilles, ses yeux,* être surpris, étonné. ✦ v. tr. ind. **[à, en]**. Tenir pour certaine l'existence de quelqu'un, de quelque chose : *Croire en Dieu, à l'immortalité de l'âme.* ● *Croire à une chose,* la tenir pour véritable, vraisemblable, possible : *Je ne crois pas à toutes ces histoires.* ‖ *Croire en quelqu'un, à quelque chose,* avoir confiance en : *Un malade qui croit en son médecin. Croire à un remède.* ‖ *Croire à quelque chose comme à l'Evangile, comme à une parole d'Evangile,* y croire très fermement. ‖ *Croire en soi,* avoir pleine confiance en son propre mérite, et aussi être orgueilleux, très présomptueux. ‖ *Je crois bien,* je crois cela facilement, cela n'est pas étonnant. ‖ *J'te crois!* (Pop.), certainement, évidemment. ‖ **— se croire** v. pr. *Se croire beaucoup,* avoir une trop bonne opinion de soi, une confiance excessive en soi. ‖ — REM. *Croire que* se construit avec le subjonctif lorsque la principale est négative ou interrogative : *Je ne crois pas que ce soit facile. Croyez-vous que ce soit facile?* Si elle est affirmative, il se construit avec l'indicatif : *Je crois que c'est facile;* ou avec le conditionnel, employé comme futur par rapport à un passé : *Je croyais que ce serait facile.*

croisade n. f. (de *croix*). Nom donné aux expéditions que les chrétiens d'Occident firent, au Moyen Age, en Terre sainte, pour en chasser les musulmans. (V. *encycl.*) ‖ Expédition militaire faite dans un dessein religieux : *La croisade contre les albigeois.* ‖ *Fig.* Entreprise concertée pour tourner l'opinion vers ou contre telle ou telle cause, telle idée, etc. : *Une croisade anticancéreuse.* ◆ **croisé** n. m. Celui qui se croisait pour combattre les infidèles : *L'armée des croisés.* ◆ **croiser (se)** v. pr. S'engager dans une croisade : *Louis IX se croisa en exécution d'un vœu.*

Urbain II prêche la **croisade** au concile de Clermont (1095)

Prise de Jérusalem par Godefroi de Bouillon (1099)

Bibliothèque nat.

LES CROISADES

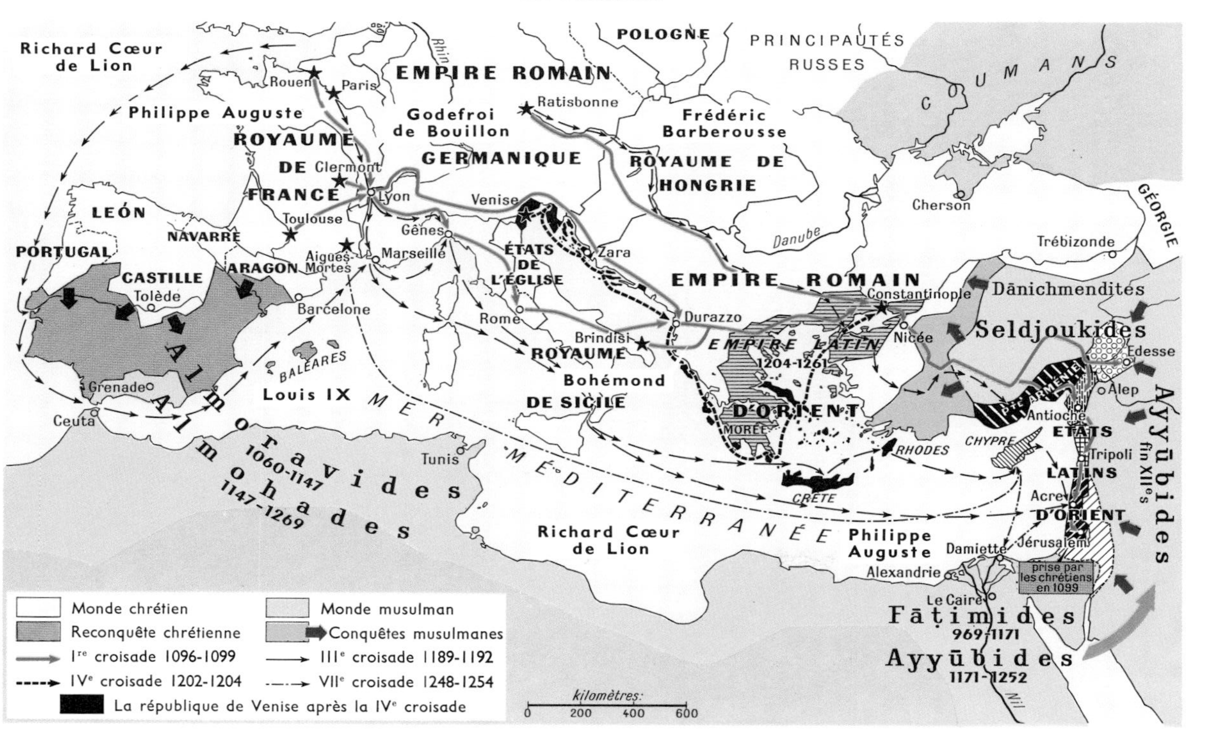

— ENCYCL. **croisades.** Lorsque, au concile de Clermont (nov. 1095), Urbain II exhorta l'Occident à secourir l'Orient chrétien contre l'envahisseur turc, des milliers d'hommes répondirent à cet appel, sans doute parce que, depuis le mouvement de paix du XIe s., l'idéal chevaleresque imposait au guerrier le devoir de défendre le peuple de Dieu contre ses oppresseurs, mais aussi parce que, dans cette société, le pèlerinage vers le tombeau du Christ avait valeur de rédemption. Ces hommes prirent pour emblème la Croix : d'où les noms de « croisés » et de « croisades ».

Prêchée par Pierre l'Ermite, la *première croisade* (1096-1099) vit deux expéditions distinctes prendre le chemin de l'Orient : l'une, formée de pèlerins dépourvus de vivres et mal armés, arriva affaiblie en Syrie, où elle fut décimée par les Turcs ; l'autre, celle des seigneurs (Godefroi de Bouillon, Raimond de Toulouse, Bohémond de Tarente), s'empara de Nicée et écrasa l'armée turque à Dorylée (1097). Puis elle occupa Edesse (1097), Antioche (1098) et enfin prit Jérusalem (1099), dont Godefroi de Bouillon fut proclamé roi. Les autres chefs se partagèrent les territoires conquis. Mais, très vite, les princes durent défendre leurs conquêtes face à la contre-offensive de l'islām ; pendant deux siècles, l'Europe chrétienne leur envoya périodiquement des renforts.

Ainsi, la chute d'Edesse (1144) provoqua la *deuxième croisade* (1147-1149), conduite par Conrad III et Louis VII, qui échouèrent devant Damas.

En 1187, la prise de Jérusalem par Saladin fut à l'origine d'une *troisième croisade* (1189-1192), dirigée par Frédéric Barberousse, Philippe Auguste et Richard Cœur de Lion. Mais, si ces deux derniers prirent Acre (1191), le roi d'Angleterre ne parvint pas, après le départ de Philippe Auguste, à prendre Jérusalem.

L'objectif de la *quatrième croisade* (1202-1204), décidée par Innocent IV et conduite par Boniface de Montferrat, était l'Egypte, dont le sultan tenait la Palestine. Mais les croisés furent entraînés, par leur alliance avec Venise, vers la côte adriatique, puis vers Constantinople ; s'étant mêlés aux querelles dynastiques qui agitaient l'Empire byzantin, ils finirent par s'emparer de Constantinople et fondèrent l'Empire latin.

Si la *cinquième croisade* (1217-1221), menée contre l'Egypte par Jean de Brienne, roi de Jérusalem, ne donna aucun résultat, la *sixième croisade* (1228-29), conduite par Frédéric II, aboutit à la restitution de la Ville sainte aux Francs.

Mais, dès 1244, Jérusalem retombait aux mains de l'Egypte, et ni la *septième croisade* (1248-1254), conduite par Louis IX, qui, après avoir pris Damiette, fut défait et pris à Mansourah (1250), ni la *huitième croisade* (1270), menée contre Tunis, où Louis IX mourut de la peste, n'empêchèrent les dernières villes franques de Palestine de tomber aux mains des Sarrasins. Une ultime croisade, décidée par Nicolas IV, ne réussit pas à sauver Acre (1291).

Si, au point de vue militaire, les croisades se terminèrent par un échec, elles eurent un rôle considérable dans l'évolution du monde européen. Indirectement, elles accélérèrent l'émancipation des villes, en forçant les seigneurs à vendre leurs fiefs pour se procurer les sommes nécessaires à ces expéditions. Elles permirent en outre une meilleure connaissance du monde asiatique et facilitèrent les échanges commerciaux, intellectuels, artistiques entre les deux rives de la Méditerranée.

croisé → CROISADE et CROISER.

croisée, croisement → CROISER.

croiser v. tr. **1.** Disposer deux choses l'une sur l'autre, en forme de croix ou d'X : *Croiser les jambes. Croiser deux planches pour interdire l'entrée d'un chantier.* ‖ Faire reproduire entre eux des animaux de même espèce et de races différentes. ‖ **2.** Couper, traverser une ligne, une route : *Cette rue croise le boulevard.* ‖ Passer à côté en allant dans une direction opposée : *Croiser quelqu'un dans la rue.* ‖ Rencontrer sur son trajet : *Mon regard croisa le sien.* ● *Croiser la baïonnette,* la présenter d'une manière transversale au corps. ‖ *Croiser, se croiser les bras* (Fig.), demeurer inactif. ‖ *Croiser une étoffe,* faire passer les fils de la trame d'une étoffe dans une trame double. ‖ *Croiser le fer,* mettre épée contre épée, fleuret contre fleuret ; *par extens.,* se battre ; et, au *fig.,* soutenir une joute oratoire contre quelqu'un. ‖ *Croiser ses feux,* disposer les armes de telle sorte que leurs trajectoires se recoupent. ‖ *Croiser un habit, une veste, une écharpe,* faire passer un des côtés sur l'autre. ‖ *Croiser la passe,* au rugby ou au football, transmettre le ballon à un partenaire qui court dans un sens différent. ✦ v. intr. Avoir assez d'ampleur pour être croisé : *Veston qui ne croise pas assez.* ‖ Naviguer sur une certaine étendue de mer en y exerçant une surveillance. ‖ **— se croiser** v. pr. Passer à côté en allant dans des directions opposées. ‖ En parlant d'un cheval, poser ses pieds l'un devant l'autre en marchant. ◆ **croisé, e** adj. *Feux croisés,* ensemble de trajectoires convergeant vers un même but et issues de points d'origines différentes ; et, au *fig.,* attaque simultanée : *Le feu croisé des épigrammes.* ● *Ligaments croisés,* les deux ligaments situés à la partie postérieure de l'articulation du genou* et qui vont du plateau tibial à l'échancrure intercondylienne du fémur. ‖ *Mots croisés,* mots situés verticalement et horizontalement dans une grille de telle sorte que les lettres coïncident, et qu'il faut trouver à l'aide de définitions. ‖ *Rimes croisées,* rimes masculines et féminines alternées. ‖ **— croisé** n. m. Nom donné à plusieurs types de bandages en raison de l'entrecroisement des divers tours de bande. || *Text.* Armure caractérisée par un rapport d'armure carré, comprenant un nombre pair de fils de chaîne et de fils de trame, dans laquelle on lève la première moitié des fils de chaîne en baissant l'autre moitié pour l'insertion de la première duite, le travail se poursuivant dans les mêmes conditions pour

Boitin

croisée d'ogives

toutes les autres duites, mais en observant un décrochement d'un fil dans le sens de la chaîne. || Tissu réalisé à l'aide de cette armure. || — ***croisée*** n. f. Dans une église, travée du transept qui croise la nef principale. || Croisement des meneaux d'une baie quadrangulaire. || Fenêtre quelconque. || Châssis vitré servant à fermer la fenêtre. || Rayon d'une roue d'horlogerie. ● *Croisée des chemins* (Fig.), moment d'un choix, d'une décision. || *Croisée d'ogives,* armature des voûtes gothiques formée de deux arcs qui se croisent. ◆ **croisement** n. m. Action, mouvement par lequel deux choses se croisent; résultat de cette action : *Croisement de fils.* || Rencontre de deux choses, de deux personnes qui se croisent; et, au *fig.* : *Croisement d'idées.* || Point où se coupent deux ou plusieurs routes, chemins, voies. || Action de deux mots agissant l'un sur l'autre par contamination : « *Recroqueviller* » *semble dû au croisement de* « *coquille* » *et de* « *croc* ». || Accouplement de deux individus, animaux ou végétaux, de races ou d'espèces différentes. (V. *encycl.*) || *Mus.* Interversion momentanée de l'échelonnement des voix. || Gros bois horizontal placé sous les flandres de deux allées voisines, dans une mine. || Disposition des fils qui, par leur entrelacement, forment les armures d'un tissu. ● *Croisement à niveau,* ensemble de deux voies ferrées convergentes qui se croisent au même niveau (par oppos. aux croisements dits *sauts-de-mouton,* établis à des niveaux différents). || *Croisement de rail,* appareil permettant aux roues de véhicules de chemin de fer de franchir à niveau un rail qui rencontre et croise le rail sur lequel elles roulent. || *Croisement en trompette,* croisement de routes à des niveaux différents. ◆ **croiserie** n. f. Ouvrage de vannerie en brins d'osier croisés. ◆ **croiseur** n. m. Navire de guerre de tonnage variable, rapide et destiné à la surveillance en haute mer, à l'éclairage d'une escadre ou d'un convoi, à la protection des porte-avions et des bâtiments de ligne contre les attaques adverses. (Il existe de nombreux types de croiseurs : *croiseurs de bataille,* proches des bâtiments de ligne; *croiseurs lourds, croiseurs légers, croiseurs antiaériens, croiseurs de commandement, croiseurs porte-hélicoptères, croiseurs-écoles,* etc.) ● *Croiseur auxiliaire,* navire de commerce réquisitionné et puissamment armé, destiné à assurer le

Ministère de la Marine

croiseur
le « Colbert »

service d'un croiseur. ◆ **croisière** n. f. Action de circuler en mer, de croiser, en surveillant ce qui se passe : *Un bâtiment de guerre est envoyé en croisière dans une zone déterminée.* || Ensemble des navires qui participent à la surveillance d'une zone ou au blocus d'un port : *Sous la Révolution, Brest était bloqué par une croisière anglaise.* || Circuit maritime accompli par un navire ou un explorateur : *La croisière de la « Jeanne-d'Arc ». Les croisières de La Pérouse.* || Voyage touristique par mer. || Partie de la monture d'une baïonnette portant, d'un côté, la douille, de l'autre, le quillon. || Partie de la bride qui va de la muserole au frontail, en se croisant sur le devant de la tête du cheval. ● *Vitesse de croisière*, v. VITESSE. ◆ **croisillon** n. m. Traverse en bois ou en pierre formant la croisée de fenêtre. || Ensemble des divisions en bois enserrant les petits carreaux des fenêtres. || Syn. de BRAS DU TRANSEPT. (Le transept d'une église comporte généralement deux croisillons, nord et sud.) || Ensemble de pièces de charpente se croisant diagonalement. || Traverse d'une croix. || Pièce de bois ou de métal disposée en croix et maintenant assemblées les pièces fixées à son extrémité. ‖ Axe des pignons satellites d'un différentiel. ‖ Articulation des parties entraînantes et entraînées d'un joint de cardan. ● *Croisillon d'un volant,* ensemble des bras qui réunissent la jante au moyeu. ◆ **croisure** n. f. Cercle d'acier placé dans un puits en fonçage pour soutenir le terrain des parois. ‖ Opération consistant à croiser ensemble deux faisceaux de brins de soie naturelle à la sortie de la bassine de filature. ● *Bâton de croisure,* bâton de verre dont se servent les tapissiers pour maintenir écartés, sur le métier, les fils de chaîne entre lesquels ils passeront les fils de trame.

— Encycl. ***croisement.*** On distingue le *métissage,* réalisé entre individus de races différentes, mais de la même espèce, et l'*hybridation,* réalisée entre individus d'espèces différentes. Le métis, produit du métissage, est fécond avec les deux races dont il provient, et avec sa propre race. L'hybride, au contraire, ne peut pas toujours être obtenu, et il est généralement stérile ; c'est le cas du mulet, hybride de l'âne et du cheval. Très largement utilisés en élevage, les croisements sont de trois types : le *croisement industriel,* entre femelles de race rustique et mâles de race améliorée, pour obtenir des produits précoces et bien conformés, tous vendus pour leur viande ; le *croisement continu* (encore appelé *croisement d'absorption, d'implantation* ou *de substitution*), qui permet d'implanter une race améliorée sur une race rustique (cette opération se poursuit sur plusieurs générations) ; le *croisement de retrempe,* dans lequel on utilise sur une race déterminée un mâle d'une autre race possédant un caractère que l'on désire implanter dans la première.

croiser (se) → CROISADE.

croiserie → CROISER.

Croiset (Alfred), helléniste français (Paris 1845 - *id.* 1923). Avec son frère Maurice, il publia une *Histoire de la littérature grecque* (1887-1893). [Acad. des inscr., 1886.] — Son frère Maurice (Paris 1846 - *id.* 1935) a édité une partie de l'œuvre de Platon et les *Harangues* de Démosthène. (Acad. des inscr., 1903.)

croiseté, croisette → CROIX.

Croisette (CAP), cap de la côte de Provence (Bouches-du-Rhône) à l'extrémité du massif de Marseilleveyre, au S. de Marseille.

Croisette (CAP DE LA), cap des Alpes-Maritimes, en face des îles de Lérins.

croiseur → CROISER.

Croisic (Le), ch.-l. de c. de la Loire-Atlantique (arr. de Saint-Nazaire), à 10 km à l'O. de La Baule, près de la *pointe du Croisic ;* 4 305 h. (*Croisicais*). Port important aux XVIe et XVIIe s. Port de pêche (sardines) et centre touristique. Conserveries de poissons. Ostréiculture et mytiliculture. Marais salants. Patrie de P. Bouguer.

croisier → CROIX.

croisière → CROISER.

Croisière jaune, nom donné à la traversée de l'Asie centrale en automobile, organisée par André Citroën, dirigée par G. M. Haardt et L. Audouin-Dubreuil (1931-1932). Partie du Liban, cette expédition traversa l'Himalaya et le Sin-kiang, atteignit Pékin et, de là, gagna Saigon.

Croisière noire, nom donné à la première traversée de l'Afrique en automobile, organisée par André Citroën, dirigée par G. M. Haardt et L. Audouin-Dubreuil. Partie de Touggourt, en Algérie (1922), elle atteignit Le Cap en 1925.

Croisilles, ch.-l. de c. du Pas-de-Calais (arr. et à 17 km au S.-E. d'Arras) ; 825 h.

croisillon → CROISER.

croissance, croissant → CROÎTRE.

croissant n. m. (part. de *croître*). Temps qui s'écoule de la nouvelle à la pleine lune, et pendant lequel la partie éclairée, visible pour nous, croît d'une manière continue. ‖ Forme apparente de la lune lorsqu'elle nous présente moins de la moitié de son hémisphère éclairé. ‖ Chacun des jours d'une lunaison. ‖ Objet dont les contours sont limités par deux arcs qui se coupent et qui ont leur concavité tournée du même côté : *Le croissant de la lune.* ‖ Petit pain en forme de croissant, en pâte feuilletée ou en pâte levée. ‖ Instrument à fer recourbé et tranchant, servant à élaguer les arbres. ‖ Chacune des deux pièces métalliques qui se fixent sur les attelles et assurent la fermeture du collier. ‖ Ferrure en forme de lyre, à l'extrémité de l'écoute de grand-voile d'un yacht. ‖ Armes et étendard de l'Empire turc. ‖ Ancienn., l'Empire turc : *La lutte de la Croix et du Croissant.* (Dans ce cas, prend une majuscule.) ‖ Pièce héraldique figurée le plus souvent sous forme de croissant montant (la convexité regardant la pointe de l'écu). ‖ Pièce métallique de cheminée, souvent ornée, soutenant les ustensiles à feu. ● *Aile en croissant* (Aéron.), aile dont le bord d'attaque, au lieu d'être rectiligne, dessine une courbe telle que la flèche soit grande à l'emplanture de l'aile et presque nulle aux bords marginaux. ◆ **croissanté, e** adj. *Hérald.* Se dit de la croix dont les extrémités portent des croissants.

Croissant-Rouge, nom donné à la Croix-Rouge dans les pays musulmans. L'emblème du Croissant-Rouge a été reconnu par la conférence de Genève en 1949.

Croisset (Francis DE), écrivain français d'origine belge (Bruxelles 1877 - Neuilly-sur-Seine 1937). Auteur de comédies légères, il devint le collaborateur de R. de Flers pour *les Vignes du Seigneur* (1923), *les Nouveaux Messieurs* (1925), *le Docteur Miracle* (1926).

Il a publié ses impressions de voyage en Asie (*la Féerie cinghalaise,* 1926).

Croissy (Charles COLBERT, marquis DE), homme politique français (Paris v. 1626 - † 1696), frère du grand Colbert. Il présida le parlement de Metz (1662), fut ambassadeur à Londres (1668-1674), plénipotentiaire à Aix-la-Chapelle (1668) et à Nimègue (1678). Il devint secrétaire d'Etat aux Affaires étrangères en 1679 et se chargea de l'aspect juridique de la politique des « réunions ». — Son fils CHARLES JOACHIM (Paris 1667 - † 1738), évêque de Montpellier, s'opposa à la bulle *Unigenitus* (1713).

Croissy-sur-Seine, comm. des Yvelines (arr. de Saint-Germain-en-Laye), sur la Seine ; 6 845 h. (*Croissillons*).

croisure → CROISER.

croît → CROÎTRE.

croître v. intr. (lat. *crescere*) [conj. **60**]. Grandir progressivement jusqu'au terme de son développement, en parlant des êtres organisés : *L'herbe croît rapidement en mai.* ‖ Grandir, augmenter, en parlant des choses, partic. en durée, en intensité : *C'est maintenant que les difficultés vont croître.* ‖ Augmenter en nombre : *Un troupeau qui croît régulièrement.* ‖ Pousser naturellement, en parlant des végétaux : *Les ronces et les orties croissent dans le jardin abandonné.* ‖ — SYN. : *s'accroître, augmenter, se développer, s'étendre, grandir, grossir, pousser, prospérer.* ● *Croître en* ou *dans,* gagner en se développant sous le rapport de : *Croître en largeur, en volume. Croître en sagesse, en beauté. Croître dans l'estime de quelqu'un.* ‖ *Ne faire que croître et embellir* (Fam.), gagner rapidement en taille et en beauté ; et, au *fig.* (souvent *ironiq.*), se développer, augmenter. ◆ **croissance** n. f. Augmentation de la dimension principale (longueur) d'un être animal ou végétal sous l'effet de la nutrition, aboutissant à un état *adulte* où cette augmentation cesse. ‖ Augmentation de la masse d'un être animal ou végétal, sans considération de longueur ou de volume. (Syn. ACCROISSEMENT.) [V. *encycl.*] ‖ En parlant des choses, augmentation, développement, progression : *La croissance d'une mode.* ‖ Augmentation des principales dimensions d'un ensemble économique et social, accompagnée ou non de changements de structure. (V. *encycl.*) ● *Croissance zéro,* absence de développement de la production économique, nécessaire dans l'avenir, selon certains, pour lutter contre le gaspillage des ressources du globe et la pollution. ◆ **croissant, e** adj. Qui croît : *Une courbe croissante.* ● *Fonction croissante dans un intervalle* (a, b), fonction $f(x)$ telle que si x_1 et x_2 sont deux nombres quelconques de l'intervalle, $f(x_2) — f(x_1)$ et $x_2 — x_1$ sont de même signe. ◆ **croît** n. m. Accroissement d'un troupeau par la naissance des petits : *Le croît des animaux appartient au propriétaire par droit.* ‖ Gain de poids vif des animaux : *Dans les races améliorées, le croît des agneaux est, en moyenne, de 300 g par jour.*

— ENCYCL. **croissance.** *Physiol.* ● *Croissance en longueur.* Chez les animaux vertébrés à squelette osseux, la croissance des membres est due à l'activité des *cartilages d'accroissement* (ou de *conjugaison*) intercalés entre la diaphyse et les épiphyses des os longs, ce qui explique les membres courts des nains thyroïdiens (*achondroplasie*) ou des sujets à ossification trop précoce. Mais l'ensemble de la croissance est régi aussi par l'hormone somatotrope de l'hypophyse, d'où les nains hypophysaires (bien proportionnés) et les géants *acromégales.* Enfin, bien entendu, une alimentation insuffisante en quantité ou privée de certaines vitamines et de certains acides aminés ne permet pas une croissance normale.

Chez les arthropodes (crustacés, insectes, etc.), la croissance en volume, notamment en longueur, n'est possible que juste après chaque mue, lorsque le nouveau tégument de chitine est encore souple. L'animal se « gonfle » alors d'air ou d'eau pour dilater sa nouvelle peau avant qu'elle durcisse, puis les tissus internes croissent et remplissent la peau.

Chez les plantes terrestres à graines, seules les cellules jeunes de l'extrémité des tiges et des racines, aux parois cellulosiques encore minces, peuvent s'allonger sous l'effet des hormones végétales, ou *auxines.* C'est avant tout la pesanteur, mais ce sont aussi la lumière, l'humidité, les contacts solides qui gouvernent, par le jeu des tropismes, l'orientation de croissance de l'axe et de ses ramifications. Mais la vitesse de croissance dépend largement de la nutrition.

● *Accroissement.* Des processus particuliers expliquent la croissance en diamètre des organes cylindriques ; les os des membres des vertébrés s'augmentent de couches déposées par l'activité sécrétrice du périoste qui les entoure ; l'axe des végétaux vivaces s'épaissit des *formations secondaires* (bois, liber, liège) sécrétées par les assises génératrices à partir de la deuxième année.

La croissance, dans son ensemble, comprend deux phénomènes : l'augmentation du nombre des cellules qui composent l'organisme (seul mode de croissance des jeunes embryons) et l'augmentation de chaque cellule en masse et en volume. Entendue en ce sens, la croissance est la conséquence normale de l'assimilation et elle ne s'arrête jamais, l'organisme se fragmentant par multiplication (asexuée) ou reproduction (sexuée) lorsque sa taille ne peut plus augmenter, et le renouvellement de certains tissus (globules du sang, épiderme, feuilles des arbres) ne cessant jamais.

Certaines métamorphoses peuvent cependant s'accompagner d'une véritable *décroissance :* tel papillon est plus petit que sa chenille, telle grenouille que son têtard.

— *Econ. polit.* Sous son apparente simplicité, l'idée de croissance se prête à de multiples interprétations, malgré les efforts de l'analyse économique contemporaine en vue d'éliminer les confusions avec des notions voisines : évolution, expansion, progrès économique et social, développement. L'*évolution* correspond à des transformations à long terme d'un ensemble économique et social. L'*expansion* est liée aux fluctuations de l'activité économique et s'oppose à la dépression dans un mouvement de courte période. Le *progrès économique et social* marque un dépassement par rapport à la croissance, bien qu'allant de pair avec elle. La croissance du revenu national par tête ne représente un progrès que si elle est accompagnée d'une élévation du niveau de vie de ceux qui sont le plus défavorisés. Le *développement* s'identifie avec la croissance, mais avec modification préalable de structure, car la croissance correspond à un processus se déroulant dans une structure donnée, supposée rester invariable ou immuable. Dans la réalité, on n'observe jamais une croissance se poursuivant sans entraîner des transformations structurelles. Pratiquement, les deux termes de « croissance » et « développement » sont employés indifféremment, à cette restriction près que la politique de croissance s'appliquerait surtout aux pays développés et la politique de développement aux pays encore économiquement arriérés. Les théories explicatives de la croissance sont nombreuses. Un premier groupe de théoriciens lie la croissance aux fluctuations économiques. Un deuxième groupe insiste sur la solidarité des différents facteurs agissant dans la croissance économique, qui se présente comme un processus cumulatif, où différents facteurs s'influencent et se remplacent mutuellement. La croissance résulte de la conjonction entre divers facteurs favorables. Un troisième groupe cherche une classification des types de croissance en fonction du rôle de l'État (croissance spontanée et croissance planifiée) et des mouvements internationaux d'hommes et de capitaux (croissance close et croissance ouverte). Enfin, un quatrième groupe analyse les éléments qui déclenchent ou freinent la croissance économique.

croix n. f. (lat. *crux*). Gibet formé le plus souvent de deux pièces de bois placées en travers l'une sur l'autre, où l'on attachait les condamnés à mort : *Dioclétien fit périr de nombreux chrétiens sur la croix.* || *Partic.* La croix sur laquelle fut supplicié Jésus-Christ (prend une majuscule en ce sens) : *La vraie Croix, la sainte Croix.* || Passion de Jésus-Christ, ses souffrances sur la croix : *Le dogme de la Rédemption par la Croix.* || La religion chrétienne, l'Eglise de Jésus-Christ, la chrétienté (prend une majuscule en ce sens) : *L'affrontement de la Croix et du Croissant* (*mahométan*) *au Moyen Age.* || Représentation d'une croix en métal, en pierre, en bois, etc., particulièrement au faîte d'une église, sur une tombe, etc. : *Les croix de bois. Croix funéraire.* || Insigne en forme de croix d'un ordre de chevalerie : *La croix de la Libération.* || *Partic.* La croix de la Légion d'honneur. || Insigne en forme de croix, récompense des écoliers : *Un enfant qui arbore fièrement sa croix en sortant de l'école.* || Disposition des objets en forme de croix : *Mettre des bâtons en croix.* || Empreinte figurant une croix ou un X : *Signer d'une croix.* || Pièce héraldique résultant de la combinaison du pal et de la fasce. (La croix peut être alésée, ancrée, bourdonnée, cléchée, enhendée, fleurdelisée, pattée, pommetée, recercelée, resarcelée, tréflée, vidée, etc.) || Ornement extérieur des blasons ecclésiastiques, placé généralement en pal, derrière l'écu. || Signe en forme de croix latine (†), dont on se servait autrefois pour renvoyer aux notes marginales. || Pièce permettant la jonction de quatre tubes dont les axes sont situés dans un même plan. || Ancien nom de la constellation du Cygne. || *Fig.* Peines, afflictions; et, *spécialem.*, épreuves que Dieu envoie au chrétien : *Il supporte courageusement cette lourde croix de la maladie.* ● *C'est la croix et la bannière* (Fam.), il y a beaucoup de difficultés à vaincre; c'est toute une affaire. (Souligne le mal qu'on a eu à vaincre l'entêtement de quelqu'un.) || *Chemin de croix,* V. CHEMIN. || *Croix de l'épée,* croix formée par la garde et la poignée d'une épée de chevalier. || *Croix gammée* (ou *svastika*), croix dont chaque branche est terminée par un coude en forme de gamma. (Ce symbole a été adopté comme emblème par l'Allemagne nationale-socialiste.) || *Croix grecque,* croix à quatre branches égales. || *Croix huguenote,* croix soutenant la colombe du Saint-Esprit. || *Croix latine,* croix dont une branche est plus longue que les autres. || *Croix de Lorraine,* croix à deux croisillons inégaux et parallèles. (Emblème de la France libre durant la Seconde Guerre mondiale.) || *Croix de Malte,* croix que les chevaliers de Malte portaient sur leurs vêtements; nom commun à trois plantes : un lychnis, une centaurée et *Tribulus terrestris;* engrenage ayant l'aspect d'une croix de Malte et qui, animé d'un mouvement circulaire continu, provoque l'entraînement d'un mécanisme quelconque, en particulier l'entraînement d'un film de cinéma par mouvements saccadés. || *Croix pectorale,* petite croix qu'un évêque porte sur la poitrine. || *Croix processionnelle,* croix que l'on porte en haut d'une hampe, en tête d'une procession. || *Croix russe* ou *croix patriarcale,* croix à deux croisillons (l'inférieur est oblique). || *Croix de Saint-André, en sautoir, en X,* croix oblique ou en forme d'X. || *Croix de Saint-Antoine,* croix en tau. || *Croix thermique,* thermocouple utilisé en radiotechnique pour la mesure des faibles courants de haute fréquence. || *L'Exaltation de la sainte Croix* (14 sept.), solennité qui rappelle le jour où l'empereur

Héraclius Ier rapporta à Jérusalem la Croix, qu'il avait reprise au roi de Perse. || *Faire une croix, une croix à la cheminée* (Fam.), noter un fait comme extraordinaire. || *Faire une croix sur, dessus* (Fam.), renoncer définitivement à, faire son deuil de : *Tu attends toujours sa visite? Tu peux bien faire une croix dessus.* || *La fête de l'Invention de la sainte Croix* (3 mai), solennité qui célèbre la découverte de la croix de Jésus-Christ par sainte Hélène en 326. || *La folie, le scandale de la Croix,* ce qui semble absurde aux incrédules dans le mystère de la Croix. (Saint Paul, I Cor., I, 23.) || *Mise en croix,* première des opérations de la taille proprement dite d'une pierre de bijouterie, et plus particulièrement d'un diamant. || *Le mystère de la Croix,* le mystère de la rédemption des hommes par le sacrifice de Jésus-Christ sur la Croix. || *Pavage en croix de chevalier,* disposition du pavage suivant laquelle les rangées de pavés font un angle de 45° avec l'axe de la chaussée. || *Pierre de croix,* nom usuel de la *staurotide maclée,* ayant l'aspect d'une croix grecque. || *Prendre la croix,* s'engager dans la croisade. || *Signe de la croix,* geste religieux usité dans l'Eglise catholique et l'Eglise orthodoxe. (Dans l'Eglise romaine, il consiste à porter la main droite au front, à la poitrine, puis à l'épaule gauche, enfin à l'épaule droite, en disant « au nom du Père, du Fils et du Saint-Esprit ». Les Grecs portent la main d'abord à l'épaule droite, puis à l'épaule gauche. Les protestants ne font pas le signe de la croix.) || *Supplice de la croix,* supplice connu des Assyriens et des Hébreux, qui consistait à attacher le condamné à un pieu, parfois la tête en bas, et à le fouetter. (Dans certains cas, on ajoutait une barre transversale sur laquelle le supplicié était lié ou cloué. Une tablette portait son nom et le motif de sa condamnation. A Rome, seuls les esclaves et les non-citoyens pouvaient y être soumis.) ◆ **croiseté, e** adj. *Hérald.* Pièce dont l'extrémité est terminée par une croix. ◆ **croisette** n. f. Nom commun à une gentiane et à un gaillet, aux pétales en croix. || Fleuret à garde en forme de croix. || *Hérald.* Croix alésée et diminuée. ◆ **croisier** n. m. Religieux ayant la croix pour insigne. (Les *croisiers franco-belges,* chanoines réguliers, fondés au XIIIe s., répandus en Hollande, en Allemagne, en France et en Grande-Bretagne, ont survécu en Hollande et en Belgique. Les *croisiers de Bohême,* ordre hospitalier fondé en 1236 à Prague, par sainte Agnès, se transformèrent en ordre militaire et jouèrent un rôle dans la Contre-Réforme.) ◆ **croix-rouge** n. f. Se dit, par abrév., pour « infirmière de la Croix-Rouge ». — Pl. *des* CROIX-ROUGES.

Croix (ORDRES DE LA). Un grand nombre de pays ont pris la croix pour insigne distinctif de récompenses ou d'ordres de chevalerie, d'où le terme général de « croix » donné à ces décorations. En France, croix de la Légion* d'honneur, de la Libération*, de guerre*, de la valeur* militaire, etc.

croix. — 1. Egyptienne ; **2.** Grecque ; **3.** Latine ; **4.** En tau ; **5.** Gammée ; **6.** De Saint-André ; **7.** De Malte ; **8.** De Lorraine ; **9.** Tréflée ; **10.** Potencée ; **11.** Ancrée ; **12.** Papale.

Croix (LA), journal catholique quotidien, fondé en 1883 par les augustins de l'Assomption. Devenu journal du soir et modernisé, il est le principal organe de la presse catholique française.

Croix de bois (LES), roman de R. Dorgelès (1919). C'est une suite de tableaux réalistes sur la vie des poilus.

Croix, comm. du Nord (arr. de Lille), faubourg nord de Lille ; 20 196 h. (*Croisiens*). Métallurgie et industries textiles.

Croix du Sud (en lat. *Crux, -cis*), constellation* de l'hémisphère austral ; elle est dessinée par quatre étoiles brillantes et par sept autres de moindre éclat. La grande branche de la Croix (étoiles γ et α) est orientée vers le pôle Sud. (V. CIEL.)

Croix-de-Fer (COL DE LA), col des Alpes (Savoie) à l'extrémité nord du massif des Grandes-Rousses, entre les vallées de l'Eau-d'Olle et de l'Arvan ; 2 087 m.

Croix-de-Feu (les), organisation d'anciens combattants, fondée en 1927. Sous la présidence du lieutenant-colonel de La Rocque, les Croix-de-Feu se recrutaient parmi les anciens combattants et comptaient 260 000 adhérents en 1935. Ils participèrent à la journée du 6 février* 1934. Antiparlementaire et nationaliste, l'organisation, qui avait une large audience, fut dissoute par le gouvernement du Front populaire (1936). Ses partisans se regroupèrent en un « parti social français » (P. S. F.).

Croix-de-Vie, anc. comm. de la Vendée (arr. et à 31 km au N. des Sables-d'Olonne), auj. partie de la comm. de *Saint-Gilles-Croix-de-Vie,* sur l'Atlantique, à l'embouchure de la Vie. Conserveries de poissons. Port de pêche. Station balnéaire.

Croix-Fléchées (les), parti politique hongrois, né en 1936, dans le dessein d'instaurer la dictature. Avec F. Szálasi pour chef, il s'empara du pouvoir le 26 oct. 1944. Les derniers éléments furent dispersés en 1945.

Croix-Haute (COL DE LA), col des Alpes (Drôme), au S. du Trièves; 1 179 m.

croix-rouge → CROIX.

Croix-Rouge, organisme international, fondé en 1863 par Henri Dunant, de Genève, pour venir en aide aux victimes de la guerre, et qui, essentiellement apolitique et neutre, remplit, même en temps de paix, une œuvre de solidarité mondiale dans tous les domaines de la bienfaisance (plan médico-social, secours nationaux et internationaux en cas de catastrophes).
La *Croix-Rouge française,* une des sociétés nationales de Croix-Rouge, est reconnue d'utilité publique. Elle a pour mission essentielle d'être l'auxiliaire du service de Santé militaire; elle entretient également des pouponnières, des gouttes-de-lait, des sanatoriums, des centres d'accueil de vieillards, etc.

Croix-Rousse (la), quartier de Lyon, sur une colline entre la Saône et le Rhône.

Crolles, comm. de l'Isère (arr. et à 16,5 km au N.-E. de Grenoble), dominée par la *dent de Crolles* (2 062 m); 2 102 h.

Cro-Magnon, écart de la comm. des Eyzies-de-Tayac (Dordogne). Des fossiles humains, dits « race de Cro-Magnon », y furent découverts en 1868. Cette race serait le prototype des races blanches.

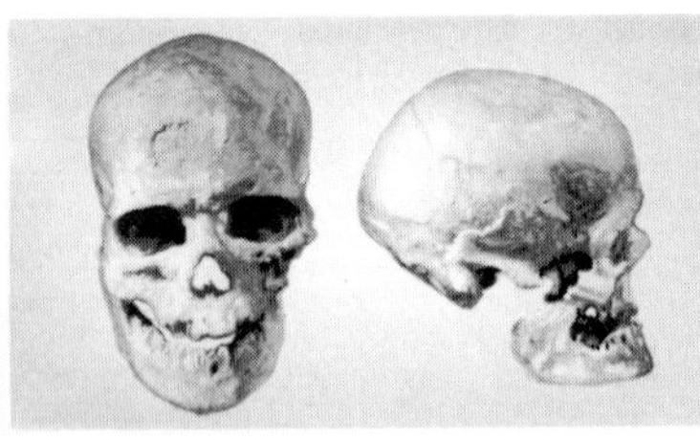

Larousse

fossiles de **Cro-Magnon**

Crome (John), peintre et graveur anglais (Norwich 1768 - *id.* 1821). Principal membre de l' « école de Norwich », il est représenté au musée de Bruxelles (*la Tour du château*) et dans la plupart des musées anglais. Son art s'apparente à celui des paysagistes hollandais.

Cromer (Evelyn BARING, 1er comte), diplomate et homme politique britannique (Cromer Hall 1841 - Londres 1917). Ministre plénipotentiaire en Egypte en 1883, il réforma et modernisa le pays. Mais le manque d'entente entre lui, Gordon et Londres aboutit au désastre de Khartoum (1885). En 1898, il confia à Kitchener le soin de reconquérir le Soudan.

cromesquis [ki] n. m. Petite croquette de homard, de gibier ou de cervelle.

cromlech [krɔmlɛk] n. m. (du breton *crom,* rond, et *lech,* pierre). Groupe de pierres dressées, ou de menhirs, disposés en cercle.

Crommelynck (Fernand), auteur dramatique belge, d'expression française (Paris 1886 - Saint-Germain-en-Laye 1970). Il fut révélé en France par Lugné-Poe, qui joua au théâtre de l'Œuvre *le Cocu magnifique* (1921), où était renouvelé avec truculence le vieux thème du mari trompé.

A. D. P.

Crommelynck

cromorne n. m. (allem. *Krummhorn*). Ancienne famille d'instruments de musique à vent, à anche double.

Crompton (Samuel), tisserand anglais (Firwood, près de Bolton-le-Moors, Lancashire, 1753 - Bolton 1827). On lui doit la construction de la *mule-jenny,* machine à filer le coton, qui combine certains éléments de la *water-frame* de Thomas Highs avec d'autres éléments de la *jenny* de Hargreaves.

Cromwell (Thomas), comte **d'Essex,** homme politique anglais (Putney? v. 1485 - Londres 1540). Favori d'Henri VIII, il fut membre du Parlement dès 1529, puis du Conseil privé à partir de 1531. Il devint chancelier de l'Echiquier en 1533 et secrétaire du roi en 1534. Il entreprit la réforme de l'Eglise anglicane selon les idées luthériennes, et décida la rupture avec Rome. Dans l'intention de rapprocher Henri VIII des princes protestants allemands, il lui fit épouser Anne de Clèves (1540). Mais, devenu impopulaire, il fut, après le divorce du roi, condamné à mort et exécuté.

Cromwell (Oliver), lord-protecteur d'Angleterre, d'Ecosse et d'Irlande (Huntingdon 1599 - Londres 1658). Gentilhomme campagnard, puritain convaincu, il fut élu en 1640 à la Chambre des communes. Il devint rapidement le chef de l'opposition à l'arbitraire royal, qu'incarnait Charles Ier. Dès les débuts de la guerre civile (janv. 1642), Cromwell se révéla grand homme de guerre. (V. RÉVOLUTION D'ANGLETERRE [*Première*].) Il forma un régiment de cavalerie, composé d' « hommes pieux », c'est-à-dire des protestants les plus exaltés et surnommés les « Côtes de fer », avec lesquels il battit les royalistes à Marston Moor (1644), puis à Naseby (1645). Relativement modéré, Cromwell aurait alors accepté un règlement pacifique qui eût limité les pouvoirs monarchiques et liquidé l'Eglise établie. Mais, jouant sur l'opposition entre le Parlement et l'armée, Charles Ier crut possible de redevenir le maître. Il prépara une reprise de la guerre civile. A la tête de l'armée, Cromwell réprima tous les soulèvements et fut rapidement maître de la situation. Il procéda à l'épuration du Parlement (6 déc. 1648), la minorité puritaine subsistante forma ce que l'on a appelé le « Parlement croupion* ». Traduit devant une commission extraordinaire, le roi fut condamné à mort et exécuté (janv. 1649). La République fut proclamée.

Thomas **Cromwell**
par Holbein, *Frick coll., New York*

Frick Coll.

Cromwell, assisté d'un conseil d'Etat de 41 membres, s'efforça de maintenir l'équilibre entre les presbytériens et les extrémistes de l'armée. Les républicains voulurent étendre le nouveau régime à l'Irlande et à l'Ecosse, mais ils se heurtèrent à de vives résistances. Cromwell conquit l'Irlande (sept.-oct. 1649). Il en fut maître après la bataille de Drogheda. De nombreux Irlandais furent massacrés; les biens des catholiques furent confisqués; ainsi naquit la « question d'Irlande ». Cromwell dut ensuite réprimer la révolte de l'Ecosse, presbytérienne, qui avait reconnu Charles II. La campagne fut difficile. Il remporta un succès décisif à Worcester en 1651. Charles II fut contraint à l'exil. L'Ecosse dut accepter l'union avec l'Angleterre.

Giraudon

Oliver **Cromwell**
par G. De Crayer, *musée de Versailles*

En politique extérieure, Cromwell eût souhaité une alliance avec les puissances protestantes. Mais le vote de l'Acte de navigation*, réservant aux seuls navires britanniques l'entrée des ports anglais (1651), l'entraîna dans une guerre contre les Provinces-Unies (1652-1654). Le conflit entre le Parlement et l'armée ayant repris, Cromwell décida de dissoudre le Parlement par la force (30 avr. 1653). La nouvelle Constitution fut élaborée par un conseil d'officiers; Cromwell reçut le titre de lord-protecteur de la République d'Angleterre, d'Ecosse et d'Irlande (déc. 1653). Il partageait avec un nouveau Conseil d'Etat de vingt et un membres les pouvoirs souverains. Le régime devint en réalité despotique, et Cromwell fut, en fait, dictateur pendant cinq ans. Il divisa le territoire en quatorze régions, commandées chacune par un major général. Il remit de l'ordre dans le royaume, où il établit une large tolérance religieuse. Par des traités de commerce, il développa la puissance économique de son pays et releva son prestige en attaquant l'Espagne dans la mer des Antilles (mai 1655) et en Méditerranée (sept. 1656). L'« Humble Pétition et Avis » de 1657 offrit à Cromwell la couronne, que seule la crainte de scandaliser l'armée l'empêcha d'accepter. L'alliance conclue avec la France contre l'Espagne, et la victoire des Dunes lui permirent d'annexer Dunkerque (1658). — Son fils RICHARD (Huntingdon 1626 - Cheshunt 1712) lui succéda en sept. 1658. Mais il fut incapable de maîtriser le conflit opposant le Parlement et l'armée, et démissionna en mai 1659.

Cromwell, drame en 5 actes, en vers, de Victor Hugo (1827). Précédé d'une Préface où l'auteur fait la critique du théâtre classique et prône le mélange du comique et du tragique, du grotesque et du sublime, ce drame touffu montre Cromwell, maître du pouvoir, devant la tentation de la royauté, mais renonçant à ce rêve ambitieux quand il apprend que des conjurés n'attendent que le moment où il sera roi pour le poignarder.

Cronaca (Simone DEL POLLAIOLO, surnommé **il**), architecte italien (Florence 1457 - *id.* 1508). Son enthousiasme pour les monuments anciens lui valut son surnom (« l'Antiquaire »). Il éleva, à Florence, avec Benedetto da Maiano, le palais Strozzi, la sacristie du San Spirito et l'église San Salvatore al Monte.

cronartium [sjɔm] n. m. Champignon agent d'une rouille* chez le groseillier et le pin Weymouth.

Cronin (Archibald Joseph), romancier anglais (Cardross, Dumbartonshire, 1896). Ses œuvres les plus connues sont *la Citadelle* (1937), *les Clefs du royaume* (1941), *les Vertes Années* (1944).

Cronos ou **Kronos,** divinité grecque de la lignée des Titans et qui, dans la mythologie, fut un temps maître du monde. Fils d'Ouranos et de Gaia, il épousa sa sœur Rhéa et dévora tous ses enfants, de peur qu'ils ne le détrônent. Seul, Zeus échappa. Il se révolta contre son père et l'enchaîna dans le Tartare. Selon la tradition religieuse orphique, Cronos, réconcilié avec Zeus, est un roi bon, dont le règne fut l'*âge d'or.* Les Romains assimilèrent Cronos à Saturne.

Cronstadt. V. KRONCHTADT.

Cronstedt (Axel Fredrik, baron), chimiste suédois (Södermanland 1722 - Stockholm 1765). Il a découvert le nickel (1751). On lui doit aussi une classification des minéraux (1758).

Crookes (sir William), physicien anglais (Londres 1832 - *id.* 1919). Il découvrit le thallium en 1861, puis étudia les gaz raréfiés, imaginant le radiomètre en 1872 et inventant les tubes électroniques à cathode froide pour la production de rayons X; il a découvert en 1878 la nature des rayons cathodiques.

crookésite n. f. (du nom de sir William *Crookes*). Séléniure naturel de cuivre et de thallium, en cristaux cubiques.

crooner [krunər] n. m. (mot anglo-amér.). Chanteur de charme.

croquant → CROQUER 1.

croquant, e n. (de *croc,* instrument de culture pouvant servir d'arme). Nom donné à des paysans révoltés, sous Henri IV et sous Louis XIII. ‖ Avec une nuance de mépris, paysan, rustre : *Il est bien de sa campagne; avez-vous vu ces manières de croquant?* ‖ Homme de rien, peu raffiné, méprisable : *S'il n'était pas un croquant, il se serait excusé.*

croque au sel (à la), croquembouche ou **croque-en-bouche** → CROQUER 1.

croque-mitaine ou **croquemitaine** n. m. (de *croquer* et *mitaine,* mot d'origine douteuse). Etre fantastique et méchant, dont on menace parfois les enfants pour les effrayer. ‖ Epouvantail; personne qui effraie, mais ne peut guère faire de mal. — Pl. *des* CROQUE-MITAINES.

croque-monsieur → CROQUER 1.

croque-mort n. m. (de *croquer* et *mort*). *Fam.* Agent des pompes funèbres chargé d'emporter les morts au cimetière. ‖ *Fig.* Personnage d'une humeur funèbre : *C'est un vrai croque-mort.* ● *Etre gai, amusant, etc., comme un croque-mort, avoir une figure de croque-mort* (Ironiq.), avoir une physionomie triste, mélancolique.

croquenot ou **croqueneau** n. m. *Pop.* Gros soulier. ‖ Soulier, en général.

1. croquer v. tr. (de *croc*). Broyer sous la dent avec un bruit sec : *Croquer des dragées.* ‖ Manger à belles dents : *Croquer une pomme en guise de déjeuner.* ● *Croquer de l'argent* (Fig. et fam.), dépenser sans compter, gaspiller, dilapider : *Il a croqué en six mois tout son héritage.* ‖ *Croquer le marmot* (Fam.), se morfondre à attendre. ‖ *Je veux bien que le cric me croque si...,* formule familière d'imprécation, analogue à : « Que le diable m'emporte si... » (V. aussi CROQUER 2 et CROQUET.) ✦ v. intr. Faire un bruit sec sous la dent : *Le sucre croque dans sa bouche.* ◆ **croquant** n. m. *Fam.* Ce qui croque sous la dent : *Manger tout le croquant d'un gâteau.* ‖ Cartilage des animaux de boucherie. ‖ Sorte de petit four sec. ◆ **croque au sel (à la)** loc. adv. Au sel, sans autre assaisonnement : *Manger du bœuf à la croque au sel.* ◆ **croquembouche** n. m. ou **croque-en-bouche** n. m. invar. Nom donné à toutes sortes de pâtisseries croquantes. ‖ Pièce montée composée de petits choux, fourrés de crème cuite et glacés au sucre « cassé ». ◆ **croque-monsieur** n. m. invar. Sorte de sandwich chaud, fait d'une tranche de jambon entre deux tranches de pain frites au beurre et saupoudrées de fromage, et doré au four. ◆ **croquette** n. f. Boulette de pâte ou de hachis lié à blanc ou à brun, saupoudrée de chapelure, puis trempée dans du jaune d'œuf et frite. || Petit disque de chocolat. ◆ **croqueur, euse** n. Personne, animal qui croque : *Le renard est croqueur de poules.* || *Fig.* Qui dévore, qui dilapide : *Un grand croqueur de capitaux.*

2. croquer v. tr. (peut-être de *croc;* a signifié ancienn. *saisir vivement*). Prendre sur le vif en quelques traits de crayon qui expriment l'aspect général du modèle : *Un dessinateur qui croque une attitude.* || Faire une première ébauche d'un tableau. || Décrire rapidement et à grands traits ; esquisser. ● *A croquer,* très joli, adorable : *Un visage à croquer.* (V. aussi CROQUER 1 et CROQUET.) ◆ **croquis** n. m. Dessin pris sur le vif, en quelques traits de crayon ou de pinceau, de manière à saisir l'essentiel du modèle. ● *Croquis coté,* v. COTÉ, DESSIN et GÉOMÉTRIE.

3. croquer → CROQUET.

croquet n. m. Jeu qui consiste à faire passer des boules de bois sous des arceaux, au moyen de maillets, en suivant un trajet spécial et en respectant certaines règles. ◆ **croquer** v. tr. Au croquet, chasser une boule à l'aide de sa propre boule. (V. aussi CROQUER 1 et 2.)

croquette, croqueur → CROQUER 1.

croquignole n. f. (orig. dout.). Chiquenaude. || Petite pâtisserie dure et croquante. ◆ **croquignolet, ette** adj. *Fam.* et souvent *ironiq.* Petit, mignon : *Regardez-moi ce chapeau s'il n'est pas croquignolet !*

croquis → CROQUER 2.

Cros (Henri), sculpteur, céramiste et peintre français (Narbonne 1840 - Sèvres 1907). Il s'inspira des céramiques et des pâtes de verre grecques (*Sirène,* musée national d'Art moderne). Il est l'auteur de peintures à la cire. — Son frère CHARLES, savant et poète français (Fabrezan, Aude, 1842 - Paris 1888), communiqua en 1869 à la Société française de photographie sa découverte du principe de la photographie des couleurs, en même temps que Louis Ducos du Hauron. Ils s'ignoraient mutuellement. En 1877, il envoya à l'Académie des sciences la description d'un appareil, qu'il appelait *paléophone,* principe du phonographe, dont il venait de trouver l'idée avant Edison. Son imagination se manifestait également dans le domaine littéraire. Il acquit la réputation d'un humoriste plein de verve et écrivit pour les cercles littéraires des monologues comiques (*le Hareng saur, le Bilboquet, l'Obsession,* etc.), et réunit en un recueil, *le Coffret de santal* (1873), de petits poèmes délicats, raffinés et bizarres. Après 1920, les surréalistes ont cité Ch. Cros parmi leurs inspirateurs. — GUY CHARLES (Paris 1879 - Valence-en-Brie, Seine-et-Marne, 1956), fils du précédent, a publié des recueils dont le ton rappelle la poésie verlainienne : *le Son et le silence* (1908), *Retour de flammes* (1925).

Nadar

Charles **Cros**

Crosby, agglomération de la banlieue nord de Liverpool (Lancashire) ; 59 700 h.

croskill n. m. (du nom de l'inventeur). Rouleau formé de disques dentés de deux diamètres différents, et utilisé pour briser les mottes.

crosne [kron] n. m. (de *Crosne,* localité de l'Essonne). Plante originaire du Japon, dont les tubercules, ou rhizomes, sont comestibles après cuisson.

Crosne ou **Crosnes,** comm. de l'Essonne (arr. d'Evry), sur l'Yerres ; 6 069 h. (*Crosnois*). Localité où fut semé pour la première fois en Europe le « crosne ».

cross n. m. invar. (mot angl. signif. *croix*). En boxe, coup de contre-attaque, passant par-dessus le bras de l'adversaire.

cross n. m. invar. (mot. angl. signif. *à travers*). Compteur horizontal d'une machine comptable.

Cross (Lawrence), miniaturiste anglais († 1724). Il exécuta les portraits des plus grands personnages du temps (*Guillaume III d'Angleterre,* Rijksmuseum, Amsterdam).

Cross (Henri Edmond DELACROIX, dit **Henri**), peintre français (Douai 1856 - Saint-Clair, Var, 1910). Impressionniste, il adhéra au divisionnisme vers 1891 (*les Cyprès, à Cagnes; Portrait de M*[me] *H. E. Cross; Après-midi à Pardignon* [musée national d'Art moderne]).

cross-country [prononc. angl. kroskœntri] ou **cross** n. m. (mot angl. dimin. de *across the country,* à travers la campagne). Course à pied, à travers la campagne et les bois, n'excédant pas 16 km. ◆ **crossman** n. m.

Celui qui pratique le cross-country. — Pl. *des* CROSSMEN.

crosse n. f. (croisement entre le francique **krukkja* et *croc*). Bâton pastoral d'évêque ou d'abbé. || Meuble héraldique et ornement extérieur de l'écu pour les évêques, les abbés

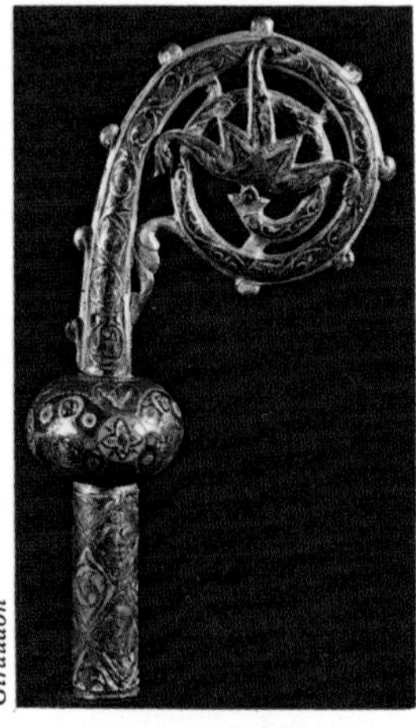

Giraudon

crosse d'abbé
rehaussée d'émaux limousins
XIIe s., *musée d'Issoudun*

et les abbesses. || Bout recourbé : *Crosse de canne, de violon.* || Terme employé pour désigner certaines portions d'organes anatomiques en raison de leur trajet. || Partie du bœuf venant en dessous du gîte-gîte. || Partie du veau située en dessous du jarret. || Ornement architectural terminé par des feuilles enroulées. (Syn. CROCHET.) || Bâton courbé, utilisé dans certains jeux ou sports pour chasser une balle. || Partie d'une arme à feu portative située à l'extrémité du fût et qui sert à l'appuyer contre le tireur, soit à l'épaule (fusil, fusil mitrailleur), soit à la main (pistolet), soit entre le bras et le côté (pistolet mitrailleur). ● *Au temps pour les crosses* (Pop.), recommencez. || *Bec de crosse,* angle inférieur de la crosse, situé du côté de la détente. || *Chercher des crosses à quelqu'un,* lui chercher une mauvaise querelle. || *Crosse d'affût,* extrémité de la flèche de l'affût qui repose à terre quand la flèche est en batterie. || *Crosse de l'aorte,* partie initiale de l'aorte, dont la courbure concave vers le bas contourne le pédicule pulmonaire gauche. || *Crosse d'appontage,* crochet situé sous le fuselage d'un avion embarqué, et qui est destiné, sur un porte-avions, à accrocher les câbles métalliques disposés en travers du pont, afin de freiner la course de l'appareil à l'atterrissage. || *Crosse de tige de piston,* extrémité de la tige de piston, comportant, d'une part, l'articulation de la petite tête de bielle, d'autre part, le ou les patins de glissière qui guident la tige dans son mouvement linéaire et encaissent les réactions de la bielle. || *Lever, mettre la crosse en l'air,* refuser de se battre, se rendre à l'ennemi ; se rebeller contre ses chefs. || *Lunette de crosse* (Artill.), évidement pratiqué dans la crosse d'affût pour l'accrocher à son avant-train. || *Poignées de crosse,* poignées fixées près de la crosse et servant à soulever l'affût. ◆ **crossé, e** adj. Qui a droit de porter la crosse : *Abbé crossé et mitré.* ◆ **crosser** v. tr. Pousser avec une crosse : *Crosser la balle.* || Battre à coups de crosse, traiter durement. ✦ v. intr. Jouer à pousser avec la crosse des pierres ou des balles. || — ***se crosser*** v. pr. *Pop.* Se battre, se quereller. ◆ **crossette** n. f. Jeune branche de vigne, de figuier, etc., avec un peu de vieux bois à sa base, pour faire des boutures. || Ressaut à l'angle d'un chambranle.

crossing over [krɔsiŋouvər] n. m. invar. (mots angl. signif. « se croisant par-dessus »). Entrecroisement ou enjambement de deux chromosomes lors de la méiose. (Assez fréquente, cette anomalie permet aux caractères héréditaires portés par le même chromosome d'être dissociés chez les descendants, car elle entraîne une nouvelle répartition chromosomique des gènes.)

Breguet

crosse d'appontage (aéron.)

cross-leg [leg] n. m. invar. (mot angl.). *Chirurg.* Technique d'autoplastie destinée à recouvrir une perte de substance de la jambe à partir d'un lambeau de peau pris sur l'autre jambe.

crossman → CROSS-COUNTRY.

crossocosmie n. f. Moucheron parasite du ver à soie au Japon.

crossoptérygiens n. m. pl. (du gr. *krossos,* frange, et *pterux,* nageoire). Ordre de poissons, presque tous fossiles, caractérisés par des nageoires paires ayant la structure d'une patte. (Ces poissons, abondants au dévonien, semblent les ancêtres directs des premiers vertébrés terrestres, les amphibiens ichtyostégidés. Cependant, l'un d'entre eux, le cœlacanthe, a subsisté jusqu'aujourd'hui sans évoluer.)

crossoptilon n. m. Faisan du Tibet, muni de touffes de plumes blanches aux oreilles.

crot [kro] n. m. Trou creusé dans le sol et dans lequel les gemmeurs landais recueillaient la gemme. ‖ Pot fixé sous la carre des pins pour recueillir la gemme.

crotalaria n. m. Genre de papilionacées, comptant plus de deux cents espèces, dont une plante textile de l'Inde.

crotale n. m. (gr. *krotalon,* grelot). Serpent vipéridé américain très venimeux, dit aussi SERPENT À SONNETTE à cause des mues racornies qui ornent sa queue et qui bruissent quand il rampe.

croton n. m. (gr. *krotôn,* ricin). Genre d'euphorbiacées des régions chaudes, comprenant plus de mille espèces, dont beaucoup sont utiles. (*Croton lacciferum* piqué par une cochenille fournit une laque dans le Sud-Est asiatique; *C. tiglium* fournit une huile purgative et vésicante; *C. cascarilla* d'Amérique, une écorce fébrifuge.)

Crotone, v. d'Italie (Calabre, prov. de Catanzaro); 52 200 h. Métallurgie du zinc et du cadmium. L'une des villes les plus célèbres de la Grande-Grèce, elle vainquit Sybaris en 510 av. J.-C. Prise par Hannibal, puis par les Romains en 277 av. J.-C., elle devint colonie romaine en 194 av. J.-C. Patrie de Milon.

crotonique adj. Se dit de l'acide de formule $CH_3—CH=CH—CO_2H$ et de l'aldéhyde correspondant. (L'*acide crotonique,* qui se rencontre dans les racines de *Croton tiglium,* est un solide soluble dans l'eau, fondant à 72 °C. Son isomère, l'*acide isocrotonique,* fondant à 15 °C, existe dans le goudron de bois. L'*aldéhyde crotonique* est un liquide à odeur piquante, bouillant à 104 °C.) ◆ **crotonisation** n. f. Déshydratation des aldols formés dans la condensation des aldéhydes sur eux-mêmes.

Crotoy (LE), comm. de la Somme (arr. et à 26 km au N.-O. d'Abbeville), sur la baie de la Somme; 2 429 h. (*Crotellois*). Importante station balnéaire. Pêche. Le Crotoy fut un petit bourg fortifié, qui servit de port de débarquement aux Anglais pendant la guerre de Cent Ans.

crotte n. f. (francique **krotta,* boue). Fiente plus ou moins dure de certains animaux : *Il a marché sur une crotte de chien.* ‖ Boue des chemins, des rues (vieilli) : *Des roues de voiture couvertes de crotte.* ‖ *Fig.* et *fam.* Terme d'affection : *Ma petite crotte* (*en chocolat, en sucre*). ‖ — SYN. : *excrément, fiente; boue, fange.* ● *Crotte de bique* (Fig. et fam.), chose sans valeur. ‖ *Crotte de chocolat,* bonbon au chocolat en forme de crotte, garni de pâte d'amande, de crème, etc. ● INTERJ. *Crotte!,* exclamation d'impatience; « zut! », « flûte! ». ◆ **crotter** v. tr. Salir de crotte, de boue : *Crotter ses chaussures.* ● *Crotté jusqu'à l'échine, jusqu'aux oreilles, crotté comme un barbet* (Fam.), très crotté. ‖ *Poète crotté* (Fig.), poète misérable. ✦ v. intr. Faire des crottes : *Chien qui crotte sur le trottoir.* ◆ **crottin** n. m. Excrément des chevaux, des mulets, etc. ● *Crottin de Chavignol,* petit fromage de chèvre à moisissures superficielles bleues, pesant de 50 à 80 g, fabriqué dans le Sancerrois. (On dit aussi CROTTON.)

Lenars - Atlas-Photo

crotale

crotylique adj. Se dit de l'alcool correspondant à l'acide crotonique, dont la forme *trans* bout à 121 °C.

croulant → CROULER.

croule n. f. (de *crou,* cri de la bécasse). Chasse aux bécasses, à l'époque de l'accouplement, au passage de printemps.

croulement → CROULER.

crouler v. intr. (lat. pop. *crotalare,* secouer, ou **corrotulare,* faire rouler). S'affaisser, s'effondrer, tomber de toute sa masse, en parlant des personnes et des choses : *Un mur qui croule. Il se laissa crouler sur une chaise.*

|| Etre ébranlé ; être accablé : *Salle qui croule sous les applaudissements. Personne qui croule sous la charge. La table croule sous les fleurs.* || Echouer : *Projet qui croule.* || — SYN. : *s'abattre, s'affaisser, s'ébouler, s'écrouler, s'effondrer, tomber ; être ébranlé, être détruit, renversé, ruiné ; échouer.* ◆ **croulant, e** adj. Qui croule ou est prêt à crouler : *Une vieille bâtisse croulante.* || *Fig.* Qui menace ruine ; précaire : *Santé croulante.* || Usé, cassé par l'âge : *Un mendiant tout croulant.* || — ***croulant*** n. m. *Arg.* Personne qui n'est plus dans la première jeunesse ; et, *partic.*, les parents. ◆ **croulement** n. m. Affaissement, chute, éboulement : *Croulement d'une maison.*

croup [krup] n. m. (mot angl.). Localisation laryngée de la diphtérie, dont les fausses membranes obstruent l'orifice glottique en produisant une dyspnée laryngée grave. (Le croup atteint surtout les enfants entre 2 et 5 ans. La vaccination antidiphtérique systématique du jeune enfant et le traitement précoce des angines diphtériques ont considérablement diminué la fréquence de cette affection.) ● *Croup d'été des bovins et des caprins,* angine accompagnée de fausses membranes, souvent mortelle, atteignant les animaux en pâturage en été. || *Croup des veaux,* angine accompagnée de fausses membranes, atteignant surtout les veaux à la mamelle, dont elle détermine la mort par asphyxie.

croupade → CROUPE.

croupe n. f. (francique **kruppa*). Partie du corps du cheval située en arrière des deux coxaux et comprenant la partie supérieure des cuisses et des fesses. (La croupe doit être presque horizontale chez le cheval de selle, un peu oblique chez le cheval de trait [direction donnée par une ligne joignant la pointe de la hanche à la pointe de la fesse].) || Partie renflée d'une montagne ou d'une colline : *Un château bâti sur une croupe rocheuse.* || Pan de couverture, généralement de forme triangulaire, limitée latéralement par des arêtiers et, dans le bas, par un égout.

croupe (constr.)

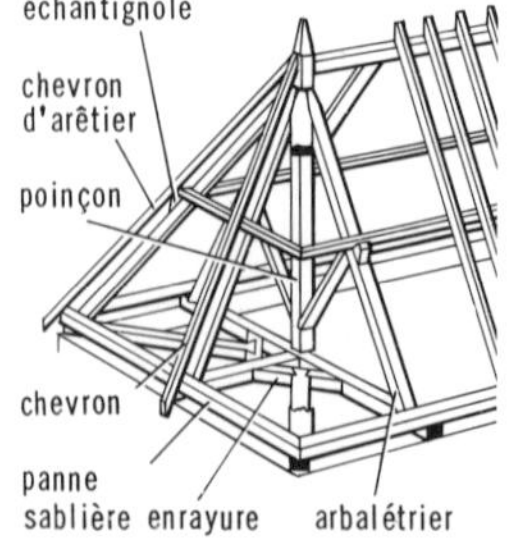

|| *Fam.* Derrière d'une personne, et, *partic.*, d'une femme : *Marcher en ondulant de la croupe.* ● *Porter, mettre, prendre en croupe,* emmener avec soi sur la croupe de son cheval, sur la selle arrière d'un scooter, d'une motocyclette. ◆ **croupade** n. f. Air relevé dans lequel le cheval exécute une ruade aussi allongée que possible, en gardant les antérieurs au sol. ◆ **croupière** n. f. Pièce de harnachement qui passe sur la croupe du cheval. (Elle se rattache, d'une part, au *culeron,* bourrelet circulaire qui passe sous la queue, et, d'autre part, à la sellette ou au bât ou à la selle par une courroie.) || Pièce d'armure qui, aux XVe et XVIe s., défendait la croupe du cheval de guerre ou de tournoi. ● *Tailler des croupières à quelqu'un,* lui susciter des difficultés. ◆ **croupion** n. m. Partie dorsale de l'abdomen des oiseaux, comprenant le bassin et la base de la queue. (Le croupion est connu pour ses glandes, dont la sécrétion graisseuse, étalée à coups de bec sur tout le plumage, le rend imperméable.) || Base de la queue chez les mammifères. || *Fam.* Chez l'homme, partie inférieure et postérieure du bassin. ◆ **croupionner** v. intr. En parlant du cheval, lever la croupe sans ruer, en contractant les reins. ◆ **croupon** n. m. Morceau d'un cuir de bœuf ou de vache à l'emplacement de la croupe de l'animal. ◆ **crouponnage** n. m. Opération qui a pour effet de partager un cuir de bœuf ou de vache en croupon, collet et flanc.

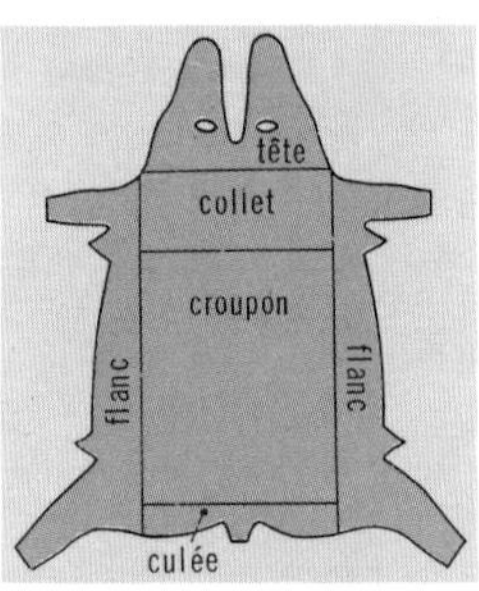

crouponnage

croupetons (à) loc. adv. Dans la position d'une personne accroupie, le derrière sur ses talons : *Des enfants installés à croupetons autour du feu.*

croupiat n. m. (provenç. *croupias;* de *croupo,* croupe). Filin frappé sur un point fixe, et servant, pendant l'appareillage, à faire abattre le navire.

croupier n. m. Employé d'une maison de jeux, chargé de diriger les parties.

croupière, croupion → CROUPE.

croupion (PARLEMENT) [en angl. *Rump-Parliament*], surnom donné au Long Parlement anglais, après l'épuration du 6 déc. 1648. Composé exclusivement de puritains fanatiques, il vota la mort de Charles Ier. Cromwell l'obligea à se dissoudre (1653).

croupionner → CROUPE.

croupir v. intr. (de *croupe*). Rester gisant dans l'ordure : *Des oubliettes où croupissaient les prisonniers.* || Se corrompre par la stagnation : *De l'eau de pluie qui croupit dans un baquet.* || *Fig.* Demeurer dans un état abject, honteux : *Cet enfant croupit dans sa paresse.* ◆ **croupissant, e** adj. Qui croupit : *Eaux croupissantes.* ◆ **croupissement** n. m. Action de croupir. || Etat de ce qui croupit.

croupon, crouponnade → CROUPE.

croustade n. f. (provenç. mod. *croustado*). Nom donné à divers apprêts faits le plus souvent en pâte brisée ou feuilletée, que l'on garnit de compositions diverses.

croustance n. f. *Pop.* Nourriture : *Préparer la croustance.*

croustillant → CROUSTILLER.

croustiller v. intr. (provenç. *croustilla*). Croquer sous la dent : *Pain qui croustille.* ◆ **croustillant, e** adj. Qui croque sous la dent comme la croûte : *Gâteaux croustillants.* || *Fig.* et *fam.* Leste, grivois : *Des histoires croustillantes.* ● *Femme croustillante,* femme attirante, piquante, provocante.

croûtage → CROÛTE.

croûte n. f. (lat. *crusta*). Partie extérieure du pain, plus durcie par la cuisson que l'intérieur : *Manger la croûte et laisser la mie.* || Pâte cuite qui renferme certains mets : *Une croûte de pâté, de vol-au-vent.* || Couche extérieure durcie : *Une légère croûte de glace s'est formée sur l'étang.* || Plaque qui se forme sur la peau à la suite d'une blessure, ou par dessiccation d'un liquide sécrété à sa surface. || Partie chair d'un cuir scié. || Feuille de pâte servant à ébaucher certaines pièces de porcelaine ou de faïence. || Planche brute de sciage d'un rondin. (Syn. ÉCOIN.) || Charbon cendreux. || Carapace due à la cimentation de formation meuble par du calcaire et du gypse, dans les régions semi-arides, et formée par évaporation sur place d'eaux riches en calcaire. || *Bouch.* Epaisse couche de graisse de couverture. || Nom qui désigne diverses préparations faites soit avec du pain, soit avec une autre pâte, et qui sont servies avec le potage ou les hors-d'œuvre. || *Fig.* Vie, nourriture : *Gagner juste sa croûte.* || *Fam.* Homme encroûté dans la routine, ridicule, sot : *Quelle croûte !* || Mauvais tableau : *Une exposition où l'on voit plus de croûtes que de belles choses.* || *Fam.* Morceau de pain quelconque. || Morceau de pain sec mis au rebut. || *Pop.* Repas, nourriture : *A la croûte ! Préparer la croûte.* ● *Casser la croûte* (Fam.), prendre un repas. || *Croûte terrestre,* syn. d'ÉCORCE TERRESTRE. || — **croûtes** n. f. pl. Déchets de scierie, résultant du délignage, ayant encore souvent de l'écorce. (On dit aussi DÉLIGNURES.) ◆ **croûtage** n. m. Séchage superficiel, provoquant la formation d'une croûte à la surface du savon. ◆ **croûter** v. tr. et intr. *Pop.* Manger. ◆ **croûteux, euse** adj. Qui a des croûtes. ● *Bœuf croûteux,* bœuf dont le corps est recouvert d'une épaisse couche de graisse. ◆ **croûton** n. m. Morceau de croûte de pain : *Manger un croûton.* || Les deux extrémités d'un pain, présentant plus de croûte : *Se réserver le croûton.* || Petit morceau de pain frit et croustillant : *Epinards aux croûtons.* || *Fig.* et *pop.* Personne encroûtée dans la routine, ridicule, sotte.

Crouzille (LA), hameau de la comm. de Saint-Sylvestre (Haute-Vienne, arr. et à 19 km au N. de Limoges). Importante exploitation de pechblende.

Crowfoot-Hodgkin (Dorothy), chimiste anglaise (Le Caire 1910). Elle a déterminé, par diffraction des rayons X, les structures de la pénicilline et de la vitamine B12. (Prix Nobel de chimie, 1964.)

crown ou **crown-glass** [kraun] n. m. Verre blanc de très belle qualité, que l'on emploie pour fabriquer les lentilles d'instruments d'optique. (V. FLINT-GLASS.)

crown-gall [kraun] n. m. (mot angl.). Tumeur du collet des jeunes arbres fruitiers.

Crown Point, village des Etats-Unis (New York), sur le lac Champlain. Victoire de Champlain et des Hurons sur les Iroquois (1609).

Croÿ (MAISON DE), famille picarde. ANTOINE, seigneur de Chièvres, et JEAN, comte de Chimay, devinrent maîtres, aux dépens de Philippe le Bon, duc de Bourgogne, du duché de Luxembourg, des comtés de Namur et de Boulogne. — PHILIPPE V (1496 - 1549) fut duc d'Aarschot et Grand d'Espagne.

croyable, croyance → CROYANT.

croyant, e adj. et n. Qui croit ; qui a la foi religieuse : *Une âme croyante. Les croyants se mirent en prière.* || Les musulmans. ● *Père des croyants,* Abraham. ◆ **croyable** adj. Qui peut ou doit être cru : *Aventure, fait, récit croyable.* ◆ **croyance** n. f. Fait de tenir pour réelle l'existence de quelqu'un ou de quelque chose : *Croyance au diable, au père Noël.* || Ce qu'on croit ; opinion, doctrine : *L'horreur de la nature pour le vide fut une croyance longtemps répandue.* || Ce qu'on croit en matière religieuse ; foi, dogme, religion : *Pratiquer sa religion, tout en respectant les croyances des autres.* || — SYN. : *adhésion, assentiment, confiance, conviction, opinion ; doctrine, dogme, foi, religion, tradition.*

Croydon, v. de la banlieue sud de Londres ;

331 900 h. Ancien aéroport international. Centrale thermique. Electronique.

Croz (Michel), guide français (hameau du Tour, dans la haute vallée de l'Arve, 1830 - Cervin 1865). Il réalisa un grand nombre de premières ascensions ; en particulier celle du Cervin, le 14 juill. 1865, au cours de laquelle il trouva la mort.

Crozant, comm. de la Creuse (arr. de Guéret), sur la Creuse, à 31 km au S. d'Argenton-sur-Creuse ; 862 h. Le peintre Guillaumin en fit un des centres de l'impressionnisme. Ruines d'un château (XIIe-XIIIe s.).

Crozat (Antoine), marquis **du Châtel,** financier français (Toulouse 1655 - Paris 1738). Receveur général des finances de Bordeaux, il obtint en 1712 le privilège de commerce de la Louisiane. — Son frère PIERRE (Toulouse 1665 - Paris 1740), trésorier de France, réunit dans son hôtel de la rue de Richelieu, à Paris, une importante collection d'œuvres d'art (dessins). — JOSEPH-ANTOINE, marquis **de Tugny** (Toulouse 1696 - Paris 1740), fils d'Antoine, forma, à son tour, une importante collection d'objets d'art qu'il fit graver (*cabinet de Crozat,* 1729-1742).

Crozat (CANAL DE). V. SAINT-QUENTIN (*canal de*).

Crozatier (Charles), fondeur et sculpteur français (Le Puy-en-Velay 1795 - Paris 1855). Il étudia particulièrement les alliages en Italie, et fondit de nombreuses statues pour la France et l'étranger (*Napoléon* de la colonne Vendôme, *Louis XIV* de la cour d'honneur de Versailles).

Crozet, navigateur français du XVIIIe s. Il accompagna en 1772 Marion-Dufresne dans l'océan Indien et le Pacifique.

Crozet (ARCHIPEL), archipel français du sud de l'océan Indien (46° lat. S.), formé de terres volcaniques, découvertes en 1772 par le compagnon de Marion-Dufresne.

Crozier (Michel), sociologue français (Sainte-Menehould 1922). Dans ses ouvrages sur le monde du travail, il analyse les phénomènes de mobilité professionnelle. Il fait ressortir, notamment, le facteur de résistance au changement qui caractérise la bureaucratie et dénonce une constante « solidification » des attitudes professionnelles de base, qui faciliterait la politique du pouvoir en place (*le Phénomène bureaucratique,* 1964 ; *la Société bloquée,* 1970).

Crozon, ch.-l. de c. du Finistère (arr. et à 34 km au N.-O. de Châteaulin), dans la *presqu'île de Crozon ;* 7 812 h. Patrie de Louis Jouvet.

C. R. S., sigle de COMPAGNIE* RÉPUBLICAINE DE SÉCURITÉ.

cru n. m. (de *crû,* participe passé de *croître*). Terroir considéré du point de vue de ses productions spéciales et des qualités qu'elles tiennent de lui (se dit particulièrement des vignobles) : *Des vins de divers crus. Un vin d'un bon cru.* ‖ La région même où l'on se trouve : *Parler le patois du cru.* ‖ *De son cru, de son propre cru,* de son propre fonds, de son invention. ● *Bouilleur de cru,* V. BOUILLEUR. ‖ *Vin du cru,* vin qui est du pays où on le consomme.

cru, e adj. (lat. *crudus*). Qui n'est pas cuit : *Viande crue. Légumes crus.* ‖ Que rien n'atténue, violent ; et, *partic.,* en parlant des lumières, violent, aveuglant : *La lumière crue du projecteur le force à détourner la tête.* ‖ *Fig.* En parlant du style, réaliste, choquant, brutal : *Style cru. Mot cru.* ● *Bois cru,* tout bois d'ébénisterie qui n'est ni peint, ni doré, ni verni. ‖ *Eau crue,* impropre à cuire et à dissoudre. ‖ *Manger, avaler quelqu'un tout cru* (Fam.), le traiter durement. (Se dit par menace et pour exprimer une grande colère.) ‖ *Pièce crue,* pièce de poterie simplement séchée à l'air et non passée au four. ‖ *Soie crue,* soie qui n'a subi ni lavage ni teinture. (On dit plutôt ÉCRUE.) ‖ — **cru** adv. Crûment, sans ménagement : *Je vous le dis tout cru.* ● LOC. ADV. *A cru,* en portant, en reposant sur la chose même : *S'asseoir à cru sur l'herbe fraîche.* ‖ *Monter à cru,* sans selle. ◆ **crudité** n. f. Qualité de ce qui est cru : *Crudité des fruits.* ‖ Aliment cru : *Aimer les crudités.* ‖ Caractère indigeste de certains aliments crus : *La crudité des fruits verts.* ‖ *Fig.* Caractère choquant de ce qui n'est point atténué, adouci, de ce qui est brutal : *La crudité d'une expression.* ● *Assiette de crudités,* assiette sur laquelle on a disposé un choix de légumes crus, découpés en fines lamelles et assaisonnés, servis comme hors-d'œuvre. ‖ *Crudité de l'eau,* état de l'eau chargée de calcaire, froide, indigeste, impropre à cuire les aliments et à dissoudre le savon. ◆ **crûment** adv. De façon crue, sans atténuation : *Répliquer crûment.*

Cruas, comm. de l'Ardèche (arr. de Privas), près de la rive droite du Rhône, à 14 km au N. de Montélimar ; 1 638 h. Eglise romane. Vieilles maisons. Importantes fabriques de chaux et de ciment.

cruauté n. f. (lat. *crudelitas*). Penchant à faire souffrir. ‖ Caractère qui dénote ce penchant : *La cruauté d'un geste.* ‖ Caractère de ce qui est cruel ou de celui qui fait souffrir ; dureté, rigueur : *Un explorateur mort victime de la cruauté des indigènes. La cruauté du destin.* ‖ Action inspirée par l'instinct de cruauté : *Les bourreaux se livraient aux pires cruautés sur les condamnés.* ‖ — SYN. : *atrocité, barbarie, férocité, inhumanité, méchanceté, sadisme, sauvagerie ; dureté, rigueur, sévérité.*

cruche n. f. (germ. *kruka*). Vase à anse, à large ventre, muni d'un bec et à cou étroit. ‖ Contenu d'une cruche. ✦ n. f. et adj. *Fig.*

et *fam.* Personne niaise, sotte, stupide : *Il n'a toujours pas compris : quelle cruche! J'ai rarement vu un air aussi cruche.* ◆ **crucherie** n. f. *Fam.* Bêtise, ineptie. ◆ **cruchette** n. f. Petite cruche ; son contenu. ◆ **cruchon** n. m. Petite cruche. ‖ Petite carafe ; liquide qui y est contenu : *Se faire servir un cruchon de vin.* ‖ *Fig.* et *fam.* Sot : *Ce n'est qu'un cruchon.*

Cruche cassée (LA), peinture par J.-B. Greuze (Louvre, 1 × 0,86 m, ovale), représentant Mlle Babuti, future femme du peintre.

crucherie, cruchette, cruchon → CRUCHE.

crucial, e, aux adj. (du lat. *crux, crucis,* croix). Situé à un croisement : *Quelques détachements gardent les points cruciaux.* ‖ Très important, capital : *Le problème du logement est une question cruciale.* ‖ Décisif : *Année, journée cruciale.* ● *Expérience cruciale,* nom donné par Francis Bacon aux expériences permettant de reconnaître, entre deux causes possibles, celle qui est véritable.

crucifère adj. (lat. *crux, crucis,* croix, et suffixe *fère*). Qui porte une croix : *Colonne crucifère.* ● *Nimbe crucifère,* nimbe timbré d'une croix, distinguant le Christ d'autres personnages. ‖ — ***crucifères*** n. m. pl. Très importante famille de plantes à fleurs, dicotylédones, de l'ordre des papavérales, comprenant un très grand nombre d'espèces, dont le chou, le navet, le radis, la moutarde, le colza, les cressons, etc. (La fleur des crucifères doit son nom à ses quatre pétales en croix. Elle a aussi quatre sépales et six étamines, dont deux plus petites. Le fruit est une silique*, souvent très allongée.)

crucifié, crucifiement → CRUCIFIER.

crucifier v. tr. (lat. *crucifigere*). Faire subir le supplice de la croix : *Les esclaves romains pouvaient être crucifiés.* ‖ Mortifier : *Crucifier sa chair.* ‖ *Fig.* Faire subir des tortures morales à : *L'incompréhension des siens le crucifiait.* ◆ **crucifié, e** adj. et n. Qui est mis en croix : *L'image de Jésus crucifié.* ‖ Qui dénote une torture : *Attitude crucifiée.* ● *Le Crucifié* (Absol.), Jésus-Christ. ◆ **crucifiement** n. m. ou **crucifixion** n. f. Action de crucifier. ‖ Supplice de la croix : *Pour certains crimes, les juges japonais condamnaient au crucifiement.* ‖ *Partic.* Supplice du Christ sur la Croix. ‖ Tableau, image représentant une mise en croix. ◆ **crucifix** [sifi] n. m. invar. Croix sur laquelle Jésus-Christ est représenté crucifié : *Crucifix de bois, d'ivoire, d'os.*

crucifixion → CRUCIFIER.

cruciforme adj. (lat. *crux, crucis,* croix). Fait en forme de croix : *Incision cruciforme.* ‖ Se dit d'une courbe hyperbolique dont les branches se croisent.

cruciverbiste n. (lat. *crux, crucis,* croix, et *verbum,* mot). Amateur de mots croisés.

crude ammoniac [krud] n. m. (mots angl. signif. *ammoniaque crue*). Produit de l'épu-

Giraudon

crucifixion, par Giotto

crucifix
en émail champlevé
musée des Arts décoratifs

Giraudon

ration du gaz d'éclairage, contenant du sulfate d'ammonium, du soufre libre, des ferrocyanures et sulfocyanures, employé comme engrais et comme insecticide.

crudité → CRU adj.

crue n. f. (part. pass. de *croître*). Élévation du niveau d'un cours d'eau : *La crue de la Garonne.* (La crue résulte de la fonte des neiges, des glaces ou de la pluie ; elle est d'autant plus brutale que la pente est forte, et les terrains imperméables.) [V. INONDATION.] ● *Crue élémentaire,* crue des affluents, par oppos. à celle du fleuve principal. ‖ *Crue de plage,* accumulation temporaire de matériaux meubles sur une plage.

cruel, elle adj. (lat. *crudelis*). En parlant des personnes, qui se plaît à faire ou à voir souffrir. ‖ Implacable, acharné : *Hannibal fut le plus cruel ennemi des Romains.* ‖ En parlant des choses, inspiré par la cruauté : *Un sourire cruel.* ‖ En parlant des personnes, qui fait souffrir par sa dureté, sa sévérité : *Tuteur cruel.* ‖ En parlant d'une femme, qui fait souffrir par son insensibilité et ses rigueurs celui qui l'aime. ‖ En parlant des choses, qui fait souffrir : *Une raillerie cruelle.* ‖ Ennuyeux, fâcheux, en parlant des personnes et des choses (dans ce cas, *cruel* précède le nom) : *Un cruel contretemps. Un cruel embarras.* ◆ **cruellement** adv. De façon cruelle : *Agir cruellement.* ‖ D'une façon douloureuse, pénible, sévère : *Son absence a été cruellement ressentie.*

cruenté [kryɑ̃te], **e** adj. (lat. *cruentus*). Imprégné de sang.

Cruijff (Johan), footballeur néerlandais (Amsterdam 1947). Il s'est révélé dans l'équipe d'Ajax d'Amsterdam avec laquelle il a remporté trois coupes d'Europe (des clubs champions), consécutivement (1971, 1972 et 1973), avant d'opérer en Espagne, à Barcelone. Attaquant inspiré, aux redoutables changements de rythme, il a été l'atout maître de l'équipe néerlandaise, finaliste de la Coupe du monde en 1974.

Cruikshank, famille de caricaturistes anglais, dont le plus célèbre est GEORGE (Londres 1792 - *id.* 1878), illustrateur de Dickens, d'Ainsworth. La National Gallery conserve de lui *The Worship of Bacchus.*

cruiser [kruzər] n. m. (mot angl.). Yacht de faible tonnage.

Crumb (Robert), dessinateur américain (Philadelphie 1943). Travaillant en Californie, il a pris pour cible l'Amérique conservatrice dans des bandes dessinées dont le style graphique et narratif, d'une grossièreté et d'une obscénité délibérées, d'une truculence drolatique, a fait de lui un chef de file du dessin de contestation en Occident.

crûment → CRU adj.

cruor n. m. (mot lat. signif. *sang*). Partie du sang qui se coagule, par oppos. au *sérum.*

crural, e, aux adj. (lat. *crus, cruris,* cuisse). Qui appartient à la cuisse. ● *Arcade crurale,* cordon fibreux tendu de l'épine iliaque antérosupérieure à l'épine du pubis. (L'arcade crurale circonscrit, avec le bord antérieur de l'os iliaque, un espace dont la partie interne, l'*anneau crural,* livre passage à l'artère et à la veine fémorales. C'est dans cet anneau que s'engagent les *hernies crurales.*) ‖ *Nerf crural,* volumineuse branche du plexus lombaire, qui se divise en quatre branches principales : nerf musculo-cutané externe, nerf musculo-cutané interne, nerf du quadriceps et nerf saphène interne. (Le nerf crural est le nerf de l'extension de la jambe sur la cuisse.)

Cruseilles, ch.-l. de c. de la Haute-Savoie (arr. de Saint-Julien-en-Genevois), à 18 km au N. d'Annecy ; 1 954 h. Industrie des pierres fines.

crusher [krœʃər] n. m. (de l'angl. *to crush,* écraser). Petite éprouvette cylindrique, en métal malléable, dont on mesure l'écrasement sous un effort puissant et de courte durée, pour obtenir une évaluation de cet effort. (On dit aussi CYLINDRE CRUSHER.)

Crusius (Christian August), théologien et philosophe allemand (Leuna 1715 - Leipzig 1775), adversaire de Leibniz et de Wolff.

Crussol (CHÂTEAU DE), château ruiné dominant la vallée du Rhône (r. dr.), en face de Valence (Ardèche, comm. de Guilherand).

Crussol, famille originaire de Crussol, dans le Vivarais. — LOUIS († en Languedoc 1473), chambellan de Louis XI, fut grand maître de l'artillerie. — ANTOINE (1528 - au siège de La Rochelle 1573), petit-fils du précédent, duc et pair d'Uzès, fut lieutenant général en Dauphiné, Languedoc et Provence (1561). Catholique, il joua un rôle modérateur au cours des guerres de Religion et fit arrêter le baron des Adrets. — Son frère JACQUES (1540 - Paris 1584), seigneur de Beaudine, puis d'Assier, lieutenant de Condé, fut gouverneur de Nîmes, puis de Cognac. Après le siège de La Rochelle, auquel il prit part du côté catholique, il se convertit et devint lieutenant général.

crustacé, e adj. (du lat. *crusta,* carapace). Recouvert ou formé d'une croûte : *Lichens crustacés.* ‖ — ***crustacés*** n. m. pl. Vaste classe d'arthropodes comprenant des animaux généralement aquatiques, à respiration branchiale, et dont la carapace chitineuse est « incrustée » de sels calcaires, tels que les crabes, les crevettes, les cloportes, etc.

— ENCYCL. Outre les caractères ci-dessus, les 300 000 espèces de crustacés se distinguent des autres arthropodes par l'existence de deux paires d'antennes, très différentes l'une de l'autre, et de trois paires de pièces buccales indépendantes, ainsi que par des appendices locomoteurs souvent biramés. La tête n'est jamais mobile par rapport au thorax,

tourteau

Larousse

écrevisse

étrilles

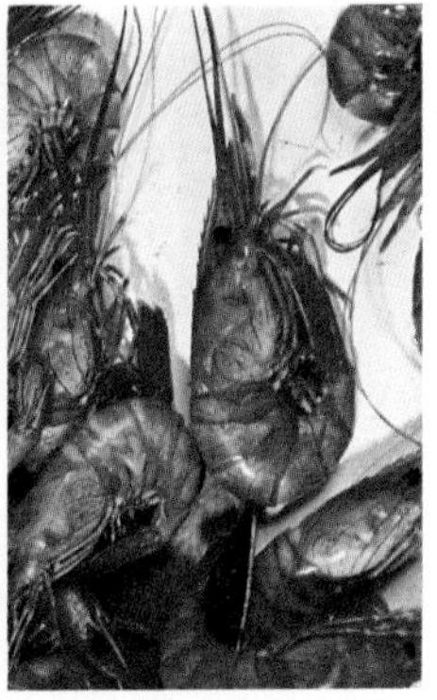

crevettes (bouquets)

araignée de mer

crevettes

CRUSTACÉS COMESTIBLES

homards

langoustines

Larousse

CRUSTACÉS COMESTIBLES

langouste

et les formes supérieures (malacostracés) ont une *carapace* dorso-latérale qui recouvre les chambres branchiales et protège le thorax. La larve des crustacés est presque toujours un *nauplius* aquatique, très différent de l'adulte. Les crustacés sont presque tous marins, mais les petites espèces abondent dans les eaux douces (gammares, cyclopes, daphnies), tandis que les cloportes et certains crabes vivent à terre et respirent l'air en nature.
Les professionnels pêchent les crustacés aux casiers, avec certains tramails, ou encore à la drague. A mer basse, les crabes se pêchent au crochet, les crevettes au chalut, au filet de l'amateur. En eau douce, les écrevisses se pêchent généralement à la balance.

Cruveilhier (Jean), médecin français (Limoges 1791 - Sussac, près de Limoges, 1874). Il succéda en 1835 à son maître Dupuytren, comme professeur d'anatomie pathologique. Il a écrit plusieurs traités d'anatomie.

Crux, nom lat. de la constellation de la Croix* du Sud (au génit. : *Crucis;* abrév. : [Cru]).

Cruz (Juana Inès de la), surnommée **la religieuse de Mexico,** femme poète mexicaine créole (San Miguel Nepantla, Mexique, 1651 - Mexico 1695). Après avoir été dame d'honneur de la femme du vice-roi, elle se retira au couvent. Elle composa des poésies, des pièces de théâtre et une comédie de cape et d'épée (*Los Empeños de una casa*).

Cruz (Ramón DE LA), auteur dramatique espagnol (Madrid 1731 - *id.* 1795). Outre des tragédies et des comédies, il a composé de vivantes saynètes consacrées au peuple des bas quartiers de Madrid.

cruzeiro [kruzejru] n. m. Unité monétaire principale actuelle du Brésil, valant 100 centavos (symb. : $CR).

Cruz e Silva. V. DINIS DA CRUZ E SILVA.

Cruz e Sousa (João DA), écrivain brésilien (Florianópolis, Santa Catarina, 1861 - Estação de Sitio, Minas Gerais, 1898). Ce n'est que longtemps après sa mort, vers 1920, que cet écrivain de race noire fut reconnu comme un grand poète symboliste. Citons de lui *Broquéis* (1893) et *Faróis* (1900).

Cruzy-le-Châtel, ch.-l. de c. de l'Yonne (arr. d'Avallon), à 18,5 km à l'E. de Tonnerre ; 351 h. Eglise du XIIIe s.

cryergie n. f. Action du gel et du dégel dans le sol.

cryodessiccation n. f. Dessiccation par le froid. (Syn. LYOPHILISATION.)

cryogène n. m. Mélange réfrigérant. ◆ **cryogénie** n. f. Production des basses températures. ◆ **cryogénique** adj. Relatif à la production du froid.

cryohydrate n. m. Hydrate qui se forme par congélation d'une solution aqueuse.

cryolite ou **cryolithe** n. f. Fluorure double naturel d'aluminium et de sodium, Na_3AlF_6, qu'on trouve au Groenland.

cryolithionite n. f. Fluorure naturel d'aluminium, de lithium et de sodium, du système cubique.

cryoluminescence n. f. Emission de lumière par certains corps refroidis à la température de l'air liquide. ◆ **cryoluminescent, e** adj. Doué de cryoluminescence.

cryomagnétisme n. m. Magnétisme se manifestant aux très basses températures.

cryomètre → CRYOMÉTRIE.

cryométrie n. f. Mesure des températures de congélation. || Syn. de CRYOSCOPIE. ◆ **cryomètre** n. m. Instrument pour mesurer les températures de congélation. || Syn. CRYOSCOPE. ◆ **cryométrique** adj. Qui appartient à la cryométrie, au cryomètre.

→ V. illustration page suivante.

cryopédologie n. f. Etude des formes du sol liées à l'action du gel.

cryophore n. m. Instrument, dû à Wollaston, dans lequel l'eau se congèle par suite de sa propre évaporation.

cryoscopie n. f. Etude des lois de la congélation des solutions. (V. *encycl.*) ◆ **cryoscopique** adj. Relatif à la cryoscopie.

— ENCYCL. ***cryoscopie.*** La température de congélation commençante de la solution d'un solide est inférieure à la température de congélation du solvant pur. Cet abaissement est donné par la loi de Raoult : $\Delta t = k\frac{C}{M}$, où C est la concentration, M la masse moléculaire du corps dissous et k la *constante cryoscopique* ou *cryométrique* du solvant. Cette loi, valable pour les solutions étendues non électrolysables, permet la détermination des masses moléculaires.

cryoscopique → CRYOSCOPIE.

cryostat n. m. Appareil utilisé pour maintenir des températures basses et constantes par l'emploi d'un gaz liquéfié.

cryothérapie n. f. Méthode qui utilise les froids intenses, réalisés par exemple par l'acide carbonique neigeux [— 80 °C], pour le traitement des naevi, angiomes, etc.

cryoturbation n. f. Déplacement des particules du sol sous l'action du gel et du dégel, constituant une forme particulière de la solifluxion. (Syn. GÉLITURBATION.) [Les alternances de gonflement et de contraction, principalement dans les formations limoneuses, provoquent des déplacements différentiels des matériaux, même sur des surfaces planes ; il se produit un triage qui aboutit à la formation des sols géométriques.]

cryphalus [falys] n. m. Tout petit scolyte (1 mm) de l'épicéa.

crypte n. f. (du gr. *kruptos,* caché, souterrain). Eglise souterraine établie sous le chœur pour y abriter des corps de martyrs ou y conserver des reliques (Jouarre, VIIe s.; Saint-Laurent de Grenoble, VIe-VIIe s. ; Saint-Eutrope de Saintes ; Chartres). || *Antiq. rom.* Galerie étroite et longue pratiquée au rez-de-chaussée de certains bâtiments (Domus Aurea, Rome). || Cavité de la surface foliaire des plantes des régions arides, contenant les stomates et souvent des poils. (Ce dispositif ralentit l'évaporation.)

→ V. illustration page suivante.

cryptie [ti] n. f. Epreuve d'initiation qui terminait l'éducation spartiate.

cryptobia n. m. Protozoaire flagellé parasite, que les sangsues transmettent parfois des escargots ou limnées aux poissons des eaux douces.

cryptobranches n. m. pl. Amphibiens urodèles aux branchies régressées à l'âge adulte, tels que l'amphiume.

cryptocalvinisme n. m. *Hist.* Doctrine des théologiens luthériens accusés d'être favorables, en secret, au calvinisme, en particu-

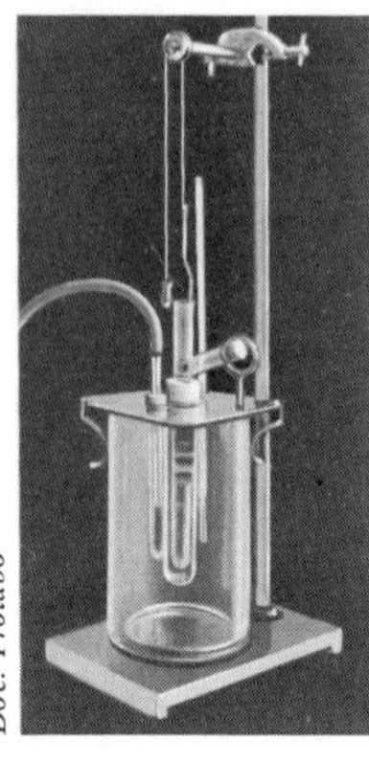
Doc. Prolabo

cryomètre de Beckmann

crypte de Tavant

Brunel

lier à propos de l'eucharistie. (Le point de départ en est la modification, faite par Melanchthon, de l'article 10 de la Confession d'Augsbourg, sur l'eucharistie, dans le sens d'un rapprochement avec les réformés. Cette tendance se développa essentiellement en Palatinat et en Saxe. Elle disparut dès le début du XVIIe s.) ◆ **cryptocalviniste** adj. et n. Qui concernait ou professait le crypto-calvinisme.

cryptocéphale n. m. Coléoptère chrysomélidé du monde entier, dit aussi GRIBOURI, dont la larve se nourrit de feuilles mortes et vit sur le sol dans un fourreau formé par ses propres excréments. (Nombreuses espèces, diversement colorées.)

cryptocérates n. m. pl. Groupe de punaises aquatiques, aux antennes réduites et cachées sous la tête, telles que la nèpe, la notonecte, le bélostome, etc. (Syn. HYDROCORISES.)

cryptocoque n. m. *Cryptocoque de Rivolta,* champignon blastomycète qui provoque la lymphangite épizootique du cheval et du mulet.

cryptodères n. m. pl. Important groupe de tortues au bassin non soudé à la carapace. (Ex. : la tortue grecque de nos jardins.)

cryptogames n. m. pl. (gr. *kruptos,* caché, et *gamos,* mariage). Anc. nom commun aux végétaux sans graines. (On distinguait les *cryptogames vasculaires,* auj. *ptéridophytes,* et les *cryptogames cellulaires,* auj. *thallophytes* et *bryophytes.*) [Contr. PHANÉROGAMES, auj. SPERMAPHYTES.] ◆ **cryptogamie** n. f. Etat ou étude des cryptogames. ◆ **cryptogamique** adj. Dû aux cryptogames. ‖ *Partic.* Se dit des maladies causées *aux plantes cultivées* par divers champignons parasites : oïdium, mildiou, rouille, carie, charbon, ergot, etc. (Les maladies cryptogamiques de l'homme et des animaux sont plutôt appelées *mycoses.*) ◆ **cryptogamiste** n. Celui ou celle qui étudie les cryptogames.

cryptogénétique adj. Se dit d'une maladie dont la nature ou la cause est inconnue.

cryptogramme, cryptographe → CRYPTOGRAPHIE.

cryptographie n. f. Ensemble des techniques permettant de chiffrer et de décrypter; art de les appliquer. ◆ **cryptogramme** n. m. Texte rédigé en écriture chiffrée : *Déchiffrer un cryptogramme.* ◆ **cryptographe** n. Personne qui se livre à la cryptographie. (On dit aussi CRYPTOLOGUE.) ‖ Un des types des machines à chiffrer et à déchiffrer. ◆ **cryptographier** v. tr. Transformer un texte clair suivant les règles de la cryptographie. ◆ **cryptographique** adj. Relatif à la cryptographie : *Caractères cryptographiques.*

cryptomeria n. m. Conifère d'origine japonaise, voisin du pin, fréquent dans les jardins.

cryptométallin, e adj. Qui renferme du métal, sans que cela soit annoncé par aucun signe extérieur.

cryptonémiales n. m. pl. Ordre d'algues rouges (ex. la *coralline*).

cryptophagus [fagys] n. m. Petit coléoptère roux, qui semble se nourrir surtout des moisissures du bois. (Type de la famille des *cryptophagidés.*)

cryptophyte n. f. Plante qui ne conserve en hiver que ses parties souterraines (bulbe, rhizome, tubercules, etc.).

cryptopleure n. m. Insecte très voisin des hydrophiles, mais qui vit dans les bouses.

cryptoportique n. m. Chez les Romains, galerie voûtée, destinée à la circulation ou utilisée comme magasin, et recevant le jour des deux côtés ou du plafond vitré (Bavay, Arles. ‖ Narthex fermé sur les côtés, qui donne accès dans une église.

cryptoprocte n. m. Carnassier de Madagascar, dit aussi FOUSSA, qu'on classe parmi les félidés, mais que ses courtes pattes, ses glandes anales, etc., rapprochent des civettes.

cryptops n. m. Mille-pattes venimeux, aveugle, aux longues antennes, de l'Europe centrale, vivant surtout dans les souches.

cryptorchide [ki] n. m. Individu dont les testicules ne sont pas descendus dans les bourses. (V. ECTOPIE *testiculaire.*) ◆ **cryptorchidie** n. f. Etat d'un individu cryptorchide. (La chryptorchidie du cheval peut affecter un seul testicule [*monorchidie*] ou les deux, entraînant alors l'infécondité ; dans les deux cas, les chevaux sont turbulents, difficiles à conduire et occasionnent souvent des accidents. Assez fréquente chez le porc, la cryptorchidie fait apparaître dans la viande une odeur spéciale peu appréciée et que la cuisson ne détruit pas.)

cryptorhynque n. m. Charançon écailleux noir, aux élytres blancs du bout (d'où son nom de *cul-blanc*), dont la larve creuse ses galeries dans les bois des saules, des aulnes et des peupliers, causant la mort des jeunes pieds.

crystal n. m. Hameçon de forme particulière, pour la pêche en eau douce.

Crystal, nom de trois bases aériennes de l'Arctique canadien, dans l'Ungava et en terre de Baffin.

Crystal Palace, édifice construit à Londres en 1851 par sir J. Paxton, et presque entièrement de fer et de verre. Il fut transféré de Hyde Park à Sydenham (1852-1854). Un incendie le détruisit en 1936.

Cs, symbole chimique du *cæsium.*

Csányi (Ladislas ou László), homme politique hongrois (Csányi 1790 - Pest 1849), l'un des chefs de la révolution de 1848. Livré par les Russes aux Autrichiens, il fut exécuté.

csar n. m. V. TSAR.

csardas [tʃardaʃ] n. f. (mot hongrois ; de *csarda,* auberge de campagne). Danse hongroise typique, à deux ou à quatre temps, comprenant une introduction assez lente suivie d'un mouvement rapide. (Liszt a utilisé certains thèmes de csardas dans ses *Rhapsodies hongroises.*)

Csepel (ÎLE), grande île du Danube, qui commence au S. de Budapest ; long. 60 km ; 275 km². A son extrémité nord, centre métallurgique important.

C. S. F., sigle de COMPAGNIE GÉNÉRALE DE TÉLÉGRAPHIE SANS FIL. (V. TÉLÉGRAPHIE SANS FIL [*Compagnie générale de*].)

Csiky (Gergely), écrivain hongrois (Pankota 1842 - Budapest 1891). Après des débuts obscurs, il connut la célébrité avec une pièce sociale : *les Prolétaires* (1880). Parmi ses autres œuvres dramatiques, on peut citer : *Mukányi* (1880), *Nora* (1884).

Csokonai Vitéz (Mihály), poète hongrois (Debrecen 1773 - *id.* 1805). Il est, après Balassa et avant Petőfi, un des principaux représentants de la poésie lyrique magyare. Son œuvre la plus connue est *Dorothée ou le Triomphe des dames sur le Carnaval* (1804).

Csokor (Franz Theodor), écrivain autrichien (Vienne 1885 - *id.* 1969), l'un des meilleurs auteurs dramatiques de l'Autriche contemporaine : *le Général de Dieu* (1938), *le Fils perdu* (1946).

Csontváry Kosztka (Tivadar), peintre hongrois (Kisszeben, auj. Sabinov, Tchécoslovaquie, 1853-Budapest 1919). Autodidacte, reconnu après sa mort, il a créé de grandes compositions lyriques et symboliques que transfigure la liberté du coloris.

Ct, symbole chimique du *celtium.*

Cte et **C**tesse, abrév. de COMTE et COMTESSE.

cténaires n. m. pl. Sous-embranchement de cœlentérés marins, dépourvus de nématocystes, mais pourvus de « peignes » (rangées de cils vibratiles) qui leur servent à nager. (Ce groupe compte seulement 80 espèces, mais les individus sont innombrables ; leur symétrie est à la fois bilatérale et dorsoventrale ; leur statocyste est perfectionné.)

cténize n. f. Mygale maçonne d'Italie, de Corse et de la Côte d'Azur, qui creuse dans les talus un profond terrier cylindrique que ferme un clapet à charnière, parfaitement hermétique. (Type de la famille des *cténizidés,* qui compte 500 espèces d'araignées.)

cténocéphale n. m. Puce du chien, vecteur du typhus des rats, du ténia du chien et parfois de la peste.

cténoïde adj. Se dit surtout des écailles au bord libre dentelé ou épineux, fréquentes chez les poissons osseux.

cténolabre n. m. Poisson labridé des mers froides, long de 20 cm, voisin du crénilabre.

cténophore n. m. Grande tipule brune, dont la larve se développe dans le terreau des marronniers d'Inde. ‖ — ***cténophores*** n. m. pl. Anc. nom des CTÉNAIRES*.

cténostomates n. m. pl. Sous-ordre de bryozoaires marins ou des estuaires, ancêtres probables des formes d'eau douce.

Ctésias, en gr. **Ktêsias,** historien grec (né à Cnide, Carie, Ve s. av. J.-C.). Médecin d'Artaxerxès II Mnémon, il a écrit des ouvrages en dialecte ionien sur la Perse et sur l'Inde.

Ctésibios, en gr. **Ktêsibios,** savant grec du IIIe s. av. J.-C. Il imagina une clepsydre, une sorte de fusil à vent, un orgue hydraulique ; on lui attribue l'invention de la pompe aspirante et foulante.

Ctésiphon, en gr. **Ktêsiphôn.** *Géogr. anc.* V. de Mésopotamie, sur le Tigre, capit. des Parthes Arsacides, puis des Sassanides. Elle devint arabe en 637.

Ctésiphon, en gr. **Ktêsiphôn,** orateur athénien (IVe s. av. J.-C.). Il proposa de décerner une couronne d'or à Démosthène (336 av. J.-C). Accusé par Eschine de faire une proposition illégale, il fut acquitté à la suite du plaidoyer de Démosthène.

Ctiménè, en gr. **Ktimenê.** *Myth. gr.* Fille de Laërte et sœur d'Ulysse.

Cu, symbole chimique du *cuivre.*

Cuanza (le), ou **Couanza,** fl. de l'Angola, tributaire de l'Atlantique ; 1 000 km. Centrale hydraulique de Cambambé.

Cuauhtémoc, dernier empereur aztèque (Mexico v. 1497 - 1525). Il fut pendu au cours d'une expédition conduite par Cortés vers le Honduras.

Cuba, île et république de l'Atlantique, la plus occidentale des Grandes Antilles, à l'entrée du golfe du Mexique ; 114 524 km^2 ; 9 millions d'h. (*Cubains*). Capit. *La Havane.* Langue : *espagnol.* Religion : *catholique.*

armoiries de Cuba

Géographie.

Une plaine calcaire, tapissée d'un sol épais de décomposition et parsemée de reliefs karstiques résiduels, occupe la plus grande partie de l'île, qui s'allonge sur 1 300 km d'O. en E. Elle est limitée vers le golfe du Mexique par des chaînons calcaires et dominée au S.-O. par le massif cristallin de la sierra Maestra (2 560 m). A la saison des pluies (de mai à oct., 1 200 à 2 000 mm) s'oppose la période de sécheresse (toute relative), s'étendant de nov. à avr. Les cultures de la canne à sucre (occupant les deux tiers des surfaces cultivées) et du tabac (orientée vers la production de cigares) constituent les ressources essentielles de l'économie cubaine. Les cultures vivrières (fruits, légumes et riz) et l'élevage des bovins ont été développés à la suite de la réforme agraire de 1959. Les richesses minérales (cuivre, chrome, manganèse et, surtout, nickel) commencent à être exploitées, mais le secteur industriel demeure réduit, en dehors des manufactures de tabac, des sucreries surtout et des distilleries. Cuba, premier producteur de sucre en 1970 (8 500 000 t), n'est plus qu'au deuxième rang, après le Brésil, car la nouvelle orientation de l'économie tend à diversifier la production agricole, à accroître l'élevage des bovins et à développer la production industrielle pour pallier les conséquences de la rupture avec les Etats-Unis, autrefois premier client et fournisseur. Le commerce avec l'U.R.S.S. et les démocraties populaires est devenu primordial. (V. carte ANTILLES.)

Cuba
petite exploitation traditionnelle

Y. Billon - Atlas-Photo

Histoire.

Peuplée à l'origine par les Indiens Arawaks, l'île fut découverte par Christophe Colomb en 1492. Les Espagnols s'y établirent à partir de 1511. Cuba dépendit de la capitainerie générale de Porto Rico jusqu'en 1777, puis fut constituée en capitainerie particulière. La Havane, fondée dès 1519, fut très fréquentée par les galions de la Nouvelle-Espagne et les boucaniers français et anglais. Dès les premiers temps de la colonisation, le travail des esclaves noirs relaya celui des Indiens, exterminés. Le tabac, les plantes tinctoriales furent les premières productions ; le sucre, introduit dès le XVIe s., triompha au XVIIIe s. L'économie et le commerce de Cuba restèrent étroitement soumis à l'Espagne, qui, à l'exception d'une courte occupation britannique (1762-1763), demeura maîtresse de l'île jus-

Housez-Gamma

récolte de la canne à sucre à Cuba, en 1970

qu'en 1898. En 1868, créoles et Noirs se soulevèrent pour obtenir la liberté des esclaves et le suffrage universel. Après dix ans de lutte, l'abolition de l'esclavage fut acquise. L'effondrement des prix du sucre suscita une nouvelle révolte, menée par José Martí et Máximo Gómez; elle aboutit à la guerre hispano-américaine*. Battue, l'Espagne dut, au traité de Paris (déc. 1898), renoncer à sa colonie. Les Etats-Unis occupèrent l'île de 1898 à 1902. La République cubaine fut constituée. Mais l'amendement Platt, aux termes duquel Cuba devait soumettre tout accord diplomatique et militaire à l'autorisation de Washington, et qui demeura en application jusqu'en 1934, violait la souveraineté cubaine. Depuis 1903, les Etats-Unis disposaient d'une base navale dans la baie de Guantanamo; de 1906 à 1912, ils occupèrent de nouveau l'île. Les liens entre Cuba et les Etats-Unis se renforcèrent lorsque la parité entre le peso et le dollar fut établie en nov. 1914. Lors de son entrée en guerre aux côtés des Alliés, en 1917, Cuba connaissait une période de grande prospérité. Mais la dépression économique qui suivit la Première Guerre mondiale provoqua des troubles sociaux et permit l'installation au pouvoir du dictateur Gerardo Machado (1925-1933). Batista domina ensuite la vie politique; il fut président de la République de 1940 à 1944. Grau San Martín lui succéda (1944-1948). Batista reprit le pouvoir par le coup d'Etat de mars 1952; il suspendit la Constitution et entreprit des réformes sociales, qui furent bien accueillies. Mais, malgré l'échec d'une première rébellion en juill. 1953 et de la grève générale d'avr. 1958, le mouvement d'opposition paysanne mené par Fidel Castro se développa. La révolution porta à la présidence Manuel Urrutia (5 janv. 1959), remplacé en juill. par Osvaldo Dorticós. Fidel Castro devint Pre-

PROVINCE	SUPERFICIE EN KM²	NOMBRE D'HABITANTS	CHEF-LIEU
Camagüey	22 898	844 000	*Camagüey*
Havane (La)	8 446	2 346 200	*La Havane*
Matanzas	12 293	516 900	*Matanzas*
Oriente	36 634	3 109 800	*Santiago de Cuba*
Pinar del Río	10 901	557 600	*Pinar del Río*
Villas (Las)	197 500	1 398 900	*Santa Clara*

VILLES PRINCIPALES : *La Havane, Holguín, Guantánamo, Santa Clara, Santiago de Cuba, Sancti Spíritus, Camagüey.*

mier ministre (févr.), et une vaste réforme agraire fut entreprise (juin 1959). Les confiscations dont furent victimes les planteurs américains altérèrent les relations de Cuba avec les Etats-Unis. Cette situation s'aggrava lors de la nationalisation des raffineries de sucre (août 1959), puis de pétrole (oct. 1959), et à la suite de l'appui donné au gouvernement de Fidel Castro par l'U. R. S. S. En 1961 une tentative de débarquement par des Cubains réfugiés aux Etats-Unis fut repoussée. Par la suite, l'installation par les Soviétiques de rampes de lancement de fusées à Cuba provoqua une très vive tension avec les Etats-Unis (oct. 1962). L'expérience castriste a encouragé l'esprit révolutionnaire dans plusieurs républiques de l'Amérique latine (conférence de La Havane, 1966) et en Angola, où une aide directe a été apportée à un mouvement de tendance socialiste, ce qui a permis à ce dernier de l'emporter sur ses adversaires (1976). Ce rôle nouveau joué par Cuba sur la scène internationale ne facilite pas la reprise de relations normales avec les Etats-Unis et avec tous les pays de l'Amérique latine qui sont étroitement liés à ces derniers.

Littérature.

V. AMÉRIQUE (article sur les littératures de l'Amérique latine).

cubage → CUBE.

cubain, e adj. et n. Qui se rapporte à Cuba ; habitant ou originaire de cette île.

Cubango ou **Coubango** (le), fl. de l'Afrique équatoriale et australe ; 1 700 km. Né en Angola, il forme la frontière entre l'Angola et la Namibie. Il porte aussi le nom d'*Okovango* dans son cours inférieur.

cubature → CUBE.

cube n. m. (lat. *cubus ;* du gr. *kubos,* dé à jouer). Parallélépipède rectangle dont toutes les arêtes sont égales. (Ses six faces sont des carrés égaux.) || Objet ayant cette forme : *Jeu de cubes.* || *Arg. scol.* Elève de troisième année dans les classes supérieures des lycées ou dans certaines grandes écoles (Normale, Centrale). ● *Cube d'air,* volume d'air. || *Cube d'un nombre,* produit de trois facteurs égaux à ce nombre. (Le cube de a se note a^3.) || *Cube parfait,* nombre entier qui est le cube d'un autre nombre entier. || *Cube d'un solide,* son volume. ✦ adj. Se dit d'une mesure appliquée à évaluer le volume d'un corps pour la distinguer de la mesure linéaire : *Un mètre cube.* ◆ **cubage** n. m. Action de cuber, d'évaluer en unités cubiques le volume d'un corps : *Le cubage des bois de construction.* (V. *encycl.*) || Méthode pour cuber. || Nombre d'unités cubiques contenues dans le volume d'un corps. ● *Cubage sous écorce,* cubage d'une grume soit après écorçage, soit par enlèvement d'un anneau d'écorce, soit par déduction d'une certaine fraction sur la circonférence, pour tenir compte de l'épaisseur de l'écorce. ◆ **cubature** n. f. Détermination du côté du cube équivalant à un volume donné. || Evaluation d'un volume. ◆ **cuber** v. tr. Evaluer en unités cubiques : *Cuber des bois, des pierres.* || Avoir en unités cubiques un volume de : *Bassin qui cube 300 hectolitres.* ◆ **cubique** adj. Qui a la forme d'un cube : *Une maison cubique.* ● *Chapiteau cubique,* chapiteau dont la corbeille est un cube arrondi à ses angles inférieurs (chapiteau roman). || *Pierre cubique,* symbole maçonnique représentant la pierre philosophale ou base de certitude que chacun doit chercher en soi-même. || *Système cubique,* un des sept systèmes cristallins. (V. CRISTALLOGRAPHIE.) ✦ n. f. Courbe plane ou gauche du troisième degré. ● *Cubique gauche,* courbe gauche coupée par un plan en trois points : *Deux quadriques ayant une génératrice commune se coupent suivant une cubique gauche dont cette génératrice est une corde.* || *Cubique plane,* courbe plane coupée par une droite en trois points. || *Cubique unicursale,* lieu des points M obtenus en menant, d'un point fixe A d'une conique, une sécante

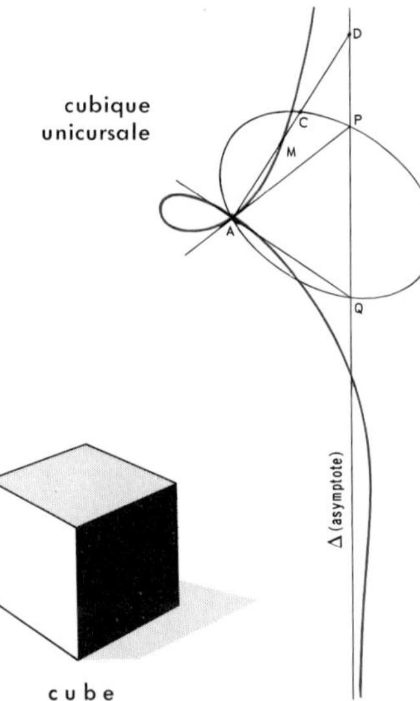

variable qui coupe la conique en C et une droite Δ en D, puis en portant sur la sécante une longueur AM égale à CD. (Si la conique est un cercle, on a une *cubique circulaire unicursale,* dont la cissoïde, la strophoïde et la trisectrice de Maclaurin sont des cas particuliers.) ◆ **cubisme** n. m. Tendance artistique, apparue vers 1906, qui considérait l'œuvre d'art comme un fait plastique indépendant de l'imitation directe des formes naturelles et qui se proposait de traduire leur vision à l'aide de formes géométriques. (V. *encycl.*) ◆ **cubiste** adj. et n. Qui appartient au cubisme. ◆ **cuboïde** adj. Se dit de l'os du tarse dont la forme rappelle celle d'un cube. ✦ N. m. *Math.* Rhomboèdre peu différent d'un cube.

— Encycl. **cubage.** ● *Cubage d'un arbre abattu.* Le *bois de feu* est mesuré au stère. Pour le bois d'œuvre, on utilise la longueur *l* (mètres) du tronc étêté et la longueur *c* (mètres) de la circonférence moyenne (équidistante des extrémités). Dans le cubage en grume, dit *cubage réel,* on assimile le tronc à un cylindre ayant pour hauteur *l* et pour périmètre de base *c*. Le résultat

Pablo Picasso : « Femme à la guitare » ou « Ma jolie », *Museum of Modern Art, New York*

Giraudon

le Violon, « papier collé » de Georges Braque

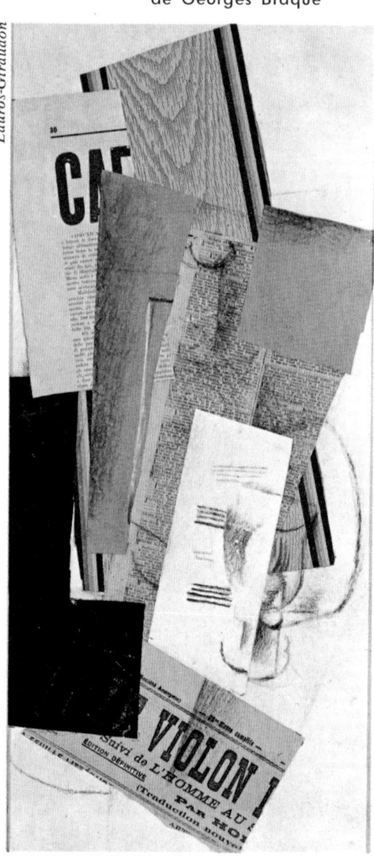

Lauros-Giraudon

est $\frac{lc^2}{4\pi}$, soit pratiquement 0,08 lc^2. Dans le *cubage au quart,* on prend pour base un carré de côté $\frac{c}{4}$, ce qui donne $\frac{lc^2}{16}$, soit 0,062 5 lc^2. La réduction sur le cubage réel correspond à un équarrissage grossier (charpentes). Dans le *cubage au $n^{ième}$ déduit,* on procède comme dans le cubage au quart, après avoir au préalable déduit de la circonférence moyenne le $n^{ième}$ de sa longueur. Dans la pratique, on utilise $n = 6$ (équarrissage à vive arête) et $n = 5$ (équarrissage sans aubier, qui donne pour volume la moitié du cubage réel). Des barèmes facilitent le calcul du volume ainsi que celui du prix ; le prix du mètre cube dépend évidemment de la formule adoptée.

● *Cubage d'un arbre sur pied.* Les formules sont les mêmes. On évalue la hauteur à l'aide de clisimètres, dendromètres, etc. On mesure la circonférence à hauteur d'homme, soit à 1,30 m du sol ; on en déduit la circonférence moyenne d'après la forme et la hauteur. Le bois de feu (branches et houppier) est évalué au jugé, souvent fixé conventionnellement avec un coefficient qui dépend de l'essence, d'après le cubage du bois d'œuvre.

— **cubisme.** Ce mouvement, en abandonnant à l'aube du XXe s. le réalisme traditionnel ainsi que la conception de l'espace pictural héritée de la Renaissance, va bouleverser la peinture. La leçon de Cézanne et la découverte de l'art nègre et des arts primitifs ont ouvert la voie aux travaux de Picasso (*les Demoiselles d'Avignon,* 1907) et de Braque (*Grand Nu,* 1908). Devant leurs paysages « cézanniens » de 1908, un critique parle de « bizarreries cubiques ». Avec la période « analytique » (à partir de 1910), le cubisme pousse l'exploration plus avant : il adopte une multiplicité d'angles de vue pour atteindre une vision totale et créer un « objet esthétique extrêmement structuré ». Cette nouvelle conception de l'espace pictural et de la forme favorise le monochromatisme et l'étude de la lumière (*Portrait de D. H. Kahnweiler,* de Picasso, 1910 ; *le Portugais,* de Braque, 1911 ; *Hommage à Picasso,* de Juan Gris, 1911-1912). Accentuant l'ambiguïté entre l'apparence et l'essence du réel ainsi qu'entre l'image concrète et le concept abstrait, les cubistes introduisent des chiffres, des lettres, des objets peints en trompe l'œil, qui amènent les « collages » et « papiers collés », véritables morceaux de réalité intégrés au tableau (*Nature morte à la chaise cannée,* de Picasso, 1912 ; *Compotier et verre,* de Braque, 1912). Progressivement la synthèse de l'image à partir d'éléments choisis remplace la démarche analytique : la phase « synthétique » du cubisme (à partir de 1912-1913) est celle de l'organisation du tableau en un tout cohérent avec quelques

Held

Jacques Villon : « l'Aventure »
musée national d'Art moderne, Paris

signes essentiels, géométriques, et des éléments tirés du réel : sable, fragments de journaux, de papiers peints, etc. (*Composition à l'as de trèfle,* de Braque, 1913 ; *la Bouteille de Banyuls,* de Juan Gris, 1914). La couleur reprend de l'importance, particulièrement avec le « cubisme orphique » de Delaunay (*la Ville de Paris,* 1912). Mais le développement des multiples recherches cubistes est interrompu par la guerre : les grands maîtres (Picasso, Braque, Gris, Léger, Delaunay) vont poursuivre une voie personnelle, tandis qu'Albert Gleizes et Jean Metzinger, théoriciens du mouvement avec *Du cubisme,* paru en 1912, et animateurs de la « Section d'Or », ainsi que Louis Marcoussis, Henri Le Fauconnier, André Lhote tentent d'infléchir le cubisme vers une conception plus sensible du réel, non sans parfois succomber au décoratif. Enfin, dans la suite des découvertes picturales, la sculpture a su interpréter en trois dimensions les principes cubistes avec, après Picasso lui même, Brâncuşi, Archipenko, Joseph Csáky Duchamp-Villon, Laurens, Lipchitz, Zadkine

cubèbe n. m. (ar. *kebaba*). Poivrier grimpant, dont la graine a été utilisée en médecine.

cuber → CUBE.

cubiculaire n. m. (du lat. *cubicularius*). A Byzance, fonctionnaire de rang élevé.

cubilot n. m. Four à cuve de fusion à carcasse métallique et garnissage réfractaire, utilisé pour produire la fonte à l'état liquide, en fonderie ou parfois en aciérie.

cubique, cubisme, cubiste → CUBE.

cubital, cubitière → CUBITUS.

cubitus [tys] n. m. (mot lat. signif. *coude*). Os long qui forme la partie interne du squelette de l'avant-bras. ◆ **cubital, e, aux** adj. Relatif au coude. || Relatif au bord interne de l'avant-bras. ● *Artère cubitale*, branche de bifurcation de l'artère humérale. || *Nerf cubital*, nerf du membre supérieur, qui assure l'innervation sensitive de la partie interne de la main et l'innervation motrice de presque tous les muscles de la main. || *Nervure cubitale*, seconde nervure longitudinale de l'aile des insectes. ◆ **cubitière** n. f. Pièce d'armure protégeant le coude (XIVe-XVe s.).

cubo-dodécaèdre n. m. Cristal qui a la forme d'un cube dont les arêtes sont coupées par des plans qui, prolongés, produiraient un dodécaèdre rhomboïdal.

cuboïde → CUBE.

cuboméduses n. f. pl. Anc. groupe de méduses à quatre tentacules.

cubo-octaèdre n. m. Cristal dont la forme est une association des faces du cube et de l'octaèdre régulier.

Cubzac-les-Ponts, comm. de la Gironde (arr. et à 20 km au N.-E. de Bordeaux), près de la Dordogne; 1 115 h. Ruines du château des Quatre Fils Aymon (XIIIe s.).

Cubzadais, pays du Bordelais (Gironde), autour de Cubzac. Vignobles; élevage laitier.

Cucci (Domenico), orfèvre et ébéniste des Bâtiments du roi (Todi, près de Pérouse, 1635 - Paris 1705). Appelé aux Gobelins par Mazarin (1664), il se rendit célèbre par ses marqueteries, ses ciselures, dans le goût italien. Il travailla pour Versailles, Saint-Denis (tabernacle de l'autel), le Louvre.

cuceron n. m. Syn. de COSSE ou COSSON.

Cucheron (COL DU), col des Préalpes (Isère), dans le massif de la Grande-Chartreuse; 1 140 m.

cucubalus [lys] n. m. Caryophyllacée aux fleurs blanches, poussant sous les haies.

Cucufat ou **Cucuphat** (saint), né probablement en Afrique, martyr en 303 à Barcelone. — Fête le 25 juill.

cucujidés n. m. pl. Famille d'insectes coléoptères des écorces, aux larves carnassières, aux formes adultes très aplaties, de l'Amérique du Sud. (Ex. : le pyrophore*.)

cuculidés n. m. pl. Famille d'oiseaux grimpeurs, type de l'ordre des *cuculiformes*, comprenant le *coucou* gris* d'Europe, aux mœurs parasites, et de nombreux oiseaux des régions chaudes : coucou-geai, coucou métallique, coulicou, coucal, ani, etc., tous au bec arqué, à la queue longue, et ayant deux doigts tournés vers l'arrière à chaque patte.

cuculle n. f. (lat. *cucullus*, capuchon). *Antiq. rom.* Courte pèlerine à capuchon, pour le travail en plein air. || Nom du scapulaire, chez les Chartreux. || Capuchon ou vêtement d'étoffe grossière, dans certains ordres religieux.

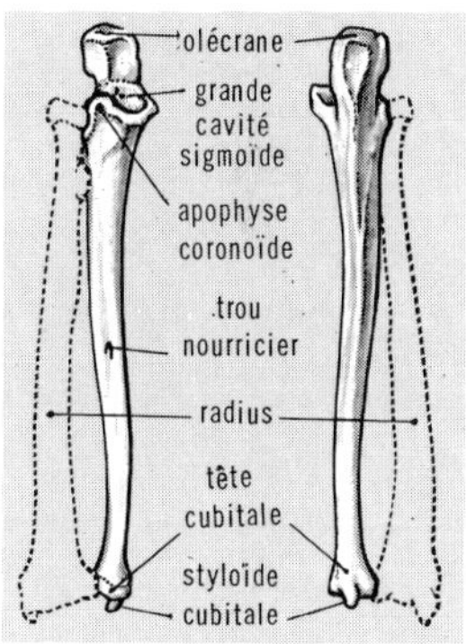

cubitus

cucullie n. f. Noctuelle aux poils dressés sur le dos, et dont la chenille vit sur les fleurs et sa chrysalide dans la terre.

cucumaria n. f. Holothurie cosmopolite, aux tentacules ramifiés, dite aussi CONCOMBRE DE MER.

cucumis [mis] n. m. Nom lat. du *concombre*.

cucurbita n. m. Nom lat. de la *courge*. ◆ **cucurbitacées** n. f. pl. Famille de plantes à tige couchée ou grimpante munie de vrilles, aux fleurs unisexuées gamopétales, aux fruits souvent comestibles et volumineux (courge, melon, concombre, etc.), et dont la place dans la classification est mal établie.

cucurbitain n. m. Anneau isolé du ténia, ressemblant à une graine de courge.

cucurbite n. f. (lat. *cucurbita*, courge). Partie inférieure de la chaudière de l'alambic.

Cúcuta, anc. **San José de Cúcuta,** v. de Colombie, ch.-l. de dép.; 175 300 h. Centre commercial (café).

cucuyo n. m. V. PYROPHORE.

Cuddalore, port de l'Inde (Tamilnād); 79 200 h. Commerce de l'arachide et huileries.

Çuddhodana (« Nourriture pure »), père du

bouddha Çākyamuni et chef du clan *kshatriya.* Il eut pour épouse principale Māyā ou Māyā-Devrī, mère du Bouddha, et pour seconde épouse la sœur de celle-ci, Mahāprajāpatī Gautamī.

cudelé, e adj. Se dit d'un cheval atteint de synovite articulaire.

çūdra n. m. invar. Membre de la plus basse des anciennes castes de l'Inde, comprenant les laboureurs, les artisans et les ouvriers.

Cudworth (Raoul ou Ralph), philosophe et théologien anglais (Aller, Somerset, 1617 - Cambridge 1688), auteur d'une théorie sur le *médiateur plastique,* substance intermédiaire réalisant l'union de l'âme et du corps.

cueillage, cueille, cueille-fruits, cueillette, cueilleur → CUEILLIR.

cueillie ou **cueillée** n. f. Bordure sur la face d'un mur, servant de repère pour le crépissage.

cueillir [kœjir] v. tr. (lat. *colligere,* rassembler) [conj. **12**]. Détacher de sa branche ou de sa tige : *Cueillir des pêches bien mûres. Aller au jardin cueillir un bouquet de roses.* || *Fig.* Prendre, recueillir avec délicatesse, comme un fruit ; jouir de : *Cueillir un baiser furtif. Elle cueillait le bonheur de ses vingt ans.* || *Fam.* Accueillir ou emmener avec soi à l'improviste : *J'irai vous cueillir à la gare. Je passerai le cueillir chez lui.* || Arrêter : *La police a cueilli le malfaiteur dans un café.* ◆ **cueillage** n. m. Action de cueillir les fruits. || Saison où l'on cueille les fruits. || En bonneterie, prise d'un fil par le bec d'une aiguille. || Opération consistant à prendre le verre pâteux dans le creuset, afin de le travailler. ◆ **cueille** n. f. Action de cueillir les fruits. || *Mar.* Syn. de LAIZE. ◆ **cueille-fruits** n. m. invar. Syn. de CUEILLOIR. ◆ **cueillette** n. f. Action de cueillir ; récolte des fruits ou d'autres produits végétaux. (V. *encycl.*) || Saison où se fait cette récolte. ● *Charger un navire en cueillette,* en composer la cargaison avec des marchandises provenant de différents chargeurs. ◆ **cueilleur** n. m. Ouvrier qui prend le verre dans le creuset avec la canne à souffler. ◆ **cueilloir** n. m. Instrument de jardinier, formé d'une cisaille montée sur une hampe et d'une corbeille pour recevoir les fruits. (Syn. CUEILLE-FRUITS.)

— ENCYCL. ***cueillette.*** La cueillette, opération de simple ramassage ou prélèvement de tubercules, de racines, de fruits, d'écorces, est le plus souvent associée à la pêche et à la chasse, pour assurer la nourriture et le vêtement, depuis des époques anciennes de la préhistoire. Les côtes de l'Europe occidentale et du Brésil ont connu, par exemple, des populations vivant du ramassage de coquillages. Le passage de la cueillette à la culture reste obscur. La cueillette a été utilisée à grande échelle pour la récolte du latex de l'hévéa et de l'écorce de quinquina dans les premiers temps de l'utilisation de ces produits.

cueilloir → CUEILLIR.

Cuelgamuros, site d'Espagne, en Nouvelle-Castille, dans la sierra de Guadarrama. Nécropole souterraine abritant une partie des morts de la guerre civile.

Cuenca, v. d'Espagne, en Nouvelle-Castille, ch.-l. de prov. ; 34 500 h. Evêché. Cathédrale du XIIIe s.

Cuenca ou **Santa Ana de Cuenca,** v. de l'Equateur, capit. de la prov. de l'Azuay, à 2 580 m d'alt. ; 60 800 h. Fabrication de chapeaux dits *panamas.*

Cuénot (Lucien), zoologiste et biologiste français (Paris 1866 - Nancy 1951). Professeur à la faculté des sciences de Nancy, il vérifia les lois de Mendel sur les animaux, mit en évidence le caractère létal et les coaptations, et proposa la théorie de la préadaptation. (Acad. des sc., 1931.)

cuerelle n. f. Grès houiller, dans le Pas-de-Calais. ◆ **cuerelleux** adj. V. QUERELLEUX.

Cuers, ch.-l. de c. du Var (arr. et à 20 km au N.-E. de Toulon) ; 5 576 h. (*Cuersois*).

Cues (Nicolas DE). V. NICOLAS DE CUSA.

Cuesmes, comm. de Belgique (Hainaut, arr. et dans la banlieue sud-ouest de Mons) ; 11 400 h. Métallurgie.

cuesta n. f. (mot esp.). Syn. de RELIEF DE CÔTE*.

Cueva (Beltrán DE LA), duc **d'Alburquerque** († 1492), favori d'Henri IV, roi de Castille. On lui attribue la paternité de l'infante Jeanne, surnommée *la Beltraneja.*

Cueva (Juan DE LA), poète dramatique espagnol (Séville v. 1550 - *id.* 1610). Il fut un des précurseurs du théâtre de l'âge d'or avec *le Calomniateur* (comédie, 1581) et *la Comédie de la mort du roi don Sancho* (v. 1600).

Cuevas (Jorge de PIEDRABLANCA DE GUANA, marquis DE), directeur de ballets et mécène espagnol (Santíago, Chili, 1885 - Cannes 1961). Il fonda à New York, en 1940, une école de danse, puis, en 1944, une compagnie, « Ballet international ». En 1946, il prit la direction des « Nouveaux Ballets de Monte-Carlo », qui devaient devenir l' « International Ballet of the marquis de Cuevas ».

cufat, ou **cuffat,** ou **cuffa** n. m. (du bas lat. *cupha ;* pour *coupa,* coupe). Robuste tonneau en acier, muni d'une anse ou d'anneaux pour l'accrocher à un câble, servant à la remontée des déblais et à la circulation du personnel dans un fonçage de puits de mine.

Cuffies, comm. de l'Aisne (arr. et à 1 km au N. de Soissons) ; 1 770 h. Verrerie.

Cuffy, comm. du Cher (arr. de Saint-Amand-Mont-Rond), près de la Loire, à 14 km au S.-O. de Nevers ; 798 h. Château ruiné.

Cugnaux, comm. de la Haute-Garonne (arr. et à 11 km au S.-O. de Toulouse) ; 9 789 h. (*Cugnalais*). Base aérienne de Francazals.

Cugnot (Joseph), ingénieur du génie militaire français (Void, Lorraine, 1725 - Paris 1804). En 1770, il construisit la première voiture automobile à vapeur. En 1771, il construisit un second modèle, plus grand,

Goldner

appelé le « fardier de Cugnot ». Il fut le premier à transformer le mouvement rectiligne des pistons en un mouvement rotatif continu.

Cui (César Antonovitch), compositeur russe (Vilna, Lituanie, 1835 - Pétrograd [auj. Leningrad] 1918), fondateur, avec Balakirev, du « groupe des Cinq ». Il a écrit de nombreuses œuvres pour le piano, la voix, l'opéra (*le Fils du mandarin,* 1859 ; *le Prisonnier du Caucase,* 1883 ; *la Fille du capitaine,* 1911).

Cuiabá, anc. **Cuyabá,** v. du Brésil, capit. de l'Etat du Mato Grosso ; 100 900 h. Archevêché. Marché agricole régional.

cuic ou **cui-cui** n. m. (onomatop.). Cri des petits oiseaux : *Faire entendre des cuics. On entend le cui-cui des oiseaux dans le bois.*

cuignet n. m. Pain de qualité supérieure, fait avec des œufs, qu'on a consommé jadis en Flandre.

cuiller [kɥijɛr] ou **cuillère** n. f. (lat. *cochlearium ;* de *cochlea,* escargot, parce que l'ustensile servait, avec la pointe, à manger des escargots). Accessoire de table en métal, composé d'un manche et d'une partie creuse, qui sert à porter à la bouche les aliments liquides ou peu consistants : *Cuiller à soupe. Cuiller à bouillie. Cuiller à dessert, à café, à entremets.* || Ustensile en bois, en corne ou en matière plastique, muni d'un long manche, qui sert à la cuisine. || Engin de pêche, tournant ou ondulant, dont la forme rappelle celle d'une cuiller sans manche. || Nom donné à divers instruments de chirurgie : *Les cuillers d'un forceps.* || Nom d'un grand nombre d'outils ayant la forme creuse d'une cuiller : *Cuiller de fondeur, de plombier. Cuiller de coulée.* || Pièce du mouvement d'une crémone entraînant une tringle indépendante. || Récipient cylindrique en acier, à ouverture automatique, permettant de vider un puits de pétrole avant sa mise en production. ● *Cuillère* ou *cuillère à bec,* seau utilisé pour couler les cires dans les moules. (On dit parfois aussi DOUBLE BEC.) || *Cuiller à fard,* type de cuiller à manche sculpté trouvée dans les tombes égyptiennes et qui servait à mélanger les fards. || *Cuiller à pot,* surnom de l'ancien sabre d'abordage. || *Cuiller de tube lance-torpille,* pièce débordante guidant la torpille hors de son tube. || *En deux, trois coups de cuiller, de cuiller à pot* (Fam.), très vite, d'une façon expéditive. || *Etre à ramasser à la petite cuiller* (Fam.), être blessé gravement, défaillir, être privé de toute énergie. || *Ne pas y aller avec le dos de la cuiller* (Fam.), parler, agir sans ménagement, sans modération. || *Serrer la cuiller* (Pop.), serrer la main. ◆ **cuillerée** n. f. Ce que contient ou peut contenir une cuiller. (La cuiller à soupe contient 15 cm³, la cuiller à dessert 10 cm³ et la cuiller à café 5 cm³.) ◆ **cuilleron** n. m. Partie creuse d'une cuiller. || Organe pair du thorax des diptères, ayant l'aspect d'une aile postérieure rudimentaire, et qui recouvre le balancier chez les espèces *calyptérées.*

cuir n. m. (lat. *corium*). Dépouille d'animal destinée au tannage. || Peau ayant subi le tannage : *Des chaussures en cuir.* || Veste en cuir : *Il endossa son cuir et sortit sous l'averse.* || Industrie du cuir : *Il a fait sa situation dans le cuir.* || Entourage d'un car-

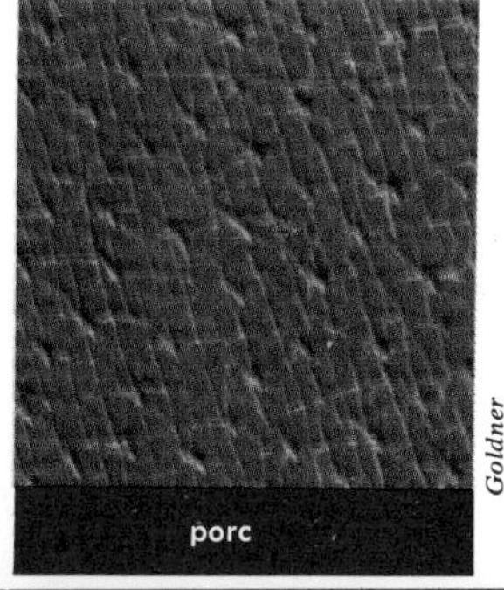
porc
Goldner

galuchat
Goldner

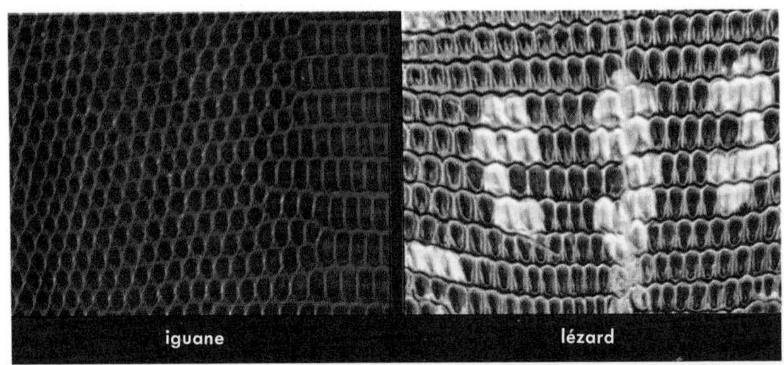
iguane lézard

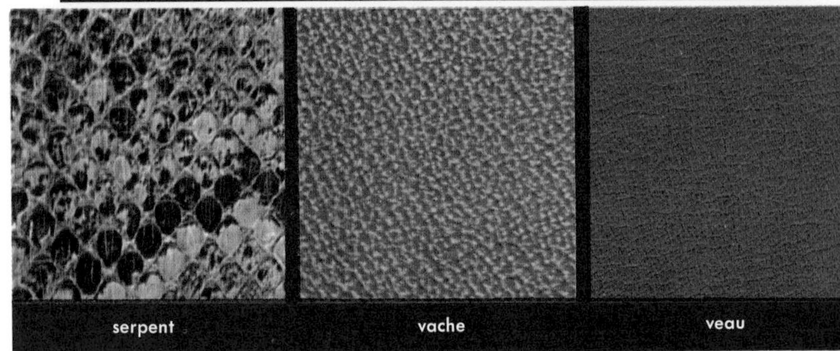
serpent vache veau

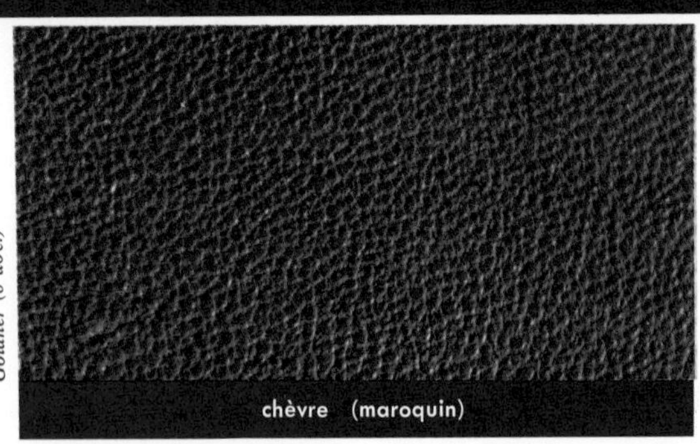
chèvre (maroquin)

Goldner (6 doc.)

touche. || *Fam.* Peau épaisse de certains animaux : *Le cuir de l'hippopotame.* || *Fig.* et *fam.* Faute de liaison. (Ex. : *dis-moi-t-un peu; j'ai fait-z-une erreur.*) ● *Cuir bouilli,* cuir rendu imperméable et résistant par passage en divers bains. || *Cuir chevelu,* peau du crâne sur laquelle naissent les cheveux. || *Cuir en croûte,* cuir brut de tannage, simplement séché. || *Cuir cylindré,* cuir lissé ayant subi un cylindrage. || *Cuir hongroyé,* cuir épais destiné à la confection du gros harnachement. || *Cuir en huile,* cuir de tannage végétal imprégné d'huile. || *Cuir lissé,* cuir de tannage végétal ayant subi au cor-

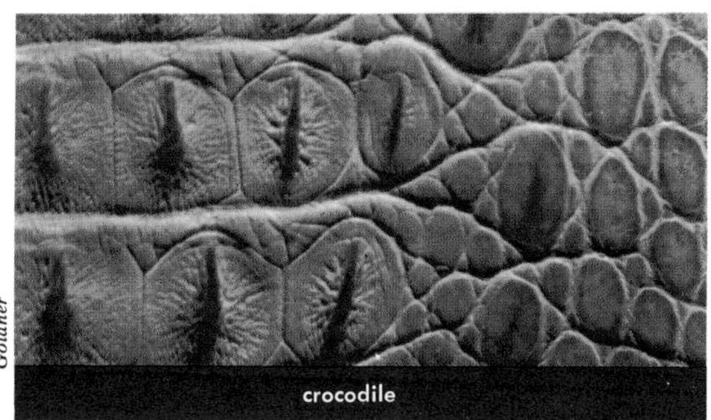

Goldner

royage la mise au vent* et le retenage*. || *Cuir lissé battu,* cuir lissé ayant été soumis au battage* en vue de le rendre plus ferme. || *Cuir de montagne,* silicate naturel résultant de l'altération de la trémolite. || *Cuir d'œuvre,* cuir de tannage végétal assoupli. || *Cuir de Russie,* cuir traité à l'huile de bouleau. || *Cuir en suif,* cuir de bœuf ou de vache imprégné de suif et corroyé. || *Cuir vert* ou *brut,* peau brute telle qu'elle sort des abattoirs. || *Il a le cuir épais* (Fig. et fam.), c'est un homme rude, sans délicatesse, sans amour-propre. || *Tanner le cuir à quelqu'un* (Fig. et fam.), le battre. ◆ **cuiret** n. m. Peau pelée, dont le poil est arraché. ◆ **cuirier** n. m. Tablier de cuir que mettent les pêcheurs de morue et les ouvriers préparant les harengs saurs. ◆ **cuir-laine** n. m. Drap croisé, très épais. (On dit également CUIR DE LAINE.) — Pl. *des* CUIRS-LAINES. ◆ **cuirot** n. m. Peau de mouton délainée par l'échauffe* et séchée.

cuirasse n. f. Pièce de l'armure qui protégeait le dos et la poitrine. || Revêtement métallique protecteur d'un ouvrage, d'un véhicule (char de combat), d'un avion, d'un navire ou d'un matériel de guerre en général. || Partie du revêtement d'un conducteur ou d'un câble électriques, constituée par un ruban métallique conformé de façon à réaliser une protection continue et à permettre le cintrage. || Enveloppe extérieure; et, au *fig.*, rempart, défense : *Une cuirasse de froideur et d'égoïsme.* ● *Défaut de la cuirasse,* espace non protégé entre les deux plaques de devant et de derrière de la cuirasse; et, au *fig.*, côté faible, point vulnérable : *Je crois avoir trouvé chez lui le défaut de la cuirasse : la gourmandise.* ◆ **cuirassé, e** adj. Couvert d'une cuirasse. || Se dit d'une machine électrique dont le circuit magnétique comporte un ou plusieurs retours extérieurs enveloppant les enroulements. || Se dit d'un appareil électrique muni d'écrans magnétiques. ● *Croiseur cuirassé, garde-côte cuirassé,* navires en partie protégés par une cuirasse. || *Division cuirassée,* grande unité à base de chars, constituée en France en 1940 (abrév. D. C. R. ou D. Q.). || *Poisson cuirassé,* v. POISSON. || — **cuirassé** n. m. Navire de ligne de fort tonnage, muni d'une puissante artillerie et protégé par d'épais blindages : *Le cuirassé français « Jean-Bart », lancé en 1940, refondu en 1946 et en 1950, déplaçait 48 000 t, filait 32 nœuds et était armé de 8 pièces de 380.* (Les cuirassés, devenus inutiles depuis la Seconde Guerre mondiale, sont remplacés par les porte-avions ou les navires armés de missiles. Ils ont disparu des forces navales en service.) ◆ **cuirassement** n. m. Ensemble de la protection cuirassée d'un matériel de guerre (ouvrage fortifié, navire, avion, véhicule). ◆ **cuirasser** v. tr. Equiper d'une cuirasse : *Cuirasser un navire.* || *Fig.* Protéger contre, endurcir, rendre insensible : *La pratique de*

Larousse

cuirasse du XVIIIe s.
musée de l'Armée

la vie politique l'a cuirassé contre les calomnies. ◆ **cuirassier** n. m. Soldat de cavalerie jadis porteur d'une cuirasse. (Héritiers des *cuirassiers du roi,* de la *grosse cavalerie,* de l'*arme des cuirassiers* [1803-1870], des *brigades lourdes des divisions de cavalerie* [avant 1914] et des *cuirassiers à pied* [Première Guerre mondiale], les régiments de cuirassiers constituent, aujourd'hui, les régiments de chars des divisions modernes.)

Cuirassé « Potemkine » (LE), film soviétique réalisé en 1925 par S. M. Eisenstein, avec le concours de la flotte russe, du peuple d'Odessa et de quelques acteurs professionnels. Le scénario relate un épisode de la révolte, en 1905, des marins tsaristes du *Potemkine,* et la fraternisation de l'équipage et de la population d'Odessa. Ce film, au montage strict et au rythme rapide, est un classique du cinéma.

« le **Cuirassé *Potemkine*** »,
scène de la répression
sur le grand escalier d'Odessa

Cinémathèque française

cuirassement, cuirasser, cuirassier → CUIRASSE.

cuire v. tr. (lat. pop. *cocere ; lat. class. *coquere*) [conj. **64**]. Rendre propre à l'alimentation par le moyen de la chaleur : *Cuire un poulet à la broche, des châtaignes.* ‖ Transformer par la chaleur ; et, *partic.,* calciner : *Cuire du plâtre, du verre, de la brique.* ‖ *Absol.* Faire du pain : *Des paysans qui cuisaient une fois par semaine.* ● *Dur à cuire* (Fig. et fam.), résistant, endurant ; et, substantiv. : *Un dur à cuire.* ✦ v. intr. Devenir propre à l'alimentation sous l'action de la chaleur : *La viande cuit dans la poêle.* ‖ Devenir propre à tel ou tel usage sous l'action de la chaleur : *On fait cuire la porcelaine.* ‖ Eprouver une chaleur excessive : *On cuit sous le soleil d'Afrique.* ‖ Produire une sensation d'échauffement, de brûlure : *Les yeux cuisent.* ● *Cuire dans son jus* (Fam.), avoir très chaud ; et, au *fig.,* rester isolé, sans aide, sans secours : *Laissons-le cuire dans son jus.* ✦ v. impers. *En cuire,* occasionner des peines, des désagréments : *Il vous en cuira.* ◆ **cuisant, e** adj. Qui fait éprouver une douleur brûlante, vive : *Blessure cuisante ;* et, au *fig.,* douloureux, pénible : *Chagrins cuisants. Un cuisant échec.* ◆ **cuiseur** n. m. Ouvrier qui dirige le feu d'une fabrique de poteries, de briques ou de ciment. ‖ Ouvrier capable de mener à bien l'opération de cristallisation du sucre. ‖ Chaudière servant à faire cuire de grandes quantités de grains, de racines destinés à l'alimentation de l'homme et des animaux. (Syn. ÉTUVEUR.) ‖ Dans la fabrication du coton-poudre, appareil dans lequel se fait la cuisson. ◆ **cuisson** n. f. Action de cuire ou de faire cuire ; état d'un objet qui est cuit : *La cuisson du pain. Degré de cuisson.* ‖ Liquide dans lequel on fait cuire un mets. ‖ Durcissement d'une matière à mouler sous l'influence de la chaleur. ‖ Opération qui consiste à durcir la matière des poteries en les soumettant au feu. ‖ Mode d'élaboration de la cellulose. ◆ **cuit, e** adj. *Fam.* En parlant des personnes, perdu, ruiné : *Il n'en réchappera pas : il est cuit.* ‖ En parlant des choses, perdu, raté : *Une entreprise cuite.* ‖ Assuré, facile : *C'est du tout cuit. Une affaire toute cuite.* ● *Avoir son pain cuit,* avoir sa subsistance assurée. ‖ — **cuite** n. f. Cuisson de certaines substances jusqu'à un degré déterminé : *La cuite de la porcelaine.* || Cristallisation du sucre à partir du sirop. || *Pop.* Saoulerie : *Prendre une cuite.* ◆ **cuiter (se)** v. pr. *Pop.* Prendre une cuite, s'enivrer.

cuiret, cuirier, cuir-laine, cuirot → CUIR.

cuisant → CUIRE.

Cuiseaux, ch.-l. de c. de Saône-et-Loire (arr. de Louhans), à 25 km au S.-O. de Lons-le-Saunier ; 1 816 h. Patrie d'E. Vuillard.

Cuisery, ch.-l. de c. de Saône-et-Loire (arr. de Louhans), à 7 km à l'E. de Tournus ; 1 583 h. (*Cuiserotains*). Anc. place forte des sires de Bâgé.

cuiseur → CUIRE.

cuisien, enne adj. et n. (de *Cuise,* dans l'Oise). *Géol.* Syn. d'YPRÉSIEN.

cuisinage → CUISINE.

cuisine n. f. (lat. *cocina ;* de *coquere,* cuire). Partie d'un logement destinée à l'apprêt des aliments : *Aller chercher un plat à la cuisine.* || Personnel travaillant dans la cuisine : *Les derniers potins de la cuisine.* || Action, art d'apprêter les aliments : *Suivre des cours de cuisine.* || Les aliments apprêtés : *Aimer la cuisine épicée.* || *Fig.* Préparation obscure et louche : *La cuisine politique, électorale.* ● *Batterie de cuisine,* ensemble des ustensiles de métal d'une cuisine ; et, *par plaisant.,* instrument de percussion d'un orchestre ou d'une musique militaire ; brochette de décorations : *L'adjudant étalait une superbe batterie de cuisine.* || *Cuisine roulante,* fourneau monté sur remorque, réalisé pendant la Première Guerre mondiale et affecté aux unités en campagne. (Remplacé le plus souvent, depuis 1945, par des fourneaux portatifs.) || *Cuisine à vapeur,* préparation des aliments au moyen d'appareils et de marmites à double fond. || *Faire la cuisine,* apprêter les aliments. || *Faire la cuisine* (Partic.), dans le journalisme, accommoder au goût du public. || *Livre de cuisine,* livre où sont consignées soit des recettes de cuisine, soit les dépenses d'une maison en nourriture. ◆ **cuisinage** n. m. *Fig.* Action de cuisiner, de faire avouer par tous les moyens : *Un prisonnier soumis à un long cuisinage.* ◆ **cuisiner** v. tr. Apprêter, accommoder un aliment en vue de sa consommation : *Elle avait un talent particulier pour cuisiner le gibier.* || *Absol.* Faire la cuisine : *Cette femme cuisine bien.* || *Fig.* et *fam.* Préparer par des manœuvres plus ou moins avouables : *Cuisiner une élection.* || *Fam.* Interroger insidieusement, chercher à faire avouer quelqu'un par tous les moyens : *Le commissaire de police cuisine un suspect.* ◆ **cuisinette** n. f. Petite cuisine. ◆ **cuisinier, ère** n. Personne qui est chargée de préparer les aliments cuits ou crus pour les repas et de faire la cuisine, ou qui sait la faire. || — ***cuisinière*** n. f. Appareil de cuisson des aliments, pouvant parfois servir de chauffage. ◆ **cuistance** n. f. *Arg. mil.* Cuisine. ◆ **cuistancier, cuisteau, cuistot** n. m. *Arg. mil.* Cuisinier.

cuissage, cuissard, cuissardes → CUISSE.

cuisse n. f. (du lat. *coxa,* hanche). Partie du membre inférieur qui s'étend de la hanche, ou du bassin, au genou : *La cuisse d'un homme. La cuisse d'un bœuf.* (V. *encycl.*) || Nom usuel du fémur des insectes, du protopodite des crustacés. ● *Aide des cuisses,* action des cuisses du cavalier, pour diriger le cheval dans le sens voulu. || *Se croire sorti de la cuisse de Jupiter* (Fam.), se croire de très haute naissance, être très orgueilleux (par allus. à Bacchus, enfermé avant sa naissance dans la cuisse de Jupiter). ◆ **cuissage** n. m. Droit légendaire accordant aux seigneurs de passer avec la femme d'un vassal la première nuit des noces. ◆ **cuissard** n. m. Partie de l'armure qui protégeait la cuisse. || Culotte de jersey, de laine ou de soie noire, faisant partie de l'équipement du coureur cycliste. || Gros tube creux reliant les bouilleurs au corps principal d'une chaudière à bouilleurs. ◆ **cuissardes** n. f. pl. Bottes de cuir ou de caoutchouc dont la tige monte jusqu'en haut des cuisses. ◆ **cuisseau** n. m. Partie du veau comprenant la cuisse, la région du bassin et le jarret. ◆ **cuisse-de-nymphe** n. f. Variété de rose blanche teintée de rose. — Pl. *des* CUISSES-DE-NYMPHE. ✦ adj. invar. Couleur de cette fleur : *Des rideaux cuisse-de-nymphe.* ◆ **cuissot** n. m. Cuisse de cerf, de sanglier, de chevreuil. || Partie supérieure du cuissard, protégeant la cuisse (XIVe-XVIe s.).

→ V. illustration page suivante.

— ENCYCL. ***cuisse.*** Le squelette de la cuisse est constitué par le fémur, qui donne insertion à de nombreux muscles qui peuvent être classés en trois groupes : un groupe antérieur, constitué par les quatre faisceaux du quadriceps ; un groupe interne, formé par les adducteurs et le droit interne ; un groupe postérieur, constitué par le demi-tendineux,

cuisinette

Coméra

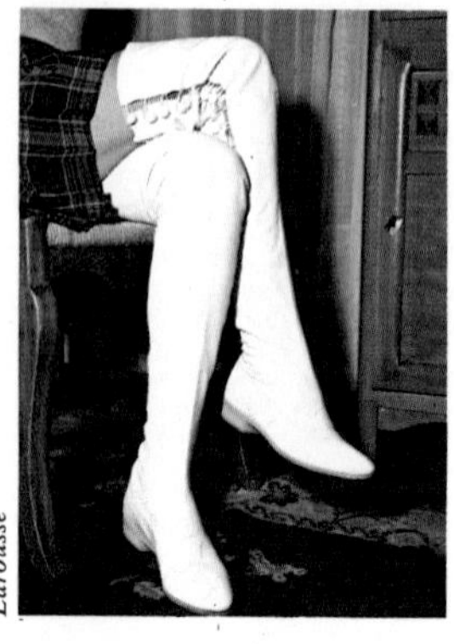

cuissardes

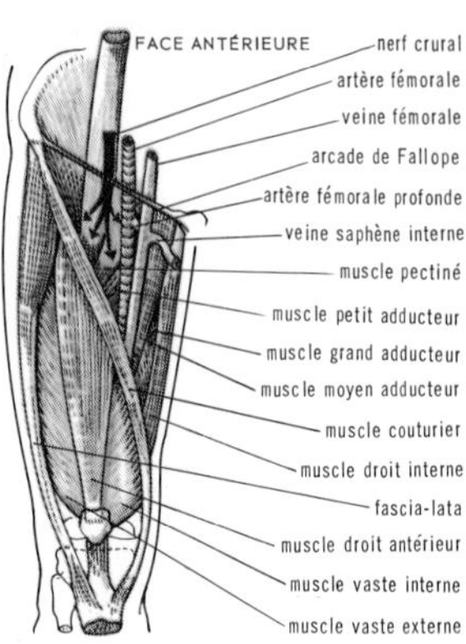

cuisse

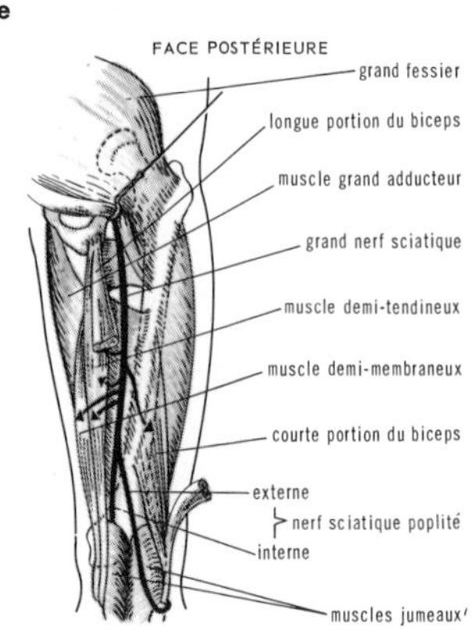

le demi-membraneux et le biceps crural. A la partie antéro-interne de la cuisse se trouve la gouttière fémorale, où cheminent l'artère fémorale et sa veine en dedans. Le nerf crural se divise en quatre branches dès son entrée à la face antérieure de la cuisse; il innerve le quadriceps. Le nerf grand sciatique descend à la face postérieure de la cuisse pour gagner le creux poplité.

Chez les mammifères coureurs (ongulés surtout), la cuisse n'effectue que des mouvements d'avant en arrière et vice versa; elle est courte, aplatie, engagée sous la peau du flanc et ressemble au premier segment du bras. Chez les oiseaux, la cuisse est souvent horizontale, entièrement engagée et à peu près immobile, le balancement de la patte se faisant autour du genou. Chez les vertébrés à sang froid, seules les grenouilles ont des cuisses bien développées.

cuisseau, cuisse-de-nymphe → CUISSE.

cuisson → CUIRE.

cuissot → CUISSE.

cuistance, cuistancier, cuisteau, cuistot → CUISINE.

cuistre n. m. (bas lat. **coquistro*, officier royal chargé de goûter les mets). Pédant, personnage ridicule qui étale avec vanité son savoir : *Un cuistre fieffé.* ◆ **cuistrerie** n. f. Manière d'être du cuistre : *Sa cuistrerie a fait mauvaise impression dans cette société.*

cuit, cuite, cuiter (se) → CUIRE.

cuivrage → CUIVRE.

cuivre n. m. (lat. pop. *coprium;* lat. class. *cyprium* [*aes*], proprem. « métal de l'île de Chypre »). Métal de couleur rouge-brun. (V. *encycl.*) ‖ Objet en cuivre : *Acheter des cuivres chez un antiquaire.* ‖ Planche gravée sur ce métal. (V. GRAVURE.) ● *Cuivre blanc,* alliage de cuivre, zinc et arsenic. ‖ *Cuivre bleu,* variété bleue de carbonate de cuivre. ‖ *Cuivre gris,* sulfure de cuivre antimonieux. ‖ *Cuivre jaune,* alliage cuivreux de couleur jaune, formé généralement de laiton et plus rarement de bronze. ‖ *Cuivre noir,* cuivre non purifié. ‖ *Cuivre de Rosette,* cuivre pur à l'état natif. ‖ *Cuivre rouge,* nom courant du cuivre pur. ‖ *De cuivre,* de la couleur du cuivre : *Un ciel de cuivre.* ‖ — **cuivres** n. m. pl. Groupe des instruments à vent, en métal, formant dans l'orchestre la « grosse harmonie ». ◆ **cuivrage** n. m. Opération de revêtement d'une surface par une couche de cuivre. ‖ Résultat de cette opération. ◆ **cuivré, e** adj. D'une couleur qui rappelle celle du cuivre : *Une peau cuivrée. Des reflets cuivrés.* ‖ Qui a une sonorité comparable à celle des instruments de cuivre : *Une* *voix cuivrée.* ◆ **cuivrer** v. tr. Revêtir de feuilles de cuivre ou d'un dépôt de cuivre. ‖ Donner une teinte cuivrée : *L'air de la mer cuivre le teint.* ◆ **cuivrerie** n. f. Usine où l'on extrait le cuivre du minerai. ◆ **cuivreur** n. m. Ouvrier qui effectue le cuivrage. ◆ **cuivreux, euse** adj. Qui est de la nature du cuivre; qui contient du cuivre : *Métaux cuivreux.* ‖ Se dit de l'oxyde Cu_2O et des sels du cuivre univalent. ◆ **cuivrique** adj. Se dit de l'oxyde CuO et des sels du cuivre bivalent. ◆ **cuivrot** n. m. Pince d'horloger pour tenir les pièces à tourner.

— ENCYCL. **cuivre.** *Chimie.* Le cuivre est l'élément chimique n° 29, de masse atomique Cu = 63,54. D'une couleur rouge caractéristique, il a pour densité 8,9 et fond à 1 084 °C. Il est, après l'argent, le meilleur conducteur de la chaleur et de l'électricité. Il est malléable et ductile. A l'air, il se recouvre d'une couche mince de carbonate basique, le vert-de-gris. Ce corps étant toxique, les ustensiles en cuivre servant à la cuisine doivent être étamés ou tenus très propres. Le cuivre est facilement attaqué par l'acide nitrique.

Parmi les composés *cuivreux,* dans lesquels le cuivre est univalent, citons l'oxyde Cu_2O, rouge, qui sert à colorer les verres; parmi les composés *cuivriques,* dans lesquels il est bivalent, l'oxyde CuO noir, le sulfate $CuSO_4$ bleu, employé en électrométallurgie, en teinture et en agriculture (bouillies cupriques).

● *Minerais de cuivre.* Ils comprennent :

1° Les *minerais de cuivre natif,* dont les principaux gisements, répartis aux Etats-Unis, près du lac Supérieur, renferment 1 p. 100 de cuivre pur;

2° Les *minerais oxydés,* les moins communs, dont les principaux (cuprite, mélaconite, malachite, azurite, chrysocolle et atacamite) sont exploités aux Etats-Unis, au Chili, en Rhodésie et en Extrême-Orient;

3° Les *minerais sulfurés,* les plus répandus, et que l'on trouve surtout aux Etats-Unis, au Japon, en U. R. S. S. et, de façon plus limitée, en Allemagne et en Espagne. Le plus important, la chalcopyrite ou pyrite cuivreuse (Cu_2S, Fe_2S_3), titre souvent 4 p. 100 de cuivre. On exploite également la chalcosine, la tétraédrite, la bornite et l'énargite, ainsi que les pyrites de fer cuivreuses.

Tréfimétaux

couleurs d'interférence sur du **cuivre** pur grâce à un film mince de sulfure

Brunel

cuivre natif

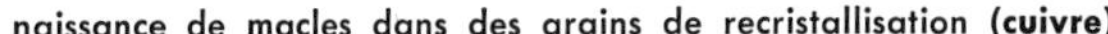

naissance de macles dans des grains de recristallisation **(cuivre)**

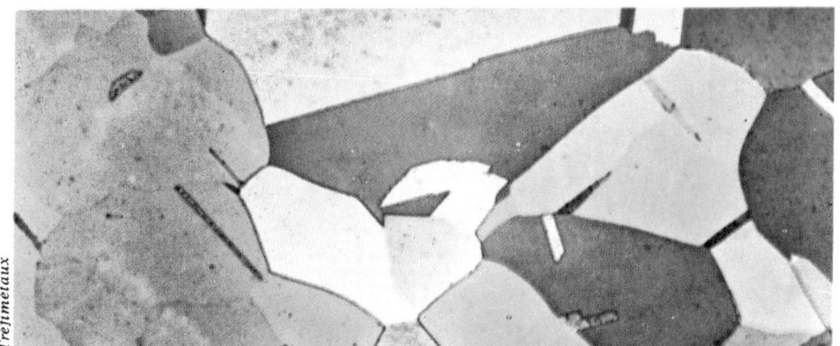

Tréfimétaux

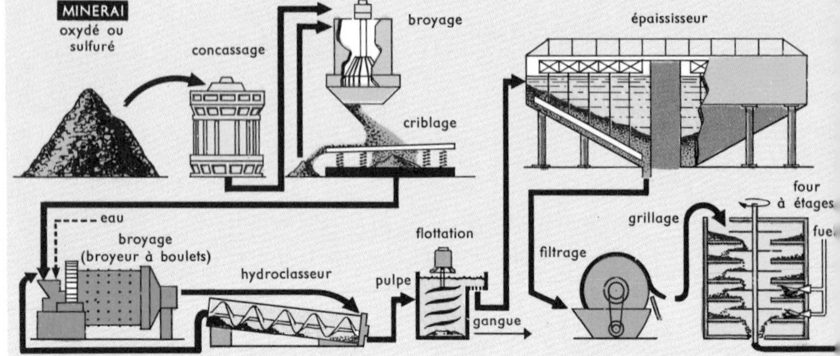

● *Métallurgie du cuivre.* Suivant la nature et la richesse des minerais, les traitements d'enrichissement et d'extraction sont différents.

1° *Traitement des minerais sulfurés.* La méthode consiste à séparer le fer du cuivre *par voie sèche,* en utilisant d'une part la grande affinité du cuivre pour le soufre, d'autre part celle du fer pour l'oxygène. Après un *grillage* oxydant partiel transformant une partie du sulfure de fer en oxyde, une fusion scorifiante au four à réverbère ou au water-jacket, en présence de silice, donne une *matte* enrichie à 4 p. 100 de cuivre, dont on sépare le sulfure de fer dans un convertisseur à revêtement basique, pour obtenir le cuivre brut.

Un traitement des minerais sulfurés pauvres à moins de 3 p. 100 de cuivre utilise la méthode *par voie humide* (lixiviation), en précipitant le cuivre par le fer dans une solution de chlorure ou de sulfate de cuivre.

2° *Traitement des minerais oxydés.* La méthode par voie sèche se pratique au water-jacket, par réduction, en présence de carbone, du minerai fondu ; l'addition de fondant (alumine ou chaux) permet d'éliminer la gangue du minerai sous forme de scorie.

3° *Affinage du cuivre brut.* Cet affinage présente le double avantage d'obtenir du cuivre pur et de récupérer des impuretés de grand intérêt : or, argent, bismuth, etc.

L'*affinage par voie sèche au four à réverbère* donne un cuivre titrant au moins 99,5 p. 100 de métal pur. Les éléments volatils (zinc, arsenic, antimoine) sont d'abord éliminés, puis les autres impuretés (fer, étain, bismuth, plomb) se scorifient avec la silice (revêtement de la sole du four).

L'*affinage électrolytique* permet d'obtenir du cuivre d'une pureté supérieure à 99,95 p. 100 ; le cuivre brut, coulé en anodes sous forme de plaques, est électrolysé dans une solution de sulfate de cuivre acide (procédé à anodes solubles) ; le cuivre pur se dépose sur des cathodes, qui sont refondues ultérieurement pour constituer des lingots ; les boues (chlamms) formées au fond des cuves d'électrolyse sont traitées pour la récupération des métaux précieux (argent et or).

● *Utilisation du cuivre et de ses alliages.* Les propriétés principales du cuivre pur, auxquelles sont subordonnés ses emplois industriels, sont :

1° La meilleure conductibilité électrique parmi les métaux industriels, égale à 95 p. 100 de celle de l'argent, métal le plus conducteur (câbles et fils conducteurs, appareillage électrique, moteurs, interrupteurs, contacteurs, etc.) ;

2° Une excellente conductibilité thermique (chaudières, alambics, ustensiles de cuisine, échangeurs, etc.) ;

3° Une tenue acceptable à la corrosion atmosphérique (canalisations, toitures).

Le cuivre pur ou faiblement allié (arsenic, argent, cadmium, tellure, sélénium ou soufre) s'emploie principalement dans l'industrie électrique.

L'addition d'éléments au cuivre diminue les conductibilités électrique et thermique. En revanche, elle permet d'obtenir des caractéristiques mécaniques accrues, des facilités de moulage par fonderie et une résistance à la corrosion améliorée, surtout dans les milieux salins.

Les principaux alliages de cuivre utilisés industriellement sont les suivants : *bronzes** ordinaires (alliages de cuivre et d'étain) ou spéciaux (addition de plomb, de zinc, de phosphore) ; *laitons* ordinaires (alliages de cuivre et de zinc) ou spéciaux (addition de nickel, de fer, d'étain, de manganèse) ; *bronzes d'aluminium* ou *cupro-aluminiums* ordinaires (alliages de cuivre et d'aluminium) ou spéciaux (addition de fer et de nickel) ; *maillechorts** ordinaires (alliages de cuivre, de nickel et de zinc) ou spéciaux

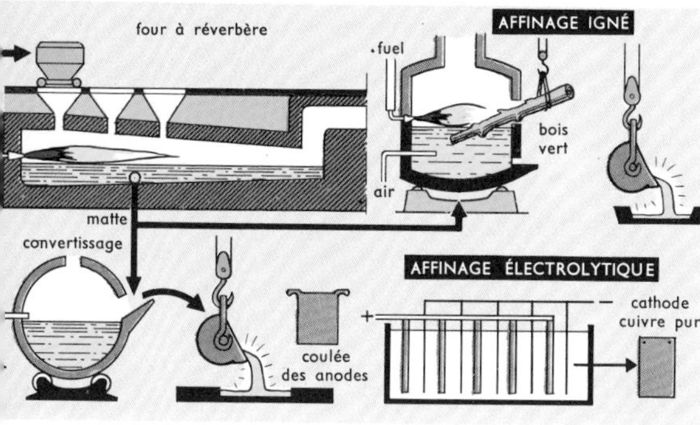

métallurgie du cuivre

schéma du traitement des minerais et de l'affinage du métal brut *(v. carte page suivante)*

(addition d'étain) ; *cupronickels* (alliages de cuivre et de nickel, dont le plus courant est l'alliage *Monel** : cuivre-nickel-fer) ; *bronze au béryllium,* ou *cuprobéryllium* (alliage de cuivre et de béryllium ou glucinium) ; *cuprochrome* (alliage de cuivre et de chrome) ; *cuprosilicium,* ou *bronze au silicium* (alliage de cuivre et de silicium) ; *cupro-alliages** divers, utilisés en fonderie comme alliages d'addition ou d'affinage.

Les alliages de cuivre sont utilisables sous des formes très diverses, ce qui facilite leur emploi soit en pièces moulées de fonderie, soit en produits travaillés à chaud ou à froid par forgeage, laminage, étirage, tréfilage, filage à la presse, emboutissage, etc., soit encore en pièces finies, obtenues par la métallurgie des poudres.

De nombreux alliages cuivreux sont utilisés en raison de leurs qualités particulières : *facilité de coulée* ou *de moulage* (bronzes et laitons) ; *malléabilité* du produit recuit, et *ductilité* (laitons) ; *résistance à la déformation permanente* (laitons, bronzes, cupro-aluminiums et cupronickels spéciaux) ; *bonne conductibilité électrique,* alliée à une résistance mécanique élevée (cuprochrome et cuprobéryllium) ; *qualités de frottement* (bronzes ordinaires, phosphoreux ou autolubrifiants [cuproplomb]) ; *haute conductibilité thermique* (laitons, cupronickels, cuprobéryllium) ; *résistance à la corrosion,* soit atmosphérique (bronzes, laitons, maillechorts), soit saline (bronzes, laitons, cupronickels spéciaux), ou des gaz de combustion (résistance à l'oxydation à température élevée) [cupro-aluminiums] ; *facilité d'usinage* (bronzes et laitons de décolletage) ; *propriétés diverses* (couleur voisine de celle de l'or, polissage, sonorité, amagnétisme, etc.).

L'application de traitements thermiques à certains alliages cuivreux (trempe et revenu pour les bronzes, les laitons, les cupro-aluminiums ; traitement de durcissement structural pour les cuprochromes, les cupronickels et le cuprobéryllium) permet de combiner les meilleures caractéristiques de résistance et de capacité de déformation.

● *Production.* Sur une production mondiale de métal contenu dépassant 7 millions de tonnes, les Etats-Unis fournissent plus de 1,5 million de tonnes (mines de l'Utah, de l'Arizona) ; les autres grands producteurs sont l'U. R. S. S., le Chili, la Zambie, le Canada, le Zaïre, le Pérou.

Cuivre (RIVIÈRE DE). V. COPPERMINE.

cuivré, cuivrer, cuivrerie, cuivreur, cuivreux, cuivrique, cuivrot → CUIVRE.

Cujas (Jacques), juriste français (Toulouse 1520 - Bourges 1590), le plus éminent repré-

Jacques **Cujas**
par Augustin Quesnel
musée de Bourges

Robert

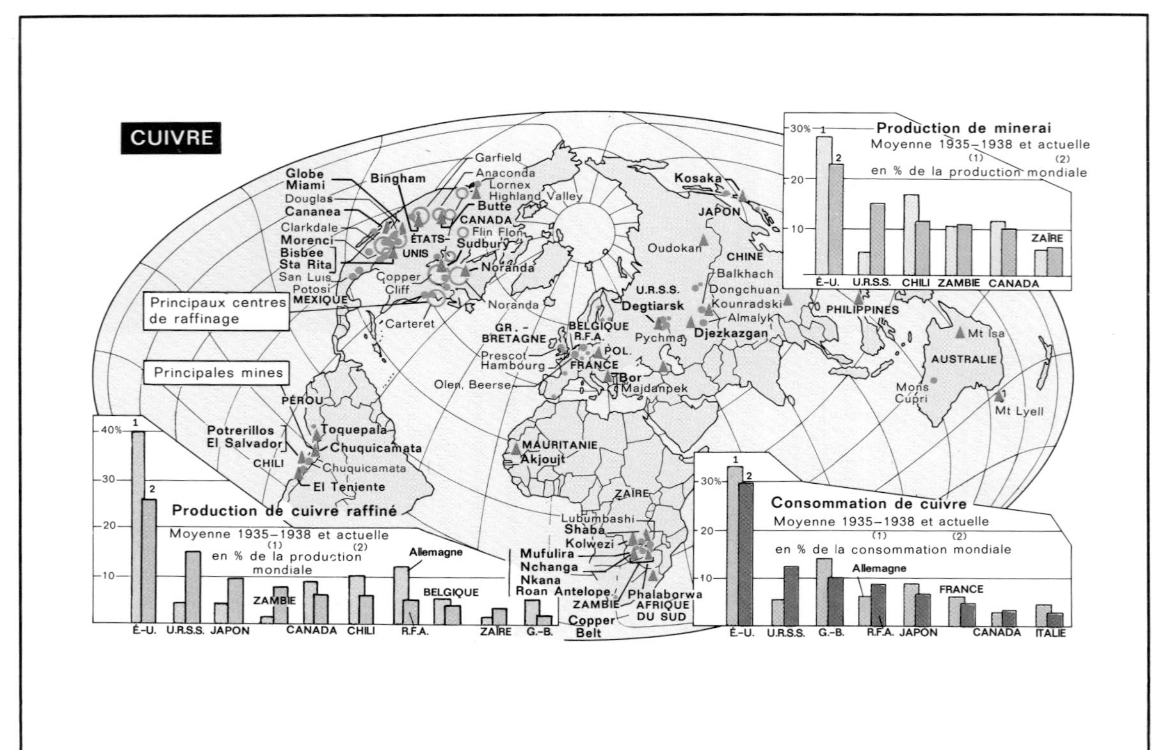
CUIVRE
Principaux centres de raffinage
Principales mines
Production de minerai
Moyenne 1935–1938 (1) et actuelle (2)
en % de la production mondiale
É.-U.
U.R.S.S.
CHILI
ZAMBIE
CANADA
ZAÏRE
Consommation de cuivre
Moyenne 1935–1938 (1) et actuelle (2)
en % de la consommation mondiale
É.-U.
U.R.S.S.
G.-B.
Allemagne
R.F.A.
JAPON
FRANCE
CANADA
ITALIE
Production de cuivre raffiné
Moyenne 1935–1938 (1) et actuelle (2)
en % de la production mondiale
É.-U.
U.R.S.S.
JAPON
ZAMBIE
CANADA
CHILI
Allemagne
R.F.A.
BELGIQUE
ZAÏRE
G.-B.
Globe
Miami
Douglas
Cananea
Clarkdale
Morenci
Bisbee
Sta Rita
San Luis Potosi
MEXIQUE
Bingham
Garfield
Anaconda
Lornex
Highland Valley
Butte
CANADA
ÉTATS-UNIS
Flin Flon
Sudbury
Noranda
Copper Cliff
Carteret
Noranda
GR.-BRETAGNE
Prescot
Hambourg
Olen, Beerse
BELGIQUE
R.F.A.
FRANCE
POL.
Bor
Majdanpek
U.R.S.S.
Degtiarsk
Pychma
Oudokan
Kosaka
JAPON
CHINE
Balkhach
Dongchuan
Kounradski
Almalyk
Djezkazgan
PHILIPPINES
AUSTRALIE
Mt Isa
Mt Lyell
Mons Cupri
MAURITANIE
Akjoujt
ZAÏRE
Lubumbashi
Shaba
Kolwezi
Mufulira
Nchanga
Nkana
Roan Antelope
ZAMBIE
Copper Belt
Phalaborwa
AFRIQUE DU SUD
PÉROU
Toquepala
Chuquicamata
Chuquicamata
El Teniente
Potrerillos
El Salvador
CHILI

sentant de l'école historique. Après avoir créé à Toulouse, en 1547, un cours d'*Institutes,* il enseigna à Cahors, Bourges, Valence, Turin, Paris. Ses principaux ouvrages sont ses *Observationes,* ses *Paratitla,* ses *Recitationes* et son *Tractatus ad Africanum.*

cujète n. m. L'un des noms du *calebassier.*

Cujus regio, ejus religio, maxime lat. signif. *De tel pays, de telle religion,* principe consacré par la paix d'Augsbourg (1555), qui reconnut la liberté religieuse des Etats luthériens.

Cukor (George), cinéaste américain (New York 1899). Il est notamment l'auteur de *David Copperfield* (1935), d'*Indiscrétions* (1940), de *Hantise* (1944), de *Comment l'esprit vient aux femmes* (1950), d'*Une étoile est née* (1953), des *Girls* (1957), du *Milliardaire* (1961), de *My Fair Lady* (1964).

cul [ky] n. m. (lat. *culus*). *Triv.* Partie postérieure de l'homme et des animaux, comprenant les fesses et le fondement : *Mettre son cul sur une chaise.* || Partie inférieure ou postérieure, fond, bas de certaines choses : *Le cul d'une lampe, d'une bouteille.* ● *Avoir le feu au cul* (Pop.), courir à toutes jambes; paraître très pressé. || *Avoir quelqu'un dans le cul, au cul* (Triv.), le détester, le mépriser. || *Bas du cul, bat de cul, bout de cul* (Triv.), petit homme court en jambes. || *Botter le cul* (Pop.), chasser à grands coups de pied au derrière; et, au *fig.,* maltraiter. || *Bouche en cul de poule* (Pop.), bouche qui a les lèvres contractées en rond. || *Casser le cul* (Triv.), fatiguer, importuner. || *Cul d'artichaut,* partie charnue d'un artichaut, qui porte le foin. || *Cul de chapeau,* chacune des extrémités de la platine d'un verrou en forme de targette. || *Cul par-dessus tête* (Fam.), à la renverse. || *En avoir plein le cul* (Triv.), en avoir assez, être excédé. || *Etre comme cul et chemise* (Triv. et péjor.), être inséparables. || *Faire la bouche en cul de poule* (Pop.), faire la moue. || *Faire cul sec* (Pop.), vider son verre d'un trait. || *Faux cul,* v. TOURNURE. || *L'avoir dans le cul* (Triv.), être vaincu, défait. || *Lécher le cul à quelqu'un* (Triv.), le flatter bassement. || *Mettre une charrette à cul, sur le cul,* la mettre les brancards en l'air. || *Péter plus haut que le cul* (Triv.), avoir des prétentions, des visées qui dépassent les moyens. || *Se taper le cul par terre* (Pop.), se tordre de rire. || *Sur cul,* se dit d'un navire dont le tirant d'eau est plus fort à l'arrière qu'à l'avant. (On dit aussi CHARGÉ SUR CUL. — Dans le cas contraire, on dit que le navire est SUR LE NEZ.) || *Tirer au cul* (Triv.), travailler le moins possible sous de mauvais prétextes. || *Tirer au cul levé,* tirer le gibier au moment où il prend son vol. || *Tomber, en être, en rester sur le cul* (Pop.), être très étonné. || *Trou du cul* (Triv.), anus. ✦ n. et adj. *Pop.* Homme sot, stupide : *Il n'a rien compris; quel cul!* (On dit aussi CUCU OU CUCU LA PRALINE.) ◆ **cul-blanc** n. m. Nom usuel de plusieurs oiseaux (chevalier, traquet, etc.). — Pl. *des* CULS-BLANCS. ◆ **cul-brun** ou **cul-doré** n. m. Bombyx des arbres fruitiers, du genre *porthésia.* — Pl. *des* CULS-BRUNS. ◆ **cul-de-basse-fosse** n. m. Cachot souterrain très profond et humide creusé dans une basse-fosse. — Pl. *des* CULS-DE-BASSE-FOSSE. ◆ **cul-de-bouteille** n. m. et adj. invar. Couleur d'un vert très foncé : *Drap cul-de-bouteille.* || — ***culs-de-bouteille*** n. m. pl. Débris de verre fixés sur un mur de clôture pour prévenir les escalades. ◆ **cul-de-four** n. m. Voûte en quart de sphère ou demi-coupole. — Pl. *des* CULS-DE-FOUR. ◆ **cul-de-jatte** [kydʒat] n. m. et adj. Infirme privé des membres inférieurs ou de l'usage de ces membres. — Pl. *des* CULS-DE-JATTE. ◆ **cul-de-lampe** n. m. Ornement de plafond ou

Brunel

cul-de-lampe du buffet d'orgue de La Ferté-Bernard (Sarthe)

de voûte ressemblant au dessous d'une lampe d'église. || Vignette gravée, à la fin d'un chapitre, dont le contour rappelle le culot des lampes d'église. || Dans les anciens canons se chargeant par la bouche, face extérieure arrière, où se trouvait le bouton de culasse. || Cabinet, petite rotonde faisant saillie en dehors d'une construction. || Dans une serrure de porte, partie découpée, fixée sur le palastre et formant l'entrée intérieure de cette serrure. || Sorte de bouton de porte. — Pl. *des* CULS-DE-LAMPE. ◆ **cul-de-niche** n. m. Fermeture cintrée d'une niche sur un plan circulaire. — Pl. *des* CULS-DE-NICHE. ◆ **cul-de-porc** ou **cul-de-pot** n. m. Sorte de nœud marin en forme de bouton, au bout d'un cordage. — Pl. *des* CULS-DE-PORC ou *des* CULS-DE-POT. ◆ **cul-de-poulain** n. m. Veau qui présente à la naissance une croupe et des fesses développées, et recherché pour cette raison pour la boucherie. (Syn. CULARD.) — Pl. *des* CULS-DE-POULAIN. ◆ **cul-de-poule**

n. m. Renflement en forme de cul de poule. || Arrière d'un navire en voûte ou en porte à faux. (On dit aussi ARRIÈRE EN CUL DE POULE.) || Renflement existant sur une espagnolette, à la hauteur de la poignée. — Pl. *des* CULS-DE-POULE. ◆ **cul-de-sac** n. m. Bout de rue, chemin, passage sans issue, impasse. || Tout lieu sans issue : *Les spéléologues se sont trouvés bloqués dans un cul-de-sac.* || Fond d'une cavité anatomique : *Les culs-de-sac du vagin. Cul-de-sac de Douglas*.* || Situation, entreprise, carrière sans issue. — Pl. *des* CULS-DE-SAC. ◆ **cul-de-singe** n. m. *Moll.* Nom d'un murex fournisseur de pourpre. — Pl. *des* CULS-DE-SINGE. ◆ **culer** v. intr. Reculer, aller en arrière. ● *Le vent cule,* il souffle d'une direction plus rapprochée de l'arrière qu'auparavant. ✦ v. tr. *Arg. scol.* Laisser tomber, par brimade, sur le derrière, à plusieurs reprises, un élève tenu par les bras et les jambes. ◆ **culeron** n. m. Partie de la croupière sur laquelle repose la queue du cheval. ◆ **culière** n. f. Sangle passant autour du derrière du cheval pour empêcher le harnais de glisser. || Pierre creusée dans son centre pour recevoir les eaux d'un puits de descente. ◆ **cul-nu** n. m. Petit amour, petit ange représenté tout nu par un peintre. — Pl. *des* CULS-NUS. ◆ **cul-rouge** n. m. Pic épeiche. || Nom d'une russule. — Pl. *des* CULS-ROUGES. ◆ **cul-rousselet** n. m. Rouge-queue. — Pl. *des* CULS-ROUSSELETS. ◆ **cul-terreux** n. m. *Fam.* et *péjor.* Paysan. — Pl. *des* CULS-TERREUX.

culasse n. f. Bloc d'acier qui sert à obturer l'ouverture postérieure du canon des armes à feu. || Pièce de substance ferromagnétique, non entourée d'enroulements et destinée à relier les noyaux d'un électro-aimant ou d'un transformateur, ou les pôles d'une machine. || Couvercle fermant la partie supérieure d'un cylindre, dans un moteur à explosion ou à combustion interne. || Ensemble des culasses des cylindres, fondus en une seule pièce de fonte ou d'un alliage d'aluminium. || Partie inférieure d'une pierre de bijouterie. ● *Culasse calée,* culasse qui reste solidaire du canon après le départ du coup. || *Culasse mobile,* culasse d'une arme à feu portative solidaire du percuteur, et dont le mouvement assure l'alimentation de l'arme, la fermeture et l'ouverture du canon, ainsi que l'extraction de la cartouche. || *Culasse semi-automatique,* culasse s'ouvrant lors du recul du canon et se refermant d'elle-même après le chargement.

cul-blanc, cul-brun → CUL.

culbutant, culbute → CULBUTER.

culbuter v. tr. (de *cul* et *buter;* s'est écrit d'abord *culebuter*). Renverser cul par-dessus tête; renverser : *Le prisonnier s'échappa brusquement en culbutant ses deux gardiens.* || Défaire vivement, mettre rapidement l'ennemi en fuite : *Nos troupes ont culbuté l'avant-garde ennemie.* || *Fam.* Renverser une femme pour abuser d'elle. || *Fig.* Abattre, renverser d'un poste, d'une situation : *Culbuter le ministère.* ● *Culbuter la feuille* ou, absol., *culbuter,* la retourner sur la même forme d'imprimerie après l'avoir tirée en blanc. ✦ v. intr. Faire la culbute : *Culbuter du haut d'un escalier.* ◆ **culbutant** n. m. Type de pigeons d'agrément qui volent en faisant des culbutes (jusqu'à huit à dix culbutes successives). || *Arg.* Pantalon. ◆ **culbute** n. f. Saut que l'on exécute après avoir posé la tête ou les mains à terre, et en tournant sur soi-même cul par-dessus tête : *Des enfants qui jouent à faire des culbutes dans un pré.* || Chute brusque à la renverse : *L'alpiniste avait bien failli faire la culbute dans le précipice.* || *Fig.* Revers, ruine, chute : *La culbute du ministère.* ● *Faire la culbute* (Fam.), être ruiné, faire faillite. || Revendre au double du prix d'achat. ◆ **culbuteur** n. m. et adj. Appareil destiné à vider, par basculement, les wagons ou les wagonnets de leur contenu sur un plan incliné ou dans une goulotte. (On dit plutôt BASCULEUR.) || Pièce permettant de renvoyer la commande du mouvement des soupapes par-dessus la culasse du cylindre, lorsque celles-ci sont en tête de culasse.

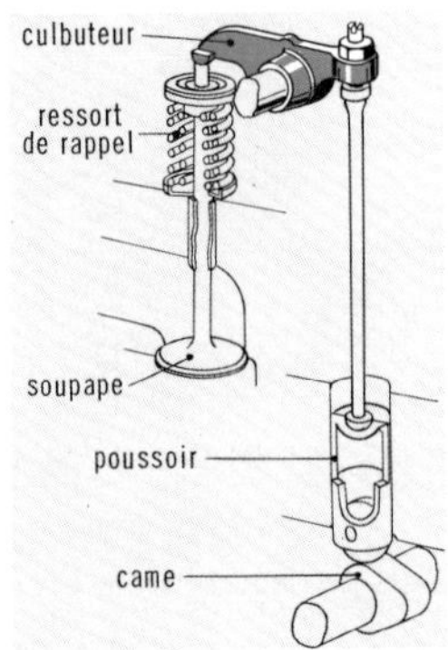

culbuteur (mécan.)

cul-de-basse-fosse, cul-de-bouteille → CUL.

culdée n. m. (d'un mot celt. signif. *serviteur de Dieu*). Moine de certains monastères irlandais et écossais de type colombanien. (V. COLOMBAN.)

cul-de-four, cul-de-jatte, cul-de-lampe, cul-de-niche, cul-de-porc ou **cul-de-pot, cul-de-poulain, cul-de-poule, cul-de-sac, cul-de-singe** → CUL.

Culebra (la), col de l'Amérique centrale, dans l'isthme de Panamá, où a été creusé le canal.

culée n. f. (de *cul*). Appui extrême des voûtes ou des arcs, destiné à résister à la poussée des voûtes et à raccorder le pont avec ses rampes d'accès. || Peau de la croupe du cheval. || Souche d'arbre après l'abattage. || Partie d'une peau tannée, la plus voisine de

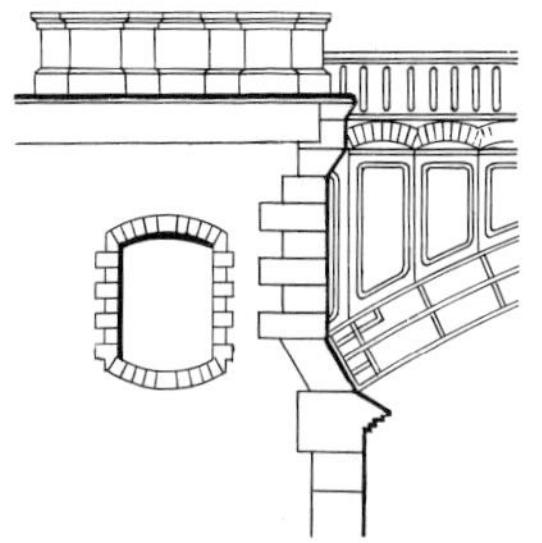

culée (constr. et trav. publ.)

la queue. ● *Culée d'arc-boutant,* massif de maçonnerie destiné à soutenir la voûte d'un édifice. || *Pont à culées perdues,* pont dont les culées disparaissent dans les terrains latéraux, quand la partie inférieure de la voûte affleure la berge.

Culenso. V. COLENSO.

culer, culeron → CUL.

culex n. m. Nom latin du *moustique,* utilisé comme nom générique du cousin*. ◆ **culicidés** n. m. pl. Famille d'insectes diptères, correspondant aux moustiques, animaux grêles à trompe piqueuse, dont la larve est aquatique, et dont l'adulte femelle attaque l'homme et les animaux, inoculant parfois de graves maladies. (Princ. genres : *culex, anophèle, stegomyia.*) ◆ **culicivore** adj. Qui dévore les moustiques : *Les hirondelles, les libellules sont culicivores.* ◆ **culicoïde** n. m. Moustique français à la piqûre très douloureuse.

Culiacán, v. du Mexique, capit. de l'Etat de Sinaloa ; 168 000 h. Industries textiles et exploitations minières dans la région.

culicidés, culicivore, culicoïde → CULEX.

culière → CUL.

culilawan n. m. (des mots malais *kulit lawang,* cannelle giroflée). Laurier du genre *cinnamomum,* dont l'écorce, jaune rougeâtre, tient de la cannelle et du girofle.

culinaire adj. (du lat. *culina,* cuisine). Relatif à la cuisine : *Talents culinaires.*

Cullberg (Birgit Raghnild), danseuse et chorégraphe suédoise (Niköfing 1908). Attachée comme chorégraphe depuis 1951 à l'Opéra Royal de Stockholm, elle en assume également la direction artistique, devient directrice et chorégraphe du théâtre municipal de Stockholm (1960), avant de fonder sa propre troupe, le Ballet Cullberg (1967). Elle est l'auteur entre autres de *Mademoiselle Julie* (1950), *le Renne de la Lune* (1957), *Lady from the Sea* (1960), *Eden* (1961), *le Prophète* (1964), *Narcisse* (1967), *Eurydice est morte* (1968), *Bellmann* (1971).

Cullen (William), médecin écossais (Hamilton, Lanarkshire, 1710 - Edimbourg 1790). Il professait que les causes des maladies résident dans la perturbation des mouvements atomiques, qui sont eux-mêmes sous la dépendance du système nerveux.

Cullen (Paul), prélat catholique irlandais (Prospect, près de Ballytore, comté de Kildare, 1803 - Dublin 1878). Archevêque d'Armagh, puis de Dublin, et primat d'Irlande (1849), il fut le premier Irlandais élevé au cardinalat (1866).

Cullinan, localité de la République d'Afrique du Sud (Transvaal). Mine de diamants célèbre, où fut trouvé en 1905 le *Cullinan,* le plus gros diamant du monde (offert à Edouard VII).

Cullmann (Oscar), théologien protestant français (Strasbourg 1902). Il s'est fait connaître par ses travaux sur les origines du christianisme, influencés par l'école libérale qui l'a formé. Il a insisté notamment sur le rôle capital du culte et des sacrements dans l'Eglise naissante. Parmi ses ouvrages, on peut citer : *le Culte dans l'Eglise primitive* (1944), *Christ et le temps* (1947), *Christologie du Nouveau Testament* (1959), *la Foi et le culte de l'Eglise primitive* (1964), *le Nouveau Testament* (1966).

Culloden, localité d'Ecosse (comté d'Inverness), à proximité de laquelle l'armée britannique du duc de Cumberland battit l'armée écossaise de Charles-Edouard (16 avr. 1746).

culm n. m. *Géol.* Faciès continentaux du carbonifère inférieur (dinantien).

Culmann (Karl), ingénieur allemand (Bergzabern 1821 - Riesbach 1881). Il est le véritable fondateur de la statique graphique, qu'avait ébauchée Lamé en 1826.

culmen [kylmɛn] n. m. Mot lat. désignant parfois le point culminant d'un massif.

culminant, culmination → CULMINER.

culminer v. intr. (du lat. *culmen, -inis,* faîte). Atteindre son point le plus haut : *Le Sancy culmine à moins de deux mille mètres d'altitude. Le vacarme culminait quand il entra.* ◆ **culminant, e** adj. Se dit du point où se trouve un astre dans le ciel au moment de son passage supérieur au méridien du lieu, correspondant à la plus grande hauteur qu'il puisse atteindre au-dessus de l'horizon. ● *Point culminant,* le point le plus élevé par

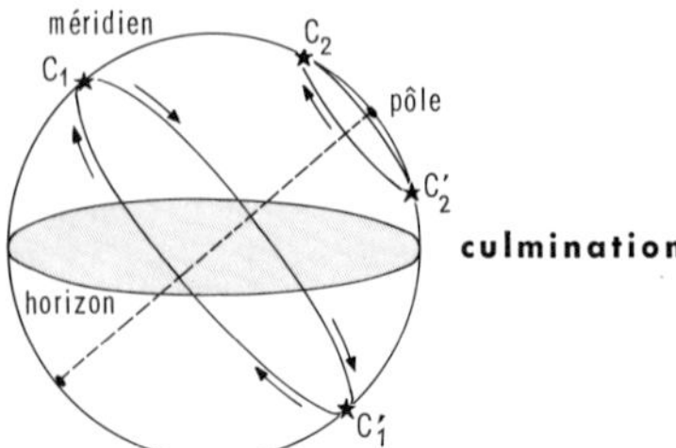

culmination

rapport à d'autres; et, au *fig.*, le plus haut degré, l'apogée : *La joie semblait à son point culminant.* ◆ **culmination** n. f. Maximum de hauteur. || Sommet, point culminant. || Position d'une étoile quand sa hauteur est maximale. (Dans son mouvement diurne, l'étoile traverse deux fois le méridien; le passage supérieur [C_1, C_2], ou *culmination supérieure*, correspond effectivement au maximum de la hauteur; le passage inférieur [C'_1, C'_2], ou *culmination inférieure*, qui n'est au-dessus de l'horizon que si l'étoile est circumpolaire* [C'_2], donne un minimum de la hauteur.) || Instant où un astre passe par l'un de ces points.

cul-nu → CUL.

culot n. m. (de *cul*). Partie inférieure ou postérieure de certains objets. || Partie métallique d'une lampe électrique, recevant l'ampoule et se fixant sur une douille. || Matière solide qui s'amasse au fond d'un récipient : *Le culot d'une pipe.* || Masse solidifiée de métal qui, après s'être séparée des scories à l'état liquide, tombe et reste au fond du creuset. || Ornement architectural d'où partent des volutes ou des rinceaux de feuillage. || Masse de roche bombée ou conique sous d'autres roches. || Partie postérieure renforcée, d'un obus ou d'une cartouche, qui porte le logement de l'amorce et le dispositif d'extraction (bourrelet ou gorge). || Petit cylindre en carton placé sur la poudre, dans le chargement des cartouches de chasse. || Support sur lequel le miroitier pose sa capsule à mercure. || *Fig.* et *fam.* Dernier d'une classe, dernier reçu à un concours. || *Pop.* Aplomb excessif, effronterie, toupet : *Vous avez encore le culot de réclamer?* || Quelquef., en b. part, audace, hardiesse : *Son culot l'a servi.* ● *Au culot* (Fig. et fam.), audacieusement, par intimidation : *Y aller au culot.* || *Culot volcanique,* anc. cheminée volcanique, formée de laves dures que l'érosion différentielle a mises en saillie. (Syn. NECK.) ◆ **culottage** n. m. Action de culotter (une pipe). || Action de noircir par l'usage; résultat de cette action. ◆ **culotté, e** adj. *Très fam.* Qui a du toupet, du culot, effronté : *Vous êtes culotté!* ◆ **culotter** v. tr. *Fam.* Garnir, par l'usage, le culot d'une pipe d'un dépôt noir : *Un vieux fumeur, qui avait culotté bien des pipes.* || Noircir, donner une teinte plus foncée par l'usage : *Une serviette de cuir toute culottée.* (V. aussi CULOTTE.)

culotte n. f. (de *cul*). Vêtement d'homme qui va des hanches aux genoux et qui est divisé pour couvrir les jambes séparément. || Se dit parfois pour pantalon. || Pièce de lingerie féminine assez courte, en tissu léger, et maintenue à la taille par un caoutchouc. || Morceau du bœuf et du veau situé vers l'arrière de la croupe. || Ensemble des deux gigots du mouton. || Ensemble des poils de la partie postérieure de la cuisse du chien. || Portion de tuyau donnant naissance à des embranchements. || Partie inférieure de la cheminée d'un navire à vapeur. || *Pop.* Perte au jeu, revers : *Sa soirée au casino se solde pour lui par une fameuse culotte.* || Ivresse, saoulerie. ● *Baisser, poser culotte* (Pop.), aller à la selle. || *Culotte de peau,* culotte de basane autrefois en usage chez les militaires; et, par suite, au *fig.*, militaire qui ne voit et ne sait rien en dehors de son métier. || *Porter la culotte* (Fam.), en parlant d'une femme, commander dans le ménage. || *Trembler, faire dans sa culotte* (Pop.), avoir grand-peur. ◆ **culotter** v. tr. Vêtir d'une culotte. (V. aussi CULOT.) ◆ **culottier, ère** adj. et n. Celui, celle qui fait des culottes, des pantalons, etc.

culotté → CULOT.

culotter → CULOT et CULOTTE.

culottier → CULOTTE.

Culoz, comm. de l'Ain (arr. et à 27 km au N.-E. de Belley), sur le Rhône; 2 523 h. Gare de triage. Patrie de L. Serpollet.

culpabiliser → CULPABILITÉ.

culpabilité n. f. Etat de celui qui est coupable : *L'accusé nie énergiquement sa culpabilité.* || Caractère d'une action coupable : *La culpabilité d'un acte.* ● *Complexe de culpabilité, délire de culpabilité,* états morbides, plus ou moins accentués, où le sujet se croit, à tort, coupable de certaines fautes. ◆ **culpabiliser** v. tr. Donner à quelqu'un conscience de ses fautes; développer chez lui un remords. — ENCYCL. La *culpabilité morbide* s'observe dans différentes affections psychiatriques. Elle s'exprime par un sentiment plus ou moins immotivé de faute, s'accompagnant d'une angoisse très pénible et conduisant le malade à des conduites d'autopunition. Chez le mélancolique, le sentiment de culpabilité prend une forme délirante et risque de le conduire au suicide. Chez le névrosé, il conditionne de nombreux symptômes derrière lesquels il se dissimule : angoisse de punition, comportement ascétique, cérémoniaux de conjuration, etc.

culpeu n. m. Loup de Patagonie, dit aussi LOUP DE MAGELLAN.

cul-rouge, cul-rousselet → CUL.

culte (lat. *cultus;* de *colere,* honorer). Hommage rendu à Dieu ou aux saints. || Ensemble des cérémonies par lesquelles on rend cet hommage : *De nouvelles églises ouvertes au culte.* || Religion considérée dans ses manifestations extérieures : *Liberté des cultes.* || Religion : *Culte catholique, protestant.* || Chez les protestants, office religieux. || *Fig.* Admiration, affection, vénération profonde, adoration pour quelqu'un ou pour quelque chose : *Le culte du passé. Culte des morts.* ● *Culte de la personnalité,* vénération excessive manifestée à l'égard d'un chef politique, d'une personnalité quelconque. || *Ministre du culte,* prêtre, personne consacrée au service du culte public. ◆ **cultuel, elle** adj. Qui a pour objet l'exercice du culte : *Les libertés cultuelles.* || Qui est consacré ou réservé à la célébration du culte : *Edifice cultuel.* ● *Association cultuelle,* groupement formé pour subvenir aux frais, à l'entretien et à l'exercice public d'un culte.

cultellation n. f. (du lat. *cultellus,* petit couteau). *Topogr.* Chaînage opéré sur un terrain très en pente.

cultéranisme n. m. V. CULTISME.

cul-terreux → CUL.

cultipacker [kər] n. m. (mot angl.). *Instr. agric.* Sorte de croskill dont les rouleaux ont le même diamètre.

cultisme ou **cultéranisme** n. m. (du lat. *cultus,* cultivé). Recherche, affectation particulière chez quelques écrivains espagnols du XVIIe s., dont le principal était Góngora. (Ce maniérisme a exercé une influence en France dans la première moitié du XVIIe s. et favorisé le développement de la préciosité.) [On dit aussi GONGORISME.] ◆ **cultiste** adj. et n. Qui appartient au cultisme.

cultivable, cultivar, cultivateur, cultivé → CULTIVER.

cultiver v. tr. (lat. médiév. *cultivare;* de *cultus,* culture). Travailler la terre pour qu'elle produise : *Un propriétaire qui cultive ses cent hectares.* || Soigner certaines plantes pour provoquer ou favoriser leur venue, pour en récolter le produit : *Cultiver des céréales.* || *Fig.* Former, développer, perfectionner par des exercices : *Cultiver sa voix.* || Consacrer son activité, s'adonner à : *Cultiver la musique, la peinture.* || Entretenir des relations amicales et suivies avec quelqu'un, par sympathie ou par intérêt : *C'est une personne à cultiver.* ● *Cultiver des relations,* les entretenir soigneusement. || **— se cultiver** v. pr. Enrichir son esprit et son goût par le commerce des arts, des lettres et des sciences. ◆ **cultivable** adj. Qui peut être cultivé : *Terre cultivable.* ◆ **cultivar** n. m. Variété d'une espèce végétale qui n'existe pas dans la nature et qui est obtenue par l'effet de la culture. ◆ **cultivateur, trice** n. et adj. Personne qui cultive la terre. || **— cultivateur** n. m. Appareil permettant le travail superficiel du sol. (On dit aussi CULTIVATEUR CANADIEN ou, même, CANADIEN.) ◆ **cultivé, e** adj. Enrichi par la culture, en parlant de l'esprit, de la pensée : *Seul un esprit cultivé peut apprécier l'allusion.* ◆ **cultural, e, aux** adj. Qui a rapport à la culture du sol. ◆ **culturalisme** n. m. Ecole américaine d'anthropologie posant pour essentielle la spécificité de la « culture », considérée comme habitude du groupe social, par opposition à la nature. ◆ **culture** n. f. Action ou manière de cultiver la terre ou certaines plantes : *La culture d'un champ, du blé, de la vigne.* || *Par extens.* Art d'exploiter certaines productions naturelles : *La culture de la soie.* || Terrain cultivé : *Pays où il n'y a pas de cultures.* || Catégorie de végétaux cultivés : *Cultures fruitières.* || *Fig.* Développement, enrichissement des diverses facultés de l'esprit par certains exercices intellectuels ; état d'un esprit ainsi enrichi : *Il a le souci constant de sa culture.* || Ensemble des connaissances qui permettent à l'esprit de développer son jugement, son goût : *Il a une forte culture.* || Connaissances relatives à une certaine discipline : *Une solide culture musicale.* || Forme particulière du savoir, de l'esprit : *Culture primaire, moderne, classique, technique.* || Apport intellectuel et spirituel : *La culture gréco-latine.* || En préhistoire, ensemble des objets faits par des hommes appartenant à une même ethnie. (V. CIVILISATION.) ● *Bouillon de culture* (Bactériol.), milieu de culture liquide. || *Cultures dérobées,* cultures de plantes à cycle très court de végétation, qu'on pratique entre deux cultures principales. || *Culture de masse,* ensemble de faits idéologiques appartenant à une masse* d'individus considérés indépendamment des structures sociales, et diffusée par des techniques industrielles, les *mass-media.* (Disposant d'un corps constitué de symboles, mythes et images concernant la vie pratique et les idéaux dans lesquels la masse se projette ou avec lesquels elle s'identifie, elle constitue une culture qui entre en concurrence avec d'autres cultures, comme l'humanisme et la culture religieuse notamment.) || *Culture microbienne,* méthode consistant à placer une petite quantité de germes microbiens dans un milieu nutritif adéquat, afin d'obtenir leur multiplication, de réaliser leur isolement et leur identification, d'étudier les produits de leur métabolisme et, éventuellement, leur sensibilité aux différents antibiotiques (antibiogramme*). || *Culture physique,* ensemble des mouvements et des exercices capables de fortifier le corps, de l'assouplir et même d'en corriger certains défauts. || *Culture sans sol,* culture de plantes sur un milieu liquide qui contient les éléments nutritifs. (On emploie ce procédé dans des régions désertiques ou tropicales, ou pour certaines plantes de serre.) || *Culture des tissus,* maintien en état de vie active et de prolifération de petits fragments d'organe animal ou végétal isolés sur un milieu convenable. (Réalisée en 1912 par Carrel pour les tissus animaux, en 1934 par Gautherot pour les tissus végétaux, la culture des tissus exige de fréquents repiquages sur milieu neuf.) || *Maison de la* *culture,* établissement créé par le ministère des Affaires culturelles, placé sous la tutelle de ce ministère d'Etat, et qui a pour objet d'assurer la plus vaste audience du patrimoine culturel et de favoriser la création des œuvres de l'art et de l'esprit. ‖ *Système de culture,* organisation de la succession des cultures et des jachères, ou de la rotation des cultures. (V. AGRICULTURE.) ◆ **culturel, elle** adj. Relatif à la culture de l'esprit, à la civilisation : *Des études d'une grande valeur culturelle.* ‖ Qui vise à développer la culture, à répandre certaines formes de culture : *Conventions culturelles. Echanges culturels.* ● *Centre culturel,* organisme chargé de diffuser la culture d'un pays dans un autre pays. ‖ *Conseiller, attaché culturel,* fonctionnaire chargé d'organiser les relations universitaires et les échanges intellectuels entre son pays d'origine et celui où il est chargé de mission.

cultridenté, e adj. Qui a les dents en forme de couteau.

cultrirostre adj. Qui a le bec en forme de couteau.

cultuel → CULTE.

cultural, culturalisme, culture, culturel → CULTIVER.

culturel (ORDRE DU MÉRITE), ordre monégasque créé en 1952. Ruban rouge ponceau, coupé au centre de losanges blancs.

culturisme n. m. Culture physique destinée à développer la musculation. ‖ Syn. de NUDISME. ◆ **culturiste** n. Celui, celle qui pratique le culturisme.

Cumana, v. du Venezuela, capit. de l'Etat de Sucre ; 119 800 h. Industrie du coton.

Cumberland, anc. comté d'Angleterre. (V. CUMBRIA.)

Cumberland (MASSIF DU), région du nord-ouest de l'Angleterre ; 978 m au *Scafell.* Le Cumberland est un massif ancien soulevé au tertiaire et sculpté au quaternaire par des glaciers qui ont creusé les cuvettes de nombreux lacs pittoresques (*Lake District*). En bordure de la mer d'Irlande s'étend un bassin houiller sur lequel sont implantées des industries métallurgiques.

Cumberland (PÉNINSULE DU), extrémité orientale de la terre de Baffin (Canada, Territoires du Nord-Ouest), limitant au N. la *baie de Cumberland.*

Cumberland (PLATEAU DE), partie méridionale du plateau Appalachien aux Etats-Unis, au-dessus de la région de la Grande Vallée. La riv. *Cumberland* (1 105 km), affl. de l'Ohio (r. g.), y prend sa source.

Cumberland (William Augustus, duc DE), prince et général britannique (Londres 1721 - *id.* 1765), troisième fils de George II. Chef de l'armée alliée aux Pays-Bas, il fut vaincu à Fontenoy (1745) et à Lawfeld (1747), mais l'emporta sur Charles-Edouard à Culloden. En 1757, après la défaite de Hastenbeck, il signa la capitulation de Kloster Zeven.

Cumberland (Ernest-Auguste, duc DE). V. ERNEST-AUGUSTE.

Cumbre (COL DE LA) ou **col d'Uspallata,** important passage des Andes, entre l'Argentine et le Chili (3 482 m), dominé par l'Aconcagua. Une voie ferrée passe, en tunnel, à 3 300 m d'alt.

Cumbria, comté du nord-ouest de l'Angleterre, sur la mer d'Irlande, correspondant essentiellement à l'ancien comté de *Cumberland* et s'étendant notamment sur le *massif du Cumberland ;* 473 800 h. Ch.-l. *Carlisle.*

cumène n. m. (de *cumin*). Carbure benzénique $C_6H_5 — CH(CH_3)_2$, liquide bouillant à 152 °C, analogue au benzène, servant à fabriquer des solvants, laques et produits chimiques divers. (Le *pseudo-cumène* est le triméthylbenzène 1-2-4, bouillant à 170 °C.) ◆ **cuminique** adj. Se dit d'un aldéhyde, d'un acide et d'un alcool dérivant du cumène. (L'aldéhyde se trouve dans les essences de cumin, de ciguë, de myrrhe.)

cumengéite n. f. Chlorure basique hydraté naturel de plomb et de cuivre.

Cumes, en lat. **Cumae.** *Géogr. anc.* V. de l'Italie méridionale, en Campanie. Anc. colonie grecque fondée au VIIIe s. av. J.-C., célèbre par l'antre de la sibylle qui s'y trouvait ; elle s'allia aux Romains pendant les guerres puniques. Les Napolitains la détruisirent en 1203. Ruines de l'enceinte grecque.

Cumières-le-Mort-Homme, comm. de la Meuse (arr. de Verdun), à 12 km au N.-O. de Charny ; 4 h. Le village et le bois de Cumières furent attaqués le 14 mars 1916 au début de la bataille de Verdun. Conquis de haute lutte par les Allemands le 24 mai, ils furent repris par les Français en août 1917.

cumin n. m. (gr. *kuminon*). Ombellifère cultivée surtout en Hollande et en Thuringe pour son fruit, qui est utilisé pour aromatiser le pain, les gâteaux, le fromage et pour fabriquer un alcool, le kummel*. ‖ Nom donné au *carvi,* au *sisoya,* à la *nigelle* et à une papavéracée du genre *hypecoum.*

cuminique → CUMÈNE.

Cummings (Edward Estlin), poète et peintre américain (Cambridge, Massachusetts, 1894 - North Conway, New Hampshire, 1962). Poète, peintre et dramaturge, il possède un tempérament lyrique véritable (*Tulipes et cheminées,* 1923 ; *Poèmes 1923-1954* [1954] ; *95 Poems,* 1958). On lui doit aussi un récit tiré de son expérience de la Grande Guerre (*la Salle commune,* 1922).

cummingtonite n. f. Variété d'amphibole, formant un agrégat avec le grenat et le quartz.

cumul, cumulard, cumulatif, cumulativement → CUMULER.

cumuler v. tr. (lat. *cumulare,* entasser). Réunir sur sa personne plusieurs choses différentes : *Cumuler des droits dans une succession.* || Exercer simultanément plusieurs emplois ; percevoir simultanément plusieurs traitements. ◆ **cumul** [kymyl] n. m. Fait, pour une même personne, d'exercer simultanément plusieurs activités professionnelles, et qui est interdit en principe à tout agent public, sauf dérogations à caractère exceptionnel. ● *Cumul idéal d'infractions,* situation qui se présente lorsque l'élément matériel d'une infraction tombe sous plusieurs qualifications légales. || *Cumul réel d'infractions,* situation qui se présente lorsque le délinquant accomplit successivement une ou plusieurs infractions, mais de façon si rapprochée que toutes les infractions seront jugées en même temps, à la différence de ce qui se passe en matière de récidive. (Idéal ou réel, le cumul d'infractions ne constitue pas une cause d'aggravation des peines ; seule la peine la plus forte sera prononcée.) ◆ **cumulard** n. et adj. m. *Fam.* et *péjor.* Personne qui cumule plusieurs fonctions rétribuées. ◆ **cumulatif, ive** adj. Qui implique un assemblage, une accumulation : *Donation cumulative.* || *Statist.* Qui représente, en fonction d'un caractère étudié X ou du temps *t,* le nombre ou la fréquence des données égales ou inférieures à X, ou observées jusqu'à l'époque *t : Diagramme cumulatif.* ● *Processus cumulatif,* mouvement déclenché à la suite de modifications soit des facteurs économiques, soit des facteurs monétaires, qui tend à s'amplifier de lui-même et à provoquer de ce fait des contractions ou des expansions en chaîne de l'activité économique. ◆ **cumulativement** adv. Par cumul, à la fois : *Fonctions exercées cumulativement.*

cumulo-nimbus [bys] n. m. invar. Masse puissante de nuages* sombres, à grand déve-

O. N. M.

cumulo-nimbus

loppement vertical (400 à 10 000 m), accompagnant les orages et les cyclones.

cumulo-stratus [tys] n. m. V. STRATO-CUMULUS.

cumulo-volcan n. m. Volcan dans lequel une masse de laves solides sort en forme de dôme. — Pl. *des* CUMULO-VOLCANS.

cumulus [lys] n. m. Nuage blanc à contours nets, à base plate, et dont le sommet en dôme présente des protubérances arrondies.

cunao ou **cu nâu** n. m. Tubercule d'un smilax du Viêt-nam, qui fournit une teinture brune très appréciée.

Cunard (sir Samuel), armateur anglais (Halifax, Nouvelle-Ecosse, 1787 - Londres 1865). Il obtint en 1838, du gouvernement anglais, le monopole du transport du courrier postal, par navires à vapeur, entre la Grande-Bretagne et les Etats-Unis, et créa la compagnie de navigation qui porte encore son nom.

Cunaxa. V. COUNAXA.

Cunégonde (sainte), impératrice germanique (v. 978 - abbaye de Kaufungen, Hesse, 1033 ou 1039), épouse de l'empereur Henri II. Veuve en 1024, elle prit le voile. Canonisée en 1200. — Fête le 3 mars.

cunéiforme adj. et n. m. (lat. *cuneus,* coin, et *forma,* forme). Se dit d'une écriture caractérisée par des éléments en forme de coin, qui sont la trace des roseaux des scribes dans l'argile fraîche. (Connue dès le IVe millénaire av. J.-C., elle a servi à transcrire en idéogrammes, puis en syllabes, la langue des Sumériens. Au XIVe s. av. J.-C., devenue une écriture alphabétique, elle servit à la transcription de l'akkadien. Les musées conservent un nombre considérable de documents en cunéiforme.) || Se dit de trois os du squelette tarsien : le *premier,* le *deuxième* et le *troisième cunéiforme,* situés en avant du scaphoïde, en dedans du cuboïde, en arrière des trois premiers métatarsiens. (V. TARSE.)

Cunene, Counene ou **Kunene** (le), fl. d'Angola, tributaire de l'Atlantique ; 1 000 km.

Cuneo, en franç. **Coni,** v. d'Italie (Piémont), ch.-l. de prov., sur la Stura di Demonte ; 55 300 h. Centre commercial.

cunette n. f. (ital. *cunetta*). Petit canal servant à l'évacuation des eaux dans un fossé d'ouvrage fortifié. || Petit canal au fond d'un égout ou d'un aqueduc, en contrebas du trottoir. || Tranchée de peu de largeur qui permet soit la pose d'une voie sur laquelle circulent les wagonnets, soit l'accès de camions dans les chantiers de terrassement. || Accès à une carrière.

Cunha (Tristão ou Tristan DA), navigateur portugais (Lisbonne 1460 - en mer 1540). Il découvrit dans l'Atlantique Sud l'archipel qui porte son nom, puis les côtes de Somalie et l'île de Socotora, dans l'océan Indien.

Cunha (Euclides DA), écrivain brésilien (Santa Rita do Rio Negro 1866 - assassiné à Rio de Janeiro 1909). Son œuvre principale, *les Terres de Canudos* (1902), raconte la répression exercée contre les révoltés de Canudos durant la campagne de 1896-1897.

	SIGNES	VALEURS PHONÉTIQUES simples	VALEURS PHONÉTIQUES complexes	VALEURS IDÉOGRAPHIQUES
écriture **cunéiforme**		*a,pi,wə*	*tal*	*uznu,* oreille
		pu	*tul*	*bûru,* puits
		qi	*kin,qin*	*šipru,* message
		ur	*taš, lik*	*kalbu,* chien

WARKA	DJEMDET NASR	DYNASTIQUE ARCHAÏQUE	NINIVITE	VALEUR EN AKKADIEN
				rêšu, tête
				qâtu, main
				sinuntu, hirondelle
				še'u, orge

Cunibert. V. CHUNIBERT.

cuniculiculteur → CUNICULICULTURE.

cuniculiculture n. f. (du lat. *cuniculus,* lapin, et *cultus,* élevage). Elevage du lapin domestique. ◆ **cuniculiculteur** n. m. Eleveur de lapins domestiques.

Cunlhat, ch.-l. de c. du Puy-de-Dôme (arr. et à 28,5 km au N.-O. d'Ambert) ; 1 507 h. (*Cunlhatois*). Eglise des XIIe et XVe s.

Cunningham, famille écossaise. V. GLENCAIRN.

Cunningham (Andrew Browne), 1er vicomte **Cunningham of Hyndhope,** amiral britannique (Dublin 1883 - Londres 1963). Commandant en 1939 les forces navales anglaises de la Méditerranée, il signa avec l'amiral Godfroy l'accord de juill. 1940 concernant la flotte française d'Alexandrie. Il attaqua la flotte italienne à Tarente (1940), puis au cap Matapan, et dirigea l'évacuation de la Crète (1941). En 1942, il commanda les forces navales du débarquement allié en Afrique du Nord, et, en 1943, fut nommé chef d'état-major de la flotte. Ses Mémoires, publiés en 1951, ont pour titre *l'Odyssée d'un marin.* — Son frère sir ALAN GORDON (Dublin 1887), commandant les forces britan-

British Council

amiral **Cunningham**

niques de l'Afrique orientale, s'empara de l'Ethiopie et des possessions italiennes (1940-1941). Placé à la tête de la VIIIe armée en Libye (1941), il remplaça ensuite Gort à Jérusalem, où il fut le dernier haut-commissaire britannique en Palestine (1945-1948).

Cunningham (Merce), danseur et chorégraphe américain (Centralia, Washington, v. 1915). Il dirige depuis 1952 une troupe dont les créations et les expériences gestuelles se situent à l'avant-garde de la danse aux Etats-Unis (*Summerspace,* 1958 ; *Winterbranch,* 1964 ; *Fall and Run,* 1965 ; *Rainforest,* 1970 ; *Signals,* 1972 ; *Un jour ou deux,* 1973 [à l'Opéra de Paris]).

cunninghamia n. m. Conifère de Chine et du Japon, au bois odorant, voisin du séquoia.

Cuno (Wilhelm), homme politique allemand (Suhl, Thuringe, 1876 - Aumühle, près d'Hambourg, 1933). Chancelier (1922-1923), il dirigea un cabinet conservateur.

cupide adj. (lat. *cupidus*). En parlant d'une personne, avide d'argent : *Administrateur cupide.* ‖ En parlant d'une chose, qui est inspiré par la cupidité : *Une ardeur cupide.* ◆ **cupidement** adv. De façon cupide. ◆ **cupidité** n. f. Désir immodéré de l'argent et des richesses. ‖ — SYN. : *âpreté, avidité, concupiscence, convoitise, rapacité.*

1. cupidon n. m. (de *Cupidon* n. pr.). Chacun des génies ailés qu'on représente voltigeant autour de Vénus et de l'Amour. ‖ Enfant ou adolescent d'une grande beauté.

2. cupidon n. m. Espèce de tétras de la prairie américaine, se rassemblant au printemps pour des parades collectives où les mâles gonflent le cou et dressent leurs plumes.

Cupidon, divinité romaine de l'Amour, identifiée avec Eros.

Cupis (les), famille de musiciens et de danseurs du XVIIIe s. Le chef, FERDINAND JOSEPH, *alias* **Camargo,** fut violoniste à l'Opéra en 1750. Il est le père de la célèbre Camargo*.

cuprate n. m. Sel dérivant de l'oxyde cuivrique.

cupressinées n. f. pl. Tribu de conifères comprenant les cyprès* (*cupressus*).

cupride n. m. Nom générique des minéraux renfermant du cuivre.

cuprifère adj. Qui contient du cuivre : *Roche cuprifère.* ‖ Qui se rapporte aux mines de cuivre : *Valeur cuprifère.*

cuprimètre n. m. Eprouvette graduée permettant, à l'aide d'un réactif, le contrôle colorimétrique des solutions de sulfate de cuivre utilisées pour l'injection des poteaux en bois.

cuprique adj. Qui contient un sel de cuivre : *Les bouillies cupriques sont employées contre les cryptogames en viticulture.*

cuprite n. f. Oxyde cuivreux naturel, formant des cristaux rouges du système cubique.

cupro-alliage n. m. Nom générique des alliages ou pseudo-alliages riches en cuivre, n'ayant pas un nom particulier comme le laiton, le bronze.

cupro-aluminium n. m. Alliage de cuivre contenant 6 à 12 p. 100 d'aluminium de couleur or, appelé improprement *bronze d'aluminium* et présentant une résistance mécanique élevée et une excellente résistance à la corrosion.

cupro-ammoniaque n. f. Solution ammoniacale d'oxyde cuivrique, qui dissout la cellulose, d'où son emploi dans la fabrication du carton, l'imperméabilisation du papier et de la toile à voile, etc. (On dit aussi LIQUEUR CUPRO-AMMONIACALE.)

Brunel

Cupidon
Louvre

cuprobéryllium [ljɔm] n. m. Alliage de cuivre et de béryllium, le plus dur et le plus élastique des alliages cuivreux, appelé également CUPROGLUCINIUM et, improprement, *bronze au béryllium* ou *au glucinium.*

cuprochrome n. m. Alliage de cuivre et de chrome.

cupromagnésium n. m. Alliage de cuivre et de magnésium, avec une teneur de 15 p. 100 de magnésium.

cupromanganèse n. m. Alliage de cuivre et de manganèse, avec une teneur de 30 p. 100 de manganèse.

cupronickel n. m. Alliage de cuivre et de nickel. (Le Monel* est un cupronickel au fer qui a des emplois très variés, aussi bien comme alliage de fonderie que sous forme de tôle, planche, tube, barre, fil.)

cuprophosphore n. m. Alliage de cuivre et de phosphore.

cuproplomb n. m. Pseudo-alliage de cuivre et de plomb, utilisé comme alliage antifriction.

cupropotassique adj. *Liqueur cupropotassique,* syn. de LIQUEUR DE FEHLING*.

cuprothérapie n. f. Utilisation du cuivre ou de ses sels en thérapeutique (certaines formes de rhumatisme).

cuprotitane n. m. Alliage de cuivre et de titane, utilisé pour la désoxydation et l'affinage du grain des alliages cuivreux.

cuprovanadium [djɔm] n. m. Alliage de cuivre et de vanadium, obtenu par aluminothermie.

cuproxyde n. m. Oxyde cuivreux.

cupule n. f. (lat. *cupula,* petite coupe). Involucre du gland de chêne et d'autres fruits d'amentifères, parfois épineux (bogue de châtaigne) et entourant plus ou moins le fruit. || Ventouse des pattes des dytiques mâles et d'autres insectes. ◆ **cupulifères** n. f. pl. Anc. nom de l'ordre des FAGALES*, dont le fruit est enchâssé dans une cupule.

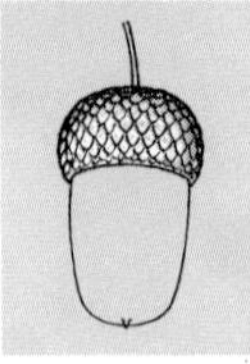

cupule

Cuq (Edouard), juriste français (Saint-Flour 1850 - Paris 1934). Il contribua à donner à l'enseignement du droit romain une orientation nettement historique, en faisant appel au droit comparé et aux sciences auxiliaires (*les Institutions juridiques des Romains,* 1891-1902; *Manuel des institutions juridiques des Romains,* 1917). [Acad. des inscr., 1911.]

Cuq-Toulza, ch.-l. de c. du Tarn (arr. de Castres), à 20 km au S.-E. de Lavaur; 515 h.

curabilité → CURABLE.

curable adj. (lat. *curare,* guérir). Qui peut se guérir ou être guéri. ◆ **curabilité** n. f. Caractère d'une maladie susceptible de guérir. ◆ **curatif, ive** adj. Relatif à la guérison.

curaçao [so] n. m. (de *Curaçao,* n. d'une des Antilles). Liqueur composée avec des écorces d'orange, du sucre et de l'eau-de-vie.

Curaçao, île néerlandaise de la mer des Antilles (îles Sous-le-Vent), au N. du Venezuela; 472 km²; 149 100 h. Capit. *Willemstad.* Importantes raffineries de pétrole. Phosphates.

curade, curage → CURER.

curaillon → CURE 2.

curain n. m. V. SCHLOT.

curare n. m. (mot du dialecte caraïbe). Sorte d'extrait végétal obtenu à partir de certains *strychnos* (loganiacées) et de *Chondrodendron tomentosum* (ménispermacées), utilisé d'abord, pour son action paralysante, comme poison de flèches par les Indiens de l'Amérique du Sud. (Le curare, inactif par voie buccale, produit, lorsqu'il est injecté à fortes doses, une action paralysante sur les muscles striés. La mort survient par atteinte des muscles inspiratoires. Le curare renferme de nombreux alcaloïdes, dont la *d*-tubocurarine. Actuellement, on l'utilise, de même que les nombreux curarisants de synthèse, à titre thérapeutique.) [V. *encycl.*] ◆ **curarine** n. f. Un des alcaloïdes isolés des curares. ◆ **curarisant, e** adj. et n. m. Se dit du curare et des substances agissant comme lui. ◆ **curarisation** n. f. Fait de soumettre un individu aux effets du curare ou des curarisants de synthèse, dans un dessein thérapeutique. || Ensemble des phénomènes physiologiques consécutifs à l'emploi de substances curarisantes. (V. *encycl.*) ◆ **curariser** v. tr. Soumettre à l'action du curare.

— ENCYCL. ***curare, curarisation.*** ● *Mécanisme de la curarisation.* La transmission de l'influx nerveux au muscle se fait au niveau de la « plaque motrice ». Celle-ci est chargée, à l'état de repos, d'un potentiel positif; l'excitation nerveuse provoque à l'extrémité du nerf la libération d'acétylcholine, qui change le potentiel de la plaque motrice, celui-ci devenant négatif (dépolarisation); l'excitation du muscle est réalisée par cette dépolarisation, qui entraîne sa contraction. Presque instantanément, l'acétylcholine est détruite par la cholinestérase, et la plaque motrice se régularise, devenant accessible à de nouvelles excitations. Le blocage de ce mécanisme peut être réalisé soit par inhibition de la dépolarisation (curare et curarisants vrais), qui élève le seuil d'excitabilité de la plaque motrice, soit par dépolarisation prolongée par une substance agissant comme l'acétylcholine, ce qui rend le muscle inexcitable par défaut de repolarisation.

● *Action physiologique des curares.* Suivant les doses employées, l'action des curares sur les muscles striés volontaires entraîne d'abord une atonie* musculaire, puis une abolition de la motilité avec conservation de l'excitabilité, enfin la paralysie totale, où l'excitabilité disparaît à son tour. Les muscles sont atteints progressivement : muscles de l'œil, puis ceux de la face et du cou, ceux des membres, enfin les abdominaux, les intercostaux et le diaphragme, ce qui provoque une paralysie respiratoire.

● *Emploi thérapeutique.* En anesthésiologie, les curares sont particulièrement précieux dans les interventions de longue durée, en chirurgie abdominale et thoracique notamment. La curarisation est, en outre, précieuse dans le traitement du tétanos et comme adjuvant de la convulsothérapie.

curarine, curarisant, curarisation, curariser → CURARE.

curatelle → CURATEUR.

curateur, trice (lat. *curator, -trix;* de *curare,* soigner). Personne chargée de protéger un incapable majeur en l'assistant dans les actes de la vie juridique et dans la gestion de ses biens. (La personne en curatelle, notamment, ne peut effectuer de donation qu'avec l'assistance du curateur et ne peut se marier sans son consentement. En général, si la personne en curatelle fait seule un acte pour lequel l'assistance du curateur est requise, l'annulation de l'acte peut être demandée.) || Fonctionnaire et technicien chargé d'une administration (*cura*) pour le compte de l'Etat romain. ◆ **curatelle** n. f. Fonctions de curateur.

curatif → CURABLE.

curculionidés n. m. pl. Famille de coléoptères, comprenant peut-être 100 000 espèces, nommées aussi *charançons* et caractérisées par leur bouche située au bout d'un long rostre. (Ce sont des végétariens nuisibles, souvent mangeurs de graines à l'âge adulte, de feuilles ou de racines à l'état de larves.)

curcuma n. m. Zingibéracée ornementale, originaire de l'Asie orientale, dont le rhizome fournit un arrow-root, un safran et la poudre dite *de cari.*

1. cure n. f. (lat. *cura,* soin, souci). Soin, attention que l'on donne à une chose (seulement dans l'expression *n'avoir cure de*) : *Je n'ai cure de ses menaces* (il ne peut pas me nuire). || Guérison, ensemble des moyens employés pour obtenir la guérison. || Méthode thérapeutique particulière : *Cure de fruits. Cure thermale, hydrominérale,* etc. ● *Etablissement de cure,* établissement situé dans des régions particulièrement salubres, et prévu en premier lieu (sous le nom de *sanatorium*) pour le traitement des tuberculeux. ◆ **curiste** n. Personne qui fait une cure dans une ville d'eaux : *Un curiste de Vichy.*

2. cure n. f. (même étym. que le précéd.). Fonction à laquelle sont attachées la direction et l'administration spirituelle d'une paroisse. || Circonscription territoriale administrée par un prêtre ayant le titre de « curé ». (C'est à l'évêque qu'appartient le droit d'établir, de supprimer, de modifier la circonscription des cures.) || Syn. de PRESBYTÈRE. ◆ **curé** n. m. Prêtre pourvu d'une cure. (Le curé a sur ses paroissiens une juridiction *ordinaire* et *personnelle.* Il peut la déléguer à d'autres prêtres. Il a le droit de prêcher dans son église, d'y célébrer la messe, d'y administrer les sacrements et de percevoir les revenus attachés à son titre.) || Prêtre desservant. || *Fam.* Ecclésiastique. ● *Bouffer du curé* (Pop.), témoigner beaucoup d'hostilité au clergé, à l'Eglise. || *Fromage de curé,* fromage fabriqué en Vendée à partir du lait de vache. || *Poire de curé,* variété de poire que l'on consomme cuite. ◆ **curaillon** ou **cureton** n. m. *Fam.* et *péjor.* Curé. || Jeune prêtre. ◆ **curial, e, aux** adj. Qui concerne le curé ou la cure : *Conseil curial.* (V. aussi CURIE.)

Cure (la), riv. de Bourgogne, affl. de l'Yonne (r. dr.) ; 112 km. Née près de Château-Chinon, elle forme le réservoir des Settons.

cure-dent → CURER.

curée n. f. (anc. franç. *cuiriée ;* du lat. *corium,* cuir). *Véner.* Pâture de certaines parties du cerf, du chevreuil ou du sanglier, qu'on donne aux chiens courants. || *Fig.* Lutte avide pour s'emparer des biens, des places, des honneurs laissés vacants par la chute d'un homme, d'un régime, d'un pays abattu. ● *Curée chaude,* curée qui se fait sur le lieu même de la prise et aussitôt après. || *Curée froide,* curée que l'on fait en rentrant au logis. || *Sonner la curée,* sonner de la trompe pour appeler veneurs ou chiens à la curée.

cure-feu → CURER.

Curel (François DE), auteur dramatique français (Metz 1854 - Paris 1928). Il a connu le succès, durant trente ans, avec ses drames, inspirés par les conflits d'idées et les problèmes sociaux de son temps : *le Repas du lion* (1897), *la Nouvelle Idole* (1899), *le Coup d'aile* (1906), *Terre inhumaine* (1922), *Orage mystique* (1927). [Acad. fr., 1918.]

Manuel

François de **Curel**

curement, cure-môle, cure-ongles, cure-oreille → CURER.

curer v. tr. (lat. *curare,* soigner). Nettoyer, retirer les ordures, la crasse, etc., de : *Curer une citerne, un fossé.* ● *Curer une vigne en pied,* enlever des ceps le bois inutile. ◆

curade n. f. Rigole séparant deux billons successifs dans un champ labouré. ◆ **curage** ou **curement** n. m. Action de curer ; résultat de cette action. || Opération de vidage d'un puits de pétrole avec une cuiller. ● *Curage digital,* intervention qui consiste à débarrasser avec les doigts la cavité utérine des débris placentaires, après un avortement. || *Curage ganglionnaire,* ablation chirurgicale d'un territoire lymphatique, généralement pratiquée lorsqu'on craint l'existence de métastases ganglionnaires d'un cancer dont on pratique la cure chirurgicale. ◆ **cure-dent** n. m. Petit instrument dur et pointu, qui sert à éliminer les parcelles alimentaires entre deux dents. — Pl. *des* CURE-DENTS. ◆ **cure-feu** n. m. invar. Barre métallique, dont on se sert pour attiser le feu et nettoyer la grille. (Syn. FOURGON, TISONNIER, RINGARD.) ◆ **cure-môle** n. m. Sorte de bateau ponté, muni d'un appareil propre à curer les ports. — Pl. *des* CURE-MÔLES. ◆ **cure-ongles** n. m. invar. Petit instrument de bois, d'os, de métal, etc., employé pour nettoyer les ongles. ◆ **cure-oreille** n. m. Petit instrument de corne, d'os, d'ivoire, etc., employé pour enlever le cérumen qui obstrue l'intérieur des oreilles. — Pl. *des* CURE-OREILLES. ◆ **curetage** n. m. *Chirurg.* Opération qui consiste à enlever avec une curette des corps étrangers ou des produits morbides de l'intérieur d'une cavité naturelle (utérus), ou pathologique (abcès osseux). [Le curetage utérin s'emploie surtout comme traitement de la rétention placentaire après avortement ; il ne doit pas être confondu avec le *curage,* qui consiste à débarrasser avec les doigts l'utérus des débris placentaires.] || Action d'améliorer l'hygiène, dans un secteur urbain, par un remaniement des bâtiments anciens sans nuire à l'esthétique ni à l'harmonie de l'ensemble. ◆ **cureter** v. tr. Faire un curetage. ◆ **curette** n. f. Palette de fer ou de bois au moyen de laquelle on nettoie divers instruments, outils, armes, etc. || Instrument de chirurgie, en forme de cuiller à bords tranchants ou mousses et qui sert à pratiquer le curetage, notamment celui de l'utérus. || Petit disque muni d'un long manche, qui sert à curer les trous de mine avant leur chargement. || Petite spatule tranchante qu'emploient différents artisans pour curer, creuser, approfondir un trou, une mortaise, etc. ◆ **cureur** n. m. Personne qui cure les puits, les fossés, etc. ◆ **curure** n. f. Boue retirée d'un fossé, d'un étang, pouvant servir d'engrais.

curetage, cureter, curette, cureur → CURER.

cureton → CURE 2.

Curiaces (les). V. HORACES (les).

curial → CURE 2 et CURIE n. f.

curiale → CURIE n. f.

Curia regis (mots lat. signif. *Cour du roi*), organe principal de l'administration monarchique au Moyen Age.

● En France, les Capétiens appelaient certains vassaux, à des dates fixées par eux, à les assister dans leur tâche administrative et politique. Le refus de déférer à cet ordre entraînait la confiscation du fief. A mesure que les affaires gouvernementales devinrent plus complexes, des sections spécialisées de la *Curia regis,* judiciaires et financières, se constituèrent en organes autonomes. (V. CONSEIL *du roi.*)

● En Angleterre, la Cour restreinte, formée d'hommes de confiance du roi, est à l'origine du Conseil privé*. La Cour plénière était la grande assemblée féodale des barons et des prélats devant au roi le service de cour. (V. PARLEMENT.)

curiate → CURIE n. f.

curie n. f. (lat. *curia*). *Hist. rom.* Subdivision de la tribu chez les Romains. (V. *encycl.*) || Lieu de réunion des comices curiates, et, plus tard, du sénat. || Le sénat lui-même.

la Curie dans le Forum romain

|| Lieu de réunion des assemblées municipales des cités soumises ou alliées à Rome ; ces assemblées elles-mêmes. || Organisme gouvernemental, administratif et judiciaire du Saint-Siège romain (*curie romaine*) ou des évêchés catholiques (*curie diocésaine* ou *épiscopale*). ◆ **curial, e, aux** adj. *Hist. rom.* Qui concerne la curie, qui s'y rattache : *Assemblée curiale.* (V. aussi CURE.) || — **curiale** n. m. *Hist. rom.* Membre d'une curie. ◆ **curiate** adj. *Hist. rom.* Relatif aux curies : *Lois curiates.* ● *Comices curiates,* assemblée politique romaine. (V. *encycl.*) ◆ **curion** n. m. *Hist. rom.* Chef d'une curie.

— ENCYCL. **curie.** *Hist. rom.* La base de la curie fut sans doute, à l'origine, d'ordre territorial, mais elle perdit très vite tout rapport avec lui. Chaque curie avait un nom particulier, son culte propre et son local, à la fois temple et lieu de réunion. La première salle destinée à la réunion des comices curiates aurait, selon la tradition, été construite par Tullus Hostilius. Cet édifice devint ultérieurement la salle des séances du sénat. Le bâti-

ment, incendié en 52 av. J.-C., fut remplacé par la *curia Julia,* construite par César et transformée en église (638).
— *Admin. ecclés.* Dès les premiers siècles chrétiens, le pape était aidé dans sa tâche de gouvernement de l'Eglise par un conseil dont les réunions étaient appelées « consistoires ». La papauté d'Avignon perfectionna cette organisation en la diversifiant. L'administration centrale de l'Eglise fut alors répartie en quatre organismes : la Chambre apostolique (affaires financières), la Chancellerie, l'administration judiciaire, la Pénitencerie*. Par la bulle *Immensa,* promulguée en 1588, Sixte Quint modifia profondément l'organisation de la curie. Le travail fut confié à des organismes spécialisés, appelés « congrégations* ». Cette structure fut modifiée en 1908 par la bulle *Sapienti consilio.* Désormais, le travail se fait dans des organismes collégiaux : les congrégations, les tribunaux et les offices. A partir de 1965, Paul VI amorce une réforme de la curie romaine, qui devient effective en 1967, en y incorporant des prélats étrangers et des évêques diocésains.
— ***comices curiates.*** Créée dès l'époque royale, cette assemblée comprenait des patriciens répartis en trente curies, groupées en trois tribus. Elle conférait l'*imperium** au roi, légiférait et décidait de la paix et de la guerre. Elle avait droit de regard sur les affaires religieuses. L'apparition des *comices centuriates,* puis *tributes* limita considérablement l'importance de cette assemblée, qui, à partir du IVe s. av. J.-C., fut ouverte à la plèbe.

curie n. m. (de Pierre et Marie *Curie*). Unité de mesure d'activité d'une source radioactive (symb. : Ci) équivalant à l'activité d'une quantité de nucléide radioactif pour laquelle le nombre de transitions nucléaires spontanées par seconde est de $3,7 \times 10^{10}$: *Le curie vaut* $3,7 \times 10^{10}$ *becquerels.*

Curie (Pierre), physicien français (Paris 1859 - *id.* 1906). Il découvrit en 1880, avec son frère PAUL JACQUES (1855 - 1941), la piézo-électricité, puis, après avoir étudié le magnétisme, il énonça en 1894 le principe de symétrie, selon lequel les éléments de symétrie des causes doivent se retrouver dans leurs effets. Enfin, avec sa femme, il se consacra à la radio-activité, et tous deux isolèrent le polonium, puis le radium. Professeur à l'Ecole de physique et chimie, il devint, en 1904, titulaire de la chaire de physique générale à la Sorbonne. (Acad. des sc., 1904; prix Nobel de phys., 1903.) — Sa femme MARIE, née **Skłodowska,** d'origine polonaise (Varsovie 1867 - près de Sallanches 1934), s'intéressa à la radio-activité dès la découverte d'H. Becquerel, et fit participer son mari à ses travaux. Elle fut la première femme nommée professeur à la Sorbonne, et elle créa l'Institut du radium. (Prix Nobel de phys., 1903; prix Nobel de chim., 1911.)

Curie (POINT DE), température au-dessus de laquelle les corps ferromagnétiques deviennent paramagnétiques (775 °C pour le fer).

curiethérapie n. f. (du nom des *Curie,* qui ont découvert le radium, et du gr. *therapeia,* traitement). Nom substitué fréquemment à celui de *radiumthérapie* pour désigner l'emploi thérapeutique du radium. (Le rayonnement utilisé provient du radium contenu soit dans des aiguilles de platine implantées dans les tissus, soit dans des tubes introduits dans les cavités naturelles ou fixés au contact de la région à traiter [*curiethérapie transcutanée*]. La curiethérapie faite à distance [*télécuriethérapie*] utilise le rayonnement émis par une importante quantité de radium.)

curieusement → CURIEUX.

curieux, euse adj. (lat. *curiosus,* qui a cure de). En parlant des personnes, désireux de voir ou de savoir : *Un lecteur curieux d'aventures vécues. Je serais curieux de savoir comment s'est terminée l'affaire;* et, absol. : *C'est un esprit curieux.* ‖ *En mauv. part.* Qui est désireux de connaître ce qui ne le regarde pas, indiscret : *Tu es trop curieux, je ne peux pas répondre à ta question.* ‖ En parlant des choses, qui témoigne du désir de voir et de savoir : *Regarder le spectacle d'un œil curieux.* ‖ Propre à inspirer ce désir, remarquable, digne d'intérêt, étrange, étonnant : *La dionée est une plante curieuse. On a observé un curieux phénomène atmosphérique. Voilà une curieuse façon d'appliquer le règlement. Un personnage curieux,*

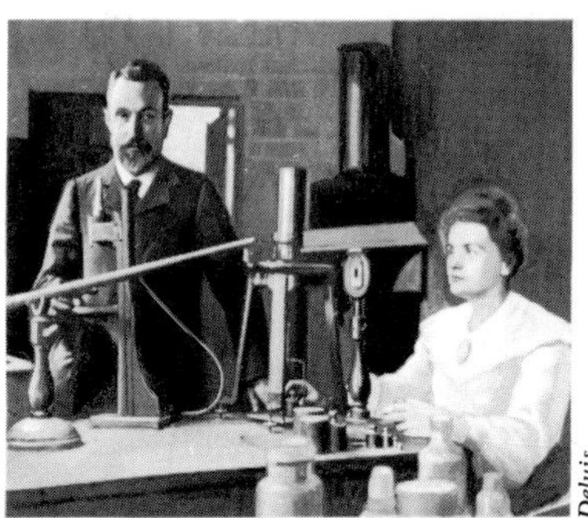
Deluis

Pierre et Marie **Curie** dans leur laboratoire

mi-bouffon, mi-sérieux. ● *Bête curieuse,* être, objet étrange, inattendu. ‖ *Regarder comme une bête curieuse,* regarder avec surprise et attention. ‖ — ***curieux*** n. m. Personne avide de voir ou de savoir : *Quelques curieux assistaient au départ du bateau.* ‖

Personne indiscrète : *Un avare qui compte ses billets à l'abri des curieux.* ‖ Côté surprenant, remarquable : *Le curieux, c'est que chacun reconnaît en soi mille qualités.* ◆ **curieusement** adv. Avec le désir de voir ou de savoir (vieilli) : *Examiner curieusement une inscription.* ‖ D'une manière surprenante, propre à inspirer le désir de voir et de savoir : *Ce livre a curieusement disparu de la bibliothèque.* ‖ D'une manière indiscrète : *Questionner curieusement un enfant.* ‖ — SYN. : *bizarrement, drôlement, étonnamment.* ◆ **curiosité** n. f. Caractère d'une personne curieuse : *La curiosité le pousse à écouter aux portes.* ‖ Caractère d'une chose curieuse, étonnante : *La curiosité du spectacle attirait de nombreux passants. Je ne cite cet exemple que pour la curiosité du fait.* ‖ Chose, spectacle rare, propre à attirer l'attention : *Son installation électrique est une véritable curiosité.* ‖ — **curiosités** n. f. pl. Objets rares et précieux recherchés par les collectionneurs : *Un magasin de curiosités.*

curion → CURIE n. f.

Curion. V. SCRIBONIUS CURIO.

curiosité → CURIEUX.

Curiosités esthétiques, recueil des pages éparses de critique d'art de Baudelaire (1868), écrites depuis 1845.

curiste → CURE 1.

curite n. f. Oxyde hydraté naturel d'uranium et de plomb, en petites aiguilles rouge-brun à jaune foncé.

Curitiba, v. du Brésil, capit. de l'Etat de Paraná ; 608 400 h. Archevêché. Industries alimentaires, textiles, chimiques, etc.

curium [rjɔm] n. m. (de *Curie* n. pr.). Elément transuranien (symb. Cm), de numéro atomique 96, obtenu en 1945 par bombardement du plutonium.

Curius Dentatus (Manius), consul romain († 270 av. J.-C.). Trois fois consul, il fut vainqueur successivement des Samnites, des Brutiens, des Lucaniens, des Sabins, puis de Pyrrhos à Bénévent. Il est resté célèbre pour sa frugalité et son désintéressement.

curl n. m. (mot angl.). Syn. de ROTATIONNEL.

curling [kœrliŋ] n. m. (mot angl.). Sport d'hiver analogue au jeu de boules, qui consiste à faire glisser sur la glace un lourd palet de pierre polie ou de fonte.

Curnonsky (Maurice Edmond SAILLAND, dit), gastronome français (Angers 1872 - Paris 1956). Il est l'auteur d'ouvrages écrits surtout en collaboration, parmi lesquels *le Métier d'amant* (avec P.-J. Toulet, 1899), *la France gastronomique* (avec Marcel Rouff, 1921-1928), *les Fines Gueules de France* (avec P. Andrieu, 1935), *Cuisine et Vins de France* (1953).

curopalate n. m. (du lat. *cura,* soin, et *palatium,* palais). Haute dignité byzantine, conférée au chef de la garde palatine.

curragh n. m. V. CORACLE.

currency principle, principe selon lequel l'émission des billets ne doit pas être laissée à la libre disposition de la banque d'émission, mais réglée en fonction de son encaisse métallique en vue d'éviter l'inflation de la monnaie de papier et la dépréciation qui en résulterait. Le *currency principle* s'oppose au *banking* principle.*

curriculum vitae [lɔm] n. m. (mots lat. signif. *carrière de la vie*). Ensemble des indications relatives à l'état civil, à la situation, aux diplômes, aux activités passées d'un étudiant, d'un candidat à un poste, à un examen, à un concours.

Currie (sir Arthur William), général canadien (Napperton, Ontario, 1875 - Montréal 1933). Commandant le corps d'armée canadien en 1917, il se distingua à Vimy.

curry n. m. (mot angl. ; du tamoul *kari*). V. CARI.

curseur n. m. (du lat. *cursor,* coureur). Petite lame ou pointe qui glisse à volonté sur une tige ou dans une coulisse pratiquée au milieu d'une règle, d'un compas, d'une hausse de pointage, etc. (V. HAUSSE.) ‖ Fil mobile qui traverse le champ d'un micromètre et dont le déplacement par rapport à un fil fixe sert à mesurer le diamètre apparent d'un astre. ‖ *Horlog.* Pièce fendue dans laquelle passe le ressort spiral près de son point d'attache.

curling

cursif, ive adj. (du lat. *cursum,* supin de *currere,* courir). Tracé à main courante : *Ecriture cursive.* ‖ *Fig.* Bref, rapide : *Lecture cursive.*

cursus honorum, expression lat. signif. *carrière des honneurs,* et qui désigne l'ordre dans lequel s'effectuait, à Rome, la carrière publique. En 180 av. J.-C., le *cursus* fut codifié. L'âge minimal pour obtenir la première charge fut fixé à vingt-huit ans. La hiérarchie des magistratures curules était la questure, la préture et le consulat. Seuls les anciens consuls pouvaient accéder à la censure*. Un intervalle de deux ans devait séparer deux magistratures successives. L'ensemble de ces dispositions asservit les magistrats au sénat et freina les possibilités d'accession des « hommes nouveaux » aux hautes charges. Quelques modifications furent apportées par Sulla. Auguste réaménagea l'ensemble. Le premier échelon du *cursus honorum* fut le vigintivirat à dix-sept ans, ou le tribunat militaire à dix-huit ans; puis la questure à vingt-cinq ans, l'édilité à vingt-sept ans, la préture à trente ans, le consulat à trente-trois ans. Mais, en fait, sous l'Empire, ces charges devinrent des récompenses décernées par l'empereur en dehors de toute règle.

Curtea de Arges, v. de Roumanie, en Munténie, au pied méridional des Alpes de Transylvanie ; 18 000 hab. Monuments de filiation byzantine : église princière du XIVe s. et originale église épiscopale du XVIe (très restaurée), destinée à la sépulture des princes valaques.

Curtillard (LE), écart de la comm. de La Ferrière (Isère). Station d'altitude (1 012 m) et de sports d'hiver.

Curtius (Ernst), érudit allemand (Lübeck 1814 - Berlin 1896). Il conduisit les fouilles d'Olympie et écrivit une *Histoire de la Grèce* (1857-1861).

Curtius (Ludwig), archéologue allemand (Augsbourg 1874 - Rome 1954). Il a publié de nombreux ouvrages sur l'Antiquité grecque et romaine : *les Peintures murales de Pompéi* (1929), *Zeus et Hermès* (1930), *Monde germanique et monde antique* (1952).

Curtius (Ernst Robert), professeur et essayiste allemand (Thann, Alsace, 1886 - Rome 1956). Il a publié de nombreuses études sur la littérature française.

Curtoni (Domenico), architecte italien (Vérone XVIe-XVIIe s.). Neveu de l'architecte Sanmicheli, il éleva, seul ou avec son oncle, plusieurs palais véronais (palais Morando et Gran Guardia Vecchia, 1609).

curule adj. (lat. *curulis*). *Antiq. rom.* Se dit du siège d'ivoire accordé à certains magistrats. || Se dit de la fonction et de la personne qui possédaient le privilège d'utiliser ce siège : *Magistrats curules.*

curure → CURER.

curviligne adj. Qui est formé de lignes courbes : *Triangle curviligne.* ● *Abscisse curviligne,* V. ABSCISSE. || *Angle curviligne,* ou *angle de deux courbes,* angle des tangentes en un point commun. || *Coordonnées curvilignes,* V. COORDONNÉE. || *Intégrale curviligne,* V. INTÉGRALE.

curvimètre n. m. Instrument mesurant la longueur des lignes courbes sur le papier.

Curwood (James Oliver), écrivain américain (Owosso, Michigan, 1878 - *id.* 1927), auteur de romans ayant pour cadre le Grand Nord canadien.

Curzon of Kedleston (George Nathaniel, 1er marquis), homme politique et administrateur britannique (Kedleston, Derbyshire, 1859 - Londres 1925). Elu député conservateur en 1885, il fut nommé vice-roi des Indes en 1899. Il y entreprit d'importantes réformes et fortifia la frontière avec le Tibet et l'Afghānistān. Un conflit avec lord Kitchener entraîna sa démission en 1905. Il fut membre du cabinet Lloyd George en 1916. Secrétaire d'Etat aux Affaires étrangères de 1919 à 1924, il fut le principal artisan du traité de Lausanne (1923).

Curzon (LIGNE), nom donné à une ligne proposée par les Alliés, sous la signature de lord Curzon, en juill. 1920, comme frontière orientale de la Pologne (Suwałky, Grodno, Brest-Litovsk [auj. Brześć Litewski], le cours du Bug jusqu'à Sokal et à l'E. de Przemyśl). Cette ligne joua un rôle important dans les négociations entre Polonais, Anglais et Soviétiques pendant la Seconde Guerre mondiale, et la nouvelle frontière polonaise de 1945 la suit sensiblement.

Cusa (Nicolas DE). V. NICOLAS DE CUSA.

Cusco. V. CUZCO.

cuscute n. f. (ar. *kuchūt*). Herbe parasite sans chlorophylle, qui s'enroule autour des plantes vertes, y enfonce des suçoirs et les épuise. (La cuscute attaque les légumineuses fourragères, mais aussi l'avoine et la vigne ; sa destruction, obligatoire, est difficile. Un champ qui en est envahi est dit *cuscuté.*)

Cushing (Harvey Williams), neurochirurgien américain (Cleveland, Ohio, 1869 - New Haven, Connecticut, 1939), fondateur de la neurochirurgie. Il étudia la névralgie trigéminale, les effets de l'extirpation du ganglion de Gasser, les indications opératoires dans l'épilepsie, les traumatismes crâniens, les tumeurs cérébrales et leur technique chirurgicale. Il démontra la possibilité de l'exérèse de l'hypophyse. On lui doit d'importants ouvrages, de nombreuses publications sur les tumeurs intracrâniennes, et des ouvrages bibliographiques célèbres.

cuspide n. f. (lat. *cuspis, -idis,* pointe). *Bot.* Pointe acérée et allongée.

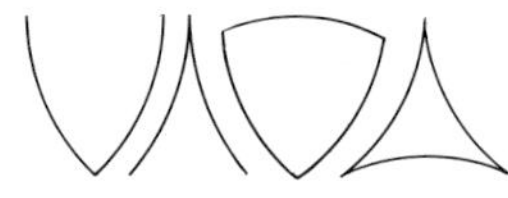

angles et triangles curvilignes

cuspidine n. f. Fluosilicate naturel de calcium, en cristaux roses clinorhombiques.

Cusset, ch.-l. de c. de l'Allier (arr. et à

3 km à l'E. de Vichy) ; 14 507 h. (*Cussetois*), Station thermale et centre industriel : fabriques de machines, fonderie et travail des métaux, etc.

cusson, cusseron, cuceron n. m. Autres formes du mot COSSON.

Custine (Adam Philippe, comte DE), général français (Metz 1740 - Paris 1793). Il fut nommé maréchal de camp en 1780, et élu député aux Etats généraux en 1789. En 1792, il s'empara de Spire, Worms et Mayence. En 1793, le commandement en chef de l'armée du Nord lui fut confié. Il fut guillotiné pour avoir perdu Condé et Mayence.

custode n. m. (du lat. *custos,* gardien). Dans les ordres mendiants, religieux chargé de l'inspection d'une partie de la province. ◆ **custodie** n. f. Province religieuse, dans les ordres mendiants : *Custodie de Terre sainte.*

custode n. f. (lat. *custodia,* garde). Vase sacré dans lequel le prêtre porte le viatique. ‖ Boîte à paroi de verre dans laquelle on enferme l'hostie destinée à être exposée dans l'ostensoir. ‖ Glace latérale fixe, dans certaines carrosseries de voiture. ‖ Partie d'une carrosserie* automobile, située latéralement, de chaque côté du fond, à hauteur de la roue arrière, entre le toit et la moulure médiane. ● *Baie de custode,* chacune des deux fenêtres à glace fixe placées de part et d'autre d'une portière, dans les voitures à compartiments et à portières latérales.

Custode (les), famille de faïenciers de Nevers, qui succéda aux Conrade. PIERRE fonda en 1652, avec Esme Godin, la fabrique *Au Paon,* qui produisit jusqu'au début du XIXe s. Au XVIIe s., une branche de la famille s'installa à Haguenau.

custodie → CUSTODE n. m.

Custozza ou **Custoza,** hameau d'Italie (Vénétie, prov. de Vérone, comm. de Sommacampagna), au S.-O. de Vérone, célèbre par les victoires remportées par les Autrichiens sur les Italiens en 1848 et en 1866.

cutané, e adj. (du lat. *cutis,* peau). Qui appartient à la peau : *Une affection cutanée.*

cut-back [kœt] n. m. (mot angl.). Bitume routier rendu liquide par un diluant (white-spirit, kérosène ou créosote) qui s'évapore après mise en place.

cutérèbre n. f. Grosse mouche américaine dont la larve vit sous la peau des rongeurs, notamment dans les testicules des écureuils, et provoque de graves tumeurs purulentes. (Type de la famille des *cutérébridés.*)

Cuthbert (saint) [Melrose 637 - Farne 687], moine, puis évêque de Lindisfarne. Sa Vie a été écrite par Bède le Vénérable. — Fête le 20 mars.

cuticole adj. Qui vit sous la peau, en parlant des larves de mouches notamment.

cuticule n. f. (lat. *cuticula,* petite peau). Petite peau très mince. (Syn. ÉPIDERME.) ‖ Membrane végétale faite de cutine* et qui recouvre l'épiderme des feuilles, lui donnant parfois son aspect luisant et rendant la surface imperméable.

cutidure n. f. Bourrelet du pied du cheval.

cutigéral, e, aux adj. *Cavité cutigérale,* gouttière creusée à l'intérieur de la muraille du pied du cheval et où est logée la cutidure.

cutine n. f. (lat. *cutis,* peau). Cellulose modifiée sous l'effet d'un appauvrissement considérable en oxygène, et qui forme la cuticule imperméable des feuilles chez les végétaux aériens. ◆ **cutinisation** n. f. Transformation biologique de la cellulose en cutine. ◆ **cutinisé, e** adj. Recouvert de cutine : *Epiderme cutinisé.*

cuti-réaction n. f. *Méd.* Réaction inflammatoire plus ou moins vive que présente la peau d'un sujet quand on dépose sur cette peau légèrement scarifiée quelques gouttes des toxines microbiennes ou des substances qui l'ont rendu allergique. (La cuti-réaction se fait à l'aide de la tuberculine pour la tuberculose. La réaction négative, c'est-à-dire l'absence de réaction inflammatoire au point d'inoculation, indique d'ordinaire que le sujet est indemne de toute atteinte tuberculeuse. La réaction positive signifie que l'individu a été en contact avec le bacille tuberculeux et que son organisme y a réagi. Le moment où la cuti-réaction devient positive est la primo-infection* tuberculeuse. La cuti-réaction a vu son champ d'application s'élargir à la recherche de l'allergie* en général.)

cutlériales n. f. pl. Ordre d'algues brunes présentant une alternance* de générations particulièrement typique.

Cuttack ou **Katak,** v. de l'Inde (Orissa), dans le delta de la Mahānadi ; 194 100 h.

cutter [kœtər] n. m. Nom anglais du COTRE.

cuvage ou **cuvaison** → CUVE.

cuve à eau (chim.)

cuve n. f. (lat. *cupa,* barrique). Grand récipient à usage domestique ou industriel : *Cuve de teinturier.* ‖ Réservoir pour produit pétrolier : *Cuve à mazout.* ‖ *Photogr.* Récipient conçu pour le développement lent des surfaces sensibles. ‖ Grand récipient en bois, en ciment ou en métal, dans lequel se font le foulage de la vendange et, pour les vins rouges, le cuvage. || Récipient, contenant de l'eau ou du mercure, qui sert à recueillir les gaz en chimie. || Partie principale de certains types de fours métallurgiques, placée entre les tuyères et le gueulard, et comprenant la zone de fusion. || Récipient circulaire dans lequel on love le câble à bord des navires câbliers. || Nom donné aux douves de fer dont se composaient les pièces d'artillerie (XVIe s.). ◆ **cuvage** n. m. ou **cuvaison** n. f. Opération qui consiste à laisser fermenter le raisin dans des cuves. (Le cuvage s'effectue avant le pressurage, et seulement pour les vins rouges. Après avoir été écrasé, le raisin est envoyé dans la cuve où, pendant plusieurs jours, il subira la fermentation alcoolique. Il faut refouler ou maintenir immergé le chapeau que le moût tend à former en surface [où il subirait la fermentation acétique] et veiller à ce que la température du moût soit suffisante, sans dépasser cependant 35 °C. Le cuvage provoque la transformation du sucre en alcool et fait abandonner par les grains leurs principes colorants.) ◆ **cuveau** n. m. Petite cuve. ◆ **cuvée** n. f. Quantité de matière contenue dans une cuve. || Produit de toute une vigne que l'on fait cuver à part. (En Bourgogne, chaque cru fournit une cuvée particulière et, suivant leur réputation, les vins sont classés par ordre de mérite en « tête de cuvée », puis « première, deuxième ou troisième cuvée », enfin « passe-tout-grain ».) || Nombre de pièces de vin de même espèce que l'on a unifiées pour les rendre semblables. ● *De la dernière cuvée,* récent, tout nouveau, tout frais : *Un roman de la dernière cuvée.* || *De la même cuvée,* de la même origine : *C'est une histoire de la même cuvée.* ◆ **cuvelle** n. f. Dans les fabriques de poterie, caisse cylindrique dans laquelle tournaient les meules pour le broyage des matériaux. || Cuvier. ◆ **cuver** v. intr. Etre dans une cuve et y fermenter, en parlant de la vendange. ● *Cuver son vin* (Fig. et fam.), laisser se dissiper l'ivresse par le sommeil ou le repos ; et, *par extens.,* se calmer, s'apaiser : *On lui a laissé cuver son vin.* ◆ **cuverie** n. f. Local où se trouvent les cuves de vinification. (On dit aussi parfois CUVIER.) ◆ **cuvette** n. f. Récipient peu profond, à bords relevés et pouvant servir à divers usages domestiques. || Dépression du sol en forme d'entonnoir sans écoulement vers l'extérieur : *Village situé au fond d'une cuvette.* || Bassin construit pour faciliter l'arrosage. || Récipient rectangulaire peu profond, dont les dimensions correspondent aux formats des plaques ou des papiers photographiques, et dans lequel on leur fait subir les divers traitements nécessaires. || Fossé creusé entre deux arbres consécutifs, sur le bord d'une route. || Lit d'un canal d'irrigation. || Sorte d'entonnoir placé au-dessous de la descente des chéneaux pour recevoir les eaux de gouttière. || Partie profonde d'un siège de W.-C. || Emplacement délimité par des digues de sécurité et dans lequel on construit les réservoirs de stockage de produits dangereux. || Synclinal à peu près aussi large que long. || Pièce qui garnit l'ouverture du fourreau du sabre pour empêcher la lame de sortir trop aisément. || Pièce de forme concave servant de chemin de roulement dans un roulement à billes. || Fond d'une montre qui recouvre l'un des côtés du mouvement. ● *Cuvette de tir,* partie de la culasse qui reçoit le culot de l'étui. ◆ **cuvier** n. m. Cuve en lattes de bois cerclée de fer, servant principalement à faire la lessive, les vendanges, à dessaler le poisson. || Réservoir destiné à contenir la pâte à papier à l'état dilué et à différents stades de la fabrication du papier.

cuvelage → CUVELER.

cuveler v. tr. (de *cuve*) [conj. **3**]. Revêtir d'un cuvelage. || *Par extens.* Placer un boisage jointif dans une galerie qui charge. ◆ **cuvelage** n. m. Revêtement étanche et capable de résister à la pression de l'eau, que l'on place dans un puits de mine sur la traversée des terrains aquifères.

cuvelle, cuver, cuverie → CUVE.

Cuverville (Jules CAVELIER DE), amiral français (Allineuc, Côtes-du-Nord, 1834 - Paris 1912). Il se distingua en Crimée et prit la tête de l'expédition au Dahomey (1890). Chef d'état-major de la Marine (1898) et sénateur (1901), il a écrit de nombreux ouvrages d'histoire militaire et de technique navale.

cuvette, cuvier → CUVE.

cuvier (FARCE DU), farce du XVe s., d'auteur inconnu. Jacquinot est tyrannisé par sa jeune femme et sa belle-mère. Il fait inscrire sur un *rôlet* la liste des travaux domestiques qu'il doit exécuter et refuse de sortir sa femme du cuvier dans lequel elle est tombée tant qu'elle ne s'est pas engagée à déchirer le rôlet et à respecter désormais son mari.

Cuvier (Georges, baron), naturaliste français (Montbéliard 1769 - Paris 1832). Appelé par Geoffroy Saint-Hilaire comme suppléant du cours d'anatomie au Jardin des Plantes (1794), il enseigna au Collège de France (1799) et au Muséum (1802). Sous Louis XVIII, il devint « Directeur des cultes dissidents » (il était protestant), baron et grand officier de la Légion d'honneur, et, sous Louis-Philippe, pair de France. Ce grand savant a énoncé les lois de l'anatomie comparée : subordination des caractères, corrélation des formes, et, en appliquant ces lois aux fossiles, a véritablement créé la paléontologie animale. Mais il crut devoir combattre les théories de l'évolution en s'opposant, en toute amitié d'ailleurs, à Geoffroy Saint-Hilaire lors d'un débat célèbre à l'Académie. On lui doit des *Leçons d'anatomie comparée* (1800-1805), le *Discours sur les révolutions du globe,* des *Recherches sur les ossements fossiles* (1812-1824), une *Histoire naturelle des*

baron **Cuvier**
par Jules Boilly

poissons (1829); il a dirigé la première grande encyclopédie zoologique, *le Règne animal,* publiée avec la collaboration des meilleurs zoologistes du temps (1816-1829). [Acad. des sc., 1795; secrétaire perpétuel, 1803; Acad. fr., 1818; Acad. des inscr., 1830.] — Son frère FRÉDÉRIC (Montbéliard 1773 - Strasbourg 1838) tint la chaire de physiologie au Muséum. On lui doit une *Histoire des cétacés* (1835) et des mémoires de psychologie animale. (Acad. des sc., 1826.)

Cuvilliés (François DE), architecte et ornemaniste allemand (Soignies, Hainaut, 1695 - Munich 1768). D'abord nain à la cour de l'Electeur de Bavière, il vint à Paris travailler avec Jacques François Blondel. Parmi ses œuvres principales, on cite : le rendez-vous de chasse de Falkenlust, à Brühl (1729); à Munich, les appartements et l'Opéra de la Résidence; le pavillon d'Amalienburg dans le parc de Nymphenburg. Il a publié des suites gravées d'ornements.

Cuxhaven, port d'Allemagne (Allem. occid., Basse-Saxe), à l'embouchure de l'Elbe; 45 700 h. Entrepôt et avant-port de Hambourg; port de pêche.

cuy n. m. (mot celte). Sorte de conduit, muni d'une vanne, servant à l'entrée ou à la sortie de l'eau de mer dans les marais salants.

Cuyahoga Falls, v. des Etats-Unis (Ohio); 47 900 h. Industries chimiques; pneumatiques.

Cuyo, région d'Argentine, s'étendant sur les Andes (Aconcagua) et leur bordure.

Cuyp (Jacob Gerritsz), peintre hollandais (Dordrecht v. 1594 - *id.* 1652). Elève d'Abraham Bloemaert, il a laissé des portraits (*Vieille Femme,* musée de Berlin) et des paysages (musée de Bruxelles). — Son fils ALBERT (Dordrecht 1620 - *id.* 1691), portraitiste et paysagiste, fut successivement influencé par Jan Van Goyen et par les italianisants d'Utrecht : *Paysage avec un troupeau, Départ pour la promenade* (Louvre), *Vue de Dordrecht* (Amsterdam).

Cuypers (Petrus Josephus Hubertus), architecte hollandais (Roermond 1827 - *id.* 1921). Elève de Viollet-le-Duc, il restaura les édifices gothiques de Hollande, la cathédrale de Mayence, et bâtit le Rijksmuseum et la gare centrale d'Amsterdam (1889).

Cuza ou **Couza** (Alexandre-Jean Ier), premier prince des principautés unies roumaines de Moldavie et de Valachie (Galaţi 1820 - Heidelberg 1873). Ministre de la Guerre de Moldavie en 1858, il fut, l'année suivante, élu prince à la fois par l'assemblée de Moldavie et par celle de Valachie. Il entreprit de nombreuses réformes pour moderniser son pays (réforme agraire, amélioration des communications, sécularisation des biens d'Eglise). Devant la coalition des intérêts lésés, il dut abdiquer (1866).

Cuzco, v. du Pérou méridional, dans les Andes, à 3 650 m d'altitude; 131 000 hab. Cette ville du Pérou méridional fut le point de départ de l'expansion des Incas et la capitale de leur empire, avant de devenir l'un des grands centres de l'Amérique espagnole. Seuls des fragments, pour la plupart soubassements d'édifices coloniaux, témoignent de l'ampleur des constructions incas et de la beauté de leur appareil (temple du dieu-soleil Viracocha, incorporé dans le couvent des Dominicains). La forteresse de Sacsahuamán (XVe s.), dominant la ville de son triple rempart en zigzag, est aussi un remarquable exemple de la maçonnerie mégalithique des Incas. La plupart des édifices coloniaux ont été très largement reconstruits, après le séisme de 1650, dans le style baroque ibérique. Foisonnante, la décoration est caractérisée au XVIIIe s. par de nombreuses colonnes torses. Les principaux monuments sont : la cathédrale (1582-1654), l'église de la Compañía, l'église du Triunfo (1729), la façade de l'université (ancien collège des Jésuites). Intéressante école de peinture hispano-américaine.

CV, symbole de l'unité de puissance* fiscale d'un moteur, exprimée en chevaux-vapeur.

Cvijić (Jovan), géographe serbe (Loznica 1865 - Belgrade 1927). Il étudia particulièrement la morphologie karstique.

C_x n. m. invar. Coefficient de traînée, sans dimensions, caractérisant l'importance de la résistance à l'avancement d'un mobile.

Cy, symbole chimique du radical *cyanogène* —CN.

cyame ou **cyamus** [mys] n. m. (du gr. *kuamos,* fève). Crustacé amphipode aplati, qui vit en parasite sur la peau des cétacés, d'où son surnom de *pou des baleines.* (Type de la famille des *crustacés cyamidés,* à distinguer des *mollusques cyamidés,* qui sont de petits bivalves des mers antarctiques.)

cyamélide n. f. Polymère de l'acide isocyanique. (V. CYANIQUE.)

cyan n. m. Terme d'origine anglo-saxonne, utilisé en photographie des couleurs, et désignant le bleu-vert, couleur complémentaire du rouge.

cyanacétique adj. Se dit d'un acide de formule NC — CH_2 — CO_2H, dont l'ester éthylique est un agent de synthèse.

cyanamide n. f. ou m. Dérivé de substitution de l'ammoniac, de formule NC — NH_2. (La cyanamide constitue des cristaux incolores, fondant à 40 °C; c'est le nitrile de l'acide carbamique, et elle fixe de l'eau en donnant de l'urée. Il en existe des dérivés métalliques, notamment la *cyanamide calcique* ou chaux azotée, NCNCa, qu'on obtient au four électrique par action de l'azote sur le carbure de calcium et qu'on emploie comme engrais.)

cyanate → CYANIQUE.

cyané → CYANOGÈNE.

Cyané, en gr. **Kuanê.** *Myth. gr.* Nymphe qui fut transformée en fontaine (près de Syracuse), pour s'être opposée à l'enlèvement de Coré par Hadès.

cyanée n. f. Très grande méduse (ombrelle de 2 m de diamètre, frangée de tentacules pouvant atteindre une longueur de 40 m), qui vit dans presque toutes les mers. (Type de la famille des *cyanéidés.*)

Cyanées, en gr. **Kuaneai** (les « Roches bleues »). *Géogr. anc.* Ilots rocheux du Pont-Euxin, à l'entrée du Bosphore de Thrace.

cyanhydrine, cyanhydrique → CYANOGÈNE.

cyanines n. f. pl. Matières colorantes bleues du groupe des indophénols et de la quinoléine, dont de nombreux dérivés sont utilisés comme sensibilisateurs chromatiques des surfaces sensibles.

cyanique adj. Se dit d'un acide isomère de l'acide fulminique, que sa formule OCNH fait dénommer plutôt *acide isocyanique.* (C'est un liquide incolore, volatil, instable au-dessus de 0 °C; il lui correspond des sels, les cyanates ou isocyanates, et des *dérivés isocyaniques,* de formule générale OCNR, obtenus par action des iodures alcooliques sur l'isocyanate d'argent.) ◆ **cyanate** n. m. Sel ou ester de l'acide cyanique. ◆ **cyanurique** adj. Se dit d'un acide constituant un polymère de l'acide isocyanique, formé par action de la chaleur sur l'urée.

cyanisation → CYANOGÈNE.

cyanite n. f. Silicate naturel d'aluminium, variété de disthène bleu de ciel.

cyanocobalamine n. f. *Pharm.* Dénomination commune de la vitamine B_{12}.

cyanogène n. m. (gr. *kuanos,* bleu, et *genos,* naissance, à cause du bleu de Prusse). Combinaison C_2N_2 de carbone et d'azote, constituant le dinitrile de l'acide oxalique. (V. *encycl.*) ◆ **cyané, e** adj. Qui renferme du cyanogène. ◆ **cyanhydrine** n. f. Nom générique des produits d'addition de l'acide cyanhydrique avec les aldéhydes, de formule R — CHOH — CN. ◆ **cyanhydrique** adj. Se dit de l'hydracide de formule HCN, combinaison de cyanogène et d'hydrogène. (V. *encycl.*) ◆ **cyanisation** n. f. Transformation en cyanure. ◆ **cyanogenèse** n. f. Elaboration d'acide cyanhydrique par diverses plantes : amande, haricot de Java, vesce. ◆ **cyanuration** n. f. Fixation d'acide cyanhydrique sur un composé organique. ‖ Cémentation de l'acier par immersion dans un bain à base de cyanure alcalin fondu. ‖ Traitement des minerais d'or et d'argent par des solutions très étendues de cyanures alcalins, en présence de l'oxygène de l'air. ◆ **cyanure** n. m. Sel ou ester de l'acide cyanhydrique. (V. *encycl.*) ◆ **cyanurer** v. tr. Effectuer la cyanuration. ‖ Cémenter un acier doux par cyanuration.

— ENCYCL. **cyanogène.** Découvert en 1814 par Gay-Lussac, qui montra ses analogies avec les halogènes, le cyanogène est un gaz incolore, d'odeur forte, toxique, se liquéfiant à — 21 °C. Il est peu stable, brûle avec une flamme pourpre, s'unit à l'hydrogène et aux métaux pour donner l'acide cyanhydrique et les cyanures. Il forme avec les alcalis un mélange de cyanure et de cyanate. On le prépare par décomposition du cyanure de mercure.

— ***acide cyanhydrique et cyanures.*** L'acide cyanhydrique a été d'abord retiré du bleu de Prusse, d'où son nom usuel d'*acide prussique.* C'est un liquide incolore, à odeur d'amandes amères, bouillant à 26 °C, soluble dans l'eau. C'est un poison très violent. Il donne avec les bases des sels, les *cyanures,* également très toxiques, qui peuvent former de nombreux complexes, comme le ferrocyanure de potassium. Il constitue le nitrile de l'acide formique. On le prépare habituellement par action de l'acide sulfurique sur le ferrocyanure de potassium.

— *Pharm.* Le cyanure et l'oxycyanure de mercure sont utilisés comme antiseptiques et dans le traitement de la syphilis.

cyanogenèse → CYANOGÈNE.

cyanophycées n. f. pl. Classe de végétaux inférieurs dits aussi ALGUES BLEUES. (Ces êtres pluricellulaires, fortement gélatineux, ont des cellules à noyau diffus, une chlorophylle qui ne constitue pas des grains, et un pigment bleu, la *phycocyanine.* Ils n'ont pas de sexualité connue. Ils s'installent les premiers sur les milieux neufs tels que la lave des volcans, mais on les rencontre aussi sur le sol humide [nostoc] et dans les eaux douces [oscillaire].)

cyanose n. f. (du gr. *kuanôsis,* teinte bleue). *Pathol.* Coloration bleue, livide ou noirâtre de la peau. (V. *encycl.*) ◆ **cyanoser** v. tr.

Affecter de cyanose ; engendrer la cyanose. ◆ **cyanotique** adj. Relatif à la cyanose. ‖ Qui a les caractères de la cyanose.

— ENCYCL. ***cyanose.*** La cyanose est due à la présence dans le sang capillaire d'une trop grande quantité d'hémoglobine réduite. Elle apparaît lorsque le taux de cette hémoglobine dépasse 5 g pour 100 cm³ de sang. Elle peut être due à une *malformation cardio-vasculaire,* responsable d'un shunt* veino-artériel, le sang veineux brûlant l'étape pulmonaire pour passer directement dans la grande circulation (tétrade de Fallot, triade de Fallot*) ; à une *affection pulmonaire acquise,* entraînant une oxygénation insuffisante du sang au niveau des poumons (broncho-pneumopathie chronique); à la *stase capillaire* d'un sang normalement oxygéné au niveau des poumons (insuffisance cardiaque, collapsus). Il faut différencier la cyanose des « fausses cyanoses », dues non plus à une augmentation du taux d'hémoglobine réduite, mais à l'altération de l'hémoglobine (méthémosulfhémoglobine) devenue incapable de fixer l'oxygène.

cyanoser, cyanotique → CYANOSE.

cyanotrichite [kit] n. f. Sulfate naturel de cuivre et d'aluminium, en cristaux orthorhombiques bleu de smalt.

cyanotype adj. Se dit d'un papier sensible pour le tirage des calques industriels, fournissant des copies à traits bleus sur fond blanc.

cyanuration, cyanure, cyanurer → CYANOGÈNE.

cyanurique → CYANIQUE.

cyathe n. m. (gr. *kuathos*). Inflorescence des euphorbes, comportant à peine plus de pièces qu'une fleur unique.

cyathéacées n. f. pl. Famille de fougères arborescentes des régions équatoriales, au rhizome parfois comestible.

cyathophyllum [filɔm] n. m. Polypier fossile dont les nombreuses espèces sont communes du silurien au carbonifère.

Cyaxare ou **Ouvakhshatra,** en gr. **Kuaxarês,** roi des Mèdes (633-584 av. J.-C.). Il vainquit les Assyriens et mit le siège devant Ninive. Il dut faire face à l'invasion des Scythes, puis, avec l'aide de Nabopolassar, prit et détruisit Ninive (612), mettant fin ainsi à l'empire d'Assyrie. Il chercha ensuite à conquérir la Lydie.

Cybèle, en gr. **Kubelê** (du nom d'une montagne de Phrygie), grande déesse de l'Asie Mineure. Elle est souvent appelée la *Mère des dieux* ou la *Grande Mère*. Divinité de la nature, elle personnifiait la puissance de végétation. A l'origine, elle était honorée sur les montagnes de Phrygie. Son culte se répandit dans le monde grec, où elle fut assimilée à Rhéa, déesse mère crétoise. Les Romains l'accueillirent officiellement en 204 av. J.-C., en faisant venir de Pessinonte la « pierre noire » qui symbolisait la déesse. Elle joua un grand rôle dans la religion romaine. Maîtresse de la terre, des cieux et de la mer, divinité chthonienne, elle réglait la destinée des hommes. Un culte orgiastique se développa autour d'elle et survécut jusqu'à une époque tardive sous l'Empire romain (IVᵉ s.). Il donnait lieu à une grande fête annuelle (du 15 au 27 mars), qui symbolisait l'histoire légendaire de Cybèle et d'Attis*, inséparables à Rome. A partir de Claude, des jeux se déroulèrent en avril en son honneur. Il existait en outre des rites secrets, dont les manifestations initiatoires étaient le *taurobole,* le *criobole,* le festin d'immortalité et peut-être un marquage au fer rouge.

Alinari

Cybèle
musée National, Naples

cybernéticien → CYBERNÉTIQUE.

cybernétique n. f. (du gr. *kubernan,* gouverner). Science permettant à un homme ou à une machine automatique de gouverner, d'aboutir à un certain but. (V. *encycl.*) ◆ **cybernéticien, enne** n. Personne qui se consacre à l'étude de la cybernétique.

— ENCYCL. ***cybernétique.*** L'art du gouvernement peut être assuré par des machines, dès l'instant où celles-ci sont à même de recueillir des informations sur l'état du système et de préparer, en fonction de ces informations, des ordres qui asserviront l'orientation ultérieure du système. La cybernétique est d'abord une science logique, dans la mesure où elle analyse rationnellement ce que « gouverner » veut dire, sans se poser la question de savoir qui gouverne et comment on gouverne. Elle est également le point de départ d'applications considérables, puisque de ses conclusions découle la construction de machines à gouverner de tout type, dotées d'organes d'information et de pseudo-cerveaux pour conduire véritablement leur travail, conformément aux directives qu'elles ont reçues. En 1947, l'Américain Norbert Wiener publia un premier ouvrage, intitulé *Cybernetics,* sur la technique des systèmes à commande automatique, dans lequel il présentait la cybernétique comme une science de carrefour et dégageait des notions générales sur les mécanismes capables de gouverner. Ces vues devaient être le point de départ d'une véritable révolution intellectuelle, avec l'analyse logique des fonctions des êtres supérieurs et des processus permettant leurs reproductions artificielles.

cybister [tɛr] n. m. (gr. *kubistêtêr,* plongeur). Grand dytique* des régions chaudes. (Une espèce vit en France.)

cybocéphale n. m. (gr. *kubos,* cube, et *kephalê,* tête). Petit coléoptère nitidulidé globuleux, qui se rend utile en détruisant la cochenille *diaspis.*

Brunel

cyclamen

cycadales n. f. pl. (du gr. *kukas,* palmier). Ordre de gymnospermes, comprenant les genres actuels *cycas, zamia, dioon,* etc., caractérisés par leur fécondation « aquatique » à l'aide de gamètes mâles nageurs.

cycadofilicinées n. f. pl. V. PTÉRIDOSPERMÉES.

cycadophytes n. f. pl. Sous-classe de plantes à graines, comprenant, outre les cycadales actuelles, l'ordre des bennettitales* du secondaire.

cycas [kɑs] n. m. (gr. *kukas*). Arbre gymnosperme dioïque du Sud-Est asiatique, dont la tige fournit une moelle comestible analogue au sagou*, et que l'on cultive en serre pour son port étrange (quinze espèces).

cychrame n. m. (gr. *kugkhramos,* caille). Coléoptère nitidulidé dont la larve vit dans les champignons, et l'adulte sur les fleurs.

cychre n. m. Carabe noir et stridulant de nos régions, qui se nourrit d'escargots.

cyclable → CYCLE 2.

cyclade n. m. Mollusque bivalve à coquille ronde, commun dans la vase des étangs et des rivières.

Cyclades, en gr. **Kyklades,** ou **Kikládhes,** archipel grec de la mer Egée, formant un cercle (*kuklos*) autour de Delos ; 126 000 h. Les principales îles sont : Andros, Tênos, Mykonos, Naxos, Paros, Mêlos, Siphnos, Kythnos, Keos et Syra. Pêche et polyculture (blé, vigne).

cyclamen [mɛn] n. m. (gr. *kuklaminos ;* de *kuklos,* cercle). Primulacée aux feuilles rondes plus ou moins pourprées, aux fleurs roses et curieusement renversées, portées chacune sur une hampe issue du tubercule. (C'est l'une des « plantes en pot » le plus souvent cultivées en appartement.)

cyclamine n. f. Nom générique des amines cycliques.

cyclane n. m. Hydrocarbure saturé à chaîne fermée. (Les principaux sont les polyméthylènes, dont le cycle comporte *n* groupes CH_2.) ◆ **cyclanique** adj. Qui a trait aux cyclanes. ◆ **cyclanol** n. m. Nom générique des alcools secondaires dérivés des cyclanes. ◆ **cyclanone** n. f. Nom générique des cétones dérivées des cyclanes.

cyclanthacées n. f. pl. Petite famille de monocotylédones américaines, dont le genre principal, *carludovica,* sert à faire les chapeaux de Panama*.

1. cycle n. m. (du gr. *kuklos,* cercle). Nom donné à des intervalles de temps qui correspondent, plus ou moins exactement, aux retours successifs d'un même phénomène céleste. (V. *encycl.,* Astron.) ‖ Suite de phénomènes se renouvelant dans un ordre immuable : *Le cycle des saisons.* ‖ Transformation d'un système qui revient à son état initial. ‖ Partie d'un phénomène périodique qui s'effectue durant une période. ‖ Chaîne carbonée fermée, existant dans les molécules des composés organiques cycliques. ‖ Suite des phénomènes nécessaires au fonctionnement d'un moteur à explosion et qui se produisent dans chacun de ses cylindres. (V. *encycl.,* Therm.) ‖ Dénomination officielle donnée aux divisions de certains programmes d'études. (Les décrets du 6 janv.

1959 prévoient un *cycle élémentaire* [6 à 11 ans], un *cycle d'observation* [11 à 13 ans] commun à tous les enfants, un *cycle terminal* pour ceux qui ne doivent pas aller au-delà de l'âge d'obligation scolaire [16 ans], et, d'autre part, pour ceux qui entrent dans l'enseignement général, un *premier cycle* [13 à 15 ans] et un *second cycle* [15 à 18 ans].) ‖ Ensemble de poèmes, de romans ayant pour centre d'intérêt le même fait, le même héros, la même famille : *Le cycle d'Arthur.* ● *Cycles*

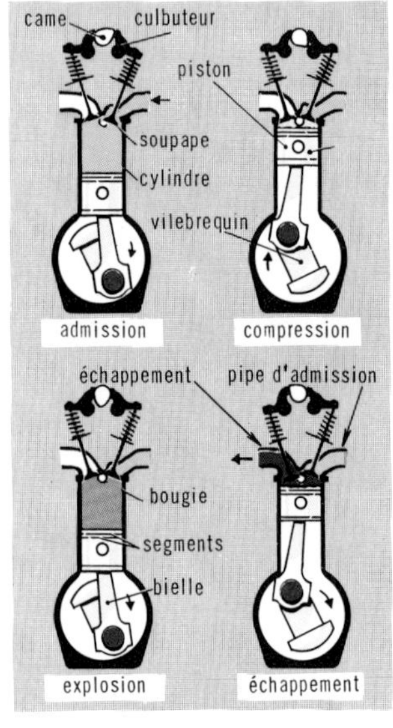

cycle à quatre temps

économiques, fluctuations de l'activité économique des nations industrielles, plus ou moins régulières et périodiques. ‖ *Cycle d'érosion* ou *cycle géomorphologique,* conception formulée par W. M. Davis à la fin du XIXe s. et selon laquelle se succéderaient, dans l'évolution du relief, des stades de jeunesse, de maturité et de vieillesse. (V. *encycl.*) ‖ *Cycle géologique,* succession de trois phases : surrection d'une chaîne, érosion et sédimentation. (En réalité, cette conception est très théorique, car la surrection et l'érosion ne sont pas des phénomènes consécutifs, mais simultanés. La fin de chaque épisode sédimentaire [ou cycle sédimentaire] ne marque pas un retour au point de départ; l'histoire géologique ne se répète pas.) ‖ *Cycle œstrien*, œstral* ou *menstruel,* activité périodique de l'ovule chez la femelle pubère de mammifère. (V. *encycl.,* Biol.) ‖ *Cycle par seconde,* anc. nom du HERTZ, unité de fréquence. ◆ **cyclide** n. f. Surface du quatrième ordre, admettant le cercle de l'infini comme ligne double. (Le premier exemple fut la *cyclide de Dupin,* rencontrée comme surface dont toutes les lignes de courbure sont des cercles. Le cas général fut développé par Mannheim, Moutard, Laguerre, Darboux. Les cyclides sont anallagmatiques avec une quadrique comme déférente, et cela de cinq façons; elles possèdent en général dix séries de sections circulaires, d'où leur nom.) ◆ **cyclique** adj. Qui a rapport à un cycle périodique (astronomique, littéraire, biologique, etc.). ‖ Qui revient à intervalles réguliers. ‖ Se dit des composés organiques dont la molécule contient au moins une chaîne fermée. (La série *cyclique* s'oppose à la série *acyclique,* qui groupe les composés ne comportant pas de chaîne fermée. Elle se décompose elle-même en série *homocyclique* ou *carbocyclique,* dans laquelle les cycles sont uniquement formés d'atomes de carbone, et en série *hétérocyclique,* dans laquelle l'un au moins des atomes du cycle n'est pas du carbone. Enfin, la série homocyclique comprend la série *alicyclique* et la série *aromatique.*) ● *Chœur cyclique,* chœur qui évoluait en cercle en chantant le dithyrambe. ‖ *Composante cyclique,* variable hypothétique, croissante en période d'expansion et décroissante durant les récessions économiques, nulle en moyenne, et qui, ajoutée à d'autres éléments, permettrait de reconstituer une série chronologique. ‖ *Courbe cyclique,* nom donné par Darboux à l'intersection d'une sphère et d'une quadrique. (Syn. BIQUADRATIQUE SPHÉRIQUE.) ‖ *Fleur cyclique,* fleur actinomorphe ou régulière. ‖ *Musique cyclique,* œuvre dont les différents mouvements se réfèrent à un thème musical commun. ‖ *Œuvre cyclique,* composition musicale dans laquelle un ou plusieurs thèmes réapparaissent dans tous les mouvements. ‖ *Poème cyclique,* poème qui fait partie d'un cycle littéraire. ‖ *Point cyclique,* syn. de OMBILIC. ◆ **cyclisation** n. f. Action de cycliser. ◆ **cycliser** v. tr. Transformer, dans un composé chimique, une chaîne ouverte en chaîne fermée.

— ENCYCL. **cycle.** *Astron.* ● *Cycle solaire.* Le cycle solaire comprend une période de 28 années juliennes, au bout de laquelle l'année recommence par le même jour de la semaine à la même date du mois.

● *Cycles lunaires.* Après le cycle de Cléostrate de Ténédos, établi sur des bases erronées, apparut le *cycle de 19 ans,* dit *cycle de Méton*,* établi d'après un mois lunaire estimé à 29 jours et demi. Il comprend 235 lunaisons, après lesquelles les phases de la Lune reviennent aux mêmes époques. En réalité les 19 années, telles qu'elles étaient calculées dépassaient la durée des 235 lunaisons.

● *Cycle d'indiction romaine.* Cette période fut introduite à Rome sous les empereurs. A l'origine, elle correspondait à la perception d'un impôt extraordinaire prélevé tous les 15 ans. Plus tard, elle fut employée comme note chronologique apposée au bas des chartes et des diplômes ; elle est encore en usage dans les bulles de la papauté.

• *Cycle caniculaire* ou *sothiaque*. Ce cycle, par suite de la variation de durée de l'année tropique, serait, de nos jours, de 1 448 années.

• *Cycle chaldéen* ou *Saros**. C'est une période qui comprend 223 lunaisons et qui correspond avec une assez grande précision à la périodicité des éclipses* de Lune ou de Soleil.

— *Biol.* Parmi les cycles étudiés en biologie, il faut signaler : 1° le *cycle reproductif,* succession des formes de l'individu, depuis l'œuf fécondé dont il provient jusqu'à l'œuf fécondé de la génération suivante (ce cycle est très simple chez l'homme et chez beaucoup d'animaux. Il se complique lorsqu'il est coupé de métamorphoses*, lorsqu'une multiplication* asexuée fait dériver plusieurs individus du même œuf, lorsqu'il y a parasitisme* successif sur deux hôtes [limnée et mouton dans le cas de la douve du foie], ou lorsque la parthénogenèse* cyclique permet à un nombre limité de générations de se succéder sans fécondation. Chez les végétaux, le cycle reproductif comprend toujours le déplacement d'une diaspore : *graine* chez les spermaphytes, *spore* chez les plantes inférieures, ce qui complique parfois beaucoup les processus) ; 2° les *cycles individuels d'origine interne,* tels que le *cycle d'intermue* des animaux articulés, s'étendant d'une mue à la suivante, et le *cycle œstral* ou *œstrien* des femelles des mammifères, s'étendant d'une ponte ovulaire à la suivante (v. ci-dessous) ; 3° les *cycles individuels d'origine externe,* dont le principal est le *cycle saisonnier,* qui impose ses lois à la plupart des animaux et des plantes des régions ayant une « mauvaise saison » (froide, ou chaude et sèche), les faisant mourir, les contraignant à posséder des *organes pérennants* ou provoquant l'hibernation, la chute des feuilles, etc. ; 4° les *cycles géochimiques* du carbone*, de l'azote*, etc., impliquant le passage des atomes du monde organique au monde minéral (gaz carbonique et calcaire, charbon, pétrole, azote et nitrates) et inversement.

Le *cycle œstrien* comporte dans une première phase le développement d'un follicule de De Graaf, aboutissant à la *ponte ovulaire ;* dans une seconde phase, une vascularisation croissante de la muqueuse utérine aboutissant, en cas de fécondation, à la *nidation* de l'œuf et, en l'absence de fécondation, à la *menstruation,* que suit un nouveau cycle. La femme présente 13 cycles, dits *cycles menstruels,* par an, sans période de repos. La période moyenne de chaque cycle est donc de 28 jours. Chaque cycle s'accompagne de modifications de l'ovaire, de l'utérus et du vagin, qui sont conditionnées par les sécrétions hormonales.

— *Géomorphol.* Selon la théorie du *cycle d'érosion,* une surrection ou une déformation tectonique déclenchent une phase d'érosion provoquant une violente attaque du relief. Celui-ci se présente successivement sous divers aspects : dans le stade de jeunesse, les vallées sont profondes, les sommets escarpés. Le développement du travail de l'érosion conduit au stade de maturité, où les vallées sont plus larges, les versants, moins raides. Enfin, l'érosion, poursuivant son œuvre, réduit progressivement toutes les pentes et provoque la formation d'une pénéplaine, qui marque le stade de vieillesse ou de sénilité. Un nouveau soulèvement provoque la reprise de l'érosion, le « rajeunissement » du relief et la reprise d'un nouveau cycle.

La conception cyclique de l'évolution géomorphologique est aujourd'hui abandonnée sous son aspect très schématique. En effet, certains systèmes d'érosion, en climat semi-aride en particulier, provoquent la formation d'un relief très aplani (pédiment) dès le début de l'érosion et non au stade de sénilité.

— *Therm.* Dans un cycle, le volume, la pression et la température du corps en expérience sont des variables liées par la relation $f(p, v, t) = 0$. Si l'on considère p, v et t comme des coordonnées courantes, cette équation représente une surface dont chaque point A caractérise une manière d'être possible pour le corps. Dans toute transformation, A décrit une courbe sur cette surface ; en particulier, si, à la suite d'une série convenable d'opérations, le corps revient à sa température, à sa pression et à son volume primitifs, le point A décrit une courbe fermée, caractéristique du cycle que le corps a parcouru. Un cycle est *réversible* lorsqu'il peut être parcouru indifféremment dans le sens direct ou dans le sens rétrograde. La réversibilité n'est possible que si la température et la pression du corps sont, à chaque instant, et à des infiniment petits près, identiques à celles du milieu ambiant.

Dans un moteur à explosion, on distingue deux cycles différents : 1° le *cycle à quatre temps,* qui nécessite quatre opérations (admission, compression, explosion, échappement) pendant deux tours de vilebrequin ; 2° le *cycle à deux temps,* où toutes les opérations sont réalisées pendant un seul tour de vilebrequin.

2. cycle n. m. (même étymol. qu'à l'art. précéd.). Nom générique des appareils de locomotion vélocipédique : bicyclette, tandem, tricycle, etc. ◆ **cyclable** adj. Se dit d'une chaussée ou d'un trottoir accessibles aux cycles. ◆ **cyclecar** n. m. Voiturette automobile légère, à trois ou quatre roues. ◆ **cyclisme** n. m. Nom générique de tout ce qui se rapporte au sport des courses à bicyclette. (V. *encycl.*) ◆ **cycliste** adj. Qui concerne le cyclisme : *Course cycliste.* ✦ n. Personne qui pratique ce sport, qui va à bicyclette. ◆ **cyclo-cross** n. m. Course hivernale dérivée du cyclisme et du cross-country, appelée aussi CROSS CYCLO-PÉDESTRE. ◆

cyclomoteur n. m. Bicyclette munie d'un moteur d'une cylindrée maximale de 50 cm^3. ◆ **cyclomotoriste** n. Personne qui se déplace à cyclomoteur. ◆ **cyclotourisme** n. m. Tourisme pratiqué à bicyclette. ◆ **cyclotouriste** n. Personne qui voyage à bicyclette pour son agrément.

— ENCYCL. ***cyclisme.*** Le cyclisme est extrêmement répandu en Europe, principalement en Italie, en Belgique, en Espagne, en Suisse et en France. La première course expérimentale eut lieu en 1868 à Saint-Cloud ; elle fut gagnée par l'Anglais James Moore. L'année suivante, il couvrait en 10 h 34 mn les 120 km de Paris-Rouen. En 1881, des dirigeants de sociétés de Paris et de province se réunirent et créèrent l'Union vélocipédique de France (appelée « Fédération française de cyclisme » depuis 1941). La première épreuve sur bicyclettes munies de pneumatiques fut organisée à Belfast en 1889, et le premier championnat de France de fond (100 km) dans les conditions modernes eut lieu en 1890. Furent créés ensuite, la même année (1891), Bordeaux-Paris et Paris-Brest et retour. C'est en 1903 qu'Henri Desgranges et le journal *l'Auto* lançaient la plus grande compétition cycliste internationale : le Tour* de France.

Le sport cycliste moderne comprend deux genres de courses : sur route et sur piste. Parmi les premières, citons : Paris-Roubaix, Paris-Tours, Bordeaux-Paris, Milan-San Remo, le Tour de France, etc., et les courses contre la montre (Grand Prix des Nations, Grand Prix de Suisse). Parmi les secondes : la vitesse (1 000 m), le demi-fond (100 km derrière entraîneur), les Six-Jours, la poursuite, l'omnium. Des records ont été établis, dont le plus populaire est le record du monde de l'heure, établi par Henri Desgranges en 1894 avec 35,325 km et porté par le Français Rivière, en 1958, à 47,347 km et par le Belge Eddy Merckx, en 1972, à 49,431 km.

Miroir-Sprint

cyclisme

sur route (Tour de France)

sur piste

cyclecar → CYCLE 2.

cyclène n. m. Nom générique des hydrocarbures cycliques à double liaison.

cyclide, cyclique, cyclisation, cycliser → CYCLE 1.

cyclisme, cycliste → CYCLE 2.

cyclocéphale adj. et n. (du gr. *kuklos,* cercle, et *kephalê,* tête). Monstre non viable, ayant un seul œil au milieu du visage et de nombreuses anomalies des organes voisins du plan de symétrie (tête et organes génitaux notamment). ◆ **cyclocéphalie** n. f. État des cyclocéphales.

cyclocitral n. m. Aldéhyde isomère du citral, résultant de la cyclisation de ce corps.

cyclocosmie n. f. Mygale de la famille des cténizidés, vivant en Chine et en Amérique, et obturant son terrier avec son abdomen arrondi.

cyclo-cross → CYCLE 2.

cyclogenèse → CYCLONE.

cyclogramme n. m. Graphique matérialisant, à l'aide d'un fil de fer blanc présenté sur fond noir, les mouvements correspondant à l'exécution d'un travail manuel.

cycloheptatriène n. m. Hydrocarbure cyclique triéthylénique, de formule C_7H_8.

cyclohexadiène n. m. Hydrocarbure cyclique C_6H_8, possédant deux doubles liaisons.

cyclohexane n. m. Hydrocarbure cyclique saturé C_6H_{12}. (C'est un liquide à odeur éthérée, bouillant à 81 °C, obtenu par hydrogénation catalytique du benzène.) [Syn. HEXAMÉTHYLÈNE.] ◆ **cyclohexanique** adj. Qui a trait au cyclohexane. ◆ **cyclohexanol** n. m. Alcool secondaire $C_6H_{11}OH$, dérivé du cyclohexane. (C'est un liquide à odeur camphrée, bouillant à 160 °C.) ◆ **cyclohexanone** n. f. Cétone cyclique $C_6H_{10}O$, dérivée du cyclohexane. ◆ **cyclohexène** n. m. Hydrocarbure cyclique éthylénique C_6H_{10}. ◆ **cyclohexyle** n. m. Radical univalent. $—C_6H_{11}$, dérivé du cyclohexanol par suppression de l'hydroxyle.

cycloïdal → CYCLOÏDE.

cycloïde n. f. *Math.* Courbe engendrée par un point d'un cercle qui roule, sans glisser, sur une droite appelée *base.* (V. *encycl.*) ● *Horloge à cycloïde,* horloge munie d'un pendule cycloïdal. ✦ adj. *Ecaille cycloïde,* écaille dont le bord libre n'est pas dentelé, chez certains poissons osseux tels que la carpe. ◆ **cycloïdal, e, aux** adj. Qui a rapport à la cycloïde. ● *Pendule cycloïdal,* V. PENDULE.

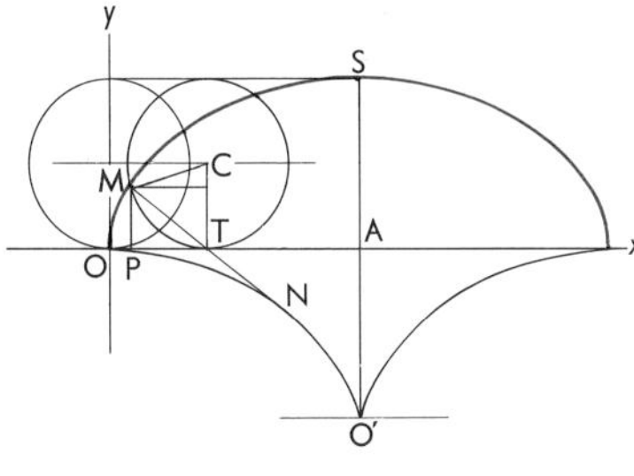

cycloïde

La cycloïde est décrite par le point M du cercle de centre C roulant sans glisser sur Ox et dont les coordonnées sont OP et PM pour une rotation du cercle de l'angle MCT.

— ENCYCL. ***cycloïde.*** La cycloïde, étudiée par Galilée, attira l'attention des géomètres du XVIIᵉ s. ; sous l'impulsion du P. Mersenne, Roberval en effectua la quadrature en 1634 ; Descartes, puis Huygens étudièrent la construction des tangentes, et Pascal établit plusieurs autres propriétés importantes. Les équations paramétriques de cette courbe sont

$$x = R(\omega - \sin \omega) ; \quad y = R(1 - \cos \omega).$$

Elle forme des arches successives de sommet S, dont l'une d'elles s'obtient en faisant varier ω de 0 à 2 π radians. La normale en un point M quelconque passe par le point de contact T du cercle générateur avec la base. Le centre de courbure est le symétrique de M par rapport à T ; son lieu (développée de la cycloïde) est une cycloïde égale ONO'. La longueur d'une arche est huit fois le rayon, et son aire, trois fois l'aire du cercle générateur.

cyclomoteur, cyclomotoriste → CYCLE 2.

cyclonage, cyclonal → CYCLONE.

cyclone n. m. (du gr. *kuklôn,* cercle). Masse atmosphérique animée d'un mouvement de rotation, accompagnée de vents forts, d'une baisse barométrique et de précipitations. (V. *encycl.*) ‖ Appareil destiné à récupérer les particules de déchets industriels entraînées par un fluide. ‖ Appareil de lavage des fines de charbon ou des minerais fins. ● *Foyer cyclone,* capacité cylindrique ou tronconique, à l'intérieur de laquelle les grains de combustible, entraînés dans un mouvement giratoire très rapide avec l'air de combustion, brûlent à la surface du lit de scories en fusion qui tapissent la paroi. ◆ **cyclogenèse** n. f. *Météorol.* Ensemble des processus qui déterminent la formation d'un cyclone. ◆ **cyclonage** n. m. *Min.* Lavage ou décantation par cyclones. ◆ **cyclonal, e, aux** ou **cyclonique** adj. *Météorol.* Relatif aux cyclones. ◆ **cycloner** v. tr. *Min.* Faire passer dans des cyclones.

— ENCYCL. ***cyclone.*** Il faut distinguer les cyclones de la zone tempérée, ou dépressions atmosphériques, et les cyclones tropicaux.

● Les *cyclones tempérés,* qui se déplacent de l'O. vers l'E., sont accompagnés d'une baisse barométrique, de formations nuageuses et d'un système de fronts* qui séparent des masses d'air aux caractères physiques différents. A l'avant de la dépression se trouve un front chaud, l'air plus chaud refoulant l'air froid ; en arrière, le front froid, marqué par le refoulement de l'air chaud par l'air froid. Ces deux fronts limitent trois secteurs : un secteur froid antérieur, un secteur chaud et un secteur froid postérieur.

Le front chaud se caractérise par un ensemble nuageux : en avant et en altitude, des cirrus et des cirro-stratus, puis des altostratus et des nimbo-stratus accompagnés de pluies. Le front froid est accompagné d'un très mauvais temps ; les nuages sont du type cumulonimbus et cumulo-stratus. Le secteur chaud est progressivement étranglé par l'avance plus rapide du front froid, qui rattrape le front chaud ; lorsque les deux secteurs froids se rejoignent, le cyclone est *occlus.* Les cyclones se groupent souvent en séries (« familles ») de quatre ou de cinq. Un courant de perturbations comprend une ou plusieurs familles qui cheminent sur des routes relativement régulières résultant des données géographiques.

● Les *cyclones tropicaux* sont des tourbillons de très petit diamètre (100 km parfois), animés d'une très grande vitesse de rotation et d'une grande vitesse de translation. La baisse barométrique est intense, et les vents sont extrêmement violents. Les cyclones se forment sur les mers tropicales à la fin de la saison chaude, et leur trajectoire, d'abord orientée d'E. en O., décrit une parabole vers

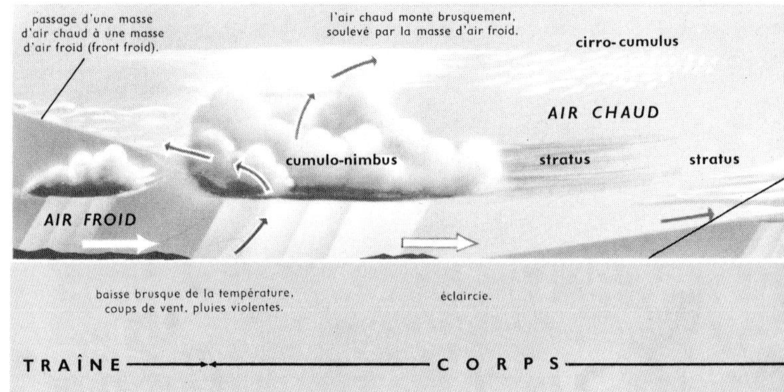

cyclone tempéré

la zone tempérée, où le mécanisme tourbillonnaire dégénère peu à peu. Les cyclones ravagent souvent les côtes des continents qu'ils atteignent et portent généralement des noms locaux : *typhons* (mer de Chine), *baguios* (Philippines), *hurricanes* (Antilles).

cycloner, cyclonique → CYCLONE.

cyclooctatétraène n. m. Hydrocarbure cyclique quatre fois éthylénique C_8H_8, obtenu par polymérisation de l'acétylène. (C'est un homologue supérieur du benzène, mais il est beaucoup moins stable.)

cycloparaffine n. f. Syn. anc. de CYCLANE.

Cyclope, en gr. **Kuklôps** (de *kuklos,* cercle, et *ôps,* œil). *Myth. gr.* Nom donné à des géants n'ayant qu'un œil au milieu du front. Les Anciens distinguaient : les *cyclopes ouraniens,* fils d'Ouranos et de Gê, personnifiant les phénomènes atmosphériques ; les *cyclopes siciliens,* forgerons de la foudre divine, ouvriers d'Héphaistos ; les *cyclopes bâtisseurs,* auxquels ils attribuaient la construction des murs des palais mycéniens.

cyclope n. m. (de *Cyclope* n. pr.). *Fam.* Homme qui n'a qu'un œil ; borgne. || Minuscule crustacé copépode commun dans les eaux douces et qui possède un œil unique et médian. ● *C'est un travail de cyclope* (Fig.), c'est une œuvre colossale. ◆ **cyclopéen, enne** adj. Bâti par les cyclopes. || Gigantesque, colossal : *Travail, effort cyclopéen.* || Se dit de certaines constructions gigantesques très anciennes, constituées d'énormes blocs irréguliers, sans mortier, aux interstices comblés de petites pierres (fortifications de Mycènes).

Cyclope (LE) [*Kuklôps*], drame satyrique d'Euripide (seconde moitié du Ve s. av. J.-C.). C'est, avec *les Limiers* de Sophocle, le seul drame satyrique qui se soit conservé. Il a pour sujet l'épisode d'Ulysse dans la grotte de Polyphème.

cyclopéen → CYCLOPE.

appareil cyclopéen
la porte des Lionnes, à Mycènes

cyclopentadiène [pɛ̃] n. m. Hydrocarbure cyclique diéthylénique C_5H_6, contenu dans le goudron de houille.

cyclopentane [pɛ̃] n. m. Hydrocarbure cyclanique C_5H_{10}. (Syn. PENTAMÉTHYLÈNE.) ◆ **cyclopentanol** [pɛ̃] n. m. Alcool (C_5H_9OH) dérivant du cyclopentane. ◆ **cyclopentanone** [pɛ̃] n. f. Cétone C_5H_8O, correspondant au cyclopentane, et qu'on rencontre dans le goudron de bois. (Syn. ADIPONE.)

cyclopie n. f. Malformation congénitale

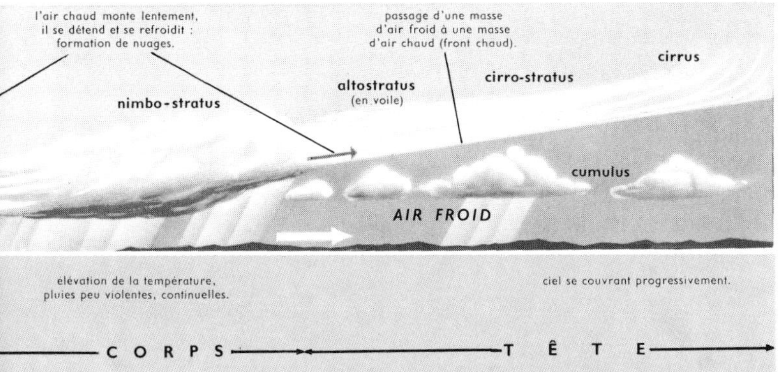

caractérisée par la fusion des deux orbites et l'existence d'un seul œil. ◆ **cyclopien, enne** adj. Affecté de cyclopie. ◆ **cycloplégie** n. f. Paralysie totale des muscles de l'œil.

cyclopropane n. m. Hydrocarbure cyclanique C_3H_6, gazeux, employé comme anesthésique. (Syn. TRIMÉTHYLÈNE.)

cycloptère n. m. Gros poisson osseux des mers froides, dont les nageoires pelviennes, jugulaires, forment ventouse. (Groupe des scorpéniformes.) [Syn. LUMP.]

cycloradiothérapie n. f. Syn. de CYCLOTHÉRAPIE.

cyclorama n. m. Toile de fond semi-circulaire enveloppant tout un décor théâtral et permettant, grâce à la projection de lumières colorées, des effets de lever ou de coucher du soleil, de nuit étoilée, etc.

cyclorhaphes ou **cycloraphes** n. m. pl. Groupe de diptères brachycères, comprenant les mouches proprement dites et les insectes voisins, dont l'enveloppe nymphale se fend circulairement lors de l'éclosion. (Contr. ORTHORHAPHES ou ORTHORAPHES.)

cyclose n. f. Mouvement cyclique du cytoplasme, caractéristique des cellules vivantes.

cyclosérine n. f. *Pharm.* V. *d*-CYCLOSÉRINE.

cyclostomates n. m. pl. Ordre de bryozoaires des mers du Sud, dont les loges ont une ouverture ronde.

cyclostome n. m. *Moll.* V. POMATIAS. ‖ — ***cyclostomes*** n. m. pl. *Ichtyol.* V. AGNATHES.

cyclothérapie n. f. Röntgenthérapie par champs d'irradiation tournants. (Le but est d'appliquer la dose maximale efficace sur l'organe à traiter, en faisant pénétrer les rayons par plusieurs portes d'entrée.)

cyclothymie n. f. (gr. *kuklos,* cercle, et *thumos,* état d'esprit). Constitution psychopathologique caractérisée par l'alternance de dispositions euphoriques, avec excitation et instabilité motrice, et d'états de dépression. ◆ **cyclothymique** adj. Relatif à la cyclothymie. ✦ adj. et n. Atteint de cyclothymie. (On dit aussi CYCLOTHYME.)

cyclotourisme, cyclotouriste → CYCLE 2.

cyclotron n. m. (de *cycle* et *électron*). Accélérateur de particules élémentaires électrisées, utilisant la résonance magnétique.
— ENCYCL. Imaginé vers 1931 par l'Américain E. O. Lawrence, le cyclotron se compose d'une chambre à vide cylindrique, dans l'axe de laquelle règne un champ magnétique intense, produit par un électro-aimant. Dans cette boîte se trouvent deux électrodes

le cyclotron du Collège de France

Goldner

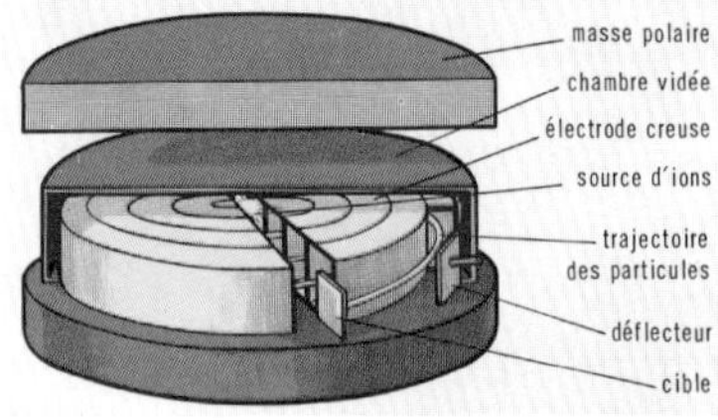

creuses, en forme de D, auxquelles est appliquée une tension alternative de haute fréquence. Des particules électrisées (protons, deutons, etc.), injectées dans la boîte, passent d'une électrode dans l'autre au moment où cette tension est maximale ; elles subissent ainsi une accélération et décrivent des trajectoires circulaires de rayons croissants, avec une vitesse qui augmente constamment. Lorsqu'elles ont acquis une énergie suffisante, elles sont déviées vers la matière, où elles produisent une réaction nucléaire.

Cycnos, en gr. **Kuknos,** nom porté par un certain nombre de personnages de la mythologie grecque. Le plus célèbre, roi des Ligures, désespéré par la mort de son ami Phaéton, fut changé en cygne par Apollon.

cydia n. f. L'un des genres d'insectes usuellement nommés *carpocapses**.

cydimon n. m. (gr. *kudimos,* brillant). Grand papillon uranidé de l'Amérique du Sud, d'un noir velouté tigré de vert.

cydippe n. m. Cœlentéré cténaire marin et nageur, gros et rond comme une cerise, qui capture ses proies à l'aide de deux longs tentacules gluants et rétractiles.

Delaire

cygne blanc d'Europe

cygne noir d'Australie

Zoo de Paris

Cydnos, en gr. **Kudnos.** *Géogr. anc.* Fleuve de Cilicie (Asie Mineure), né dans le Taurus et arrosant Tarse. L'empereur Frédéric Barberousse s'y noya en 1190. (Auj. le *Tarsus Çayı.*)

Cydonès ou **Kydonis** (Démétrios), théologien byzantin (Thessalonique v. 1324 - en Crète v. 1400). Ministre de Jean VI Cantacuzène, il se montra favorable à un rapprochement avec les Latins. Il est l'auteur de nombreux ouvrages de dogmatique et de polémique ; sa *Correspondance* a été publiée.

cydonia n. m. V. COGNASSIER.

Cyfflé (Paul Louis), sculpteur et céramiste d'origine flamande (Bruges 1724 - Ixelles 1806). Il fonda en 1768 une faïencerie à Lunéville, qui produisit des statuettes (musée de Cluny) et des bustes en faïence fine à pâte très blanche. Il créa une nouvelle fabrique de porcelaine à Hastierres-Lavaux en 1785.

cygne [siɲ] n. m. (lat. *cycnus*). Grand oiseau aquatique voisin de l'oie, mais au cou beaucoup plus souple et ayant les mœurs des canards. (Le cygne blanc d'Europe et le cygne noir d'Australie sont souvent élevés sur les pièces d'eau des jardins publics comme élément décoratif.) ‖ S'est dit de quelques poètes, écrivains ou musiciens, célèbres par la grâce et la pureté de leur style : *Le Cygne de Dircé* (Pindare). *Le Cygne de Mantoue* (Virgile). *Le Cygne de Cambrai* (Fénelon). ● *Chant du cygne,* chant mélodieux attribué autrefois au cygne, particulièrement lorsqu'il était près de mourir ; et, au *fig.,* dernière œuvre d'un poète, d'un musicien, etc. ‖ *Cou de cygne,* cou long, flexible, élégant. ‖ *Cou-de-cygne,* partie de l'avant-train d'une voiture à quatre roues, qui est courbée pour laisser place aux roues quand on fait tourner le véhicule. (V. COL-DE-CYGNE.)

Cygne (en lat. *Cygnus, -i*), constellation* boréale dont les étoiles principales décrivent une grande croix en pleine Voie lactée. Elle comprend une cinquantaine d'étoiles ; la plus brillante, α, est appelée *Deneb**, et l'étoile β, *Albireo*. Cette constellation renferme encore d'autres étoiles ; l'une d'elles, 61 *Cygni,* est la première étoile dont la distance à la Terre (11 a. l.) ait été mesurée. (V. CIEL.)

Cygne (LE), poème chorégraphique, musique de Saint-Saëns, chorégraphie de Michel Fokine. Première mondiale : Saint-Pétersbourg, 1905. Anna Pavlova en fut la première interprète et le dansa plus de mille fois. Simple, dépouillé, émouvant, son art sut traduire le pathétique de ce morceau, dont le solo est très souvent appelé *la Mort du Cygne*.

Cygnus, nom lat. de la constellation du Cygne* (au génit. : *Cygni;* abrév. : [Cyg]).

cylade n. f. Petit charançon d'Afrique et d'Asie, qui est le principal prédateur de la patate.

cylichna [silikna] n. m. Mollusque opisthobranche marin, pouvant se retirer entièrement dans sa coquille, ce qui est rare dans ce groupe.

cylidre n. m. Coléoptère clérïdé des régions chaudes, qui se rend utile en poursuivant les bostryches dans leurs galeries.

cylinder stock [silindərstɔk] n. m. (mot angl.). Résidu sous vide du pétrole, utilisé pour le graissage des cylindres de machines à vapeur.

cylindrage, cylindraxe → CYLINDRE.

cylindre n. m. (lat. *cylindrus;* gr. *kulindros*). Solide limité par une surface cylindrique et par deux plans parallèles coupant les génératrices. (Les portions de plan limitant le cylindre sont ses *bases;* la distance des plans de base est la *hauteur;* son volume est le produit de la surface de base par la hauteur.) ‖ Pièce du moteur dans laquelle se meut le piston. ‖ Pièce d'un échappement à cylindre portant le balancier d'une montre ou d'une horloge, et qui laisse à chaque oscillation passer une dent de la roue à cylindre. ‖ Corps de pompe. ‖ Partie principale d'un laminoir*. ‖ Rouleau dont on se sert pour broyer ou comprimer diverses matières. ‖ Pièce principale de la culasse mobile, dans certaines armes à feu. ‖ Pierre dure taillée en forme de cylindre, ornée de figures gravées, servant d'amulette ou de cachet (*cylindre-sceau*), et caractéristique de l'art assyro-babylonien. ‖ Nom donné aux enregistrements destinés au phonographe d'Edison. ● *Bureau à cylindre,* bureau à abattant convexe escamotable, plein ou articulé, créé par Jean-François Œben au milieu du XVIIIe s. ‖ *Cylindre central,* région centrale de l'axe des végétaux supérieurs, limitée par l'endoderme et contenant les faisceaux libériens et ligneux. (Au sens strict, ce cylindre ne comprend pas la moelle, située encore plus au centre.) ‖ *Cylindre défibreur, défileur, raffineur,* organes des piles défileuses ou des piles raffineuses utilisées pour la fabrication du papier. ‖ *Cylindre droit,* cylindre dont les bases sont perpendiculaires aux génératrices. ‖ *Cylindre de Faraday,* v. FARADAY. ‖ *Cylindre à gaz,* cylindre métallique servant à protéger le piston dans les armes automatiques fonctionnant par emprunt de gaz. ‖ *Cylindre incendiaire,* paquet de mèche à étoupille entourée de ficelle salpêtrée, introduit avec de la poudre fine dans les projectiles incendiaires. ‖ *Cylindre oblique,* cylindre dont l'axe est oblique par rapport à la base. ‖ *Cylindre de révolution,* solide engendré par un rectangle tournant autour d'un de ses côtés. (Syn. CYLINDRE DROIT À

Unic-Larousse

cylindre d'automobile

Hassia (2 doc.)

ensemble

détail

cylindre-sceau *musée de Candie-Hêraklion*

Giraudon

bureau à cylindre
par Riesener
musée des Arts décoratifs

BASE CIRCULAIRE.) || *Cylindre tronqué,* solide obtenu en coupant une surface cylindrique par deux plans non parallèles. || *Cylindres urinaires,* éléments microscopiques allongés en ruban, observés à l'examen du culot urinaire. (Seuls les *cylindres granuleux* ont une valeur pathologique ; leur présence traduit une lésion rénale.) || *Cylindre à vapeur,* ou *cylindre compresseur,* gros cylindre en fonte, pour comprimer et écraser les matériaux d'empierrement. ◆ **cylindrage** n. m. Action de cylindrer. (Pour le *cylindrage des chaussées,* on emploie de gros rouleaux, ou *cylindres compresseurs.* Le *cylindrage des étoffes* consiste à faire passer, sous pression, une étoffe entre deux cylindres dont l'un est chauffé à la vapeur.) ◆ **cylindraxe** ou **cylindre-axe** n. m. *Histol.* Prolongement cellulaire cylindrique qui émerge du pôle basal du corps du neurone. (Syn. AXONE.) — Pl. *des* CYLINDRES-AXES. ◆ **cylindrée** n. f. Volume engendré par la course du piston dans le cylindre. || *Par extens.* Total des cylindrées d'un moteur. ◆ **cylindrer** v. tr. Passer au cylindre ou soumettre au rouleau. ◆ **cylindre-sceau** n. m. *Archéol.* V. CYLINDRE. — Pl. *des* CYLINDRES-SCEAUX. ◆ **cylindreur** n. m. Ouvrier chargé de passer un objet au cylindre. ◆ **cylindrimètre** n. m. Instrument propre à exécuter avec précision les roues et les diverses pièces cylindriques employées en horlogerie. ◆ **cylindrique** adj. Relatif au cylindre. || Qui a la forme d'un cylindre : *Tuyau cylindrique.* ● *Surface cylindrique,* surface engendrée par une droite (*génératrice*) qui se déplace parallèlement à une direction fixe en s'appuyant sur une courbe plane fixe (*directrice*) dont le plan coupe la direction donnée. ◆ **cylindroïde** adj. Se dit d'un cristal initialement prismatique, devenu à peu près cylindrique. ◆ **cylindro-ogival, e, aux** adj. Se dit de la forme sous laquelle se présentent les projectiles des armes rayées. (Ceux-ci sont terminés par un cylindre surmonté d'une ogive.) ◆ **cylindrurie** n. f. Présence de cylindres dans l'urine. (V. CYLINDRES *urinaires.*)

cylindrite n. f. Sulfure naturel d'antimoine, d'étain et de plomb.

cylindroïde → CYLINDRE.

cylindrome n. m. Tumeur bénigne siégeant au front, au cuir chevelu. (Les cylindromes vrais sont à distinguer de la dégénérescence cylindromateuse des épithéliomas baso-cellulaires, qui sont des tumeurs malignes.)

cylindro-ogival → CYLINDRE.

cylindrophis [fis] n. m. Serpent fouisseur de Malaisie, non venimeux, si parfaitement cylindrique que la tête se distingue mal de la queue.

cylindrosporium [rjɔm] n. m. Champignon imparfait de l'ordre des mélanconiales, nuisible au cerisier.

cylindrurie → CYLINDRE.

Cyllène, en gr. **Kullênê.** *Géogr. anc.* Montagne d'Arcadie, d'où Hermès prit le surnom de *Cyllinius.* Auj. le mont *Ziria* (2 374 m).

Cylon, en gr. **Kulôn,** aristocrate athénien du VIIe s. av. J.-C., qui, avec l'aide de Théagénès, tyran de Mégare, tenta de s'emparer du pouvoir à Athènes. Assiégé sur l'Acropole, il s'enfuit, laissant ses amis, qui furent tués. Le massacre fut à l'origine de la guerre que Théagénès entreprit contre Athènes.

Cylpebs n. m. (nom déposé). Petit cylindre de fonte dure, utilisé comme agent broyant dans les broyeurs à boulets.

cymatophore n. m. Papillon voisin des noctuelles, et dont la chenille vit sur le peuplier et le bouleau.

cymbalaire n. f. Petite linaire aux feuilles rondes, extrêmement commune sur les murs humides, d'où son nom usuel de *ruine-de-Rome.* (Famille des scrofulariacées.)

cymbale n. f. (lat. *cymbalum,* empr. au gr.). ▷ Instrument à percussion, formé de deux plateaux en bronze au milieu desquels est fixée une poignée en cuir. ◆ **cymbalier** n. m. Joueur de cymbales. (On dit aussi CYMBALISTE.)

cymbalum n. m. V. CZIMBALUM.

Cymbalum mundi, ouvrage de Bonaventure Des Périers (1537). En quatre dialogues, l'auteur fait la satire des croyances humaines, qui, à ses yeux, ne méritent pas plus de fixer l'attention que le bruit des cymbales.

cymbiforme adj. (gr. *kumbê,* nacelle, et *forme*). Qui a la forme d'une nacelle. (Syn. NAVICULAIRE.)

cymbium [bjɔm] n. m. Mollusque gastropode comestible des côtes du Sénégal, usuellement nommé *yetus.* (Famille des volutidés.)

cyme n. f. (gr. *kuma,* flot). Inflorescence dans laquelle l'axe se termine par une fleur, ce qui « définit » sa croissance, c'est-à-dire limite celle-ci. (Les rameaux, eux aussi terminés chacun par une fleur, peuvent être symétriques [*cyme bipare*], disposés en hélice [*cyme hélicoïde*] ou tous du même côté, insérés en spirale plane [*cyme scorpioïde*].) ◆ **cymette, cimette** ou **chymette** n. f. Rejeton de chou.

cyme n. m. Petite punaise jaunâtre des prairies marécageuses.

cymène n. m. Hydrocarbure benzénique $(CH_3)_2CH — C_6H_4 — CH_3$, contenu dans les essences de cumin et de ciguë. (C'est un liquide à odeur agréable, qui bout à 175 °C.)

cymette → CYME n. f.

cymindis [dis] n. f. Carabe des terrains pierreux (nombreuses espèces).

cymodocée n. f. Plante supérieure marine, aux feuilles rubanées atteignant 1 m de long. (Famille des potamogétonacées.)

cymomètre n. m. Appareil servant à mesurer la longueur des ondes électromagnétiques. (Syn. ONDEMÈTRE.)

Larousse

cymbales

cymophane n. f. Aluminate naturel de béryllium $BeAl_2O_4$. (Syn. CHRYSOBÉRYL.)

cymothoa n. m. Crustacé isopode hermaphrodite, parasite de la bouche ou des branchies des poissons.

cynanchum [kɔm] n. m. Asclépiadacée grimpante, aux fleurs odorantes et aux feuilles cordiformes, vivant dans les lieux humides.

cynégétique adj. (gr. *kunêgetikos;* de *kuôn, kunos,* chien, et *agein,* conduire). Qui concerne la chasse : *Plaisirs cynégétiques.* ✦ n. f. Art de la chasse.

Cynewulf, poète anglo-saxon de la seconde moitié du VIIIe s. Il est considéré comme originaire de la Northumbrie ; sa vie est absolument inconnue. Ses poèmes, dont les sujets sont tirés de l'Evangile ou des Vies de saints, sont contenus dans le recueil d'Exeter et dans celui de Verceil, manuscrits du début du XIe s.

cynhyène n. f. V. LYCAON.

cynipidés n. m. pl. (du gr. *kuôn, kunos,* chien, et *ips,* ver rongeur). Importante famille d'hyménoptères à tarière, qui pondent leurs œufs dans l'épaisseur des feuilles des arbres, en provoquant la formation d'une *galle**, ou *cécidie.* (La biologie des cynipidés comporte bien des particularités : parthénogenèse, migration sur des espèces végétales nettement définies, cycle reproductif à deux générations par an, espèces *inquilines,* c'est-à-dire usagères des galles faites par d'autres, etc. Le genre principal, *cynips,* parasite du chêne, fournit la galle tinctoriale.)

cynique adj. et n. (lat. *cynicus ;* gr. *kunikos ;* de *kuôn, kunos,* chien). Se dit d'une secte de philosophes grecs, fondée par Antisthène*, et qui professait une morale ascétique et un dédain absolu des convenances. (Les principaux représentants en furent Cratès de Thèbes et Diogène de Sinope.) ‖ Qui fait parade d'actes, de principes immoraux : *Un homme cynique dans son langage.* ‖ En parlant des choses, qui offense ouvertement et délibérément la morale, les bienséances : *Le meurtrier racontait son crime avec une froideur cynique.* ◆ **cyniquement** adv. De façon cynique. ◆ **cynisme** n. m. Doctrine des philosophes cyniques : *Diogène professait le cynisme.* ‖ Mépris effronté des convenances et de l'opinion, qui pousse à faire parade d'actes, de principes immoraux : *Il pousse le cynisme jusqu'à venir narguer ceux qui travaillent à sa place.* ‖ Attitude de celui qui enfreint par ses paroles ou par ses actes les interdits moraux du groupe social auquel il appartient.

cynocéphale n. m. (gr. *kuôn, kunos,* chien, et *kephalê,* tête). Grand singe cercopithèque africain, à museau de chien, à longue queue, vivant en troupes et atteignant 1,30 m en station debout.
→ V. illustration page suivante.

Cynocéphales. V. CYNOSCÉPHALES.

cynodiotis [tis] n. m. Carnassier fossile du gypse de Montmartre et des phosphorites du Quercy, intermédiaire entre les civettes et les chiens.

cynodon n. m. Mammifère fossile dans l'oli-

cynocéphales

gocène, intermédiaire entre les civettes et les ours. || Graminacée sauvage, voisine du chiendent.

cynodontes n. m. pl. Reptiles fossiles théromorphes, à grandes canines. (Ex. : *cynognathus* du trias sud-africain.)

cynodrome n. m. Piste sur laquelle on fait courir les lévriers.

cynogale n. f. Mammifère indonésien du bord des eaux, intermédiaire entre les civettes et les loutres.

cynoglosse n. f. Borraginacée des forêts des montagnes.

cynognathus [sinognatys] n. m. Reptile cynodonte*, au crâne de 0,40 m de long, ayant des caractères de mammifère.

cynomys [mis] n. m. Gros mammifère rongeur à fourrure grise, des prairies de l'Amérique du Nord, connu pour ses vastes terriers et pour son jappement, qui l'a fait surnommer « chien de prairie ». (Famille des sciuridés.)

cynophile adj. Qui aime les chiens.

cynorhodon ou **cynorrhodon** n. m. Réceptacle charnu et creux constituant le fruit composé de l'églantier. (De couleur rouge-orangé, il est utilisé pour faire des confitures.)

Cynosarges ou **Kunosarges.** *Géogr. anc.* Nom d'un faubourg d'Athènes.

Cynoscéphales, en gr. **Kunoskephalai.** *Géogr. anc.* Montagnes de Thessalie, entre Pharsale et Larissa, dont les sommets ressemblent à des têtes de chien. Pélopidas y vainquit Alexandre, tyran de Phères (365 av. J.-C.), et le consul T. Quinctius Flamininus y battit Philippe V de Macédoine en 197 av. J.-C. A la suite de cette défaite, Philippe dut rendre toutes ses possessions en Grèce et se limiter à la Macédoine. Il dut, en outre, payer un tribut annuel aux Romains et leur livrer tous ses vaisseaux.

cynotechnique adj. Qui a rapport à l'emploi des chiens. ● *Organisation cynotechnique,* organisation chargée, au sein du service vétérinaire des armées, des questions concernant l'emploi militaire des chiens.

cynthia n. m. Ascidie comestible, vendue en Provence sous le nom de *violet.*

Cynurie, en gr. **Kunouria.** *Géogr. anc.* Région du nord de la Laconie, dans le Péloponnèse.

cyon n. m. (gr. *kuôn,* chien). Chien sauvage d'Asie, qui attaque en troupes les ruminants pendant le jour. (Syn. DOHLE.)

Cyon (Elia DE), savant et publiciste russe (Telchy 1843 - Paris 1912). Il enseigna à Saint-Pétersbourg et s'établit en France en 1875 ; il dirigea *le Gaulois* et *la Nouvelle Revue.* On lui doit de nombreuses découvertes physiologiques, notamment celle des nerfs cardiaques vaso-moteurs. Il est également l'auteur d'ouvrages politiques.

cypéracées n. f. pl. (lat. *cyperus,* souchet). Famille de plantes glumiflores, à tige triangulaire, rhizomateuses, des marécages, telles que la laiche et le souchet (*cyperus*).

cyphocrane n. m. Très grand phasme ailé de Malaisie.

cyphomandra n. m. Arbuste américain dont le fruit a les usages de la tomate. (Famille des solanacées.)

cyphoscoliose n. f. Déviation complexe de la colonne vertébrale, caractérisée par une convexité postérieure et latérale.

cyphose n. f. (gr. *kuphôsis,* courbure). Courbure anormale de la colonne vertébrale à convexité postérieure. ◆ **cyphotique** adj. Relatif à la cyphose.

cyprée n. f. Magnifique mollusque gastropode océanien, dont la coquille ovoïde, à enroulement interne, est revêtue d'un émail brillant et orné, d'où son nom usuel de *porcelaine.*

cyprès [siprɛ] n. m. (gr. *kuparissos*). Conifère, généralement à feuillage persistant, commun dans le sud de l'Europe. (Famille des *cupressacées.*) [V. *encycl.*] || Symbole littéraire de la mort, du deuil, de la tristesse. ◆ **cyprière** n. f. Lieu planté de cyprès.
— ENCYCL. **cyprès.** L'espèce la plus fréquente, le *cyprès pyramidal,* croît naturellement autour de la Méditerranée ; il est planté comme brise-vent et comme ornement des cimetières. Le cyprès, de forme élancée, a un feuillage persistant sombre, formé

d'écailles vertes et de cônes arrondis présentant une dizaine d'écailles polygonales. L'arbre a une grande longévité et fournit un bois presque imputrescible.
Le *cyprès de Lambert,* à croissance rapide, est planté dans les parcs. Le *cyprès chauve,* ou *taxodium,* a des feuilles caduques et peut prospérer en terrain inondé.

cypriaque ou **cyprique** adj. *Antiq.* Qui appartient à Cypre (Chypre) ou à Aphrodite, déesse de Cypre.

cypridine n. f. Petit crustacé ostracode marin, qui se sert de ses antennes comme de rames.

Cyprien (saint), en lat. **Thascius Caecilius Cyprianus,** évêque et martyr, Père de l'Eglise latine (Carthage début du IIIe s. - *id.* 258). Il était rhéteur lorsqu'il se fit baptiser vers 246. Evêque de Carthage en 249, il soutint la résistance des chrétiens persécutés par Decius (250). Il eut à faire face ensuite au problème des *lapsi**, puis au schisme créé par Novatien. Il fut décapité lors des persécutions de Valérien. Il a laissé plusieurs ouvrages : *De unitate Ecclesiae, De lapsis, De exhortatione martyrii,* etc. — Fête le 16 sept.

cyprière → CYPRÈS.

cyprin n. m. (gr. *kuprinos,* carpe). Nom parfois donné aux cyprinidés, et, plus spécialement, à la carpe et au poisson rouge, ou carassin*. ◆ **cypriniculture** n. f. Elevage des carpes, des tanches. (L'élevage se pratique dans des étangs mis à sec en hiver et ensemencés alors de végétaux ; la Sologne et la Dombes s'y prêtent bien en France ; on y obtient des races de carpes sélectionnées : carpes cuir, carpes miroirs.) ◆ **cyprinidés** n. m. pl. Famille de mollusques bivalves, équivalves, à coquille épaisse, mais non nacrée. || Famille de poissons osseux des eaux douces, aux nageoires pelviennes à l'arrière du corps, aux écailles non dentelées, à la vessie natatoire reliée aux oreilles par une chaîne d'osselets. (Ex. : carpe, tanche, goujon, vairon, ablette et autres « poissons blancs » peuplant les rivières dites « de deuxième catégorie », par oppos. aux eaux de « première catégorie », qui recèlent surtout des salmonidés.) ◆ **cypriniformes** n. m. pl. Syn. de OSTARIOPHYSAIRES*. ◆ **cyprinodontidés** n. m. pl. Famille de très petits poissons ressemblant aux cyprinidés, mais ayant des dents plus visibles, et que l'on pêche surtout dans les rizières. (Plusieurs d'entre eux, tels que la gambusie, se rendent utiles en dévorant les larves de moustiques. Autres genres connus : fundule, xiphophore, guppy, etc.)

Larousse

cyprès

cyprine n. f. Variété bleue d'idocrase.

cypriniculture, cyprinidés, cyprinodontidés → CYPRIN.

cypriote adj. et n. V. CHYPRIOTE. ✦ n. m. Nom de l'ancien dialecte grec parlé dans l'île de Chypre. (On dit aussi CHYPRIOTE.)

cypripedium [djɔm] n. m. Orchidacée à grandes fleurs très ornementales, des clairières de montagne, souvent cultivée en serre.

cypris [sipris] n. f. Petit crustacé ostracode, caractérisé par ses antennes supérieures à longues soies et par la brièveté du palpe des pattes-mâchoires. (Chez certaines espèces, les mâles sont inconnus.)

Six

Cyprin poisson rouge

Cypris, en gr. **Kupris,** surnom donné à Aphrodite, née de l'écume des flots près de l'île de Chypre.

Cypsélides, dynastie corinthienne fondée par Cypsélos (milieu du VIIe s. av. J.-C.), et dont le plus célèbre représentant est Périandre.

Cypsélos, en gr. **Kupselos,** tyran de Corinthe (VIIe s. av. J.-C.). Pour le soustraire à la mort, sa mère l'avait caché dans un coffre (en gr. *kupselê*). Il dirigea la résistance indigène aux Doriens, qui dominaient le pays, et s'empara du pouvoir v. 657. Il rendit Corinthe très puissante et eut pour successeur son fils Périandre.

Cyrankiewicz (Józef), homme politique polonais (Tarnów 1911). Socialiste, résistant, il fut interné par les Allemands en 1941 et devint, en 1948, membre du Comité central du parti ouvrier unifié polonais. Président du Conseil de 1947 à 1952, il dirige de nouveau le gouvernement de 1954 à 1970 et il est chef de l'Etat de 1970 à 1972.

Cyrano de Bergerac (Savinien DE), écrivain français (Paris 1619 - *id.* 1655). Blessé au siège d'Arras en 1641, il abandonne la carrière militaire. Il donne au théâtre une tragédie, *la Mort d'Agrippine* (1653), et une comédie, *le Pédant joué* (1654), et meurt l'année suivante, frappé à la tête par une poutre détachée d'un toit. Les deux romans publiés après sa mort, *Histoire comique des Etats et Empires de la Lune* (1657) et *Histoire comique des Etats et Empires du Soleil* (1662), montrent l'audace de ses vues sur la nature et la politique.

Bernand

Pierre Dux dans le rôle de **Cyrano de Bergerac**

Cyrano de Bergerac, comédie héroïque en 5 actes, en vers, d'Edmond Rostand (1897). Coquelin aîné y créa le rôle de Cyrano, Gascon chevaleresque, affublé d'un nez grotesque, qui prête son esprit à son rival Christian pour le faire aimer de Roxane.

cyrénaïque ou **cyrénéen, enne** adj. et n. Relatif à Cyrène; habitant ou natif de cette ville. ‖ Se dit des doctrines et des disciples d'Aristippe, fondateur de l'école de Cyrène, plaçant le souverain bien dans les plaisirs des sens modérés par la raison.

Cyrénaïque, région orientale de la Libye, aujourd'hui divisée en trois provinces; 855 370 km². V. princ. *Benghazi.*

● *Géographie.* Au N., le plateau calcaire de Barqah est une région relativement arrosée. Au S. s'allonge une dépression synclinale dont le fond est parfois au-dessous du niveau de la mer. Enfin la partie méridionale du pays est formée par une immense plaine caillouteuse, extrêmement aride, qui s'élève progressivement jusqu'aux massifs montagneux du Sahara central. Dans ce désert, parcouru par des pasteurs nomades, les oasis sont rares (Koufra). Grand gisement pétrolifère dans la région de Zelten; le pétrole brut est exporté par Marsa el-Brega, sur le golfe de la Grande Syrte.

● *Histoire.* Province romaine, elle garda après la conquête arabe une certaine importance comme passage entre Alexandrie et Kairouan. Colonie italienne en 1912, puis rattachée à la Libye italienne en 1934, la Cyrénaïque fut l'enjeu de durs combats entre les Anglais et les Germano-Italiens de 1940 à 1942. Sous administration britannique en 1942, elle reçut son autonomie en 1949 et fut intégrée au royaume de Libye en 1951.

Cyrène, en gr. **Kurênê.** *Géogr. anc.* Ville principale de la Cyrénaïque, au N. du plateau de la Pentapole. Elle fut fondée v. 631 av. J.-C. par des colons doriens de Théra. A l'époque classique, elle ravitaillait la Grèce en blé, vin, fruits et en silphium. Cyrène renversa la monarchie tyrannique des Battiades en 450 av. J.-C. et établit la république. Conquise par Alexandre en 331 av. J.-C., elle tomba ensuite sous l'autorité des Ptolémées. Magas, son gouverneur, en fit un royaume indépendant de l'Egypte, mais, en 96 av. J.-C., elle entra dans l'Empire romain. Les fouilles italiennes ont dégagé d'admirables ruines (agora, temple d'Apollon, thermes) et permis d'importantes trouvailles épigraphiques (édits d'Auguste). La *Vénus de Cyrène,* provenant des fouilles, est conservée au musée des Thermes, à Rome.

Cyrano de bergerac par Desrochers

Larousse

Cyrène, en gr. **Kurênê.** *Myth. gr.* Nymphe, mère d'Aristée. Aimée par Apollon, elle fut emmenée par celui-ci en Libye et donna son nom à la ville de Cyrène.

cyrénéen, enne adj. et n. Relatif à la Cyrénaïque ou à Cyrène; habitant de cette région ou de cette ville. ‖ — ***cyrénéen*** n. m. *Linguist.* Parler dorien de Cyrène.

Cyriaque, patriarche de Constantinople de fin 595 ou début 596 à 606, honoré comme saint par les orthodoxes. — Fête le 27 oct.

Cyrille (saint), évêque de Jérusalem et docteur de l'Eglise (Jérusalem v. 315 - *id.* 386). Auteur de *Catéchèses* à l'intention des catéchumènes, il fut évêque de Jérusalem à partir de 350, mais dut s'exiler plusieurs fois. — Fête le 18 mars.

Cyrille (saint), patriarche d'Alexandrie et docteur de l'Eglise (Alexandrie v. 380 - *id.* 444). Il fit condamner l'hérésie nestorienne au concile d'Ephèse (431) et précisa la doctrine de l'Incarnation. — Fête le 28 janv.

Cyrille (saint), dit **le Philosophe,** apôtre des Slaves (Thessalonique 827 ou 828 - Rome 869). Moine, il fut chargé avec son frère Méthode d'évangéliser les Slaves en Dalmatie, en Hongrie et en Pologne. Sacré évêque, il fut nommé archevêque et légat pontifical en Pannonie et en Moravie. Il traduisit la Bible et les livres liturgiques en slavon. — Fête le 9 mars dans l'Eglise latine, le 6 juin dans l'Eglise orthodoxe.

Cyrille (Vladimirovitch), grand-duc de Russie (Tsarkoié-Selo 1876 - Neuilly-sur-Seine 1938), petit-fils du tsar Alexandre II et cousin du tsar Nicolas II, dont les droits à la couronne de Russie furent reconnus par la majorité des Russes blancs.

Cyrille, prince de Bulgarie (Sofia 1895 - *id.* 1945), frère du roi Boris III. Président du Conseil de régence à la mort de celui-ci, il fut exécuté peu après l'entrée des troupes soviétiques en Bulgarie en 1945.

cyrillique ou **cyrillien, enne** adj. *Linguist.* Se dit de l'alphabet et de l'écriture slaves du type de la capitale grecque. (L'origine de l'alphabet cyrillique reste discutée. Simplifié en 1708 sous Pierre le Grand, il est devenu l'alphabet civil russe, par opposition à l'alphabet slavon, dont l'emploi est exclusivement religieux. Il a été modifié de nouveau en 1917; certaines lettres ont été éliminées. Il est usité chez les Bulgares et les Serbes, qui y ont ajouté quelques lettres nouvelles.) ● *Littérature cyrillique,* ensemble des textes ecclésiastiques rédigés au IXe s. en slavon et écrits avec l'alphabet cyrillique.

→ V. tableau page suivante.

cyrtognathe [sirtognat] n. m. Gros coléoptère cérambycidé du Maroc, dont la larve vit dans la souche du palmier nain.

cyrtomètre n. m. Appareil destiné à mesurer le périmètre thoracique. ◆ **cyrtométrie** n. f. Mensuration du périmètre thoracique.

cyrtotrachèle [kɛl] n. m. Grand charançon d'Indo-Malaisie, dont la larve vit dans la pousse terminale des bambous.

Cyrus, en vieux perse **Kurush,** nom de plusieurs princes achéménides : **Cyrus I**[er] (v. 640 - † 600 av. J.-C.), roi d'Anzan, père de Cambyse Ier; — **Cyrus II** *le Grand* († v. 528 av. J.-C.), roi de Perse (558-v. 528 av. J.-C.), fils de Cambyse Ier et de Mandane, fille du roi mède Astyage. A sa naissance, Astyage confia l'enfant à un de ses fidèles avec mission de le mettre à mort. Sauvé par un berger, Cyrus, devenu plus tard roi d'Anzan, se révolta contre Astyage, le fit prisonnier (555) et prit le titre de roi des Mèdes et des Perses. Il battit ensuite Crésus, roi de Lydie (546), s'attaqua aux colonies ioniennes de l'Asie Mineure (545-539), puis s'empara de Babylone, où il libéra les Juifs captifs. Il poursuivit sa marche vers l'E. et domina tout le pays entre la Caspienne et l'Inde. Selon Hérodote, il aurait été vaincu et fait prisonnier par Tomyris, reine des Massagètes, qui l'aurait noyé dans du sang. Une longue tradition fait du « tombeau de Cyrus », situé à Pasargades, celui du roi des Perses; — **Cyrus** *le Jeune* (424 - Counaxa, sur l'Euphrate, 401), fils de Darios II. Ambitieux, il tenta d'assassiner son frère Artaxerxès II, le jour même de son couronnement (405). Gracié, il conspira de nouveau et fut tué à la bataille de Counaxa, à la tête des mercenaires grecs et asiatiques qu'il avait réunis contre son frère. Après sa mort, les mercenaires grecs firent la fameuse retraite des Dix Mille, retracée par Xénophon.

Cyrus, patriarche d'Alexandrie († 643 ou 644). Nommé au siège d'Alexandrie vers 630, il lutta contre les monophysites. Sous son patriarcat, Alexandrie fut prise par les Sarrasins (640).

Cyrus (LE GRAND), roman de Mlle de Scudéry. (V. ARTAMÈNE.)

Cysoing, ch.-l. de c. du Nord (arr. et à 14,5 km au S.-E. de Lille); 3 531 h. (*Cysoniens*). Tissages.

cystalgie n. f. (gr. *kustis,* vessie, et suffixe *algie*). Douleur de la vessie.

cystectomie n. f. Intervention chirurgicale consistant en l'exérèse de la vessie. (La cystectomie peut être partielle, totale, ou élargie par l'exérèse du tissu cellulo-lymphatique adjacent. Elle se pratique le plus souvent dans les cas de tumeur de la vessie.)

cystéine n. f. (gr. *kustis,* vessie). Composé organique aminé et sulfuré, rencontré dans les produits d'hydrolyse de la corne. (La cystéine joue un rôle important dans les processus d'oxydoréduction, car elle se transforme réversiblement en cystine, avec perte d'hydrogène.) ◆ **cystine** n. f. Amino-acide soufré qui résulte de la condensation de deux molécules de cystéine avec libération d'hydrogène. ◆ **cystinurie** n. f. Elimination de cystine par les urines, qui s'accompagne souvent de l'élimination de graviers de cystine responsables de coliques néphrétiques. (C'est une affection congénitale.)

cysticercose → CYSTICERQUE.

alphabet **cyrillique**

alphabet russe (cyrillique)						lettres particulières aux alphabets serbe et bulgare		
MAJUSCULES	MINUSCULES	VALEUR	MAJUSCULES	MINUSCULES	VALEUR	MAJUSCULES	MINUSCULES	VALEUR
А	а	a	С	с	s			
Б	б	b	Т	т	t		**BULGARE**	
В	в	v	У	у	ou			
Г	г	g	Ф	ф	f	Ѫ	ѫ	ă *(eu)*
Д	д	d	Х	х	kh			
Е	е	ié, é	Ц	ц	ts		**SERBE**	
Ж	ж	j	Ч	ч	tch			
З	з	z	Ш	ш	ch	Ђ	ђ	dj ou đ
И	и	i	Щ	щ	chtch			
Й	й	ï	Ъ	ъ	*(signe dur)*			
І	і	i *(dev. voy.)*	Ы	ы	y *(i dur)*	Љ	љ	lj
К	к	k	Ь	ь	*signe de mouillure de consonne*			
Л	л	l	Ѣ	ѣ	ié, é	Њ	њ	nj
М	м	m	Э	э	e			
Н	н	n	Ю	ю	iou			
О	о	o	Я	я	ia	Ћ	ћ	ć *(t mouillé)*
П	п	p	Ѳ	ѳ	f			
Р	р	r	Ѵ	ѵ	i *(slavon)*	Џ	џ	dž *(dj)*

cysticerque n. m. (gr. *kustis,* vessie, et *kerkos,* queue). Etat larvaire des cestodes, constitué par une vésicule à l'intérieur de laquelle se développe le scolex. ◆ **cysticercose** n. f. Maladie provoquée par la présence de cysticerques dans les tissus et les organes de certains mammifères. (Chez les rongeurs et les ruminants, la cysticercose du foie et du péritoine est due à des larves de ténia du chien ; chez le porc et les ruminants, la cysticercose des muscles [ou ladrerie] est due aux larves de ténia de l'homme.)

cystico-duodénostomie → CYSTIQUE.

cystidés n. m. pl. Classe primitive et éteinte d'échinodermes fixés, sans bras, fossiles dans le silurien.

cystine, cystinurie → CYSTÉINE.

cystique adj. (gr. *kustis,* vessie). Qui a rapport à la vésicule biliaire. ● *Canal cystique* ou *cystique* n. m., canal de 3 cm de long environ, qui fait communiquer la vésicule biliaire avec le canal hépato-cholédoque. ◆ **cystico-duodénostomie** n. f. Abouchement chirurgical du canal cystique dans le duodénum. ◆ **cystite** n. f. Inflammation de la vessie, se manifestant par des mictions fréquentes, impérieuses et douloureuses. (La cystite peut n'être qu'un symptôme masquant l'évolution d'une tumeur, d'un calcul ou d'une tuberculose de l'arbre urinaire.)

cystocarpe n. m. Sporophyte des algues rouges. (Selon les ordres, il est très inégalement développé par rapport au gamétophyte.)

cystocèle n. f. Hernie de la vessie. || *Plus spécialem.* Saillie plus ou moins marquée de la vessie dans le vagin, accompagnant un prolapsus utérin.

cystographie n. f. Radiographie de la vessie, après injection dans sa cavité d'un produit opaque aux rayons X.

cystolithe ou **cystolite** n. f. Concrétion calcaire pédonculée, contenue dans certaines cellules végétales (par ex., l'épiderme des feuilles de figuier).

cystométrie n. f. Mesure de la capacité vésicale et de la pression pour laquelle est ressenti le besoin d'uriner.

cystopexie n. f. Intervention chirurgicale destinée à fixer la vessie.

cystophore n. m. Grand phoque (long. 3 m), vivant entre le Groenland et le Svalbard, et remarquable par l'ampoule érectile que le mâle porte sur le front.

cystoplastie n. f. Intervention chirurgicale ayant pour but de fermer une fistule vésico-vaginale.

cystoscope n. m. Sonde métallique rigide, que l'on introduit par l'urètre et qui permet l'examen de la cavité vésicale. ◆ **cystoscopie** n. f. Examen de la cavité vésicale au moyen du cystoscope. ◆ **cystoscopique** adj. Relatif à la cystoscopie.

cystostomie n. f. *Chirurg.* Abouchement de la vessie à la peau, afin de dériver les urines de façon transitoire ou définitive.

cystotomie n. f. Intervention chirurgicale qui consiste à inciser la vessie. (C'est l'ancienne *taille** de la vessie.)

cythère n. f. Crustacé ostracode marin, parfois des grandes profondeurs.

Cythère ou **Cérigo,** en gr. **Kuthêra** ou **Kíthira,** île grecque située entre le Péloponnèse et la Crète; 262 km²; 9 900 h. V. princ. *Kíthira.* Sources thermales; culture de la vigne et de l'olivier. Comptoir phénicien au Xe s. av. J.-C., possession d'Argos, puis de Sparte v. le milieu du VIIe s. av. J.-C., Cythère était célèbre pour sa production de pourpre et pour son sanctuaire à Aphrodite Anadyomène.

Cythère (L'EMBARQUEMENT POUR). V. PÈLERINAGE À L'ÎLE DE CYTHÈRE.

cythéréen, enne adj. et n. Qui se rapporte à l'île de Cythère; habitant de cette île. || *Fig.* Consacré à l'amour.

Cythéris, en gr. **Kutheris,** courtisane grecque du Ier s., célébrée par le poète Gallus sous le nom de *Lycoris,* et par Virgile dans sa dixième églogue.

cytinet n. m. Plante supérieure sans chlorophylle, qui vit sur les racines des cistes et dont l'appareil végétatif ne possède ni feuilles ni vraies racines. (Famille des rafflésiacées.)

cytise n. m. (gr. *kutisos*). Arbrisseau ornemental aux fleurs jaunes et parfumées, en grappes pendantes. (Famille des papilionacées.)

cytise

Ciccione-Rapho

cyto-architectonique n. f. Etude de la structure du cortex cérébral, fondée sur la composition cellulaire de ses différentes couches, et à laquelle sont attachés les noms de Brodmann et de von Economo.

cytochimie n. f. Partie de la cytologie consacrée à l'étude chimique de la cellule.

cytochrome n. m. Pigment essentiel de la respiration cellulaire, contenant du fer.

cytodiagnostic n. m. Méthode de diagnostic fondée sur l'étude microscopique de cellules prélevées dans l'organisme par ponction ou raclage. (Le cytodiagnostic est l'application pratique de la cytopathologie*.)

cytogamie n. f. Fusion cytoplasmique des gamètes mâle et femelle, sans association de leurs noyaux. (Ce phénomène n'est connu que chez les champignons supérieurs; son résultat est un *dicaryon.*)

cytogénéticien → CYTOGÉNÉTIQUE.

cytogénétique n. f. Partie de la génétique qui utilise l'observation microscopique des chromosomes. ◆ **cytogénéticien, enne** n. Spécialiste de cytogénétique.

cytologie n. f. Science qui étudie la cellule vivante, sa forme, sa structure, ses propriétés physiques, chimiques et physiologiques. (La cellule*, élément microscopique, est l'unité de la vie. La cytologie est ainsi le fondement de la biologie moderne et connaît, comme elle, un essor considérable, favorisé par les progrès des techniques [microscope électronique, par ex.]. L'étude de la cellule est *morphologique* [avec ou sans coloration] et *fonctionnelle* [étude des comportements et des réactions de la cellule placée dans différents milieux et soumise à divers agents, en observant notamment les résultats de ses métabolismes et les modalités de sa reproduction].) ◆ **cytologique** adj. Relatif à l'étude des cellules : *Un examen cytologique.* ◆ **cytologiste** n. Biologiste spécialisé en cytologie.

cytolyse n. f. *Histol.* Dissolution ou destruction des éléments cellulaires. ◆ **cytolytique** adj. Se dit de toute substance et notamment des sérums qui ont la propriété de déterminer la cytolyse.

cytopathologie n. f. Etude des processus pathologiques tels qu'ils s'expriment par la modification morphologique des cellules, indépendamment de l'organisation de celles-ci en tissus. (La cytopathologie étudie par exemple les éléments figurés du sang, la moelle osseuse, les prélèvements obtenus par frottis ou ponctions d'organes.)

cytoplasma ou **cytoplasme** n. m. Constituant fondamental de la cellule vivante, qui contient le noyau, les vacuoles, le chondriome et les autres organites.

cytostatique adj. et n. m. Se dit de substances ou d'agents chimiques capables d'entraîner un arrêt des divisions anormales qui se produisent au sein des tumeurs.

cytotoxine n. f. Substance qui serait contenue dans certains sérums préparés et qui jouirait de la propriété de détruire par dissolution une catégorie définie de cellules. || Nom donné aux substances solubles nuisibles produites par la cellule.

cytotrope adj. Se dit de certaines substances qui ont la propriété d'être attirées et fixées par les cellules. ● *Virus cytotrope,* ultravirus qui ne peut se multiplier qu'au sein des cellules vivantes (virus de la variole, de la poliomyélite, etc.). ◆ **cytotropisme** n. m. Attraction exercée sur certaines cellules (globules blancs du sang, par ex.) par des corps chimiques tels que les toxines microbiennes.

Cyzique, en gr. **Kuzikos.** *Géogr. anc.* Ville de Phrygie, en Asie Mineure, sur la Propontide. Colonie fondée par Milet en 675 av. J.-C., Cyzique devint une importante place de commerce, que ruina l'invasion cimmérienne. Elle fit partie de l'empire d'Alexandre et, alliée de Rome, demeura indépendante jusque sous le règne de Tibère. Prise par les Arabes en 675, elle fut détruite par un tremblement de terre en 943. Ses ruines se trouvent près du port d'*Artaki,* ou *Erdek.*

C_z n. m. invar. Coefficient de portance, sans dimensions, caractérisant l'importance de la sustentation créée par un élément d'aile ou d'avion.

Czajkowski (Michał), écrivain et général polonais au service de la Turquie (Halczyniec, près de Berdyczów, Ukraine, 1804 - Borki, Ukraine, 1886). Représentant du prince Czartoryski à Constantinople (1841-1872), il participa à la guerre de Crimée et se fit musulman sous le nom de SADYK PACHA.

czar n. m. et ses dérivés. V. TSAR.

czardas n. f. V. CSARDAS.

Czarna (la), riv. de Pologne, affl. de la Pilica ; 82 km. Petit gisement de minerai de fer dans son bassin.

Czarniecki (Stefan), général polonais (Czarncy, Sandomierz, 1599 - Sokolówka, Volhynie, 1665). Il combattit les Russes et les Cosaques (1632-1652), puis les Suédois (1655-1658). Il fut voïévode de Kiev et hetman de camp.

Czartoryski, famille princière de Pologne. Ses membres les plus célèbres furent : ADAM KAZIMIERZ (Gdańsk 1734 - Sieniawa 1823), président de la diète chargée de donner un successeur à Auguste III (1763) ; — ADAM JERZY (Varsovie 1770 - Montfermeil 1861). Envoyé comme otage à Saint-Pétersbourg, il fut nommé ministre des Affaires étrangères (1802) par le tsar Alexandre, avec qui il s'était lié. Libéral et nationaliste, il démissionna en 1806 à la suite du refus du tsar de

Czartoryski

Larousse

reconstituer la Pologne. Il sortit de sa retraite en 1813, mais ne put obtenir l'indépendance de la Pologne au congrès de Vienne. Président du gouvernement national en 1831, condamné à mort par Nicolas Ier, il se réfugia à Paris et continua de défendre jusqu'à sa mort la cause de l'indépendance polonaise.

Czernin (Ottokar), comte **Czernin von und zu Chudenitz,** homme politique et diplomate autrichien (Dimokur, Bohême, 1872 - Vienne 1932). Ambassadeur à Bucarest, il tenta d'entraîner la Roumanie aux côtés des puissances centrales en 1914. Ministre des Affaires étrangères (1916-1918), il fut le partisan d'une paix de compromis.

Czerny (Karl), pianiste et professeur autrichien (Vienne 1791 - *id.* 1857). Elève de Beethoven et maître de Liszt, il a écrit de nombreux ouvrages de pédagogie pianistique.

Częstochowa, v. de Pologne (voïévodie de Katowice) ; 192 200 h. Centre de pèlerinage (Vierge noire). Métallurgie. Industries textiles et chimiques.

czimbalum ou **cymbalum** [lɔm] n. m. Instrument de musique, sorte de xylophone à cordes frappées, très populaire en Hongrie, où il fait partie des orchestres tziganes.

Vierge noire de **Częstochowa**

Polska Akademia Nank

d

Desjeux

Dakar

d n. m. Quatrième lettre de l'alphabet français. || Consonne occlusive dentale sonore, qui se définit par opposition à la dentale sourde *t* et est notée par *d,* D en français. || **D** était la quatrième lettre dominicale et sert à marquer le dimanche dans les calendriers. || **D** désigne des projectiles (obus et balles) dont la forme fut étudiée par le général Desaleux au début du XXe s. || **D** est le symbole chimique du *deutérium.* || En chimie organique, **d** est l'abréviation de *dextrogyre.* || **d** est le symbole du préfixe *déci-.* || **D** est le symbole de l'*angle droit,* unité d'angle. || Dans la numération romaine, **D** était généralement employé pour marquer *cinq cents.* || **D** représente le *ré* dans la nomenclature musicale anglaise et allemande.

D (SYSTÈME) [initiale de *débrouille*]. *Pop.* Art de sortir de toute difficulté.

d°, abrév. de *dito.*

da, symbole du préfixe *déca-.*

da. *Fam.* Particule dont on se sert quelquefois pour renforcer le sens du mot *oui : Oui-da.*

dab ou **dabe** n. m. (au fém. DABESSE). *Arg.* Père. ● *Mes dabs,* mes père et mère.

Dabit (Eugène), écrivain et peintre français (Paris 1898 - Sebastopol' 1936). Son chef-d'œuvre, *Hôtel du Nord* (1929), décrit la vie d'un hôtel populaire sur les bords du canal Saint-Martin. Publié en 1939, son *Journal intime* (1928-1936) montre son attachement au peuple des travailleurs. D'abord peintre, il contribua à fonder l'école dite « du Pré-Saint-Gervais ».

Dąbrowa Górnicza ou **Dombrowa,** v. de Pologne (voïévodie de Katowice) ; 60 000 h. Mines de houille.

Dąbrowska ou **Dombrowska** (Maria), femme de lettres polonaise (Rusow, près de Kalisz, 1889 - Varsovie 1965). Elle connut la célébrité par sa peinture de la vie paysanne (*Gens de là-bas,* 1925) et de la société polonaise traditionnelle (*les Nuits et les jours,* 1931-1934). Auteur de traductions d'écrivains anglais, de nombreux essais, qui traduisaient ses préoccupations morales et sociales, elle manifesta sa sympathie pour l'évolution de la Pologne nouvelle (*le Troisième Automne ; l'Etoile du matin,* 1955 ; *Les aventures d'un homme qui réfléchit,* 1961).

Dąbrowski ou **Dombrowski** (Jan Henryk), général polonais (Pierszowice, Cracovie, 1755 - Winagóra, Posnanie, 1818). Après avoir participé au soulèvement de Kościuszko en 1794, il passa en France et constitua les « légions polonaises » qui participèrent à la campagne d'Italie (1797-1801) et défendirent en 1809 le grand-duché de Varsovie. Il se distingua lors du passage de la Berezina et à Leipzig (1813). Il fut sénateur du royaume de Pologne en 1815.

Dąbrowski ou **Dombrowski** (Jarosław), révolutionnaire polonais (Jitomir 1836 - Paris 1871). Il participa au soulèvement polonais de 1863, puis se réfugia à Paris. Membre du Comité central de la Commune, commandant de la place de Paris, il fut tué sur les barricades.

Dabry (Jean), aviateur français (Avignon 1901). Compagnon de Mermoz pour la première traversée commerciale de l'Atlantique Sud (12-13 mai 1930), il conquit le record du monde de distance en hydravion.

da capo loc. adv. (mots ital. signif. *derechef*). *Mus.* Locution indiquant qu'à un certain endroit d'un morceau il faut reprendre au début.

Dacca, capit. du Bangladesh, sur la bordure orientale du delta du Gange ; 962 000 h. Archevêché catholique. Université musulmane. Centre commercial d'une grande région de culture du jute. Industries textiles. Le port de Dacca est Nārāyanganj. La ville connut une grande prospérité aux XVIIe et XVIIIe s. ; ce fut le centre de la fabrication des mousselines.

dacélo n. m. Grand martin-pêcheur australien.

Daces. *Géogr. anc.* Peuple de la Dacie*.

Dachau, v. d'Allemagne (Allem. occid., Bavière) ; 30 200 h. Papeterie, constructions électriques. Dès 1933, un premier camp de concentration y fut ouvert pour les Allemands antinazis ; il fut transformé en camp de déportation en 1939. Sur 250 000 détenus environ que ce camp reçut, 70 000 moururent, 140 000 furent dirigés vers d'autres camps d'extermination, 33 000 furent libérés le 29 avr. 1945 par la VIIe armée américaine.

dachshund [daksund] n. m. (mot allem. signif. *chien de blaireau*). Basset allemand, ou teckel*.

Dachstein, massif préalpin d'Autriche ; 2 996 m. Ce haut plateau calcaire est percé par des réseaux de grottes.

Dacht-i Kevīr, désert salé de l'Iran, au S.-E. de l'Elbourz. Il s'étend sur 1 200 km du N. au S. et sur 800 km d'E. en O.

Dacht-i Lūt, désert désolé de l'Iran oriental, entre le Khurāsān et le Séistan.

Dacie, en lat. **Dacia.** *Géogr. anc.* Ensemble des pays situés sur la rive gauche du Danube, et correspondant à la Roumanie actuelle. Les Daces furent soumis par les Romains à la suite des guerres daciques dirigées par Trajan (101-107 apr. J.-C.). Erigée en province, la Dacie dut à ses richesses minières (or, fer, sel) sa grande prospérité et son fort peuplement. Elle fut abandonnée aux Goths par Aurélien en 271, et deux provinces nouvelles, constituées aux dépens de la Mésie, sur la rive droite du Danube, prirent son nom.

Dacier (Anne LEFEBVRE, Mme), philologue française (baptisée à l'église réformée de Preuilly 1647 - Paris 1720). Traductrice d'auteurs grecs et latins, elle fut, dans la querelle des Anciens et des Modernes, une adversaire passionnée des Modernes, en particulier de Houdar de La Motte. — Son mari ANDRÉ (Castres 1651 - Paris 1722) collabora à ses traductions. (Acad. fr., 1695.)

dacique adj. Relatif à la Dacie et aux Daces : *Guerres daciques.*

dacite n. f. Roche microlitique ayant la composition chimique d'une diorite.

Dacko (David), homme politique africain (Bouchia, Moyen-Congo, 1930). Premier ministre de la République centrafricaine, successeur de son cousin Boganda (mai 1959), il fut président de la République en 1960 et renversé par un coup d'Etat en 1966.

daco-roumain n. m. et adj. Parler des régions situées au N. du Danube, en Valachie, en Moldavie et en Transylvanie.

dacryadénite ou **dacryo-adénite** n. f. Inflammation des glandes lacrymales.

dacrydium [djɔm] n. m. Moule des grandes profondeurs (jusqu'à 5 000 m) des mers arctiques, qui se tisse un nid avec son byssus.

dacryocystite n. f. Inflammation du sac lacrymal.

1. dactyle n. m. (lat. *dactylus ;* du gr. *daktulos,* doigt). En métrique ancienne, pied composé d'une longue suivie de deux brèves. || Mesure de longueur des Grecs, qui valait le seizième du pied, ou 0,018 5 m. ◆ **dactylique** adj. En métrique ancienne, se dit d'un mètre ou d'un rythme où domine le dactyle.

2. dactyle n. m. Graminacée fourragère aux épis pelotonnés, très commune en Europe occidentale.

Dactyles, en gr. **Daktuloi.** *Antiq. gr.* Prêtres légendaires de Cybèle, qui auraient vécu en Crète sur le mont Ida ou sur l'Ida de Phrygie. On leur attribuait l'invention de l'art de forger le fer, du rythme musical dactylique et de la lyre, instrument de musique.

dactylique → DACTYLE 1.

dactylo → DACTYLOGRAPHIE.

dactylogramme → DACTYLOSCOPIE.

dactylographe → DACTYLOGRAPHIE.

dactylographie n. f. Art d'écrire avec une machine (autref. nommée *dactylographe*). || Moyen de communiquer par le toucher avec un sourd-muet aveugle, en utilisant des signes faits avec les doigts. ◆ **dactylo** n. f. Personne capable de faire tous travaux de copie à la machine à écrire. || Abrév. fam. de DACTYLOGRAPHIE : *Apprendre la dactylo.* ◆ **dactylographe** n. f. Forme vieillie de DACTYLO. ◆ **dactylographié, e** adj. Se dit d'un texte tapé à la machine à écrire. ◆ **dactylographier** v. tr. et intr. Ecrire au moyen d'une machine à écrire : *Dactylographier une lettre.* ◆ **dactylographique** adj. Relatif à la dactylographie.

dactylologie n. f. Art de converser par le moyen des mains, en usage parmi les sourds-muets.

dactylopodite n. m. Article terminal, souvent en griffe ou en pince, de la patte des crustacés.

dactyloptère n. m. Poisson osseux voisin des grondins, et qui peut planer un instant hors de l'eau en étendant ses vastes pectorales. (Famille des triglidés.)

dactyloscopie n. f. Procédé d'identification anthropométrique fondé sur l'étude des particularités des doigts, et notamment des reliefs cutanés, qu'on peut relever sous forme d'empreintes digitales. (Les polices modernes en font grand usage en comparant les empreintes relevées sur les lieux de crimes avec la collection d'empreintes d'individus arrêtés une première fois.) ◆ **dactylogramme** n. m. Empreinte obtenue par l'apposition d'un doigt sur une surface (feuille de papier préparée, substance grasse, colorée, molle, etc.) susceptible de retenir fidèlement la disposition des lignes papillaires.

dactylozoïde n. m. Polype défenseur des colonies différenciées d'hydraires. (Sans bouche ni tentacules, le dactylozoïde est au contraire bien pourvu en nématocystes et en organes moteurs.)

dacus [kys] n. m. Petite mouche parasite des olives.

dada n. m. (redoublement expressif). Terme enfantin ou plaisant dont on se sert pour désigner un cheval. ‖ *Fam.* Idée favorite, argument ou thème de conversation préféré : *Enfourcher son dada.*

dada n. m. Dénomination, volontairement vide de sens, adoptée par un mouvement d'art et de littérature apparu en 1916, et qui prétendait, par la dérision, l'irrationnel, le hasard, l'intuition, abolir société, culture et art traditionnels pour retrouver le réel authentique. (V. *encycl.*) ◆ **dadaïsme** n. m. Nom donné parfois au mouvement *dada.* ◆ **dadaïste** n. et adj. Partisan ou adepte du dadaïsme.

— Encycl. Avant même la Première Guerre mondiale, l'absurdité du monde avait été stigmatisée par Arthur Cravan, poète et boxeur, qui édite en 1913 la revue *Maintenant.* Mais à Zurich, en 1916, au cabaret Voltaire, Hugo Ball, Tristan Tzara, Marcel Janco, Richard Huelsenbeck, Hans Arp, Hans Richter (créateur du cinéma abstrait), animent des manifestations où se mêlent divers modes d'expression et qui prennent, avec le nom de « dada », un tour de plus en plus provocant. Simultanément, se développe un autre épicentre à New York, où Marcel Duchamp (installé aux Etats-Unis depuis 1915), Francis Picabia et Man Ray se regroupent autour de la revue *291* du photographe Alfred Stieglitz. La période révolutionnaire qui secoue l'Allemagne à la fin de la guerre inspire et favorise dada : à Berlin, où Huelsenbeck, Johannes Baader, George Grosz et les trois créateurs du *photomontage,* Raoul Hausmann, John Heartfield et Hannah Höch multiplient tracts, affiches et manifestations collectives ; à Cologne avec Max Ernst, qui pratique le collage, Johannes Baargeld et Arp ; puis à Hanovre avec Kurt Schwitters. C'est à Paris que dada, en tant que mouvement, connaît son apogée et sa fin, à partir de la rencontre, en 1920, de Tzara avec André Breton, Philippe Soupault et Louis Aragon (groupés autour de la revue *Littérature*). Ils organisent des manifestations qui font grand scandale. Mais des dissensions, provoquées ou accentuées par les futurs surréalistes, apparaissent lors du « procès Barrès » (1921), s'amplifient en 1922 avec la polémique à propos d'un congrès (sur les orientations et les perspectives de l'esprit moderne) que Breton veut réunir et que Tzara désavoue, et aboutissent à la fin de dada lors de la soirée du « Cœur à barbe » (1923), qui voit les dadaïstes s'affronter avec ceux qui, victorieux, vont constituer le groupe surréaliste. Il n'en reste pas moins que dada, par sa virulence « anti-art », a « nettoyé » le terrain pour les avant-gardes à venir (outre le surréalisme, le happening, le pop'art, le nouveau réalisme, l'art conceptuel...), même si celles-ci sont infidèles à sa signification initiale.

Dadabhai Naorozji, homme politique indien parsi (Bombay 1825 - † 1912). Professeur de mathématiques (1852-1854), il siégea, après un voyage en Angleterre, au Legislative Council et au premier Congrès national (1885). Il fut le premier Indien à siéger au Parlement britannique (1892). Auteur d'ouvrages sur les problèmes indiens.

dadais n. m. (onomatop.). Jeune homme niais, embarrassé dans son maintien : *Un grand dadais.*

dadaïsme, dadaïste → DADA.

Dadant (Charles), apiculteur français (Vaux-sous-Aubigny, Haute-Marne, 1817 - Hamilton, Illinois, 1902), créateur d'un modèle de ruche très utilisé. On le considère comme le pionnier de l'apiculture moderne.

Daddah (Moktar Ould Mohamedoun), homme politique mauritanien (Boutilimit 1924). Avocat, il devint Premier ministre du gouvernement de la République islamique de Mauritanie (1958), puis président de la République de 1961 à 1978.

Daddi (Bernardo), peintre italien (première moitié du XIVe s.). Elève de Giotto, il travailla surtout à Florence, entre 1312 et 1345 (fresques de la chapelle Pulci, à Santa Croce ; *Triptyque de la Madone,* 1328, Offices).

Dades (OUED), fl. du Maroc méridional, affl. du Dra ; 220 km.

Dadou (le), riv. de l'Albigeois, affl. de l'Agout (r. dr.) ; 80 km.

Daendels (Herman Willem), général hollandais (Hattem, Gueldre, 1762 - Saint-Georges d'Elmina, Guinée, 1818). Entré au service de la République batave en 1794, puis du roi de Hollande en 1806, il fut nommé gouverneur général des possessions hollandaises dans les Indes orientales. Il prit part à la campagne de Russie (1812), puis administra la Guinée.

Daft (Leo), ingénieur et industriel anglais (Birmingham 1843 - † 1922). Il construisit les premières locomotives électriques utilisées sur le métropolitain de New York et sur les grandes lignes des réseaux américains (1883-1885).

Dag, personnification du jour dans la mythologie scandinave. Son char est traîné par le cheval Skinfaxi (« à la brillante crinière »).

Dagan, divinité amorrite, dieu principal de Māri (IIe millénaire). [V. DAGON.]

Dagelet, alias **d'Agelet** (Joseph LE PAUTE), astronome français (Thonne-la-Long, près de Montmédy, 1751 - île de Vanikoro 1788). Il accompagna Kerguelen dans les mers australes et périt au cours de l'expédition de La Pérouse. (Acad. des sc., 1785.)

Dagenham, agglomération de la banlieue est de Londres, au N. de la Tamise ; 108 400 h. Industries chimiques ; usines d'automobiles.

Dagerman (Stig), romancier suédois (Älvkarleby 1923 - Stockholm 1954). Influencé par Kafka et les écrivains américains, il publia des nouvelles et des pièces de théâtre et fut un des romanciers les plus marquants de la génération dite « des années quarante » (*le Serpent,* 1945 ; *l'Enfant brûlé,* 1948 ; *Ennuis de noce,* 1949).

Daghestan (RÉPUBLIQUE AUTONOME DU), république de l'U. R. S. S. (R. S. F. S. de Russie), dans le Caucase oriental ; 50 300 km^2 ; 1 428 500 h. Capit. *Makhatchkala.* Les hautes vallées et les bassins intérieurs du Caucase ont longtemps servi de refuge aux diverses populations qui fuyaient les invasions des plaines. L'exploitation du sous-sol (pétrole, métaux non ferreux), l'exploitation des forêts et l'élevage constituent les principales ressources du Daghestan.

● *Histoire.* Le Daghestan fut tour à tour dominé par Rome, la Perse (IVe s. apr. J.-C.), les Khazars (VIIe s.), les Arabes (VIIIe s.), la Horde d'Or (XIIIe s.) et les Turcs Osmanlis (XVIe s.). Divisé en tribus rivales, puis, après le Xe s., en petites principautés musulmanes, mais aussi chrétiennes ou juives, le pays fut conquis par les Russes de 1859 à 1865 (reddition de Chamīl). Le Daghestan, devenu une république soviétique en 1921, avait été dévasté par les luttes civiles qui avaient opposé les nationalistes musulmans, les Russes blancs, les mencheviks et les bolcheviks.

Dagnan-Bouveret (Pascal Adolphe Jean), peintre français (Paris 1852 - Quincey, Haute-Saône, 1929). Peintre réaliste, il est l'auteur de scènes bretonnes (*le Pain bénit*) et de portraits. (Acad. des bx-arts, 1900.)

Dagnaux (Jean), aviateur et officier français (Montbéliard 1891 - La Vallée-aux-Bleds, près de Vervins, 1940). En 1919, il réalisa les deux liaisons Paris-Constantinople-Le Caire-Beyrouth et Paris-Alger-Biskra-Touggourt-Alger. En 1920, il participa à la mission Rolland, avec le commandant Vuillemin, et fut le premier à relier Paris à Tamanrasset.

Dago. V. KHIOUMA.

Dagobert Ier (début du VIIe s. - Saint-Denis, près de Paris, v. 639), roi des Francs (629-639), fils de Clotaire II. Reconnu d'abord roi d'Austrasie par son père (623), il se fit reconnaître roi de Bourgogne, puis de Neustrie à la mort de son père, et évinça son frère cadet, Caribert, relégué en Aquitaine. Il reconstitua ainsi l'unité du royaume franc. Avec l'aide de ses conseillers Dadon (saint Ouen), Eligius (saint Eloi), il restaura l'ordre judiciaire, financier, religieux et commercial dans son royaume. Il soumit en même temps les Gascons révoltés (638), et le prince de Domnonée (Bretagne) reconnut son autorité. Il sut ainsi arrêter momentanément la décomposition de l'Etat mérovingien. A sa mort, son royaume fut partagé entre ses deux fils : Sigebert III et Clovis II. — **Dagobert II** († 679), roi d'Austrasie (676-679), fils de Sigebert III et petit-fils de Dagobert Ier. Relégué dans un monastère irlandais en 656, il fut porté au trône en 676 par les Austrasiens, après la mort du roi Childéric, mais fut assassiné en forêt de Woëvre, près de Stenay. — **Dagobert III** († 715), roi de Neustrie et de Bourgogne (711-715), fils de Childebert III, auquel il succéda sous la tutelle du maire du palais Pépin de Herstal. Père de Thierry IV.

Dagobert (TRÔNE DE), fauteuil de bronze en forme de chaise curule, attribué à saint Eloi et provenant de l'abbaye de Saint-Denis (Bibliothèque nationale).

trône de **Dagobert,** Bibliothèque nationale

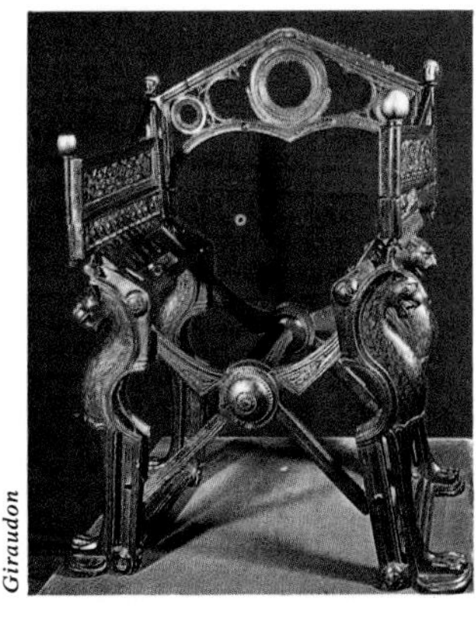

Giraudon

Dagobert, patriarche de Jérusalem. V. DAIMBERT.

Dagon, divinité agraire de l'Asie antérieure, vénérée dans la région du moyen Euphrate sous le nom de DAGAN. Son culte se répandit chez les Philistins et les Phéniciens.

Dagron (René), chimiste français (Beauvoir, Sarthe, 1819-Paris 1900). Inventeur de la photographie microscopique, il organisa, à Tours et à Bordeaux, en 1870, le service des pigeons voyageurs et fit passer à Paris de longues dépêches microphotographiques.

dague n. f. (ital. *daga*). Arme de main, à lame large, courte et pointue (XIVe-XVIIIe s.). || Poignard porté par les aspirants dans la marine (XIXe s.). || Corde à nœuds utilisée dans la marine à voile pour frapper les marins punis. || Nom donné au bois des cervidés lorsqu'il n'est pas encore rameux, et aux canines éversées du sanglier âgé. ◆ **daguer** v. tr. *Véner.* Servir l'animal à la dague. ◆ **daguet** n. m. Autre nom du CERF DE VIRGINIE, ou CARIACOU, et du cerf européen de moins de deux ans, animaux dont les bois sont réduits à des dagues. || Sarment de sept à huit yeux.

Daguerre (Jacques), inventeur français (Cormeilles-en-Parisis 1787 - Bry-sur-Marne 1851). Il travailla à des décors de théâtre, imagina en 1822 le diorama et s'associa en 1829 à Niepce, inventeur de la photographie, pour exploiter cette invention. Après la mort de celui-ci, il obtint en 1838 les premiers *daguerréotypes*.

daguerréotype → DAGUERRÉOTYPIE.

daguerréotypie n. f. Procédé photographique imaginé par Daguerre, avec la collaboration de Nicéphore Niepce, puis avec Isidore Niepce. (Il consistait à fixer sur une feuille d'argent pur, plaquée sur cuivre, l'image obtenue dans la chambre noire.) ◆ **daguerréotype** n. m. Image obtenue par daguerréotypie.

daguet → DAGUE.

dah n. m. Plante textile de la famille des malvacées, ayant les qualités du jute, et cultivée en Inde, en Indonésie et en Afrique occidentale. (Syn. moins usuel KENAFF.)

dahabieh n. f. Barque du Nil pour le transport des voyageurs.

Dahar, plateau calcaire du Sud tunisien, dominant la plaine côtière de la Djeffara.

dahir n. m. (ar. *ẓahīr*). Décret du roi du Maroc.

Dahlak (ÎLES), archipel éthiopien de la mer Rouge, près de la côte de l'Erythrée. Pêcheries de perles ; gisements de pétrole.

dahlia n. m. (de *Dahl,* botaniste suédois). Plante ornementale, de la famille des composées, à racines tuberculeuses et à fleurs ornementales. (On multiplie les dahlias surtout par division des tubercules lorsqu'on les plante [mai-juin] ; la floraison a son apogée en août et se poursuit jusqu'aux gelées.)

Dahlmann (Friedrich Christoph), historien et homme politique allemand (Wismar 1785 - Bonn 1860). Professeur à Göttingen (1829-1837), il défendit les idées libérales et nationales en Allemagne, et prit une part active à la révolution de 1848. Membre influent du Parlement de Francfort, il participa à la rédaction de la Constitution.

Dahn (Felix), historien allemand (Hambourg 1834 - Breslau 1912), auteur d'ouvrages sur les Germains et de romans historiques (*la Bataille pour Rome,* 1876).

Dahnā, désert d'Arabie, entre le Nadjd et le Ḥasā.

dahoméen, enne adj. et n. Relatif au Dahomey ; habitant ou originaire de ce pays.

Larousse

dahlias

fleur simple

fleur double

Larousse

Dahomey (RÉPUBLIQUE DU). V. BÉNIN.

Dahra, massif montagneux de l'Algérie occidentale, compris entre la vallée du Chélif et la mer ; 1 157 m.

Dahra (le ou la), région steppique du Maroc oriental et de l'Algérie occidentale.

dahu n. m. V. DARU.

Daïa. V. DAYA.

Daïa (MONTS DES), région montagneuse de l'Algérie occidentale, dominant la plaine de Sidi-Bel-Abbès ; 1 378 m.

daigner v. tr. (lat. *dignari*, juger digne). Vouloir bien faire quelque chose ; condescendre à : *Ne pas daigner saluer une personne.*

Daigo Ier tennō, empereur du Japon (897-930), fils de l'empereur Uda, à qui il succéda à l'âge de douze ans. — **Daigo II tennō** ou **Go-Daigo,** empereur du Japon (1319-1338), qui succéda à son cousin Hanazono. Grâce à l'appui d'Ashikaga Takauji, il échappa à la régence Hōjō (1333). Mais la nomination par Takauji d'un nouvel empereur créa un schisme dynastique.

Daikoku, dieu de la Fortune, au Japon ; un des sept dieux du Bonheur.

v. Japon, *beaux-arts*

daïkon ou **daï-co** n. m. Gros radis japonais, comestible et fourrager, qui est, en Extrême-Orient, une plante de grande culture.

dail n. m. ou **daille** n. f. Pierre à aiguiser la faux. ‖ La faux elle-même.

Dáil Eireann (*Assemblée d'Irlande*), nom gaélique de la Chambre des députés de la République irlandaise.

daily [deili] adj. (mot angl. signif. *quotidien*). Se dit, en anglais, des journaux qui paraissent tous les jours sauf le dimanche, parmi lesquels : le *Daily Express* (fondé en 1900), qui vient le deuxième dans l'ordre du tirage ; le *Daily Herald* (1912-1964), de tendance travailliste ; le *Daily Mail* (fondé en 1896) ; le *Daily Mirror* (fondé en 1903), le premier pour le tirage ; le *Daily Telegraph and Morning Post* (fondé en 1855), de tendance conservatrice ; le *Daily Worker,* organe du parti communiste, qui devient le *Morning Star* en 1966.

daim [dɛ̃] n. m. (lat. *damus*). Mammifère cervidé à la robe tachetée, aux bois empaumés très haut, cantonné actuellement surtout dans les régions méditerranéennes. (Haut. au garrot, 90 cm ; longévité, 25 ans.) ‖ Peau chamoisée de cet animal, employée en ganterie et en confection. ‖ *Fig.* et *fam.* Homme élégant : *C'est un vieux daim.* ‖ *Pop.* Niais. ◆ **daine** n. f. Femelle du daim. (Les veneurs l'appellent DINE.)

Daimbert ou **Dagobert,** archevêque de Pise, puis patriarche latin de Jérusalem (v. 1050 - Messine 1107). Déposé par le roi Baudouin (1102), il fut rétabli par le pape Pascal II.

Daimler (Gottlieb), ingénieur allemand (Schorndorf, Wurtemberg, 1834 - Cannstatt 1900). Il réalisa un moteur léger au gaz de pétrole, qu'il fit breveter en France (1887).

Rollet

Daimler

Il s'associa ensuite avec Panhard et Levassor pour construire les modèles qui firent de l'industrie automobile française l'une des premières du monde.

Daimler-Benz AG, la plus ancienne fabrique d'automobiles d'Allemagne et du monde. Créée en 1883, la Benz et Cie s'unit, en 1926, à la Daimler Motoren Gesellschaft, fondée en 1890.

daimyat → DAIMYŌ.

daim

Six

daimyō n. m. invar. Ancien seigneur féodal japonais qui gouvernait un fief ou un clan. (Nobles mandatés par l'empereur à la tête d'une juridiction territoriale, les daimyō jouissaient d'une indépendance à peu près totale.) ◆ **daimyat** n. m. Fief de daimyō.

dainagon n. m. invar. Titre désignant, au Japon, les conseillers de la Cour.

daine → DAIM.

daine ou **daisne** n. m. Partie inférieure d'une galerie de mine. ‖ Terrain qui est sous une galerie de mine. (Syn. SOLE.)

Dai-Nihon-shi (*Grande Histoire du Japon*), vaste compilation historique en 243 volumes, entreprise sur l'ordre du prince de Mito, Tokugawa Mitsukuni (1628-1700), et achevée v. 1715. Cet ouvrage tendait à présenter les shōgun Tokugawa comme des usurpateurs et à exalter le loyalisme envers l'empereur.

daintiers n. m. pl. (lat. *dignitas*, proprem. « morceau de choix »). Testicules du cerf.

Dairen. V. TA-LIEN.

dais n. m. (lat. *discus*, disque). Tenture dressée au-dessus d'un trône, d'une stalle épiscopale, d'un lit, ou couvrant un catafalque, et qui constituait une marque de souveraineté : *Le roi tenait les lits de justice sous un dais.* ‖

Brunel

miniature indienne du XVIIIe s.

Petite voûte, parfois décorée, abritant les statues des portails. ‖ Voûte, objet qui met à couvert : *Un dais de feuillage.* ‖ Baldaquin mobile, obligatoire pour porter le saint sacrement dans les processions religieuses.

Daisne (Herman THIERRY, dit **Johan**), écrivain belge d'expression flamande (Gand 1912), auteur de pièces de théâtre, de poésies et de romans (*l'Homme au crâne rasé,* 1948; *Rencontre au solstice,* 1966).

dak n. m. Canot utilisé sur le Gange.

Dakar, capit. du Sénégal, ch.-l. de la région du Cap-Vert; 581 000 h. Archevêché. Université. La ville a été fondée en 1857 en face de l'île de Gorée, à la pointe sud de la presqu'île du Cap-Vert. C'est le centre administratif, culturel, commercial et industriel du Sénégal. La fonction portuaire demeure prédominante (exportation d'arachides) et Dakar joue aussi le rôle de centre redistributeur pour une partie de l'Afrique occidentale. L'industrie est liée au port : produits alimentaires, textiles, chantiers navals, savonneries. Dakar est enfin une escale maritime et aérienne vers l'Amérique du Sud. En 1940, de Gaulle, à bord d'une escadre anglaise, tenta vainement d'y débarquer. La base militaire de Dakar, maintenue à la disposition de la France (accords de 1960), a été transférée au Sénégal en 1974.

Dakar-Niger (le), voie ferrée de l'Afrique occidentale, unissant Dakar (Sénégal) à Koulikoro (Mali), sur le Niger; 1 288 km.

Dakhla (OASIS DE), ou **Al-Dākhila,** ou **Oasis intérieure,** oasis d'Egypte, dans le désert Libyque; 20 000 h. Phosphates.

dakhma n. m. Nom donné aux tours dans lesquelles les parsis de l'Inde exposent les corps de leurs morts, afin qu'ils soient dévorés par les vautours.

Dakin (LIQUIDE DE), soluté neutre d'hypochlorite de sodium du Codex, utilisé comme antiseptique externe (pour le lavage des plaies, en particulier).

Dakota, anc. territoire des Etats-Unis, tirant son nom des Indiens *Dakotas**. Le gouvernement fédéral acquit la région par la cession de la Louisiane (1803) et, en 1818, par l'extension du territoire jusqu'au 49e parallèle. Le peuplement de la région entraîna son morcellement politique et la constitution des Etats du Minnesota, du Wyoming, du Montana (1858-1868), puis des deux Dakota, qui devinrent territoires en 1861 et Etats en 1889.

Dakota du Nord, en améric. **North Dakota,** Etat du centre-nord des Etats-Unis; 183 022 km²; 632 000 h. Capit. *Bismarck.* L'Etat correspond à de vastes plaines qui s'inclinent de l'O. vers l'E. et où s'encaissent les vallées du Missouri et de ses affluents. Les coteaux du Missouri sont d'anciennes moraines apportées par les grands glaciers quaternaires. Le climat s'assèche de l'E. vers l'O. L'économie est essentiellement agricole : vers l'E. se développe la monoculture du blé de printemps; la partie occidentale, plus sèche, est une zone d'élevage extensif. Gisements de lignite.

Dakota du Sud, en améric. **South Dakota,** Etat du centre-nord des Etats-Unis; 199 552 km²; 679 000 h. Capit. *Pierre.* Le relief est formé de plaines entaillées par les vallées du Missouri et de ses affluents. En bordure des Rocheuses s'allonge une avant-chaîne, les Black Hills (2 207 m). La partie orientale de l'Etat est la zone de la monoculture du blé ; la partie occidentale est le domaine de l'élevage (bovins, moutons). Quelques mines produisent de l'or, de l'argent, de l'étain.

Dakota(s), Indiens des Etats-Unis, qui occupaient les régions du haut Mississippi ; ils sont 30 000, répartis dans des réserves.

dal, symbole du *décalitre.*

Daladier (Edouard), homme politique français (Carpentras 1884 - Paris 1970). Agrégé d'histoire, député radical-socialiste du Vaucluse (1919-1940 ; 1946-1958), souvent ministre à partir de 1924, il est président du Conseil de janv. à oct. 1933. Rappelé au pouvoir en janv. 1934, il se heurte aux groupements politiques nationalistes, dont l'opposition est renforcée par le scandale Stavisky*, et démissionne après le 6 février* 1934. Ministre de la Défense nationale (1936-1937) dans le ministère Blum du Front populaire, il assume de nouveau la direction du gouvernement du 10 avr. 1938 au 21 mars 1940. Ce dernier ministère est marqué par la signature de l'accord de Munich* (29 sept. 1938), et par l'aggravation de la crise financière française et de la crise politique européenne. Son gouvernement est amené à déclarer la guerre à l'Allemagne le 3 sept. 1939. Daladier devient ministre de la Guerre (mars 1940), puis des Affaires étrangères (mai 1940) dans le ministère Paul Reynaud. Après la défaite de juin 1940, il est interné sur ordre du gouvernement de Vichy, puis déporté en Allemagne (1943-1945).

dalaï-lama, ou, plus exactement, **talaï** n. m. (trad. mongole du tibétain *gyamtso,* océan). Titre donné au chef de la religion bouddhique résidant à Lhassa, dont la juridiction spirituelle s'étend sur le Tibet, la Mongolie, une partie de la Chine occidentale, le Buthan et le Sikkim. (Il passe pour être l'incarnation perpétuelle de l'esprit du bodhisattva Avalokiteçvara, patron du Tibet. Sa puissance temporelle ne date que de 1742. Elle n'est plus reconnue par la Chine. Le dalaï-lama a dû se réfugier en Inde en 1959.)

Dalai nor. V. HOULOUN NOR.

Dal älv (le), fl. de la Suède centrale, tributaire du golfe de Botnie ; 520 km.

Dalat, v. du Viêt-nam méridional, capit. de la prov. du Haut-Dong Nai ; 89 700 h. Station climatique.

Dalat (CONFÉRENCES DE), nom donné à trois conférences franco-vietnamiennes. La première (17 avr.-11 mai 1946) reconnut la nécessité d'une coopération intellectuelle et économique franco-vietnamienne, mais ne put s'entendre sur la question de la Cochinchine. La deuxième (1er août 1946) fut réunie parallèlement à la conférence de Fontainebleau, pour régler le statut de la Fédération indochinoise. Elle échoua. La troisième (Letourneau-Bao-Daï) décida l'association du Viêt-nam à la direction de la guerre contre le Viêt-minh (févr. 1953).

Dalayrac (Nicolas). V. ALAYRAC *(d')*.

Dalberg, autref. **Dalburg,** famille allemande très puissante dès le XVe s., dont les membres les plus célèbres furent : KARL THEODOR, baron **von Dalberg** (Herrnsheim 1744 - Ratisbonne 1817), dernier archevêque-électeur de Mayence, transféré par Napoléon à Ratisbonne (1803), puis à Francfort (1806), avec les titres de primat de Germanie, d'archichancelier de la Confédération du Rhin, de président de la Diète. Grand-duc, il reçut Fulda et Hanau en échange de Ratisbonne, incorporée à la Bavière. Mécène, ami de Goethe et de Schiller, il abdiqua en 1813 ; — Son frère WOLFGANG HERIBERT, baron **Dalberg** (Herrnsheim 1750 - Mannheim 1806), intendant du théâtre de Mannheim, qui fut le premier à faire représenter les drames de Schiller ; — EMMERICH JOSEPH, duc **von Dalberg** (Mayence 1773 - Herrnsheim 1833), fils du précédent, qui, entré au service de la France, accompagna Talleyrand au congrès de Vienne (1815).

Dalberg (John), 1er baron **Acton.** V. ACTON.

dalbergia n. m. (dédié au botaniste suéd. K. *Dalberg*). Genre d'arbres de l'ordre des légumineuses, dont de nombreuses espèces fournissent des bois commerciaux de valeur : palissandre, bois de rose, blackwood, etc.

Dalbiez (Victor Antoine), parlementaire français (Corneilla-de-Conflent, Pyrénées-Orientales, 1876 - Les Pavillons-sous-Bois 1954), député radical (1909), promoteur de la loi du 17 août 1915, qui tendait à limiter l'incorporation anticipée à la classe 1916.

Dale (sir Henry Hallett), médecin anglais (Londres 1875 - Cambridge 1968). Ses travaux, qui ont trait en particulier au rôle des échanges chimiques dans le système nerveux, lui ont valu en 1936 le prix Nobel de médecine, qu'il partagea avec Otto Lœwi.

Dalécarlie, en suéd. **Dalarna** (« les Vallées »), anc. prov. de la Suède centrale. Capit. *Falun.*

Dalén (Gustaf), ingénieur suédois (Stenstorp 1869 - Stockholm 1937). Il imagina un procédé d'allumage automatique des phares à acétylène, qui permit d'établir des feux sur le littoral (1905). [Prix Nobel de phys., 1912.]

Dalhousie, station d'été de l'Inde (Himāchal Pradesh), à 2 340 m d'alt.

Dalhousie (James RAMSAY, 1er marquis DE), homme politique et administrateur britannique (Dalhousie Castle, Ecosse, 1812 - *id.* 1860). Membre de la Chambre des lords (1838), il fut gouverneur général de l'Inde (1848-1856) ; il coordonna l'administration de territoires disparates, et s'efforça de leur fournir un équipement moderne et de faire évoluer les civilisations indigènes sous l'influence de la civilisation britannique. Il adopta une politique prudente à l'égard des

Etats « indépendants », mais il n'hésita pas à tout entreprendre pour agrandir le domaine colonial aux dépens des Etats « tributaires ».

Dalí (Salvador), peintre, graveur et écrivain espagnol (Figueras 1904). Fils de notaire, vite mêlé à l'avant-garde, il devient à Paris, en 1929, un des plus fougueux animateurs du groupe surréalisme, dont il sera exclu dix ans plus tard en raison du goût qu'il affichera tant pour l'argent que pour le fascisme. Il collabore avec Buñuel, élabore sa méthode « paranoïaque-critique » (« libre interprétation des associations délirantes ») et transcrit ses hantises dans une peinture dont la stupéfiante invention onirique tendra ensuite à se perdre dans l'académisme du faire. Les rodomontades clownesques dont s'accompagne l'autocélébration du personnage semblent exprimer la pathétique contradiction entre l'apport de Dalí aux vertus subversives du surréalisme et ses appels à l'ordre moral.

Held

Dalí : « la Girafe en feu »

Dalila, d'après la Bible, courtisane de Gaza. Soudoyée par les Philistins, elle arracha à Samson le secret de sa force, qui résidait dans sa longue chevelure, lui fit couper les cheveux et le livra sans force à ses ennemis.

Dalin (Olof VON), poète et historien suédois (Vinberg 1708 - Drottningholm 1763). Admirateur de Voltaire, il introduisit le goût français en Suède. Il est considéré comme le créateur de la prose suédoise. Il a publié une *Histoire du royaume de Suède* (1746-1762), une tragédie, *Brunehilde* (1738), et un poème en 4 chants, *la Liberté suédoise* (1742).

Dall'Abaco (Evaristo), compositeur italien (Vérone 1675 - Munich 1742). Elève de Torelli et de Vitali, il fut musicien du prince de Bavière. Son œuvre comprend, entre autres, 24 *sonate da camera* pour cordes et basse continue, 12 *concertos a quattro da chiesa.*

dallage → DALLE.

Dallapiccola (Luigi), compositeur italien (Pisino d'Istria 1904 - Florence 1975). Son œuvre, abondante, comprend, entre autres, des compositions pour chœur (*Cori di Michelangelo Buonarroti il Giovine,* 1933-1936), de la musique de chambre (deux *Etudes,* 1947) et des opéras (*Vol de nuit,* 1940 ; *le Prisonnier,* 1949-1950 [d'après Villiers de L'Isle-Adam]). Son style, très personnel, est issu du dodécaphonisme.

Dallas, v. des Etats-Unis (Texas) ; 844 400 h. La ville a connu un rapide développement industriel : raffineries de pétrole, usines de pétrochimie, etc. En 1963, le président J. F. Kennedy y fut assassiné.

dalle n. f. (anc. scand. *daela,* gouttière). Plaque de pierre limitée en épaisseur par deux surfaces de sciage, en principe parallèles, et servant à faire un revêtement. (Syn. TRANCHE.) ‖ Dans l'industrie granitière, morceau présentant une surface plane taillée en rectangle, et destiné au revêtement du sol. ‖ Elément mince de pierre, de verre, de lave, de fonte, de béton, etc., prêt à être posé en revêtement. ‖ Plaque de béton armé de grande surface, reposant sur des appuis continus (murs) ou isolés (colonnes ou poteaux). ‖ Bassin de zinc ou d'autre métal, situé à la partie supérieure des édifices pour recevoir les eaux de pluie et les déverser dans des tuyaux de descente. ‖ Formation rocheuse monolithique, plane, offrant peu de prise et plus ou moins redressée. ‖ Pierre à aiguiser les faux. ● *Dalle tumulaire* ou *funéraire,* dalle fermant un tombeau et portant généralement une épitaphe ou une effigie gravée. ‖ *Que dalle* (Arg.), rien : *N'y comprendre, n'y piger, n'y voir que dalle.* ‖ *S'arroser, se rincer la dalle* (Pop.), boire. ◆ **dallage** n. m. Action de paver avec des dalles. ‖ Revêtement de sol en matériaux de peu d'épaisseur et d'assez grande surface. ● *Dallage magnésien,* parquet sans joint, obtenu par application, en deux couches, d'oxychlorure de magnésium. ◆ **daller** v. tr. Paver de dalles ; recouvrir d'un dallage.

Dalloz (Désiré Victor Henri), juriste français (Septmoncel, Jura, 1795 - Paris 1869). Avec son frère Armand, il entreprit la publication du *Répertoire de législation, de doctrine et de jurisprudence,* et transforma le *Journal des audiences* en *Recueil périodique de jurisprudence générale,* en 1824. — Son frère ARMAND (1797-1867) publia un *Dictionnaire général et raisonné de jurisprudence.*

Dalloz, maison d'édition française, créée à Paris, en 1824, par les avocats Désiré et Armand Dalloz. Elle publie, depuis sa fondation, le *Répertoire de législation, de doctrine et de jurisprudence* et le *Recueil périodique de jurisprudence générale*. Le recueil Dalloz tient, dans la doctrine et dans la jurisprudence de notre droit, une place essentielle. La librairie Dalloz publie aussi des codes, des ouvrages de droit, d'économie politique, ainsi que des précis pour étudiants.

dalmate adj. et n. Qui se rapporte à la Dalmatie ; habitant ou originaire de cette région. ● *Côte de type dalmate,* côte très découpée, longée par des îles allongées, parallèles, et qui résulte de l'ennoyage de plissements.

Dalmate (ARCHIPEL), groupe d'îles yougoslaves de l'Adriatique, allongées parallèlement à la côte depuis Pag jusqu'à Dubrovnik ; l'archipel compte 600 îles, dont 60 seulement sont peuplées. Pêche et cultures méditerranéennes.

Dalmatie, en serbe **Dalmacija,** en ital. **Dalmazia,** prov. historique de la partie ouest des Balkans, baignée par l'Adriatique et faisant partie de la Yougoslavie. La Dalmatie s'étend depuis Pag jusqu'à l'Albanie ; elle comprend un littoral plat ou escarpé, le pays de l'intérieur, composé de poljés karstiques et de chaînons montagneux, et les îles de l'archipel Dalmate. V. princ. : *Dubrovnik* (Raguse), *Split, Šibenik, Zadar.*

● *Histoire.* Occupée primitivement par des tribus illyriennes, la Dalmatie reçut des colonies grecques, puis romaines. Rome y créa un Etat vassal sous Démétrios de Pharos. Après la trahison de celui-ci, Rome entreprit la conquête du pays, qui devint une des deux provinces d'Illyrie sous Auguste. Soumise à Byzance depuis le Ve s., la Dalmatie fut envahie par les Slaves et les Avars (VIIe s.), et occupée par Venise de 1420 à 1797. L'agriculture prospéra grâce à l'afflux de Slaves chrétiens fuyant la domination turque. Après la prise de Venise par Bonaparte, elle fit partie des Provinces Illyriennes jusqu'en 1813, puis fut donnée à l'Autriche. Revendiquée par l'Italie et par la Yougoslavie, une grande partie du pays fut laissée par le traité de Rapallo (1920) à la Yougoslavie, sauf le port de Zadar (Zara) et les îles du Quarnaro, abandonnés à l'Italie, qui les a cédés à la Yougoslavie par le traité du 10 févr. 1947.

Désiré **Dalloz**

Larousse

Dalmatie (CHIEN DE), race de chiens d'agrément, à robe blanche mouchetée de noir ou de brun. Très intelligent, ce chien fait souvent partie des troupes de chiens savants.

v. chiens

Dalmatie (duc DE). V. SOULT.

dalmatien, enne n. Syn. de CHIEN DE DALMATIE.

dalmatique n. f. (de *Dalmatie*). Vêtement romain en forme de tunique, bordé de pourpre. ‖ Tunique d'apparat des rois de France au Moyen Age, et faite en satin bleu brodé de fleurs de lis d'or. ‖ Vêtement liturgique du diacre. (Les Romains l'avaient emprunté aux Dalmates. Le port en fut imposé aux diacres à partir du pape Sylvestre [IVe s.]. La dalmatique est de soie ; sa couleur varie selon la liturgie du jour.)

dalmatique
de l'ordre de la Toison d'or
musée de l'Histoire de l'art, Vienne

Meyer

Dalmau (Luis), peintre catalan († 1460). Envoyé en Flandre au service des rois d'Aragon, il fut fortement influencé par Van Eyck. Il est l'auteur d'un retable conservé au musée de Barcelone (*la Vierge aux conseillers,* 1445).

Dalni. V. TA-LIEN.

dalot n. m. (rad. *dalle*). Trou percé dans le pavois d'un navire et permettant l'évacuation de l'eau embarquée sur le pont par un paquet de mer. ‖ Petit canal dallé servant à l'écoulement des eaux.

Dalou (Jules), sculpteur français (Paris 1838-*id.* 1902). Elève de Duret et de Carpeaux, il est l'auteur de statuettes (*la Berceuse,* château d'Eaton) et du *Triomphe de la République* (place de la Nation à Paris). Il sculpta de nombreux bustes (Rochefort, Vacquerie, Charcot).

Larousse

Jules **Dalou**
« le Triomphe de la République »

Dalriada, royaume scot fondé au VIe s. sur la côte occidentale d'Ecosse (comté d'Argyll). Un de ses rois, Kenneth* Mac Alpin, réalisa en 843 l'union définitive des Pictes et des Scots, préfiguration de l'Ecosse.

Dalrymple (James), 1er vicomte **Stair,** homme politique et magistrat écossais (Drummurchie, comté d'Ayr, 1619 - Edimbourg 1695). Covenantaire et royaliste, président de la Cour de session (1671), il s'opposa bientôt à Jacques d'York et se réfugia auprès de Guillaume d'Orange, qui, devenu roi d'Angleterre, lui restitua la présidence de la Cour de session. Il est l'auteur des *Institutions of the Law of Scotland* (1681), l'un des plus importants codes juridiques écossais. — Son fils JOHN, 1er comte **de Stair,** homme politique écossais (1648 - Londres 1707), fut un des principaux conseillers de Guillaume III d'Orange, qui lui confia la charge des affaires d'Ecosse. Il joua un rôle de premier plan dans la conclusion de l'Union* (1707). — JOHN, 2e comte **de Stair,** maréchal et diplomate écossais (Edimbourg 1673 - *id.* 1747), fils du précédent, fut un des adversaires de Walpole. Ambassadeur en France (1715-1720), il y déjoua les intrigues jacobites. — DAVID, baron **Hailes,** magistrat et historien britannique (1726 - 1792), arrière-petit-fils du premier vicomte Stair, est l'auteur des *Annals of Scotland* (1776).

Dalrymple (Alexander), hydrographe et navigateur britannique (New Hailes, Ecosse, 1737 - Londres 1808). Il voyagea pour le compte de la Compagnie des Indes orientales, devint hydrographe de l'Amirauté (1789) et publia d'excellentes cartes marines.

Dalton (John), physicien et chimiste anglais (Eaglesfield, Cumberland, 1766 - Manchester 1844). Il donna à la théorie atomique des Anciens une base scientifique, en énonçant les lois pondérales des combinaisons chimiques, notamment celle des proportions multiples, qui porte son nom. Il formula en 1801 la loi d'addition des pressions partielles dans les mélanges gazeux. Il étudia sur lui-même la maladie connue sous le nom de *dyschromatopsie,* ou *daltonisme.*

Dalton (LOI DE), ou **loi du mélange des gaz.** La pression d'un mélange gazeux est la somme des pressions partielles qu'aurait chacun des gaz s'il occupait seul, à une même température, le volume du mélange. (Cette loi, approchée pour les gaz réels, est caractéristique des gaz parfaits.)

Dalton (Hugh), homme politique et économiste britannique (Neath, Glamorgan, 1887 - Londres 1962). Député travailliste en 1924, ministre de la Guerre économique (1940-1942), puis du Commerce (1942-1945) dans le gouvernement Churchill, il devint chancelier de l'Echiquier après la victoire travailliste (1945-1947). Il démissionna et dirigea ensuite le ministère de l'Urbanisme (1950-1951).

daltonien → DALTONISME.

daltonisme n. m. (du physicien angl. *Dalton,* qui a, le premier, décrit cette affection dont il était lui-même atteint). Trouble de la vue, congénital et héréditaire, qui empêche de distinguer plusieurs couleurs l'une de l'autre, et notamment le rouge et le vert (*daltonisme* proprement dit). [Le daltonisme est rattaché à un trouble fonctionnel des cônes et des bâtonnets de la rétine. Souvent inaperçu du sujet, il est diagnostiqué au moyen de l'épreuve des écheveaux de soie de diverses couleurs ou de celle des tableaux en couleurs (« tables d'Ishihara »). Le daltonisme interdit à ceux qui en sont atteints l'exercice de certaines professions (chemins de fer, navigation) où l'on fait usage de signaux rouges et verts.] ◆ **daltonien, enne** adj. et n. Affecté de daltonisme.

Daluis, comm. des Alpes-Maritimes (arr. de Nice), sur la rive droite du Var, en aval de gorges pittoresques, à 20 km au N.-O. de Puget-Théniers ; 185 h. Grottes importantes.

dam [dɑ̃] n. m. (lat. *damnum,* perte). Dommage, préjudice (usité dans les expressions *à mon dam, à son dam, au grand dam de,* etc.).

Dam (Henrik Carl Peter), biochimiste danois (Copenhague 1895 - *id.* 1976). Professeur à l'Institut polytechnique de Copenhague, il découvrit la vitamine K. Il partagea, en 1943, le prix Nobel de physiologie et de médecine avec l'Américain Doisy, qui avait réalisé la synthèse de la vitamine K.

damage → DAME.

damalisque n. m. Antilope africaine, aux cornes recourbées en arrière.

daman n. m. Petit mammifère de la taille d'un lapin, aux doigts munis de petits sabots, aux dents intermédiaires entre celles des rongeurs et des imparidigités, et ayant l'aspect général d'une marmotte. (Type de la famille des procaviidés.)

Damān. V. DAMÃO.

Damanhour ou **Damanhūr,** v. d'Egypte, capit. de la prov. de Béhéra ; 146 100 h. Industries textiles ; centrale hydro-électrique.

Damão ou **Damān,** port de l'Inde, dans le Gujerāt, au N. de Bombay ; 4 800 h. Territoire portugais de 1558 à 1961.

Damaraland, région montagneuse de la Namibie ; 2 421 m.

damas [mα] n. m. (de *Damas*, v. de Syrie). Tissu de soie fabriqué suivant la technique des tissus damassés, utilisé principalement en ameublement et pour les ornements sacerdotaux. ‖ Sorte d'acier très fin. (On l'appelle aussi ACIER DAMASSÉ, ACIER INDIEN, ACIER WOOTZ.) ‖ Sorte de prune. ‖ Nom de divers cépages : *damas blanc* ou *mayorquin blanc, damas noir* ou *sirah.* ‖ Dessins à ramages, d'un grand usage dans le vitrail aux XVe et XVIe s. ◆ **damassé, e** adj. et n. m. Se dit d'un tissu à la surface duquel on fait apparaître des dessins uniquement par opposition d'armures à effet de chaîne et d'armures à effet de trame. ◆ **damasser** v. tr. Fabriquer en donnant une façon de damas (en parlant du linge) : *Damasser une toile.* ‖ Donner au fer, à l'acier, la façon du damas. ‖ Façonner des ornements de vannerie semblables à ceux du linge damassé. ◆ **damasserie** n. f. Fabrique de linge damassé. ‖ Dessin du linge damassé. ◆ **damasseur, euse** n. et adj. Qui travaille à la fabrication du damas (tissu). ◆ **damassure** n. f. Dessin du linge damassé.

Damas, en ar. **Dimachq al-Chām,** capit. de la Syrie, au pied du versant oriental de l'Anti-Liban ; 836 200 h. (*Damascènes*). A la limite du désert de Syrie, Damas, l'une des villes saintes de l'islām, est située dans l'oasis de la Rhūṭa. En dépit de leur déclin, les activités artisanales restent importantes (cuir, cuivre, textile). Quelques industries modernes (huileries, textiles, chaussures, cimenterie) se sont implantées.

● *Histoire.* Déjà mentionnée dans la Genèse, Damas est une des plus anciennes cités de l'Asie antérieure. Unie quelque temps au royaume d'Israël, elle s'en libéra pour tomber sous la domination assyrienne (733 av. J.-C.). Elle fut conquise par Alexandre (332 av. J.-C.), puis appartint aux Séleucides. Pompée s'en empara (64 av. J.-C.). Elle fut rattachée à la province romaine de Syrie. Evangélisée par saint Paul, elle devint très tôt le siège d'un évêché. Après avoir souffert des incursions perses, elle fut prise par les Arabes en 635 et devint la résidence de nombreux califes (660 à 750). La ville fut ensuite gouvernée par des princes indépendants. Les croisés ne purent s'en emparer (1148), mais elle fut prise par les Mongols (1400) et par les mamelouks d'Egypte (1516), et demeura jusqu'en 1918 le siège d'un gouvernement ottoman. De nombreux massacres de juifs (1840) et de chrétiens (1860) y eurent lieu. Conquise le 30 sept. 1918 par les troupes anglo-franco-arabes, elle

Guillard

Damas : vue générale

damas de Pérouse (XVIIIe s.)
Cooper Union Museum, New York

Mayer

devint la capitale de l'émir Fayṣāl. Elle fut occupée par les Français en 1920 et évacuée en 1946. Damas est restée la capitale de la Syrie indépendante.

● *Beaux-arts.* Les cultes se sont succédé à Damas au long des millénaires, avec leurs temples : sanctuaire du dieu syrien Hadad, temple de Jupiter, basilique de Saint-Jean-Baptiste sous Théodose et, en 705, la Grande Mosquée des Omeyyades, première réussite architecturale islamique. Postérieurs sont le Māristān Nūrī et la Medersa Nūriyya (XIIe s.), la citadelle, les remparts, le palais de Qaṣr al-Ablaq et de nombreuses mosquées, ainsi que le couvent de la Takkiyya (début du XVIe s.).

Damas (OUVRAGE DE), nom donné au Moyen Age à toute pièce (métal, tissu ou cuir) décorée, par abaissement du champ, d'ornements en relief uniforme.

damascène adj. et n. Relatif à Damas ; habitant de cette ville.

Damascène. *Géogr. anc.* Division de la Cœlésyrie, tirant son nom de Damas, sa capitale.

Damascène ou **de Damas** (saint **Jean**), ou saint **Jean Chrysorrhoas.** V. JEAN.

Damase Ier (saint) [† Rome 384], pape d'oct. 366 au 11 déc. 384. Il condamna les apollinaristes et les macédoniens, et réunit un concile à Constantinople en 381. Il chargea saint Jérôme de la traduction de la Bible, connue sous le nom de « Vulgate ». — Fête le 11 déc. — **Damase II,** pape en 1048.

Damaskinos ou **Dhamaskinós** (Dhimítrios Papandhréou), primat de Grèce (Dobrìtsa, Thessalie, 1889 - près d'Athènes 1949). Archevêque d'Athènes (1938), il s'opposa à l'occupation allemande. Devenu régent le 30 déc. 1944, il conserva ses fonctions jusqu'au rétablissement de la monarchie (1946).

Damaskios, philosophe néo-platonicien (Damas v. 480 apr. J.-C. - première moitié du VIe s.), dernier chef de l'école philosophique d'Athènes. On lui doit un commentaire (*Doutes et solutions sur les premiers principes*) sur la dernière partie du *Parménide*.

damasquin, e adj. et n. Relatif à Damas ; habitant ou originaire de cette ville. ◆ **damasquinage** n. m. ou **damasquinure** n. f. (de *Damas*). Incrustation, par martelage, d'un fil d'argent, d'or ou de cuivre dans une surface de cuivre, de fer ou d'acier. ◆ **damasquine** n. f. Mode de décoration du cuir ou du métal, consistant à abaisser le fond autour d'ornements qui doivent s'y détacher en relief. ◆ **damasquiner** v. tr. Effectuer le damasquinage. ◆ **damasquineur** n. m. Ouvrier qui damasquine.

damassé, damasser, damasserie, damasseur, damassure → DAMAS.

Damazan, ch.-l. de c. de Lot-et-Garonne (arr. de Nérac), à 17,5 km au S.-O. de Tonneins ; 1 313 h. (*Damazanais*). Anc. bastide du XIIIe s. Église des XIIIe et XVe s.

Dambach-la-Ville, comm. du Bas-Rhin (arr. et à 11,5 km au N. de Sélestat) ; 2 039 h. Vignobles. Vieille ville pittoresque.

1. dame n. f. (lat. *domina,* maîtresse). Titre donné aux femmes mariées. (Il est du langage populaire de dire *sa dame* pour *sa femme.*) ‖ Titre donné, à diverses époques, aux femmes de haut rang. (Au Moyen Age, le titre de *dame* s'appliquait aux femmes de seigneurs et aux femmes nobles possédant un fief, les femmes d'écuyers n'ayant droit qu'au titre de *damoiselle.* A la fin du XVIe s. et au XVIIe s., « dame » s'applique à la fois au haut et au bas de l'échelle sociale, la classe moyenne continuant à faire usage du terme « damoiselle ». Dès le XVe s., les femmes nobles attachées au service de la reine portent le titre de « dames » : *dames d'honneur, dames d'atour,* etc.) ‖ Femme à laquelle un chevalier faisait hommage de ses exploits : *Porter les couleurs de sa dame.* ‖ Nom sous lequel on désigne toutes les personnes du sexe féminin, par oppos. aux hommes : *Faire la cour aux dames. Coiffeur pour dames.* ‖ Nom de la deuxième figure d'un jeu de cartes, qui représente une femme. (Syn. REINE.) ‖ Aux échecs, deuxième grande pièce du jeu. (Syn. REINE.) ‖ Au jacquet, nom donné aux pions dont on se sert pour jouer. ‖ Appareil destiné à servir de point d'appui à l'aviron pendant la nage. (On dit aussi DAME DE NAGE.) ‖ Nom de deux chevilles de fer plantées sur l'arrière d'une embarcation, de chaque côté d'un grelin, pour le fixer. ‖ Sorte de pilon utilisé dans les travaux publics. (Syn. DEMOISELLE, HIE.) ● *Aller à dame* (Pop.), tomber. ‖ *Compartiment de dames seules,* compartiment autref. réservé, dans les trains, aux dames ou jeunes filles désirant éviter la compagnie des hommes. ‖ *Dames blanches,* nom d'êtres surnaturels que les Allemands et les Ecossais croyaient attachés à la destinée de certaines familles. ‖ *Dame de charité,* femme s'occupant active-

damasquinage
poignée de pistolet (XVIIIe s.)
musée de Vienne

ment d'une association de bienfaisance. || *Faire la dame* (Fam.), se dit d'une femme qui se donne des airs d'importance. || *Jeu de dames,* jeu pratiqué à deux sur un damier, avec 20 pions pour chaque joueur. || *Mener un pion à dame, aller à dame,* au jeu de dames, conduire un de ses pions sur une des cases de la première ligne de l'adversaire. (Le pion devient ainsi une *dame,* pion qui peut se déplacer sur toute la longueur de la diagonale.) || *Notre-Dame,* titre de la Vierge Marie. (V. aussi NOTRE-DAME.) ◆ **damage** n. m. Action de damer. ◆ **dame-blanche** n. f. Diligence à deux compartiments, de couleur blanchâtre, en usage vers 1830. — Pl. *des* DAMES-BLANCHES. ◆ **dame-d'onze-heures** n. f. Nom usuel de l'*ornithogale**, dont les fleurs s'ouvrent vers onze heures. — Pl. *des* DAMES-D'ONZE-HEURES. ◆ **damer** v. tr. Tasser fortement avec une « dame » ou un pilon : *Damer du béton. Damer des pavés.* || Tasser la neige avec des skis. • *Damer un pion,* rendre un pion dame, après avoir traversé entièrement le damier. || *Damer le pion à quelqu'un* (Fam.), l'emporter sur lui, le surpasser, le supplanter. ◆ **dame-ronde** n. f. Cône de maçonnerie construit sur l'arête d'un mur. — Pl. *des* DAMES-RONDES. ◆ **damet** n. m. Sorte de mailloche servant au coudage des gros tuyaux. ◆ **dameur, euse** adj. Se dit de certains rouleaux compresseurs utilisés pour le damage. || — ***dameuse*** n. f. Machine à damer. ◆ **damier** n. m. Plateau divisé en 100 cases, alternativement blanches et noires, sur lequel on joue aux dames. || Ornement de moulures, composé de carrés alternativement saillants et creux. || Surface dont le décor ressemble à la table d'un jeu de dames. || *Urban.* Syn. de ÉCHIQUIER, PLAN ORTHOGONAL, QUADRILLAGE. || Abréviatif désignant un signal ferroviaire dont le voyant comporte un damier en couleurs alternées blanches et rouges. || Le signal qui le porte. || Surface d'une étoffe divisée, comme un damier, en carrés contigus. || Pétrel, dit aussi PIGEON DU CAP, qui porte des taches brunes en damier sur son plumage blanc. || Papillon diurne du genre *melitea.* || Mollusque gastropode marin, du genre *cône.* || Nom usuel de la *fritillaire,* plante liliacée.

Dame à la licorne (LA), roman d'aventures du début du XIVe s., d'auteur inconnu. Quand, dit la légende, une licorne, bête fabuleuse, rencontre une femme irréprochable, elle s'incline devant elle.

Dame à la licorne (LA), tenture de tapisserie de six pièces, de la fin du XVe s. (musée de Cluny). La mise sur les métiers se situerait entre 1480 et 1500. On présume que cette tenture traite l'allégorie des cinq sens ; le sujet de la sixième pièce reste inexpliqué.

Dame aux camélias (LA), roman d'Alexandre Dumas fils (1848). Marguerite Gautier se sépare de son amant parce que le père de celui-ci l'a suppliée de lui rendre son fils, mais, désespérée, elle meurt d'une maladie de poitrine. L'aventure réelle de Marie Duplessis* a inspiré ce roman, d'où l'auteur a tiré un drame en 1852.

Dame de pique (LA) [*Pikovaïa Dama*], nouvelle de Pouchkine (1834). Une vieille comtesse détient le secret d'un tour de cartes qui la fait gagner au jeu. Obsédé par le désir de connaître ce secret, le jeune Hermann pénètre de force chez la comtesse. Effrayée, la vieille dame meurt, sans toutefois livrer la formule magique. Peu après, Hermann croit voir le spectre de sa victime, qui lui livre la formule irrésistible des trois cartes. Il joue : les deux premières cartes le font gagner ; la troisième, la dame de pique, le fait perdre. Sous l'emprise de son cauchemar, Hermann devient fou. — La nouvelle de Pouchkine a inspiré à Tchaïkovski un opéra (1890).

Dame du lac (LA), personnage des romans de la Table ronde. Appelée Viviane ou Niniane, c'est une fée que les conteurs font intervenir dans l'histoire de Merlin et de Lancelot.

Dames (PAIX DES). V. CAMBRAI (*paix de*).

Larousse

la Dame à la licorne
« l'Odorat »
tapisserie du XVe s.

Dames du bois de Boulogne (LES), film français, réalisé en 1944 par Robert Bresson, sur un dialogue de Jean Cocteau et d'après un épisode de *Jacques le Fataliste,* de Diderot. L'œuvre est remarquable par la netteté des caractères.

dames françaises (ASSOCIATION DES), société de secours aux blessés, fondée en 1879. C'est l'une des trois sociétés qui ont constitué la Croix-Rouge* française.

dames galantes (VIE DES). V. VIE DES DAMES GALANTES.

2. dame n. f. (du néerland. *dam,* digue). Massif de maçonnerie construit sur la crête des batardeaux, dans les fossés d'un ouvrage fortifié. ● *Dame de mine,* morceau de terre resté debout au milieu de plusieurs fourneaux qui ont sauté ensemble.

dame ! interj. (ellipse d'un anc. juron, *par Notre-Dame!* ou *damedieu!* [lat. *Domine Deus*]). Sert à renforcer une affirmation, une négation, ou bien marque la surprise : *Dame oui! Dame non!*

dame-blanche → DAME 1.

Dame-Blanche (LA), écart de la comm. de Stains, dans la banlieue nord de Paris. Agglomération résidentielle nouvelle.

dame-d'onze-heures → DAME 1.

dame-jeanne n. f. (provenç. *damajano*). Grosse bouteille de grès ou de verre, d'une

Larousse

dame-jeanne

contenance de 20 à 50 litres, le plus souvent clissée et servant à transporter les liquides. — Pl. *des* DAMES-JEANNES.

damelopre n. f. (du néerland. *damlooper*). Bâtiment hollandais à fond plat, qui servait à la navigation intérieure.

damer → DAME 1.

Damergou, région du Sahara méridional (Niger).

dame-ronde → DAME 1.

Damery, comm. de la Marne (arr. et à 10 km à l'O. d'Epernay), sur la Marne; 1 459 h. Belle église (XIIe-XVIe s.). Patrie d'Adrienne Lecouvreur.

damet, dameur, dameuse → DAME 1.

Damianitch ou **Damjanics** (János), général hongrois (Staza 1804 - pendu à Arad 1849). Révolutionnaire, il fut mis par Kossuth à la tête de deux bataillons. Enfermé dans Arad, il dut se rendre aux Russes, qui le livrèrent aux Autrichiens. Il figure parmi les « treize martyrs d'Arad ».

Damien (saint). V. CÔME.

Damien (saint **Pierre**). V. PIERRE DAMIEN (saint).

Damien (Joseph DE VEUSTER, en religion le P.), missionnaire belge, membre de la congrégation belge de Picpus (Tremelo, Louvain, 1840 - Molokai, Hawaii, 1889). Parti en Océanie en 1863, il se consacra entièrement au soin des lépreux et fut lui-même atteint de la lèpre.

Damiens (Robert François) [La Tieuloy, Arras, 1715 - Paris 1757]. Voulant « avertir » Louis XV et le rappeler à ses devoirs, il porta, le 5 janv. 1757, un coup de canif léger au côté du roi. Arrêté, Damiens fut soumis à d'affreuses tortures et finalement écartelé.

damier → DAME 1.

Damiette, en ar. **Dimyāṭ** ou **Dumyāṭ,** port d'Egypte, sur le Nil, à l'E. du lac Menzaléh, à 10 km de la mer; 86 300 h. Cabotage et pêche. Industries alimentaires; poteries. Prise en 1249 par Saint Louis, qui la rendit l'année suivante en paiement de sa rançon, la ville fut détruite en 1251 et reconstruite sur son emplacement actuel. Elle fut conquise de nouveau par les Français en 1798. Kléber y remporta une victoire sur les Turcs, le 1er nov. 1799.

prise de **Damiette**
par Saint Louis
Chroniques de Joinville
Bibliothèque nationale

Dammām, port de l'Arabie Saoudite (prov. du Ḥasā), sur le golfe Persique ; 10 000 h. Important gisement pétrolifère.

dammara n. m. (du malais *dammar*). Grand arbre gymnosperme, croissant en Indonésie et en Nouvelle-Zélande, et qui fournit une résine, le *dammar,* précieuse dans la fabrication des vernis. (Famille des araucariacées.) [Syn. AGATHIS.]

Dammarie-les-Lys, comm. de Seine-et-Marne (arr. et à 2 km au S. de Melun) ; 19 844 h. Ruines de l'abbaye du Lys, fondée par Blanche de Castille. Agglomérés. Produits alimentaires.

Dammartin (comte DE). V. CHABANNES.

Dammartin (DE), famille d'architectes et de sculpteurs français. DROUET († Jargeau [auj. dans le Loiret] 1413) participa à la construction du Louvre de Charles V, travailla pour Jean de Berry, puis pour les ducs de Bourgogne (chartreuse de Champmol, portail de la Sainte-Chapelle de Dijon), il revint près du duc Jean et éleva de nombreux châteaux (Mehun-sur-Yèvre, Lusignan, Poitiers, Bourges, Riom). — Son fils JEAN, architecte, travailla aux cathédrales de Tours et du Mans. — GUI († v. 1398), frère de Drouet, travailla au Louvre, à Bourges, à Concressault, à Poitiers.

Dammartin-en-Goële, ch.-l. de c. de Seine-et-Marne (arr. et à 21 km au N.-O. de Meaux) ; 3 476 h. (*Dammartinois*). Eglise Notre-Dame (XIIIe-XVe s.), contenant le tombeau (XVe s.) d'Antoine de Chabannes. Combat livré pendant la Première Guerre mondiale par l'armée Maunoury contre un corps de von Kluck (3 sept. 1914).

Damme, comm. de Belgique (Flandre-Occidentale, arr. et à 7 km au N.-E. de Bruges) ; 1 100 h. Avant-port de Bruges, Damme joua un rôle commercial important aux XIIe et XIIIe s. Défaite de la flotte française, anéantie par surprise, en 1213, par les Anglais.

damnable, damnation → DAMNER.

Damnation de Faust (LA), légende dramatique en 4 parties, musique d'Hector Berlioz, formée à l'origine par les *Huit Scènes de Faust* (1828). Exécutée à l'Opéra-Comique en 1846, cette partition, caractérisée par sa géniale orchestration, ne connut le succès qu'en 1877.

damné → DAMNER.

Damné par manque de foi (LE) [*El Condenado por desconfiado*], drame sacré attribué à Tirso de Molina (1635). Un ermite est précipité aux enfers pour avoir douté un instant de la toute-puissance divine, tandis qu'un brigand est sauvé pour avoir eu un moment de repentir.

damner [dane] v. tr. (lat. *damnare,* condamner). Condamner aux peines éternelles : *Dieu damne les mauvais riches.* ● *Dieu me damne !,* locution familière qui marque l'étonnement, la protestation : *Dieu me damne ! Vous jouez mieux que moi !* ‖ *Faire damner quelqu'un* (Fam.), le tourmenter de manière à l'exaspérer : *Un élève qui fait damner son maître.* ‖ — **se damner** v. pr. Attirer sur soi la damnation : *Se damner pour une femme.* ◆ **damnable** adj. Qui mérite d'être damné : *Un homme damnable.* ‖ Qui mérite réprobation ; détestable : *Passion damnable.* ◆ **damnation** n. f. Condamnation aux peines éternelles ; action de se damner. (S'appuyant sur les textes de l'Ancien et du Nouveau Testament, l'Eglise catholique annonce une damnation éternelle pour les réprouvés.) ✦ interj. Juron inspiré par la colère, le désespoir : *Enfer et damnation !* ◆ **damné, e** adj. *Fam.* Maudit, détestable, rusé comme un démon : *Ces damnés marchands.* ‖ Funeste : *Une damnée curiosité.* ● *Etre l'âme damnée de quelqu'un* (Péjor.), lui être aveuglément dévoué, inspirer ses mauvaises actions. ✦ n. et adj. Personne condamnée aux supplices de l'enfer : *Souffrir comme un damné.* ‖ Personne qui paraît inspirée par le démon : *Une méchanceté de damné.* ‖ Homme condamné à souffrir par l'injustice sociale : *Les damnés de la terre.*

damnum emergens [damnɔmemɛrʒɛ̃s] n. m. (mots lat. signif. *dommage apparaissant*). Perte éprouvée par le créancier en raison de l'inexécution d'un contrat.

Damoclès, en gr. **Dêmoklês,** courtisan de Denys l'Ancien, tyran de Syracuse (début du IVe s. av. J.-C.). Comme il enviait toujours le bonheur de la royauté, Denys lui céda sa place pendant un jour. Mais, au milieu d'un banquet, Damoclès vit, au-dessus de sa tête, une lourde épée suspendue par un crin de cheval, symbole des dangers permanents qui menacent une apparente prospérité.

Damocrite, en gr. **Dêmokritos,** général grec (Calydon, Etolie, IIIe s. - † IIe s. av. J.-C.). Stratège des Etoliens, adversaire des Romains, il s'allia avec Sparte. Mais, les Etoliens vaincus, Damocrite fut fait prisonnier (190), conduit à Rome et contraint au suicide.

Dāmodar (la), riv. de l'Inde (Bihār et Bengale occidental), qui rejoint l'Hooghly au S.-O. de Calcutta ; 545 km. Sa vallée est la principale région houillère et ferrifère de l'Inde. Elle possède de grands centres industriels, dont Asansol et Raniganj.

damoiseau n. m. (lat. *dominicellus*). Nom donné, dans le haut Moyen Age, aux fils des seigneurs, et, plus tard, à l'aspirant chevalier et au noble non armé chevalier. ◆ **damoiselle** n. f. Titre donné, au Moyen Age, aux filles nobles avant le mariage, puis aux femmes des damoiseaux. (Il s'appliqua longtemps aux femmes de la haute bourgeoisie et de la petite noblesse. Enfin, transformé en *demoiselle,* le mot arriva à désigner toute fille non mariée.)

Damoiselle élue (LA), poème de D. G. Rossetti (1847). Du ciel, une jeune fille appelle son bien-aimé resté sur la terre. Modèle de poésie préraphaélite, ce poème fut mis en musique par Debussy en 1887.

Damophôn de Messène, sculpteur grec (1re moitié du IIe s. av. J.-C.). On conserve de lui une stèle représentant le cavalier Polybe et trois têtes monumentales (musée d'Athènes).

Damourette (Jacques), linguiste français (Paris 1873 - Sarcelles 1943), auteur, avec E. Pichon, d'un *Essai de grammaire de la langue française* (7 vol. ; 1927-1950), une des plus complètes descriptions du français.

damper [dampər] n. m. (mot angl.). Petit amortisseur placé au bout du vilebrequin d'un moteur et destiné à annuler les vibrations de torsion qui peuvent se produire dans cette pièce.

Dampier (William), navigateur anglais (East Coker, Somerset, 1652 - Londres 1715). Capitaine de flibustiers, il pilla les établissements espagnols des Antilles, des côtes du Mexique et de l'Amérique du Sud. Il explora l'Insulinde et découvrit la pointe sud-est de la Nouvelle-Irlande, le détroit qui porte son nom et la Nouvelle-Bretagne.

Dampier (DÉTROIT DE), détroit de l'océan Pacifique, entre la pointe occidentale de la Nouvelle-Guinée et l'île de Waigeo.

Dampierre, ch.-l. de c. du Jura (arr. et à 20 km au N.-E. de Dole), sur le Doubs ; 676 h. Mécanique de précision.

Dampierre-en-Yvelines, comm. des Yvelines (arr. et à 15 km au N.-E. de Rambouillet), à la jonction de la vallée de l'Yvette et des Vaux de Cernay ; 740 h. Le premier château, élevé en 1550, fut remplacé par un édifice construit par Hardouin-Mansart (1675-1683) pour le duc de Luynes. Il abrite de riches collections de sculptures et de peintures. Le parc est de Le Nôtre. L'église contient la chapelle funéraire des Luynes.

Six

château de **Dampierre**

Dampierre (Gui DE). V. GUI DE DAMPIERRE.

Dampierre (Marc-Antoine, marquis DE), gentilhomme français (1676 - 1756), créateur ou rénovateur des fanfares qui sonnent encore à la chasse à courre.

Dampierre (Auguste Henri Marie PICOT, marquis DE), général français (Paris 1756 - Valenciennes 1793). Commandant de l'armée de Belgique, après la désertion de Dumouriez, il fut blessé à mort en dégageant Condé.

Dampierre-sur-Salon, ch.-l. de c. de la Haute-Saône (arr. de Vesoul), à 14 km au N.-E. de Gray ; 1 205 h. Eglise du XVIIIe s.

Dampremy, comm. de Belgique (Hainaut, arr. et dans la banlieue ouest de Charleroi) ; 10 000 h. Verreries.

Damremont ou **Danrémont** (Charles Denys, comte DE), général français (Chaumont, Champagne, 1783 - Constantine 1837). Aide de camp de Marmont en 1814, il négocia l'armistice avec les Alliés devant Paris. Pair de France (1835), chef de l'armée d'Afrique (1837), il dirigea l'expédition de Constantine, où il fut tué.

Damville, ch.-l. de c. de l'Eure (arr. et à 20 km au S.-O. d'Evreux), sur l'Iton ; 1 478 h. Eglise des XVe et XVIe s.

Damvillers, ch.-l. de c. de la Meuse (arr. et à 26 km au N. de Verdun) ; 697 h. Restes de fortifications.

Damyse, en gr. **Dêmusos,** le plus agile des géants de la mythologie grecque. La légende rapporte qu'Achille, jeté au feu par sa mère Thétis, eut le talon droit consumé. Chiron adapta alors le talon droit de Damyse au pied d'Achille, qui y gagna la légèreté du géant.

dan [dan] n. m. Grade supplémentaire des judokas titulaires de la ceinture noire, et qui est signalé par des barrettes.

Dan, fils de Jacob et de Bala, servante de Rachel, père de l'une des douze tribus israélites.

Dan (TRIBU DE), l'une des tribus d'Israël. Une grande partie des *Danites* se réunit à la tribu de Juda, sauf un petit groupe de 700 hommes, qui s'établit au N. de la Palestine, dans la ville de Laïs, appelée *Dan*.

Dan. *Géogr. anc.* V. de Palestine, près des sources du Jourdain. Appelée d'abord *Laïs*, elle prit le nom de la tribu israélite qui s'en empara. Ruines à *Tell el-Kadi,* près de Metulla, au N. de l'Etat d'Israël. Un kibbouts appelé *Dan* y a été fondé en 1930.

Dan, nom de rois légendaires du Danemark.

Dan Ier, prince de Valachie (1384-1386). Tué au cours de la lutte contre les Bulgares, il fut remplacé par son frère Mircea. — **Dan II,** prince de Valachie (1420-1431). — **Dan III,** prince de Valachie (1446-bataille de Kosovo 1448).

Dana (James Dwight), naturaliste américain (Utica 1813 - New Haven, Connecticut, 1895), auteur de travaux sur les zoophytes, les crustacés, la géologie de l'océan Pacifique et la minéralogie. On lui doit la notion de *géosynclinal* (1873).

Dana (Richard Henry), juriste et écrivain américain (Cambridge, Massachusetts, 1815 - Rome 1882). Dans *Une voix du gaillard d'avant* (1840), reportage sur sa vie de mousse, il protesta contre les mauvaises conditions du travail des marins.

Danaé, en gr. **Danaê.** *Myth. gr.* Fille d'Acrisios, roi d'Argos, et mère de Persée, qu'elle eut de Zeus. Celui-ci s'était introduit sous la forme d'une pluie d'or dans une tour où son père la retenait captive.

Danaé
par Titien
musée de Vienne

Danaens, en gr. **Danaoi,** descendants de Danaos, fondateur légendaire d'Argos.

danaïde n. f. Grand papillon nymphalidé des régions chaudes de l'Ancien Monde, aux ailes jaunes bordées de noir, et dont la chenille vit sur les asclépiadacées.

Danaïdes. *Myth. gr.* Nom donné aux cinquante filles de Danaos, roi légendaire d'Argos, qui égorgèrent, le soir du mariage, sur ordre de leur père, leurs époux. Seule Hypermnestre épargna Lyncée. Purifiées par Hermès et Athéna, elles se remarièrent à des Pélasges et donnèrent naissance à la race des Danaens. Tuées plus tard par Lyncée, elles furent condamnées aux Enfers à remplir éternellement un vase sans fond.

Danakil(s) ou **Dankali(s),** population pastorale qui vit entre les montagnes d'Ethiopie et la mer Rouge.

Da Nang. V. TOURANE.

Danaos. *Myth. gr.* Petit-fils de Poséidon, père des Danaïdes, roi légendaire d'Argos. Il fut tué par Lyncée.

danburite n. f. Borosilicate naturel de calcium.

Danby (Thomas OSBORNE, comte DE), marquis **de Carmarthen** et 1er duc **de Leeds,** homme politique britannique (Kiveton, Yorkshire, 1631 - Easton, Northamptonshire, 1712). Membre du Parlement (1665) et du parti « cavalier », grand trésorier (1673), il devint principal ministre (1674-1679). Il fit conclure, en 1677, le mariage entre la princesse Marie et Guillaume d'Orange. Il pratiqua largement la corruption et organisa aux Communes un « parti de la Cour ». Les dénonciations d'Oates provoquèrent sa chute (1679), et il passa cinq ans à la Tour de Londres. Un des principaux artisans de la montée sur le trône de Guillaume d'Orange (1689), il occupa pratiquement le poste de Premier ministre jusqu'en 1696.

Dance (George), architecte anglais (Londres 1700 - *id.* 1768). Il éleva, dans un style classique, plusieurs églises à Londres (Saint Luke's, Saint Leonard, Saint Botolph), ainsi que Mansion House, résidence du lord-maire (1739).

dancing [dɑ̃siŋ] n. m. (ellipse de l'angl. *dancing-house,* maison de danse). Etablissement public où l'on danse.

Dancourt (Florent CARTON, sieur **d'Ancourt,** dit), acteur et auteur dramatique français (Fontainebleau 1661 - Courcelles-le-Roi, Gâtinais, 1725). Il tint des rôles comiques à

Anderson - Giraudon

Danaïde
musée
du Vatican

la Comédie-Française de 1685 à 1718, tout en écrivant des comédies de mœurs, dont *le Chevalier à la mode* (1687) et *la Fête de village* (1700), œuvre reprise en 1724 sous le titre *les Bourgeoises de qualité.* — Sa femme MARIE-THÉRÈSE LE NOIR DE LA THORILLIÈRE, dame CARTON-DANCOURT, dite **Mlle Dancourt** (Paris 1663 - *id.* 1725), joua les rôles d'amoureuse à la Comédie-Française, de 1685 à 1720.

dandin → DANDINER.

Dandin, personnage de Molière. V. GEORGE DANDIN.

dandinant, dandinement ou **dandinage** → DANDINER (SE).

dandiner (se) v. pr. (de l'anc. franç. *dandin,* cloche). Donner à son corps un mouvement gauche et nonchalant; se balancer : *Le canard se dandine en marchant.* ‖ ***— dandiner*** v. intr. Pêcher à la dandinette. ◆ **dandin** n. m. Homme niais, aux manières gauches. ● *Perrin Dandin,* type de juge, tantôt ridicule, tantôt fourbe. ◆ **dandinant, e** adj. Qui se dandine. ◆ **dandinement** ou **dandinage** n. m. Mouvement de celui qui se dandine. ‖ Oscillation périodique des roues avant d'une voiture automobile autour de leur position moyenne. (On dit aussi SHIMMY.) ◆ **dandinette** n. f. Pêche à la ligne avec un leurre que l'on remue constamment par petites saccades.

Dandolo, une des plus illustres familles vénitiennes, qui a fourni plusieurs doges, notamment : ENRICO (Venise v. 1107 - Constantinople 1205). D'après la légende, il aurait été

Larousse

Enrico **Dandolo** gravure anonyme

partiellement aveuglé sur ordre de Manuel Comnène, lors d'une mission à Byzance (1171). Adversaire implacable des Byzantins, il contribua au détournement de la quatrième croisade et à la fondation de l'Empire latin, et fit attribuer à Venise le littoral de la mer de Marmara, l'Epire, l'Acarnanie, l'Etolie, une grande partie du Péloponnèse et des îles Ioniennes ; — GIOVANNI († Venise 1289). Elu doge en 1280, après l'abdication de Iacopo Contarini, il lutta contre le pape Martin IV. Celui-ci jeta sur la République l'interdit, qui ne fut levé que par Honorius IV ; — ANDREA (Venise v. 1307 - *id.* 1354). Il reprit Zara (auj. Zadar) après un siège célèbre et soutint une longue guerre contre Gênes. Ami de Pétrarque, il a laissé des *Annales* en latin sur Venise.

Dandré-Bardon (Michel François), écrivain et peintre français (Aix-en-Provence 1700 - Paris 1783). Il fonda une académie à Marseille et publia : *Livre des principes à dessiner* (1754), *Traité de peinture* (1765).

dandrelin n. m. Hotte d'osier pour la vendange. (On dit aussi DANDERLIN.)

Dandrieu (Jean-François). V. ANDRIEU (Jean-François *d'*).

Dandurand (Raoul), homme politique canadien (Montréal 1861 - Ottawa 1942). Il fut délégué du Canada à la S. D. N. et élu à la présidence de l'Assemblée en 1925.

1. dandy n. m. (mot angl.). Homme qui affecte une suprême élégance dans sa toilette, ses manières, ses goûts, son attitude sociale : *S'habiller comme un dandy.* — Pl., d'abord comme en angl., *des* DANDIES, puis *des* DANDYS. ◆ **dandysme** n. m. Manières du dandy. ‖ Prétention à l'élégance, au bon ton.

— ENCYCL. ***dandysme.*** S'il peut se prévaloir d'exemples anciens (Alcibiade, Catilina, César) ou exotiques (donnés par Chateaubriand dans *les Natchez*), le dandysme de stricte observance est né dans la haute société anglaise un peu avant 1815 ; c'est d'abord une mode vestimentaire et esthétique associée à une attitude faite d'esprit et d'impertinence (« le plaisir aristocratique de déplaire »). Se recommandant à la fois de George Brummel et de Byron, le dandysme gagna la France, où il s'incarna dans l'élégance du comte d'Orsay et les héros balzaciens, qui, selon l'expression de leur créateur, « tiennent le haut du pavé de la fashion ». Le dandysme deviendra plus agressif avec Musset et plus esthétique avec Baudelaire, qui y rattache explicitement l'éveil de sa sensibilité et sa conception de la poésie, avant que Barbey d'Aurevilly donne l'histoire et la physiologie du phénomène (*Du dandysme et de George Brummell,* 1845).

2. dandy n. m. Petite embarcation à voile, gréée en yawl. — Pl. *des* DANDIES.

Dandy (Walter Edward), chirurgien américain (Sedalia, Missouri, 1886 - Baltimore 1946). Il a étudié l'hydrocéphalie, découvert la ventriculographie et l'encéphalographie par voie gazeuse, et décrit le premier les hernies discales. Il traita chirurgicalement les anévrismes intracrâniens.

dandysme → DANDY 1.

Danebrog (ORDRE DE CHEVALERIE DU), ordre danois fondé par Valdemar II en commémoration de l'événement miraculeux survenu en 1219 à Reval, où les Danois vainquirent les Estoniens grâce à un étendard rouge à croix blanche, le *danebrog* (« force des Danois »), adopté par le Royaume vers 1300. L'ordre, réformé en 1808, récompense les mérites civils et militaires. Ruban blanc à liséré rouge.

danegeld n. m. Impôt institué par les rois anglo-saxons au Xe s., pour payer le tribut aux envahisseurs danois (supprimé en 1163).

danelaw [lo] n. m. Autonomie juridique accordée aux Danois établis en Angleterre aux IXe et XIe s. || Territoire habité par les envahisseurs danois et régi par leurs lois et leurs coutumes.

Danemark, en dan. **Danmark,** Etat de l'Europe du Nord, entre la mer du Nord et la mer Baltique, formé par la péninsule du Jylland et un archipel compris entre la Baltique et le Cattégat ; 43 032 km² ; 5 millions d'h. Capit. *Copenhague.* Religion : *protestantisme* (98 p. 100).

Géographie.

Le relief du Danemark est très peu accidenté (172 m d'alt. au point culminant). Des assises sédimentaires secondaires et tertiaires sont presque partout recouvertes de dépôts morainiques quaternaires. Les phénomènes glaciaires sont responsables, pour l'essentiel, de la topographie et de la nature des sols du Danemark.

La partie est de la péninsule du Jylland correspond à un bourrelet morainique ; la partie ouest est constituée de collines peu marquées, restes de moraines plus anciennes. La majeure partie du pays est formée d'étendues monotones, au relief cependant varié dans le détail. L'archipel danois est formé de trois îles principales : Sjaelland, la plus grande, située entre le Grand Belt et l'Øresund ; Lålland, ou Lolland, au S. du Grand Belt ; et Fyn, ou Fionie, entre le Grand Belt et le Petit Belt. Ces îles sont principalement formées d'argiles glaciaires, plus fertiles que les sables du Jylland.

Le climat danois, de type océanique, est assez

centre de Copenhague

Almasy

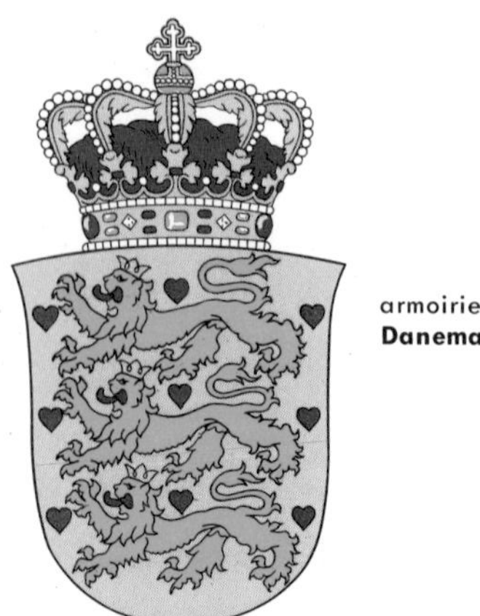

armoiries du **Danemark**

doux : 0 °C en moyenne l'hiver, 16 °C l'été. Dans l'ensemble frais et brumeux, le Danemark est cependant relativement peu arrosé.

Le Danemark est une région de peuplement très ancien. La densité est particulièrement forte dans l'archipel (275 hab. au km² dans Sjaelland), beaucoup plus faible dans le Jylland (75 au km²). L'agriculture danoise, très développée, se caractérise par l'amélioration constante des sols, l'importance de l'enseignement agronomique et la généralisation des coopératives, qui permet une rationalisation des productions et de leur commercialisation. Le Danemark, producteur de céréales au XIXᵉ s., est devenu un grand pays d'élevage, possédant 2,8 millions de bovins (vaches laitières principalement). Sa production de beurre, de fromages, de lait concentré est très importante. Le troupeau de porcs compte 8 millions de têtes. L'aviculture joue également un rôle important. Les produits d'élevage représentent 40 p. 100 des exportations totales.

L'industrie danoise est active ; elle utilise de la houille importée et de l'électricité venue de Suède par câble sous-marin. Ses branches principales sont celles des produits alimentaires (brasseries), métallurgiques (moteurs de navires), chimiques et textiles. La vie maritime est active (pêcherie et commerce pour le compte d'autres pays). Les principaux clients et fournisseurs du Danemark sont la Grande-Bretagne et l'Allemagne (République fédérale). Le Danemark appartient à la catégorie des pays à niveau de vie élevé, devançant la France et l'Allemagne de l'Ouest, venant après la Suède, la Suisse, la Belgique, le Royaume-Uni. Le revenu national y est

château de Kronborg
à Elseneur

Hétier

DANEMARK

réparti de façon assez égale, la fiscalité intervenant comme un moyen de nivellement économique et social. (V. carte SCANDINAVIE.)

Histoire.

Au Danemark, la période légendaire se prolonge jusque vers l'an 800. Godfred, allié des Saxons, est alors en guerre contre Charlemagne. En 810, la frontière est fixée à l'Eider. Le pays est évangélisé par le moine Anschaire, venu à l'appel du roi Harald. A partir du xe s., les Danois rançonnent l'Angleterre, puis la conquièrent (1013). Knud le Grand s'y fait proclamer roi (1016), puis hérite de la couronne danoise (1018) et soumet la Norvège (1028). L'Angleterre s'affranchit (1043). Une période de luttes intestines et de guerres contre les Wendes s'achève avec Valdemar Ier le Grand (1157-1182) par la restauration de l'unité danoise. Ses successeurs soumettent les Wendes et conquièrent les rives de la Baltique jusqu'en Estonie (1219). Après une période troublée, Valdemar IV Atterdag (1340-1375) restaure le royaume, mais perd l'Estonie. Sa fille Marguerite, épouse de Haakon VI de Norvège, hérite du Danemark et de la Norvège (1387). L'Union de Kalmar (1397) unit la couronne de Suède aux deux premières, mais engendre un siècle de troubles. Définitivement compromise par les cruautés de Christian II (1513-1523), l'Union est rompue par l'élection de Gustave Vasa au trône de Suède (1523). Le luthéranisme pénètre au Danemark, où il devient religion d'Etat en 1536. Frédéric II soutient une vaine guerre de reconquête contre la Suède (1563-1570) et crée une marine qui permet à son successeur de dominer le commerce balte. Christian IV prend part à la guerre de Trente Ans (1625-1629). Par le traité de Brömsebro (1645), il doit céder à la Suède Halland, Gotland et Ösel, et, par celui de Roskilde (1658), la Scanie, l'île de Bornholm et Trondheim. Ces deux derniers territoires lui sont restitués à la paix de Copenhague (1660). Le roi, soutenu par les bourgeois et le clergé, restreint les privilèges de l'aristocratie et instaure le pouvoir absolu (1660). La monarchie devient héréditaire (loi royale, 1665). Elle s'efforce en vain de récupérer la Scanie, mais, au traité de Frederiksborg (1720), elle obtient le sud du Slesvig. Au XVIIIe s., sous les règnes de Christian VI et de Frédéric V, le Danemark connaît une période d'expansion économique et, en particulier, commerciale. Faible d'esprit, Christian VII laisse le pouvoir à l'Allemand Struensee (1770-1772), qui gouverne en despote éclairé et décide d'importantes réformes.

En 1800, le Danemark entre dans la ligue des Neutres, dirigée contre l'Angleterre, qui attaque Copenhague (1801), puis s'empare de la ville (1807). Allié de Napoléon, à la paix de Kiel (1814) le Danemark perd la Norvège, tandis que le Slesvig et le Holstein deviennent

RÉGION	DISTRICT (*amt*)	SUPERFICIE EN KM^2	NOMBRE D'HABITANTS (en 1973)	CHEF-LIEU
Bornholm		588	47 000	*Rønne*
Fionie	Odense	3 486	439 700	*Odense*
Jylland	Århus	4 570	549 100	*Århus*
	Nordjylland	6 172	463 100	*Ålborg*
	Ribe	3 135	201 100	*Ribe*
	Ringkøbing	4 849	247 400	*Ringkøbing*
	Sønderjylland	3 929	240 600	*Åbenrå*
	Vejle	2 991	311 700	*Vejle*
	Vestjaelland	2 983	263 600	*Søro*
	Viborg	4 120	223 000	*Viborg*
Lolland et Falster	Storstrøm	1 795	124 400	*Nykøbing Falster*
Sjaelland	Copenhague (ville)	85	595 800	
	Copenhague	520	624 600	*Copenhague*
	Frederiksborg (ville)	9	97 600	
	Frederiksborg	1 346	279 800	*Frederiksborg*
	Roskilde	890	169 800	*Roskilde*
	Storstrøm	1 601	129 500	*Nykøbing Falster*

VILLES PRINCIPALES : *Copenhague, Århus, Odense, Ålborg, Esbjerg, Randers, Horsens, Kolding.*

Bottin

château de Rosenborg, à Copenhague

possessions personnelles de la Couronne. Frédéric VI (1808-1839) crée quatre Etats provinciaux (1834). Frédéric VII promulgue une Constitution démocratique (1849) et commune au Danemark et au Slesvig-Holstein, ce qui provoque un mouvement séparatiste dans les duchés, soutenus par la Prusse. Sous le règne de Christian IX se déroule la guerre des Duchés*, à laquelle la paix de Vienne met fin (1864) : le Danemark perd le Slesvig, le Holstein, le Lauenburg et Kiel.

Parallèlement se forme une opposition entre la droite et la gauche. Elle s'exprime par la création de deux chambres distinctes (1866), le *Landsting* et le *Folketing*. Un gouvernement conservateur dirigé par Estrup se maintient au pouvoir de 1875 à 1894. En 1901, la gauche, victorieuse aux élections, accède au pouvoir avec le ministère Deuntzer. En 1915, une révision constitutionnelle place les deux chambres sur un pied d'égalité. Ainsi s'établit au Danemark un régime de démocratie parlementaire. Pendant la Première Guerre mondiale, le Danemark maintient sa neutralité. Le traité de Versailles lui accorde cependant, après plébiscite (1920), le nord du Slesvig. En 1918, l'Islande avait été constituée en Etat indépendant, ne conservant avec le Danemark que des liens personnels (supprimés en 1944). Les sociaux-démocrates, au pouvoir de 1924 à 1940, introduisent d'importantes réformes sociales et développent le commerce danois. Envahi par les Allemands le 9 avr. 1940, malgré un pacte de non-agression, le Danemark est libéré en mai 1945. Le régime monarchique constitutionnel est remis en vigueur avec Christian X (mort en 1947), Frédéric IX (mort en 1972) et Marguerite II (depuis 1972). Le parti social-démocrate, dirigé par J. O. Krag, domine la scène politique : mais, à partir de 1970, il perd du terrain au profit, notamment, du parti social populaire, fondé en 1958, cela, en raison des difficultés économiques et de l'inflation. Cette situation explique les hésitations du Danemark à entrer dans le Marché commun : cette entrée a cependant lieu le 22 janvier 1972.

Beaux-arts.

● *Architecture.* Les plus anciens monuments de l'architecture danoise datent du xe s. (églises de Jelling [985], de Saint-Ansgar, à Hedeby et à Ribe; forteresse de Trelleborg). Le bois cède la place à la pierre et à la brique vers 1100. La cathédrale de Lund est un bel exemple d'art roman d'inspiration française. Celle de Roskilde, panthéon des rois de Danemark, est gothique. Les églises de village sont, alors, à clocher-porche ou en forme de tour (églises rondes de l'île de Bornholm). Au XVIe et au XVIIe s., l'influence hollandaise domine (style Christian IV, 1588-1648) : châteaux de Kronborg, à Elseneur; de Frederiksborg et de Rosenborg, à Copenhague; Bourse de Copenhague. L'architecte français Nicolas Henri Jardin, qui séjourne à Copenhague de 1754 à 1771, introduit un style nouveau (décoration intérieure du palais d'Amalienborg, édification de l'église Frédéric-V à Copenhague). L'architecture néo-classique est représentée par C. F. Harsdorff et son élève C. F. Hansen. Au XXe s., le fonctionnalisme est incarné par Kay Fisker, Lauritzen, Hans Hansen, Mogens Larsen.

Hétier

musée d'Art moderne Louisiana à Humlebaek

● *Peinture et sculpture.* Les dolmens et tourbières préhistoriques sont nombreux au Danemark, qui connaît ensuite le répertoire ornemental des Vikings (pierre runique de Jelling). La sculpture romane se développe, puis, après 1200 (jusqu'à la Réforme), la peinture murale. Le Français Jacob d'Agar introduit à la cour le style décoratif français; Louis Auguste Le Clerc, peintre et sculpteur, dirige l'Académie à partir de 1745; un autre Français, Jacques Saly, la réorganise (1754). Tocqué vient peindre les portraits de la famille royale. Les peintres danois les plus importants de cette époque sont : Jens Juel (1745-1802), portraitiste ; C. W. Eckersberg (1783-1853), élève de David ; Abraham Abildgaard (1743-1809). Au XIXe s., le sculpteur Bertel Thorvaldsen est connu de toute l'Europe, et le peintre J. F. Willumsen est considéré comme un des maîtres de l'art danois contemporain, représenté aussi par l'expressionniste Asger Jorn, l'abstrait Mortensen, le sculpteur constructiviste Robert Jacobsen.

● *Arts décoratifs.* L'art populaire a toujours reflété le génie artistique des Danois (poteries du Jylland, dentelles de Tønder). Une renaissance nationale se dessina après 1800. La céramique (avec la Manufacture royale de Copenhague), les bijoux de Georg Jansen ont connu un succès européen.

Littérature.

V. SCANDINAVES (*tableau des littératures*).

Danemark (DÉTROIT DE), détroit séparant le Groenland de l'Islande.

Daner, peuple qui occupait vers le VIe s. le sud de la Suède et les îles environnantes, et qui donna son nom au peuple danois.

Dangeard (Pierre), mycologue français (Ségrie, Sarthe, 1862 - *id.* 1947). Il a découvert la caryogamie tardive des champignons supérieurs, dite pour cette raison *fusion dangeardienne.* (Acad. des sc., 1917.)

Dangeau (Philippe DE COURCILLON, marquis DE), mémorialiste français (Chartres 1638 - Paris 1720). Aide de camp de Louis XIV en 1672, il sut garder la faveur du roi. Il tint un *Journal* de 1684 à 1720, dont Saint-Simon s'est servi pour la rédaction de ses *Mémoires.* Boileau lui a dédié sa satire sur la noblesse. (Acad. fr., 1668 ; Acad. des sc., 1704.) — Son frère, LOUIS DE COURCILLON, abbé **de Dangeau** (Paris 1643 - *id.* 1723), lecteur du roi, avait pour charge de présenter à Louis XIV l'état des grâces annuelles à accorder aux gens de lettres. Grammairien, il réunit le *fonds Dangeau,* aujourd'hui aux Manuscrits de la Bibliothèque nationale. (Acad. fr., 1682.)

danger n. m. (lat. pop. *dominiarium,* domination, pouvoir ; de *dominus,* seigneur). Situation où l'on a à redouter un mal quelconque : *Les dangers de la montagne.* ‖ Conséquence mauvaise, inconvénient : *Une démarche sans danger.* ‖ Epave, écueil qui peuvent rendre la navigation dangereuse. ‖ — SYN. : *péril, risque.* ‖ — REM. Le mot *danger* peut être suivi, selon le sens, d'un infinitif complément introduit par les prépositions *à, de,* ou d'une proposition introduite par la conjonction *que : Quel danger y a-t-il à le fréquenter ? Il se vit soudain en danger de mourir. Il n'y a pas de danger que je me mêle encore de cette affaire.* ● *Pas de danger !,* cela n'est pas à craindre de ma part, de sa part, etc. : *Lui prêter de l'argent ? Pas de danger !* ◆ **dangereusement** adv. De façon dangereuse : *Conduire dangereusement.* ◆ **dangereux, euse** adj. Qui offre du danger ; qui expose à quelque mal : *Passage dangereux. Il est dangereux de mettre la tête à la portière.* ‖ Qui constitue un danger ; qui est nuisible, pernicieux, à tel ou tel point de vue : *Subir une influence dangereuse.*

Dangé-Saint-Romain, ch.-l. de c. de la Vienne (arr. et à 14 km au N. de Châtellerault), sur la Vienne ; 2 574 h. Laiterie.

danghi n. m. Navire indien de 50 à 200 tonneaux, gréé de deux mâts, à antennes ou pourvus de voiles auriques.

Dang Rek (MONTS). V. DAN REK.

Danican. V. PHILIDOR.

Danican (Auguste THÉVENET, dit), général français (Paris 1763 - Itzehoe, Slesvig-Holstein, 1848). Il dirigea les sections royalistes révoltées contre la Convention le 13-Vendémiaire. Battu par Bonaparte, condamné à mort, il se réfugia à l'étranger.

Daniel, personnage principal du livre biblique du même nom. Emmené à Babylone en exil, il y resta fidèle à la Loi. Sa science et ses songes lui permirent d'obtenir une place importante à la Cour. Ses ennemis le firent jeter deux fois dans la fosse aux lions, dont il sortit sain et sauf.

Daniel (LIVRE DE), un des livres de l'Ancien Testament, écrit en partie en hébreu, en partie en araméen et en partie en grec.

Daniel (saint), frère mineur, décapité à Ceuta par les musulmans (1227). — Fête le 13 oct.

Daniel Galitski (1201 - 1264), prince de Galicie-Volhynie. Prince dès la mort de son père (1205), il n'occupa effectivement le pouvoir qu'en 1238. Il s'opposa à la domination mongole et se tourna vers l'Occident. Il épousa une princesse autrichienne, se convertit au catholicisme et reçut du pape le titre de roi (1253). Mais il fut vaincu par les Mongols et dut aller s'humilier auprès de Batū khān. Il avait cependant contribué à l'épanouissement intérieur de la Galicie-Volhynie.

Daniel Nevski, prince moscovite du XIIIe s. (1263 - 1303). Fils cadet d'Alexandre Nevski, il doubla l'étendue de l'apanage qu'il avait reçu dans la région de Moscou.

Daniel de Volterra. V. RICCIARELLI.

Daniel (Samuel), poète anglais (près de Taunton, Somerset, 1562 - Beckington, près de Devizes, Wiltshire, 1619). Il fut le rival de Ben Jonson, après avoir été l'ami de Shakespeare et de Marlowe. Son œuvre capitale est une *Histoire des guerres civiles d'York et de Lancastre,* poème en 8 chants (1604).

Daniell (John Frederic), physicien anglais (Londres 1790 - *id.* 1845), inventeur d'un hygromètre à condensation et de la pile électrique à deux liquides (1836).

daniellia n. m. Arbre africain résineux, fournissant le bois dit *faro*. (Famille des césalpiniacées.)

Daniélou (Jean), cardinal français (Neuilly-sur-Seine 1905 - Paris 1974). Professeur à l'Institut catholique, il s'est consacré particulièrement au renouvellement de la théologie patristique. Ses œuvres principales sont : *Platonisme et théologie mystique* (1944), *Bible et liturgie* (1950), *Essai sur le mystère de l'histoire* (1953), *Pourquoi l'Eglise ?* (1972), et, avec H. Marrou, *Des origines à Grégoire le Grand* (t. I de la *Nouvelle Histoire de l'Eglise*, 1963). [Acad. fr., 1972.]

Daniel-Rops (Henri PETIOT, dit), écrivain français (Epinal 1901 - Chambéry 1965). Professeur agrégé d'histoire, auteur de plusieurs essais et de romans (*Mort, où est ta victoire ?*, 1934), il a écrit des ouvrages inspirés par un humanisme chrétien (*Eléments de notre destin*, 1934). A partir de 1943, il se consacra à l'histoire religieuse : *Histoire sainte* (1943), *Jésus en son temps* (1945), puis *l'Histoire de l'Eglise du Christ* (1943-1965). Il a fondé en 1948 la revue *Ecclesia*. (Acad. fr., 1955.)

Danielson (Axel Ferdinand), journaliste et homme politique suédois (1863 - Esterberg 1899). Journaliste au *Social-Demokraten* (1885-1886), puis fondateur de l'*Arbetet* (*le Travail*), il établit le premier programme politique du parti social-démocrate (1897).

Danielson-Kalmari (Johan Richard), historien et homme politique finlandais (Hauho 1853 - Helsinki 1933). Membre de la Diète, un des plus fermes défenseurs des droits de la Finlande, il fut le chef du parti des Vieux-Fennomanes (1907-1914). Professeur d'histoire, il publia une œuvre considérable : *Die nordische Frage in den Jahren 1746-1751*.

danien, enne adj. et n. m. Se dit de l'étage le plus élevé de la série crétacée, entre le sénonien et le montien.

Danilevski (Nikolaï Iakovlevitch), écrivain politique russe (Oberez, Orël, 1822 - Tbilissi 1885). Apôtre du panslavisme, il lutta contre l'européanisation de la Russie (*la Russie et l'Europe*, 1871). Pour lui, la Russie avait la mission historique de libérer tous les peuples balkaniques soumis aux Turcs. Ses idées furent accueillies avec enthousiasme à la veille de la crise balkanique (1876-1878).

Danilo, nom porté par plusieurs princes de Monténégro, dont DANILO Ier (Petrović Njegoš) [près de Kotor 1826-*id.* 1860], prince de Monténégro en 1851. Il sécularisa le pouvoir et tenta de libérer son pays de la souveraineté ottomane.

Danilova (Aleksandra), danseuse russe (Pskov 1906). Elève de l'Ecole impériale de ballet, puis membre du corps de ballet d'Etat

Gabriele D'Annunzio
par R. Brooks
musée de Compiègne

soviétique, elle quitta la Russie en 1924. Engagée par Diaghilev en 1925, elle resta avec lui jusqu'à sa mort (1929). Elle créa, aux Ballets russes de Monte-Carlo, *Coppélia*, *le Lac des cygnes* et *la Boutique fantasque*. Elle est professeur à l'école de l'American Ballet.

danio n. m. Poisson d'ornement originaire de l'Inde (long. 4 cm), vivant facilement dans une eau à 26 °C, mais sensible aux changements de température.

Danites, membres de la tribu de Dan*.

Danjon (André), astronome français (Caen 1890 - Suresnes 1967). Après avoir été directeur de l'observatoire de Strasbourg en 1930, il prit, en 1945, la direction des observatoires de Paris et de Meudon, puis de l'Institut d'astrophysique. On lui doit divers instruments, notamment un nouvel astrolabe permettant des observations impersonnelles et un interféromètre à lame demi-onde. En 1921, il découvrit l'influence de l'activité solaire sur les aspects de la Lune durant ses éclipses. (Acad. des sc., 1948.)

Danjou (Félix), organiste français (Paris 1812 - Montpellier 1866). Organiste de Saint-Eustache et de Notre-Dame de Paris, il a laissé un *Répertoire de musique religieuse*, des compositions pour l'orgue et des œuvres vocales religieuses.

Dannecker (Johann Heinrich VON), sculpteur allemand (Waldenbuch, près de Stuttgart, 1758 - Stuttgart 1841). Il étudia à Paris avec Pajou, et à Rome avec Canova. Son *Ariane à la panthère* (musée de Saint-Etienne) connut un grand succès. Il est l'auteur des bustes de Schiller (musée de Stuttgart) et de Goethe (musée de Weimar).

Dannemarie, ch.-l. de c. du Haut-Rhin (arr. et à 10,5 km à l'O. d'Altkirch), sur le canal du Rhône au Rhin ; 1 965 h. (*Dannemariens*). Dannemarie fut libérée dès sept. 1914.

Dannevirke ou **Dannewerk,** ligne de fortifications protégeant la frontière sud du Danemark, au S. du Slesvig. Commencée au VIIIe s. et terminée par Valdemar Ier le Grand au XIIe s., elle fut reconstituée en hâte en 1848 et en 1864, contre la menace germanique, mais se révéla inefficace.

D'Annunzio (Gabriele), écrivain italien (Pescara 1863 - Gardone Riviera 1938). Il écrit d'abord des recueils de poésies, où se mêlent le culte de la beauté, hérité de Carducci, et le raffinement symboliste. Puis il compose des pièces de théâtre : *la Ville morte* (1898), *Francesca da Rimini* (1901), *le Vaisseau* (1908), *le Martyre de saint Sébastien* (en français, 1911). Entre-temps, il écrit des nouvelles (*les Nouvelles de la Pescara,* 1902) et des romans (*l'Enfant de volupté,* 1889 ; *les Vierges au rocher,* 1894 ; *le Feu,* 1899 ; *la Léda sans cygne,* 1916), où il décrit des milieux raffinés et corrompus. La Première Guerre mondiale lui offre l'occasion de devenir un héros national. Il se bat sur mer, puis dans l'aviation, et, après l'armistice, lorsqu'un différend surgit entre les Alliés à propos de Fiume, il n'hésite pas à occuper militairement cette ville (sept. 1919) ; il la quitte en janv. 1921 pour se retirer dans son domaine du Vittoriale, près du lac de Garde, où il compose encore quelques œuvres autobiographiques, comme *Cent et Cent Pages du livre secret de Gabriele D'Annunzio, tenté de mourir* (1925).

danois, e adj. et n. Relatif au Danemark ; habitant ou originaire de ce pays. ● *Grand danois,* race de grands chiens, originaire du

v. chiens

Danemark, à robe unicolore (fauve, grise, noire) ou tachetée (taches noires sur fond blanc). ‖ *Porc danois,* race de porcs obtenue par sélection au Danemark, et dont la qualité explique la grande extension actuelle. ‖ — ***danois*** n. m. Langue parlée depuis la fin de l'époque protonordique (600) au Danemark actuel, ainsi que — autrefois, et encore aujourd'hui sous forme de dialectes — dans les provinces méridionales de la Suède.

Dan Rek ou **Dang Rek** (MONTS), massif qui sépare le Cambodge de la Thaïlande.

Dan(s) ou **Yacoba(s),** peuple noir de l'Afrique occidentale, en Côte-d'Ivoire, autour de Man ; 120 000 indiv. env. Les masques des Dans sont d'un réalisme stylisé ou d'un expressionnisme terrifiant.

dans prép. (tirée au XVIe s. de *dedans*). Marque une situation, c'est-à-dire un rapport de lieu, de temps ou de manière. (Cette prép. se distingue de *en* parce qu'elle peut s'employer avec l'article et qu'elle a, de manière générale, une valeur plus concrète.)

dans préposition

emplois	exemples
lieu	*Rester dans sa chambre. Il est difficile de circuler dans Paris. Ceci s'est passé dans la rue. Il marche dans l'herbe. J'ai lu cela dans le journal. J'ai trouvé ce vers dans Corneille.*
durée	*Dans les siècles passés. Je ferai cela dans la semaine. Il est dans sa quinzième année. Dans le cours de l'année, sa vue a baissé sensiblement.*
limite de temps	*Dans trois jours, je serai parti. Dans combien de temps reviendrez-vous? Dans cet intervalle, j'aurai fait le nécessaire.*
manière	*Il est dans le besoin. Etre dans l'attente d'un heureux événement. Nager dans la joie.*

dansant, danse → DANSER.

Danse (LA), groupe sculpté par Carpeaux pour la façade de l'Opéra de Paris (1869). Il a été, en 1964, déposé au Louvre et remplacé par une copie due à Paul Belmondo.
→ V. illustration page suivante.

danse macabre ou **danse des morts,** thème fréquent dans l'iconographie chrétienne du Moyen Age et qui figure des personnages de

Larousse

« la Danse », par Carpeaux

toutes conditions, entraînés dans une ronde par des squelettes. Il se répandit au cours du XVe s. en France (fresque de La Chaise-Dieu), en Suisse (Saint-Jean de Bâle). Le même thème a inspiré des suites de gravures, dont *l'Alphabet de la mort,* de Hans Holbein.
On donnait aussi le nom de *Danse Macabré** aux commentaires qui accompagnaient les représentations peintes, sculptées ou imprimées. Citons la *Danse Macabré des hommes,* du charnier des Innocents, attribuée à Gerson, et la *Danse Macabré des femmes,* attribuée à Martial d'Auvergne.
En musique, la danse macabre, évoquée par le texte grégorien du *Dies irae,* a été utilisée par plusieurs compositeurs : Liszt (*Danse macabre,* variations pour piano et orchestre), Saint-Saëns (*Danse macabre,* poème symphonique), Honegger (*Danse des morts,* oratorio).

Danses polovtsiennes (*les*). V. PRINCE IGOR' (*le*).

danser v. intr. (francique **dintjan,* se mouvoir de-ci de-là). Exécuter une danse ; mouvoir le corps en cadence : *Inviter une jeune fille à danser.* || Faire une série de mouvements évoquant une danse : *Les flammes dansaient dans la cheminée.* || S'agiter dans un espace trop grand ; être trop au large : *Ces bonbons dansent dans leur boîte.* || Manquer d'aplomb, en parlant d'une composition d'imprimerie dont les lignes ou les lettres ne s'alignent pas. ● *Danser sur une corde raide,* se livrer à une entreprise difficile ou risquée. || *Danser sur la voie,* s'égarer alternativement à droite et à gauche de la voie, en parlant des chiens courants. || *Faire danser,* malmener. || *Ne savoir sur quel pied danser,* être dans l'embarras, ne savoir à quoi s'en tenir, que décider. ✦ v. tr. Exécuter les pas de : *Danser la valse.* ◆ **dansant, e** adj. Qui danse : *Une troupe dansante. Une lumière dansante.* || Propre à faire danser ; qui a le rythme d'une danse : *Un air dansant.* ● *Soirée dansante, thé dansant,* réunion où l'on danse entre amis, dans l'après-midi ou la soirée. ◆ **danse** n. f. Suite de gestes, de pas, observant un rythme et, par là même, s'incorporant à la musique. (V. *encycl.*) || *Pop.* Correction manuelle ; quelquef., forte réprimande : *Le petit galopin ! Il va recevoir une de ces danses !* ● *Danse classique,* ensemble de mouvements de danse codifiés et classés, utilisés dans l'enseignement chorégraphique. || *Danse noble,* style de l'école classique française du XVIIIe s., caractérisé par l'allure et le maintien harmonieux des interprètes. || *Danse de Saint-Guy,* v. CHORÉE. || *Danse de salon,* danse qui, comme la valse ou le tango, se danse dans les réunions ou dans les dancings. || *Entrer en danse, dans la danse,* commencer à danser ; et, au *fig.,* commencer à agir. || *Mener, ouvrir, commencer la danse,* en diriger l'exécution, danser le premier ; et, au *fig.,* entrer le premier en action ou subir le premier quelque chose de fâcheux. || *Musique de danse,* toute œuvre instrumentale ou vocale associée à la danse. (V. *encycl.*) ◆ **danseur, euse** n. Personne qui danse : *Des couples de danseurs.* || Personne qui aime à danser. || Artiste chorégraphique professionnel : *Anna Pavlova fut une célèbre danseuse.* ● *Danseur, danseuse de caractère,* artiste de la danse spécialisé dans l'interprétation des danses folkloriques. || *Danseur de corde,* acrobate pratiquant des exercices sur un fil tendu. || *Danseur, danseuse de demi-caractère,* artiste de la danse capable d'interpréter le classique et le caractère. || *Danseur, danseuse étoile,* le plus haut titre dans la hiérarchie du corps de ballet de l'Opéra de Paris. || *En danseuse,* manière de pédaler en se levant de la selle et en portant alternativement tout le poids sur chaque pédale. || *Premier danseur, première danseuse,* échelon supérieur du corps de ballet de l'Opéra de Paris. ◆ **dansotter** v. intr. *Fam.* Danser sans respecter les règles de l'art ; danser un peu.

— ENCYCL. ***danse.*** D'abord rythme magique et incantatoire, la danse s'est peu à peu soumise à des règles précises. Chez les Hébreux, les danses traduisaient la reconnaissance du peuple envers Yahvé. Les Egyp-

tiens laissèrent de nombreux témoignages de prières dansées, de danses religieuses et profanes, zodiacales et guerrières. En Inde, la danse fut une des premières manifestations de la civilisation. En Grèce, la danse évolua ; religieuse, puis guerrière, elle devint orgiaque. La plastique et la mimique s'harmonisaient avec la musique et la poésie. Au Moyen Age, dans les pays chrétiens, la danse était mêlée aux fêtes religieuses, et certaines processions étaient, comme à Séville, en partie dansées. Mais, bientôt, sa forme érotique fit jeter sur elle l'interdit. Les interdictions ne furent pas toujours respectées, et la danse continua son évolution. Durant la Renaissance, elle apparut en France et en Italie sous forme de danses folkloriques, les unes nobles (sarabande, pavane), les autres plus rustiques (gaillarde). Bientôt la danse devint un art et prit une place particulière dans les divertissements de cour et de théâtre. La recherche des pas, des attitudes, des enchaînements par les maîtres italiens, les interprétations des grands danseurs français au siècle de Louis XIV (Beauchamp, Blondy, Vestris) donnèrent un attrait nouveau à la danse, qui constitua à elle seule un spectacle. Cette évolution amena l'avènement du soliste, et, au début du XVIIIe s., Lully fit évoluer pour la première fois des danseuses sur la scène. Dès lors, la danse posséda une entière autonomie et eut ses théoriciens. En codifiant les règles strictes, Noverre et Blasis, eux-mêmes danseurs, parachevèrent l'œuvre de leurs prédécesseurs, Feuillet et Pierre Rameau.
La pointe apparut vers 1818 et donna naissance à de nombreux exercices de virtuosité. Au XIXe s. et au XXe s., la danse a évolué sous l'impulsion de maîtres de ballet comme Marius Petipa. Michel Fokine, Serge de Diaghilev, Léonide Massine, George Balanchine, Serge Lifar ont contribué à l'épanouissement de la création chorégraphique. (V. BALLET.)

● *La danse moderne.* Forme contemporaine de la danse traditionnelle, la danse moderne s'affirme comme langage plastique et dynamique, comme expression esthétique et émotionnelle.
Réaction envers un académisme édulcoré et la virtuosité des étoiles de la fin du XIXe s. et du début du XXe, elle doit beaucoup à Isadora Duncan (1878-1927), qui, avec sa « danse libre », rejetant idées reçues et tabous, et dansant pieds nus, en tunique de voile léger, s'inspire souvent de la Grèce antique. L'expressionnisme, manifestation spectaculaire des émotions ressenties, parfois portée jusqu'à l'outrance, fait son apparition en Allemagne. Mary Wigman (1886-1973), Rudolf von Laban (1879-1958) — qui en devient le théoricien —, Kurt Jooss (né en 1901) font école, tant en Allemagne, où aucune tradition classique ne s'y oppose, qu'en Amérique.
Aux Etats-Unis, les « pionniers » de la danse moderne sont des femmes. Ruth Saint Denis (1877-1968) crée un style de danse très personnel, proposant une danse « presque » authentique, inspirée de l'Orient, et ouvre une première école ; Martha Graham, véritable novatrice, fonde une science de la respiration et une technique fondée sur la dynamique contraction/relaxation ; Doris Humphrey, disciple de R. Saint Denis, et son mari, Ted Shawn (1891-1972), apportent une contribution essentielle avec le principe dynamique né de l'opposition chute/rétablissement. La plupart des danseurs modernes américains (Charles Weidman, Erik Hawkins, Lester Horton, José Limón, Alwin Nikolais) ont travaillé au cours de leur carrière avec l'une ou l'autre de ces artistes, ou dans leurs écoles. L'avant-garde est représentée par Paul Taylor et Merce Cunningham. On peut citer aussi en Italie Aurel Milloss, au Canada Sybil Shearer, en Grande-Bretagne Robert Cohan, aux Pays-Bas Rudi van Dantzig, en France Karin Weahner, Aline Roux, Michel Nourkil, etc.
Comme la danse classique, la danse moderne s'est peu à peu structurée ; sans codification véritable, elle obéit à des règles. S'inspirant du quotidien, elle s'oppose à la danse académique, auréolée de rêve. Leur coexistence, loin d'annihiler l'une ou l'autre, est une source d'enrichissement dont certains chorégraphes actuels ont tiré magistralement parti (Maurice Béjart, John Butler, etc.).

● *Musique de danse.* L'association entre la danse et la musique se fait par le rythme. On discerne deux catégories : 1° les musiques à rythmes d'origine littéraire (rythmiques grecque, hindoue, arabe savante) ; 2° les musiques à rythmes autonomes purement chorégraphiques et musicaux (la plupart des folklores).
Au XIIe s., on a des chansons dansées, des airs à danser, aristocratiques ou populaires ; au XIIIe s., des rondeaux à danser, accompagnés d'instruments, et qui, après Adam de la Halle, pourront être polyphoniques. Au XIVe s., les danses sont chantées ou instrumentales. Au XVe s. apparaît le couple binaire lent-ternaire vif, avec la basse-danse et le tourdion. Au XVIe s., les premiers recueils de danses sont imprimés. Au XVIIe s., l'allemande et la courante seront complétées par la sarabande et la gigue ; elles passeront dans la suite instrumentale et ne seront plus dansées. Dans le ballet de cour, les compositeurs perdent l'anonymat originel. Aux XVIIe et XVIIIe s., on trouve de nouvelles danses : chaconne, passacaille, gavotte. Au XIXe s., on observe un apport de danses nationales — polka, mazurka, boléro, tarentelle, barcarolle, csardas — et de danses folkloriques — aragonaise, havanaise, etc. Au XXe s., la valse est la seule danse « classique » survivant dans les bals, à côté des danses issues du folklore hispano-américain ou négro-américain.

danseur, dansotter → DANSER.

Scala

Dante, fresque d'Andrea del Castagno *réfectoire de Sant'Apollonia, Florence*

Dantan (Jean-Pierre), dit **Dantan le Jeune,** sculpteur français (Paris 1800 - Bade 1869). Il exposait des effigies bouffonnes des célébrités contemporaines (Hugo, Balzac, Rossini [musée Carnavalet]).

Dante Alighieri, poète italien (Florence 1265 - Ravenne 1321). Né dans un milieu guelfe, de bonne heure orphelin de mère, il a pour maître Brunetto Latini. Il revoit à l'âge de dix-huit ans Béatrice Portinari, qu'il avait rencontrée déjà neuf ans plus tôt, et en tombe amoureux; c'est pour elle qu'il compose *Vita nuova* (*la Vie nouvelle*), curieux mélange de journal intime, de poèmes et d'analyse assez scolastique de ses poèmes. Béatrice meurt en 1290. Désormais, le poète vit avec le souvenir idéalisé de la morte. Cependant, il se marie avec Gemma Donati, qui lui donnera quatre enfants. Il échange avec ses amis plusieurs chansons, ballades et sonnets, selon la mode de l'époque. Il participe à la vie politique de la cité à partir de 1295 et devient en 1296 membre du Conseil des Cent. En 1300, il est ambassadeur à San Gimignano pour organiser la lutte des guelfes de Toscane contre les intrigues du pape Boniface VIII. Devenu prieur, il tente de mettre un terme aux luttes entre guelfes « blancs » (modérés) et guelfes « noirs » (parti avancé). En 1301, l'entrée à Florence de Charles de Valois assure le triomphe de ses adversaires, les guelfes « noirs ». Une sentence de bannissement est prononcée contre lui, et il se voit condamné à une vie errante. On le trouve successivement à Vérone, à Rimini, à Bologne, où il compose *le Banquet* (entre 1306 et 1308) et des épîtres dans lesquelles il invite les Italiens à mettre un terme à leurs discordes et à accueillir en arbitre et pacificateur l'empereur Henri VII. Toute la fin de sa vie est consacrée à composer et à parfaire son œuvre maîtresse, *la Divine* Comédie;* il meurt en exil, après avoir toujours conservé l'espoir de rentrer dans sa patrie, mais sans jamais avoir consenti à s'humilier pour obtenir sa grâce de ses adversaires.

Dante et Virgile aux Enfers, dit aussi *la Barque de Dante,* tableau d'Eugène Delacroix, qu'il exposa au Salon de 1822 (Louvre, 1,80 × 2,40 m).

dantesque adj. Particulier à Dante ; sombre et grandiose à la manière de Dante : *Poésie dantesque.* ‖ *Fig.* Colossal, sublime, inouï : *Cette réalisation picturale est dantesque. Paysage dantesque.*

Danti, famille d'artistes et de savants italiens (XVIe s.). GIULIO, architecte, orfèvre et fondeur (Pérouse 1500 - *id.* 1575), travailla à Foligno, à Assise. Il eut trois fils : VINCENZO (Pérouse 1530 - *id.* 1576), qui travailla à Pérouse et à Florence (*Décollation de saint Jean-Baptiste* [baptistère]) ; — EGNAZIO, architecte, cosmographe et mathématicien (Pérouse 1536 - Alatri 1586), qui fut chargé par Grégoire XIII de réformer le calendrier ; — GIROLAMO, peintre (Pérouse 1547 - *id.* v. 1580), qui travailla au Vatican.

Danton (Georges Jacques), homme politique français (Arcis-sur-Aube 1759 - Paris 1794). Fils d'un procureur au bailliage d'Arcis, avocat au Conseil du roi (1785-1791), il fut le fondateur, en juill. 1790, du club des Cordeliers, dont il devint l'orateur le plus écouté. Membre de la Commune (janv. 1790), il prit la tête de l'agitation républicaine après la fuite du roi, mais dut se réfugier quelque temps en Angleterre à la suite de la fusillade du Champ-de-Mars (17 juill. 1791). Elu, en déc. 1791, substitut du procureur de la Commune insurrectionnelle et ministre de la Justice après le 10 août 1792, il devint le chef du gouvernement français. Il se fit alors le défenseur d'une politique énergique devant le danger de l'invasion prussienne, organisa des levées d'hommes, fit procéder à l'arrestation de 3 000 suspects et lança sa célèbre formule : « De l'audace, encore de l'audace et toujours de l'audace. » Il demeura passif devant les massacres de Septembre et fut élu député de Paris à la Convention, où il siégea parmi les Montagnards. Il fut attaqué par les Girondins, qui lui demandèrent la justification de l'emploi de 200 000 livres mises à sa disposition pour des dépenses secrètes. Il tenta de faire accepter une motion en faveur du bannissement de Louis XVI, puis vota la mort du roi avec éclat. Il préconisa la guerre de propagande, proclama la levée de 300 000 hommes, créa le Tribunal révolutionnaire (11 mars 1793) et le Comité de salut public, dont il fut le chef jusqu'au 10 juill. 1793. Cependant, il chercha à démembrer, par la négociation, la coalition contre la France et n'hésita pas à proclamer que la Convention « ne s'immiscerait en aucune manière dans le gouvernement des autres puissances ». Eliminé du Comité en juill. 1793 au profit de Robespierre, il s'opposa à celui-ci en réclamant la fin du régime de la Terreur et se mit à la tête du parti des Indulgents. Mais, seule la paix rendant possible le retour à une politique normale, Danton et ses amis multiplièrent les négociations secrètes avec l'ennemi. Le Comité de salut public, voyant le danger, profita du scandale de la liquidation de la Compagnie des Indes, auquel Danton était mêlé, pour abattre la faction des Indulgents. Danton fut condamné à mort et guillotiné, avec Camille Desmoulins.

Danton
par Mme Charpentier, *musée Carnavalet*

Giraudon

dantonisme n. m. Doctrines politiques de Danton. ◆ **dantoniste** n. et adj. Partisan de Danton, de ses doctrines politiques.

Danty-Lafrance (Louis), ingénieur français (Paris 1884 - Neuilly-sur-Seine 1956). Il contribua à l'étude et à la diffusion de l'organisation scientifique du travail.

Dantzig ou **Danzig,** anc. nom de **Gdańsk***. Après son évangélisation par Adalbert, évêque de Prague, la ville appartint successivement au Danemark, aux ducs de Poméranie, à la Pologne et à l'ordre Teutonique. Vers le milieu du XIVe s., elle devint ville hanséatique et jouit d'une quasi-autonomie, sous la protection du roi de Pologne, jusqu'en 1793. Elle fut alors annexée par la Prusse. Cité libre de 1807 à 1814, sous la domination française, elle fut incorporée à l'Etat prussien de 1815 jusqu'en 1919, et fut à cette date proclamée ville libre. De 1919 à 1939, elle fut la source de conflits permanents entre la Pologne et l'Allemagne : l' « affaire de Dantzig » fut même l'origine immédiate de la Seconde Guerre mondiale. Après la défaite polonaise (sept. 1939), Dantzig fut annexée à l'Allemagne. Détruite par les bombardements aériens, elle fut prise par les Russes en 1945 et redevint polonaise en 1946 sous le nom de Gdańsk*.

Par sa situation, Dantzig suscita de nombreuses rivalités. Les principaux sièges qu'elle soutint furent celui de 1807 par Napoléon, qui valut au maréchal Lefebvre le titre de « duc de Dantzig », et celui de 1813, où les Français furent assiégés par les Russes et durent capituler le 27 nov., après onze mois de siège.

Dantzig (GOLFE DE). V. ZATOKA GDAŃSKA.

Dantzig (duc DE). V. LEFEBVRE.

Danube, en allem. **Donau,** en tchèque et en slovaque **Dunaj,** en serbe et en bulgare **Dunav,** en hongr. **Duna,** en roum. **Dunărea** (le *Danubius* et, pour le cours inférieur, l'*Ister* des Romains), fl. de l'Europe centrale, le deuxième d'Europe après la Volga, tant par sa longueur (2 850 km), la surface de son bassin (plus de 800 000 km^2) que par l'importance de son débit moyen (6 500 m^3/s). La direction générale du Danube est O.-E. Il est alimenté par la fonte des neiges des Alpes et des Carpates principalement; son régime est de type nivo-glaciaire (crues de printemps et d'été). Le Danube traverse ou longe huit Etats différents, d'amont en aval : Allemagne occidentale, Autriche, Tchécoslovaquie, Hongrie, Yougoslavie, Roumanie, Bulgarie et U. R. S. S. Né, dans la Forêt-Noire, de la réunion de la Breg et de la Brigach à Donaueschingen, le Danube traverse le Jura souabe et le bassin de Vienne. A partir de Vienne, il entre dans le Bassin pannonien, où il s'étale et décrit de nombreux méandres. En amont de Budapest, le fleuve s'oriente du N. au S. pendant 400 km. Le sud de la plaine pannonienne est un grand carrefour fluvial, puisque le Danube reçoit la Drave et la Save, nées dans les Alpes, et la Tisza, venue des Carpates. En aval de Belgrade, le Danube traverse le majestueux défilé des Portes* de Fer et pénètre dans les plaines roumaines. Il se termine par un delta de 3 750 km^2, en grande partie

vue du **Danube** et du centre de Budapest

P. Koch-Rapho

immergé. Onze centrales hydrauliques, fournissant au total 27 milliards de kilowatts-heures, doivent être construites sur son cours par les pays riverains (sauf l'Allemagne occidentale). Sept chantiers ont été ouverts en 1965. La réalisation de l'ensemble s'étalera sur plus de dix ans.
Selon l'article 15 du traité de Paris de 1856, la navigation est libre sur le fleuve.

Danube (ARMÉE FRANÇAISE DU), armée constituée en oct. 1918, aux ordres du général Berthelot, pour couvrir sur le Danube les opérations alliées menées en direction de Belgrade et de Constantinople.

Danube (HAUT- et BAS-), nom pris par la Haute- et Basse-Autriche sous la domination allemande (1939-1945).

Danube (OIE FRISÉE DU), oie à plumage blanc présentant des plumes frisées, élevée comme oiseau d'ornement.

danubien, enne adj. Relatif au Danube, aux régions drainées par ce fleuve : *Les principautés danubiennes.*

danugue n. m. Cépage provençal donnant des fruits allongés, à chair ferme et sucrée, et à peau épaisse.

Danzig. V. DANTZIG et GDAŃSK.

daos n. f. Pirogue des îles Comores.

Daougavpils ou **Daugavpils,** anc. **Dvinsk, Dünaburg** ou **Dunabourg,** v. de l'U. R. S. S. (Lettonie), sur la Daougava, ou Dvina occidentale ; 100 400 h. Constructions mécaniques. Les Russes s'y établirent en 1915. La ville fut occupée par les Allemands de 1941 à juill. 1944.

Daoulas, ch.-l. de c. du Finistère (arr. et à 21 km au S.-E. de Brest), sur la rade de Brest ; 1 083 h. (*Daoulasiens*). Cloître roman.

Daourie, région montagneuse de l'U. R. S. S. (R. S. F. S. de Russie), en Sibérie, au S.-E. du lac Baïkal. V. princ. *Nertchinsk.* Elle doit son nom aux *Daours,* tribu mongole des Toungouses.

Daphnae. *Géogr. anc.* V. d'Egypte, à l'O. de Silé, sur l'ancienne route des caravanes et des armées entre la Syrie et l'Egypte. Psammétik Ier y installa des mercenaires grecs contre les Assyriens (v. 650). [Auj. *Tell al-Daffānah.*]

daphné n. m. Arbrisseau des forêts montagneuses, aux fleurs parfumées, de l'ordre des myrtales. (Syn. BOIS-GENTIL, SAINBOIS, GAROU.)

Daphné ou **Daphnê.** *Myth. gr.* Nymphe, fille du dieu-fleuve thessalien Pénée, changée en laurier par son père ou par Zeus pour échapper à Apollon.

Daphné. *Géogr. anc.* Village syrien sur l'Oronte, au S. d'Antioche, où étaient célébrées, tous les ans, les fêtes d'Apollon *Daphnéen.*

daphnéphore n. m. (gr. *daphnêphoros ;* de *daphnê,* laurier, et *phoros,* qui porte). Epithète d'Apollon, dont le laurier était un des symboles. ◆ **daphnéphories** n. f. pl. Fête célébrée tous les neuf ans en Béotie, notamment à Thèbes, en l'honneur d'Apollon.

Daphni (ÉGLISE DE), église de Grèce, située entre Athènes et Eleusis, construite à la fin du XIe s. et décorée de riches mosaïques.

daphnie n. f. Minuscule crustacé cladocère des eaux douces, à carapace transparente, incubant ses œufs sur son dos, et souvent parthénogénétique. (Les daphnies sont vendues pour la nourriture des poissons d'aquarium.)

Daphnis, berger sicilien, fils d'Hermès et d'une nymphe, à qui la mythologie attribue l'invention de la poésie bucolique.

Daphnis et Chloé, roman pastoral grec en 4 livres, attribué à Longus (IIIe-IVe s. apr. J.-C.). Daphnis et Chloé ont été élevés ensemble par des bergers qui les avaient trouvés. Devenus adolescents, ils s'aiment, sont retrouvés par leurs parents, qui les marient. Le roman contient de belles descriptions rustiques et exprime avec franchise les sentiments de ces jeunes amants.

Daphnis et Chloé, symphonie chorégraphique en 3 parties, avec chœurs, de M. Ravel, livret et chorégraphie de Fokine, décors et costumes de L. Bakst, créée par la compagnie des Ballets russes au théâtre du Châtelet en 1912.

daphnite n. f. (du gr. *daphnê,* laurier). Pierre dans la masse de laquelle se trouvent figurées naturellement des feuilles de laurier.

dapifer [fɛr] n. m. (lat. *dapes, -itis,* mets, et *ferre,* porter). *Hist.* Officier de la maison royale qui servait le souverain à table. ◆ **dapiférat** n. m. Dignité et office de dapifer.

Da Ponte. V. BASSANO.

Da Ponte (Emanuele CONEGLIANO, dit **Lorenzo**), librettiste italien (Ceneda [auj. Vittorio Veneto] 1749 - New York 1838). Il est l'auteur de livrets d'opéras de Mozart (*les Noces de Figaro, Don Juan, Cosi fan tutte*), de Salieri et de Martini. Il a laissé des *Mémoires* intéressants.

dapte n. m. Carabe roux ou brun des argiles salées.

Daragnès (Jean-Gabriel), peintre, graveur et imprimeur français (Guéthary 1886 - Paris 1950). Il illustra et édita de nombreux livres d'art.

daraise n. f. Déversoir ou déchargeoir d'un étang.

Dār al-Bayḍā'. V. DAR EL-BEIDA.

Dārā Shikūh (Muḥammad Hanefi Kadiri), prince indien (Ajmer 1615 - Delhi 1659), fils de l'empereur Chāh Jahān. Ayant pris la régence, il fut vaincu à Āgra (1658) et à Ajmer (1659) par ses frères, et exécuté. Il avait fait traduire en persan les *Upanishads.*

darazites n. m. pl. Nom donné aux disciples de Darazī, l'un des fondateurs de la religion des Druzes. (Converti par Ḥamza*, Darazī, apôtre de la divinité d'Al-Ḥakīm, dut quitter Le Caire en 1020. Il alla en Syrie répandre sa doctrine.)

Darbhanga, v. de l'Inde (Bihār) ; 109 100 h. Industries alimentaires et textiles (jute).

Darblay, famille d'industriels français, qui fondèrent une entreprise de meunerie d'où sont issus les Grands Moulins de Corbeil, et qui créèrent également, avec le concours de Louis Christophe Hachette*, les papeteries d'Essonnes, devenues depuis les papeteries Darblay.

darbonnage n. m. Dans le Beaujolais, accumulation de terre en petits tas entre les ceps, pour aérer le sol et faciliter la nitrification.

Darboux (Gaston), mathématicien français (Nîmes 1842 - Paris 1917). Professeur à la Sorbonne, il a publié divers travaux sur les courbes et les surfaces algébriques, ainsi que sur les applications géométriques du calcul infinitésimal. (Acad. des sc., 1884 ; secrétaire perpétuel, 1900.)

Darboy (Georges), prélat français (Fayl-Billot, Haute-Marne, 1813 - Paris 1871). Archevêque de Paris en 1863, il fut fusillé comme otage de la Commune.

Darby (Abraham), métallurgiste anglais (Coalbrookdale, Shropshire, 1711 - *id.* 1763). On lui doit le premier emploi du coke dans un haut fourneau (1735).

Darby (John Nelson), théologien anglais (Londres 1800 - Bournemouth 1882). Pasteur anglican, il fonda vers 1828, en liaison avec des dissidents de Dublin et de Plymouth, une secte nouvelle (V. DARBYSME).

darbysme n. m. Doctrine religieuse de J. Darby et de ses partisans. (Le darbysme est un calvinisme strict. Il insiste sur la prédestination. Il rejette toute organisation d'Eglise et tout ministère. Il n'admet comme seule autorité que la parole de Dieu.) ◆ **darbyste** n. et adj. Qui se rattache au darbysme ou y a trait.

Darc (Jeanne). V. JEANNE D'ARC (sainte).

Darçana, nom générique des sept écoles, ou systèmes orthodoxes, de la philosophie brahamanique. (Leurs textes fondamentaux, les *sutra,* ont été rédigés entre le Ier et le IIIe s. de notre ère.)

darce n. f. Syn. de DARSE.

Darcet ou **d'Arcet** (Jean), chimiste français (Audignon, Gascogne, 1725 - Paris 1801). Il a laissé son nom à un alliage à bas point de fusion (95 °C), constitué par 50 p. 100 de bismuth, 25 p. 100 de plomb et 25 p. 100 d'étain.

darcy n. m. Unité de perméabilité, utilisée dans l'industrie du pétrole.

dard [dar] n. m. (francique **darod*). Arme de jet ancienne, formée d'une pointe de fer fixée à une hampe de bois. ‖ Pièce de métal renforçant l'extrémité du fourreau d'un sabre. ‖ Bâti portant un engin incendiaire ou éclairant. ‖ Mandrin d'acier servant à vérifier que l'intérieur du canon de fusil est uni et cylindrique. ‖ Faisceau étroit produit par l'éclatement d'un engin à charge creuse. ‖ Organe impair, pointu et creux, servant à quelques animaux (abeille, scorpion) pour injecter un venin sous la peau de leurs victimes. (Les organes pairs analogues des serpents et des araignées ne sont pas des dards, mais des « crochets »; quant à l'organe vulnérant des moustiques et autres suceurs de sang, c'est une *trompe piqueuse*.)

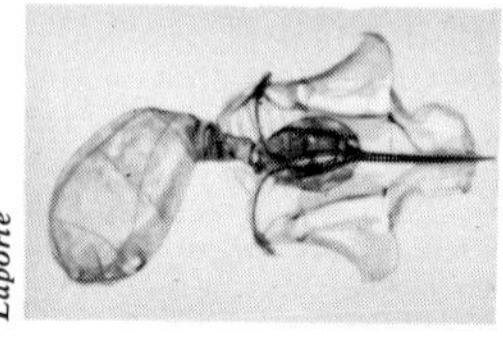

dard d'abeille et poche à venin

[Syn. AIGUILLON.] ‖ Rameau court, capable de donner un bouton à fruit l'année suivante, et qu'on respecte dans la taille d'hiver du pommier et du poirier. ‖ Ornement d'architecture taillé en forme de flèche. ‖ Outil à l'aide duquel les cordonniers lissent la semelle ou la trépointe du soulier à sa jonction avec l'empeigne. ‖ *Poétiq.* Langue du serpent, qui est inoffensive, mais dans laquelle l'imagination des poètes anciens avait vu un organe fort redoutable. (Ils prêtaient fréquemment *trois dards* à la gueule du serpent.) ‖ *Fig.* Trait acéré : *Les dards de la satire, de la calomnie.* ● *Filer comme un dard,* fuir, s'en aller rapidement. ◆ **darder** v. tr. Lancer vivement, de manière à blesser ou à percer : *Darder une flèche.* ‖ Porter à la manière d'un dard : *L'acacia darde ses épines acérées.* ‖ *Fig.* Lancer des rayons, des regards : *Le soleil darde ses rayons. Darder sur quelqu'un des regards furieux.* ‖ Décocher : *Darder des sarcasmes acérés, des traits piquants.* ✦ v. intr. Etre ardent, causer une sensation de brûlure : *Le soleil darde.*

Dardanelles (DÉTROIT DES), détroit faisant communiquer la mer Egée et la mer de Marmara, long de 60 km, large de 1,2 à 7 km. Les Dardanelles sont une ancienne vallée fluviale envahie par la mer au quaternaire.

Dardanelles (EXPÉDITION DES), expédition franco-britannique entreprise en 1915, pendant la Première Guerre mondiale, dans le dessein de remonter les Détroits jusqu'à Constantinople pour forcer la Turquie à sortir de la guerre et pour communiquer avec la Russie. Après l'échec de la tentative de percée des Détroits par leur flotte (bataille de Çanakkale), les Alliés débarquèrent dans la presqu'île de Gallipoli (avr. et août 1915), mais ne purent forcer les défenses des Turcs, commandés par Mustafa Kemal assisté du général allemand Liman von Sanders. Les opérations navales qui se poursuivirent se soldèrent, elles aussi, par des échecs (8 sous-marins et 2 cuirassés coulés). L'évacuation fut décidée, et le repli des troupes sur Thessalonique, où elles formèrent le noyau de l'armée alliée d'Orient, s'acheva en janv. 1916.

Dardanie, en lat. **Dardania.** *Géogr. anc.* Contrée des Balkans, au S. de la Mésie supérieure. Capit. *Naissus* (auj. *Niš*).

Dardanos. *Myth. gr.* Héros éponyme des Dardaniens, fils de Zeus et d'Electre. Originaire de Samothrace, il émigra en Asie à la suite d'un déluge, et fut le fondateur de Troie.

darder → DARD.

dare-dare loc. adv. (orig. obscure; sans doute interj. pop. provenant d'une onomatop.). *Fam.* En toute hâte : *Arriver dare-dare.*

Dar el-Baïda, anc. **Maison-Blanche,** ch.-l. d'arr. d'Algérie (dép. d'Alger); 6 200 h. Aéroport d'Alger. Raffinerie de pétrole.

Dar el-Beida ou **Dār al-Bayḍā',** nom arabe de **Casablanca.**

Dar el-Beida (en ar. *Dār al-Bayḍā'*, Maison blanche), nom donné à l'école militaire fondée par Lyautey à Meknès en 1919 pour la formation des officiers marocains.

Daremberg (Charles Victor), médecin et érudit français (Dijon 1817 - Le Mesnil-le-Roi 1872), auteur, avec Saglio, du *Dictionnaire des antiquités grecques et romaines.*

Dar es Salaam ou **Dar es Salam,** en ar. **Dar al-Salam,** capit. de la Tanzanie, à l'entrée sud du détroit de Zanzibar; 272 800 h. Grand port. Dodoma doit lui succéder comme capit. du pays avant 1983. Terminus du chemin de fer de Kigoma (sur le lac Tanganyika). Industries alimentaires. Raffinerie de pétrole.

Dareste (Camille), naturaliste français (Paris 1822 - *id.* 1899). Il devint directeur de laboratoire à l'Ecole des hautes études, à Paris, et président de la Société d'anthropologie. Il est l'auteur de *Recherches de la production artificielle des monstruosités ou Essais de tératogénie expérimentale* (1877).

Daret (Jacques), peintre flamand (Tournai v. 1404 - † apr. 1468). Elève de Robert Campin, influencé par Rogier Van der Weyden, il est l'auteur d'une *Présentation au Temple* (Petit Palais).

Daret (Jean), peintre et graveur français (Bruxelles 1613 - Aix-en-Provence 1668). Il étudia à Bruxelles, travailla à Bologne, puis à Aix-en-Provence, où il exécuta de nombreuses décorations. Il fit aussi des portraits (*Portrait d'un magistrat,* Marseille).

Dar Fertit, région de l'Afrique équatoriale, aux sources de tributaires du Bahr el-Ghazal (bassin du Nil), de l'Oubangui (bassin du Congo) et du Chari (bassin du Tchad).

Darfour ou **Dār Fūr** (« pays des Fur »), une des provinces de la république du Soudan ; 1 715 000 h. Capit. *El-Fâcher.* Le Darfour est formé de plateaux surmontés de volcans (djabal Marra, 3 040 m). C'est une région où se sont réfugiés les Fours, refoulés par les Arabes.

• *Histoire.* Gouverné d'abord par les rois noirs dadjos, le Darfour fut ensuite envahi par les Berbères, dont le chef épousa la fille du dernier roi dadjo. Puis le pays passa, en 1596, sous la domination arabe, et la population fut convertie à l'islamisme. C'est au XVIIIe s. que le royaume connut sa plus grande prospérité. A la mort d'Ibrahim, dernier roi du pays, le Darfour passa sous la suzeraineté égyptienne. En 1897, un sultanat arabe fut rétabli sous le protectorat anglo-égyptien. Le sultan 'Alī Dinār se révolta en 1915, mais fut battu et tué.

Dargilan (GROTTE DE), grotte du causse Noir (Lozère), longue de 2 800 m, explorée par Martel en 1888.

Dargomyjski (Aleksandr Sergheïevitch), compositeur russe (Dargomyj 1813 - Saint-Pétersbourg 1869). Le sens dramatique, l'emploi du folklore et le récitatif mélodique caractérisent ses opéras, dont le dernier, *le Convive de pierre,* annonce Moussorgski.

Dargoua(s), ou **Dargwa(s),** ou **Darghinien(s),** peuple du Caucase ; 150 000 individus env.

Darguinah, comm. d'Algérie (dép. et arr. de Bougie) ; 4 500 h. A proximité, importante usine hydro-électrique, alimentée par les eaux de l'Ahrzerouftis et de l'oued Agrioun (barrage de l'Iril-Emda).

Darial (DÉFILÉ DE), col du Caucase, à l'E. du mont Kazbek, entre Ordjonikidze et Tbilissi ; 1 250 m.

Darién (PROVINCE DE), province de la partie est de la république de Panamá, entre le *golfe de Darién,* au N.-E., et la rive orientale du golfe de Panamá ; 22 200 h. Ch.-l. *La Palma.* Clé de l'isthme centre-américain, la région fut l'objet, en 1698, d'une expédition écossaise, qui y fonda une colonie, la « Nouvelle-Calédonie » ; elle végéta et se solda par un échec total (1699).

Darier (MALADIE DE), trouble de la formation de la couche cornée de la peau, réalisant, dans un premier stade, une simple rugosité, puis de multiples petites papules formant comme autant de petites « cornes cutanées », qui peuvent devenir rouges et se recouvrir de croûtes. Son nom est dû au médecin français Jean *Darier* (1856 - 1938).

Darimon (Louis), homme politique et publiciste français (Lille 1819 - Paris 1902). Secrétaire de Proudhon, puis directeur du journal *la Presse,* il fut l'un des cinq députés qui, en 1857, représentèrent la première opposition à Napoléon III.

Darío (Félix Rubén GARCÍA-SARMIENTO, dit **Rubén**), poète nicaraguayen (Metapa, Nicaragua, 1867 - León, Nicaragua, 1916). Il connut son premier succès avec *Azur* (1888), recueil mêlé de prose et de poésie. Ses plus beaux poèmes se trouvent dans *Proses profanes et autres poèmes,* publiés en 1896. De 1908 à 1911, il fut ministre du Nicaragua à Madrid. Ses *Chants de vie et d'espérance* (1905) sont d'un lyrisme ardent et désespéré. Son influence a été considérable : Rubén Darío est à l'origine de tout le mouvement « moderniste » en Amérique latine.

dariole n. f. Sorte de flan, qui consiste en un petit feuilletage creux, rempli d'une crème cuite aromatisée aux amandes, au marasquin, etc. ‖ Petit moule en forme de cylindre.

Darios ou **Darius Ier** († en Egypte 486 av. J.-C.), roi de Perse (521-486 av. J.-C.), fils du satrape Hystaspe. Il reconstitua l'unité perse en reconquérant de nombreuses provinces, dont la Babylonie, la Susiane et la Médie, tombées aux mains d'usurpateurs. Il s'occupa ensuite de la réorganisation de son empire et construisit la route royale de Sardes à Suse. Il se tourna ensuite contre les Scythes et fit une expédition jusqu'au delta du Danube. Malgré des défaites, les Perses soumirent la Thrace et la Macédoine. Mais la guerre qu'il entreprit contre les Grecs (première guerre médique*) se termina par la défaite de Marathon (490). Sous son règne, l'Empire connut une certaine prospérité ; Darios fit frapper des monnaies d'or (*dariques*). Il fit preuve de tolérance religieuse. Il

Held

Darios III à la bataille d'Arbèles (*détail*) mosaïque, *musée de Naples*

a été enseveli dans le tombeau de *Naqsh-i Roustem*. — **Darios II Okhos,** surnommé **Nothos** (« Bâtard ») [† Babylone 404 av. J.-C.], roi de Perse (424-404 av. J.-C.), fils naturel d'Artaxerxès. Après l'assassinat de Xerxès, unique fils légitime d'Artaxerxès, par son demi-frère Sogdianos, celui-ci fut à son tour tué par un autre fils naturel, Okhos, qui régna sous le nom de Darios II. Son règne fut ensanglanté par de nombreux assassinats. — **Darios III Codoman** († en Parthie 330 av. J.-C.), roi de Perse (335-330 av. J.-C.), arrière-petit-fils de Darios II ou petit-neveu d'Artaxerxès II. Porté au trône par l'eunuque Bagoas, qui avait empoisonné Artaxerxès III et son fils Arsès, Darios III se débarrassa à son tour de Bagoas par le poison. Vaincu à Issos en 333 par Alexandre le Grand, qui avait fait prisonnier toute sa famille, il fut de nouveau battu à Gaugamèles (Arbèles) en 331. Il s'enfuit alors vers l'est jusqu'en Parthie, où il fut poignardé par un de ses officiers (330). Alexandre le fit enterrer à Pasargades avec tous les honneurs dus à son rang.

Darios, fils aîné d'Artaxerxès II Mnémon et de Starteira. Mis à mort à la suite d'un complot contre le roi son père (v. 365 av. J.-C.).

Darios le Mède, roi de Babylone, d'après la Bible (livre de Daniel), successeur de Balthazar et prédécesseur de Cyrus. On l'a successivement identifié avec Darios Ier, Darios II et même avec Cyaxare II.

darique n. f. Monnaie d'or royale des Perses Achéménides, frappée à partir du règne de Darios Ier.

Darius. V. DARIOS.

Darjeeling, v. de l'Inde (Bengale-Occidental), sur les flancs de l'Himalaya ; 2 185 m ; 40 700 h. Station climatique ; relais commercial avec le Tibet, joint par voie ferrée à Calcutta.

Darlac, région du Viêt-nam méridional. Hauts plateaux basaltiques (1 000 m d'alt.) en pays moï. Terres fertiles sur lesquelles sont établies des plantations d'hévéas.

Darlan (François), amiral et homme politique français (Nérac 1881 - Alger 1942). Directeur du cabinet de Georges Leygues (1926-1928 ; 1929-1934), il commanda de 1934 à 1936 l'escadre de l'Atlantique, puis reçut en 1939 le titre d'amiral de la flotte et se trouva à la tête des forces navales françaises en 1939-1940. Ministre de la Marine dans le gouvernement Pétain du 16 juin 1940, il devint, après le renvoi de Laval en déc. 1940, vice-président du Conseil du gouvernement de Vichy. Il eut deux entrevues avec Hitler (25 déc. 1940, 10 mai 1941) et signa à Paris un protocole ouvrant aux Allemands de larges possibilités dans les ports français d'Afrique (28 mai 1941). Mais celui-ci fut repoussé par le gouvernement de Vichy (3 juin). Après le retour de Laval (17 avr. 1942), Darlan démissionna, mais resta chef des armées. A la suite du débarquement allié en Afrique du Nord (8 nov. 1942), il conclut un armistice avec les Américains, se proclama haut-commissaire, dépositaire de la souveraineté française en Afrique du Nord, et signa avec le général Clark les accords du 22 nov. 1942. Il fut assassiné le 24 déc. à Alger par Bonnier de La Chapelle.

darling [liŋ] n. (mot angl.). Chéri, chérie ; bien-aimé.

Darling (le), riv. d'Australie, principal affl. du Murray (r. dr.) ; 2 450 km.

Darlington, v. de Grande-Bretagne (Durham) ; 84 200 h. Houille. Métallurgie.

Darmesteter (Arsène), linguiste français (Château-Salins 1846 - Paris 1888). Professeur à la Sorbonne, spécialiste du lexique, il entreprit avec Ad. Hatzfeld un *Dictionnaire général de la langue française depuis le commencement du XVIIe s. jusqu'à nos jours* (1890-1900).

Darmois (Eugène), physicien français (Eply, Meurthe-et-Moselle, 1884 - Paris 1958). Professeur à la Sorbonne, il est l'auteur de travaux sur la polarisation rotatoire, le cracking des pétroles, les lampes à vapeur de mercure, l'éclairagisme, les électrolytes. (Acad. des sc., 1951.) — Son frère GEORGES (Eply 1888 - Paris 1960), professeur à la Sorbonne, a étudié le calcul des probabilités et l'ensemble des applications statistiques, économiques et biologiques de celui-ci. (Acad. des sc., 1955.)

darmous [mus] n. m. (mot indigène de l'Afrique du Nord). Intoxication chronique par des dérivés du fluor contenus dans les phosphates naturels, affectant l'homme et de nombreuses espèces animales, et responsable de lésions dentaires et osseuses.

Darmstadt, v. d'Allemagne (Allem. occid., Hesse) ; 139 100 h. Centre touristique. Industries chimiques ; imprimeries ; travail du bois ; petite mécanique. Capitale de la Hesse-Darmstadt en 1567 ; centre intellectuel important aux XVIIIe et XIXe s.

Darnand (Joseph), homme politique français (Coligny, Ain, 1897 - Châtillon, Seine, 1945). Fondateur de la Milice (1943), destinée à lutter contre les résistants, il fut nommé secrétaire général au maintien de l'ordre (déc. 1943), puis secrétaire d'Etat à l'Intérieur (févr. 1944). Il fut condamné à mort et exécuté après la Libération.

darne n. f. (breton *darn,* morceau). Tranche de poisson : *Une darne de thon.*

Darnétal, ch.-l. de c. de la Seine-Maritime (arr. et à 4 km à l'E. de Rouen) ; 11 801 h. Tréfileries et laminoirs ; tissages du coton.

Darney, ch.-l. de c. des Vosges (arr. et à 38 km au S.-O. d'Epinal), sur la Saône ; 2 029 h. Fromagerie. Confection. Belle forêt.

Darnley (Henry STUART ou STEWART, baron), comte **de Ross** et duc **d'Albany,** prince écossais catholique et second mari de la reine Marie Stuart (Temple Newsam, Yorkshire, 1545 - Edimbourg 1567), fils aîné de Matthew Stuart et de lady Margaret Douglas, petite-fille d'Henri VII d'Angleterre. Malgré l'opposition de la reine Elisabeth, il épousa Marie, reine d'Ecosse, veuve du roi de France François II, et en eut un fils en 1566, le futur Jacques Ier d'Angleterre. Sa jalousie et son instabilité lui valurent la haine de sa femme et de la noblesse écossaise. Il fut assassiné probablement avec la complicité de la reine.

Darracq (Alexandre), industriel français (Bordeaux 1855 - Monaco 1931). Après avoir fondé, en 1893, la manufacture des cycles Gladiator, il fit construire, en 1894, la moto Millet, équipée d'un moteur à quatre cylindres rotatif, puis, en 1900, une automobile munie d'un moteur à quatre cylindres développant 70 ch. Il eut le premier l'idée de la construction en série.

Darrieus (Georges), ingénieur français (Toulon 1888 - Houilles 1979). En électrotechnique, il est l'auteur de recherches et d'importantes réalisations sur les lignes de transport de courant à haute tension, sur la commutation, les machines à collecteurs et les alternateurs. On lui doit aussi des études de balistique et d'aérodynamique, ainsi que des travaux sur les turbines à gaz. (Acad. des sc., 1946.)

Darrieux (Danielle), actrice française (Bordeaux 1917). Débutant au cinéma à quatorze ans, elle a tourné *le Bal* (1931), *Quelle drôle de gosse* (1935), *Battement de cœur* (1939), *Premier Rendez-vous* (1941), *Ruy Blas* (1947), *Madame de...* (1953), *le Rouge et le Noir* (1954), *l'Amant de lady Chatterley* (1955), *Landru* (1962), *Méfiez-vous, mesdames* (1963), jouant tour à tour des comédies légères ou des drames.

darse ou **darce** n. f. (ital. *darsena;* de l'ar. *dār ṣinā'a,* maison de travail, atelier). Bassin dans certains ports, surtout de la Méditerranée.

Darsonval (Alice PERRON, dite **Lycette**), danseuse et chorégraphe française (Coutances 1917). Ayant abandonné l'Opéra, elle part avec Serge Lifar pour l'Amérique du Nord. En 1936, de retour à l'Opéra, et première danseuse, elle danse *Oriane et le Prince d'amour,* ballet de Florent Schmitt et Serge Lifar. Nommée étoile en 1940, elle crée *la Princesse au jardin,* interprète *Phèdre,* puis *la Tragédie de Salomé* (1956). De 1957 à 1959, elle a dirigé l'école de danse de l'Opéra de Paris. Depuis 1971, elle est professeur de danse classique au conservatoire de Nice.

darsonvalisation n. f. V. ARSONVALISATION (D').

Dartford, v. de Grande-Bretagne (Kent); 45 600 h. Constructions mécaniques.

Dartigues ou **d'Artigues** (Aimé Gabriel), verrier français (1770 - 1848). Il lança la fabrication du cristal en France, à Vonèche en 1805, puis à Baccarat en 1819.

Dartmoor, massif cristallin de Grande-Bretagne (Devon) ; 617 m au *Yes Tor.*

Dartmouth, port du Canada (Nouvelle-Ecosse) ; 47 000 h. Raffinerie de pétrole et industries diverses.

Dartmouth, port de Grande-Bretagne (Devon); 5 800 h. Collège de cadets de la marine.

Dartmouth (George LEGGE, 1er baron), amiral anglais (1647 - Londres 1691). Nommé par Jacques II commandant en chef de la flotte (1688), il tenta, sans succès, de s'opposer à l'expédition de Guillaume d'Orange. Soupçonné de rester fidèle à Jacques II, il fut emprisonné et mourut à la Tour de Londres. — Son arrière-petit-fils WILLIAM LEGGE, 2e comte **de Dartmouth** (1731 - 1801), secrétaire aux Colonies (1772-1775), lord du sceau privé (1775-1782), fut un fervent partisan du méthodisme.

dartois n. m. Gâteau feuilleté, à la frangipane ou aux confitures. (Syn. GÂTEAU À LA MANON.)

dartos [tɔs] n. m. (mot gr. signif. *écorché*). Membrane immédiatement sous-jacente à la peau du scrotum.

dartre n. f. (lat. *derbita,* d'orig. gauloise). Nom donné jadis à des affections cutanées très diverses. (Le mot n'est plus guère employé que dans le langage familier pour désigner de petites taches de desquamation du visage.) || Lésion cutanée des bovins atteints de la teigne. || *Métall.* Type de rugosités qui affectent la surface d'une pièce fondue. ◆ **dartreux, euse** adj. Qui est de la nature des dartres : *Affection dartreuse.*

dartrose n. f. Maladie cryptogamique de la pomme de terre.

daru ou **dahu** n. m. Animal fantastique et imaginaire, qu'on invite un jeune homme crédule à chasser, en compagnie, durant l'hiver. (Cette farce doit humilier un vantard, ou déniaiser un nouveau avant son agrément dans la communauté locale.)

Daru (Pierre BRUNO, comte), homme politique et historien français (Montpellier 1767 - Bécheville, près de Meulan, 1829). Il fut secrétaire général au ministère de la Guerre (1800), membre du Tribunat, conseiller d'Etat, intendant général de la Grande Armée en Autriche (1805 et 1809) et en Prusse (1806-1807), puis ministre secrétaire d'Etat en 1811. Il est l'auteur d'une *Histoire de la république de Venise* (8 vol. ; 1819). [Acad. fr., 1806 ; Acad. des sc., 1828.]

Darvaza ou **Darwaz,** région montagneuse du nord de l'Afghānistān et de l'U. R. S. S., de part et d'autre de l'Amou-Daria.

Darwin, anc. **Palmerston,** v. d'Australie, capit. du Territoire du Nord ; 40 900 h. La ville fut ravagée par un cyclone en 1974.

Darwin (Charles), naturaliste anglais (Shrewsbury 1809 - Down, Kent, 1882), auteur de la théorie de la *sélection naturelle,* explication partielle du renouvellement des faunes et des flores, et du caractère adaptatif de l'évolution. A vingt-deux ans, Charles Darwin s'embarqua sur le *Beagle,* en qualité de naturaliste, pour une croisière de cinq ans en Amérique du Sud et dans les îles du Pacifique (1831-1836). A son retour il lut Malthus et observa les pratiques des éleveurs sélectionneurs. C'est cette triple moisson de faits et d'idées qui lui permit d'écrire son œuvre célèbre *De l'origine des espèces par voie de sélection naturelle* (1859), où il exposa ce qu'on appellera plus tard le « darwinisme » ou la « doctrine darwinienne ». Les principales thèses de Darwin sont les suivantes :
1° Les espèces vivantes présentent d'innombrables *variations* individuelles ou raciales, au point que deux populations d'une même espèce, isolées l'une de l'autre, sont toujours un peu différentes (tortues des îles Galapagos, etc.) ;
2° La multiplication des individus étant beaucoup plus rapide que celle de leurs ressources alimentaires (idée fondamentale de Malthus), une impitoyable *concurrence vitale* (« struggle for life ») règne, entraînant la mort sélective des faibles et la *survivance du plus apte ;*
3° Ainsi, la nature favorise l'extension des populations animales ou végétales porteuses d'un caractère tant soit peu avantageux pour elles, réalisant une *sélection naturelle,* comparable par l'excellence de ses résultats à la sélection artificielle des éleveurs.
Plus tard, Darwin, observant notamment la parade des mâles chez certains oiseaux, introduira la notion de *sélection sexuelle,* selon laquelle, de gré ou de force, les femelles ne s'accouplent qu'avec les mâles les mieux doués, ce qui améliore la race à chaque génération.

Charles **Darwin**

Les idées de Darwin, si largement admises de nos jours, n'ont pas été aisément acceptées de son vivant, sauf par ceux qui, comme sa traductrice française Clémence Royer, s'en prévalaient à des fins politiques et antireligieuses un peu hâtives. On peut, en effet, retenir trois objections :
1° Une variation est toujours un *très petit* changement, insuffisant à ses débuts pour conférer un avantage qui donne prise à la sélection. Ce n'est qu'après une longue *orthogenèse** que le caractère deviendra vraiment avantageux (l'exemple du cou des girafes est classique) ;
2° S'il est vrai que la sélection élimine le pire, elle est loin d'avoir, pour sélectionner le meilleur, la rigueur que Darwin lui supposait ; en fait, le hasard conserve sa part, qui est précisément hostile à toutes les innovations ;
3° La sélection n'est pas créatrice. La théorie de Darwin n'explique pas le perfectionnement, l'apparition de caractères vraiment nouveaux ou d'adaptations inédites. Darwin ne prétendait d'ailleurs pas tout expliquer.

darwinien, enne adj. et n. Conforme aux idées de Darwin. ◆ **darwinisme** n. m. Doctrine de Charles Darwin. ◆ **darwiniste** n. Partisan du darwinisme.

Dāsa ou **Dasyu,** nom donné, dans les *Veda,* à des aborigènes refoulés ou asservis par l'invasion ārya. Considérés comme des ennemis, ils sont combattus par le dieu Indra.

dash-pot n. m. (angl. *to dash,* jeter, et *pot,* récipient). Appareil qui, par l'intermédiaire d'un fluide, air ou huile, établit entre deux organes mécaniques une liaison, laquelle, en cas de mouvement de l'un d'eux, est tout

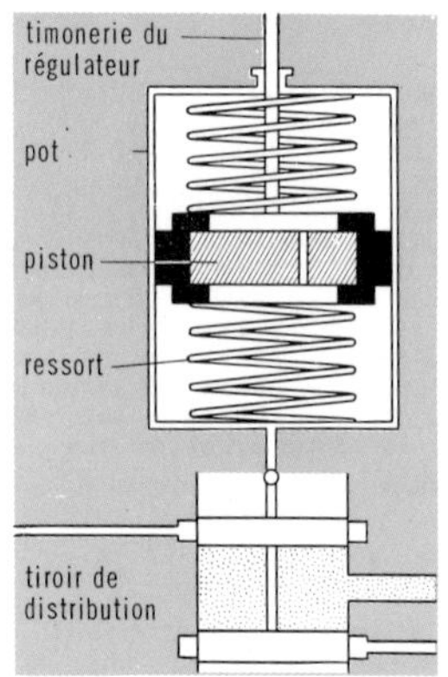

dash-pot

d'abord positive, puis disparaît peu à peu. (Syn. CATARACTE À HUILE.)

Dassault (Paul), général français (Paris 1882 - *id.* 1969). Spécialiste de l'armement et de la balistique, il commande un corps d'armée pendant la campagne de France (1939-1940), puis il milite dans les rangs de la Résistance. Arrêté par les S.S. en 1944, il s'échappe. Il a été grand chancelier de la Légion d'honneur (1945-1955). [Acad. des sc., 1953.] — Son frère MARCEL (Paris 1892) a fondé un holding industriel, commercial et financier, comprenant notamment la société des avions Marcel Dassault, des sociétés immobilières, une compagnie de transports aériens et une banque.

dasyatidés n. m. pl. Famille de sélaciens comprenant la pastenague et les raies voisines, dont la queue porte des aiguillons venimeux. (Syn. TRYGONIDÉS.)

dasycère n. f. Teigne du bois pourri.

dasychira [kira] n. f. Papillon liparidé ressemblant à un bombyx, et dont la chenille, poilue et très sociable, vit sur les arbres et ravage parfois des forêts entières.

dasypeltis [tis] n. m. Serpent colubridé non venimeux d'Afrique australe, capable d'avaler des œufs plus gros que lui et de les briser avec ses « dents pharyngiennes ».

dasypeltis

dasypode n. f. Abeille solitaire aux pattes postérieures très velues, commune en France.

dasypodidés n. m. pl. Famille d'édentés américains comprenant les *tatous**.

Dasypodius (Konrad), mathématicien allemand (Frauenfeld 1529 ou 1530 - Strasbourg 1600). Son *Heron mechanicus* (1580) contient la description de l'horloge astronomique de Strasbourg, qui avait été construite vers 1570 d'après ses plans, et qui a été remplacée par celle de Schwilgué en 1842.

dasypogon n. m. Grosse mouche orthoraphe carnassière, capable de capturer des abeilles.

dasystome n. f. Petit papillon dont la chenille vit sur l'aulne et le saule.

dasyte n. m. Petit coléoptère aux teintes métalliques, dont la chenille abonde dans le bois pourri, en particulier dans le chêne.

dasyure n. m. Marsupial australien arboricole, chasseur nocturne d'oiseaux, ressemblant à une genette. (Type de la famille des *dasyuridés,* qui comprend aussi des genres plus carnassiers : thylacine, sarcophile, phascologale, etc.)

datable, datage, dataire, datation → DATE.

date n. f. (lat. médiév. *data* [*littera*], [lettre] donnée, premier mot de la formule indiquant la date sur les actes). Indication du temps et du lieu où un acte a été dressé, un écrit rédigé : *La date d'un contrat, d'une lettre.* ‖ Temps précis où un fait a eu lieu. ‖ Ce fait lui-même : *La prise de la Bastille est une grande date de la Révolution.* ‖ Temps précis où peut avoir lieu quelque chose : *Fixer la date d'une réunion.* ● *Date certaine,* date à partir de laquelle l'existence d'un acte ne peut plus être légalement contestée. ‖ *De fraîche date,* récent. ‖ *De longue date,* depuis longtemps. ‖ *De vieille date,* ancien. ‖ *Etre le premier en date,* avoir l'antériorité. ‖ *Faire date,* faire époque, marquer un moment important. ‖ *Prendre date,* déterminer l'époque d'une action, d'une réunion, etc. ◆ **datable** adj. Qu'on peut dater : *Les recueils sans nom d'auteur sont difficilement datables.* ◆ **datage** n. m. Action de porter une date sur un document. ◆ **dataire** n. m. Officier de la cour pontificale, qui préside la daterie. ◆ **datation** n. f. Action de dater. (V. *encycl.*) ◆ **dater** v. tr. Inscrire la date sur : *Dater une lettre.* ‖ Déterminer la date de quelque chose, situer à une époque : *Une étude approfondie permet de dater ce manuscrit du dernier quart du XIII*e *s.* ✦ v. intr. Faire époque : *Evénement qui date dans l'histoire.* ‖ Accuser fâcheusement une ancienneté : *Une robe qui date.* ‖ Commencer à compter le temps depuis : *Les musulmans datent de l'hégire.* ● *Dater de,* remonter à, commencer à : *La première idée des ballons date du XVII*e *s. Notre amitié ne date pas d'hier.* ◆ **daterie** n. f. Tribunal de la chancellerie de la cour de Rome. (La daterie est un des offices de la Curie romaine. Depuis la réforme de Pie X [1908], elle se borne à conférer les bénéfices non consistoriaux.) ◆ **dateur** n. et adj. m. Appareil permettant d'imprimer une date.

— ENCYCL. ***datation.*** La datation des objets découverts au cours des fouilles est un des principaux problèmes posés à l'archéologue et au paléontologiste. Les techniques modernes de datation ont progressé grâce aux méthodes d'investigations géologiques et à la chimie atomique. Les principales sont :

● *Le comptage des cernes des arbres.* L'étude des cernes d'un arbre permet, en la comparant avec ce que l'on sait, d'autre part, des grandes périodes climatiques, de déterminer l'époque du développement de cet arbre. Ce procédé n'est valable que pour une période ne dépassant pas l'holocène;

● *L'analyse pollinique.* L'analyse du pollen fossile dans la boue ou dans la tourbière permet au paléobotaniste de déterminer à quelle sorte d'arbre ou d'herbe il appartient. Elle constitue ainsi un élément essentiel de l'étude des paléoclimats. Bien que lent et dispendieux, ce procédé, mis au point en 1899, est aujourd'hui couramment employé;

● *L'étude des dépôts à varves.* L'observation de ce phénomène géologique constitue une méthode de datation précise pour la fin de l'âge glaciaire;

● *La datation par l'argon et le potassium.* Elle est fondée sur l'observation selon laquelle le potassium 40 se désintègre en donnant un gaz parfaitement neutre au point de vue chimique, l'argon. Les atomes d'argon restent donc inclus entre les grains du minéral. Le rapport entre la quantité de potassium désintégré et le potassium restant dans la roche donne l'époque à laquelle le potassium a servi à la formation de la roche, donc son âge. Ce système permet d'établir une chronologie des âges de formation pour des roches vieilles de dix millions d'années ou plus;

● *La datation par le fluor.* La quantité de fluor contenue dans des os ou des dents fossiles permet de déterminer l'âge de ses éléments, car elle est proportionnelle à la durée de l'action qu'ils ont subie de la part des eaux souterraines. Cette méthode de datation, efficace dans des sites à ciel ouvert, à terrains perméables et humides, avait été découverte en 1844 par l'Anglais Middletor. Elle fut oubliée jusqu'à sa redécouverte au cours de la Seconde Guerre mondiale;

● *La datation par le carbone 14.* La destruction par radio-activité du carbone d'un être mort permet de déterminer la date de cette mort en comparant la quantité d'atomes de carbone 14 restant par rapport à celle d'un étalon actuel de la même matière. Cette méthode, mise au point à l'université de Chicago, permet une réelle précision. Mais elle nécessite la destruction de la matière analysée et, de ce fait, ne peut être utilisée que lorsque l'on dispose d'excédents de la matière en question.

dater, daterie, dateur → DATE.

datif n. m. (lat. *dativus;* de *dare,* donner). Cas exprimant, dans les langues flexionnelles, l'avantage, le désavantage, l'intérêt pris à une action (*datif éthique*), la destination, l'attribution (c'est-à-dire le rapport qui se marque, en français, par les prépositions *pour, à*). ◆ **datif, ive** adj. *Dr. Tutelle dative,* tutelle confiée par le conseil de famille (par oppos. à la *tutelle légale* ou *testamentaire*).

Datini (Francesco di Marco da Prato), marchand italien du XIVe s. (Prato, près de Florence, 1335 - † 1410). Fondateur d'importantes sociétés à Pise, Florence, Gênes, Barcelone, Valence et Majorque, il a laissé une abondante correspondance avec ses nombreux clients, qui atteste de la prospérité des sociétés commerçantes italiennes du XIVe s.

dation [sjɔ̃] n. f. *Dr.* Action de donner. ‖ Action de transférer à quelqu'un la propriété ou un droit réel. ● *Dation en paiement,* mode d'exécution d'une obligation, dans lequel le débiteur se libère, en fournissant au créancier, qui y consent, une prestation autre que celle qui avait été primitivement prévue.

Datis, général perse, chargé, avec Artaphernês, de commander une expédition contre la Grèce. Il fut battu à Marathon (490 av. J.-C.).

datisque n. m. Plante tinctoriale (jaune) et textile, originaire du Népal, et qui fournit une filasse voisine du chanvre.

Dato e Iradier (Eduardo), homme politique espagnol (La Corogne 1856 - assassiné à Madrid 1921). Plusieurs fois ministre et président du Conseil (1913-1916, 1917, 1920-1921), il dota l'Espagne d'un certain nombre de lois sociales et créa l'Institut du travail.

datolite n. f. Borosilicate hydraté naturel de calcium.

Datta (ou **Dutt**) [Michael Madhu Sudan], écrivain indien de langue bengali (Sagandari, Bengale-Oriental, Pākistān, 1824 - Calcutta 1873). Il est l'auteur de drames et surtout d'un grand poème épique, *Meghanad Badha* (1861).

datte n. f. (lat. *dactylus;* du gr. *daktulos,* doigt). Fruit comestible du dattier. (C'est une drupe au noyau allongé, farineuse et sucrée, savoureuse et nutritive.) ◆ **dattier** n. m. Palmier du genre *phœnix,* qui pousse dans les régions chaudes et sèches, mais irri-

dattier

Brunel

C.-F. **Daubigny,** « Soleil couchant », *Louvre*

guées (oasis), et que l'on cultive à raison de 200 pieds à l'hectare. (L'espèce étant dioïque, on assure la fécondation en secouant au-dessus des inflorescences femelles des rameaux mâles, qui ont été préalablement coupés.)

datura n. m. Solanacée toxique ornementale, au fruit épineux.

dau n. m. Bois vietnamien rougeâtre, de grand usage local, fourni par des *dipterocarpus*.

daube n. f. (esp. **doba;* de *dobar,* cuire à l'étouffée). Façon de cuire la viande, et en particulier celle du bœuf, braisée dans un fond, généralement au vin rouge, et aromatisée. ‖ Viande ainsi préparée. ◆ **daubière** n. f. Braisière pour cuire les viandes en daube.

Daubenton (Louis), naturaliste français (Montbard 1716 - Paris 1800). Professeur au Collège de France, à l'Ecole vétérinaire, au Muséum et à l'Ecole normale, il collabora à l'*Histoire naturelle* de Buffon et acclimata en Bourgogne le mérinos. (Acad. des sc., 1760.)

dauber v. tr. ou tr. ind. [**sur**]. Dénigrer, en raillant : *Dauber un ami.* ◆ **daubeur, euse** n. et adj. Personne qui aime à dauber : *Un daubeur perpétuel.*

Dauberval (Jean BERCHER, dit), danseur et chorégraphe français (Montpellier 1742 - Tours 1806). Premier danseur de demi-caractère à l'Opéra de Paris en 1761, danseur noble en 1770, assistant de Noverre, puis de Pierre Gardel, il devint maître de ballet à l'Opéra de Bordeaux en 1783. Il composa de nombreux ballets comiques, parmi lesquels il faut citer *la Fille mal gardée* (1789).

daubeur → DAUBER.

daubière → DAUBE.

Daubigny, famille de peintres français. EDME, dit **Daubigny** *l'Aîné* (Paris 1789 - *id.* 1843), peignit des vues de Paris et de Naples. — Son frère PIERRE (Paris 1793 - *id.* 1858) fut miniaturiste. — CHARLES-FRANÇOIS (Paris 1817 - *id.* 1878), fils d'Edme, fut l'ami de Corot et le défenseur de Monet et de Pissarro. Il travailla surtout dans la vallée de l'Oise, sur son atelier flottant, le *Bottin.* Il a peint la nature sans la composer ni la transposer (*la Maison,* 1851 ; *la Mare aux cigognes,* 1853 [Louvre]). Il est représenté à Avignon, Berlin, La Haye. — Son fils KARL (Paris 1846 - Auvers-sur-Oise 1886), son élève et disciple, est représenté aux musées d'Aix, de Berlin, de La Haye.

Daubenton

B.N.

Daubrée (Auguste), géologue français (Metz 1814 - Paris 1896). Il a montré qu'un matériau se fissure suivant deux directions à angle droit lorsqu'il est tordu. Il fut directeur de l'Ecole des mines. (Acad. des sc., 1861.)

Daucher (Adolf), sculpteur allemand (Ulm 1460/1465 - Augsbourg 1523/1524). Il travailla d'abord avec Holbein l'Ancien (retable de Kaisheim, 1502), puis exécuta un ensemble décoratif pour la chapelle du Fugger à Sainte-Anne d'Augsbourg (1509-1518).

Dā'ūd, nom donné par les musulmans au roi David, qu'ils vénèrent comme un prophète.

Daudet (Ernest), écrivain et journaliste français (Nîmes 1837 - Les Petites-Dalles 1921), frère d'Alphonse Daudet. Il fut directeur du *Journal officiel* (1873) et du *Petit Moniteur,* et publia des romans historiques.

Daudet (Alphonse), écrivain français (Nîmes 1840 - Paris 1897), frère du précédent. Après avoir été maître d'études au collège d'Alais,

Nadar

il vient à Paris, où il publie un recueil de vers, *les Amoureuses* (1858), mais il ne connaît la célébrité qu'en 1866, lorsque paraissent ses *Lettres* de mon moulin,* suivies d'autres œuvres à succès : *le Petit* Chose* (1868), *Tartarin* de Tarascon* (1872), *Contes* du lundi* (1873), *Fromont jeune et Risler aîné* (1874), *Jack* (1876), *le Nabab* (1877), *Sapho** (1884), etc. La plus populaire de ses œuvres est *l'Arlésienne** (1872), drame tiré d'un de ses contes, pour lequel Bizet composa une musique de scène. Il fit partie de l'académie Goncourt dès sa fondation. Son œuvre s'apparente au naturalisme ; mais la fantaisie, la tendresse, la poésie de ce Méridional enveloppent de grâce les images tristes ou misérables de la vie. — Sa femme, Julie **Allard** (Paris 1844 - Chargé, près d'Amboise, 1940), fut sa collaboratrice.

Daudet (Léon), journaliste et écrivain français (Paris 1867 - Saint-Rémy-de-Provence 1942), fils du précédent. Après des études médicales, il seconde Drumont dans sa campagne antisémite et se rallie aux idées de Maurras, théoricien du nationalisme intégral, qui fonde avec lui, en 1908, *l'Action française*. Il mène en même temps une carrière d'écrivain et publie *les Morticoles* (1894), *l'Hérédo* (1917), *le Stupide XIXe siècle* (1922). La violence de ses articles redouble après la mort mystérieuse de son fils Philippe (1923). Il est condamné pour diffamation en 1925, incarcéré en 1927, mais s'évade de la prison de la Santé et se réfugie en Belgique jusqu'au moment où il obtient sa grâce (1929). Membre de l'académie Goncourt en 1897, il fut député de la Seine de 1919 à 1924.

Dā'ūd, imām de l'école juridique de droit religieux du ẓāhirisme (Kūfa v. 815/818 - Bagdad 884).

Dā'ūd pacha ou **Davut paşa,** général ottoman († Dimotika, Grèce, 1498). Albanais d'origine, grand vizir de Bāyazīd II de 1483 à 1497, il fut le constructeur d'une grande mosquée à Constantinople (1490) et d'un palais qui porte son nom.

Dā'ūd pacha ou **Davut paşa** (Kara), général ottoman († Constantinople 1623). D'origine bosniaque, il fut proclamé grand vizir par les janissaires en 1622 et assassina le sultan Osman II. Il fut exécuté.

Dā'ūd pacha, dernier gouverneur indépendant de Bagdad (v. 1774 - Médine 1851). Esclave d'origine géorgienne, vendu à Bagdad, puis intendant du gouverneur, il devint lui-même gouverneur de la ville en 1817. Il refoula les Perses, fit entreprendre de nombreux travaux publics et créa une armée de 10 000 hommes, entraînés par le Français Deveaux (1824). Trop indépendant, Dā'ūd pacha fut déposé par le Sultan en 1831.

Daugan (Albert), général français (Rennes 1866 - Pont-l'Evêque 1952). Il combattit au Maroc (1910-1914) et s'illustra en 1914-1918, notamment à la tête de la fameuse division marocaine (1918). Revenu au Maroc, il dirigea en 1925 les forces engagées contre Abd el-Krim au début de la campagne du Rif.

Daulis. *Géogr. anc.* V. de Grèce, en Phocide, capit. de la Confédération phocidienne.

Daullé (Jean), graveur français (Abbeville 1703 - Paris 1763). Il travailla surtout d'après Rigaud et Boucher.

Daum (Paul), verrier français (Nancy 1888 - camp de Saarbrücken Neue-Brem 1944). On lui doit des verres robustes en matière épaisse sobrement gravée. — Son cousin MICHEL (Nancy 1900) se consacra au cristal.

Daumal (René), écrivain français (Boulzicourt, Ardennes, 1908-Paris 1944). Il forma, avec R. Gilbert-Lecomte, Roger Vailland et Josef Sima, un groupe parallèle aux surréalistes et qui, à travers la revue *le Grand Jeu,* se livra aux expériences les plus risquées de « transposition de conscience » (sommeil hypnotique, drogue, asphyxie, etc.). Marquée par l'occultisme, les religions orientales et sa rencontre avec Gurdjieff, son œuvre poétique et critique évolua dans le sens d'une ascèse mystique (*la Grande Beuverie,* 1938; *Poésie noire, poésie blanche,* 1952; *le Mont analogue,* 1952).

Daumer (Georg Friedrich), philosophe et poète allemand (Nuremberg 1800 - Würzburg 1875). Elève de Schelling, il tenta de substituer à l'orthodoxie protestante une sorte de panthéisme chrétien. En 1859, il abjura le protestantisme et se fit catholique; il exposa ses idées nouvelles dans *Ma conversion* (1860), *le Christianisme et son fondateur* (1864), *le Miracle* (1874).

Daumesnil (Pierre), général français (Périgueux 1776 - Vincennes 1832). Il participa à plusieurs campagnes de l'Empire et perdit une jambe à Wagram. Il est célèbre pour la réponse qu'il donna en 1814 aux coalisés, qui lui demandaient de leur livrer Vincennes, dont il était gouverneur : « Je rendrai Vincennes quand on me rendra ma jambe. »

Daumet (Pierre Jérôme Honoré), architecte français (Paris 1826 - *id.* 1911). Il restaura le théâtre d'Orange, le palais de Justice de Paris, l'Acropole d'Athènes, et participa à la construction de la basilique du Sacré-Cœur de Montmartre (1884).

Daumier (Honoré), peintre, lithographe, graveur, dessinateur et sculpteur français (Marseille 1808 - Valmondois 1879). Autodidacte, il se forma au contact des chefs-d'œuvre du Louvre (Rubens, Rembrandt). Il s'adonna à la lithographie en 1822 et, en 1830, débuta comme caricaturiste. Mettant au service de ses idées humanitaires un talent âpre et vigoureux, il fit environ 4 000 pièces sur les sujets les plus divers, publiées dans *la Caricature* et *le Charivari.* Il exécuta des suites célèbres (*Robert Macaire,* 1836-1838; *les Gens de justice,* 1845-1848) et exerça sa verve contre Louis-Philippe et la monarchie de Juillet (*Gargantua,* 1831; *Rue Transnonain, le 15 avril 1834*). Il donna aussi plus d'un millier de gravures sur bois à partir de 1833. En 1832, il exécuta 36 statuettes, petits bustes des célébrités du « juste milieu »; on lui doit également la statuette du *Ratapoil* (1850, Louvre). A partir de 1848, il se passionna pour la peinture (*la République et ses enfants, la Blanchisseuse* [Louvre], *l'Amateur d'estampes* [Petit Palais]). Le second Empire ne toléra plus son activité de polémiste.

« l'Amateur d'estampes »
Petit Palais

Giraudon

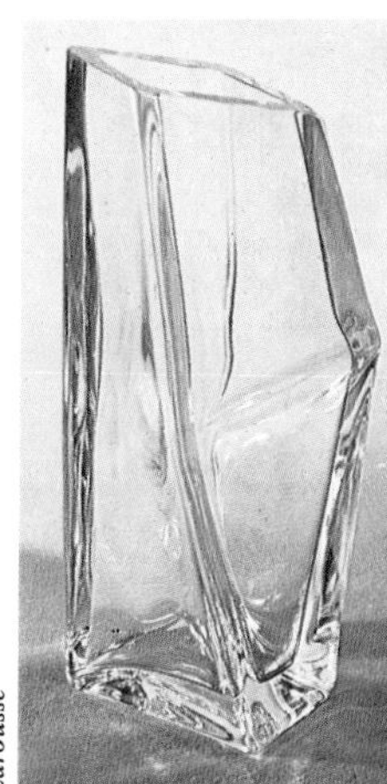

verrerie
de **Daum**

Larousse

Daun, vieille famille noble allemande, originaire de Daun et émigrée en Autriche au XIIe s. Ses membres les plus célèbres furent : PHILIPP LORENZ, comte **de Daun,** prince de Thiano, marquis de Rivoli (1669 - Vienne 1741); il chassa Villars d'Italie et conquit Naples, dont il fut deux fois vice-roi (1708 et 1713). Feld-maréchal, il devint gouverneur des Pays-Bas (1728) et de Milan (1733). — LEOPOLD JOSEPH, comte **de Daun,** feld-maréchal (Vienne 1705 - *id.* 1766), fils du précédent. Réorganisateur de l'armée, il remporta les victoires de Kolin (1757) et de Hochkirch (1758) durant la guerre de Sept Ans.

Daunie, en lat. **Apulia Daunia** ou **Dauniorum.** *Géogr. anc.* Contrée d'Italie, au N. de l'Apulie, dont les habitants, les *Dauniens,* étaient d'origine hellénique. V. princ. : *Cannes* et *Venusia.*

Daunou (Pierre Claude François), érudit et homme politique français (Boulogne-sur-Mer 1761 - Paris 1840). Oratorien, membre du clergé constitutionnel, député de la Convention, il s'éleva contre l'éviction des Girondins et fut incarcéré jusqu'au 9-Thermidor.

Il prit une part importante dans l'organisation de l'Institut. Après le 18-Brumaire, il rédigea un projet de constitution. Exclu du Tribunat pour son esprit d'indépendance, il fut nommé en 1804 archiviste de l'Empire. Professeur au Collège de France en 1819, il devint membre de la Chambre des pairs en 1839. (Acad. des sc. mor., 1832; secrétaire perpétuel de l'Acad. des inscr., 1838.)

1. dauphin n. m. (lat. *delphinus*). Mammifère cétacé (long. 3 m environ), pourvu d'un rostre allongé (Fam. des delphinidés). ◆ **delphinologie** n. f. Etude scientifique des dauphins.

— ENCYCL. Le dauphin doit à ses formes hydrodynamiques, qui le font ressembler à un grand poisson, une nage extrêmement rapide et aisée. Il se reconnaît à son rostre (« bec »), séparé du front par un pli bien marqué. Les observations scientifiques tirées de son élevage permettent de lui attribuer un

Debysev

système de communication par ultrasons qui s'apparente à un véritable langage. Des conduites de jeu, d'entraide, etc., indiquent un psychique élevé, lié à un cerveau de grandes dimensions par rapport à la longueur de l'animal (2,50 m). Certaines armées envisagent l'utilisation militaire du dauphin.

2. dauphin n. m. (même étym. que l'art. précéd.) Partie inférieure d'un tuyau de descente recourbé, qui sert à rejeter les eaux dans un caniveau. || Pierre que l'on place au pied d'un tuyau de descente, creusée d'une sorte de caniveau pour diriger et retenir les eaux. || Dans l'ancienne construction en bois, chacune des pièces placées de chaque côté de la guibre et assurant sa liaison avec la coque. (On dit aussi JOTTEREAU.) || Sorte de maroilles fabriqué dans la région d'Avesnes.

3. dauphin n. m. Prénom devenu titre, notamment en Viennois* et en Auvergne*. || Héritier présomptif de la couronne de France. (Prend généralement une majuscule dans ce sens.) [Le Dauphin occupait dans le royaume le premier rang honorifique après le roi. Sous Louis XIV, le Dauphin était communément appelé « Monseigneur ».] || Successeur prévu de quelqu'un. || — ***Dauphine*** n. f. Femme du Dauphin. ● *Chaise à la dauphine*, chaise pliante à piétement en X. || *Lit à la dauphine*, lit dont les quatre montants se rapprochent pour soutenir une sorte de dôme garni d'un lambrequin.

Dauphin (en lat. *Delphinus, -i*), petite constellation* de l'hémisphère boréal, située au S. de la constellation du Cygne et dont la plus brillante étoile n'est que de magnitude 4. (V. CIEL.)

Dauphin (MANUFACTURE DU), fabrique de porcelaine, fondée en 1784 à Lille par Leperre Durot, et dont la marque était un dauphin.

dauphine → DAUPHIN 3.

Dauphine (PLACE), place de Paris, à l'extrémité occidentale de l'île de la Cité. Elle fut aménagée en 1607, sur l'ordre d'Achille de Harlay, en l'honneur du futur Louis XIII.

Dauphiné, anc. **Dauphiné de Viennois,** prov. de France qui s'étendait sur une partie des Alpes et jusqu'au Rhône, entre la Savoie, la Provence et le comtat Venaissin. Elle se divisait en Bas-Dauphiné, formé par les plaines et les vallées, et en Haut-Dauphiné, plus montagneux. Capit. *Vienne*, puis *Grenoble*.

Géographie.

Le Dauphiné s'étend, d'E. en O., sur les massifs centraux des Alpes françaises, du Queyras à la chaîne de Belledonne, sur une partie du Sillon alpin (Graisivaudan et vallée du Drac), sur les Préalpes comprises entre la Durance et la Grande-Chartreuse, et sur le *bas Dauphiné*. Cette dernière région, entre

Loïc-Jahan

Dauphiné
Embrun, dans les Hautes-Alpes

l'Isère et le Rhône, comprend : la plaine de l'Isère, le plateau de Chambaran, boisé, les riches dépressions de la Bièvre et de la Valloire, les collines humides du bas Dauphiné septentrional. Le Dauphiné correspond

place **Dauphine** vers 1750

aux départements des Hautes-Alpes, de l'Isère et de la Drôme.

Principaux événements historiques.

V. 1029-1030. L'archevêque de Vienne inféode la partie méridionale du comté de Vienne à Guigues, 1er comte d'Albon.

1029-1162. Possession de la maison d'Albon.

1039. Annexion du Briançonnais.

V. 1050. Annexion du Graisivaudan.

1192-1281. Possession de la maison de Bourgogne.

1202. Annexion de l'Embrunais et du Gapençais.

1241. Annexion du Faucigny.

XIIIe s. La province est alors divisée en sept bailliages. L'économie est fondée sur l'agriculture. Les foires se développent (Grenoble, Vienne, Romans). Draperie.

1281-1349. Possession de la maison de La Tour du Pin.

1336. Création d'un Conseil delphinal.

1339. Création de l'université de Grenoble.

1340. Création de la Chambre des comptes.

1349. Par le traité de Romans, Humbert II vend son Etat au roi de France, moyennant 200 000 florins. Le Dauphiné devient l'apanage traditionnel du fils aîné du roi.

1355. Le traité de Paris fixe les frontières avec la Savoie.

1357. Création des Etats provinciaux du Dauphiné.

1419. Annexion du Valentinois.

1426. Annexion du Diois.

1440-1457. Règne du dauphin Louis II (le futur Louis XI, de France). Il renforce l'autonomie de son apanage, rétablit le Grand Conseil, crée une chancellerie, réduit le nombre des bailliages de sept à trois.

1447. Annexion de Montélimar.

1494-1515. Les guerres d'Italie mettent en valeur le rôle stratégique des cols du Dauphiné (Mont-Genèvre et Larche).

1560. Union définitive du Dauphiné à la France. Maintien de son administration propre.

1560-1590. La Réforme, prêchée par Guillaume Farel, s'étend rapidement. Les guerres de Religion y sont âpres. Le baron des Adrets et Lesdiguières organisent la résistance des protestants.

1628. Le Dauphiné devient pays d'élection; les derniers vestiges d'autonomie administrative disparaissent.

1713. Le traité d'Utrecht fixe la frontière franco-savoyarde (perte du Briançonnais transalpin, gain de l'Ubaye).

1787-1788. Le parlement de Grenoble est le premier à réclamer la convocation des Etats généraux (août 1787). Les réformes de Lamoignon provoquent un soulèvement à Grenoble (7 juin 1788), la « journée des Tuiles ». L'assemblée de Vizille (21 juill.) réclame la convocation des Etats généraux.

L'art en Dauphiné.

Les régions alpestres du Dauphiné sont restées à l'écart des grandes campagnes de construction; celles-ci se sont développées dans la vallée du Rhône, où Vienne représente un ancien foyer de civilisation romaine; au S., le Tricastin, avec son groupe d'églises romanes, constitue un grand attrait.

Art romain.

ISÈRE : temple d'Auguste et de Livie, théâtre antique, l'Aiguille à **Vienne;** Pont-Haut de **La Mure;** murailles de **Grenoble.**

DRÔME : porte Saint-Marcel, pont de la Griotte et taurobole à **Die ;** taurobole à **Tain-l'Hermitage ;** bornes milliaires à **Saillans ;** mosaïque de **Luc-en-Diois ;** musée de **Valence.**

Art préroman.

ISÈRE : église Saint-Pierre (auj. musée lapidaire) à **Vienne ;** crypte Saint-Laurent (époque mérovingienne) à **Grenoble.**

Art roman.

L'art roman dauphinois, qui subit l'influence des styles venus de Lombardie, se caractérise par une architecture simple et massive, décorée de bandes dites « lombardes » et de festons ; mais il n'a pas véritablement d'unité de style, les centres (Vienne, Valence, le Tricastin) gardant leur personnalité.

● *Architecture religieuse.*

ISÈRE : cathédrale Notre-Dame à **Grenoble ;** église et cloître de Saint-André-le-Bas à **Vienne ;** églises de **Notre-Dame-de-Mésage,** de Saint-Firmin-de-Mésage, près de **Vizille ;** restes de prieuré et chapelle à **Domène ;** église et restes d'un cloître à **Ternay ;** églises de **Saint-Chef,** de **Marnans.**

DRÔME : cathédrale Saint-Apollinaire à **Valence ;** églises de **Romans-sur-Isère,** de **Saint-Paul-Trois-Châteaux,** de **Donzère,** de **Saint-Restitut,** de **La Garde-Adhémar ;** église et restes d'une abbaye cistercienne à **Léoncel ;** église à **La Baume-de-Transit ;** chapelle Notre-Dame du Val des Nymphes, près de **La Garde-Adhémar ;** églises de **Saint-Marcel-lès-Sauzet,** de **Chantemerle-lès-Grignan ;** chapelle à **Comps.**

HAUTES-ALPES : ancienne cathédrale Notre-Dame (influence lombarde) à **Embrun ;** église de **Lagrand.**

● *Architecture civile.*

ISÈRE : château de Bouquéron, près de **La Tronche.**

Garanger

château de Montaille

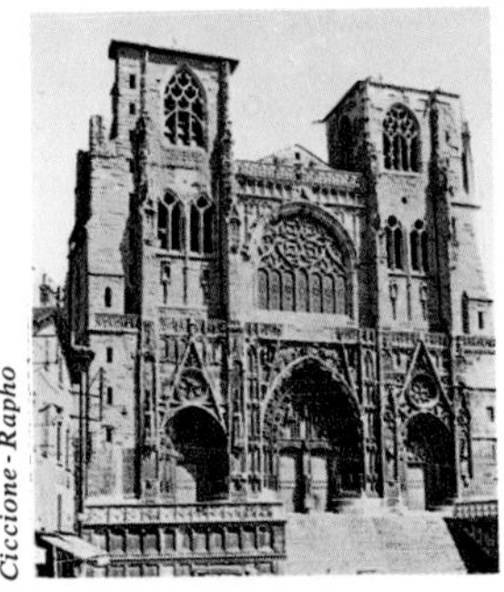

Ciccione - Rapho

cathédrale de Vienne

DRÔME : château de **Montélimar ;** donjon de **Crest ;** église Saint-Barnard à **Romans-sur-Isère.**

HAUTES-ALPES : *Tour Brune* à **Embrun.**

● *Peintures murales.*

ISÈRE : église de **Saint-Chef ;** église Saint-Pierre à **Vienne.**

Art gothique.

● *Architecture religieuse.*

ISÈRE : église de **Saint-Antoine** (avec une façade flamboyante et des statuettes attribuées a ***Le Moiturier***) ; ancienne cathédrale Saint-Maurice à **Vienne ;** église Saint-André à **Grenoble ;** églises de **Saint-Geoire-en-Valdaine,** de **Morestel.**

DRÔME : église du **Grand-Serre.**

HAUTES-ALPES : église (très beau porche) de **Guillestre ;** églises de **Névache,** de **Saint-Crépin,** de **Villar-Saint-Pancrace.**

● *Peintures murales.*

ISÈRE : église de **Saint-Antoine.**

HAUTES-ALPES : chapelle de **Villar-Saint-Pancrace.**

● *Architecture civile.*

ISÈRE : fortifications, portes, halles à **Crémieu ;** châteaux de **Beauvoir-en-Royans,** de **Bressieux,** de **Virieu ;** donjon de **Morestel.**

DRÔME : fortifications de **Die,** de **Châtillon-en-Diois,** de **Châteauneuf-du-Rhône,** du **Grand-Serre,** de **La Garde-Adhémar ;** pont de **Nyons ;** châteaux de **Montségur-sur-Lauzon ;** de Mantaille, près d'**Anneyron ;** de Montpensier, près de **Châteauneuf-du-Rhône ;** de Monteynard, près de **Montélier ;** de Rochechinard, près de **Saint-Jean-en-Royans.**

HAUTES-ALPES : château de Montmaur, près de **Veynes.**

Art de la Renaissance.

ISÈRE : palais de justice de **Grenoble ;** château de **Roussillon.**

DRÔME : le Pendentif, maison Dupré-Latour, maison des Têtes à **Valence ;** châteaux de **Grignan,** de **Condillac,** de **Montbrun,** de **Suze-la-Rousse,** d'Eurre, près de **Saou.**

HAUTES-ALPES : maisons à **Briançon.**

• *Peintures murales.*

HAUTES-ALPES : église de Plampinet, près de **Névache.**

Art classique.

• *Architecture religieuse.*

ISÈRE : églises Sainte-Marie-d'en-bas (auj. musée dauphinois), Saint-Louis, Sainte-Marie-d'en-haut (boiseries) à **Grenoble ;** Saint-André-le-Haut à **Vienne ;** bâtiments abbatiaux de la Grande-Chartreuse ; abbaye de **Saint-Antoine.**

DRÔME : chapelle de l'abbaye Saint-Ruf (auj. temple protestant) à **Valence.**

Serraillier - Rapho

château de Vizille

HAUTES-ALPES : église Notre-Dame à **Briançon.**

• *Architecture civile et militaire.*

ISÈRE : hôtel de ville de **Grenoble ;** châteaux de **Vizille,** de **Virieu,** de **Sassenage,** de **Tencin.**

DRÔME : châteaux de Châteaudouble, près de **Peyrus ;** de Mazenc, près de **La Bégude-de-Mazenc ;** de Montalivet, près de **Beaumont-lès-Valence ;** de **Triors,** près de Romans ; de **Chabrillan.**

HAUTES-ALPES : **Briançon** et **Mont-Dauphin,** fortifiés par ***Vauban.***

• *Peinture.*

Hubert Robert : série de sanguines au musée de **Valence.** L'art contemporain est richement représenté au musée-bibliothèque de **Grenoble.**

Dauphiné d'Auvergne. V. AUVERGNE.

Dauphiné de Viennois. V. DAUPHINÉ.

dauphinelle n. f. Autre nom du DELPHINIUM.

dauphinois, e adj. et n. Relatif au Dauphiné ; habitant ou originaire de cette région. • *Gratin dauphinois,* se dit d'une préparation de pommes de terre gratinées, avec lait, œuf et gruyère râpé. ‖ — ***dauphinois*** n. m. Ensemble des parlers romans du Dauphiné.

daurade ou **dorade** n. f. (provenç. *daurada,* dorée). Poisson de mer aux teintes dorées, aux dents différenciées, qui se nourrit de coquillages et dont la chair est estimée.

Daurat (Didier), aviateur français (Montreuil-sous-Bois 1891 - Toulouse 1969). Directeur de l'exploitation aux lignes aériennes Latécoère, puis à la Compagnie aérienne aéropostale, il sut inculquer à ses pilotes l'esprit de la ligne et la foi dans l'avenir du transport aérien. Il a dirigé le Centre d'exploitation d'Air France à Orly jusqu'en 1953.

Dausset (Jean), médecin hématologiste français (Toulouse 1916), auteur de travaux fondamentaux sur les groupes tissulaires et leucocytaires, qui trouvent leurs applications directes dans les problèmes de greffes et de transplantations.

Dautriche (Henri Joseph), ingénieur des poudres français (Lille 1876 - Chedde 1915). Il découvrit le rôle antigrisouteux des sels de potassium, ainsi qu'une méthode de mesure de la vitesse de détonation.

Dautry (Raoul), ingénieur et administrateur français (Montluçon 1880 - Lourmarin 1951). Directeur du réseau ferroviaire de l'Ouest-Etat en 1928, puis président de la conférence des directeurs des grands réseaux, il eut une grande influence sur l'ensemble des chemins de fer français et prépara leur fusion dans la Société nationale des chemins de fer français (1938). Ministre de l'Armement (1939-1940), puis ministre de la Reconstruction et de l'Urbanisme (1944-1945), il devint administrateur général du Commissariat à l'énergie atomique en 1946. (Acad. des sc. mor., 1946.)

dauw ou **daw** [dɔ] n. m. Nom du zèbre africain le plus commun, dit aussi ZÈBRE DE BURCHELL.

Daux (Georges), historien et archéologue français (Bastia 1899). Professeur à la Sorbonne (1945-1950), directeur de l'Ecole française d'Athènes (1950), il a écrit *Delphes au IIe et au Ier siècle avant Jésus-Christ* (1936), *les Etapes de l'archéologie* (1942), *l'Art antique* (1947).

Dauzat (Albert), linguiste français (Guéret 1877 - Paris 1955). Directeur d'études à l'Ecole pratique des hautes études, dialectologue et étymologiste, fondateur du *Français moderne* et de la *Revue internationale d'onomastique,* il a écrit un grand nombre d'ouvrages sur la langue française.

Dauzats (Adrien), peintre français (Bordeaux 1804 - Paris 1868). Il collabora aux *Voyages pittoresques et romantiques dans l'ancienne France* du baron Taylor, parcourut l'Europe et l'Afrique arabe. Il est représenté au Louvre et dans les musées de Bordeaux, de Lille, de Chantilly.

Davaine (Casimir Joseph), médecin français (Saint-Amand-les-Eaux 1812 - Garches 1882). Sa découverte, en 1850, de la bactéridie du charbon en a fait un véritable précurseur de Pasteur. (Acad. de méd., 1868.)

davantage adv. (de *de* et *avantage*). Plus, en plus grande quantité, à un plus haut degré : *Je n'en sais pas davantage. On a beau dire du bien de nous, nous en pensons encore davantage.* ‖ Plus longtemps : *Ne pouvoir rester davantage.* ● *Davantage de* (suivi d'un complément), un plus grand nombre de, une plus grande quantité de : *Le travail a été plus long cette fois, car il y a eu davantage de difficultés. La compote est un peu acide : il aurait fallu y mettre davantage de sucre.* ‖ — Rem. D'après quelques puristes, *davantage* ne pourrait pas s'employer quand la comparaison comporte un second terme ; on ne pourrait pas dire : *Il travaille davantage que vous.* Cette construction, employée pourtant communément de nos jours, existe dès le XVIe s. et se trouve fréquemment chez les écrivains du XVIIe au XIXe s. : *Quoi qu'il vous promette, il fera davantage qu'il ne vous a promis* (Racine). *La fille d'Agamemnon étouffant sa passion* [...] *intéresse bien davantage qu'Iphigénie pleurant son trépas* (Chateaubriand).

Davao, port des Philippines, au fond du *golfe de Davao,* dans l'île de Mindanao ; 438 800 h. Exportations de coprah.

Davel (Jean Daniel Abraham), patriote vaudois (Morrens, près de Lausanne, 1670 - Vidy, près de Lausanne, 1723). Ancien soldat dans des régiments suisses en Piémont, en Hollande et en France (1708), il voulut affranchir son pays de la domination bernoise et appela les habitants de Lausanne à la révolte. Mais il échoua, fut arrêté et exécuté.

Davenant ou **d'Avenant** (sir William), poète et dramaturge anglais (Oxford 1606 - Londres 1668). Poète-lauréat (1639), directeur du théâtre de Drury Lane, auteur de comédies, il fut emprisonné lors de la première Révolution anglaise ; l'intervention de Milton le sauva.

Davenport, v. des Etats-Unis (Iowa) ; 98 500 h. Constructions ferroviaires ; textiles.

Da Verona (Guido), romancier italien (Saliceto Panaro, Modène, 1881 - Milan 1939). Ses romans (*Celle qu'on ne doit pas aimer,* 1910 ; *Dénoue ta tresse, Marie-Madeleine,* 1920 ; *Cléo,* 1926) contiennent des scènes érotiques dont le réalisme fit scandale.

David, 2e roi hébreu (1015-975 ?). Fils de Jessé, il devint l'écuyer musicien du roi Saül,

par Donatello
Bargello, Florence

par Verroc[chio]
Bargello, Fl[orence]

qu'il charmait par ses psaumes accompagnés à la harpe, et reçut sa fille Michol en mariage. Ses succès militaires (mort du philistin Goliath) provoquèrent la jalousie du roi et l'obligèrent à quitter la Cour. Mais, à la mort de Saül, il fut élu roi par la tribu de Juda et, sept ans et demi plus tard, proclamé roi de Juda et d'Israël. Il fit alors de Jérusalem la capitale politique et religieuse des Hébreux, et y transporta l'arche d'alliance. Roi puissant, mais homme faible, il n'hésita pas à faire assassiner Urie pour épouser Bethsabée, et ne sut pas dominer les intrigues de ses nombreuses femmes et de leurs fils (meurtre d'Amnon, révolte d'Absalon). David est aussi vénéré comme prophète par l'islām, sous le nom de Dā'ūd*.
— *Iconogr.* David jeune a été figuré par : Donatello (Bargello, Florence), Verrocchio (*id.*), Michel-Ange (Académie de Florence) et le Bernin (Rome, villa Borghèse).

David ou **Dewi** (saint), évêque de Menevia et patron du pays de Galles († 601 ?). Il com-

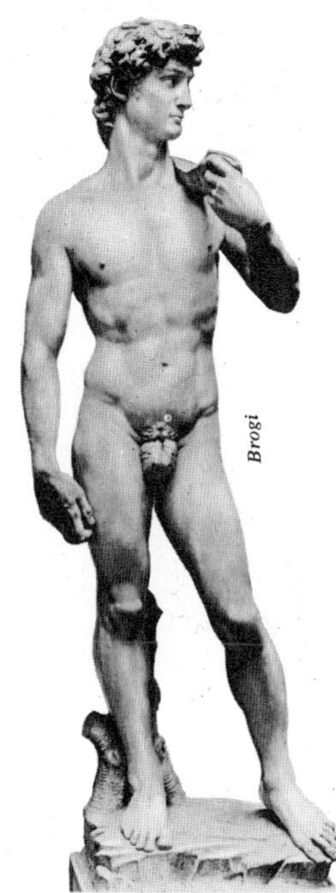

David par Michel-Ange
Académie, Florence

battit le pélagianisme et fonda plusieurs monastères.

ECOSSE

David Ier (1084 - Carlisle 1153), roi d'Ecosse (1124-1153), frère et successeur d'Alexandre Ier. Il introduisit le système féodal en Ecosse. Fondateur de nombreuses abbayes, il resserra les liens entre l'Eglise d'Ecosse et Rome, et contribua ainsi à l'intégration définitive de l'Ecosse dans le monde occidental. — **David II** ou **David Bruce** (Dunfermline 1324 - Edimbourg 1371), roi d'Ecosse (1329-1371), fils et successeur de Robert Ier Bruce. Vaincu et fait prisonnier par les Anglais à la bataille de Neville's Cross (1346), il fut libéré après le traité de Berwick (1357), mais dut livrer son pays à la suprématie anglaise.

GÉORGIE

David, nom porté par un certain nombre de rois de Géorgie, dont: **David III** *le Constructeur,* roi de 1089 à 1125, qui étendit les limites de son royaume à la mer Noire et à l'Arménie, instaura une armée permanente et protégea les lettres. — **David V Narin,** roi de 1245 à 1293, qui fut envoyé à Karakoroum après l'invasion mongole et régna, après la mort de sa mère, conjointement avec son cousin **David VI Oulou** (roi de 1245 à 1270). — **David VII,** roi de 1292 à 1311. Il tenta de résister à l'intolérance nouvelle des Mongols convertis à l'islām, qui reconnurent comme roi en 1303 son frère Vakhtang.

TRÉBIZONDE

David Ier Comnène († Sinope 1214), co-empereur byzantin de Trébizonde, seigneur d'Héraclée, du Pont et de Paphlagonie (1204-1214), fils de Manuel Comnène et petit-fils d'Andronic Ier, empereur d'Orient. Il fonda l'empire de Trébizonde (1204) et entra en conflit avec l'empereur byzantin de Nicée Théodore Ier Lascaris, qui conquit la plus grande partie de son territoire. Il fut tué après la prise de Sinope (1214) par les Turcs Seldjoukides. — **David II Comnène** († Constantinople 1483), empereur de Trébizonde (1458-1461), troisième fils de l'empereur Alexis IV. Après avoir sollicité vainement un appui des chrétiens d'Occident contre Mehmet II, il capitula en 1461, fut emprisonné à Andrinople et exécuté avec sept de ses fils au château des Sept-Tours à Constantinople. Avec lui disparut la famille impériale des Comnène de Trébizonde.

DIVERS

David, philosophe arménien du Ve s. Elève du patriarche Isaac Ier et de Mesrob, inventeur de l'alphabet arménien, il est l'auteur de *Commentaires* sur Aristote et Porphyre. Il s'est efforcé de répandre les idées grecques parmi ses compatriotes.

David de Dinant, théologien et philosophe scolastique du XIIe s. Ses deux ouvrages : *Quaterni* ou *Quaternuli* et *De tomis,* furent brûlés pour cause d'hérésie. On ne connaît sa doctrine, qui fut sans doute un panthéisme, que par quelques lignes d'Albert le Grand et de saint Thomas d'Aquin. Il vécut plusieurs années à la cour du pape Innocent III.

David (Gérard), peintre flamand d'origine hollandaise (Oudewater v. 1460 - Bruges 1523). Formé sans doute à Haarlem, il subit l'influence de Memling : *le Jugement de Cambyse* (musée de Bruges). Son style, d'une solennité grave et tranquille, exprime la douceur et le recueillement (*les Noces de Cana* [Louvre], *la Vierge entre les vierges* [Rouen], *le Baptême du Christ* [Bruges]).

→ V. illustration page suivante.

David (Louis), peintre français (Paris 1748 - Bruxelles 1825). Elevé par ses oncles, architectes et entrepreneurs, il reçoit les conseils de Boucher et travaille avec Vien. Prix de Rome, il découvre en Italie l'Antiquité romaine et subit l'influence des théoriciens du néo-classicisme (Quatremère de Quincy, Les-

Giraudon

« les Noces de Cana », par Gérard **David**, *Louvre*

L. **David**, « les Sabines arrêtant le combat entre les Romains et les Sabins », *Louvre*

Giraudon

sing, Winckelmann). De retour à Paris, en 1781, il affirme son classicisme (*Bélisaire reconnu par un soldat*). Il peint de grandes compositions (*la Douleur d'Andromaque,* 1783 ; *le Serment des Horaces,* 1784-1785 [Louvre]) et exécute de nombreux portraits. Pendant la Révolution, il s'engage dans la lutte politique. L'Assemblée constituante lui commande *le Serment du Jeu de paume,* qu'il ne pourra achever. Membre de la Convention et du club des Jacobins, il vote la mort du roi, ce qui lui vaudra l'exil après 1815. Ami de Robespierre, il est emprisonné, mais, en 1795, sa carrière officielle reprend (portraits de *Monsieur* et *Madame Sériziat ; les Sabines,* 1799 ; *Madame Récamier,* 1800 [Louvre]). Il peindra sous l'Empire de grandes compositions officielles (*le Sacre de Napoléon,* 1807 [Louvre] ; *la Distribution des aigles,* 1810 [Versailles]) et de nombreux portraits (*Pie VII,* 1805, Louvre). Il travaille quatorze ans à *Léonidas aux Thermopyles* (achevé en 1814 [Louvre]). Installé à Bruxelles en 1816, il poursuit son inlassable labeur.

David (ÉCOLE DE), nom donné à l'ensemble des artistes qui, au XIXe s., s'inspirèrent de l'art de David (étude d'après nature, retour à une antiquité mieux connue). Il eut pourtant plus d'imitateurs (Girodet, Guérin) que de véritables disciples (Gros, Gérard, Ingres, Granet, Isabey, le Belge Navez).

David d'Angers (Pierre Jean), sculpteur français (Angers 1788 - Paris 1856). Sa car-

Giraudon

« Madame Sériziat », *Louvre*

Louis David

« la Distribution des aigles »
château de Versailles

Giraudon

rière fut surtout féconde à partir de 1830; en dix-huit ans, il exécuta 40 statues (*Armand Carrel* à Saint-Mandé; *Ambroise Paré* à Laval), 75 bas-reliefs (fronton du Panthéon à Paris), 120 bustes (Goethe, Chateaubriand,

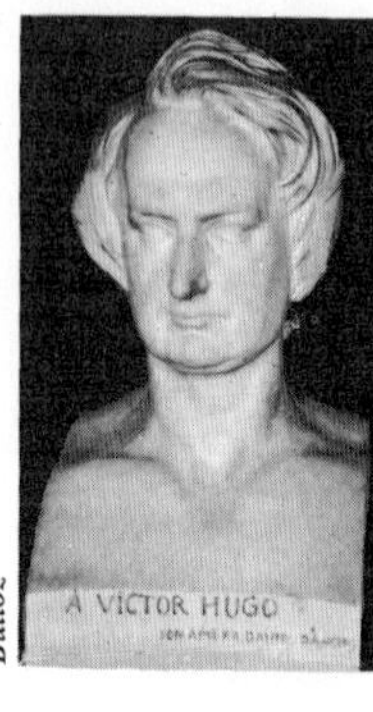

Bulloz

David d'Angers

Lamartine, Victor Hugo), 38 statuettes, 500 portraits modelés en médaillons. Il a représenté toutes les personnalités de la première moitié du siècle. Elu en 1848 à l'Assemblée constituante, il fut exilé au 2-Décembre et put revenir en France en 1852. Un musée portant son nom conserve son œuvre à Angers. (Acad. des bx-arts, 1826.)

David (Félicien), compositeur français (Cadenet 1810 - Saint-Germain-en-Laye 1876). Il a écrit des symphonies, de la musique de chambre et des opéras. Il est un des représentants de l'exotisme musical.

David (le P. Armand), missionnaire et naturaliste français (Espelette 1826 - Paris 1900). Explorateur en Chine, il a donné son nom à deux mammifères chinois, un cerf et un panda*, dit *ours du Père David.*

David (Eduard), homme politique allemand (Ediger-sur-Moselle 1863 - Berlin 1930). Député au Reichstag en 1903, il devint, en 1906, secrétaire général du parti socialiste hessois. Auteur, avec Liebknecht, d'un projet de programme agraire (1895), il publia également un grand ouvrage sur *le Socialisme agraire* (1903).

David Copperfield, roman de Ch. Dickens (1849). S'inspirant de son propre passé, l'auteur raconte les aventures de David, orphelin qui finit par trouver le bonheur grâce à son ange gardien, la délicieuse Agnès. D'autres personnages, la tante Mrs. Trotwood, Dora, la femme-enfant, la dévouée servante Peggotty, animent cette œuvre.

David-Garedja, ensemble de couvents troglodytes (VIe-XVIIIe s.) à 60 km au S.-E. de Tbilissi (Géorgie), célèbre par ses fresques.

David de Sassoun, poème épique arménien, longtemps oral, dont la première version écrite date du XIIIe s.

Davida, petite planète, n° 511, découverte en 1903 par Dugan, la douzième en importance du point de vue de ses dimensions. Son diamètre est estimé à 342 km. (V. ASTÉROÏDE.)

davidien, enne adj. Relatif à l'école de David. || — ***davidien*** n. m. *Péjor.* Nom donné aux artistes qui ont exagéré les principes classiques de David.

David-Neel (Alexandra), exploratrice française (Saint-Mandé 1868 - Digne 1969). Elle voyagea en Asie centrale et fut la première Européenne à séjourner à Lhassa.

Davidović (Dimitrije), publiciste et homme politique serbe (1788 - 1838). Fondateur du premier journal serbe rédigé dans cette langue, il fut plus tard ministre de l'Instruction publique, puis de l'Intérieur. Il est l'auteur d'une *Histoire de la nation serbe.*

Davidović (Ljubomir), homme politique yougoslave (Vlaška, Serbie, 1863 - † 1940). Fondateur du parti radical indépendant, ministre de l'Instruction publique (1904 et 1917), président de la Skupština (1909), il devint chef du nouveau parti démocrate en 1919 et Premier ministre en 1920.

Davidson of Lambeth (Randall Thomas DAVIDSON, 1er baron), prélat britannique (Muirhouse, près d'Edimbourg, 1848 - Chelsea 1930). Conseiller religieux de la reine Victoria à la fin de son règne, archevêque de Canterbury de 1903 à 1928, il tint une place éminente dans l'anglicanisme moderne.

David-Weill (David), collectionneur et mécène français (San Francisco 1871 - Neuilly-sur-Seine 1952). Ses dons ont enrichi de plus d'un millier de pièces les musées de France et la Bibliothèque nationale. Il fut un des fondateurs de la Cité universitaire de Paris. (Acad. des bx-arts, 1934.)

davier n. m. (de l'anc. franç. *daviet,* dimin. de *david,* outil de menuisier). Pince très solide, munie de longs bras de levier et de mors très courts, et servant à l'extraction des dents. || Rouleau mobile placé sur l'étrave d'une chaloupe ou sur son arrière, pour permettre au cordage de courir facilement.

Davignon (Henri, vicomte), romancier et essayiste belge (Saint - Josse - ten - Noode, Bruxelles, 1879 - Bruxelles 1964). Psychologue d'inspiration chrétienne, il étudie des milieux bourgeois dans *Croquis de jeunes filles* (1907), mais s'intéresse aussi à la dualité flamande et wallonne de son pays dans d'autres romans, tels que *Jean Swalue* (1919), *Aimée Colinet* (1922). [Acad. royale de langue et littér. fr., 1932.]

Daviler ou **d'Aviler** (Augustin Charles), architecte français (Paris 1653 - Montpellier 1700). Il étudia à Rome, collabora avec Mansart, puis se fixa à Montpellier, où il exécuta la porte du Peyrou. Architecte de la province de Languedoc, il éleva le palais archiépiscopal de Toulouse.

Davioud (Gabriel), architecte français (Paris 1823 - *id.* 1881). Inspecteur général des travaux d'architecture de Paris, il embellit le bois de Boulogne et de nombreux squares, éleva les deux théâtres de la place du Châtelet (1861) et le palais du Trocadéro (1878).

Davis (John), navigateur anglais (Sandridge, Devonshire, v. 1550 - détroit de Malacca 1605). Il reconnut les côtes ouest du Groenland et le détroit qui porte son nom (1585), découvrit les îles Cumberland (1587), puis les îles Falkland en compagnie de Cavendish et fit cinq voyages dans les Indes orientales. Il est l'inventeur d'un instrument à vision directe pour mesurer la hauteur du Soleil en mer.

Davis (DÉTROIT DE), détroit séparant le Groenland de la terre de Baffin, large de 350 km.

Davis (Jefferson), officier et homme politique américain (Christian County [auj. Todd County], Kentucky, 1808 - La Nouvelle-Orléans 1889). Officier, il devint en 1845 membre de la Chambre des représentants. Sénateur en 1847, ministre de la Guerre en 1853, réélu sénateur en 1857, il lutta contre le fédéralisme et poussa à la sécession. Elu président de la Confédération sudiste (1861), il fut l'âme de la résistance du Sud. Mais, après la chute de Richmond (1865), il s'enfuit, fut fait prisonnier et détenu pendant deux ans au fort de Monroe.

Larousse

Jefferson **Davis**

Davis (William Morris), géologue et géographe américain (Philadelphie 1850 - Pasadena 1934). L'un des pionniers de la géographie physique, il conçut la notion de *cycle d'érosion* et exerça une grande influence.

Davis (Richard Harding), écrivain américain (Philadelphie 1864 - Mount Kisco, New York, 1916). Journaliste réputé, il a également publié des romans qui demeurent populaires (*Gallegher,* 1890 ; *Soldats de fortune,* 1897), et des pièces, dont la plus célèbre est *la Folie de Ranson* (1902).

Davis (Stuart), peintre américain (Philadelphie 1894 - New York 1964). Il introduisit l'art abstrait aux Etats-Unis (musée d'Art moderne de New York).

Davis (Elisabeth, dite **Bette**), actrice américaine (Lowell, Massachusetts, 1908). Elle tourna son premier film, *The Man played God,* en 1932, et a donné, depuis, entre autres : *l'Emprise* (1934), *la Forêt pétrifiée* (1936), *l'Insoumise* (1938), *la Vipère* (1941), *Eve* (1950), *le Bouc émissaire* (1960), *Qu'est-il arrivé à Baby Jane ?* (1963).

Davis (Miles DEWEY), trompettiste de jazz américain (Alton, Illinois, 1926). Il contribua de façon décisive à l'évolution du be-bop vers le « cool » jazz.

Davis (COUPE), épreuve internationale de tennis par équipes, qui se dispute en cinq matches (4 simples et 1 double), joués au plus par quatre représentants de chaque nation.

Davison ou **Davidson** (Jeremiah), peintre anglais d'origine écossaise (v. 1695/1705 - 1745). Elève de Lély, il travailla avec Kneller et se fit une réputation de portraitiste.

Davisson (Clinton Joseph), physicien américain (Bloomington, Illinois, 1881 - Charlottesville, Virginie, 1958). Il a découvert en 1927, avec Germer, la diffraction des électrons par les cristaux, confirmant la mécanique ondulatoire de L. de Broglie. (Prix Nobel de physique, 1937.)

Davitt (Michael), homme politique irlandais (Straide, comté de Mayo, 1846 - Dublin 1906). Il adhéra très jeune au mouvement fenian et fut emprisonné de 1870 à 1877. Après un voyage aux Etats-Unis, où il avait visité les communautés irlandaises, il fonda en 1879 la Ligue agraire avec Parnell. Mais son orientation socialiste le fit rompre avec celui-ci en 1890.

Davos, comm. de Suisse (cant. des Grisons), dans la *vallée de Davos ;* 9 600 h. Station d'été et d'hiver de réputation mondiale.

Davout (Louis Nicolas), duc **d'Auerstedt** et prince **d'Eckmühl,** maréchal de France (Annoux, Bourgogne, 1770 - Paris 1823). Il fit brillamment les campagnes révolutionnaires (1792-1799) et devint général de division en 1800. Après avoir commandé la cavalerie de l'armée d'Italie (1800-1801), il fut nommé maréchal (1804). Il s'illustra ensuite à Auerstedt (14 oct. 1806) et fut nommé en 1807 gouverneur du grand-duché de Varsovie. Il se distingua dans la campagne de 1809, commanda l'armée d'Allemagne en 1810 et prit part à la campagne de Russie

maréchal **Davout**
par Marzocchi di Bellucci
musée de Versailles

(1812). Commandant de Hambourg en 1813, il défendit la ville contre les Russes. Ministre de la Guerre pendant les Cent-Jours, il entra à la Chambre des pairs en 1819.

Davy (sir Humphry), chimiste et physicien anglais (Penzance, Cornouailles, 1778 - Genève 1829). Il a isolé par électrolyse les

métaux alcalins et alcalino-terreux (1807), découvert l'arc électrique (1811) et les propriétés catalytiques du platine divisé (1817). On lui doit aussi la lampe de sûreté des mineurs à toile métallique, évitant les explosions dues au grisou. (Acad. des sc., 1819.)

Davy (Georges), sociologue français (Bernay 1883). Très influencé par Durkheim, il a étudié dans son ouvrage principal, *la Foi jurée* (1922), le potlatch et la formation du contrat à partir des relations statutaires. Sociologue du droit et des institutions, il a également examiné la formation du pouvoir politique à partir du clan totémique (*l'Homme : le fait social et le fait politique,* 1973).

Davydov (Jean), philologue et philosophe russe (1794 - 1863). Il introduisit en Russie l'enseignement de la grammaire comparée et propagea la philosophie de Schelling. On lui doit : *De la philosophie considérée comme science* (1826), *Cours sur la littérature* (1837-1838).

Davydov (Mitrofane), ingénieur hydraulicien soviétique (en Asie centrale 1895). Il a travaillé au développement de l'irrigation en Asie centrale et à l'aménagement de la Volga, et dirigé la construction de la centrale Molotov sur la Kama. En 1946, il a conçu un vaste projet — dit *plan Davydov* — prévoyant le déversement d'une partie des eaux de l'Ob' et de l'Ienisseï vers les régions privées d'eau de la basse Asie centrale en créant une vaste mer intérieure sibérienne.

Dawe (George), peintre anglais (Londres 1781 - Kentish Town, près de Londres, 1829). Peintre de la cour de Russie, il fit plusieurs centaines de portraits, commandés par Alexandre Ier pour honorer les chefs militaires ayant contribué à la défaite de Napoléon Ier.

Dawes (Charles Gates), homme politique et financier américain (Marietta, Ohio, 1865 - Chicago 1951). Contrôleur du Trésor (1898-1902), il fut nommé intendant général du corps expéditionnaire américain en France (1917). Promu général de brigade, il fut désigné en 1923 pour représenter les Etats-Unis au sein du comité d'experts chargé de préparer un plan garantissant à la fois l'équilibre économique de l'Allemagne et les intérêts des pays créanciers (v. art. suiv.). Il fut vice-président des Etats-Unis de 1925 à 1929 et ambassadeur à Londres de 1929 à 1932. (Prix Nobel de la paix, 1925.)

Dawes (PLAN), plan destiné à résoudre d'une façon pratique le problème des réparations dues par l'Allemagne à ses anciens adversaires, sans entraîner l'effondrement économique et financier de ce pays. Elaboré par une commission d'experts financiers, constituée le 30 nov. 1923 et présidée par Charles Dawes, ce plan obligeait l'Allemagne à verser des annuités de 1 à 2 milliards et demi de marks-or, dont le nombre n'était pas fixé. Ces versements devaient être garantis par les recettes douanières, par certaines taxes indirectes et par des obligations souscrites par les industries et les chemins de fer allemands. Le plan Dawes entra en application à la suite de la conférence de Londres (16 juill.-16 août 1924) et entraîna l'évacuation de la Ruhr par les troupes franco-belges dans un délai d'un an. Le plan Dawes, jusqu'à l'entrée en vigueur du plan Young, avait assuré le paiement de 7 milliards 170 millions de marks-or (d'août 1924 au 17 mai 1930).

Dawlat chāh ibn 'Alā' al-Dawla ibn Bakhtīchāh de Samarqand, poète et historien persan, originaire du Khurāsān († fin du xve s.), auteur du *Mémorial des poètes.*

Dawson, anc. **Dawson City,** v. du Canada (Yukon), au confluent des riv. Klondike et Yukon ; 900 h. La population, attirée par les gisements d'or (auj. épuisés), comptait 27 000 h. en 1901.

Dawson (John William), géologue et naturaliste canadien (Pictou, Nouvelle-Ecosse, 1820 - Montréal 1899), auteur de travaux sur l'histoire naturelle des Provinces maritimes canadiennes.

Dax, ch.-l. d'arr. des Landes, à 49 km au N.-E. de Bayonne, sur l'Adour ; 20 294 h. (*Dacquois*). Evêché. Station thermale (rhumatismes). Ecole de l'aviation légère de l'armée de terre. Patrie de C. de Borda et de R. Ducos.

daya n. f. (mot ar. signif. *refuge des eaux*). En Afrique du Nord, petite dépression fermée.

Dayak(s), peuple indonésien de l'île de Bornéo, du type proto-indonésien.

Dayan (Moshé), général israélien (Degania 1915). Il s'engagea dans la Haganah, puis fut l'adjoint du capitaine anglais Wingate. Colonel en 1948, il participa à la guerre d'indépendance. Général en 1953, chef d'état-major de l'armée israélienne, il dirigea la campagne contre les Egyptiens en 1956. Il fut ministre de la Défense de 1967 à 1974 et ministre des Affaires étrangères de 1977 à 1979.

Dayton, v. des Etats-Unis (Ohio) ; 262 300 h. Laboratoire de recherches atomiques.

dB, symbole du *décibel,* unité d'intensité sonore.

D. B., sigle de DEUTSCHE BUNDESBAHN (Chemins de fer fédéraux allemands). [Allem. occid.]

Dboumapa, nom tibétain de l'école Mādhyamika, forme bouddhique de la philosophie Vedānta et branche du système Mahāyāna, introduite au Tibet sous le règne du roi Kri-srong-lde-bcan (748-786). Elle fut supplantée dans la faveur populaire par la doctrine tantrique et polydémoniste dite *kalachakra* (« cercle du temps »).

dbu-tchan n. m. Alphabet lapidaire et typographique du Tibet, qui s'emploie pour rédiger les manuscrits religieux, philosophiques et historiques, ainsi que les documents officiels.

D. C. A., sigle de DÉFENSE CONTRE AÉRONEFS. (On dit aujourd'hui *défense antiaérienne.*)

d-cyclosérine n. f. Antibiotique extrait d'une culture de *Streptomyces orchidaceus* (champignon) et utilisé dans le traitement de la tuberculose. (La cyclosérine expose à des accidents d'ordre psychiatrique.)

d. d. p., sigle courant de DIFFÉRENCE DE POTENTIEL.

D. D. R., sigle de DEUTSCHE DEMOKRATISCHE REPUBLIK (République démocratique allemande). V. ALLEMAGNE.

D. D. T. n. m. (initiales du nom chimique *DichloroDiphénylTrichloréthane*). Insecticide organique de synthèse, employé en poudre, en bouillie ou en aérosol contre les mouches, moustiques, poux, vers des fruits, doryphores, etc. (Syn. GÉSAROL.)

de prép. (lat. *de,* du haut de, venant de, etc.). Indique généralement une relation entre un complément et un nom ou un verbe. ‖ — REM. *De* se répète généralement avant chaque complément partiel : *Une longue suite de malheurs et de souffrances.* Cependant, on peut ne l'exprimer qu'une fois devant plusieurs noms de nombre : *Faire un emprunt de deux ou trois mille francs ;* et l'on ne doit l'exprimer qu'une fois quand plusieurs substantifs de suite ne servent à désigner qu'une seule chose : *La fable de « l'Alouette, ses Petits et le Maître d'un champ » est un chef-d'œuvre ;* ou encore quand les divers substantifs forment une sorte de locution : *Occupons-nous des tenants et aboutissants.*

→ V. tableau page suivante.

1. dé n. m. (anc. franç. *deel ;* lat. *digitale ;* de *digitus,* doigt). Petit cône tronqué de métal que les femmes mettent au doigt (majeur) pour le protéger en cousant. ● *Un dé à coudre* (Fam.), un tout petit verre.

2. dé n. m. (lat. *datum,* ce qui est donné par le sort). Petit cube portant des points sur chacune de ses six faces, de un jusqu'à six, ou des figures de cartes à jouer. ‖ Pièce rectangulaire marquée sur l'une de ses faces de deux séries de points, et qui sert à jouer aux dominos. ‖ Mandrin de fer pour vérifier les calibres. ‖ Garniture métallique au bas de la hampe du drapeau. ‖ Morceau de bronze ou de métal antifriction, rapporté dans une pièce servant de support au tourillon d'un arbre. ‖ Chacun des compartiments dont l'ensemble forme un panneau de vitrail. ‖ Pierre de forme cubique faisant partie d'un piédestal ou servant à tout autre usage. ‖ Anneau métallique ayant la forme d'un D. ‖ Plaque métallique percée de trous qui reçoivent les pièces à rétreindre. ‖ Pierre supportant la partie inférieure d'un poteau pour qu'il ne touche pas la terre. ● *Coup de dé* ou *de dés,* nombre des points amenés en jetant les dés ; et, au *fig.,* opération entièrement livrée au hasard : *Jouer sa fortune sur*

de préposition

sens	complément d'un verbe	complément d'un nom ou d'un adjectif
lieu d'origine ou provenance	*Il vient de Paris. Je n'ai rien reçu de lui.*	*Son départ de la capitale. Une eau de source. Natif de Bourgogne.*
temps (point de départ), durée ou date	*Il est resté de midi à six heures. Je n'ai rien fait de tout le mois.*	*Travail de huit heures à midi. Débarquement de nuit.*
possession ou appartenance	*Ce mot est de lui.*	*Le livre de Pierre.*
matière ou caractérisation	*Il se nourrit de viande.*	*Un collier d'or. Une maison de brique.*
manière	*Il cite tout de mémoire.*	*Une photographie de face.*
cause	*Il est mort de faim. Il pleure de joie.*	*La surprise de cette arrivée se peignit sur son visage.*
moyen, instrument	*On lui a pris ce livre de force. On le montre du doigt.*	*Un coup de pied. Un signe de la tête.*
destination		*Une salle de spectacle.*
introduit un complément indirect ou partitif du verbe, ou une apposition au nom	*Il se souvient de lui. Il mange du pain.*	*La ville de Paris.*
introduit un attribut	*Etre traité de lâche.*	

un coup de dés. || *Dé pipé* ou *chargé,* dé qui porte un supplément de poids près d'une de ses faces, de façon à tomber plus souvent sur cette face. || *Dé de poulie, dé de réa,* garniture logée dans les joues de la poulie ou dans le trou du réa pour supporter l'axe et empêcher l'usure.

Deacon (Henry), chimiste anglais (Londres 1822 - Widnes, Lancashire, 1876). Il inventa en 1861 un procédé industriel de préparation du chlore.

déactiver v. tr. Neutraliser les propriétés agressives ou corrosives d'un produit pétrolier fini.

dead [ded] adj. (mot angl. signif. *mort*). Au golf, se dit d'une balle aboutissant tout près du trou.

dead-heat [dedit] n. m. (angl. *dead,* mort, et *heat,* épreuve). Dans une course, arrivée ensemble, sur la même ligne, de deux ou de plusieurs concurrents.

De Agostini (ISTITUTO GEOGRAFICO), maison d'édition italienne, fondée à Rome, puis transférée à Novare en 1901 par Giovanni De Agostini (Pollone Biellese 1863 - Milan 1941). Elle est spécialisée dans les livres d'art illustrés, les atlas, les ouvrages géographiques et touristiques.

Deák (Ferenc), homme politique hongrois (Söjtör 1803 - Pest 1876). Député en 1832, ministre de la Justice en 1848, il publia en 1865 son fameux article dit « de Pâques », à l'origine du compromis austro-hongrois, et fut le principal artisan de la Constitution dualiste de 1867.

déambulation, déambulatoire → DÉAMBULER.

déambuler v. intr. (lat. *deambulare*). Se promener çà et là, au hasard : *Des hommes désœuvrés qui déambulent dans les rues.* ◆ **déambulation** n. f. Marche au hasard, en divers sens : *Etre harassé par une journée de déambulation.* ◆ **déambulatoire** adj. Relatif à la marche, à la promenade : *Une allure déambulatoire.* ✦ n. m. Galerie de circulation autour du chœur d'une église et reliant entre eux les bas-côtés. (Le plus ancien exemple de déambulatoire en France semble être celui de Saint-Martin de Tours [Xe s.]. Il se généralisa à l'époque romane et subsista jusqu'à l'époque classique. Il est parfois double [Notre-Dame de Paris, Saint-Etienne de Bourges] et comporte généralement des chapelles rayonnantes ; la chapelle absidale ou axiale prend une grande importance à la fin de l'époque romane et est généralement consacrée à la Vierge.) [Syn. CAROLE.] ▷

De Amicis (Edmondo), écrivain italien (Oneglia 1846 - Bordighera 1908). Ses romans *les Amis* (1883), *Grand Cœur* (1884) lui assurèrent une popularité considérable.

Dean (James), acteur américain (Fairmount, Indiana, 1931 - Paso Robles, Californie, 1955). Il s'impose sur les écrans en trois films (*A l'est d'Eden* d'Elia Kazan, 1955 ; *la Fureur de vivre* de Nicholas Ray, 1955 ; et *Geant* de Georges Stevens [1955-1956]). Sa carrière très prometteuse fut interrompue dramatiquement à la suite d'un accident mortel d'automobile. Mais l'Amérique s'empara de la gloire naissante de ce jeune comédien pour créer un mythe, celui de l'adolescent type des années 1950 : le « rebelle sans cause ».

Deane (sir Anthony), ingénieur maritime anglais (v. 1638 - Londres 1721). Il dirigea les chantiers navals de Harwich.

Dearborn, v. des Etats-Unis (Michigan), près de Detroit ; 112 000 h. Automobiles.

Déat (Marcel), homme politique français (Guérigny 1894 - San Vito, près de Turin, 1955). Professeur agrégé de philosophie, député socialiste de la Seine (1932), il compta parmi les dissidents néo-socialistes qui fondèrent le parti socialiste de France (1933), et devint ministre de l'Air dans le cabinet Sarraut (janv. 1936). Après juin 1940, il dirigea le journal *l'Œuvre* et fonda le parti collaborateur du Rassemblement national populaire.

Phédon Salou

déambulatoire
de la cathédrale de Chartres

Secrétaire d'Etat au Travail et aux Affaires sociales dans le gouvernement de Vichy (1944), condamné à mort par contumace, il se réfugia en Italie.

Death Valley. V. MORT (*vallée de la*).

de auditu loc. adv. (mots lat. signif. *d'après ce qu'on entend dire*). Par ouï-dire : *Ne savoir une chose que « de auditu »*.

Deauville, comm. du Calvados (arr. et à 28 km au N.-O. de Lisieux) ; 5 743 h. Station balnéaire très fréquentée, sur la Manche.

débâcher v. tr. Ôter la bâche : *Débâcher une voiture.*

débâcle n. f. Rupture des glaces, entraînées alors irrésistiblement par le courant. || *Fig.* Désordre et confusion provoquant la ruine, la chute de : *La retraite de Russie amena la débâcle du premier Empire.* || Débandade, déroute : *La retraite s'acheva en débâcle.* || *Fam.* Diarrhée qui fait suite à une longue constipation. ◆ **débâcler** v. intr. (de *dé* et *bâcler*). Se dit d'une rivière dont la glace rompue est emportée par le courant : *Rivière qui débâcle.*

débâillonner v. tr. Débarrasser quelqu'un d'un bâillon : *Débâillonner un prisonnier.*

déballage → DÉBALLER.

déballer v. tr. Tirer, sortir d'une caisse, d'un ballot (des objets ou des marchandises). || Etaler des marchandises sur le marché. || Dans le sciage des bois sur dosse, enlever, préalablement à toute autre opération, deux dosses opposées, ou *déballes.* || *Fig.* et *fam.* Vider son cœur, faire des confidences : *Il nous a déballé les raisons de sa mauvaise humeur.* ● *Scie à déballer,* scie circulaire pour le sciage sur dosse du peuplier. ◆ **déballage** n. m. Action de déballer. || Etalage de marchandises : *Un déballage d'ustensiles de ménage sur le trottoir.* || Commerce de marchandises vendues à bas prix, dans une installation de passage ; cette installation elle-même. || *Fig.* et *fam.* Confession, confidence : *J'ai été forcé d'écouter tout le déballage de son passé.* ● *Vente au déballage,* v. VENTE. ◆ **déballeur** n. m. Ouvrier qui déballe les marchandises.

débalourder v. tr. Mesurer le balourd, ou déséquilibre statique et dynamique, d'une pièce tournante. || Annuler ce balourd.

débandade → DÉBANDER.

débander v. tr. Ôter la bande ou le bandeau de : *Débander une plaie.* || Détendre ce qui était tendu avec effort : *Débander un arc.* ● *Débander les yeux à quelqu'un* (Fig.), lui faire perdre ses illusions. || — **se débander** v. pr. Se disperser en rompant les rangs ; être mis en désordre : *Une troupe qui se débande au premier coup de feu.* ◆ **débandade** n. f. Action de se débander, de rompre les rangs, de s'enfuir en désordre : *La débandade d'une armée.* ● *A la débandade,* en désordre : *Tout va à la débandade.*

débanquage → DÉBANQUER.

débanquer v. tr. Au jeu, gagner tout l'argent que le banquier a devant lui. (On dit

chaland de **débarquement**

aussi FAIRE SAUTER LA BANQUE.) ◆ **débanquage** n. m. Au jeu, perte de tout l'argent possédé par le banquier.

débaptiser [bati] v. tr. Changer le nom d'une personne ou d'une chose : *La Convention débaptisa de nombreuses rues de Paris.*

débarbouillage → DÉBARBOUILLER.

débarbouiller v. tr. Laver, nettoyer de ce qui salit : *Débarbouiller le visage.* ◆ **débarbouillage** n. m. Action de débarbouiller.

débarcadère → DÉBARQUER.

débardage → DÉBARDER 1.

1. débarder v. tr. (préf. *dé,* et *bard*). Décharger des marchandises, et particulièrement des bois amenés par la rivière. ‖ Transporter du bois, du point où il a été abattu et façonné jusque sur une route carrossable. ‖ Démolir des bateaux hors de service. ◆ **débardage** n. m. Action de débarder. ◆ **débardeur** n. m. Ouvrier qui travaille au débardage. ‖ Vêtement constitué par un tricot sans manches.

2. débarder v. tr. Enlever les bardes de lard d'une volaille, d'un gibier ou de toute autre pièce, après cuisson.

débardeur → DÉBARDER 1.

débarqué, débarquement → DÉBARQUER.

débarquer v. tr. Enlever des marchandises d'un navire pour les mettre à terre. ‖ Rayer du rôle* d'équipage un membre de l'équipage. ‖ *Fig.* et *fam.* Ecarter d'un poste une personne jugée incapable ou indésirable : *Débarquer un ministre.* ✦ v. intr. Descendre, sortir d'un navire : *Voyageur qui débarque à Marseille.* ‖ *Fam.* Arriver en un lieu en descendant d'un véhicule : *Débarquer à l'improviste chez un ami.* ‖ *Fam.* Avoir l'air embarrassé; ne pas être au courant des habitudes, des événements : *Tu ne sais donc pas la nouvelle? Tu débarques, mon ami.* ◆ **débarcadère** n. m. Tout emplacement d'un port ou d'une côte, toute cale d'accostage, tout quai, appontement, etc., permettant l'embarquement ou le débarquement des passagers et des marchandises. ‖ Lieu préparé pour faciliter le chargement et le déchargement des voitures de chemin de fer. ◆ **débarqué, e** n. et adj. Personne qui débarque : *Des passagers débarqués du paquebot.* ● *Un nouveau débarqué,* personne récemment arrivée. ◆ **débarquement** n. m. Action de débarquer quelqu'un ou quelque chose : *Débarquement de marchandises à terre. Opérer un débarquement.* ‖ Action d'une personne qui descend à terre : *Arrêter quelqu'un à son débarquement.* ● *Chalands* ou *navires de débarquement,* bâtiments militaires spécialement conçus pour permettre, lors des opérations de débarquement, le transport du personnel et du matériel à terre. ‖ *Compagnie de débarquement,* unité de combat analogue à une compagnie d'infanterie, formée sur chaque grand bâtiment de guerre avec une partie de l'équipage, pour agir à terre. ‖ *Débarquement administratif,* décision administrative ordonnant qu'un officier ou un matelot quittera le navire sur lequel il est embarqué.

— ENCYCL. ***débarquement.*** Après une histoire déjà longue, les opérations de débarquement ont connu un essor considérable pendant la Seconde Guerre mondiale tant sur le théâtre occidental que dans le Pacifique. Précédé par ceux d'Afrique du Nord et d'Italie, le débarquement le plus spectaculaire fut celui de Normandie, qui mit en œuvre environ 5 000 navires et exigea à Arromanches la création d'un véritable port artificiel. Les navires de débarquement de 1944 étaient de deux types. Les uns, légers (*Landing Craft Infantery* [L. C. I.]), de 250 à 400 t, possédaient à l'avant une rampe abattable pour le débarquement du personnel et du matériel. Les autres, dits *Landing Ship Tank* (L. S. T.), étaient de vrais bâtiments de haute mer de 2 000 à 4 000 t. Dans les années 1960-1975, la nécessité de disposer de forces amphibies à très longue distance a donné une grande importance aux navires transporteurs de chalands de débarquement. Construits autour d'une cale immergeable ou *radier,* ces navires sont des bâtiments de gros tonnage, tels l'*Intrepid* anglais (11 000 t, 1967) ou l'*Ouragan* français (5 800 t, 1965, radier de 120 m). Ce dernier peut transporter soit 2 engins de débarquement (250 t), soit 18 chalands de transport de matériel. Dans cette famille, les Etats-Unis ont lancé en 1973 le *Tarawa,* bâtiment dit *Landing Helicopter Assault* (L. H. A.), de 40 000 t, qui, en liaison avec 2 L. S. T., peut débarquer un groupement de 1 800 marines avec tout son matériel et disposer de 30 hélicoptères.

débarrage → DÉBARRER.

débarras → DÉBARRASSER.

débarrasser v. tr. (de *embarrasser,* avec influence de l'ital. *sbarazzare*). Dégager de ce qui embarrasse, de ce qui gêne : *Débarrasser quelqu'un d'un fardeau.* ‖ *Fig.* Délivrer d'une personne indésirable : *Débarrasser quelqu'un d'un ennemi.* ◆ **débarras** n. m. Disparition de ce qui embarrassait, en parlant des personnes et des choses : *Je souhaite qu'elle parte. Ce serait un bon débarras.* ‖ Lieu où l'on met les objets encombrants : *Cabinet qui sert de débarras.*

débarrer v. tr. *Dr. anc.* Décider entre plusieurs personnes d'avis différents : *Débarrer des juges.* ● *Débarrer une étoffe,* en faire le débarrage. ◆ **débarrage** n. m. Action de faire disparaître les irrégularités se manifestant dans l'étoffe finie ou teinte, sous forme de barres longitudinales ou de rayons transversaux. ◆ **débarreur, euse** adj. et n. Qui débarre les étoffes.

débat → DÉBATTRE.

débats (JOURNAL DES). V. JOURNAL DES DÉBATS.

debater [debatɛr ; prononc. angl. dibeitɛr] n. m. (mot angl.). Orateur qui, au cours d'un débat, présente et soutient sa thèse avec une grande habileté.

débâter v. tr. Ôter le bât : *Débâter un âne.*

débâtir v. tr. Découdre, démonter les bâtis de tous vêtements sur mesure après essayage et une fois cousus. ◆ **débâtissage** n. m. Action de débâtir.

débattement n. m. Mouvement d'un essieu de part et d'autre de sa position moyenne par rapport au châssis, dû à la flexibilité de la suspension. ‖ Valeur maximale du déplacement correspondant.

débattre v. tr. (conj. **8**). Discuter, examiner avec une ou plusieurs personnes dont chacune expose ses arguments : *Débattre une question.* ‖ — ***se débattre*** v. tr. S'agiter beaucoup en étant aux prises avec quelqu'un ou quelque chose ; se démener : *Se débattre au milieu des pires difficultés.* ◆ **débat** n. m. Examen contradictoire, discussion : *Soulever un débat.* ‖ Discussion contradictoire qui a lieu à l'audience et prépare le jugement. ‖ Dialogue où des personnages allégoriques cherchent à se mettre en valeur (genre très cultivé au Moyen Age). ‖ — ***débats*** n. m. pl. Examen d'une question au sein d'une assemblée, d'un groupe important de personnes. ● *Débats parlementaires,* examen d'une question au sein d'une assemblée parlementaire. — Edition du *Journal officiel* qui publie le compte rendu *in extenso* des discussions parlementaires.

débauchage, débauche, débauché → DÉBAUCHER.

débaucher v. tr. (de *bau,* poutre soutenant le pont d'un navire). Détourner de son travail : *Débaucher un ouvrier.* ‖ Mettre à pied tout ou partie du personnel d'une entreprise ; licencier. ‖ Détourner de son devoir : *Débaucher les troupes.* ‖ Entraîner à l'inconduite : *Débaucher une fille.* ‖ *Par plaisant.* Détourner quelqu'un de ses occupations, d'un travail sérieux, pour un divertissement : *Un de ces jours j'irai vous débaucher.* ◆ **débauchage** n. m. Action de débaucher. ◆ **débauche** n. f. Dérèglement des plaisirs charnels : *Sombrer dans la débauche.* ‖ *Fig.* Usage excessif : *Faire une débauche de calembours, d'esprit.* ‖ Profusion : *Une débauche de couleurs.* ● *Excitation des mineurs à la débauche,* v. MINEUR. ◆ **débauché, e** adj. et n. Livré à la débauche : *Une vie de débauché.* ◆ **débaucheur, euse** n. Personne qui débauche.

débêchage n. f. Action de sortir du sol la bêche d'un canon ancré, en vue de changer la direction du tir : *L'affût à flèche ouvrante permet un grand champ de tir horizontal sans débêchage.*

Debeljanov (Dimčo), poète bulgare (Koprivštica 1887 - tué sur le front de Macédoine 1916). Disciple de Verlaine et du poète russe Alexandre Blok, il dédia à ce dernier son recueil *En sourdine.*

deben n. m. Anc. mesure* de masse des Egyptiens, qui valait 91 g environ.

Debenedetti (Raymond Louis), médecin général français (Lyon 1901 - Paris 1969). Directeur du Service de santé des armées (1947-1963) et promoteur des antennes chirurgicales aéroportées ou parachutées, il a présidé la Croix-Rouge française de 1961 à 1969.

Debeney (Marie Eugène), général français (Bourg-en-Bresse 1864 - *id.* 1943). Il s'illustra comme commandant de la Ire armée en 1918. Commandant l'Ecole de guerre (1919-1924), il fut ensuite nommé chef d'état-major de l'armée (1924-1930). En réponse aux idées développées par de Gaulle dans son livre *l'Armée de métier,* il publia en 1937 *la Guerre et les hommes,* où, sans nier l'importance du matériel, il donnait aux forces morales et à la volonté nationale la première place dans la formation des armées modernes.

débenzolage → DÉBENZOLER.

débenzoler [bɛ̃] v. tr. Enlever le benzol du gaz de houille soit par lavage à l'huile, soit par adsorption au charbon actif. ◆ **débenzolage** [bɛ̃] n. m. Action de débenzoler.

débenzoylation [bɛ̃] n. f. Suppression du radical benzoyle dans un composé organique.

débet [debɛt] n. m. (mot lat. signif. *il doit*). Somme dont un comptable public est jugé débiteur soit par le tribunal administratif, soit par la Cour des comptes, tant en raison des sommes qu'il était chargé de recouvrer que de celles qu'il a détournées de leur destination après les avoir reçues ou qu'il a employées à des paiements irréguliers. ● *Enregistré en débet,* se dit d'un acte lorsqu'il est soumis à la formalité de l'enregistrement sans paiement des droits qui restent dus, mais qui ne sont exigibles que si certaines conditions viennent à se réaliser. ‖ *Inscrire en débet,* se dit en parlant d'une somme lorsque celui qui doit l'acquitter a un délai. (On inscrit ce qui est dû pour la régularité du compte, sauf à opérer plus tard le recouvrement.)

débieller v. tr. Démonter une bielle d'une machine à vapeur ou d'un moteur à explosion.

Debierne (André), chimiste français (Paris 1874 - *id.* 1949). Spécialiste de la radioactivité, il a découvert l'actinium (1899).

débile adj. (lat. *debilis,* faible, infirme, défectueux). Faible de constitution ; affaibli : *Enfant débile. Santé débile.* ‖ *Fig.* Qui manque de vigueur morale ou intellectuelle : *Une volonté débile.* ‖ — SYN. : *chétif, faible, fragile, frêle, malingre, souffreteux.* ◆ **débilement** adv. De façon débile. ◆ **débilitant, e** adj. Qui débilite : *Un climat débilitant.* ◆ **débilitation** n. f. Diminution de la vigueur physique et mentale, en principe passagère. ◆ **débilité** n. f. Etat de déficience physique ou psychique lié à un retard ou à un arrêt de la maturation, le plus souvent constitutionnelle. (La *débilité congénitale,* cause importante de mortalité infantile, se reconnaît dès les premiers jours, chez des enfants prématurés ou nés avant terme, à des anomalies du poids, de la taille, des téguments, par l'existence d'œdème, de troubles respiratoires ou de la régulation thermique, par des difficultés de succion et de déglutition, etc. Elle commande des soins attentifs en milieu spécialisé. Elle justifie une prophylaxie de la prématuration*.) ● *Débilité mentale,* ou *intellectuelle,* état de pauvreté et de faiblesse congénitale du psychisme dans son ensemble, et plus particulièrement de l'intelligence, qui entraîne un trouble pathologique de l'adaptation sociale. (On estime conventionnellement qu'elle correspond à un quotient intellectuel entre 50 et 70, pour la différencier de l'idiotie [Q. I. : 30] et de l'imbécillité [Q. I. : 30-50]. Les causes peuvent être exogènes [lésions traumatiques, toxiques, etc., au niveau du cortex cérébral chez le fœtus ou le nouveau-né] ou génétiques [mutations ou anomalies chromosomiques], qui entraînent soit des malformations, soit des troubles métaboliques des cellules nerveuses.) [V. OLIGOPHRÉNIE.] ◆ **débiliter** v. tr. Rendre débile, affaiblir : *Cette longue maladie l'a débilité.*

débillardement → DÉBILLARDER.

débillarder v. tr. Tailler une pièce de bois ou une pierre pour lui donner une forme courbe satisfaisante. ● *Débillarder un fer plat,* en serrurerie, le cintrer et le contourner suivant la pièce de bois sur laquelle il doit s'appliquer. ◆ **débillardement** n. m. Action de débillarder.

débinage, débine → DÉBINER.

débiner v. tr. (de *biner,* au sens de *bêcher*). *Pop.* Décrier quelqu'un ou quelque chose par des médisances ou des calomnies ; dénigrer : *Débiner un ami.* ● *Débiner le truc,* révéler le secret de quelque chose. ‖ — **se débiner** v. pr. *Pop.* Se sauver, partir lestement : *Se débiner à la première alerte.* ◆ **débinage** n. m. *Pop.* Action de débiner, de médire : *Se livrer au débinage systématique d'un adversaire.* ◆ **débine** n. f. *Pop.* Etat misérable et piteux : *Etre dans la débine.* ◆ **débineur, euse** n. *Pop.* Celui, celle qui débine.

débirentier n. m. Celui qui doit une rente.

1. débit → DÉBITER.

2. débit [debi] n. m. (lat. *debitum,* dette). Compte de toutes les sommes dues par une personne à une autre. (V. aussi DÉBITER.) ◆ **débitable** adj. Qui peut être débité. ◆ **débitage** n. m. Action de débiter. ◆ **débiter** v. tr. Porter un article au débit d'un compte : *On débite le négociant de tout ce qu'il reçoit, on le crédite de tout ce qu'il donne.* (V. aussi DÉBITER à son ordre alphab.) ◆ **débiteur, trice** n. et adj. Personne qui doit quelque chose à quelqu'un (par oppos. à *créancier*) : *Autrefois, le débiteur insolvable devenait l'esclave de son créancier.* ‖ *Fig.* Qui est l'obligé de quelqu'un : *Il a tant fait pour moi que je demeure son débiteur.* ● *Débiteur solidaire,* celui qui est engagé à payer une dette en même temps qu'une ou plusieurs autres personnes (le créancier peut réclamer le paiement total de la dette à l'un quelconque des débiteurs solidaires). ◆ **débitif, ive** adj. Qui doit être débité. ✦ n. m. Compte que le commerçant fait figurer au débit. (V. aussi DÉBITER.)

débitable, débitage, débitance, débitant, débite → DÉBITER.

débiter → DÉBIT 2.

débiter v. tr. (de l'anc. scand. *bitte,* poutre, billot). Réduire en planches, en madriers : *Débiter un chêne.* ‖ Détailler, découper en morceaux prêts à être employés : *Débiter du drap, un bœuf.* ‖ Vendre au détail d'une manière continue : *Débiter du tabac, du vin.* ‖ Vendre promptement et facilement; et, *absol. : Un magasin qui débite beaucoup.* ‖ Fournir en un temps donné une certaine quantité (de gaz, d'électricité, de liquide, etc.) : *A son embouchure, le Mississippi débite environ 20 000 mètres cubes par seconde.* ‖ *Fig.* Dire en public, réciter, déclamer : *Débiter des vers.* ‖ *Péjor.* Répandre, raconter d'une manière souvent prétentieuse : *Débiter des nouvelles, des sottises.* ◆ **débit** [debi] n. m. Ecoulement de marchandises et, plus souvent, vente active et rapide : *Magasin à grand débit.* ‖ Quantité d'eau s'écoulant en une seconde en un point donné d'un cours d'eau (généralement à l'embouchure, sauf mention précise). [V. *encycl.*] ‖ Quantité de liquide ou de gaz fournie par un appareil pendant l'unité de temps. ‖ Ensemble des opérations consistant à diviser longitudinalement une grume en la sciant ou en la fendant, à reprendre éventuellement les pièces ainsi obtenues pour aboutir à des pièces de dimensions déterminées, conformes aux usages du commerce et aux besoins de l'industrie. (Il y a des normes de débit pour les différentes essences.) ‖ Pièce de bois débité. ‖ *Fig.* Manière de lire, de réciter, de prononcer : *Le débit d'un acteur, d'un avocat.* ● *Débit d'une arme,* nombre de coups qu'elle tire en un temps donné, généralement en une minute. (Le débit est inférieur ou égal à la vitesse pratique de tir.) ‖ *Débit de boissons,* établissement ouvert au public, où sont vendues des boissons à consommer sur place, et réglé par des textes adoptés dans le cadre de la lutte contre l'alcoolisme (obligation d'une *licence,* ou autorisation d'exploitation; interdiction d'ouverture autour de certains établissements). ‖ *Débit de tabac,* établissement ouvert au public, dans lequel l'Etat vend, par l'intermédiaire d'agents désignés à cet effet, les produits du monopole des tabacs et des allumettes. (Ils ne constituent pas des exploitations commerciales parce que le buraliste vend des produits pour le compte de l'Etat.) [V. aussi DÉBIT à son ordre alphab.] ◆ **débitable** adj. Qui peut être débité. ◆ **débitage** n. m. Action de débiter. ‖ Opération destinée à régulariser la dimension des blocs de pierre tout venant, en les mettant aux cotes des morceaux marchands. ‖ Syn. de DÉBIT. ◆ **débitance** n. m. *Hydrol.* Débit que l'on peut faire passer en régime uniforme, pour une profondeur d'eau et une pente données, dans un canal dont les caractéristiques sont définies. ◆ **débitant, e** n. Personne qui vend au détail des boissons ou du tabac. ◆ **débite** n. f. Quantité de papiers timbrés, de timbres-poste, etc., vendue en un temps donné par un bureau habilité à cet effet. ◆ **débiteur, euse** n. Personne qui débite, répand (des nouvelles, etc.) : *Une débiteuse de cancans.* ‖ Ouvrier qui débite les blocs d'ardoise, ou pièces, en plaquettes. ‖ Ouvrier spécialisé de carrière, qui prépare le moellon par débitage de la roche abattue. ‖ Ouvrier qui procède au débitage des bois à l'aide de scies mécaniques, de scies à grumes, de scies circulaires, de scies à ruban. (V. aussi DÉBIT 2.) ‖ — **débiteuse** n. f. *Débiteuse à lames,* engin de sciage du marbre ou du granite. ◆ **débitif** n. m. *Linguist.* Mode exprimant l'obligation en baltique. (V. aussi DÉBIT 2.) ◆ **débitmètre** [debimɛtr] n. m. Appareil de contrôle, de mesure ou de réglage du débit d'un fluide. (Les principaux débitmètres utilisés sont constitués par des déversoirs dans le cas de canaux ou de rivières, par des tubes de Venturi, par des orifices calibrés ou par des compteurs volumétriques lorsqu'il s'agit de mesurer le débit d'un liquide ou d'un gaz s'écoulant dans une conduite.)

— ENCYCL. ***débit.*** *Hydrol.* Le débit d'un cours d'eau, évalué en mètres cubes, se calcule en multipliant la surface de la *section mouillée* par la vitesse moyenne en mètres par seconde. Il faut faire des jaugeages en différents points de la section, car la vitesse n'y est pas partout identique (moins grande sur les bords qu'au centre). Le débit varie le long du cours en fonction de l'alimentation. Les variations du débit caractérisent le régime du cours d'eau. Les *débits relatifs* sont calculés relativement à la surface du bassin et sont exprimés en litres par seconde par kilomètre carré.

débiteur → DÉBIT 2 et DÉBITER.

débiteuse → DÉBITER.

débitif → DÉBIT 2 et DÉBITER.

débitmètre → DÉBITER.

déblai, déblaiement → DÉBLAYER.

déblatérer v. tr. ind. [**contre**] (lat. *deblaterare,* babiller, commérer) [conj. **5**]. Parler longuement et avec violence contre quelqu'un ou contre quelque chose : *Déblatérer contre les dirigeants.*

déblaver v. tr. Couper et enlever les blés de : *Déblaver un champ.*

déblayage → DÉBLAYER.

déblayer [blɛje] v. tr. (anc. franç. *desbléer, desbléier, desbleyer;* du préfixe *dé,* et du lat. *bladum,* blé) [conj. **2**]. Enlever des terres, des décombres : *Après avoir démoli, il faut déblayer. Déblayer un terrain.* ‖ *Fam.* Dégager de ce qui encombre : *Déblayer un terrain* *de sport envahi par le public.* ● *Déblayer le terrain* (Fig.), aplanir au préalable les difficultés : *Avant de s'engager dans un débat, il faut déblayer le terrain.* ◆ **déblai** n. m. Action de déblayer. || Ouvrage fait en déblayant. || Matériau extrait en déblayant. ● *Voie en déblai,* voie établie dans une tranchée aménagée par déblaiement du terrain. || — ***déblais*** n. m. pl. Débris de terrains ou de constructions : *Le camion avec lequel on a enlevé les déblais.* ◆ **déblaiement** n. m. Action de déblayer. (On écrit parfois DÉBLAYEMENT.) ◆ **déblayage** n. m. Action de déblayer, d'écarter les objets gênants.

déblocage ou **débloquement** → DÉBLOQUER.

débloquer v. tr. (de *dé* et *bloquer*). Dégager, desserrer : *Débloquer un écrou.* || Desserrer les freins d'un véhicule. || Remettre à voie libre le signal interdisant l'entrée d'une section de voie munie du bloc, et précédemment mis à l'arrêt. || Evacuer les produits abattus sur un chantier de mine. || Rendre disponible, libérer d'une mesure de restriction : *Débloquer des crédits, un compte en banque.* || Lever l'interdiction de transporter ou de vendre des denrées, de disposer librement de crédits, etc. || Dégager des troupes ou une place d'armes assiégées, bloquées. ✦ v. intr. *Pop.* Dire des inepties. ◆ **déblocage** ou **débloquement** n. m. Action de débloquer : *Le déblocage d'un compte, de crédits.*

débobinage → DÉBOBINER.

débobiner v. tr. Dérouler ce qui était en bobine. || Démonter les enroulements d'une machine ou d'un appareil électriques. ◆ **débobinage** n. m. Action de dérouler une bobine de papier. ◆ **débobinoir** n. m. Organe d'une bobineuse* assurant le déroulage, ou débobinage, d'une bobine de papier. (Syn. DÉVIDOIR.)

déboetter v. tr. Enlever l'esche de l'hameçon sans se faire prendre, en parlant du poisson.

déboire n. m. (de *boire*). Amertume laissée par une déception : *Vie pleine de déboires. Les honneurs ont leurs déboires.*

déboisage, déboisement → DÉBOISER.

déboiser v. tr. Dégarnir de ses bois, de ses forêts : *Déboiser les montagnes.* || Enlever le soutènement d'un chantier de mine. ◆ **déboisage** n. m. Action d'enlever le soutènement d'une taille ou d'une galerie de mine. ◆ **déboisement** n. m. Action de déboiser ; résultat de cette action : *Le déboisement des montagnes.* (V. *encycl.*)

— ENCYCL. ***déboisement.*** Le déboisement entraîne de graves conséquences ; il augmente l'écart des températures extrêmes, supprime une protection naturelle contre le vent, et, surtout en dénudant le sol, provoque une érosion accélérée des versants par les eaux de ruissellement et par les torrents, dont le régime devient de plus en plus irrégulier. C'est depuis la Révolution que des régions comme les Alpes et les Pyrénées ont eu à souffrir du déboisement incontrôlé. Pour remédier à cette déplorable situation, on a réglementé le déboisement et favorisé le reboisement des montagnes menacées (loi du 4 avr. 1882).

déboîtage, déboîtement → DÉBOÎTER.

déboîter v. tr. (de *boîte*). Ôter de sa place un objet encastré dans un autre ; disloquer ; disjoindre : *Déboîter une montre, un tuyau. Déboîter un pied de la table. Une épaule déboîtée.* ✦ v. intr. En parlant d'un véhicule, quitter la file de voitures ou la ligne droite. || Sortir de l'alignement, en parlant d'un soldat. ◆ **déboîtage** n. m. Action de déboîter. ◆ **déboîtement** n. m. Déplacement d'un os hors de son articulation. (Syn. LUXATION.) || Evolution d'ordre serré permettant à une unité de sortir de la colonne où elle est intégrée pour se porter sur son flanc. (Au XVIIIe s., le déboîtement des files était très utilisé pour tirer.) || Séparer, en défaisant leurs joints, deux tuyaux contigus dans une conduite d'eau.

débonder v. tr. Ôter la bonde de ; ouvrir : *Débonder un tonneau.* ✦ v. intr. ou ***se débonder*** v. pr. Sortir subitement à flots : *Lac qui a débondé* (ou *qui s'est débondé*) *en inondant la vallée.*

débonnaire adj. (de l'anc. franç. *bonne aire ; aire,* race [qui paraît être un emploi fig. d'*aire* d'aigle]. Bon jusqu'à la faiblesse : *Parents débonnaires.* ◆ **débonnairement** adv. Avec une bonté poussée jusqu'à la faiblesse : *Ecouter débonnairement des insolences.* ◆ **débonnaireté** n. f. Bonté poussée jusqu'à la faiblesse.

Débonnaire (les), orfèvres parisiens du XVIIe s., dont les plus connus sont : PHILIPPE, qui exécuta en 1639 un reliquaire pour Saint-Martin de Tours, et GIRARD, qui travailla en 1664-1665 au palais de Versailles.

débonnairement, débonnaireté → DÉBONNAIRE.

De Bono (Emilio), maréchal et homme politique italien (Cassano d'Adda 1866 - Vérone 1944). Rallié au fascisme, il participa à la marche sur Rome (1922). Gouverneur de la Tripolitaine (1925), puis haut-commissaire en Afrique orientale (1935), il commanda les forces engagées contre l'Ethiopie (1935) avant d'être remplacé par Badoglio. Ministre d'Etat en 1942, il précipita la chute de Mussolini (1943), qui le fit ensuite arrêter et exécuter.

Déborah (mot hébr. signif. *l'Abeille*), prophétesse et juge d'Israël, auteur d'un cantique de victoire célèbre (Juges, V).

débord, débordage, débordant, débordement → DÉBORDER.

déborder v. intr. (de *bord*). Se répandre hors des bords : *Le fleuve a* (ou *est*) *débordé.* || Dépasser, s'étendre au-delà de : *Les plan-*

tations débordaient sur les allées. || En sports, faire un débordement. || Pousser au large, en parlant d'une embarcation accostée à un navire ou à un quai. || *Fig.* S'épancher, se soulager : *Il laissait son cœur déborder dans celui d'un ami. Après avoir longtemps contenu sa colère, il déborda.* ● *Déborder de* (Fig.), avoir en surabondance : *Déborder d'enthousiasme.* || *Déborder en injures,* s'emporter en injures. || *Faire déborder le vase,* dépasser la mesure, lasser la patience : *Je me contenais depuis longtemps, mais cette dernière insolence a fait déborder le vase.* ✦ v. tr. Enlever le bord ou la bordure de : *Déborder un chapeau, une robe.* || Dépasser le bord de, aller au-delà de : *Les vagues débordent la jetée. Une pierre qui déborde le mur. Une ville qui déborde son enceinte.* || *Fig.* Accabler, dépasser, envahir : *Ses nombreuses occupations commencent à le déborder. Je suis débordé de travail.* ● *Déborder l'ennemi,* étendre son front au-delà des ailes du front adverse dans le dessein de se rabattre sur les arrières ou d'attaquer les flancs de l'ennemi. || *Déborder un lit,* tirer les draps, les couvertures, dont les bords sont glissés sous le matelas. (On dit aussi SE DÉBORDER.) ◆ **débord** n. m. Élévation du niveau des eaux d'une rivière, par suite d'une crue subite. ◆ **débordage** n. m. Opération qui consiste à meuler le contour d'une lentille, de façon à bien définir son diamètre. ◆ **débordant, e** adj. Qui déborde : *Un enthousiasme débordant. Etre débordant d'activité. Echelon débordant. Manœuvre débordante.* ◆ **débordement** n. m. Sortie d'un cours d'eau qui dépasse ses bords, qui se répand au-delà de ses bords : *Les débordements de la Loire.* || Irruption d'une multitude : *Le débordement des Barbares emporta l'Empire romain.* || En sports, action de franchir la défense adverse en la contournant, de surclasser un adversaire. || *Fig.* Profusion : *Un débordement d'enthousiasme.* || — **débordements** n. m. pl. Désordres entraînés par le dérèglement des mœurs : *Les débordements d'une vie dissolue.*

De Boschère (Jean), écrivain d'expression française et peintre belge (Uccle-Bruxelles 1878 - La Châtre, Indre, 1953). Voisin et ami du poète Milosz, il se passionna pour l'ésotérisme, la mystique et les sciences naturelles. On lui doit : *Job le Pauvre* (1922), *Satan l'Obscur* (1933), *le Chant des haies* (1953).

débosseler v. tr. (de *bosse*) [conj. **3**]. Faire disparaître les bosses de : *Débosseler un bassin de cuivre.*

débotter v. tr. Ôter les bottes de : *Débotter un cavalier.* ◆ **débotter** n. m. *Au débotter* ou *au débotté,* à l'improviste.

débouchage → DÉBOUCHER 1.

débouché → DÉBOUCHER 2.

débouchement → DÉBOUCHER 1.

1. déboucher v. tr. Ouvrir en ôtant ce qui bouche ; enlever le bouchon : *Déboucher une bouteille.* || Dégager ce qui est obstrué : *Déboucher un lavabo.* ● *Déboucher une fusée,* percer la fusée d'un obus au moyen d'un débouchoir. || *Déboucher à zéro,* faire marquer à la fusée d'un obus la distance O, pour exécuter un tir à vue à très courte distance ; exécuter un tir d'artillerie à proximité immédiate de l'assaillant. ◆ **débouchage** ou **débouchement** n. m. Action de déboucher, de dégager ce qui est obstrué : *Le débouchage d'une bouteille, d'un tuyau.* ◆ **débouchoir** n. m. Appareil servant à déboucher l'évent des fusées de projectiles, pour modifier à volonté la distance à laquelle ils éclatent. (L'apparition de la fusée de proximité, au cours de la Seconde Guerre mondiale, a rendu exceptionnel l'emploi des débouchoirs.) || Bâton avec lequel on enlève la terre qui encrasse un soc de charrue. (Syn. CUREAU.)

2. déboucher v. intr. (sans doute formé sur *bouche,* au sens de *lieu étroit*). Sortir d'un endroit resserré : *Le cortège débouchait de l'avenue.* || Avoir son issue, aboutir : *Cette rue débouche sur la grand-place.* ◆ **débouché** n. m. Endroit où l'on passe d'un lieu resserré dans un lieu plus ouvert : *Le débouché d'une rue. Lyon est au débouché des principales routes des Alpes.* || *Fig.* Issue, point d'exportation pour les marchandises : *L'industrie, en plein essor, cherchait de nouveaux débouchés.* || Carrière ouverte à quelqu'un : *Le diplôme d'ancien élève des grandes écoles assure de nombreux débouchés.* ● Présentation de la tête d'une troupe entrant en action : *Le débouché des chars.* || *Loi des débouchés,* théorie économique attribuée à Jean-Baptiste Say et selon laquelle « les produits s'échangent contre des produits, et les services contre des services ». (V. *encycl.*)

— ENCYCL. ***loi des débouchés.*** La loi des débouchés, considérée comme étayant les doctrines libérales optimistes, a eu un gros succès au XIXe s. Du fait de la division du travail, chaque homme ne produit pas toutes les marchandises et tous les services qui lui sont nécessaires, mais le type de marchandises ou le service qu'il produit, il le produit en plus grande quantité que ses besoins ; le surplus, il l'échange contre des marchandises ou des services produits par d'autres. Donc, plus l'homme produit en excédent de ses besoins, plus il peut acquérir les marchandises qu'il ne produit pas et dont il éprouve le besoin. En fabriquant un objet, on crée la possibilité d'en acheter un autre. En outre, les véritables crises de surproduction sont impossibles, puisque la grande masse de la population manque d'une multitude de produits nécessaires. On risque simplement des crises partielles de surproduction si l'on produit ce qui ne convient pas aux consommateurs, et seul le libre mécanisme des prix permet aux producteurs de savoir ce qui est désiré par les consommateurs. La loi des débouchés, dans la pensée de Say, justifiait, d'une part, la condamnation des interventions économiques de l'Etat et, d'autre part, le libre-échangisme.

débouchoir → DÉBOUCHER 1.

déboucler v. tr. Dégager l'ardillon d'une boucle ; défaire la boucle de : *Déboucler son ceinturon.*

débouillage → DÉBOUILLIR.

débouillir v. tr. Soumettre à l'eau bouillante une étoffe ou des fils. ◆ **débouillissage** ou **débouillage** n. m. Action de traiter des fils ou des tissus par un bain porté à l'ébullition.

déboulé → DÉBOULER.

débouler v. intr. et tr. (de *bouler,* rouler ; d'abord « rouler de haut en bas », comme une boule). Descendre rapidement : *Débouler du haut en bas de l'escalier. Débouler tout un étage.* ‖ Partir à l'improviste devant un chasseur, en parlant du lièvre, du lapin : *Un lapin déboulant du terrier.* ◆ **déboulé** n. m. Départ à l'improviste d'un lièvre, d'un lapin devant le chasseur. ‖ Allure d'un joueur de football, de rugby en pleine vitesse. ‖ Mouvement de la danse où le corps tourne sur lui-même en pivotant très vite sur les pointes ou les demi-pointes, en une série de demi-tours.

déboulonnage → DÉBOULONNER.

déboulonner v. tr. Démonter ce qui était boulonné. ‖ *Fig.* et *fam.* Démolir : *Déboulonner la réputation de quelqu'un.* ‖ Déposséder quelqu'un de sa place, destituer : *Déboulonner le président d'une société.* ◆ **déboulonnage** n. m. Action de déboulonner ; résultat de cette action. (On dit aussi DÉBOULONNEMENT.)

débouquement → DÉBOUQUER.

débouquer v. intr. (préf. priv. *dé,* et de *bouque,* anc. forme du mot *bouche*). Sortir d'une passe, d'un chenal. ◆ **débouquement** n. m. Action de débouquer, de sortir d'un chenal étroit. ‖ Chenal, passage étroit entre deux terres.

débourbage → DÉBOURBER.

débourber v. tr. Ôter la bourbe de : *Débourber un fossé, un étang.* ‖ Tirer de la bourbe : *Débourber une charrette.* ‖ Décanter le moût avant la fermentation d'un vin blanc. ‖ Pratiquer le débourbage d'un minerai. ◆ **débourbage** n. m. Lavage d'un minerai argileux ou boueux. ‖ Opération consistant à débarrasser le moût des grosses impuretés, avant la mise en fermentation d'un vin blanc. ◆ **débourbeur** n. m. Appareil à séparer la lie du moût. ‖ Engin permettant l'hydratation, la désagrégation et le lavage des roches hétérogènes.

débourgeoiser v. tr. Faire perdre à quelqu'un les façons bourgeoises.

débourrage, débourrement → DÉBOURRER.

débourrer v. tr. Ôter la bourre de ; vider : *Débourrer un fusil, débourrer une pipe.* ‖ Enlever le bourrage et, par extens., l'explosif d'un trou de mine déjà chargé. ‖ Décoincer les blocs de minerai ou de charbon dans une cheminée ou dans une trémie. ‖ Enlever la bourre qui encrasse les garnitures de carde, en filature. ‖ Donner à un jeune cheval le premier dressage à la selle et aux aides. ✦ v. intr. En parlant des bourgeons, s'ouvrir en libérant la bourre. ‖ *Pop.* Faire ses besoins. ◆ **débourrage** n. m. Action de débourrer ; résultat de cette action. ◆ **débourrement** n. m. Epanouissement des bourgeons, ou bourres, des arbres et de la vigne. ◆ **débourreur, euse** n. Personne ou appareil utilisés pour débourrer les garnitures de carde. ‖ — ***débourreur*** n. m. Chacun des cylindres agissant en liaison avec le grand tambour et les cylindres travailleurs, dans les cardes à hérissons. ◆ **débourroir** n. m. Outil qui sert à enlever de la bourre ou du crin dans les renfonçures ou les panneaux. ◆ **débourrure** n. f. Déchet textile provenant du débourrage des cardes, et utilisé de nouveau après nettoyage, en filature pour la production de fils cardés.

débours, déboursement → DÉBOURSER.

débourser v. tr. Tirer de sa bourse, de sa caisse, pour payer : *Voyager sans rien débourser.* ◆ **débours** [debur] n. m. Argent avancé pour le compte de quelqu'un (s'emploie surtout au plur.) : *Rentrer dans ses débours.* (Les débours sont d'ordinaire des petits frais accessoires de correspondance, de transport, de voitures, etc., que l'on ajoute au principal sur la lettre de voiture, le mémoire, le compte de retour, etc.). ◆ **déboursement** n. m. Action de débourser.

déboussoler v. tr. *Fam.* Désorienter, déconcerter : *Etre déboussolé par les bouleversements politiques.*

debout adv. (préf. *de,* et du nom *bout*). Sur un de ses bouts, verticalement : *Mettre un tonneau, une colonne debout.* ‖ Droit sur ses pieds : *Rester debout.* ‖ Hors du lit, levé : *Il est debout dès six heures le matin.* ‖ Se dit particulièrement en parlant d'un convalescent qui commence à se lever : *Il est debout.* ‖ Vivant : *Dieu merci, je suis encore debout !* ‖ Existant, non encore détruit : *Certains monuments romains sont toujours debout. Vieil empire encore debout.* ‖ Dans une attitude digne, ferme : *Avoir un tempérament à rester debout, à refuser de s'abaisser.* ✦ interj. Ordre par lequel on invite à se lever, à partir : *Debout ! Il est l'heure.* ● *Bois debout* ou *de bout,* pièce de bois dont la face fonctionnelle est perpendiculaire au sens des fibres. ‖ *Conte, histoire à dormir debout,* récit invraisemblable. ‖ *Debout au plein,* perpendiculairement au rivage, en parlant d'un navire. ‖ *Mâts debout,* mâts de navire verticaux. ‖ *Mer debout,* mer que le vent chasse contre l'avant du navire. ‖ *Mettre debout,* faire, mener à bien : *Il faut longtemps pour mettre debout une bonne comédie.* ‖ *Mourir debout,* montrer de l'activité jusqu'à la mort. ‖ *Passer debout,* en parlant de marchandises ayant leur destination déclarée au-delà d'une localité, traverser celle-ci sans pouvoir y être vendues ni même déchargées. (V. PASSE-DEBOUT.) || *Se tenir debout à la lame* (Mar.), lui présenter l'avant. || *Tenir debout,* avoir de la valeur, être cohérent, vraisemblable, en parlant d'une opinion, d'un raisonnement, d'une œuvre quelconque : *Ce raisonnement ne tient pas debout. Roman, pièce qui ne tient pas debout.* || *Vent debout,* vent contraire à la direction d'un navire, d'un véhicule. || *Vente du bois debout et sur pied,* vente des arbres vifs, non abattus (par oppos. à la vente du bois façonné).

débouté, déboutement → DÉBOUTER 1.

1. débouter v. tr. Déclarer par jugement que quelqu'un est déchu d'une demande en justice. ◆ **débouté** n. m. Jugement par lequel on est déclaré déchu d'une demande en justice. || Plaideur dont la demande est rejetée. ◆ **déboutement** n. m. Fait de débouter.

2. débouter v. tr. Arracher sur une garniture de carde une partie des dents.

déboutonner v. tr. Défaire, en faisant sortir les boutons de leur boutonnière : *Déboutonner sa veste.* ● *Déboutonner un fleuret,* en ôter le bouton. || *Rire, manger à ventre déboutonné,* avec excès, à satiété. || — **se déboutonner** v. pr. Déboutonner son vêtement. || *Fam.* Parler à cœur ouvert : *Il s'est déboutonné longuement.*

débraillé, e [debraje] adj. (préf. priv. *dé,* et de l'anc. franç. *braiel,* ceinture, dérivé lui-même de *braie ;* donc « qui a la ceinture défaite »). Qui a une mise désordonnée, trop négligée : *Des jeunes gens débraillés.* || — **débraillé** n. m. Mise négligée : *Affecter le débraillé.* ◆ **débrailler (se)** v. pr. Ecarter, déranger ses vêtements : *Elle se débraillait outrageusement.*

débranchement → DÉBRANCHER.

débrancher v. tr. Supprimer une connexion électrique. || En parlant des wagons d'une rame, les séparer dans une gare de triage et les diriger sur des voies de classement. ◆ **débranchement** n. m. Action de séparer, sur différentes voies, les wagons d'un train. || Action de retirer un appareil électrique du circuit d'alimentation. ● *Faisceau de débranchement,* groupe de voies d'un triage sur lequel s'effectue cette opération.

De Bray (Jan), peintre hollandais (Haarlem v. 1627 - *id.* v. 1697). Il a laissé des dessins, des tableaux d'histoire (*Vulcain et les cyclopes,* musée de Haarlem) et des portraits collectifs d'un style sévère (*la Direction de la gilde de Saint-Luc,* 1675, Amsterdam).

Debray (Henri), chimiste français (Amiens 1827 - Paris 1888). Il collabora avec Sainte-Claire Deville, dont il continua les travaux sur les dissociations (carbonate de calcium, efflorescence des hydrates salins). [Acad. des sc., 1877.]

débrayage → DÉBRAYER.

débrayer v. tr. (préf. priv. *dé,* et de *embrayer*) [conj. **2**]. *Mécan.* Supprimer la liaison qui existait entre un arbre moteur et un arbre entraîné. (On dit aussi DÉSEMBRAYER.) || *Fig.* Cesser volontairement le travail : *Les gaziers ont débrayé pendant trois heures pour appuyer leurs revendications.* ◆ **débrayage** n. m. *Mécan.* Opération inverse de l'embrayage, et consistant à séparer deux arbres solidarisés par l'embrayage, de façon à les rendre indépendants et à obtenir l'arrêt de l'arbre conduit, tout en laissant l'arbre conducteur en mouvement. (Dans une automobile, le débrayage permet, sans arrêter le moteur, d'arrêter la voiture ou d'effectuer les manœuvres de changement de vitesse.) || *Fig.* Cessation volontaire du travail ; action de se mettre en grève. ◆ **débrayeur** n. m. Mécanisme qui opère le débrayage.

Debré (Robert), médecin français (Sedan 1882 - Le Kremlin-Bicêtre 1978), auteur de travaux sur la pédiatrie. (Acad. de méd., 1934 ; Acad. des sc., 1961.)

Debré (Michel), homme politique français (Paris 1912), fils du précédent. Sénateur d'Indre-et-Loire (1948-1958), président du groupe sénatorial des Républicains sociaux (1955-1958), il est garde des Sceaux de juin 1958 à janv. 1959, puis Premier ministre jusqu'en avr. 1962. Battu aux élections législatives de 1962, il est élu député de la Réunion en 1963. Il est nommé ministre des Finances et de l'Economie dans le second gouvernement Pompidou (1966), puis ministre des Affaires étrangères (1968-1969) et ministre de la Défense nationale (1969-1973). Il a écrit, notamment : *Refaire la France* (1946), *Ces princes qui nous gouvernent* (1957), *Au service de la nation* (1963). — Son frère OLIVIER (Paris 1920) est un peintre abstrait.

Debrecen, v. de Hongrie, ch.-l. de prov. ; 173 400 h. Gaz naturel. La ville fut le siège du concile réformé de 1567.

débridé, débridement → DÉBRIDER.

débrider v. tr. Ôter la bride à : *Débrider un cheval.* || Retirer les ficelles entourant une volaille ou un gibier qui viennent d'être cuits. ● *Débrider une plaie* (Fig.), assainir une situation trouble, douloureuse. || *Débrider les yeux à quelqu'un,* lui faire voir la vérité. || *Sans débrider,* sans interruption : *Travailler dix heures sans débrider.* ◆ **débridé, e** adj. *Fig.* A qui l'on a lâché la bride ; excessif, sans retenue : *Imagination débridée. Appétits débridés.* ◆ **débridement** n. m. Opération qui consiste à sectionner une bride en vue de libérer un organe comprimé. || Nom donné aux incisions pratiquées dans des foyers purulents, afin d'en permettre l'évacuation.

débris [debri] n. m. (déverbal de l'anc. franç. *débriser*). Reste d'une chose brisée, écroulée ou simplement mise en morceaux ; ce qui reste après une catastrophe (s'emploie ainsi surtout au plur.) : *Des débris de verre jonchaient le sol. Les débris d'un empire,* *d'une armée :* et, au *fig. : Les débris d'une gloire éteinte.* ‖ Restes d'un homme ou d'un animal : *Débris fossiles. Débris humains.*

débrochage → DÉBROCHER.

débrocher v. tr. Retirer de la broche une pièce de boucherie, une volaille ou un gibier. ‖ Procéder au débrochage d'un livre. ◆ **débrochage** n. m. Action d'enlever la couverture d'un livre broché et de le découdre.

De Brosses (Charles), magistrat et écrivain français (Dijon 1709 - Paris 1777). Premier président du parlement de Dijon, il mena une vie d'épicurien, écrivit plusieurs traités et raconta dans ses *Lettres familières* son voyage en Italie. Il est un des premiers qui ait étudié le fétichisme (*Du culte des dieux fétiches,* 1760).

débrouillage, débrouillard, débrouillardise, débrouille, débrouillement → DÉBROUILLER.

débrouiller v. tr. (de *brouiller*). Démêler ce qui est brouillé : *Débrouiller du fil.* ‖ Remettre en ordre : *Débrouiller ses papiers.* ‖ *Fig.* Rendre intelligible, démêler ce qui était obscur : *Débrouiller une intrigue.* ‖ — **se débrouiller** v. pr. S'éclaircir : *Affaires qui se débrouillent.* ‖ *Fam.* Se tirer d'affaires habilement : *Savoir se débrouiller dans des situations difficiles.* ◆ **débrouillage** n. m. *Fam.* Action de se débrouiller. ◆ **débrouillard, e** adj. et n. *Fam.* Qui sait se débrouiller, se tirer d'embarras ; qui obtient tout ce qu'il veut : *Un garçon débrouillard.* ◆ **débrouillardise** n. f. *Fam.* Aptitude à se débrouiller : *La débrouillardise proverbiale du Parisien.* ◆ **débrouille** n. f. *Fam.* Moyen, art de se débrouiller : *Avoir recours à la débrouille.* (V. D [*système*].) ◆ **débrouillement** n. m. Action de débrouiller une chose embrouillée (au *pr.* et au *fig.*) : *Le débrouillement d'un écheveau, d'une affaire.* ◆ **débrouilleur, euse** Personne, chose qui débrouille, qui aide à débrouiller.

débroussaillement → DÉBROUSSAILLER.

débroussailler v. tr. Enlever des broussailles par coupe ou par arrachement : *Débroussailler un bois.* ‖ *Fig.* Rendre plus clair : *Débroussailler une question.* ◆ **débroussaillement** n. m. Action de débroussailler.

débrutage n. m. V. ÉBRUTAGE.

débruter v. tr. V. ÉBRUTER.

débruteuse n. f. Petit tour horizontal qui sert à arrondir le diamant.

Debs (Eugene), socialiste américain (Terre-Haute, Indiana, 1855 - Elmhurst, Illinois, 1926). Organisateur du parti socialiste aux Etats-Unis, il fut candidat à la présidence en 1900 et en 1912.

débuché → DÉBUCHER.

débucher v. intr. (préf. *dé,* et *bûche,* au sens de « bois »). Sortir du bois, en parlant du gibier. ✦ v. tr. Faire sortir une bête du bois : *Débucher une biche.* ◆ **débuché** ou **débucher** n. m. Moment où l'animal débuche.

Debucourt : « Promenade dans la Galerie du Palais-Royal »

B.N.

Debucourt (Philibert Louis), peintre et graveur français (Paris 1755 - Belleville 1832). Elève de Vien, il fit d'abord des tableaux de genre, puis, après 1785, se consacra à la gravure à la manière noire et à l'aquatinte. Il a produit 558 pièces, d'un dessin élégant, précis, d'après ses propres compositions (*la Promenade au Palais-Royal, la Rose mal défendue*), ou d'après Carle Vernet, Isabey, Prud'hon.

débudgétiser v. tr. Supprimer une dépense

budgétaire et l'affecter à une autre forme de financement : *Débudgétiser la construction des autoroutes.*

Gaspard **Deburau**
par H. Trouvé
peinture sur porcelaine
musée Carnavalet

Deburau (Jean-Baptiste Gaspard), mime français (Kolín, Bohême, 1796 - Paris 1846). Il joua la pantomime au théâtre des Funambules et créa le personnage de Pierrot. — Son fils JEAN CHARLES (Paris 1829 - Bordeaux 1873) reprit aux Funambules les rôles de son père, en particulier celui de Pierrot.

débusquage, débusquement → DÉBUSQUER.

débusquer v. tr. (de *bûche,* mais refait sur *embusquer*). Faire sortir le gibier de l'endroit où il s'est réfugié. || *Fig.* et *fam.* Chasser d'une position avantageuse, abritée : *Débusquer l'ennemi de la place.* ◆ **débusquage** n. m. Syn. de DÉBARDAGE. ◆ **débusquement** n. m. Action de débusquer.

Debussy (Claude), compositeur français (Saint-Germain-en-Laye 1862 - Paris 1918). Elève du Conservatoire, il obtient le prix de Rome en 1884 pour sa cantate *l'Enfant prodigue.* A Rome, il compose plusieurs œuvres, dont *la Damoiselle* élue.* Rentré à Paris, il suit les spectacles d'Extrême-Orient à l'Exposition de 1889 et s'enthousiasme pour *Boris Godounov* de Moussorgski. Il écrit des mélodies et s'absorbe plusieurs années dans la composition de *Pelléas* et Mélisande.* Les années suivantes seront les plus fructueuses de sa carrière. Son œuvre comprend des mélodies : *Ariettes oubliées, Cinq Poèmes de Baudelaire, Fêtes galantes, Proses lyriques, Chansons de Bilitis, Trois Chansons de France, le Promenoir des deux amants,* etc. ; des cantates : *l'Enfant prodigue* (1884), *la Damoiselle élue* (1887) ; des pièces pour piano : *Estampes, l'Isle joyeuse, Images, Children's corner,* 24 *Préludes,* 12 *Etudes,* etc. ; de la musique de chambre : *Quatuor* à cordes, sonates pour violoncelle et piano, pour flûte, alto et harpe, pour violon et piano ; de la musique symphonique : *Prélude* à l'après-midi d'un faune* (1894), *Trois Nocturnes* (*Nuages, Fêtes, Sirènes,* 1899), *la Mer** (1905), *Images* (*Gigue, Ibéria, Rondes de printemps,* 1906-1912) ; *Pelléas et Mélisande* (1893-1902), œuvre lyrique ; *Khamma* (1912), *Jeux* (1912), *la Boîte à joujoux* (1913), ballets ; *le Martyre* de saint Sébastien* (1913), musique de scène. Un choix des chroniques musicales qu'il donna à diverses publications a été édité en 1921 sous le titre *Monsieur Croche, antidilettante.*
L'œuvre de Debussy s'inscrit contre l'emphase issue de l'art allemand, la rigueur des formes classiques, l'éloquence à la manière italienne. Son harmonie emploie la modalité, les dissonances, les gammes par tons. Son orchestration légère procède par touches colorées. Désireux de suggérer, comme les symbolistes, il veut estomper les lignes, comme les impressionnistes.
→ V. illustration page suivante.

début → DÉBUTER.

débutanisation → DÉBUTANISER.

débutaniser v. tr. Séparer le butane contenu dans un produit pétrolier, généralement par fractionnement. (Syn. STABILISER.) ◆ **débutanisation** n. f. Action de débutaniser. (Syn. STABILISATION.) ◆ **débutaniseur** n. m. Appareil pour débutaniser.

débutant, débutante → DÉBUTER.

débuter v. intr. (de *dé,* et *but*). Faire ses premiers pas dans une carrière. || Commencer, en parlant d'une chose : *Conférence qui débute par une longue citation.* ✦ v. tr. *Fam.* Commencer : *Débuter la séance par un discours.* ◆ **début** [by] n. m. Commencement d'une chose quelconque qui dure ou progresse : *Le début d'une maladie.* || *Fig.* Premiers pas dans une carrière (surtout au plur.) : *Faire ses débuts dans la magistrature.* ◆ **débutant, e** n. Personne qui débute dans une activité, dans une carrière, partic. au théâtre : *Voilà une sonate pour débutants. On ne lui donne encore que des rôles de débutant.* || — **débutante** n. f. Jeune fille faisant son entrée dans le monde.

débuttage n. m. *Agric.* Syn. de DÉCHAUSSEMENT.

debye n. m. (de *Debye* n. pr.). Unité de moment électrique, 10^{18} fois plus petite que

Giraudon

Claude **Debussy**
par Marcel Baschet (1862-1941)
musée de Versailles

l'unité C. G. S. électrostatique, qui sert à évaluer le moment des molécules.

Debye (Petrus), physicien et chimiste néerlandais (Maastricht 1884 - Ithaca, Etat de New York, 1966), auteur de recherches sur les applications chimiques de la théorie des quanta, la diffraction des rayons X par les poudres cristallines, les dimensions des molécules gazeuses et les interactions entre molécules et ions au sein de la matière. (Prix Nobel de chimie, 1936.)

déca (gr. *deka,* dix), préfixe (symb. : da) qui, placé devant une unité de mesure, la multiplie par 10.

deçà adv. (de *de* et *çà*). Ne s'emploie plus que dans les locutions *par-deçà, en deçà.* ● LOC. ADV. *Deçà et delà* ou *deçà delà,* d'un côté et de l'autre : *La navette du tisserand va deçà et delà.* — De côté et d'autre : *Courir deçà delà.* ‖ *Jambe deçà, jambe delà,* une jambe d'un côté, une jambe de l'autre; à califourchon. ● LOC. PRÉP. *Au-deçà de,* V. AU-DEÇÀ. ‖ *En deçà de,* de ce côté : *En deçà des Pyrénées.* — *Fig.* Sans aller jusqu'à : *Rester en deçà de ses possibilités.*

décabristes n. m. pl. (du russe *dekabr,* décembre). Membres de la conspiration organisée à Saint-Pétersbourg contre Nicolas Ier le 26 déc. 1825. (Elle avait pour dessein d'écarter l'empereur du trône, à cause de ses idées absolutistes, et de lui substituer son frère le grand-duc Constantin, qui avait introduit en Russie un régime constitutionnel. Elle échoua.)

décachetable, décachetage → DÉCACHETER.

décacheter v. tr. (conj. **4**). Ouvrir en brisant le cachet : *Il décacheta le message qu'on lui envoyait.* ‖ *Simplem.* Ouvrir (une lettre, un petit paquet). ◆ **décachetable** adj. Qui peut être décacheté : *Lettre décachetable.* ◆ **décachetage** n. m. Action de décacheter.

décadaire → DÉCADE.

décade n. f. (gr. *dekas, -ados,* dizaine). Période de dix jours : *Les mois grecs étaient divisés en trois décades.* ‖ *Partic.* Période de dix jours adoptée par la République française, en 1792, pour remplacer la semaine. ‖ Période de dix ans : *La dernière décade du XIXe siècle.* (Ce sens est condamné par les puristes, qui lui préfèrent DÉCENNIE.) ‖ Réunion de dix livres, de dix chapitres, etc. : *Les Décades de Tite-Live.* ● *Décade pythagoricienne,* somme des quatre premiers nombres, qui, dans la théorie pythagoricienne, forme la grande et décisive unité de la nature. (Chez les pythagoriciens, les nombres n'ont pas seulement une réalité quantitative, mais une réalité qualitative; ils définissent une structure des choses. Le nombre dix, ou décade, constitue la structure parfaite et achevée de chaque élément de la nature.) ◆ **décadaire** adj. Relatif aux décades du calendrier républicain : *Fêtes décadaires.* ● *Culte décadaire,* culte révolutionnaire qui reçut une organisation officielle en 1798. ◆ **décadi** n. m. Dixième et dernier jour de la décade, dans le calendrier républicain. (Il était chômé.)

décadenasser v. tr. Enlever le cadenas de : *Décadenasser une porte.*

décadence n. f. (lat. médiév. *decadentia;* de *cadere,* tomber). Commencement de la chute, de la dégradation, de la ruine : *Entrer en décadence. La décadence d'un empire, des institutions, des mœurs.* ‖ Epoque littéraire des derniers siècles de l'Empire romain : *Les poètes de la décadence.* (Syn. DÉCLIN.) ◆ **décadent, e** adj. et n. Qui est en décadence : *Une monarchie décadente.* ‖ Se dit d'un art, ou d'une coutume, exprimant une dégénérescence de la civilisation. (C'est par le terme de « décadents » que furent d'abord désignés les poètes symbolistes. Une de leurs revues, dirigée par Anatole Baju, parut sous le titre *le Décadent* de 1886 à 1889. Des Esseintes, personnage du roman de J. K. Huysmans *A rebours* [1884], incarne le décadent raffiné qui cherche l'évasion hors d'un monde vulgaire.)

décadi → DÉCADE.

décaèdre n. m. Solide à dix faces.

décaféiner v. tr. Enlever la caféine de : *Café décaféiné.*

décagonal → DÉCAGONE.

décagone n. m. (gr. *deka,* dix, et *gônia,* angle). Polygone qui a dix angles et, par conséquent, dix côtés. (V. *encycl.*) ‖ Ouvrage fortifié composé de dix bastions. ◆ **décagonal, e, aux** adj. Qui a trait au décagone. ‖ Qui a dix angles.

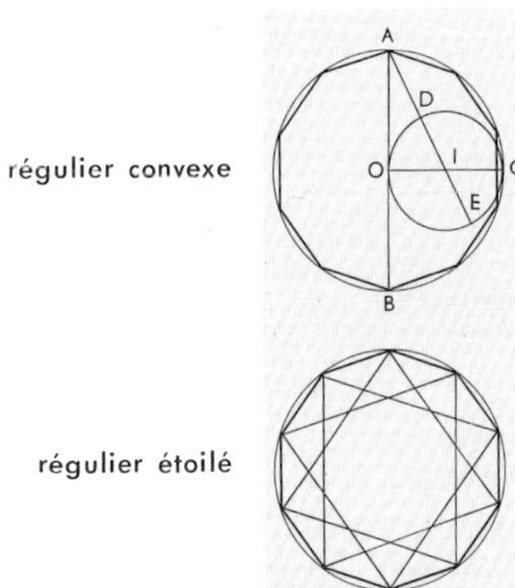

décagones

— ENCYCL. ***décagone.*** Les deux décagones réguliers, décagone convexe et décagone étoilé, s'obtiennent en divisant en dix arcs égaux la circonférence d'un cercle de rayon R et en joignant les points de division consécutivement ou de trois en trois. Cette construction, longtemps classique sous le nom de « division » (du rayon) en moyenne et extrême raison, est réalisable avec la règle et le compas; on trace deux rayons perpendiculaires OA et OC, puis le cercle de diamètre OC et, enfin, le diamètre DE de ce cercle passant par A ; AD et AE sont les côtés c_{10} et c'_{10} des deux décagones; R est à la fois leur différence et leur moyenne proportionnelle :

$$c_{10} = \frac{R}{2}\left(\sqrt{5}-1\right)$$

$$c'_{10} = \frac{R}{2}\left(\sqrt{5}+1\right).$$

décaissement → DÉCAISSER.

décaisser v. tr. Tirer de l'argent de la caisse afin de payer autrui : *Décaisser une grosse somme.* ◆ **décaissement** n. m. Action de décaisser.

décalâbrage → DÉCALÂBRER.

décalâbrer v. tr. Détacher de la voûte ou des parois d'une exploitation minière les blocs qui menacent de tomber. ◆ **décalâbrage** n. m. Action de décalâbrer. ◆ **décalâbreur** n. m. Ouvrier qui décalâbre. (On dit aussi ESCALÂBREUR.)

décalage → DÉCALER.

décalaminage → DÉCALAMINER.

décalaminer v. tr. Enlever la calamine qui recouvre une surface métallique. ◆ **décalaminage** n. m. Action de décalaminer.

décalcifiant, décalcification → DÉCALCIFIER.

décalcifier v. tr. Faire subir la décalcification. ‖ — ***se décalcifier*** v. pr. Subir la décalcification. ◆ **décalcifiant, e** adj. Qui produit la décalcification. ◆ **décalcification** n. f. Perte du calcium contenu dans l'organisme et nécessaire à son fonctionnement. (V. *encycl.*) ‖ Enlèvement des ions de calcium au moyen d'échangeurs de cations. ● *Argiles de décalcification,* argiles constituées par une fraction argileuse et des impuretés insolubles du calcaire. (Les faciès sont variables selon la roche mère et le climat où s'est produit la décalcification.)

— ENCYCL. ***décalcification.*** Quoique tous les tissus de l'organisme contiennent du calcium, le terme de « décalcification » se rapporte le plus souvent au squelette. La décalcification donne sur les radiographies une transparence anormale de l'os. Elle est avant tout la marque de l'ostéomalacie*, qui est due à une insuffisance d'apport ou à des pertes (digestives ou rénales) anormales de calcium. A un moindre degré, la décalcification se rencontre dans l'ostéoporose (affection due à une élaboration défectueuse de la trame protéique de l'os), telle qu'on peut la voir chez le sujet âgé, après une fracture ou au cours des maladies des glandes endocrines.

décalcomanie → DÉCALQUER.

décaler v. tr. Enlever les cales de : *Décaler un meuble.* ‖ Déplacer (retarder ou avancer) dans l'espace ou dans le temps : *Décaler d'une heure l'horaire du car.* ‖ Déplacer l'une par rapport à l'autre des pièces qui se trouvent en général dans un même plan. ● *Avion à plans décalés,* avion multiplan dont les ailes ne sont pas placées exactement les unes au-dessus des autres. ◆ **décalage** n. m. Action de décaler. ‖ Déplacement dans l'espace ou le temps : *Le décalage de l'heure.* ‖ Différence de temps entre deux événements, dont l'un survient avec un retard par rapport à l'autre. ‖ Distance ou angle mesurant l'intervalle qui sépare deux pièces décalées. ‖ *Electr.* Syn. de DÉPHASAGE. ‖ *Fig.* Manque de correspondance entre deux choses. ● *Pile de décalage,* empilage de pièces de bois supportant une charge, aménagé de façon à permettre, à l'aide de vérins, la descente progressive de la charge par élimination des éléments constituant la pile.

B.N.

Décaméron
Bibliothèque de l'Arsenal

décaline n. f. Nom commercial du décahydronaphtalène $C_{10}H_{18}$, employé comme additif dans les carburants.

décalitre n. m. Unité de mesure de capacité valant 10 litres (symb. dal).

décalogue n. m. (gr. *deka,* dix, et *logos,* parole). Les dix commandements* de Dieu donnés à Moïse sur le Sinaï.

décalotter v. intr. *Urol.* Dégager le gland en tirant le prépuce vers la base de la verge.

décalquage, décalque → DÉCALQUER.

décalquer v. tr. Recopier un dessin en en suivant les contours soit à travers un papier transparent, soit sur le dessin lui-même, la copie étant obtenue par l'intermédiaire d'un papier carbone. ◆ **décalcomanie** n. f. Procédé qui permet de transposer des images coloriées sur la porcelaine, le papier, etc. || Image ainsi obtenue. (V. *encycl.*) ◆ **décalquage** n. m. Action de décalquer ; résultat de cette action. ◆ **décalque** n. m. Procédé permettant de décalquer ; résultat de cette action. || Procédé mécanographique permettant de servir le journal et le grand livre au moyen d'une frappe unique : *Comptabilité par décalque.*
— ENCYCL. ***décalcomanie.*** L'image est faite sur un papier enduit d'un mélange d'alun, d'alumine et de gomme adragante. On applique alors l'image sur la matière à décorer et l'on mouille le verso de la feuille ; l'image s'en détache et reste adhérente à l'objet. En 1751, le chimiste Wall fonda la fabrique de Worcester, où il utilisa le décor de la céramique par décalcomanie. La chromolithographie en permit le développement sur toutes matières.

décalvant, e adj. (lat. *décalvare,* tondre, rendre chauve). Qui rend chauve. (V. PELADE.)

décaméron n. m. (gr. *deka,* dix, et *hêmera,* jour). Ouvrage contenant le récit d'une succession d'événements durant dix jours, ou une suite de récits faits en dix jours.

Décaméron, recueil de contes, composé par Boccace, à Florence, entre 1349 et 1353. L'auteur suppose que, durant la peste de 1348 qui ravage Florence, sept jeunes femmes et trois jeunes hommes décident de se retirer dans une villa des environs. Là, chaque jour, ils racontent tour à tour une histoire et, au bout de dix jours, ils ont accumulé la matière de cent nouvelles. Si nombre de ces contes sont licencieux, on trouve aussi, dans le recueil, des histoires touchantes.

décamètre n. m. Mesure de longueur de 10 mètres (symb. dam). || Ruban ou chaîne de 10 mètres de longueur pour mesurer un terrain. ◆ **décamétrique** adj. Relatif au décamètre ; mesuré en décamètres : *Coordonnées décamétriques.*

décamper v. intr. (de *camp*). *Fam.* Se retirer précipitamment : *Il a décampé sans demander son reste.*

Decamps (Alexandre), peintre français (Paris 1803 - Fontainebleau 1860). D'abord caricaturiste et lithographe, il voyagea ensuite en Orient, d'où il rapporta des tableaux de mœurs (*Enfants turcs près d'une fontaine,* musée Condé, Chantilly) et des paysages exotiques ; il fit aussi de nombreuses études de nature et de grandes compositions (*la Défaite des Cimbres,* 1834, Louvre).

décan n. m. (lat. *decanus ;* du gr. *deka,* dix). Nom donné par les anciens astronomes à chaque dizaine de degrés de chacun des signes du zodiaque. || Chacune des régions du ciel, dans l'astronomie égyptienne.

décanal → DÉCANAT.

décanat n. m. Dignité ou fonction de doyen. ◆ **décanal, e, aux** adj. Relatif au décanat.

décane n. m. Nom générique des hydrocarbures saturés de formule $C_{10}H_{22}$.

Dečani, monastère serbe, fondé près de Peć par Etienne Uroš III. Il fut achevé en 1335, il garde de nombreuses fresques.

décaniller v. intr. (du lyonnais *canille,* jambe). *Pop.* S'en aller, décamper : *Allez, décanillez en vitesse.*

décantation ou **décantage** → DÉCANTER.

décanter v. tr. (lat. des alchimistes *decanthare ;* de *de,* hors, et *canthus,* bec d'une cruche). Transvaser un liquide d'un récipient dans un autre, afin de le séparer de son dépôt : *Décanter du vin.* || *Fig.* Tirer au clair : *Décanter ses idées.* ✦ v. intr. et **se décanter** v. pr. Devenir plus limpide en laissant se déposer les impuretés : *Boisson qui décante ;* et, au *fig. : Pendant la nuit, ses idées s'étaient décantées.* || Séparer par décantation deux produits non miscibles, comme l'eau et une huile. ◆ **décantation** ou **décantage** n. f. Séparation, par différence de gravité, de produits non miscibles, dont l'un au moins est liquide. ◆ **décanteur** n. m. Appareil qui sert à opérer la décantation de produits non miscibles.

décantrer v. tr. (préf. priv. *dé,* et de *cantre*). Dégarnir de ses bobines la cantre d'un ourdissoir.

décapage, décapant → DÉCAPER.

décapelage, décapèlement → DÉCAPELER.

décapeler v. tr. (conj. **3**). Ôter le capelage de : *Décapeler les haubans.* || Faire dépasser une amarre de l'endroit où elle est capelée. ◆ **décapelage** ou **décapèlement** n. m. Action de décapeler.

décapement → DÉCAPER.

décaper v. tr. Nettoyer une surface en enlevant la couche (la cape) des impuretés et des oxydes qui la recouvrent. || *Par extens.* Enlever le plâtre sur une peinture murale. || Enlever les terres qui recouvrent un affleurement pour le mettre au jour en vue de son exploitation à ciel ouvert. (Syn. DÉCOUVRIR.) || Enlever des films de vernis, peintures, etc., par action physique ou chimique d'un décapant. ● *Décaper une chaussée,* enlever ou piocher la partie superficielle. ◆ **décapage** n. m. Opération ayant pour objet de débarrasser une surface métallique des oxydes qui la recouvrent. || Syn. de DÉCOUVERTURE. || Opération mettant en jeu un décapant dans le dessein de préparer un subjectile déterminé à recevoir une peinture, un enduit, etc. || Syn. de DÉCAPEMENT. ◆ **décapant** n. m. Corps utilisé pour enlever les oxydes recouvrant un métal ou des films de vernis, peintures et préparations assimilées. || Préparation utilisée pour mettre en état, avant peinture, les subjectiles accidentellement pollués par la présence de composés nocifs. ◆ **décapement** n. m. Action de décaper. ◆ **décapeur** n. m. et adj. Ouvrier qui effectue le décapage de pièces métalliques. ◆ **décapeuse** n. f. Syn. de SCRAPER.

décapitation, décapité → DÉCAPITER.

décapiter v. tr. (lat. médiév. *decapitare ;* de *caput, capitis,* tête). Trancher la tête de : *Décapiter un criminel. Etre décapité par un train.* || Ôter l'extrémité supérieure de : *Tarquin décapita les plus hauts pavots de son jardin.* || *Fig.* Priver de ses principaux éléments : *Décapiter un parti.* ● *Décapiter des rivets,* faire sauter à la tranche la tête de ces rivets. ◆ **décapitation** n. f. Action de décapiter, de trancher la tête. || Mode français d'exécution de la peine de mort en matière de crime de droit commun, qui s'effectue par la guillotine. ◆ **décapité, e** n. Qui a subi la décapitation. || *Fig.* Privé de ses éléments directeurs : *Une organisation décapitée par la répression policière.* ● *Décapité parlant,* truc de prestidigitation où l'opérateur montre une tête vivante isolée sur une table. (En réalité, le corps est sous la table, l'illusion du vide étant donnée par des glaces.)

décapod adj. et n. m. Se dit d'un type de locomotive à vapeur comportant un bissel à l'avant et cinq essieux couplés (symb. 150).

décapodes n. m. pl. Nom commun à deux ordres d'invertébrés : 1° les mollusques céphalopodes à deux branchies qui possèdent, en plus de leur huit tentacules courts, deux *bras pêcheurs* beaucoup plus longs (seiche, calmar) ; 2° les crustacés supérieurs munis de cinq paires de grandes pattes servant à la marche ou à la préhension (crabes, crevettes, homard, etc.).

— ENCYCL. Les décapodes (crustacés) ont un céphalothorax d'une seule pièce, recouvert d'une *carapace,* qui, fixée sur le dos, s'étend en volets au-dessus des flancs en délimitant des *chambres branchiales,* où l'eau (l'air, dans les espèces terrestres) est mue d'arrière en avant par les mouvements de la base des grandes pattes. On distingue d'abord, parmi les décapodes, les espèces nageuses, ou *natantia* (crevettes). Les autres espèces (marcheuses, ou *reptantia*) sont classées selon la forme de l'abdomen en trois sous-ordres : *macroures,* à l'abdomen long et muni de palettes natatoires (écrevisse, homard, langouste) ; *anomoures,* à l'abdomen mou, généralement obligés de s'abriter dans une coquille de mollusque (bernard-l'ermite) ; enfin *brachyoures,* ou crabes*, dont l'abdomen réduit est replié sous le thorax. Les décapodes sont tous carnassiers. La plupart d'entre eux sont marins, mais l'écrevisse vit en eau douce, et bien des crabes peuvent, à l'état adulte, user de la respiration aérienne et vivre sur terre.

Décapole. *Géogr. anc.* Territoire de la Palestine groupant les dix villes hellénistiques suivantes : Scythopolis, Pella, Gadara, Dion, Hippos, Philadelphie, Gerasa, Kanatha, Damas et Abila. — Au XIVe s., ligue de dix villes d'Alsace, comprenant : Mulhouse, Colmar, Munster, Turckheim, Kaysersberg, Sélestat, Obernai, Rosheim, Haguenau, Wissembourg (remplacée par Landau au XVIe s.). Jusqu'à la guerre de Trente Ans, elles restèrent fidèles aux Habsbourg. Elles furent ensuite placées sous la souveraineté du roi de France, tout en restant dans l'immédiateté d'empire (traité de Münster, 1648). Elles ne s'intégrèrent définitivement à la France que lors de la Révolution.

décapotable → DÉCAPOTER.

décapoter v. tr. Enlever, replier le toit amovible de certaines automobiles. ◆ **décapotable** adj. Se dit d'une carrosserie dont la capote peut se replier.

décapsuler v. tr. Retirer la capsule de : *Décapsuler une bouteille.* ◆ **décapsuleur** n. m. Outil (débouchoir) pour enlever les capsules des bouteilles.

décarasser v. tr. Sortir d'une carasse un colis de tabac.

décarbonatation → DÉCARBONATER.

décarbonater v. tr. Priver de son anhydride carbonique. ◆ **décarbonatation** n. f. Action de décarbonater.

décarboxylase n. f. Enzyme qui provoque la désintégration de certains polypeptides par perte de groupements carboxyles. ◆ **décarboxylation** n. f. *Biochim.* Opération réalisée par une diastase, la décarboxylase, et qui consiste en l'amputation d'un groupement carboxyle (CO_2) aux acides aminés.

décarburant, décarburation → DÉCARBURER.

décarburer v. tr. Eliminer le carbone dans un produit métallurgique : *Décarburer de la fonte.* ◆ **décarburant, e** adj. et n. m. Qui enlève le carbone uni dans un corps à d'autres substances. ◆ **décarburation** n. f. Traitement d'élimination du carbone dans un produit métallurgique.

décarcasser v. tr. Briser, ôter la carcasse de : *Décarcasser un poulet. Décarcasser un abat-jour.* || — **se décarcasser** v. pr. *Pop.* Se donner beaucoup de peine.

Decaris (Albert), graveur français (Sotteville-lès-Rouen 1901). Buriniste, il a gravé de grandes estampes et illustré les œuvres de Shakespeare, Ronsard, Chateaubriand, Vigny. (Acad. des bx-arts, 1943.)

décarrade → DÉCARRER.

décarreler v. tr. (de *carreau*) [conj. **3**]. Dégarnir de ses carreaux : *Décarreler une cuisine.*

décarrer v. intr. (de *carrée,* chambre, logis) *Arg.* S'enfuir, s'évader.

décartellisation n. f. Politique appliquée en Allemagne en vertu de l'accord de Potsdam (1945), qui prévoyait que « l'économie allemande serait décentralisée pour éliminer l'excessive concentration, caractérisée particulièrement par les cartels, syndicats patronaux, trusts et autres formes de monopoles ». (En *zone orientale,* la décartellisation entraîna la suppression des anciennes sociétés, ainsi que le démontage systématique et le transfert des usines en U. R. S. S. ; en 1947, la capacité de production de l'Allemagne de l'Est était réduite à 58 p. 100 de son niveau d'avant guerre. En *zone occidentale,* la décartellisation visait à détruire les concentrations économiques excessives, en y substituant des unités plus petites ; mais, depuis 1955, les sociétés issues d'un même konzern « décartellisé » tendent à se regrouper.)

décartonner v. tr. Ôter le carton de : *Décartonner un livre.*

décastyle adj. et n. m. (gr. *deka,* dix, et *stulos,* colonne). Se dit d'un édifice dont le front est orné de dix colonnes.

décasyllabe adj. Qui a dix syllabes : *Un vers décasyllabe.* (On dit aussi DÉCASYLLABIQUE.) ✦ n. m. Vers composé de dix syllabes.

décathlon n. m. Concours d'athlétisme comprenant dix épreuves : 100 m, saut en longueur, lancement du poids, saut en hauteur, 400 m., 110 m haies, lancement du disque, saut à la perche, lancement du javelot, 1 500 m. ◆ **décathlonien** n. m. Athlète qui participe à un décathlon.

décati → DÉCATIR.

décatir v. tr. Ôter le cati, l'apprêt que le fabricant a donné à une étoffe de laine : *Décatir du drap.* || Démêler le poil d'une peau destinée à la fabrication des chapeaux. ◆ **décati, e** adj. *Fig.* et *fam.* Qui a perdu sa fraîcheur, sa beauté : *Une femme décatie.* ◆ **décatissage** n. m. Action de décatir ; résultat de cette action. (On dit aussi DÉLUSTRAGE.) ◆ **décatisseur, euse** adj. et n. Qui fait le décatissage chez les apprêteurs.

Decatur, v. des Etats-Unis (Illinois) ; 78 000 h. Métallurgie.

Decauville (Paul), industriel français (Petit-Bourg, Seine-et-Oise, 1846 - Neuilly-sur-Seine 1922). Il créa à Petit-Bourg une usine où il construisit le matériel de petits chemins de fer transportables à voie de 0,40 à 0,60 m de largeur, utilisé en particulier dans les entreprises de travaux publics.

chemin de fer **Decauville** dans une mine

Farriaux

décavaillonner v. tr. Enlever les cavaillons le long des ceps de vigne. ◆ **décavaillonneuse** n. f. Sorte de charrue qui sert à enlever les cavaillons dans les vignes.

décavé → DÉCAVER.

décaver v. tr. Gagner toute la cave d'un joueur, tout l'argent qu'il a devant lui. ◆ **décavé, e** adj. et n. Qui est sans le sou. || Epuisé par la maladie, la faim, etc. : *Visage décavé*.

Decazes et de Glücksberg (Elie, duc), homme politique français (Saint-Martin-de-Laye 1780 - Decazeville 1860). Conseiller à la cour d'appel de Paris (1811), il se rallia aux Bourbons. Ministre de la Police en 1815, il fut l'un des fondateurs du groupe des *constitutionnels*. Il devint ministre de l'Intérieur en janv. 1819 et président du Conseil en nov.; en butte aux attaques des ultras, il dut démissionner après l'assassinat du duc de Berry (févr. 1820), dont on rendit sa politique responsable. Nommé duc et pair, il fut, de 1834 à 1848, grand référendaire de la Chambre des pairs. Il créa, dans l'Aveyron, des forges importantes qui sont à l'origine du centre houiller de Decazeville. — Son fils LOUIS (Paris 1819 - château de Graves, Gironde, 1886) fut ministre des Affaires étrangères de 1873 à 1877. Par son entente avec la Russie et l'Angleterre, il sut étouffer la crise franco-allemande de 1875.

Elie, duc **Decazes et de Glücksberg** par Bourdet

Decazeville, ch.-l. de c. de l'Aveyron (arr. de Villefranche), à 28 km au S.-E. de Figeac; 10 547 h. (*Decazevilliens*). Bassin houiller. Fonderie; tubes d'acier.

decca n. m. (du nom de la firme anglaise qui a construit la première ce dispositif). Système de radionavigation sans visibilité, permettant au pilote d'un navire ou d'un avion de déterminer sa position en comparant les diverses réceptions d'ondes entretenues pures, de grande longueur, émises en synchronisme rigoureux par une chaîne de plusieurs stations fixes.

Deccan, Dekkan ou **Dekhan,** région méridionale de l'Inde, au S. de la plaine indo-gangétique.

● *Géographie.* C'est un ensemble de plateaux d'érosion, formé par des roches anciennes; par les Ghātes, ces plateaux dominent les plaines littorales du Malabār à l'O. et de Coromandel à l'E. Vers le N., le Deccan est limité par le fossé de la Narbada prolongé par les plateaux du Chota Nāgpur. La surface du Deccan est accidentée par des reliefs de type appalachien, par des pitons volcaniques et par de vastes coulées de laves anciennes, qui forment de bons sols à coton (regur). Les vallées sont généralement encaissées. Région sèche, le Deccan est couvert par une brousse et par une savane à acacias. Le peuplement, complexe, résulte en partie

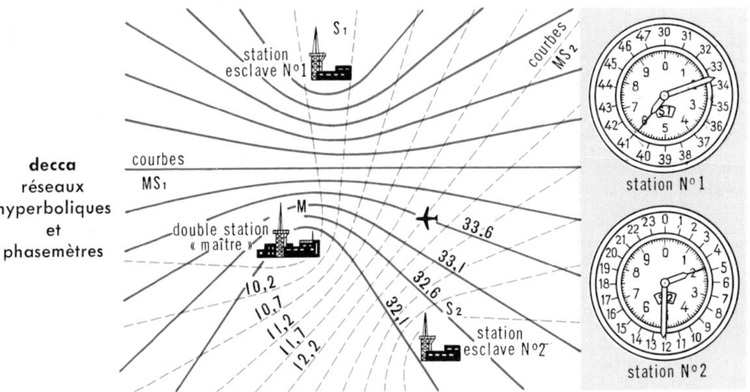

decca réseaux hyperboliques et phasemètres

du refoulement de populations hors de la plaine indo-gangétique.

● *Beaux-arts.* L'art du Deccan possède un style particulier (dit aussi « dravidien ») en architecture (immenses édifices, portes monumentales, ou gopura), en sculpture (type physique élancé) et en peinture d'albums (XVIe-XVIIIe s.).

Giraudon

art du Deccan
aquarelle dravidienne
illustrant un album du XVIIe s.
musée Guimet

Dèce. V. DECIUS.

Décébale, nom donné au roi des Daces. Le *Décébale* le plus connu est Diuppaneus. Il unifia les Daces et déclara la guerre aux Romains (84). Le Décébale fut soumis par Trajan en 102.

décéder v. intr. (du lat. *decedere,* s'en aller) [conj. **5.** Prend toujours l'auxil. *être*]. Mourir de mort naturelle (en parlant de l'homme) : *Il est décédé hier.* ◆ **décès** n. m. Mort d'une personne dont la preuve résulte d'un acte rédigé, à la mairie du lieu où le décès s'est produit, sur les registres de l'état civil, ou d'un *jugement déclaratif de décès* lorsque la constatation sur le cadavre est impossible.

● *Assurance décès,* type d'assurance qui entraîne le versement d'un capital au bénéficiaire désigné par l'assuré en cas de décès de ce dernier. (Les assurances sociales obligatoires couvrent le risque décès.)

décelable, décèlement → DÉCELER.

déceler v. tr. (de *celer*) [conj. **3**]. Découvrir ce qui est caché : *Déceler un secret, un crime.* || Parvenir à distinguer : *Déceler des traces de radio-activité dans l'air. Déceler un bruit anormal dans un moteur.* || Faire connaître l'existence de : *Des symptômes qui décèlent une maladie.* || Faire connaître involontairement la nature, le caractère de quelqu'un : *Le comportement quotidien d'une personne décèle toujours sa véritable nature.* || Quitter sa retraite, en parlant du cerf. || — SYN. : *découvrir, détecter, dévoiler, discerner, distinguer, indiquer, révéler, trahir.* ◆ **décelable** adj. Qui peut être décelé. ◆ **décèlement** n. m. Action de déceler. ◆ **déceleur** n. m. *Déceleur de tension,* appareil permettant de reconnaître si un conducteur électrique est sous tension.

décélération → DÉCÉLÉRER.

décélérer v. intr. Ralentir, en parlant d'une voiture. || Cesser d'accélérer, en parlant du conducteur. ◆ **décélération** n. f. Accélération négative ou réduction de la vitesse d'un mobile. ◆ **décéléromètre** n. m. Appareil indiquant, par lecture directe sur un cadran, la décélération d'un mobile au cours d'un ralentissement.

déceleur → DÉCELER.

décembre n. m. (lat. *december ;* de *decem,* dix). Douzième mois de l'année moderne. (Il était le *dixième* de l'année romaine.)

décembre 1851 (COUP D'ETAT DU 2), coup d'Etat qui permit à Louis-Napoléon Bonaparte de préparer la restauration de l'Empire. Le conflit entre l'Assemblée, monarchiste, et le chef de l'Etat, bonapartiste, apparut dès 1849. Le prince-président rallia à sa cause l'opinion publique en réclamant le respect de la souveraineté populaire et le retour au suffrage universel. Un coup d'Etat fut décidé pour la nuit du 1er au 2 décembre 1851. Morny fut nommé ministre de l'Intérieur ; les chefs de l'opposition parlementaire, surpris à leur domicile, furent emprisonnés à Mazas ou à Vincennes. Les tentatives de résistance échouèrent. La répression fut brutale et atteignit surtout les républicains et les socialistes. Dès lors, un an suffit pour rétablir l'Empire.

décembriseurs n. m. pl. Nom donné, de 1849 à 1851, aux membres de la société bonapartiste du Dix-Décembre.

décembristes n. m. pl. V. DÉCABRISTES.

décemment → DÉCENCE.

décemvir [sɛmvir] n. m. (lat. *decem,* dix, et *vir,* homme). *Antiq. rom.* Membres (au nombre de dix) des tribunaux permanents chargés d'intervenir dans les procès relatifs à la liberté sous la République. ◆ **décemvirat** n. m. Dignité de décemvir ; magistrature de décemvir. || Temps pendant lequel s'exerçait le pouvoir des décemvirs.

décence n. f. (lat. *decentia ;* de *decens,* qui convient). Respect extérieur des bonnes mœurs ; réserve, dignité dans le langage, les manières : *Ne pas choquer la décence.* || Réserve pudique : *Une jeune fille vêtue avec beaucoup de décence.* || — SYN. : *correction, modestie, pudeur, pudicité, réserve, retenue.* ◆ **décemment** [sa] adv. De façon décente ; convenablement : *Etre vêtu décemment.* || Raisonnablement : *Décemment, on ne peut pas aller chez eux si tard.* ◆ **décent, e** adj. Conforme à la décence, aux bonnes mœurs : *Mise décente.*

décennal, e, aux adj. (lat. *decennalis;* de *decem,* dix, et *annus,* année). Qui dure dix ans : *Magistrature décennale.* ‖ Qui revient tous les dix ans : *Fêtes décennales. Jeux décennaux.* ◆ **décennie** n. f. Période de dix ans dans l'exploitation d'une forêt. ‖ Période de dix ans, en général.

décent → DÉCENCE.

décentoir n. m. Outil de carreleur. (On dit aussi DÉCINTROIR.)

décentrage → DÉCENTRER.

décentralisable, décentralisateur, décentralisation, décentralisé → DÉCENTRALISER.

décentraliser v. tr. Donner une certaine autonomie aux pouvoirs locaux par rapport au pouvoir central. ‖ Disséminer à travers tout un pays des administrations, des industries, des organismes, etc., qui se trouvaient groupés en un même lieu : *Décentraliser l'industrie automobile.* ◆ **décentralisable** adj. Qui peut être décentralisé : *Administration décentralisable.* ◆ **décentralisateur, trice** adj. Qui concerne la décentralisation. ‖ — ***décentralisateur*** n. m. Partisan de la décentralisation : *Les décentralisateurs.* ◆ **décentralisation** n. f. Action de décentraliser; résultat de cette action. ‖ Fait de retirer des pouvoirs à l'autorité centrale pour les transférer à une autorité de compétence moins générale, soit de compétence territoriale moins large (autorité locale), soit de compétence spécialisée par son objet. ◆ **décentralisé, e** adj. *Economie décentralisée,* type d'économie dans lequel aucun plan d'Etat impératif, aucun centre de décision unique n'impose ses objectifs aux divers sujets économiques. (En économie décentralisée, les sujets économiques [individus, groupes, Etat] coordonnent, par l'intermédiaire du *marché* et de la *monnaie,* la multitude de leurs plans individuels, l'Etat se contentant d'influencer l'évolution économique par sa politique monétaire, financière et sociale. L'ensemble des pays capitalistes pratique un régime d'économie décentralisée.)

décentrement → DÉCENTRER.

décentrer v. tr. Supprimer la coïncidence des axes des diverses lentilles d'un système optique par glissement d'une ou de plusieurs d'entre elles. ◆ **décentrage** n. m. Action de décentrer, en parlant d'un système optique. ◆ **décentrement** n. m. Syn. de DÉCENTRAGE. ‖ Déplacement vertical ou horizontal de l'objectif d'un appareil photographique.

déception → DÉCEVOIR.

de ce que loc. conj. V. CE.

décercler v. tr. Ôter les cercles, les cerceaux de : *Décercler des tonneaux.*

décérébration n. f. Section expérimentale du névraxe au-dessus du bulbe. (Cette opération ne tue pas l'animal, mais le prive de toutes les fonctions encéphaliques ; lorsqu'elle lèse le noyau rouge, elle provoque la rigidité par hypertonie des extenseurs.)

décernement → DÉCERNER.

décerner v. tr. (lat. *decernere,* décider, décréter). Ordonner juridiquement : *Décerner un mandat d'arrêt contre quelqu'un.* ‖ Attribuer, accorder solennellement : *Décerner un prix.* ◆ **décernement** n. m. Action de décerner : *Le décernement des récompenses.*

décerveler v. tr. Faire jaillir la cervelle de : *Des massues propres à décerveler un homme.*

décès → DÉCÉDER.

décevant → DÉCEVOIR.

décevoir v. tr. (lat. *decipere,* attraper, tromper ; de *capere,* prendre) [conj. **28**]. Ne pas répondre aux espoirs de, à l'attente de : *Les résultats nous déçoivent souvent.* ‖ — SYN. : *abuser, attraper, duper, frustrer, leurrer, tromper.* ◆ **déception** n. f. Action de décevoir ; tromperie : *Les déceptions de l'amour.* ‖ Etat ou sentiment d'une personne déçue, trompée dans son attente : *Eprouver une grande déception.* ‖ — SYN. : *déconvenue, désappointement, désillusion.* ◆ **décevant, e** adj. Qui déçoit. ‖ Qui peut induire en erreur : *L'aspect d'un insecte que l'on prend pour une brindille est décevant.* ◆ **déçu, e** adj. Trompé, non réalisé : *Espoir déçu.*

déchaînement → DÉCHAÎNER.

déchaîner v. tr. Délivrer de la chaîne : *Déchaîner un chien.* ‖ *Fig.* Donner libre cours à la violence de : *Déchaîner la guerre.* ‖ Soulever avec violence une passion, un sentiment : *Déchaîner la fureur de quelqu'un.* • *Diable déchaîné* (Fam.), personne, enfant qui ne garde aucune mesure. ‖ — ***se déchaîner*** v. pr. S'emporter avec violence. ◆ **déchaînement** n. m. Fureur de ce qui n'est plus contenu ; violence extrême : *Le déchaînement des passions.*

déchalasser v. tr. Ôter les échalas.

Dechamps (Adolphe), homme politique belge (Melle-lez-Gand 1807 - Manage 1875), l'un des chefs du parti catholique belge, député en 1834, ministre des Travaux publics en 1843 et des Affaires étrangères en 1845. — Son frère VICTOR, prélat belge (Melle-lez-Gand 1810 - Malines 1883), archevêque de Malines en 1867, cardinal en 1874, s'opposa à la loi scolaire belge de 1879.

déchange n. m. Syn. de DESSAUTAGE.

déchant n. m. Au Moyen Âge, contrepoint par mouvement contraire au-dessus d'un chant donné. ◆ **déchanter** v. intr. Chanter la partie du contrepoint ajoutée au *cantus firmus.* ‖ *Fig.* et *fam.* Changer de ton ; rabattre de ses espérances : *Il déchante à présent.*

déchaper v. tr. Retirer la chape, ou chemise, du moule de fonderie.

déchaperonner v. tr. Enlever le chaperon d'un oiseau de proie. || Enlever le chaperon d'un mur.

décharge, déchargement, déchargeoir → DÉCHARGER.

décharger v. tr. (conj. **1**). Ôter ce qui constitue la charge : *Décharger des briques d'un camion.* || Débarrasser de son chargement : *Décharger une voiture.* || Retirer la cartouche d'une arme à feu, la charge d'explosif d'un projectile ou d'une mine. || Faire partir le coup, tirer : *Décharger son fusil sur l'ennemi.* || Annuler une charge électrique. || *Fig.* Débarrasser de ce qui est une gêne : *Décharger de la tutelle d'un mineur. Se décharger d'un soin.* || Témoigner en faveur de quelqu'un pour le justifier : *Témoins qui déchargent l'accusé.* ● *Décharger sa bile, sa rate* (Fam.), donner libre cours à sa mauvaise humeur, à sa colère. || *Décharger sa conscience,* mettre à couvert sa responsabilité morale ; faire des aveux. || *Décharger son cœur,* s'épancher. || *Décharger une forme, un rouleau,* à l'aide d'une feuille de papier dite *décharge,* faire disparaître l'encre en excès. || *Se décharger sur quelqu'un,* lui laisser la responsabilité, le soin de quelque chose. ✦ v. intr. Déteindre, en parlant d'une étoffe. || Faire des taches : *Encre, couleur qui décharge beaucoup.* || — SYN. : *alléger, débarrasser, délivrer, soulager.* ◆ **décharge** n. f. Allégement matériel : *C'est une sérieuse décharge pour l'Etat.* || Soulagement moral : *Je vous confie la chose pour la décharge de ma conscience.* || Action de tirer avec une arme ou simultanément avec plusieurs armes : *Une décharge de mousqueterie.* (Quand il s'agit d'artillerie, on dit plutôt une salve.) || Projectile tiré : *Recevoir une décharge en pleine poitrine.* || Déversement soudain : *Une décharge d'adrénaline dans le sang.* || Mode de construction consistant à reporter la charge des maçonneries sur des points d'appui solides. || Pièce de bois destinée à reporter sur les poteaux d'huisserie ou sur les appuis une partie de la charge des pièces supérieures. (V. ÉCHARPE, GUETTE.) || Evacuation et dépôt des produits de carrière et des roches stériles. || Lieu où l'on entrepose les morts-terrains et les résidus divers. || Barre métallique ajustée obliquement dans un châssis pour en consolider les parties. || Appareil servant à faire écouler les eaux qui se sont accumulées dans un étang, un bassin. || Feuille de papier placée sur une forme, afin d'enlever l'excès d'encre. || Echange d'une charge électrique entre deux conducteurs, ou annulation de cette charge électrique. (La décharge peut être *conductive* ou *disruptive,* suivant qu'elle se produit à travers un corps conducteur ou un corps isolant.) || Avantage de poids accordé, dans une course de chevaux, à un apprenti. || Invasion méridienne de l'air froid polaire ou arctique à l'arrière d'une famille de cyclones. || Libération d'un engagement, d'une dette ou d'une gestion. || Acte constatant cette libération : *Signer une décharge.* || Acte par lequel on dispense un contribuable d'acquitter des droits indûment imposés, ou un comptable, mis en débet*, de la responsabilité pécuniaire qui pèse sur lui. || Poinçon appliqué sur des pièces d'orfèvrerie pour indiquer que les droits dus au fisc ont été acquittés. ● *A la décharge de,* pour atténuer la responsabilité de : *Il n'a pas fait ce travail ; il faut dire à sa décharge qu'on l'a averti trop tard.* || *Appareil de décharge* (Télécomm.), dispositif utilisé pour mettre la ligne en communication avec la terre. || *Canal de décharge,* canal permettant l'écoulement des eaux du bief d'alimentation d'un moteur hydraulique, sans passer par ce moteur. || *Courant de décharge,* courant marin assurant la vidange d'une baie ou d'un golfe à ouverture étroite en contact temporaire avec la mer. || *Décharge d'un accumulateur,* production d'un courant électrique grâce à l'énergie chimique emmagasinée dans l'accumulateur. || *Décharge en aigrette,* v. AIGRETTE. || *Décharge atmosphérique,* décharge qui se produit entre deux régions de l'atmosphère de potentiels différents. || *Décharge d'un condensateur,* phénomène par lequel les charges opposées de deux armatures se neutralisent partiellement ou totalement. || *Décharge dans les gaz,* passage du courant électrique dans un tube contenant un gaz sous pression très réduite, par l'effet d'une différence de potentiel de plusieurs milliers de volts établie entre deux électrodes. (Le champ électrique ainsi créé met en mouvement les électrons et les ions présents dans le gaz, et le choc des électrons contre les molécules provoque la formation de nouveaux ions, si bien que le courant se maintient. La recombinaison des ions de signes contraires rend le gaz luminescent.) || *Décharge oscillante,* phénomène qui se produit lorsque le courant de décharge est alternatif et amorti. || *Décharge publique,* emplacement prévu pour recevoir les gravats. || *Payer tant à la décharge de quelqu'un, à la décharge d'un compte,* payer tant en déduction de ce que doit quelqu'un, de ce qui est porté sur un compte. || *Porter une somme en décharge,* indiquer sur les livres, sur un compte, que cette somme a été acquittée. || *Témoin à décharge,* celui qui témoigne en faveur d'un accusé. || *Tuyau de décharge,* conduit par lequel s'écoule le trop-plein des eaux. || Dans une machine à vapeur, conduit qui mène à la bâche alimentaire les eaux condensées refoulées par la pompe à air. || *Voie de décharge,* voie de terrassement où sont amenés les wagons destinés à être déchargés des terres ou des détritus destinés au remblai. ◆ **déchargement** n. m. Action de décharger un bateau, un véhicule, etc. (Le déchargement d'un navire doit juridiquement être effectué dans un certain délai, appelé *jours de planche,* ou *staries,* prévu par le contrat ou l'usage des lieux.) || Action de décharger une arme à feu, un projectile, une mine, en ôtant la charge qu'ils contiennent. ◆ **déchargeoir** n. m. Endroit où l'eau se décharge. ‖ Conduit ou vanne par où s'écoule le trop-plein d'un bassin. ◆ **déchargeur** n. m. Ouvrier qui décharge : *Les déchargeurs du port, des halles.* ‖ Appareil destiné à assurer le déchargement d'un véhicule. (On utilise des déchargeurs à griffes, des déchargeurs pneumatiques, des déchargeurs à vis sans fin.) ‖ Appareil qui annule les coups de bélier lors d'un arrêt brusque des turbines des usines hydro-électriques. (Syn. VANNE COMPENSATRICE.)

décharné, décharnement → DÉCHARNER.

décharner v. tr. (de *charn,* anc. forme de *chair*). [S'emploie surtout à la voix passive ou pronominale.] Ôter les chairs : *Décharner un cadavre.* ‖ Ôter l'embonpoint de; amaigrir excessivement : *La maladie nous décharne.* ◆ **décharné, e** adj. Très maigre, étique : *Visage décharné.* ◆ **décharnement** n. m. Etat de ce qui est décharné.

déchassement → DÉCHASSER.

déchasser v. tr. Faire sortir de force. ‖ Chasser une cheville en sens contraire. ◆ **déchassement** n. m. Action de chasser, de faire sortir de force une cheville.

déchatonner v. tr. *Art vétér.* Détacher le placenta des femelles de ruminants après la mise bas.

déchaulage n. m. Opération consistant à débarrasser les peaux de la chaux et d'autres substances alcalines qui lui ont été appliquées au pelanage*. ◆ **déchauler** v. tr. Pratiquer l'opération de déchaulage.

déchaumage → DÉCHAUMER.

déchaumer v. tr. Enterrer le chaume. ◆ **déchaumage** n. m. Labour superficiel qui a pour objet d'arracher les chaumes et de les enterrer. ◆ **déchaumeuse** n. f. Charrue qui sert à effectuer le déchaumage.

déchaussage, déchaussant, déchaussé, déchaussement → DÉCHAUSSER.

déchausser v. tr. (lat. pop. **discalceare ;* de *dis,* et *calceus,* soulier). Retirer la chaussure de : *Déchausser un enfant.* ‖ Dégrader par la base : *Déchausser un mur.* ‖ Mettre à nu jusqu'à la racine, la base : *Déchausser un arbre, un poteau.* ‖ Dénuder le collet des plantes. (V. DÉCHAUSSAGE.) ‖ Labourer la terre au pied d'une plante. (V. DÉCHAUSSEMENT.) ● *Dent qui se déchausse,* dent qui prend du jeu dans son alvéole. ◆ **déchaussage** n. m. Mise à nu du collet et d'une partie des racines des plantes par l'action du gel et du dégel sur un sol humide : *On combat le déchaussage des céréales par un roulage de printemps.* ◆ **déchaussant, e** adj. Sujet au déchaussement, en parlant d'une terre arable. ◆ **déchaussé** adj. *Carmes déchaussés* ou *déchaux,* carmes de la réforme de sainte Thérèse qui ne portent pas de bas et qui n'ont que des sandales. ‖ Frères mineurs de l'étroite observance en Espagne. ◆ **déchaussement** n. m. Action de déchausser, de se déchausser. ‖ Labour exécuté à la bêche ou avec une déchausseuse au pied des arbres fruitiers ou des ceps de vigne pour détruire au printemps les mauvaises herbes, enfouir des engrais. ‖ Mise à nu accidentelle des racines des végétaux ; état d'une plante ainsi dénudée. (Syn. DÉBUTTAGE.) ‖ Etat d'une construction qui est déchaussée ; action de la déchausser. ‖ Etat d'une dent dont le tissu gingival ne couvre pas le collet. (Le déchaussement est une maladie du bourrelet gingival, qui peut mettre la racine de la dent à nu.) ◆ **déchausseuse** n. f. Charrue servant au déchaussement de la vigne. (Syn. CHARRUE VIGNERONNE.)

dèche n. f. *Pop.* Gêne excessive, misère : *Etre dans la dèche.* ◆ **décheux, euse** adj. et n. *Pop.* Qui est dans la dèche.

déchéance → DÉCHOIR.

Déchelette (Joseph), archéologue français (Roanne 1862 - † au champ d'honneur, Aisne, 1914), auteur d'un *Manuel d'archéologie préhistorique, celtique et gallo-romaine* (1913).

déchet n. m. Perte qu'une chose éprouve dans son volume, sa valeur, etc. : *Il y a du déchet dans la fonte des monnaies.* ‖ Ce qui tombe d'une matière qu'on travaille : *Des déchets de laine.* ‖ Rebut, partie d'un corps impropre à l'usage, à la consommation : *Déchets de viande.* ‖ Homme déchu, qui a perdu toute dignité : *Un déchet d'humanité.* ● *Déchet de route* (Dr. mar.), V. FREINTE. ‖ *Déchets radio-actifs,* substances radioactives inutilisables, qui s'accumulent dans les réacteurs nucléaires après un certain temps de fonctionnement. ‖ *Il y a du déchet,* il y a des inégalités, du mécompte (au *pr.* et au *fig.*) : *Il y a du déchet dans les œuvres de ce peintre.*

décheux → DÈCHE.

déchevelé, e adj. Se dit d'une personne dont la chevelure est en désordre : *Femme déchevelée.*

déchevêtrer v. tr. Enlever les chevêtres*.

décheviller v. tr. Ôter les chevilles de.

déchiffonner v. tr. Défroisser un objet chiffonné : *Déchiffonner une jupe.*

déchiffrable, déchiffrage, déchiffrement → DÉCHIFFRER.

déchiffrer v. tr. (de la partic. *dé,* et de *chiffre*). Rétablir dans sa forme primitive un texte chiffré en utilisant en sens inverse le procédé de transformation adopté par le chiffreur et connu du déchiffreur. ‖ Parvenir à découvrir le sens d'une écriture inconnue : *Déchiffrer des hiéroglyphes.* ‖ Lire ce qui est mal écrit ou difficile à lire : *Déchiffrer un manuscrit.* ‖ *Fig.* Comprendre, deviner : *Déchiffrer une énigme.* ◆ **déchiffrable** adj. Qui peut être déchiffré : *Ecriture, message déchiffrable.* ◆ **déchiffrage** n. m. Action de lire de la musique à première vue. ◆ **déchiffrement** n. m. Action de déchiffrer : *Déchiffrement d'un manuscrit, d'un message chiffré.* ◆ **déchiffreur, euse** adj. et n. Qui déchiffre ; qui a pour mission de déchiffrer.

déchiquetage, déchiqueté → DÉCHIQUETER.

déchiqueter v. tr. (sans doute de l'anc. franç. *eschiqueté,* découpé en cases comme un échiquier) [conj. **4**]. Mettre en pièces par arrachement ; mettre en lambeaux : *Déchiqueter une étoffe.* ‖ Couper maladroitement : *Déchiqueter un perdreau.* ‖ Briser, arracher une partie de : *La digue a été déchiquetée par un coup de mer.* ‖ Découper irrégulièrement les bords d'une feuille de papier en vue d'un effet artistique : *Déchiqueter une photographie.* ‖ Faire des trous à une pièce de poterie à l'endroit où l'on veut appliquer un manche, une oreille, une anse, etc. ‖ *Fig.* Maltraiter violemment en paroles : *Ils ont passé leur vie à se déchiqueter.* ◆ **déchiquetage** n. m. Action de déchiqueter. ◆ **déchiqueté, e** adj. Se dit d'une forme du relief aux nombreuses découpures. ◆ **déchiqueteur** n. m. Appareil de fragmentation utilisé dans le cas de matières hétérogènes. ‖ Appareil utilisé pour réduire en menus morceaux les feuilles de cellulose. (Syn. DÉSINTÉGRATEUR.) ◆ **déchiqueture** n. f. Partie déchiquetée d'un objet. ‖ Entaille maladroite faite avec des ciseaux dans une étoffe. ‖ Découpure accidentelle ou naturelle : *Les déchiquetures des montagnes.*

déchirant, déchirement → DÉCHIRER.

Giorgio **De Chirico**
« les Epoux », *musée de Grenoble*

Giraudon

déchirer v. tr. (du francique **skîran,* gratter). Mettre en morceaux, en pièces : *Déchirer des lettres.* ‖ Faire une déchirure, une blessure à : *Déchirer sa robe. Le clou lui a déchiré la main.* ‖ Causer une vive douleur à : *Toux qui déchire la poitrine. Cris qui déchirent les oreilles.* ‖ Fendre, traverser : *Un cri qui déchire le silence.* ‖ *Fig.* Troubler, émouvoir cruellement : *L'idée du départ le déchirait.* ‖ Diviser douloureusement : *Une famille déchirée.* ‖ Critiquer avec rage, diffamer : *Deux écrivains qui se déchirent à belles dents.* ‖ Rompre, violer : *Déchirer un contrat.* ‖ *Fam.* Mettre en lambeaux les vêtements de : *Enfant qui, en jouant, déchire son camarade.* ● *Déchirer le voile de,* mettre à nu : *Le premier chagrin un peu gros déchire le voile des illusions.* ‖ *Trous déchirés,* nom de deux orifices de la base du crâne (le *trou déchiré antérieur* et le *trou déchiré postérieur*). ◆ **déchirant, e** adj. Qui déchire le cœur : *Des appels déchirants.* ◆ **déchirement** n. m. Déchirure involontaire : *Le déchirement d'un vêtement, d'un muscle.* ‖ Grande douleur physique ou morale : *Des déchirements d'entrailles. La séparation fut pour elle un véritable déchirement.* ‖ *Fig.* Désunion, division provoquant des troubles : *La France était en proie à de grands déchirements.* ◆ **déchirure** n. f. Rupture faite en déchirant ; blessure faite par une division des tissus : *Faire une déchirure à son vêtement. Déchirure d'un muscle.* ‖ *Fig.* Trouble violent : *La mort de son fils avait été une déchirure dans sa vie.* ● *Panneau de déchirure,* morceau de l'enveloppe d'un aérostat, préparé en vue de sa déchirure par le pilote, pour permettre à l'appareil de se dégonfler rapidement à l'atterrissage et d'éviter que la nacelle ne soit traînée au sol.

De Chirico (Giorgio), peintre italien (Volo, Grèce, 1888-Rome 1978). Considéré comme un des initiateurs du surréalisme (*Hector et Andromaque,* 1917, Milan ; *les Epoux,* 1926, musée de Grenoble), il vient à Paris en 1919. Rentré en Italie en 1935, il renia son œuvre passée et adopta une manière plus traditionnelle.

déchirure → DÉCHIRER.

déchloruration → DÉCHLORURER.

déchlorurer [klɔ] v. tr. Débarrasser de son chlorure (de sodium). ● *Régime déchloruré,* régime éliminant le chlorure de sodium (sel de cuisine). ◆ **déchloruration** n. f. Procédé thérapeutique qui vise à débarrasser l'organisme du chlorure de sodium. (V. aussi DÉSODÉ [*régime*].)

déchocage n. m. Mise en œuvre des différentes techniques destinées à faire sortir un malade ou un blessé de son état de choc.

déchoir v. intr. (du lat. *decadere*) [conj. **43**. Prend l'auxil. *avoir* ou *être* selon qu'on insiste sur l'action elle-même ou sur l'état qui en résulte]. Tomber d'une situation supérieure : *Déchoir de son rang, de son poste.*

|| Perdre l'état de grâce : *L'homme est déchu de son état d'innocence.* || *Fig.* Diminuer : *Un crédit qui commence à déchoir.* || — SYN. : *baisser, décroître, faiblir, tomber.* ◆ **déchéance** n. f. Action de déchoir; état d'une personne déchue : *La déchéance d'un peuple.* || Autref., l'une des quatre manières de perdre la noblesse. || Privation de fonction qui atteint un chef d'État ou une personne investie d'un mandat électif : *La Convention prononça la déchéance de Louis XVI.* || Situation des créances et des dettes publiques dont le paiement n'a pas été demandé dans le délai voulu. (L'Etat a institué un délai de prescription au-delà duquel ses créanciers ne peuvent plus faire valoir leurs droits : ce délai est de quatre ans pour les créanciers résidant en Europe [*déchéance quadriennale*] et de cinq ans pour ceux qui résident hors d'Europe. Le contribuable peut, de son côté, opposer la prescription quinquennale [*déchéance quinquennale*] au percepteur.) || Perte d'un droit ou de la possibilité de devenir un jour titulaire d'un droit, faute d'avoir accompli une formalité ou d'avoir rempli une condition en temps voulu : *Déchéance de la puissance paternelle.* (La déchéance de plein droit de la puissance paternelle est attachée à certaines condamnations pénales graves; elle est automatique et totale. La déchéance facultative est laissée à l'appréciation du juge; elle peut n'être que partielle.) || — SYN. : *abjection, avilissement, chute, décadence, dégradation, disgrâce.* ◆ **déchu, e** adj. et n. Personne qui a perdu sa force, son crédit, son innocence originelle : *Un prince déchu.*

déchristianisation → DÉCHRISTIANISER.

déchristianiser [kris] v. tr. Faire cesser d'être chrétien; faire renoncer à la foi chrétienne : *Déchristianiser un peuple.* || **— se déchristianiser** v. pr. Abandonner la foi chrétienne, la pratique de la religion chrétienne. ◆ **déchristianisation** n. f. Action de se déchristianiser, de déchristianiser; état résultant de cette action.

déchromage, déchromateur → DÉCHROMER.

déchromer v. tr. Enlever le chromage. ◆ **déchromage** n. m. Action de déchromer. ◆ **déchromateur** n. m. Vase poreux en céramique, dans lequel on place la cathode durant l'opération de régénération, par oxydation, d'un bain de chromage électrolytique.

déchu → DÉCHOIR.

Dechy, comm. du Nord (arr. et à 3 km au S.-E. de Douai); 6 693 h. (*Dechynois*). Houille.

déci, préfixe (symb. *d*) qui, placé devant une unité de mesure, la divise par 10.

déciatine n. f. Mesure agraire russe, valant 2 400 sagènes carrées, soit 1,092 5 ha.

décibel n. m. Unité d'atténuation d'un son, égale à un dixième de bel* (symb. dB). [Cette unité sert à la comparaison des puissances sonores.]

décidé, décidément → DÉCIDER.

décidence n. f. (lat. *decidere,* tomber). *Pathol.* Affaissement : *Décidence du ventre.*

décider v. tr. (lat. *decidere,* trancher). Déterminer ce qu'on doit faire; prendre un parti (l'infin. complément est introduit par la prép. *de*) : *Décider de partir en vacances.* || Entraîner (quelque chose), causer : *L'éducation décide le progrès des peuples.* || Déterminer (quelqu'un) [l'infin. complément est introduit par la prép. *à*] : *Décider quelqu'un à poser sa candidature.* ✦ v. tr. ind. [**de**]. Se prononcer sur; donner une solution à; prendre une résolution sur : *Chacun décide des questions suivant ses intérêts particuliers.* ● *En décider,* apporter une solution à la question posée : *Le sort en décidera.* ✦ v. intr. Prendre la décision : *A vous de décider.* || **— se décider** v. pr. Prendre un parti, une résolution : *Entre ces diverses propositions, il n'arrivait pas à se décider.* || Se déterminer (l'infin. complément est introduit par la prép. *à*) : *Se décider à partir. Se décider pour le moindre mal.* || — REM. *Décider que* est suivi de l'indicatif si le verbe exprime une volonté dont l'accomplissement est certain (*Il décide que les rations seront diminuées*), et du subjonctif si le verbe exprime seulement l'idée de volonté (*Il avait décidé que la chambre fût peinte en bleu*). ◆ **décidé, e** adj. Hardi, audacieux : *Un homme décidé.* || Se dit des gestes, du ton, etc., de celui qui n'hésite pas : *Air, ton très décidé.* ◆ **décidément** adv. Tout compte fait : *Décidément je ne me rendrai pas à cette réunion.* || Marque un certain agacement à la constatation de la persistance d'un état regrettable : *Décidément il ne comprendra jamais rien à rien.* ◆ **décisif, ive** adj. Qui résout une difficulté : *Argument décisif.* || Propre à amener une solution définitive : *Une bataille décisive.* ◆ **décision** n. f. Action d'arrêter, après délibération; résultat de cette action : *Les décisions du gouvernement. Décision judiciaire, administrative.* || Résultat final, dénouement d'une lutte, d'un débat, d'une délibération. || Qualité de celui qui n'hésite pas à prendre ses résolutions : *Faire preuve de décision dans de graves circonstances. Esprit de décision.* || Fermeté : *Répondre sur un ton de décision.* || Unité d'information* en cybernétique. || Acte pris par le président de la République en vertu de l'art. 16 de la Constitution de 1958. || Document transmettant les ordres d'une autorité militaire. || — SYN. : *détermination, hardiesse, résolution.* ● *Décision exécutoire,* décision prise par l'Administration et immédiatement applicable aux administrés, qui doivent l'exécuter sans qu'elle ait besoin d'être revêtue de la formule exécutoire. (Il est possible de former devant les tribunaux administratifs un recours pour excès de pouvoir contre une décision formant grief, que l'on suppose être illégale.) || *Décision préalable,* décision gracieuse que tout particulier doit obtenir de l'Administration avant de pouvoir attaquer cette dernière devant le tribunal administratif si elle refuse de faire droit à la requête. (Un silence de quatre mois de l'Administration équivaut à une décision implicite de rejet.) ◆ **décisoire** adj. Qui concerne la décision volontaire. ● *Serment décisoire,* V. SERMENT.

déciduale adj. f. (lat. *deciduus,* qui tombe). *Membrane déciduale,* nom donné parfois à la caduque, ou muqueuse de l'utérus gravide, qui est expulsée après l'accouchement (délivrance). ◆ **déciduates** n. m. pl. Ceux des mammifères placentaires qui ont une membrane caduque*, c'est-à-dire les primates, les insectivores, les rongeurs, les éléphants et les carnassiers. ◆ **déciduome** n. m. Tumeur de la caduque.

décigrade n. m. Dixième partie du grade (symb. dgr).

décigramme n. m. Dixième partie du gramme (symb. dg).

décilage → DÉCILE.

décile n. m. Dixième partie d'un ensemble de données classées dans un ordre déterminé. || Grandeur de l'élément qui partage une série de données en dix groupes également nombreux ou en dix intervalles égaux. ◆ **décilage** n. m. Division d'un ensemble statistique en dix classes d'effectif égal.

décilitre n. m. Dixième partie du litre (symb. dl).

déciller v. tr. (de *cil*). V. DESSILLER.

décimable adj. (lat. *decima,* dîme). Sujet à la dîme : *Terre décimable.* ◆ **décimateur** n. m. Celui qui levait la dîme ecclésiastique dans une paroisse. (Le curé ou le titulaire du bénéfice était le décimateur. Il remettait au prêtre en exercice une « portion congrue » de la dîme.)

décimal, e, aux adj. (lat. *decimalis;* de *decem,* dix). Qui procède par dix ou puissances de dix : *Unités décimales.* ● *Calcul décimal,* calcul des nombres décimaux. || *Fraction décimale,* fraction dont le dénominateur est une puissance de dix. || *Logarithme décimal* ou *vulgaire,* logarithme à base dix. || *Nombre décimal,* nombre qui comporte une partie entière et une partie inférieure à l'unité (*partie décimale*), formée de dixièmes, de centièmes, de millièmes, etc., et séparée de la partie entière par une virgule. || *Numération décimale,* numération à base dix. || *Système décimal,* système numérique qui procède par puissance de dix. || — *décimale* n. f. Chacun des chiffres concourant à former la partie décimale d'un nombre décimal : *Calculer une valeur approchée jusqu'à la quatrième décimale.* ◆ **décimalisation** n. f. Réduction au système décimal de toutes les mesures. ◆ **décimalité** n. f. Caractère décimal.

décimateur → DÉCIMABLE.

décimation → DÉCIMER.

décime n. m. (du lat. *decima* [*pars*], dixième [partie]). Dixième partie du franc. (V. CENTIME.) ● *Décime pour franc,* impôt supplémentaire d'un dixième par franc.

décime n. f. Sous l'Ancien Régime, taxe perçue par le roi sur le clergé. (A l'origine, la décime fut levée sur les chrétiens par le roi de France, avec l'accord du pape, pour reprendre Jérusalem à Saladin. Elle le fut ensuite pour des motifs les plus divers. Cette contribution devint régulière à partir du XVIe s. Tous les dix ans, en plus du don gratuit, l'Assemblée du clergé devait accorder une ou plusieurs décimes nouvelles. Les *chambres des décimes* étaient les chambres ecclésiastiques dont relevaient toutes les affaires suscitées par la répartition et la levée des impôts du clergé. Les *chambres supérieures,* créées par Henri III [1580], jugeaient en appel tous les litiges fiscaux concernant le clergé.)

décimer v. tr. (lat. *decimare;* de *decem,* dix). Punir de mort un soldat sur dix : *Décimer une légion.* || Faire périr en grand nombre : *Une épidémie qui a décimé la population.* ◆ **décimation** n. f. Action de décimer, châtiment qui consistait à faire périr un homme sur dix.

décimètre n. m. Mesure de longueur qui vaut la dixième partie du mètre (symb. dm). || Instrument en forme de règle, divisé en centimètres et millimètres, et dont la longueur est 10 cm. ● *Décimètre carré,* mesure de superficie équivalant à un carré ayant 1 dm de côté (symb. dm^2). || *Décimètre cube,* mesure de volume équivalant à un cube ayant 1 dm pour arête (symb. dm^3). || *Double décimètre,* instrument en forme de règle, divisé en centimètres et millimètres, et ayant pour longueur 20 cm. ◆ **décimétrique** adj. Relatif au décimètre. || De l'ordre du décimètre.

decimo adv. (mot lat.). Dixièmement.

Décines-Charpieu, comm. du Rhône (arr. de Lyon), à 4 km à l'E. de Lyon ; 20 031 h. Industries chimiques (produits pharmaceutiques) et textiles.

décinormal, e, aux adj. Se dit d'une liqueur titrée dix fois moins concentrée que la liqueur normale.

décintrage → DÉCINTRER.

décintrer v. tr. Ôter les cintres qu'on avait placés pour construire une voûte, une arcade. ◆ **décintrage** n. m. Action de décintrer. (On dit aussi DÉCINTREMENT.) ◆ **décintroir** n. m. Marteau de maçon, à deux taillants. || Pioche ayant une partie plate et une en pointe. (V. DÉCENTOIR.)

décisif, décision, décisoire → DÉCIDER.

Decius, en lat. **Caius Messius Quintus Decius Valerianus Trajanus,** en franç. **Dèce** (Bubalia, près de Sirmium, Pannonie, 201 - Abryttos [auj. Aptaak, dans la Dobroudja]

251), empereur romain (248-251). Vainqueur des Goths, il fut proclamé empereur par ses soldats (248). Il rendit une certaine puissance au sénat. Afin de restaurer la religion romaine, il persécuta les chrétiens (250). Il mourut en combattant les Goths.

Decius Mus, nom de trois Romains qui se sacrifièrent pour assurer la victoire aux armées romaines : Publius, dans une guerre contre les Samnites (340 av. J.-C.) ; son fils, à Sentinum, contre les Samnites et les Ombriens (295 av. J.-C.); le petit-fils, à Asculum, contre Pyrrhos (279 av. J.-C.).

Decize, ch.-l. de c. de la Nièvre (arr. et à 34 km au S.-E. de Nevers), sur la Loire, à la rencontre du canal du Nivernais et du canal latéral à la Loire ; 7 713 h. (*Decizois*). Tôlerie, chaudronnerie ; industries mécaniques ; caoutchouc.

Deck (Joseph), céramiste et industriel français (Guebwiller 1823 - Sèvres 1891). Il voyagea en Allemagne et en Autriche, et s'installa

Larousse

Joseph Deck
faïence exécutée d'après un dessin de Jules Romain

à Paris en 1856. Il résolut le problème des émaux transparents et celui des rouges de cuivre chinois.

Decker (les), famille d'artistes hollandais. Les plus connus sont : CORNELIS GERRITSZ (Haarlem v. 1620 - *id.* 1678), dont les paysages sont animés de personnages par Van Ostade (Anvers, Bâle, Besançon, Leningrad, Munich, Louvre) ; — JAN (XVIIe s.), qui peignit à Haarlem des scènes d'atelier de tailleurs ou de tisserands (Bruxelles, Hanovre, Berlin) ; — FRANS (Haarlem 1684 - *id.* 1751), auteur de portraits collectifs (*les Directeurs de l'hospice,* Haarlem) ou isolés (*Jeune Homme,* Haarlem).

Decker (Paul), dit **l'Aîné,** architecte et graveur allemand (Nuremberg 1677 - Bayreuth 1713). Elève d'Andreas Schlüter, il travailla à la construction et à la décoration de châteaux à Bayreuth et à Erlangen, laissa de nombreuses gravures d'ornement et écrivit un recueil qui popularisa en Allemagne le style de Berain.

deck house [dekaus] n. m. (mots angl.). Surélévation du roof à l'arrière d'un yacht. (Syn. DOG HOUSE.)

déclamateur, déclamation, déclamatoire → DÉCLAMER.

déclamer v. tr. (lat. *declamare*). Réciter à haute voix, avec le ton et les gestes convenables : *Déclamer une tirade de tragédie.* ‖ Prononcer, dire avec emphase : *Déclamer pompeusement des banalités.* ✦ v. intr. Parler avec violence contre quelqu'un, contre quelque chose : *Déclamer contre le luxe ostentatoire.* ‖ S'exprimer avec emphase : *Déclamer sur la décadence de la jeunesse moderne.* ◆ **déclamateur, trice** n. Personne qui parle ou écrit dans un style emphatique, ampoulé : *Un remarquable déclamateur.* ✦ adj. Emphatique, ampoulé : *Juvénal est souvent déclamateur.* ◆ **déclamation** n. f. Art régissant l'emploi des différents modes de diction expressive pour l'interprétation d'un texte parlé. ‖ Art de la diction expressive pour l'interprétation d'un texte chanté, qui repose sur le double sentiment des valeurs du texte et des valeurs mélodico-rythmiques de la musique. ‖ Discours que l'on composait, à Rome, dans les écoles d'éloquence : *Un sujet de déclamation.* ‖ Discours pompeux ou violent, mais banal : *Les déclamations d'un sectaire.* ‖ Verbiage, remplissage : *Un récit plein de déclamations.* ◆ **déclamatoire** adj. Qui concerne la déclamation : *Art déclamatoire.* ‖ Pompeux, emphatique : *Style, ton déclamatoire.*

déclarable, déclarant, déclaratif, déclaration → DÉCLARER.

Déclaration du clergé de France ou **Déclaration des Quatre Articles,** déclaration gallicane, concernant l'affaire de la Régale*, rédigée par Bossuet et acceptée le 19 mars 1682 par une assemblée de trente-cinq évêques à la demande de Louis XIV. Celui-ci était soutenu par les jésuites, le parlement et la Sorbonne. La Déclaration proclamait l'indépendance absolue des rois au point de vue temporel, la supériorité du concile sur le pape et l'existence des libertés de l'Eglise gallicane. Mais le pape refusant d'investir les évêques qui l'acceptaient, Louis XIV abandonna la Déclaration en échange de la reconnaissance par le pape de l'extension du droit de régale à toute la France.

déclaratoire → DÉCLARER.

déclarer v. tr. (lat. *declarare*, rendre clair, proclamer, faire connaître). Porter à la connaissance de quelqu'un ; affirmer, proclamer : *Déclarer ses intentions.* ‖ Signifier par un acte formel : *Déclarer la guerre. Déclarer quelqu'un coupable.* ‖ Faire connaître à l'Administration la nature et le montant d'une matière imposable : *Déclarer ses revenus.* || — SYN. : *annoncer, découvrir, manifester.* ● *Déclarer des marchandises,* en faire connaître la quantité et la nature, en vue des droits auxquels elles peuvent être soumises. || **— se déclarer** v. pr. Faire connaître ses sentiments, ses intentions; prendre parti : *Réfléchir avant de se déclarer pour un parti.* || Déclarer son amour : *Enfin, il s'est déclaré.* || Apparaître clairement dans sa véritable nature; se manifester sans ambiguïté : *L'orage se déclare. La maladie s'est déclarée il y a huit jours.* ◆ **déclarable** adj. Qui peut ou doit être déclaré : *Marchandises déclarables.* ◆ **déclarant** n. Qui fait une déclaration, notamment à un officier de l'état civil. ◆ **déclaratif, ive** adj. *Dr.* Se dit d'un acte par lequel on constate l'existence d'un droit préexistant : *Le partage est déclaratif.*

✦ adj. et n. m. Se dit des verbes exprimant l'idée de *dire, raconter,* par oppos. aux verbes de croyance ou d'opinion (*croire, penser*). ◆ **déclaration** n. f. Action de déclarer; acte, écrit, discours par lequel on fait publiquement une communication : *La Déclaration des droits* de l'homme et du citoyen.* || Aveu, confession : *La déclaration d'un accusé.* || Aveu de son amour : *Faire une déclaration en forme.* || Etat détaillé, énumération : *Déclaration des revenus.* || Affirmation de l'existence d'une situation juridique ou d'un fait. || Pièce établie par les autorités du bord à l'appui d'une opération ou d'un événement. || ● *Action en déclaration de simulation,* action par laquelle des tiers, qui y ont intérêt, demandent à écarter l'acte apparent pour faire jouer en leur faveur les effets d'une contre*-lettre. || *Déclaration d'avarie,* procès-verbal fait après accident de mer, en vue de la réclamation des assurances. || *Déclaration en douane,* dépôt à l'administration des Douanes des papiers concernant une marchandise importée ou exportée par mer, par terre ou par air. || *Déclaration d'entrée, de sortie,* pièces ayant trait au débarquement, à l'embarquement des marchandises. || *Déclaration de guerre,* acte par lequel une puissance déclare la guerre à une autre, et qui entraîne la rupture des relations diplomatiques. || *Déclaration du jury,* paroles que prononce le chef du jury pour faire connaître le verdict. || *Déclaration en mairie,* voie de recours reconnue au contribuable en matière de réclamation. (Cette déclaration, reçue sans frais ni formalités sur un registre spécial, doit être formulée dans le mois qui suit la mise en recouvrement du rôle.) || *Déclaration ministérielle,* exposé du programme d'un nouveau gouvernement, ou déclaration de politique générale d'un gouvernement en place, faite devant une assemblée parlementaire. || *Déclarations royales,* commentaires aux édits et aux ordonnances royales. ◆ **déclaratoire** adj. *Dr.* Qui porte déclaration juridique.

déclassé, déclassement → DÉCLASSER.

déclasser v. tr. (préf. priv. *dé,* et *classer*). Déranger ce qui était classé; faire sortir d'un classement : *Déclasser les médailles d'une collection.* || Faire sortir d'une catégorie, souvent en classant à un rang inférieur, en plaçant dans une situation inférieure : *Les agents de la fonction publique s'estiment déclassés par rapport aux autres salariés.* || Rayer du rôle de l'inscription maritime, en parlant d'un marin. || **— se déclasser** v. pr. Voyager dans une classe supérieure à celle à laquelle on a droit par son billet. || **déclassé, e** n. Personne qui n'est plus au rang social qui conviendrait, qui est déchue de sa position sociale : *Se lier avec des déclassés.* ◆ **déclassement** n. m. Action de déclasser; résultat de cette action : *Le déclassement d'un cheval arrivé premier.* || Action pour un voyageur de se déclasser dans une voiture de chemin de fer. || Taxe payée en conséquence. || Radiation définitive, des rôles de l'inscription maritime, d'un matelot, ou inscrit, cessant d'exercer la profession de marin. || Suppression d'un navire de la liste de la flotte. || Décision administrative faisant quitter une catégorie juridique soumise à un régime particulier et retomber dans le régime de droit commun : *Déclassement d'un monument historique.* ● *Déclassement d'un matériel,* opération par laquelle ce matériel passe d'une catégorie d'emploi dans une autre. || *Déclassement d'une place forte,* décision qui a pour effet de déclarer la place forte inutile à la défense et d'abroger les servitudes imposées par ses fortifications.

déclaveter v. tr. (conj. **4**). Enlever la clavette qui fixe une pièce sur une autre.

déclenche, déclenchement → DÉCLENCHER.

déclencher v. tr. (de *clenche*). Manœuvrer le déclic de; provoquer la mise en mouvement de : *Déclencher un ressort. L'ouverture de la porte déclenche une sonnerie.* || Manœuvrer la déclenche pour séparer deux pièces qui étaient liées. || *Fig.* Mettre brusquement en mouvement : *Déclencher une attaque.* ◆ **déclenche** n. f. Appareil destiné à séparer deux pièces d'une machine pour permettre le libre mouvement de l'une d'elles. ◆ **déclenchement** n. m. Action de déclencher : *Le déclenchement d'un ressort, d'une attaque.* || Action de provoquer spontanément une figure de voltige aérienne. || Ouverture des contacts d'un disjoncteur. || Mécanisme qui produit l'effet contraire de l'enclenchement. ◆ **déclencheur** n. m. Dispositif agissant sur le mécanisme d'un disjoncteur pour en prévenir l'ouverture. || Mécanisme libérant l'obturateur d'un appareil photographique. ● *Déclencheur analyseur* (Electron.), dispositif permettant le déclenchement du phénomène par un signal de synchronisation, issu du réseau, à un moment quelconque du cycle.

déclic [klik] n. m. (déverbal de *décliquer;* de *dé* et de *cliquet*). Mécanisme disposé pour faire cesser, à un moment donné, la solidarité qui existe entre deux pièces d'une même machine. (On dit aussi DÉCLIQUETIS.) ‖ Bruit provoqué par le fonctionnement de ce mécanisme.

déclin, déclinabilité, déclinable, déclinaison, déclinant, déclinatoire → DÉCLINER.

décliner v. tr. (lat. *declinare,* détourner, écarter, s'écarter). Pencher vers sa fin, s'affaiblir : *Vieillard qui décline. Les forces déclinent avec l'âge.* ‖ S'approcher de l'horizon, après avoir dépassé le méridien, en parlant des astres. ‖ S'éloigner de l'équateur, par des variations de déclinaison, en parlant des astres. ✦ v. tr. Ne pas reconnaître ; refuser comme inacceptable : *Décliner la responsabilité de quelque chose. Décliner une juridiction.* ‖ Refuser avec politesse : *Décliner un honneur, une invitation.* ‖ Faire varier dans sa désinence un nom, un pronom, etc., suivant son rôle dans une proposition. ‖ Orienter un appareil au moyen d'une aiguille aimantée, grâce à la connaissance de la déclinaison. ● *Décliner son nom, son identité,* se nommer. ‖ *Décliner la planchette,* régler le déclinatoire d'une planchette, en topographie. ‖ *Décliner ses titres,* les citer. ◆ **déclin** n. m. Etat de ce qui arrive à la fin de sa course : *Le déclin de l'été.* ‖ *Fig.* Diminution de grandeur ou d'éclat : *Le déclin de la vie, de l'intelligence. Un auteur à son déclin.* ● *Déclin de la Lune,* période pendant laquelle décroît le disque éclairé, depuis la pleine jusqu'à la nouvelle lune. ◆ **déclinabilité** n. f. Qualité d'un mot déclinable : *La déclinabilité des noms, des adjectifs.* ◆ **déclinable** adj. Qui peut être décliné : *En latin, les noms sont déclinables.* ◆ **déclinaison** n. f. Système des formes qui présente un mot pourvu d'une flexion nominale ou pronominale, par oppos. à la *conjugaison,* système de formes caractéristique des verbes. ‖ Chacune des classes de mots qui se déclinent de la même manière, distinguées suivant la nature de la désinence et du thème. ‖ Distance d'un astre ou d'un point quelconque du ciel à l'équateur, mesurée par un arc de grand cercle perpendiculaire à l'équateur, qui porte le nom de *cercle de déclinaison.* ‖ Distance comptée sur la sphère céleste de l'équateur au pôle, de 0 à 90°, positivement dans l'hémisphère boréal, négativement dans l'autre. (La déclinaison détermine avec l'ascension droite la position d'un astre sur la sphère des fixes. Elle se mesure soit au cercle mural, soit à l'équato-

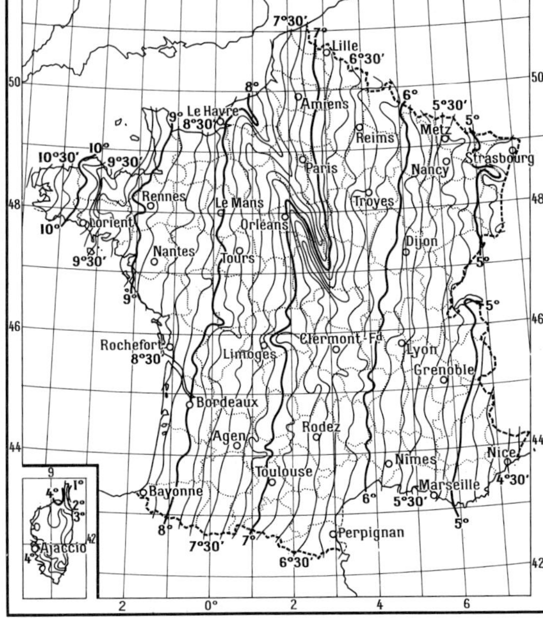

carte en degrés des lignes d'égale **déclinaison** magnétique en France

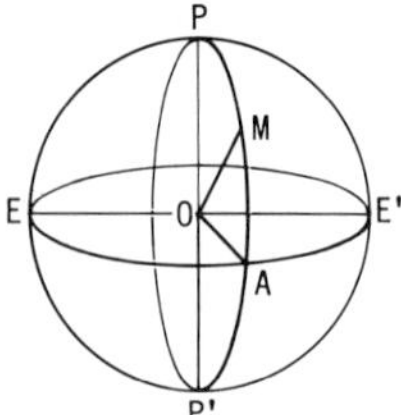

déclinaison (astron.) PP', ligne des pôles; EAE', équateur; PMP', cercle de déclinaison; AM, déclinaison de l'astre M

rial.) ● *Déclinaison des atomes,* V. CLINAMEN. ‖ *Déclinaison magnétique,* angle formé par le méridien magnétique et le méridien géographique en un point de la surface terrestre. (Cet angle, que l'on mesure à l'aide de la *boussole de déclinaison,* indique la correction qu'on doit apporter à la direction de l'aiguille aimantée pour obtenir celle du nord. Les cartes magnétiques comportent le tracé des *lignes isogones,* joignant les points où la déclinaison est la même. Cette déclinaison varie lentement avec le temps.) ◆ **déclinant, e** adj. Qui décline, s'affaiblit. ◆ **déclinatoire** adj. et n. m. ● *Exceptions déclinatoires,* ou, simplem., *déclinatoires,* exceptions par lesquelles un des plaideurs, généralement le défendeur, soutient que le tribunal ne doit pas connaître de l'affaire : *Déclinatoires d'incompétence, de litispendance, de connexité.* ✦ n. m. Longue aiguille aimantée à pivot, fixée dans un boîtier muni de traits de repère diamétralement opposés, et utilisée en topographie. ◆ **déclinomètre** n. m. Appareil servant à la mesure de la déclinaison magnétique.

déclinquer v. tr. (préf. priv. *dé,* et *clin*). Dépouiller de son bordage, en parlant d'une embarcation à clins : *Déclinquer un canot.* ‖ Syn. de DISLOQUER. (On dit aussi DÉGLINGUER.)

décliquetage → DÉCLIQUETER.

décliqueter v. tr. (préf. priv. *dé,* et *cliquet*) [conj. **4**]. Dégager le cliquet des dents d'une roue à rochet. (Contr. ENCLIQUETER.) ◆ **décliquetage** n. m. Action de décliqueter.

déclive adj. (lat. *declivis*). Qui va en pente; incliné : *La partie déclive d'une toiture.* ● *Point déclive,* point le plus bas d'une cavité : *Il faut drainer les abcès au point déclive.* ◆ **déclivité** n. f. Etat de ce qui est en pente : *La déclivité d'un terrain.* ‖ Terrain en pente : *Le cycliste descendait en roue libre les déclivités.* ‖ Inclinaison que le profil en long d'une route, d'une ligne de chemin de fer présente dans un sens ou dans l'autre.

décloisonner v. tr. *Fig.* Enlever les obstacles qui isolent certaines activités les unes des autres : *Décloisonner les divers ordres d'enseignement.*

déclore v. tr. (de *clore*) [conj. **76**]. Ôter la clôture de; ouvrir : *Déclore un parc.*

déclouage → DÉCLOUER.

déclouer v. tr. Défaire ce qui est cloué; enlever les clous de : *Déclouer une planche. Une caisse qui s'est déclouée.* ◆ **déclouage** n. m. Action de déclouer. ‖ Assouplissement d'une peau.

décoaguler v. tr. Ramener à l'état liquide une substance coagulée.

décochage, décochement → DÉCOCHER.

décocher v. tr. (de *coche,* entaille). Lancer avec un arc ou un engin analogue : *Décocher une flèche.* ‖ Lancer vivement (en général) : *Décocher un coup de pied à quelqu'un.* ‖ *Fig.* Lancer, dire avec brusquerie, avec malice : *Décocher une critique.* ‖ Sortir du moule une pièce de fonderie. ‖ Faire le décochement sur la mise en carte d'un tissu. ◆ **décochage** n. m. Opération qui consiste à sortir du moule une pièce de fonderie. ◆ **décochement** n. m. Action de décocher : *Le décochement d'une flèche;* et, au *fig. : Le décochement d'un trait satirique.* ‖ Décalage des points de liage dans le rapport d'armure d'un tissu. ‖ Gradin formé par les points de mise à la carde des motifs décoratifs sur une mise en carte. ◆ **décocheur** n. m. Ouvrier chargé du décochage dans une fonderie.

décoconnage → DÉCOCONNER.

décoconner v. intr. Détacher de leur support les cocons de vers à soie. ‖ *Fam.* Se livrer à un bavardage sénile. ◆ **décoconnage** n. m. Action de détacher de leur support les cocons de vers à soie. (Syn. DÉRAMAGE.)

décocté → DÉCOCTION.

décoction n. f. (lat. *decoctio ;* de *decoquere,* faire cuire). Action de faire bouillir des plantes dans un liquide. ‖ Produit de cette action. ◆ **décocté** n. m. Produit d'une décoction.

décodage → DÉCODER.

décoder v. tr. Rétablir le langage clair d'un texte en partant des éléments obtenus par codage. ◆ **décodage** n. m. Action de décoder. (V. CHIFFREMENT.) ◆ **décodeur** n. m. Dispositif, sur un calculateur électronique, permettant de décoder les informations en machine.

Decœur (Emile), céramiste français (Paris 1876 - Fontenay-aux-Roses 1953). Il se consacra au grès et à la porcelaine, réalisant des émaux aux formes très pures (musée national d'Art moderne).

décœurage → DÉCŒURER.

décœurer v. tr. Eliminer le cœur d'une pièce de bois. ◆ **décœurage** n. m. Elimination du cœur*, lors du débitage des grumes en scierie.

décoffrage → DÉCOFFRER.

décoffrer v. tr. Enlever les coffrages d'un ouvrage de béton armé. ◆ **décoffrage** n. m. Action de décoffrer.

décognoir n. m. Coin de bois ou instrument en fer, pour serrer ou desserrer les formes d'imprimerie.

décohérer v. tr. Ramener à son état initial la résistance d'un cohéreur*, après qu'il a été influencé par les ondes hertziennes. ◆ **décohéreur** n. m. Petit marteau qui frappait sur le tube du cohéreur* de Branly, pour remettre la limaille dans son état primitif, interrompant ainsi le courant.

décoiffement → DÉCOIFFER.

décoiffer v. tr. Ôter ou défaire la coiffure de : *Décoiffer une mariée.* ‖ Déranger les cheveux de : *Etre décoiffé par le vent.* ‖ Enlever ce qui surmonte, ce qui s'appelle « coiffe » : *Décoiffer une fusée.* ‖ Ôter l'enveloppe qui entoure un bouchon ; déboucher : *Décoiffer une bouteille.* ◆ **décoiffement** n. m. Action de décoiffer.

décoincement → DÉCOINCER.

décoincer v. tr. (conj. **1**). Dégager ce qui était coincé : *Décoincer un tiroir. Décoincer des rails.* ◆ **décoincement** n. m. Action de décoincer ou de se décoincer ; résultat de cette action : *Le décoincement d'une porte d'armoire.*

décolérer v. intr. (de *colère*) [conj. **5**]. Cesser d'être en colère : *Il y a des gens qui ne décolèrent pas.* (Ne s'emploie guère que négativement.)

décollage → DÉCOLLER 1.

décollation → DÉCOLLER 2.

décollement → DÉCOLLER 1.

1. décoller v. tr. (de *coller*). Détacher ce qui était collé : *Décoller une enveloppe.* ‖ Séparer, écarter : *Des oreilles décollées.* ‖ Au billard, écarter de la bande une bille qui la touchait. ✦ v. intr. Quitter le sol pour s'élever. ‖ *Fig.* et *fam.* S'en aller, démarrer : *Ne pas décoller d'un endroit.* ‖ En course, se détacher d'un concurrent (en avant ou en arrière). ‖ *Pop.* Maigrir, dépérir : *Je l'ai trouvé bien décollé depuis sa maladie.* ◆ **décollage** n. m. Action de décoller, de quitter le sol : *Le décollage d'un avion.* ‖ *Fig.* Stade de l'évolution d'une économie qui commence à sortir de l'état de sous-développement : *Le décollage de l'économie de la Côte-d'Ivoire.* ● *Décollage assisté,* décollage d'un avion au moyen de fusées d'assistance. ‖ *Décollage d'une machine tournante,* instant où le rotor de la machine entre en rotation. ◆ **décollement** n. m. Action de décoller, de se décoller ; état de ce qui est décollé : *Le décollement d'un papier. Le décollement des oreilles.* ‖ Modification de l'écoulement d'un fluide autour d'un obstacle, due à la formation de tourbillons. ‖ *Pathol.* Séparation anormale de tissus naturellement adhérents. ● *Décollement épiphysaire,* arrachement traumatique de l'épiphyse d'un os chez l'enfant. ‖ *Décollement de la rétine,* v. RÉTINE.

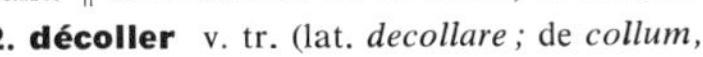

2. décoller v. tr. (lat. *decollare ;* de *collum,* cou). Décapiter (en style noble). ‖ Couper la tête de la morue. ◆ **décollation** n. f. Action de trancher le cou, de couper la tête : *La décollation de saint Jean-Baptiste.* ◆ **décolleur** n. m. Pêcheur chargé de couper la tête et la langue de la morue. ‖ Organe mécanique adjoint aux outils de presse à découper pour éviter que l'embouti, ou le déchet suivant le travail, ne reste collé au poinçon ou dans la matrice des outils d'emboutissage, et pour extraire la pièce formée qui demeure comprimée dans cette matrice.

Held

« **Décollation** de saint Jean-Baptiste » par Juan de Flandes, *musée de Genève*

décolletage → DÉCOLLETER 1 et 2.

décolleté → DÉCOLLETER 1.

1. décolleter [dekɔlte] v. tr. (de *collet ;* proprem. « enlever le fichu de ») [conj. **4**]. Découvrir le cou, la gorge, les épaules : *Une jeune fille qui se décollette un peu trop.* ‖ Rabattre ou couper plus ou moins largement l'encolure d'un vêtement. ◆ **décolletage** n. m. Action de mettre à nu le cou, la gorge, etc. : *Se faire remarquer par un décolletage excessif.* || Action de décolleter une robe. (V. aussi DÉCOLLETER 2.) ◆ **décolleté** n. m. Partie de la gorge et des épaules mise à nu. || Haut de vêtement de femme, dégageant plus ou moins la gorge et les épaules.

2. décolleter v. tr. (de *collet*) [conj. **4**]. Pratiquer le décolletage. ◆ **décolletage** n. m. Fabrication de pièces diverses (boulons, cuvettes, axes, etc.) obtenues sur un tour parallèle en les usinant directement les unes à la suite des autres dans une barre de métal. || *Par extens.* Travail de détourage extérieur de pièces de révolution obtenues préalablement par fonderie ou estampage. || Action de couper le collet et les feuilles des betteraves, des carottes. (V. aussi DÉCOLLETER 1.) ◆ **décolleteur, euse** n. Ouvrier, ouvrière travaillant au décolletage. || — ***décolleteuse*** n. f. Machine-outil employée pour le décolletage. (Syn. TOUR À DÉCOLLETER.) || Machine servant au décolletage des betteraves.

décolleur → DÉCOLLER 2.

décolonisation → DÉCOLONISER.

décoloniser v. tr. Agir en vue de mettre fin à la situation d'un peuple colonisé. ◆ **décolonisation** n. f. Action de décoloniser.

décolorant, décoloration → DÉCOLORER.

décolorer v. tr. (lat. *décolorare;* de *color,* couleur). Effacer, affaiblir la couleur de : *Le soleil décolore les tapisseries.* || *Fig.* Rendre terne, affadir : *Trop de sagesse et d'exactitude décolore le style.* || Eclaircir la couleur d'une essence, d'un pétrole, d'une huile lubrifiante, par décoloration. ◆ **décolorant, e** adj. et n. m. Se dit d'une substance faisant disparaître les colorations de certains corps. (Cette décoloration peut résulter d'une absorption [noir animal] ou d'une action chimique d'oxydoréduction [chlorure décolorant].) ◆ **décoloration** n. f. Destruction, perte ou seulement affaiblissement de la couleur naturelle : *L'obscurité amène la décoloration des végétaux.* || Traitement des cheveux pour éclaircir leur couleur naturelle. || Elimination des pigments naturels et des produits colorés de décomposition d'un produit, pour en améliorer la couleur à l'état fini.

décombres n. m. pl. (de l'anc. verbe *décombrer,* débarrasser, d'orig. celtique). Débris d'un édifice écroulé : *Retirer des cadavres enfouis sous les décombres d'un immeuble.* || Terres et graviers qu'on tire de la partie supérieure d'une carrière, avant d'atteindre la bonne couche. (Syn. DÉCOUVERTE.) || Déchets d'une exploitation ardoisière. (Syn. VIDANGE, VUIDANGE.) || *Fig.* Ruines (péjor. le plus souvent) : *Des privilèges ensevelis sous les décombres de l'Ancien Régime.*

décommander v. tr. (de *commander*). Annuler la commande de : *Décommander un repas, une voiture.* || Avertir de l'annulation d'une commande, d'une invitation : *Décommander des déménageurs, des invités.*

décommettage → DÉCOMMETTRE.

décommettre v. tr. Détordre un cordage en séparant ses éléments. ◆ **décommettage** n. m. Action de décommettre.

de commodo et incommodo, mots lat. signif. *de l'avantage et de l'inconvénient,* et qui sont presque exclusivement d'usage administratif : *Ordonner une enquête « de commodo et incommodo » sur des travaux publics.*

décompensation n. f. Action qui détruit celle de la compensation dans la régulation des groupes électrogènes. || *Pathol.* Rupture de l'équilibre réalisé par la compensation*. ◆ **décompensé, e** adj. Se dit d'une lésion ou d'un état pathologique de l'organisme dont les effets se manifestent à la suite de la rupture de l'équilibre réalisé jusque-là par la compensation* : *Cardiopathie décompensée.*

décomposable → DÉCOMPOSER.

décomposer v. tr. Séparer en ses éléments; dissocier : *Analyser, c'est décomposer.* || Altérer profondément : *La putréfaction décompose les matières animales;* et, au *fig. : Sous l'effet de la douleur, son visage se décomposa.* || *Fig.* Analyser, étudier dans ses éléments : *Cette phrase se décompose en plusieurs propositions.* ● *Décomposer une étoffe,* analyser ses composants et rechercher tous les éléments indispensables pour sa reproduction. || *Décomposer un nombre en un produit de facteurs premiers,* mettre en évidence tous les facteurs premiers de ce nombre. || *Décomposer un polynôme,* le mettre sous forme de produit de facteurs. ◆ **décomposable** adj. Qui peut être décomposé : *Les alchimistes croyaient l'or décomposable.* ◆ **décomposition** n. f. Séparation d'un corps en ses éléments : *La décomposition de l'eau.* || Désagrégation d'un corps organique, putréfaction : *La décomposition du sang. Viande en état de décomposition.* || Fig. Altération, désorganisation : *La décomposition du visage.* || Analyse : *Décomposition d'une phrase en ses divers éléments.* ● *Décomposition d'une étoffe,* opération qui consiste à analyser une étoffe. || *Décomposition d'une force,* v. FORCE. || *Décomposition de la lumière,* v. SPECTRE. || *Décomposition d'un nombre en facteurs premiers,* formation d'un produit de facteurs premiers égal au nombre donné.

décompresseur, décompression → DÉCOMPRIMER.

décomprimer v. tr. Faire cesser ou diminuer la compression. ◆ **décompresseur** n. et adj. m. Appareil qui ramène peu à peu à la pression normale l'air comprimé, le gaz ou la vapeur d'une enceinte hermétiquement close. ◆ **décompression** n. f. Action de décomprimer. || Opération qui supprime, momentanément, la compression dans un cylindre d'un moteur. || Diminution de pression fortuite à l'intérieur d'un caisson immergé, dans les travaux hydrauliques. ● *Accidents de décom-*

pression, ensemble des troubles menaçant les plongeurs, les scaphandriers, les ouvriers des caissons, en cas de remontée trop rapide. (L'azote, qui s'était dissous dans leur sang lorsqu'ils respiraient un air sous pression, se dégage sous forme de bulles dans leurs capillaires et peut y empêcher brutalement la circulation du sang. L'accident pouvant être mortel, des règles précises fixent la durée des étapes de la décompression.)

décomptage, décompte → DÉCOMPTER.

décompter [dekɔ̃te] v. tr. Déduire d'un compte en vue d'établir un solde net : *Décompter les sommes avancées.* ✦ v. intr. Faire un décomptage. ‖ Ne pas être en concordance avec l'heure indiquée par les aiguilles, en parlant d'un mouvement de sonnerie. ◆ **décomptage** n. m. Exercice scolaire consistant à compter à rebours, de deux en deux, de trois en trois, etc. ◆ **décompte** n. m. Décomposition d'une somme reçue ou payée en ses éléments de détail. ‖ Déduction à faire sur un compte que l'on solde. ‖ Ce qui est à payer par le débiteur, à recevoir par le créancier, toutes déductions faites. ● *Faire le décompte,* déduire sur un compte; et, au *fig.,* tenir compte des inconvénients quand on calcule les avantages.

déconcentration n. f. Fait de déléguer aux représentants du gouvernement, dans les départements, le droit de prendre des décisions auparavant réservées au pouvoir central.

déconcertant → DÉCONCERTER.

déconcerter v. tr. (de *concerter;* d'abord « troubler un concert, un accord musical »). Jeter dans l'embarras, l'incertitude; décontenancer par une action inattendue : *Les circonstances du crime déconcertaient les enquêteurs. Une interruption déconcerta l'orateur.* ◆ **déconcertant, e** adj. Qui déconcerte : *Le mécanicien n'avait jamais vu de pànne de moteur aussi déconcertante.*

déconfit, e adj. (du verbe auj. inus. *déconfire,* abattre, ruiner). Qui est à la fois déconcerté et confus : *En apprenant son échec, il fit une mine déconfite.* ◆ **déconfiture** n. f. Déroute complète (avec un sens péjor. et ironiq.) : *Déconfiture de l'ennemi.* ‖ Etat d'insolvabilité où se trouve un débiteur non commerçant qui ne peut plus, notoirement, payer ses créanciers. (Elle est constatée par le juge, qui se prononce sur la déchéance du terme et l'ouverture de la procédure de distribution par contribution.) ‖ *Fam.* Ruine financière, faillite, échec : *La déconfiture d'un parti politique.*

décongélation → DÉCONGELER.

décongeler v. tr. (conj. **3**). Réchauffer une substance congelée. ◆ **décongélation** n. f. Action de décongeler.

décongestionner v. tr. Faire cesser la congestion de. ‖ *Fig.* Dégager.

De Coninck (David), peintre flamand (Anvers v. 1646 - Bruxelles 1699). Il passa une grande partie de sa vie à Rome. Il a laissé des natures mortes et des scènes de chasse (musées d'Amsterdam, de Prague, de Vienne).

déconnecter v. tr. Démonter un raccord fixe ou flexible branché sur un appareil, une tuyauterie. (Syn. DÉBRANCHER.)

déconseiller v. tr. Conseiller de ne pas faire; détourner, dissuader de : *Déconseiller à un convalescent de sortir sous la pluie.*

déconsidération → DÉCONSIDÉRER.

déconsidérer v. tr. (conj. **5**). Faire perdre la considération, l'estime pour : *De tels débats déconsidèrent l'Assemblée. Vous vous déconsidérez par une telle conduite.* ◆ **déconsidération** n. f. Perte de la considération; mauvaise opinion qu'on a de quelqu'un ou de quelque chose : *Cette théorie scientifique est tombée en déconsidération. Il ne semble guère affecté de la déconsidération dans laquelle le tiennent ses voisins.*

déconsigner v. tr. Faire cesser la consigne de : *Déconsigner des troupes.* ‖ Retirer de la consigne : *Déconsigner un colis.* ● *Déconsigner un levier, un appareil,* annuler l'interdiction de l'utiliser.

déconstiper v. tr. Faire cesser la constipation.

déconstitutionnalisation → DÉCONSTITUTIONNALISER.

déconstitutionnaliser v. tr. Soustraire au régime constitutionnel. ‖ Retirer son caractère constitutionnel à une disposition légale ou à une institution créée par le pouvoir constituant. ◆ **déconstitutionnalisation** n. f. Action de déconstitutionnaliser.

décontamination → DÉCONTAMINER.

décontaminer v. tr. Soumettre à la décontamination. ◆ **décontamination** n. f. Suppression de l'activité nocive des corps qui ont été irradiés par des éléments radio-actifs. (La décontamination biologique après irradiation radio-active pose de très difficiles problèmes. C'est pourquoi la lutte contre la contamination doit requérir la plus grande attention [appareils détecteurs, vêtements spéciaux, durée d'exposition aux radiations réduite au minimum].)

décontenancer v. tr. (de *contenance*) [conj. **1**]. Faire perdre contenance à; intimider, démonter : *Décontenancer ses adversaires par sa résolution.*

décontracté → DÉCONTRACTER (SE).

décontracter (se) v. pr. Faire cesser sa raideur (au *pr.* et au *fig.*). ◆ **décontracté, e** adj. Qui a les muscles relâchés, particulièrement en raison d'une diminution du tonus des centres nerveux de la motricité automatique, situés dans les noyaux gris centraux du cerveau et dans le tronc cérébral. ‖ *Fig.* et

Larousse (coll. Boris Kochno)

fam. Sans inquiétude, sans appréhension, à l'aise : *Il se présenta très décontracté devant les examinateurs.* ◆ **décontraction** n. f. Passage de l'état contracté à l'état de repos.

déconvenue n. f. (du part. pass. fém. de *convenir*). Désappointement causé par un insuccès, une erreur, une mésaventure : *Il cache mal sa déconvenue.* ‖ — SYN. : *déception, désappointement, désillusion.*

décor, décorateur → DÉCORER.

décorateurs (SOCIÉTÉ DES ARTISTES), société fondée en 1901 pour le développement des arts appliqués et décoratifs.

décoratif → DÉCORER.

décoratifs (BIBLIOTHÈQUE DES ARTS), fondation de l'Union centrale des arts décoratifs, qui groupe au pavillon de Marsan tout ce qui a trait aux arts plastiques et aux arts décoratifs, en particulier environ 800 000 gravures et photographies.

décoratifs (ECOLE NATIONALE SUPÉRIEURE DES ARTS), établissement d'enseignement fondé à Paris, en 1765, pour former des artistes décorateurs, des créateurs de modèles et des dessinateurs industriels.

décoratifs (MUSÉE DES ARTS), musée fondé en 1882 par l'Union centrale des arts décoratifs. Ses collections renferment tout ce qui concerne le décor de la demeure.

décoratifs (UNION CENTRALE DES ARTS), société reconnue d'utilité publique en 1882, installée au pavillon de Marsan en 1905. Elle a la gérance du musée et de la bibliothèque, qui sont devenus propriété de l'Etat. Elle organise des expositions temporaires.

décoration → DÉCORER.

décorations (AFFAIRE DES), scandale qui éclata en nov. 1887, sous la présidence de Jules Grévy. Le général Caffarel, sous-chef d'état-major général, fut poursuivi pour trafic de décorations. L'affaire établit la complicité de Wilson, député, gendre de Jules Grévy. Ce dernier dut se démettre.

décorativement → DÉCORER.

Decorchemont (François Emile), peintre et verrier français (Conches 1880). Il a retrouvé le secret de la pâte de verre, qu'il a utilisée en sculpture et dans la technique du vitrail monté sur ciment (église Sainte-Odile à Paris).

décorder v. tr. (de *corde*). Détortiller un cordage, en séparer les brins : *Un câble qui se décorde.* ‖ Débarrasser d'une corde, détacher : *Décorder un colis.*

décoré → DÉCORER.

décorer v. tr. (lat. *decorare,* orner, honorer). Orner de décors ou de décorations : *Décorer un théâtre, un salon.* ‖ Orner, embellir : *Tableaux, tapisseries qui décorent une salle.* ‖ Conférer une décoration à : *Décorer un sauveteur.* ‖ Parer injustement : *Décorer du nom de poésie des banalités. Décorer d'une belle étiquette une marchandise de mauvaise qualité.* ‖ — SYN. : *embellir, enjoliver, enrichir, orner, parer.* ◆ **décor** n. m. Ce qui sert à décorer (une maison, un appartement). ‖ Ensemble des toiles peintes, des portants, des praticables et des éléments divers (draperies, accessoires, etc.) qui encadrent et situent la représentation d'une œuvre théâtrale, cinématographique ou télévisée.

Giraudon

Page de gauche,
étude de décor par Christian Bérard
pour « l'Aigle à deux têtes »,
de Jean Cocteau

Ci-dessus,
décor de A. M. Cassandre
pour « Phèdre », de Racine

étude de décor par Jacques Dupont pour « Cyrano de Bergerac », d'Edmond Rostand

Pic

DÉCORATIONS FRANÇAISES

croix de la Légion d'honneur | croix de la Libération | médaille militaire | croix de guerre 1914-1918 | croix de guerre 1939-1945 | croix de guerre T.O.E. | médaille de la Résistance

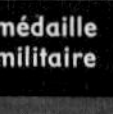

médaille de Aéronautique | Ordre national du Mérite | plaque de grand officier de la Légion d'honneur | valeur militaire | méd. d'honneur actes de courag et de dévoueme

Palmes académiques | Mérite agricole | Mérite maritime | ordre des Arts et des Lettres | médailles commémoratives 1914-1918 1939-1945 | campagne d'Indoch 1945 à 1954

DÉCORATIONS ÉTRANGÈRES

Allemagne | Belgique | Espagne | États-Unis | Grande-Bretagne | Portugal | U.R.S.S.

croix fédérale du Mérite | croix de Léopold | ordre royal de Charles III | médaille d'honneur | Victoria cross | ordre du Christ | Drapeau-rouge

(V. *encycl.*) ‖ Disposition naturelle de certains objets produisant un effet ornemental : *Les stalactites et les stalagmites forment de pittoresques décors.* ‖ Cadre de la vie, de l'activité humaine : *Il a souvent changé de décor dans sa vie.* ‖ Pièce d'artifice portant des artifices variés reliés par des lances, et qui figurent un sujet déterminé. ‖ *Fig.* Pure apparence : *Tout cela n'est qu'un décor.* ● *Changement de décor* (Fam.), changement brusque de situation. ‖ *Entrer, aller dans le décor, dans les décors* (Fam.), en parlant d'un véhicule, quitter la route accidentellement et heurter un obstacle. ◆ **décorateur, trice** n. et adj. Artiste qui fait des décorations, des décors. ◆ **décoratif, ive** adj. Qui a rapport, qui est propre à la décoration : *Jean Goujon possédait à un haut point le génie décoratif.* ‖ *Fig.* et *fam.* Qui a une belle prestance, une mise brillante : *Un convive très décoratif.* ● *Arts décoratifs,* branches de l'industrie dont les productions sont inspirées d'un souci d'art (ameublement, arts du métal, céramique, tapisserie, etc.). [V. *encycl.*] ◆ **décoration** n. f. Action de décorer : *La décoration d'une ville.* ‖ Art du décorateur : *Entendre bien la décoration* (V. *encycl.*) ‖ Ce qui décore : *La décoration d'un salon.* ‖ *Partic.* Emblème extérieur d'une distinction honorifique ou d'un ordre de chevalerie : *Porter une décoration.* (Le terme « décoration » recouvre une grande variété d'insignes, tels que croix, rubans, étoiles, colliers, plaques, médailles, etc., décernés aux militaires et aux civils des deux sexes, à titre de distinction ou de récompense. En France, l'ordre dans lequel les décorations sont portées fait l'objet de textes réglementaires, et leur port illicite est un délit. Elles se portent dans l'ordre suivant : Légion d'honneur, croix de la Libération, Médaille militaire, ordre national du Mérite, croix de guerre, etc.) ‖ Parfois, syn. de DÉCOR. ‖ Mobilier, accessoires de théâtre, par oppos. au décor proprement dit. ◆ **décorativement** adv. De façon décorative : *Disposer décorativement des draperies.* ◆ **décoré, e** adj. et n. Qui a reçu, qui porte une décoration : *Un monsieur décoré, portant bien, attendait dans l'antichambre.*

— ENCYCL. **décor.** *Décor de théâtre.* Chez les Grecs, le décor était fixe, avec quelques parties tournantes latérales (périactes). Les Romains développèrent la décoration mobile et l'emploi des machines. En France, il fut simultané (mansions), unique (époque classique), enfin successif (XVIIIe s.). Vigarani et Jean Berain furent de grands décorateurs. Servandoni, au XVIIe s., utilisa la perspective. Le XIXe s. connut nombre de décorateurs spécialisés. L'éclairage (chandelles, quinquets à huile, gaz vers 1845, électricité) devint un élément essentiel influant sur la peinture. Jusqu'à nos jours, les éléments (châssis, fermes, couronnements, plafonds, praticables, rideaux, horizon) n'ont pas varié. Après 1910, le décor, jusqu'alors réaliste, subit une profonde évolution, due à des peintres (Vuillard, Bonnard, M. Denis) et surtout à des théoriciens (Gordon Craig, Stanislavski, Léon Bakst et Alexandre Benois pour les ballets russes). Au décor figuratif succéda le décor suggestif, puis non figuratif. Des théoriciens, russes surtout, et le dramaturge metteur en scène Bertolt Brecht eurent une grande influence. Depuis 1910, la plupart des grands peintres firent des décors (Dunoyer de Segonzac, Desvallières, Derain, Picasso, Christian Bérard, Wakhevitch, Chapelain-Midy, Carzou, etc.).

— ***arts décoratifs.*** Jadis, le mot « art » ne s'appliquait qu'à une habileté supérieure d'exécution. Les doctrines classiques distinguèrent les arts majeurs et les arts mécaniques ; le XIXe s. eut l'idée de séparer les arts majeurs des arts décoratifs ou appliqués.

● *L'Antiquité.* Dans chaque pays, chaque type de civilisation montre un art décoratif qui tient compte des ressources en matériaux, des mœurs, du climat. En général, cela explique le foisonnement ornemental des structures de bois (charpentes), l'austérité des matériaux durs (pierre), la fantaisie des formes modelées et la richesse des coloris. L'Egypte tend à la sublimation de la nature ; la Grèce ne dissocie pas le décor de la forme ; elle a su particulièrement bien traiter le métal et s'est exprimée le mieux dans la poterie. Pour les Romains, le décor était un luxe, qui n'atteignait pas les grandes constructions édilitaires, mais qui s'appliquait aux amphithéâtres, arcs de triomphe, intérieurs privés et mobilier. L'extension démesurée de l'Empire fit adopter des styles-étrangers ; l'art du décor devient virtuosité technique, puis se dessèche.

● *Le Moyen Age.* L'Occident sut fusionner la tradition romaine, les apports barbares et byzantins, les formules orientales et les styles irlando-scandinaves. Jusqu'au XIIe s. l'art décoratif est volontiers graphique, et ses motifs se réfèrent à l'imaginaire, au fantastique, au mystérieux. Puis les ateliers laïques peu à peu prennent la relève des ateliers monastiques ; la technique progresse, et l'observation directe de la nature fait évoluer style et motifs. Le travail du bois, du métal, l'émaillerie prennent un grand essor. Le gothique poursuit et affermit cette évolution.

● *La Renaissance.* Durant la période gothique, l'Italie avait élaboré un art tout différent, d'origine byzantine. Au XIVe s., on découvre dans le Latium des restes de villas romaines abondamment décorées ; de là naît un style nouveau, avec Giovanni da Udine, Raphaël, Jules Romain, puis leurs disciples, le Rosso et le Primatice, qui l'introduisent en France. La fantaisie chasse l'esprit rationaliste : et le décor l'emporte désormais sur la structure. L'art décoratif du Grand Siècle ira aussi loin qu'il est possible dans ce sens.

● *L'art baroque et le classicisme.* Entre-temps, l'Italie s'était écartée des formules qu'elle avait contribué à créer. Michel-Ange, Borromini, le Bernin élaborent le style baroque, fait de mouvement, de dissymétrie, d'exubérance, où peut-être se manifeste une influence de l'Extrême-Orient. En France, le classicisme des Berain, des Lepautre fait place aux fantaisies des Oppenordt, des Meissonnier, des Nicolas Pineau, dont le style est adopté par toute l'Europe. Mais, bientôt épuisé, ce style est attaqué par Nicolas Cochin, qui prône le retour aux ordonnances gréco-romaines, dix ans même avant les découvertes archéologiques d'Herculanum et de Pompéi ; c'est un fait accompli vers 1760.

● *Le XIXe et le XXe s.* L'Empire, sous l'impulsion de David et de Percier, imite strictement les antiques. Le romantisme réhabilite le gothique, mais sans en pénétrer l'esprit. Simultanément, après 1830, l'exotisme (surtout arabe) se développe. En Angleterre, Ruskin, Burne Jones, William Morris tentent vainement un retour au passé. C'est à partir de l'Exposition internationale de Londres, en 1851, que l'on revient à une saine conception du respect du matériau et de la logique. En 1863 est fondée en France l'Union centrale des arts appliqués à l'industrie (auj. Union centrale des arts décoratifs). La préparation de l'Exposition universelle de 1900 accentue la fermentation qui pousse les artistes à chercher de nouveaux styles, et un groupe prépare le triomphe de ce qu'on appellera le « style 1900 » ; ce triomphe n'aura pas lieu, et les arts décoratifs chercheront à se libérer des contraintes purement technologiques pour trouver des effets nouveaux. Ces tentatives se concrétiseront à l'Exposition internationale des arts décoratifs de Paris, en 1925. Un certain retour au pragmatisme se manifeste ; fondée en 1930, l'Union des artistes modernes milite pour la forme pure, tandis qu'en 1937 l'Exposition internationale de Paris insiste sur un art décoratif de luxe qui doit faire rayonner la technique et le goût français à travers le monde. Cependant, des mouvements comme « Formes utiles », le développement de l'esthétique industrielle veulent associer goût et rationalisme. La tapisserie, d'abord sauvée par des hommes comme Gustave Geffroy aux Gobelins, J. Ajalbert à Beauvais, G. Janneau au Mobilier national, est profondément rénovée par l'initiative de Jean Lurçat (Aubusson). La céramique, rénovée dans toute sa splendeur par les Decœur, les Mayodon, attire les peintres les plus célèbres (Picasso, Miró). Et, dans toute l'Europe (du Nord surtout), la fabrication du mobilier en grande série tend à produire des formes esthétiques très étudiées. La ferronnerie n'a pas complètement disparu, grâce aux travaux d'Emile Robert, de Raymond Subes, inspirés des principes de la grande tradition.

— ***décoration intérieure.*** Le terme s'est introduit dans la langue au début du XXe s., mais ce qu'il désigne est de tous les temps. Nous la connaissons mal pour la Grèce et l'Orient ancien, bien pour l'Egypte (scènes peintes en registres, très colorées, mobilier très précieux). A Rome, les tons assourdis dessinaient de fausses architectures, des scènes purement décoratives ; le mobilier avait moins d'importance. L'Occident retint les leçons romaines, byzantines, barbares aussi ; coussins et tentures constituaient un décor qu'on pouvait transporter avec soi. Avec le règne de Charles V le décor intérieur devient un art : pavements, peintures murales, tapisseries, mobilier. La Renaissance fit une révolution, agrandissant les ouvertures, introduisant la lumière. Le décor s'enrichit, mais conserva les principes du Moyen Age. Ceux-ci ne se renouvelèrent qu'au XVIIe s., lorsque la société s'installa définitivement dans la demeure. Un système (romano-bolonais) consistait à intégrer le décor au mur ; un autre (hispano-néerlandais) appliquait un décor amovible. Les glaces, après 1645, furent très appréciées. Le plafond se généralisa, ainsi que le parquet. Vers 1720, l'échelle de l'appartement s'humanisa, le décor s'amenuisa. Les goûts de la bourgeoisie gagnèrent la Cour. Tissus décorés, légères sculptures, meubles élégants et fins dominèrent jusqu'à la Révolution. Le style évolua : le baroque, la rocaille disparurent au profit de l'imitation de l'antique. Le papier peint apporta de nouvelles facilités décoratives. Le XIXe s. décora et pasticha avec érudition, non sans interprétations parfois osées. Vers 1850, les études de Léon de Laborde, de Victor Champier, entre autres, préparèrent un art original, qui se manifesta timidement à partir de 1867.

décorner v. tr. Pratiquer l'amputation des cornes. (Syn. ÉCORNER.) ‖ Faire disparaître les cornes, les plis aux angles de : *Décorner une feuille de papier, un livre.* ● *Vent à décorner les bœufs* (Fam.), vent très violent.

décorticage, décortication → DÉCORTIQUER.

décortiquer v. tr. (lat. *decorticare,* écorcer, peler). Enlever l'écorce ou l'enveloppe d'un fruit, d'une graine, d'un arbre, etc. : *Décortiquer des noix.* ‖ *Fam.* Enlever la carapace de : *Décortiquer un crustacé.* ‖ *Fig.* Analyser complètement : *Décortiquer un texte.* ◆ **décorticage** n. m. Opération pratiquée en huilerie pour séparer l'amande ou les graines de leur enveloppe. ‖ Syn. de ÉCORÇAGE (en ce qui concerne les bois). ◆ **décortication** n. f. Grattage de l'écorce des arbres, pour détruire les parasites. ‖ Ablation chirurgicale de l'enveloppe fibreuse (normale ou pathologique) d'un organe. ◆ **décortiqueur** n. m. et **décortiqueuse** n. f. Appareil permettant d'effectuer l'écorcement des billes de bois ou des bûches, le décorticage des graines.

décorum [rɔm] n. m. (mot lat. signif. *convenance*). Ensemble des convenances, des bienséances qui sont d'usage dans une bonne société : *Observer le décorum.* ‖ Apparat officiel : *Décorum royal.* ‖ — Syn. : *bienséance, convenance ; cérémonial, protocole.* ‖ — Rem. *Décorum* n'a pas de pluriel et s'emploie presque toujours avec une certaine ironie.

De Coster (Charles), écrivain belge d'expression française (Munich 1827 - Ixelles 1879). Ses deux œuvres principales, *Légendes flamandes* (1858) et *la Légende et les aventures d'Uylenspiegel et de Lamme Goedzak* (1867), sont écrites dans un français qui rappelle la langue du XVIe s., tant admiré par De Coster. Il écrivit en français moderne les *Contes brabançons* (1861) et un roman, *le Voyage de noces* (1872).

décote n. f. Réfaction, en comptabilité. (Certaines entreprises, au moment de l'inventaire annuel, évaluent leurs stocks de marchandises au prix de vente du marché, sous déduction d'une décote forfaitaire identique pour l'ensemble d'une branche professionnelle.) ● *Décote dégressive,* abattement prévu en matière de taxe complémentaire sur les revenus, aboutissant à une exonération totale ou partielle de l'impôt.

décottage n. m. Opération qui consiste à séparer le modèle du moule de fonderie.

découchage → DÉCOUCHER.

découcher v. intr. Coucher hors de chez soi; rester absent de chez soi la nuit. ◆ **découchage** n. m. Action de découcher.

découdre v. tr. (conj. **52**). Défaire ce qui était cousu : *Découdre une robe.* ‖ Retirer ce qui était enfermé au moyen d'une couture : *Découdre une lettre cachée dans la doublure d'un habit.* ‖ Déchirer par une blessure : *Le sanglier découd ses adversaires.* ● *En découdre* (Fam.), en venir aux mains, et, anc., l'épée au poing. — *Fig.* Entrer en contestation, s'affronter. ◆ **décousu, e** adj. Qui manque de suite dans les idées, de logique : *Phrases décousues. Style décousu.* ‖ — Syn. : *désordonné, illogique, incohérent, inconséquent.* ‖ — **décousu** n. m. Manque de liaison : *Le décousu d'un discours.* ◆ **décousure** n. f. Plaie faite à un chien par l'animal traqué.

Découflé (Anatole), industriel français (1835 - 1908). Auteur de nombreuses machines pour la confection des cigarettes, il sortit, en 1880, sa première machine à cigarettes à enveloppement en tube continu, coupé après remplissage. En 1885, il inventa le tube agrafé sans colle. En 1908 parut la « Gallia », à bourrage dans un tube préfabriqué et coupé de longueur avant remplissage, qui servit vingt-cinq ans.

découler v. intr. Couler peu à peu : *Visage dont la sueur découle.* ‖ *Fig.* Dériver naturellement, résulter de : *De graves inconvénients découlent de cette mesure.* ‖ — Syn. : *dériver, émaner, procéder, provenir, résulter, s'ensuivre, venir de.*

découpage, découpe, découpé → DÉCOUPER.

découper v. tr. (de *couper*). Couper, diviser par morceaux, et le plus souvent avec art : *Découper une volaille, une étoffe.* ‖ Partager : *Découper un gâteau.* ‖ Couper, tailler en suivant les contours d'un dessin : *Découper des images.* ‖ Effectuer un découpage*. ‖ Couper le papier ou le carton, feuille par feuille, sur une presse à platine*. ‖ *Fig.* Former des coupures dans ; échancrer : *Golfes qui découpent une côte.* ‖ Détacher du fond, profiler, dessiner : *Un faisceau de lumière découpait le contour de son visage. Un sommet qui se découpe sur le ciel clair.* ● *Scie à découper,* scie d'atelier, à mouvement alternatif, permettant l'exécution de chantournements intérieurs et de découpages. (On dit aussi SAUTEUSE.) ◆ **découpage** n. m. Action de découper. ‖ Image destinée à être découpée : *Des découpages pour les enfants.* ‖ Syn. de ÉVIDAGE, en céramique. ‖ *Imprim.* Travail consistant à découper dans une feuille de mise en train les parties d'une gravure qui viennent trop noires et à coller des épaisseurs de papier sur celles qui viennent grises, de manière à harmoniser les teintes au tirage. ‖ Opération consistant à diviser une pièce en plusieurs parties, ou à prélever des ébauches de formes déterminées, dans une tôle, pour obtenir ultérieurement des pièces finies grâce à des déformations mécaniques convenables. ‖ Texte issu du scénario d'un film et donnant, plan par plan, les indications nécessaires au tournage d'un film. (Un découpage comprend de 300 à 600 plans.) ● *Découpage électoral,* opération consistant à délimiter les diverses circonscriptions avant une consultation électorale, spécialement au scrutin uninominal. ◆ **découpe** n. f. En couture, incrustation de tissu ou d'une partie de vêtement sur une autre, faite dans un but décoratif. ‖ Section supérieure de la tige d'un arbre, séparant le bois ouvrable de celui qui ne peut servir qu'au chauffage. ● *Découpe des joints,* disposition de pavage dans laquelle deux pavés

Charles **De Coster**

ou deux dalles appartenant à deux rangées successives sont placés de manière que leurs côtés ne se trouvent pas en prolongement l'un de l'autre. ◆ **découpé, e** adj. *Peint.* Tranchant durement sur le fond par le dessin, un cerne ou un contraste. ◆ **découpeur** n. m. ou **découpeuse** n. f. Machine à découper la laine, les tissus brochés, le bois, les métaux, etc. || — ***découpeur*** n. m. Ouvrier ébéniste dont la spécialité est de chantourner les profils. ◆ **découpoir** n. m. Instrument qui sert à faire des découpures : *Découpoir à main.* || Taillant d'une machine à découper. || Machine à balancier qui travaille comme un emporte-pièce. (On dit aussi DÉCOUPEUSE.) ◆ **découpure** n. f. Action de découper (rare). || Découpage du bois, d'une étoffe brochée, d'un métal, etc. || Entaille faite à un objet découpé. || Morceau d'objet découpé : *Découpures de papier.* || Accident dans le contour des côtes : *Les découpures du Péloponnèse.*

découplage, découplé → DÉCOUPLER.

découpler v. tr. Détacher des chiens courants couplés. || Séparer deux véhicules, deux voitures motrices électriques, etc. || Assurer l'opération du découplage de deux circuits électriques. ◆ **découplage** n. m. Suppression du couplage de deux circuits électriques. || Dispositif servant à supprimer ou à atténuer l'activité des couplages parasites dus à des impédances communes à plusieurs circuits. ◆ **découplé, e** adj. De belle taille, bien pris : *Un jeune homme bien découplé.*

découpoir, découpure → DÉCOUPER.

Decour (Daniel DECOURDEMANCHE, dit **Jacques**), professeur et écrivain français (Paris 1910 - Mont-Valérien 1942). Il créa en 1941 la revue clandestine *les Lettres françaises* et prit une part active à la Résistance. Arrêté, il fut fusillé par les Allemands. Le collège Rollin, où il avait enseigné, porte depuis 1945 le nom de *lycée Jacques-Decour.*

X

Jacques Decour

décourageant, découragement → DÉCOURAGER.

décourager v. tr. (de *courage*) [conj. **1**]. Abattre le courage, l'énergie de : *L'injustice décourage les bonnes volontés.* || Ôter le désir de, dissuader : *Décourager quelqu'un de peindre.* || — **se décourager** v. pr. Perdre courage : *Il ne faut pas se décourager à la première difficulté.* ◆ **décourageant, e** adj. Propre à décourager : *Nouvelles décourageantes.* ◆ **découragement** n. m. Perte du courage, de l'énergie; état qui en résulte : *Se laisser aller au découragement.* || — SYN. : *abattement, accablement, démoralisation, désenchantement, désespoir.*

décourber v. tr. Redresser ce qui était courbé : *Décourber une planche.*

découronner v. tr. Dépouiller de sa couronne : *Découronner un roi.* || Priver de ce qui paraît être une couronne : *La tempête découronne les arbres.* || Couper, à l'aide d'un plioir, le pli supérieur d'un cahier faisant partie d'un livre, en vue de placer un hors-texte entre les feuillets.

décours n. m. (lat. *decursus*). Période décroissante du cours de la Lune. || Période décroissante d'une maladie.

Decourt (Jean), peintre et dessinateur français (Limoges v. 1530 - † apr. 1585). Il succéda à François Clouet comme peintre des Valois (portrait du duc d'Anjou, futur Henri III, musée Condé, Chantilly).

décousu, décousure → DÉCOUDRE.

découvert, découverte → DÉCOUVRIR.

Découverte (PALAIS DE LA), établissement de haute vulgarisation scientifique, rattaché à l'Université de Paris, et dans lequel sont présentés les grandes étapes et les derniers progrès de la science. Créé à l'occasion de l'Exposition internationale de 1937, dans une partie du Grand Palais, il possède un planétarium qui permet d'expliquer au public les grands thèmes de l'astronomie.

découverture, découvrable, découvreur → DÉCOUVRIR.

découvrir v. tr. (bas lat. *discooperire;* de *cooperire,* couvrir) [conj. **10**]. Ôter ce qui couvrait (quelque chose ou quelqu'un) : *Découvrir une soupière.* || Cesser de couvrir : *La fonte des neiges découvre les petits sommets.* || Dégarnir; cesser de protéger, de garantir : *Il découvrit l'aile gauche de son armée. Une robe qui découvre une partie de la gorge.* || Commencer à voir; apercevoir : *Découvrir un village du haut d'une montagne.* || *Fig.* Dévoiler, révéler, montrer dans sa réalité : *Découvrir ses projets à un ami.* || Trouver, apercevoir ce qu'on n'avait pas encore vu, ce qui était caché ou ignoré : *Découvrir un nouveau procédé de fabrication. Découvrir un trait de caractère chez une personne.* || Parvenir à connaître, faire connaître le premier : *Découvrir les secrets de la nature.* || — SYN. : *inventer, trouver; dénicher, repérer.* ● *Découvrir son jeu,* aux cartes, le laisser voir à l'adversaire. || *Dé-*

DÉCOUVERTES ET EXPLORATIONS

DATE	PAYS DÉCOUVERTS	NAVIGATEURS OU VOYAGEURS
v. 860	Islande	Naddod
v. 875	Mer Blanche	Othère
v. 982	Groenland	Eric le Rouge
1246	Tartarie	Piano Carpini (Plan Carpin)
1253	Mongolie	Ruysbroeck
1271-1275	Chine	Marco Polo
1312	Canaries	Lanzarotto Malocello
1419	Madère	Tristão Vaz
1431	Açores	Gonçalvo Velho Cabral
1441	cap Blanc	Nuño Tristam
1445	Sénégal	Lançarote Peçanha
1446	cap Vert	Dinis Fernandes
1456	îles du Cap-Vert	Antonio da Noli et Ca' da Mósto
1471	golfe de Guinée	João de Santarém
1482	Congo	Diogo Cam
1487	cap de Bonne-Espérance	Bartolomeu Dias
1492	Amérique	Christophe Colomb
1493	Hispaniola	Christophe Colomb
1498	Afrique orientale et Inde	Vasco de Gama
1498	Labrador	Jean Cabot
1499	Venezuela	Ojeda et Vespucci
1500	Amazones	V. Pinzón
1500	Terre-Neuve	Corte Real
1500	Brésil	Pedro Álvares Cabral
1502	Amérique centrale	Christophe Colomb
1505	Ceylan	L. Almeida
1500	Madagascar	Tristão da Cunha
1508	Malacca	Siqueira
1511	îles de la Sonde	Abreu
1512	Floride	Ponce de León
1513	isthme de Panama	Núñez de Balboa
1515	côtes du Pérou	Pérez de la Rua
v. 1515	Bermudes	Juan Bermúdez
1516	Río de la Plata	Díaz de Solís
1518	Mexique	Fernández de Córdoba
1519	Terre de Feu	Magellan
1519	Mexico	Cortés
1521	Philippines	Magellan
1523	Nouvelle-France	Verrazano
1532-1534	conquête du Pérou	F. Pizarro
1534	Canada	Jacques Cartier
1535	Californie	Cortés
1535	Chili	D. de Almagro
1540	Colorado	F. de Alarcón
1542	Japon	Mendes Pinto
1567	îles Salomon	Mendaña
1576	terre de Baffin	Frobisher
1577	Virginie	W. Raleigh
1587	détroit de Davis	J. Davis
1594	Nouvelle-Zemble	Barents
1595	îles Marquises	Mendaña

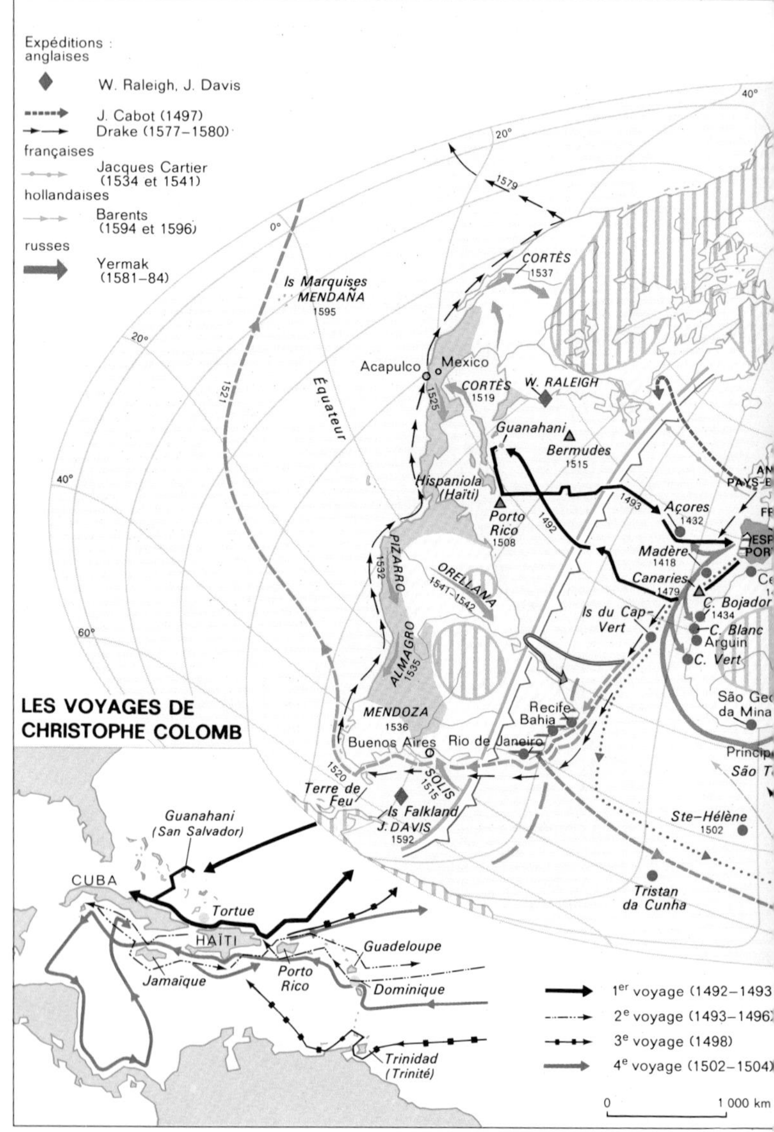
Expéditions :
anglaises
W. Raleigh, J. Davis
J. Cabot (1497)
Drake (1577–1580)
françaises
Jacques Cartier (1534 et 1541)
hollandaises
Barents (1594 et 1596)
russes
Yermak (1581–84)
Is Marquises MENDAÑA 1595
CORTÈS 1537
Acapulco
Mexico
CORTÈS 1519
W. RALEIGH
Équateur
Guanahani
Bermudes 1515
Hispaniola (Haïti)
Porto Rico 1508
Açores 1432
Madère 1418
Canaries 1479
C. Bojador 1434
C. Blanc
Arguin
C. Vert
Is du Cap-Vert
PIZARRO 1532
ORELLANA 1541–1542
ALMAGRO 1535
MENDOZA 1536
Buenos Aires
Rio de Janeiro
Recife
Bahia
SOLIS 1515
Terre de Feu
Is Falkland
J. DAVIS 1592
São Georges da Mina
Ste-Hélène 1502
Tristan da Cunha
LES VOYAGES DE CHRISTOPHE COLOMB
Guanahani (San Salvador)
CUBA
Tortue
HAÏTI
Jamaïque
Porto Rico
Guadeloupe
Dominique
Trinidad (Trinité)
1er voyage (1492–1493
2e voyage (1493–1496)
3e voyage (1498)
4e voyage (1502–1504)
0
1 000 km

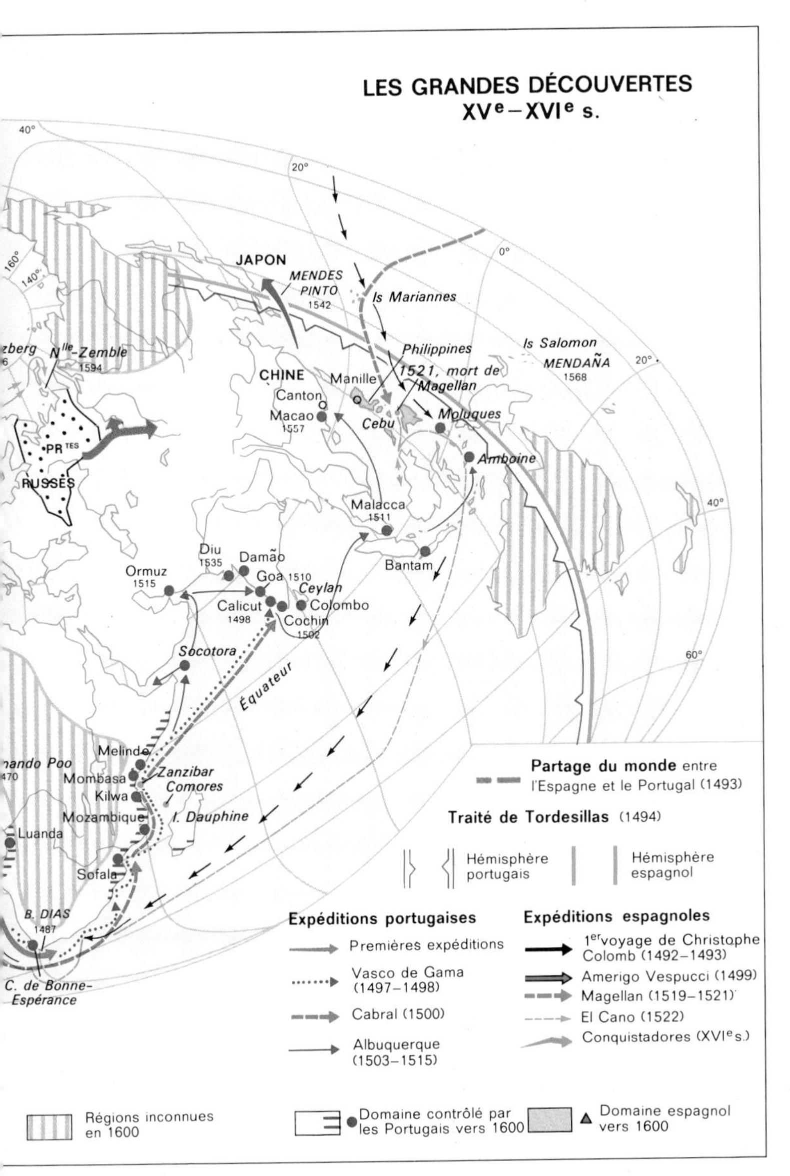
LES GRANDES DÉCOUVERTES
XVe–XVIe s.
JAPON
MENDES PINTO 1542
Is Mariannes
Philippines
1521, mort de Magellan
Is Salomon
MENDAÑA 1568
CHINE
Manille
Canton
Macao 1557
Cebu
Moluques
Amboine
Nlle-Zemble 1594
PRTES RUSSES
Malacca 1511
Bantam
Diu 1535
Damão
Ormuz 1515
Goa 1510
Ceylan
Calicut 1498
Colombo
Cochin 1502
Socotora
Équateur
Melinde
Mombasa
Zanzibar
Comores
Kilwa
Mozambique
I. Dauphine
Luanda
Sofala
B. DIAS 1487
C. de Bonne-Espérance
Partage du monde entre l'Espagne et le Portugal (1493)
Traité de Tordesillas (1494)
Hémisphère portugais
Hémisphère espagnol
Expéditions portugaises
Premières expéditions
Vasco de Gama (1497–1498)
Cabral (1500)
Albuquerque (1503–1515)
Expéditions espagnoles
1er voyage de Christophe Colomb (1492–1493)
Amerigo Vespucci (1499)
Magellan (1519–1521)
El Cano (1522)
Conquistadores (XVIe s.)
Régions inconnues en 1600
Domaine contrôlé par les Portugais vers 1600
Domaine espagnol vers 1600

DÉCOUVERTES ET EXPLORATIONS

DATE	PAYS DÉCOUVERTS	NAVIGATEURS OU VOYAGEURS
1605	Nouvelle-Hollande	Willem Jansz
1606	Nouvelles-Hébrides	Quirós
1607	baie Chesapeake	J. Smith
1610	baie d'Hudson	H. Hudson
1615	cap Horn	J. Lemaire
1642	Tasmanie	A. Tasman
1648	Nouvelle-Zélande	A. Tasman
1648	cap Oriental d'Asie	Dejnev
1697	Kamtchatka	Atlasov
1700	Nouvelle-Bretagne	Dampier
1722	îles Samoa	Roggeveen
1739	détroit de Béring	Béring
1741	îles Aléoutiennes	Béring et Delisle
1767	Tahiti	Wallis
1768	archipel de la Louisiade	Bougainville
1772	îles Kerguelen	Kerguelen
1774	Nouvelle-Calédonie	Cook
1778	îles Hawaii	Cook
1789	fleuve Mackenzie	Mackenzie
1791	île de Vancouver	Vancouver
1839-1840	terre Adélie	Dumont d'Urville
1839-1842	terre Victoria	Ch. Ross
1879	passage du Nord-Est	E. Nordenskjöld
1906	passage du Nord-Ouest	R. Amundsen
1908-1909	pôle magnétique Sud	E. Shackleton
1909	pôle Nord	Peary
1911	pôle Sud	R. Amundsen

couvrir une pièce, aux échecs, ne plus protéger une pièce par d'autres pièces. || *Découvrir la planche,* en gravure, la dépouiller du vernis après morsure de l'eau-forte. ✦ v. intr. Cesser d'être couvert par la mer; apparaître à marée basse : *Les rochers découvrent.* || **— se découvrir** v. pr. Ôter sa coiffure : *Se découvrir au passage d'un convoi funèbre.* ● *Le ciel, le temps se découvre,* il s'éclaircit. ◆ **découvert, e** adj. ● *A visage découvert,* sans masque ni voile; et, au *fig.*, sans déguisement, sans détour. || *Bateau découvert,* bateau non ponté. || *Batterie découverte,* dans la marine ancienne, batterie placée sur le pont supérieur. (On disait aussi BATTERIE BARBETTE.) || *Pays, terrain découvert,* peu boisé. (On oppose les plaines découvertes aux bocages.) || *Wagon découvert,* wagon sans toiture, destiné au transport des matériaux ne craignant pas les intempéries. ● LOC. ADV. *A découvert,* sans être couvert, sans être protégé : *Robe déchirée qui laisse l'épaule à découvert. Combattre à découvert.* — *Fig.* En toute sincérité : *Parler à découvert.* || *Etre à découvert,* avoir fait une avance sans garantie. || *Vendre à découvert,* céder en Bourse des valeurs qu'on ne possède pas. || **— découvert** n. m. Terrain découvert, présentant peu ou ne présentant pas d'abri contre les vues de l'ennemi. || Dans les sports de combat, position où le corps est exposé aux coups de l'adversaire. || Prêt à court terme accordé par une banque au titulaire d'un compte courant. || Dépenses soldées à l'aide de ressources autres que les revenus votés et perçus. || Déficit : *Combler un découvert.* || Dans un tiroir de locomotive, position de réglage telle que le tiroir permette la communication des deux lumières, des deux côtés du piston, avec l'orifice d'échappement. || Section longitudinale d'une grume. || Longueur d'une telle section ou de la section analogue d'un plateau, mesurée entre les flaches. ● *Découverts du Trésor,* avances de la Trésorerie pour solder les déficits budgétaires de l'Etat. || **— découverte** n. f. Action de découvrir ce qui était caché, dissimulé, inconnu, ignoré; résultat de cette action : *La découverte d'un trésor, d'un complot, de l'Amérique. Les découvertes de la science ont complètement transformé la vie quotidienne.* || Opération consistant à enlever les couches de terrain qui recouvrent, dans une carrière, le banc de roche à exploiter. || Ensemble des morts-terrains qu'on enlève dans cette opération. (On dit aussi DÉCOUVERT et DÉCOUVERTURE.) || Exploitation à ciel ouvert dans laquelle on a enlevé les terrains stériles qui recouvraient le gisement, pour le mettre à nu. || Dans les sports de combat, action de se découvrir. || Au théâtre, espace entre deux parties de décor qui laisse voir les coulisses. || Résultats de vérifications effectuées sur l'ensemble des opérations comptables et des actes juridiques du receveur-contrôleur de l'Enregistrement. || Mission de sûreté éloignée, incombant jadis à la cavalerie légère et réservée aujourd'hui à des éléments blindés légers équipés de puissants moyens radio, en liaison avec l'aviation. (La découverte a pour objet de chercher au plus loin le renseignement sur l'ennemi.) ● *A la découverte,* pour découvrir, pour connaître : *Partir à la découverte.* ◆ **découverture** n. f. Action d'enlever la couverture d'un édifice. || Décapage du stérile qui recouvre un gisement pour en faire l'exploitation à ciel ouvert. ● *Rapport de découverture,* volume ou poids de stérile qu'il faut enlever dans une usine ou une carrière pour une tonne de minerai ou de charbon à exploiter. ◆ **découvrable** adj. Qu'on peut découvrir. ◆ **découvreur, euse** n. Personne qui découvre : *Jacques Cartier, découvreur du Canada.*

Decoux (Jean), amiral français (Bordeaux 1884 - Paris 1963). Commandant de la flotte française en Extrême-Orient en 1939, il est nommé gouverneur général de l'Indochine en 1940. Grâce à de laborieuses négociations avec les Japonais, il réussit à maintenir tant bien que mal la souveraineté française en Indochine jusqu'en 1945, date à laquelle les Japonais l'emprisonnent. Arrêté dès son retour en France et traduit devant la Haute Cour, il bénéficie d'un non-lieu en 1949. Il a publié ses souvenirs dans deux ouvrages : *A la barre de l'Indochine* (1949) et *Adieu Marine* (1957).

décrampiller v. tr. Démêler de la soie qui vient d'être teinte en écheveaux.

décramponner v. tr. Enlever les crampons de : *Décramponner une poutre.*

décrassage ou **décrassement** → DÉCRASSER.

décrasser v. tr. Ôter la crasse de : *Décrasser un peigne.* || Ôter, par un premier lavage, les saletés les plus apparentes du linge. || *Fig.* et *fam.* Enseigner des rudiments de connaissances; polir, façonner : *La fréquentation du monde l'a quelque peu décrassé.* ✦ v. intr. Agiter un métal ou du verre en fusion, afin de séparer de sa masse les crasses qui s'y trouvent. || Ôter de la grille d'un foyer ou des tubes de fumée d'une chaudière les scories et les cendres qui s'opposent à la combustion. ◆ **décrassage** ou **décrassement** n. m. Action de décrasser (au *pr.* et au *fig.*) : *Le décrassage d'un fusil. Le décrassement d'une intelligence.* ◆ **décrasseur** n. m. Dispositif ou appareil servant au décrassage mécanique d'un foyer.

De Crayer ou **De Craeyer** (Gaspard), peintre flamand (Anvers 1584 - Gand 1669). Il travailla à Bruxelles et fut un des plus féconds disciples de Rubens. Il se spécialisa dans l'exécution de tableaux d'autel (*le Sauveur du monde,* musée de Lille).

Giraudon

Gaspard **De Crayer**
« le Sauveur du monde »
musée des Beaux-Arts, Lille

décrément n. m. (du lat. *decrementum,* décroissance). Coefficient qui caractérise la diminution progressive d'amplitude d'une oscillation amortie. ● *Décrément linéaire d'un courant alternatif linéairement amorti,* rapport constant de la différence de deux amplitudes de courant successives et de même sens à la plus grande d'entre elles. || *Décrément logarithmique d'un courant alternatif exponentiellement amorti,* logarithme népérien du rapport constant de deux amplitudes successives et de même sens d'un courant alternatif. || *Décrément d'un tachymètre,* différence entre la vitesse de marche à vide et la vitesse de marche en charge, rapportée à la vitesse moyenne. ◆ **décrémètre** n. m. Appareil utilisé pour mesurer directement le décrément logarithmique d'un circuit à courant alternatif ou d'un train d'ondes électromagnétiques.

décrêper v. tr. Défaire le crêpage des cheveux.

décrépi → DÉCRÉPIR.

décrépir v. tr. Enlever le crépi de : *Décrépir un mur.* ◆ **décrépi, e** adj. Qui a perdu son crépi : *Mur décrépi.* (Parfois confondu, à tort, avec DÉCRÉPIT.) ◆ **décrépissage** n. m. Opération consistant à enveler le crépi, ou enduit superficiel, d'un mur.

décrépit, e adj. (lat. *decrepitus,* très vieux). Qui est au dernier point de la déchéance physique : *Un vieillard décrépit.* || Qui a pris, avec l'âge, une apparence chétive : *Chêne décrépit.* (Parfois confondu, à tort, avec DÉCRÉPI.) ◆ **décrépitude** n. f. Dernier terme du vieillissement : *En quelques années, il est tombé dans une décrépitude complète.*

décrépitation → DÉCRÉPITER.

décrépiter v. tr. *Décrépiter du sel,* calciner du sel jusqu'à ce qu'il ne crépite plus dans le feu. ◆ **décrépitation** n. f. Pétillement que font entendre certains sels, quand on les chauffe brutalement. (Due à la rupture des cristaux, la décrépitation peut provenir d'une vaporisation brusque de l'eau interposée ou d'une inégalité de dilatation.)

décrépitude → DÉCRÉPIT.

Decrès (Denis, duc), amiral français (Châteauvillain, Champagne, 1761 - Paris 1820). Il prit part à la bataille d'Aboukir et fut ministre de la Marine de 1801 à 1814.

decrescendo [dekrɛʃɛndo] adv. *Mus.* Terme italien de nuance, qui indique un affaiblissement progressif du son. (Syn. DIMINUENDO.) ✦ n. m. Suite de notes qu'on doit exécuter decrescendo.

décret n. m. (lat. *decretum,* décision, décret). Décision du pouvoir gouvernemental dont les effets sont semblables à ceux de la loi. || Décision de l'autorité ecclésiastique en général : *Les décrets des conciles.* (Syn. CANON.) || Recueil d'anciens canons : *Le décret de Gratien.* ● *Décret délibéré en Conseil des ministres,* décret qui ne peut être pris qu'après une délibération du Conseil des ministres. || *Décret du Premier ministre,* décret pris par le Premier ministre dans le cadre de la compétence réglementaire du gouvernement. || *Décret du président de la République,* décret pris par le chef de l'Etat dans les matières où la Constitution ou les coutumes lui confèrent une telle compétence. || *Décret pris après avis du Conseil d'Etat,* décret qui ne peut être pris qu'après consultation du Conseil d'Etat. (C'est notamment le cas des règlements* d'administration publique et des décrets pris en forme de règlement d'administration publique.) || *Décret simple,* décret que le président de la République ou le Premier ministre peuvent prendre sans être tenus de consulter au préalable un organisme quelconque. ◆ **décrétale** n. f. *Dr. canon.* Décision papale sur une consultation, donnée sous forme de lettre et qui fait jurisprudence. (De bonne heure, les décrétales furent collectionnées : au *Décret* de Gratien, réuni vers 1150, s'ajoutèrent les *Décrétales* de Grégoire IX et de Boniface VIII, les *Clémentines* ou *Extravagantes* de Clément V, les *Clémentines communes* d'Urbain IV à Sixte IV. On appelle *Fausses Décrétales* un recueil de lettres attribuées aux papes des six premiers siècles.) ◆ **décrétaliste** n. m. Expert dans la connaissance des décrétales. || Glossateur des recueils de décrétales. ◆ **décréter** v. tr. (conj. **5**). Décider (par décret ou par voie d'autorité) : *La Convention décréta la levée en masse contre l'étranger.* || Décider avec autorité, déclarer : *On décrète aisément qu'un adversaire est un sot.* ◆ **décret-loi** n. m. Acte législatif rendu à certaines époques par le chef du pouvoir exécutif. (V. RÉGLEMENTAIRE [*pouvoir*].) — Pl. *des* DÉCRETS-LOIS.

décreusage → DÉCREUSER.

décreuser v. tr. *Text.* Eliminer le grès des fils et des tissus de soie grège. (On dit aussi DÉCRUER et DÉCRUSER.) ◆ **décreusage** n. m. Action de décreuser. (On dit aussi DÉCREUSEMENT, DÉCRUAGE et DÉCRUSAGE.)

décri → DÉCRIER.

décrier v. tr. (de *cri*). Autref., notifier publiquement une prohibition ou une dépréciation officielle. || Dénoncer comme mauvais, méprisable ; déprécier, discréditer : *Décrier quelqu'un par jalousie. On a réhabilité certaines œuvres injustement décriées.* || — SYN. : *déconsidérer, dénigrer, déshonorer, diffamer, discréditer.* ◆ **décri** n. m. Autref., acte public par lequel on annonçait la dépréciation de quelque chose, particulièrement d'une monnaie, ou par lequel on intimait une défense ou une prohibition.

décrire v. tr. (lat. *describere,* dessiner, dépeindre, représenter) [conj. **65**]. Représenter, dépeindre dans son ensemble par l'écriture ou par la parole : *Décrire un site.* || Tracer : *Décrire un cercle.* || Suivre dans son mouvement : *L'oiseau décrit une courbe avant de se poser.* || — SYN. : *peindre, rapporter, représenter, tracer.* ◆ **descripteur** n. m. Celui qui fait des descriptions. (Rare.) ◆ **descriptible** adj. Qui peut être décrit : *Scène à peine descriptible.* ◆ **descriptif, ive** adj. Qui a pour objet de décrire : *La poésie descriptive.* ◆ **description** n. f. Développement écrit ou parlé par lequel on décrit : *Faire la description d'un jardin. J'ai tout de suite reconnu votre ami à la description que vous m'en aviez faite.* || Tableau, état détaillé : *Description de la France.*

décrispation → DÉCRISPER.

décrisper v. tr. *Fam.* Rendre moins âpre, moins tendu le caractère d'une discussion, d'une négociation ; enlever le caractère agressif d'une situation quelconque. ◆ **décrispation** n. f. *Fam.* Action de décrisper.

décrochage, décrochement → DÉCROCHER.

décrocher v. tr. (de *croc*). Détacher un objet accroché : *Décrocher son manteau du* *portemanteau. Décrocher les wagons d'un train de marchandises.* ‖ *Fig.* et *fam.* Atteindre, obtenir : *Décrocher une récompense.* ✦ v. intr. Ne plus disposer d'une sustentation suffisante pour continuer à voler. (Syn. ÊTRE EN PERTE DE VITESSE.) [V. DÉCROCHAGE et DÉCROCHEMENT.] ‖ En parlant de deux alternateurs accouplés électriquement, avoir leur synchronisme rompu. ‖ En parlant également d'un moteur synchrone, s'arrêter par suite de surcharge. ‖ Rompre le contact avec l'ennemi : *La compagnie décrocha à la nuit.* ◆ **décrochage** n. m. Syn. de DÉCROCHEMENT (partic. dans le langage militaire). ‖ Diminution brusque de la portance d'un avion. ‖ Arrêt des oscillations d'un générateur. ‖ *Radiotechn.* Déréglage entraînant la disparition, à la réception, de l'émission que l'on avait fait apparaître par l'accrochage. ‖ Arrêt d'un moteur électrique synchrone, par suite d'une surcharge excessive. ‖ Rupture du synchronisme entre deux alternateurs accouplés électriquement. ‖ *Fig.* et *fam.* Rupture d'une liaison : *Abandonner sa maîtresse par un décrochage habile.* ● *Incidence de décrochage,* incidence de l'aile pour laquelle apparaît le décrochage. ◆ **décrochement** n. m. Action de décrocher, de se décrocher; résultat de cette action. ‖ Dans la maçonnerie d'un bâtiment, d'un ouvrage d'art, retrait de la surface verticale du parement, provoquant un angle rentrant dans la continuité de cette dernière : *Se dissimuler dans un décrochement du mur.* ‖ Sur un navire, endroit où un pont est arrêté par une cloison verticale, pour continuer ensuite à un niveau plus bas. ‖ *Géol.* Cassure le long de laquelle le terrain a été déplacé horizontalement. ◆ **décrochez-moi-ça** n. m. invar. *Pop.* Boutique de fripier : *S'habiller au décrochez-moi-ça.*

décroisement → DÉCROISER.

décroiser v. tr. Déplacer ce qui était croisé : *Décroiser deux bâtons. Décroiser les jambes.* ◆ **décroisement** n. m. Action de décroiser, de se décroiser; résultat de cette action. ● *Décroisement des abouts,* dans la construction navale métallique, répartition des tôles des virures effectuée de façon telle que les abouts de deux virures contiguës doivent être distants d'au moins deux intervalles de membrures et, en hauteur, séparés par deux virures intactes.

décroissance, décroissant, décroissement, décroît → DÉCROÎTRE.

décroître v. intr. (lat. vulg. **discrescere*; de *crescere,* croître) [conj. **60**, avec l'auxil. *avoir,* le plus souvent]. Diminuer progressivement : *Les jours décroissent. La rivière décroît;* et, au *fig. : Une popularité qui décroît.* ‖ — SYN. : *baisser, diminuer, se réduire.* ◆ **décroissance** n. f. Action de décroître. ‖ Etat de ce qui décroît : *La décroissance de la population, de la fièvre.* ● *Décroissance radio-active,* diminution exponentielle au cours du temps de l'activité d'un radio-élément, due à la disparition progressive de ses atomes. ◆ **décroissant, e** adj. Qui décroît, qui diminue : *Vitesse décroissante.* ‖ Se dit d'un phonème dont la tenue* s'accompagne d'une détente progressive de la tension articulatoire. ◆ **décroissement** n. m. Mouvement continu de ce qui décroît : *Le décroissement des jours, de la Lune, des forces.* ◆ **décroît** n. m. Période de décroissance apparente de la partie éclairée de la Lune. ◆ **décrue** n. f. Action des eaux qui s'abaissent. ‖ Quantité dont elles ont décru.

Decroly (Ovide), médecin et psychologue belge (Renaix 1871 - Uccle 1932). Il fonda, pour la psychologie pédagogique, une école à Uccle, où il étudia la lecture globale, les centres d'intérêt, etc. Sa pédagogie est centrée sur la notion d' « intérêt ». Les idées de Decroly ont inspiré, en Belgique, la réforme de l'enseignement (en 1936, puis en 1958). En France, une école expérimentale est destinée (depuis 1945) à préparer l'ouverture d'autres établissements du même genre. On doit à Decroly : *Faits de psychologie individuelle et de psychologie expérimentale* (1908), *Fonction de globalisation* (1923), *Evolution de l'affectivité* (1927), *Développement du langage* (1930).

décrottage → DÉCROTTER.

décrotter v. tr. Ôter la crotte, la boue de : *Décrotter ses chaussures.* ‖ Enlever le plâtre ou le mortier qui couvre des matériaux de démolition afin de pouvoir les employer à nouveau. ● *Décrotter quelqu'un* (Fig. et fam.), le dépouiller de sa rusticité, de son ignorance; le façonner, le polir. ◆ **décrottage** n. m. Action de décrotter. ◆ **décrotteur, euse** n. Personne dont le métier est de décrotter et de cirer les chaussures. ‖ Machine utilisée surtout en sucrerie, pour éliminer la terre adhérant aux betteraves, par lavage et brassage. ◆ **décrottoir** n. m. Lame de fer horizontale, fixée au mur extérieur d'une maison, pour permettre de gratter la boue des semelles.

décroûter v. tr. Enlever la gangue minérale du diamant brut.

décrue → DÉCROÎTRE.

décruer v. tr., **décrusage** n. m. V. DÉCREUSER.

décryptement → DÉCRYPTER.

décrypter v. tr. (du gr. *kruptos,* caché). Découvrir le sens clair d'un message chiffré sans connaître la clef ou convention ayant servi à le chiffrer. (Cette opération difficile se distingue du *déchiffrement,* où la transcription se fait grâce à la connaissance du code.) ◆ **décryptement** n. m. Action de décrypter. ◆ **décrypteur** n. Personne qui s'occupe de décrypter un texte.

dectique n. m. Grande sauterelle du Midi.

déçu → DÉCEVOIR.

décubitus [tys] n. m. (lat. *decubare,* être couché). Station couchée, attitude de repos de l'homme ou d'un animal, assurant l'équilibre avec le minimum de dépense musculaire.

décuirassement n. m. Enlèvement de la cuirasse garnissant les flancs d'un navire.

décuire v. tr. Corriger l'excès de la cuisson de sirops ou de confitures en y ajoutant de l'eau afin de les rendre plus fluides.

décuivrage → DÉCUIVRER.

décuivrer v. tr. Enlever le cuivrage. ◆ **décuivrage** n. m. Action de décuivrer une pièce métallique par dissolution chimique ou électrolytique (anodique).

de cujus [dekyʒys] n. (premiers mots de la loc. juridique lat. *de cujus bonis agitur,* celui ou celle des biens de qui il s'agit). Le défunt dont on répartit la succession entre les héritiers.

déculassement → DÉCULASSER.

déculasser v. tr. Ôter la culasse d'une arme à feu : *Déculasser un fusil.* ◆ **déculassement** n. m. Action de déculasser. ‖ Arrachage accidentel de la culasse d'un canon, au cours du tir.

déculottée → DÉCULOTTER.

déculotter v. tr. Ôter la culotte ou le pantalon de : *Déculotter un enfant.* ● *Déculotter une pipe* (Fam.), en retirer le dépôt formé dans le foyer. ◆ **déculottée** n. f. *Pop.* Sévère défaite, particulièrement à un jeu.

déculpabiliser v. tr. Supprimer tout sentiment de culpabilité.

decumanus [dekymanys] n. m. (mot lat.). Voie ouest-est tracée dans les villes romaines et qui croisait le *cardo* au forum. (C'était également l'un des axes du camp romain.)

Décumates ou **Décumans** (CHAMPS), territoire situé entre la rive droite du Rhin et le Danube, et annexé à l'Empire romain sous les Flaviens (Ier s. apr. J.-C.).

décuple adj. et n. m. (lat. *decuplus;* de *decem,* dix). Qui a dix fois une grandeur, une valeur déterminée : *Vingt est décuple de deux. Cent est décuple de dix.* ◆ **décuplement** n. m. Action de décupler. ◆ **décupler** v. tr. Porter au décuple une valeur déterminée : *Il a décuplé son bien.* ‖ *Fig.* Augmenter considérablement : *La colère décuplait ses forces.* ✦ v. intr. S'accroître considérablement : *Fortune qui décuple.*

décurie n. f. (lat. *decuria;* de *decem,* dix). A Rome, division de la centurie groupant dix soldats. ◆ **décurion** n. m. Chef d'une décurie. ‖ Dans les provinces, membre d'une assemblée municipale. ◆ **décurional, e, aux** adj. Relatif au décurion ou au décurionat. ◆ **décurionat** n. m. Dignité et fonction du décurion.

décurrent, e adj. (lat. *decurrere,* se prolonger). Se dit des organes végétaux (par ex. des lamelles des champignons) qui se prolongent au-dessous du point d'insertion.

décuscutage n. m. Elimination de la cuscute dans les luzernières ou des graines de cuscute dans les graines fourragères. ◆ **décuscuter** v. tr. Pratiquer le décuscutage. ◆ **décuscuteuse** n. f. Trieur destiné à débarrasser les graines fourragères des graines de cuscute.

décussation n. f. (du lat. *decussare,* croiser). *Anat.* Croisement en forme de X. ● *Décussation pyramidale,* croisement des voies nerveuses motrices (faisceaux pyramidaux croisés) à la partie inférieure du bulbe. (Ce croisement explique que la motricité de la partie droite du corps soit commandée par l'hémisphère cérébral gauche, et *vice versa.*)

décussé, e adj. (du lat. *decussatus,* croisé). *Bot.* Se dit d'organes superposés placés à angle droit l'un de l'autre, tels que les paires de feuilles des labiacées et des caryophyllacées.

décuvage n. m. ou **décuvaison** n. f. Action de retirer le vin de la cuve après fermentation, en le soutirant grâce à un robinet placé au bas de la cuve. ◆ **décuver** v. tr. Effectuer le décuvage.

décycliser v. tr. Transformer un composé organique cyclique en composé acyclique.

décylène n. m. Nom générique des hydrocarbures éthyléniques $C_{10}H_{20}$. (Syn. DÉCÈNE.)

décylique adj. Se dit d'un alcool saturé dont la formule contient dix atomes de carbone.

dédaignable → DÉDAIGNER.

dédaigner v. tr. (lat. *dedignari;* de *dignus,* digne). Faire peu ou point de cas; considérer ou traiter avec dédain : *Dédaigner les sots. Dédaigner les injures. Dédaigner les humbles.* ‖ Négliger comme indigne de soi : *Dédaigner les honneurs. Dédaigner de répondre.* ◆ **dédaignable** adj. Qui est susceptible ou qui mérite d'être dédaigné. ◆ **dédaigneusement** adv. De façon dédaigneuse : *Répondre dédaigneusement.* ◆ **dédaigneux, euse** adj. et n. Qui éprouve du dédain : *Les ignorants sont souvent dédaigneux. Faire le dédaigneux.* ‖ Qui marque le dédain : *Regard dédaigneux.* ‖ — SYN. : *fier, hautain, méprisant.* ● *Dédaigneux de,* qui dédaigne : *Etre dédaigneux des décorations.* ◆ **dédain** n. m. Mépris orgueilleux exprimé par l'attitude, le ton, les manières : *Traiter quelqu'un avec dédain.* ● *Prendre en dédain,* mépriser.

dédale n. m. (de *Dédale* n. pr.). Lieu où l'on peut s'égarer; labyrinthe : *Le dédale des rues.* ‖ Circuit compliqué : *Le dédale du conduit auditif.* ‖ *Fig.* Chose compliquée, inextricable, rendue inexplicable par ruse ou ingéniosité : *Le dédale des lois. Le dédale d'une intrigue comique.* ◆ **dédaléen, enne** adj. Construit par Dédale : *Diodore de Sicile donne à quelques grands ouvrages de la Sardaigne le qualificatif de « dédaléens ».*

Alinari - Giraudon

Dédale et Icare
bas-relief romain
villa Albani, Rome

Dédale, en gr. **Daidalos,** héros mythologique de Crète et d'Attique, auquel les Grecs attribuaient toutes les inventions de l'art et de l'industrie primitifs. Minos lui fit exécuter une série d'œuvres, entre autres le Labyrinthe*. Il y fut enfermé avec son fils Icare*, pour avoir favorisé l'amour de Pasiphaé* pour le taureau sacré. Il s'échappa en se faisant des ailes de plumes.

dédaléen → DÉDALE.

dedans adv. A l'intérieur : *Fermer la porte et laisser la clef dedans.* ● *Avoir vent dedans,* en parlant d'une voile, recevoir le vent dans sa partie postérieure. ‖ *Etre dedans,* à la belote, en parlant du joueur qui a fixé l'atout, totaliser moins de points que l'adversaire. ‖ *Etre bien dedans,* en parlant des chiens de la meute, suivre la voie de la bête sans s'en écarter. ‖ *Mettre dedans,* en parlant d'un oiseau, faire sa première prise en liberté; au jacquet, placer une dame sur une flèche inoccupée; et, *fam. :* tromper, attraper : *Mettre dedans un acheteur.* ● LOC. ADV. *En dedans, par-dedans,* à l'intérieur, du côté intérieur : *Tube noirci en dedans.* — Vers le côté intérieur : *Marcher les pieds en dedans.* — *Fig.* Dans l'âme : *Garder sa rancune en dedans.* ‖ *Etre en dedans,* pour un danseur, avoir une conformation défectueuse des genoux et des pieds, insuffisamment ouverts, ce qui constitue pour lui un très grave handicap. ● LOC. PRÉP. *En dedans de, au-dedans de,* à l'intérieur, du côté intérieur de. ‖ *Etre en dedans de son action,* en sports, ne pas employer tous ses moyens. ‖ *Etre en dedans d'un cap, d'une île,* pour un navire, se trouver moins avancé au large que ce cap ou cette île. ✦ n. m. Partie intérieure : *Le dedans d'une maison, d'un fruit.* ‖ Partie située du côté du corps ou d'un objet principal : *Le dedans du pied.* ‖ Graisse déposée autour des viscères des animaux de boucherie. ‖ Côté sur lequel le cheval tourne : *Rêne du dedans.* ‖ Côté sur lequel tourne un patineur en penchant son corps vers le centre de la courbe. ● *Avantage dedans,* au tennis, avantage au serveur.

dédicace, dédicacer, dédicataire, dédicatoire → DÉDIER.

dédier v. tr. (lat. *dedicare,* consacrer, dédier). Consacrer au culte sous une invocation spéciale : *Dédier un autel à la Vierge.* ‖ Mettre un livre, une œuvre d'art sous le patronage de quelqu'un; le lui offrir en hommage : *Dédier un livre à son maître.* ‖ *Fig.* Faire hommage de, destiner : *Dédier une pensée, un souvenir à quelqu'un.* ◆ **dédicace** n. f. Consécration d'un édifice destiné au culte : *La dédicace d'une église.* ‖ Fête annuelle en mémoire de la consécration d'une église : *La dédicace de Saint-Pierre de Rome.* ‖ Fête instituée chez les Juifs en mémoire de la troisième dédicace du Temple par Judas Maccabée, en 165 av. J.-C. ‖ Hommage qu'un auteur fait de son œuvre à quelqu'un en la lui dédiant par une mention imprimée en tête du livre. ‖ Formule qu'un auteur inscrit sur un exemplaire de son ouvrage qu'il adresse à quelqu'un. (On dit parfois ENVOI, dans ce sens.) ◆ **dédicacer** v. tr. (conj. **1**). Pourvoir d'une dédicace; adresser avec une dédicace : *Dédicacer un livre à un ami.* ◆ **dédicataire** n. Personne à qui un ouvrage est dédié. ◆ **dédicatoire** adj. Qui contient la dédicace; relatif à la dédicace : *Inscription dédicatoire.*

dédifférenciation n. f. Perte totale ou partielle, par une cellule ou un tissu, de leurs caractères particuliers, résultant de la différenciation* qui accompagne l'ontogenèse.

dédire (se) v. pr. (de *dire*) [conj. **68**, sauf à la 2e pers. du plur. de l'ind. (*Vous vous dédisez*) et à l'impér. (*Dédisez-vous*)]. Désavouer ce qu'on avait dit; revenir sur une promesse. ● *Cochon qui s'en dédie* (Fam.), formule par laquelle on s'engage à ne pas se dédire. ‖ — SYN. : *se rétracter, se raviser, revenir sur.* ◆ **dédit** n. m. Action de se dédire. ‖ Refus d'exécuter les clauses d'une convention. ‖ Somme à payer ou peine à encourir, prévue au moment de la conclusion du contrat, que la personne qui se dédie ou qui refuse d'exécuter les clauses du contrat est tenue de payer ou d'encourir.

dé-doc n. m. Autref., chef militaire des troupes d'une province, au Tonkin.

De Dominis (Marco Antonio), théologien et savant dalmate (île de Rab [auj. en Yougoslavie] 1560 ou 1566 - Rome 1624). Archevêque de Spalato (auj. Split), il abjura la foi catholique. Son ouvrage *De republica ecclesiastica* (1617) présentait la papauté comme une institution purement humaine.

dédommagement → DÉDOMMAGER.

dédommager v. tr. (de *dommage*) [conj. **1**]. Donner une compensation en réparation d'une perte ou d'un dommage subis : *Dédommager quelqu'un des tracas qu'on lui a causés. Il s'est habilement dédommagé des pertes subies.* ◆ **dédommagement** n. m. Réparation d'un dommage : *Demander une indemnité à titre de dédommagement.* ‖ *Fig.* Compensation, consolation : *Trouver un dédommagement à son malheur dans l'amitié.*

dédorage → DÉDORER.

dédorer v. tr. (de *dorer*). Ôter la dorure de : *Dédorer un cadre.* ◆ **dédorage** n. m. ou **dédorure** n. f. Action de dédorer : *Le dédorage d'un cadre.*

dédotalisation → DÉDOTALISER.

dédotaliser v. tr. Dépouiller un bien de son caractère de dot. ◆ **dédotalisation** n. f. Action de dédotaliser.

dédouanage ou **dédouanement** → DÉDOUANER.

dédouaner v. tr. Faire sortir de l'entrepôt de la douane en acquittant les droits. ‖ Enlever le plomb dont l'administration des douanes a marqué un ballot : *Dédouaner un colis venant de l'étranger.* ‖ *Fig.* Relever quelqu'un du discrédit dans lequel il était tombé. ‖ — ***se dédouaner*** v. pr. *Fig.* Agir de manière à faire oublier un passé répréhensible. ◆ **dédouanage** ou **dédouanement** n. m. Action de dédouaner ; résultat de cette action.

dédoublage, dédoublante, dédoublement → DÉDOUBLER.

dédoubler v. tr. (de *double*). Partager en deux : *Dédoubler les classes de plus de trente-cinq élèves.* ‖ Dégarnir de sa doublure : *Dédoubler un habit.* ‖ Distinguer, à l'aide d'un instrument d'optique, les parties d'un objet qui paraît ponctuel à l'œil nu : *Dédoubler une étoile.* ‖ Séparer les couches distinctes d'une gemme. ● *Dédoubler un train,* mettre en marche un train ayant le même horaire que le précédent, mais avancé ou retardé sur ce dernier d'un même temps tout le long de son trajet. ‖ — ***se dédoubler*** v. pr. Dédoubler sa personnalité ; se partager en deux : *Il faudrait pouvoir se dédoubler pour arriver à faire tout ce travail.* ◆ **dédoublage** n. m. Action de dédoubler. ◆ **dédoublante** n. f. Syn. de RATTRAPANTE. ◆ **dédoublement** n. m. Action de dédoubler : *Le dédoublement d'une classe.* ‖ Objet provenant d'un dédoublement. ‖ Anomalie présentée par les fleurs « doubles », c'est-à-dire ayant au moins deux fois plus de pétales que le type de leur espèce. ● *Dédoublement de la personnalité,* trouble traduisant l'atteinte de l'unité de la personnalité. (La dissociation de la personnalité peut être limitée et fragmentaire [phénomène d'automatisme mental], ou profonde et totale ; le sujet se comporte alors comme deux êtres différents et successifs [« états seconds » de l'épilepsie]. Enfin, le trouble peut consister en la projection au-dehors de l'image du corps [vision du double ou héautoscopie].) ‖ *Voie de dédoublement,* voie ferrée parallèle à une voie unique et reliée à cette dernière par un aiguillage à chacune de ses extrémités. ◆ **dédoubleur** n. m. Scie à ruban, permettant de dédoubler des pièces avivées et des dosses. ◆ **dédoublure** n. f. *Métall.* Syn. de DOUBLURE.

dédramatiser v. tr. Retirer à un fait son caractère de drame, de crise aiguë : *Dédramatiser un problème monétaire, une négociation politique.*

Dedreux (Alfred), dit **de Dreux,** peintre français (Paris 1808 - *id.* 1860), auteur de nombreux tableaux élégants représentant presque toujours des cavaliers (*le Duc d'Orléans,* musée de Bordeaux).

déductible, déductif, déduction → DÉDUIRE.

déduire v. tr. (lat. *deducere,* tirer de, extraire, détourner). Soustraire, retrancher d'une somme ce qui a été versé ou payé : *Déduire d'une dette les acomptes payés.* ‖ Passer d'une ou de plusieurs propositions considérées en elles-mêmes à une proposition qui en est la conséquence nécessaire : *Quelle conclusion déduisez-vous de ce raisonnement?* ‖ Former un jugement à partir de certaines constatations : *Je déduis de son silence qu'il n'a pas reçu ma lettre.* ◆ **déductible** adj. Qui peut être déduit : *Somme déductible du montant imposable.* ◆ **déductif, ive** adj. *Log.* Qui tient à la déduction : *Système déductif.* ◆ **déduction** n. f. Soustraction méthodique : *Faire déduction des sommes payées d'avance.* ‖ Raisonnement qui va du général au particulier, du principe à la conséquence. (La déduction s'oppose à l'*induction,* qui va du particulier au général, des faits aux lois. On distingue la *déduction logique,* qui est rigoureuse mais stérile [le syllogisme], la *déduction transcendantale,* qui, chez Kant, déduit, par la réflexion, la valeur et les limites de ce que nous pouvons connaître d'une manière purement rationnelle, et la *déduction mathématique* ou *constructive* [Goblot], qui allie la rigueur de la déduction logique à la fécondité de l'induction [tout raisonnement mathématique est à la fois rigoureux et constructif].) ‖ Conséquence tirée d'un raisonnement : *Une déduction imprudente.*

Dee, fl. de Grande-Bretagne, dans le nord du pays de Galles ; 113 km. — Fl. du nord de l'Ecosse, qui se jette à Aberdeen dans la mer du Nord ; 140 km.

deerhound [diraund] n. m. (mot angl.). Lévrier écossais à poil long, épais, rude et hérissé.

Deerlijk, comm. de Belgique (Flandre-Occidentale, arr. et à 8 km au N.-E. de Courtrai); 9 400 h. Industries textiles.

déesse n. f. (du lat. *dea,* fém. de *deus,* dieu). Divinité du sexe féminin. ‖ Etre abstrait (dont le nom est féminin), que l'on personnifie à la manière des divinités du paganisme : *La déesse de la Vérité.* ‖ Femme d'un port très noble et d'une grande beauté. ● *Déesses mères,* celles qui présidaient à la génération et à la fécondité, comme Cybèle, Rhéa, Déméter, Isis, etc. ‖ *Grandes déesses,* celles qui étaient classées parmi les dieux d'un ordre supérieur, à savoir : Héra, Athéna, Déméter, Artémis, Aphrodite. ‖ *La Bonne Déesse,* Cybèle.

de facto loc. adv. (mots lat. signif. *sur le fait* ou *de fait*). Se dit de la reconnaissance d'un fait par son existence même. (La reconnaissance *de facto* d'un Etat n'entraîne que des relations économiques et commerciales, mais pas de relations diplomatiques.) [S'oppose à *de jure.*]

défaillance, défaillant → DÉFAILLIR.

défaillir v. intr. (de *faillir*) [conj. **11**]. Perdre ses forces, s'affaiblir; tomber en défaillance : *Etre prêt à défaillir.* ‖ *Fig.* Perdre momentanément son énergie morale : *Sentir sa volonté défaillir.* ‖ — SYN. : *s'évanouir, faiblir.* ◆ **défaillance** n. f. Faiblesse momentanée; évanouissement : *Tomber en défaillance.* ‖ *Fig.* Perte brusque et temporaire d'énergie morale : *Une défaillance l'envahit : elle se mit à pleurer. Une subite défaillance de mémoire ne lui permettait pas de retrouver ce nom.* ‖ Absence soudaine de fonctionnement normal : *L'accident paraît dû à une défaillance du système de sécurité.* ‖ Non-exécution, au terme fixé, d'une obligation ou d'une clause de l'obligation. ◆ **défaillant, e** adj. et n. Qui fait défaut; qui manque : *A la place de la branche aînée défaillante, la branche cadette occupa le trône. Les candidats défaillants ne pourront se présenter à la seconde session que s'ils produisent un certificat médical.* ✦ adj. Qui s'affaiblit, manque de forces : *Mémoire défaillante.* ‖ *Fig.* Qui manque de force morale : *Armée défaillante.*

défaire v. tr. (de *faire*) [conj. **72**]. Ramener à un état antérieur (en détruisant ce qui avait été fait) : *Défaire un nœud.* ‖ Détacher, dénouer les pièces d'un vêtement : *Défaire sa cravate, ses souliers.* ‖ Affaiblir : *La maladie l'a bien défait.* ‖ Mettre en déroute : *Défaire l'ennemi.* ‖ — SYN. : *démolir, déranger, détruire.* ● *Défaire de,* débarrasser d'une personne ou d'une chose qui gêne : *Défaire quelqu'un d'un importun, un enfant d'une mauvaise habitude.* ‖ **— se défaire** v. pr. Se débarrasser : *Se défaire d'un gêneur.* ‖ Vendre comme pour se débarrasser : *Se défaire d'une voiture.* ◆ **défaisable** [fə] adj. Qui peut être défait. ◆ **défaiseur, euse** n. Personne qui défait : *Défaiseur de ministères.* ◆ **défait, e** adj. Amaigri, décomposé : *Une mine défaite.*

défaite n. f. Perte d'une bataille : *La défaite de Sedan;* et, au *fig. : Ce vote a marqué la défaite de l'opposition.* ◆ **défaitisme** n. m. Opinion et politique de ceux qui ne croient pas à la victoire, ou qui estiment la défaite moins onéreuse que la continuation de la guerre. ‖ Manque de confiance en soi. ◆ **défaitiste** n. et adj. Qui ne croit pas à la victoire de son pays dans une guerre ou dans une entreprise où celui-ci s'est engagé. (S'emploie d'ordinaire péjorativement.) ‖ Pessimiste. ✦ adj. Qui manifeste la crainte de la défaite, ou qui est de nature à la susciter chez les autres : *Propos défaitistes. Rapport défaitiste.*

défalcation → DÉFALQUER.

défalquer v. tr. (lat. médiév. *defalcare,* trancher avec la faux). Retrancher, déduire d'une somme, d'une quantité : *Défalquer les acomptes.* ◆ **défalcation** n. f. Déduction faite sur une somme ou sur une quantité de marchandises.

défarder v. tr. Ôter le fard de : *Défarder son visage.*

défaufilage → DÉFAUFILER.

défaufiler v. tr. Enlever les fils d'un vêtement faufilé : *Défaufiler un ourlet.* ◆ **défaufilage** n. m. Action de démonter une faufilure, après essayage et piquage des coutures : *Défaufilage d'une robe, d'un corsage.*

défausse → DÉFAUSSER.

défausser v. tr. Redresser : *Défausser une tringle.* ‖ **— se défausser** v. pr. Dans certains jeux de cartes, jeter les cartes qu'on juge inutiles, sans valeur ou dangereuses. ◆ **défausse** n. f. Action de se séparer des cartes que l'on trouve inutiles : *La défausse demande une connaissance aussi exacte que possible des cartes de l'adversaire.* ‖ Carte dont on se défait ainsi.

défaut n. m. (déverbal de *défaillir*). Manque, absence : *Défaut de mémoire. Le défaut d'exercice est nuisible.* ‖ Fin, endroit où un objet se termine : *Etre frappé au défaut des côtes.* ‖ Insuffisance de la quantité d'une chose : *Pécher par excès et par défaut.* ‖ Imperfection matérielle, corporelle : *Drap, diamant qui a un léger défaut. C'est un défaut dans un cheval qu'un ventre gros.* ‖ Imperfection morale : *Un homme qui a beaucoup de défauts.* ‖ Imperfection par rapport aux règles de l'art, du goût, etc. : *Critiquer un poème, un tableau, en soulignant ses défauts.* ‖ Partie vicieuse que l'on rencontre dans les matériaux de construction. ‖ Défectuosité produite dans les pièces métalliques au cours de leur élaboration ou de leur transformation mécanique. ‖ Vice de caractère ou irrégularité de proportions d'un animal. (On dit aussi DÉFECTUOSITÉ.) ‖ Fait, pour un plaideur, soit de ne pas constituer avoué (*défaut faute de comparaître**), soit de s'abstenir, après avoir constitué avoué, de déposer des conclusions en refusant par conséquent d'engager le débat (*défaut faute de conclure**). ‖ — SYN. : *faute, manque, privation; défectuosité, imperfection, travers, vice.* ● *Défaut de masse,* différence entre la somme des masses des particules constitutives d'un atome et la masse de cet atome. (Cette différence représente l'énergie de formation de l'atome à partir de ses éléments, d'après la formule d'équivalence de la masse et de l'énergie.) ‖ *En défaut,* se dit, en vénerie, des chiens quand ils ont perdu la voie. ‖ *Etre en défaut,* commettre une infraction à une règle, à un ordre : *Surveillants en défaut.* ‖ *Faire défaut,* manquer : *Le temps nous a fait défaut.* — Ne pas comparaître. ‖ *Mettre en défaut,* tromper, surprendre, faire commettre une erreur à : *Les cambrioleurs ont mis en défaut les gardiens.* ‖ *Relever un défaut,* en vénerie, retrouver la voie, relancer l'animal. ● LOC. PRÉP. *A défaut de,* à la place de; faute de : *A défaut d'une chambre luxueuse, on lui offrit un lit confortable.* ◆ **défaut-congé** n. m. *Procéd.* Défaut du demandeur qui se refuse à conclure. — Pl. *des* DÉFAUTS-CONGÉS.

défaveur, défavorable, défavorablement → DÉFAVORISER.

défavoriser v. tr. Désavantager; priver quelqu'un de ce qui pourrait l'aider : *Le soleil défavorisa les joueurs.* ◆ **défaveur** n. f. Fait de cesser d'être bien vu des autres; discrédit; état de ce qui n'est plus en faveur : *Un auteur tombé en défaveur.* ‖ — SYN. : *décri, discrédit, disgrâce.* ◆ **défavorable** adj. Qui n'a pas de bons sentiments à l'égard de quelqu'un : *Examinateur, juge défavorable.* ‖ Qui n'est pas favorable; opposé, nuisible : *Opinion défavorable. Mesure défavorable aux intérêts de quelqu'un.* ◆ **défavorablement** adv. De façon défavorable.

défécateur → DÉFÉCATION.

défécation n. f. (lat. *de,* préf. priv., et de *faex, faecis,* lie). Expulsion des matières fécales. (La défécation est la conséquence d'un réflexe dont le point de départ est la distension du rectum par l'accumulation des matières.) ‖ Séparation du sédiment en suspension dans un liquide, par le simple effet du repos. ‖ En sucrerie, opération qui consiste à laisser se déposer le précipité qui se forme lors du chaulage et de la carbonation des jus sucrés. ‖ En cidrerie, coagulation des matières pectiques du moût de pommes, en vue d'obtenir un jus limpide. ◆ **défécateur** n. m. *Industr.* Appareil pour opérer une défécation. ◆ **déféquer** v. tr. (conj. **5**). Opérer la défécation de.

défectif → DÉFECTION.

défection n. f. (lat. *defectio,* révolte, manque, défaillance). Action d'abandonner un parti, une cause : *La défection d'un allié.* ‖ Action de se retirer, de ne pas se rendre à une invitation : *De nombreux invités firent défection.* ◆ **défectif, ive** adj. et n. m. Se dit d'un verbe qui n'a pas tous ses temps, tous ses modes ou toutes ses personnes. (Ainsi, en français, les verbes *faillir, gésir, traire,* etc., sont des verbes défectifs.) ‖ Se dit d'un mot déclinable qui n'a pas tous ses cas, ses genres ou ses nombres.

défectoscope, défectueusement → DÉFECTUEUX.

défectueux, euse adj. (lat. médiév. *defectuosus;* de *deficere,* faire défaut). Qui manque des qualités requises; qui a certaines imperfections : *Loi défectueuse. Organisation défectueuse.* ◆ **défectoscope** n. m. Appareil destiné à déceler les défectuosités dans les rails de chemin de fer : variation de la nature du métal, présence d'impuretés, fissures, etc. ◆ **défectueusement** adv. De façon défectueuse : *Phrases défectueusement construites.* ◆ **défectuosité** n. f. Etat défectueux; imperfection : *La défectuosité d'un plan. Etoffe pleine de défectuosités.* ‖ — SYN. : *défaut, imperfection, vice.*

déféminiser v. tr. Dépouiller de la nature, des allures, des habitudes féminines : *La pratique de certains sports déféminise parfois l'allure d'une femme.*

défend, défendable, défendeur → DÉFENDRE.

défendre v. tr. (lat. *defendere,* repousser, protéger) [conj. **46**]. Protéger; apporter son soutien à : *Défendre son honneur. Défendre sa propre cause avec talent. Défendre une opinion.* ‖ Plaider en faveur d'un accusé. ‖ Protéger en garantissant : *Une batterie défend l'entrée du port. Montagne qui défend une maison du vent du nord.* ‖ Ecarter comme nuisible; interdire : *Défendre le vin à un malade.* ‖ Empêcher, interdire légitimement ou illégitimement : *Une loi qui défend le cumul des retraites.* ● *A son corps défendant,* à contrecœur : *Prendre des sanctions à son corps défendant.* ‖ *Faire défendre sa porte,* en interdire l'entrée. ‖ **— se défendre** v. pr. Repousser une attaque, une force hostile, une accusation : *Se défendre du froid, du chaud. Se défendre d'avoir commis un vol.* ‖ S'empêcher de : *Il ne peut se défendre d'un mouvement d'effroi.* ‖ Etre soutenu, être plausible : *Cette opinion peut se défendre. Cela se défend.* ‖ En parlant d'un cheval, se refuser à exécuter un mouvement demandé. ‖ *Pop.* Etre habile en quelque chose : *Se défendre en affaires.* ● *Se défendre à la lame,* en parlant d'une embarcation, s'élever bien à la vague et embarquer peu de paquets de mer. ‖ — REM. Après *défendre que* ou *défendre de* (suivi d'un infin.), on n'emploie pas la négation *ne : Il défendit qu'aucun étranger entrât dans sa chambre.* ◆ **défendable** adj. Qui peut être défendu : *Opinion défendable.* ◆ **défendeur, eresse** n. Personne contre laquelle est intentée une action en justice. (En appel, le défendeur prend le nom d'*intimé.*) ◆ **défendu,** e adj. Interdit. ● *Côte, port bien défendu,* côte, port bien abrité des effets du vent ou de la mer. ‖ *Navire bien défendu,* navire auquel ses formes permettent de bien s'élever à la lame.

◆ **défend, défends** ou **défens** n. m. Interdiction du pacage dans un bois. ‖ Interdiction faite au propriétaire d'un bois d'y faire une coupe. ◆ **défensable** adj. Se dit d'un bois où le pâturage peut être autorisé, car les arbres y sont suffisamment forts. ◆ **défense** n. f. Action de défendre ou de se défendre : *Travailler à la défense des libertés démocratiques.* ‖ Action de préserver, de mettre à l'abri : *Mettre une ville en état de défense.* ‖ Moyens de se défendre (au *pr.* et au *fig.*) : *Ville sans défense. Une personne sans défense.* ‖ Action d'interdire par autorité légitime ou illégitime, par violence : *Défense d'afficher.* ‖ La partie qui se défend dans un procès. ‖ Exposition des moyens juridiques que le défendeur ou son avocat opposent à la demande ou à l'accusation pour démontrer que l'affaire est mal fondée. ‖ Ensemble des manœuvres d'un poisson cherchant à se libérer de l'hameçon. ‖ En sports, action de s'opposer aux offensives de l'adversaire. ‖ *Par extens.* Ensemble des joueurs qui participent à cette action. ‖ Corde de sûreté à laquelle s'attache le couvreur. ‖ Tampon de cordages qu'on met le long du bord pour protéger la coque du ragage contre un quai ou contre un navire accosté. ‖ — SYN. : *interdiction, interdit, prohibition, protection, sauvegarde.* ● *Angle de défense,* dans le tracé bastionné, angle formé par les flancs et le prolongement des faces du bastion. ‖ *Comité, Conseil de défense,* v. COMITÉ, CONSEIL. ‖ *Corps de défense,* corps mis sur pied au profit d'un grand service de l'Etat et composé « d'affectés de défense ». (Le premier de ces corps, celui de la protection civile, a été créé en 1972.) ‖ *Défense aérienne,* ensemble des moyens et des mesures civiles et militaires concourant à la protection de l'espace aérien national. (Réorganisée en 1975, elle constitue un des grands commandements de l'armée de l'air.) ‖ *Défense antiaérienne,* v. ANTIAÉRIEN. ‖ *Défense d'un caniveau,* différence de hauteur verticale existant entre le fond d'un caniveau et son bord longitudinal. ‖ *Défense civile,* ensemble des mesures de défense préparées et mises en œuvre par le ministre de l'Intérieur, et relatives à l'ordre public, à la protection matérielle des personnes et à la sauvegarde des installations et des ressources d'intérêt général. ‖ *Défense nationale* ou, simplem., *défense,* ensemble des mesures et des actions de tous ordres (politiques, militaires, économiques, administratives, etc.) ayant pour objet d'assurer en tout temps, en toutes circonstances et contre toutes les formes d'agression, la sécurité et l'intégrité du territoire, ainsi que la vie de la population. (Le domaine de la défense nationale n'est plus, comme autrefois, du seul ressort des armées. L'ordonnance du 7 janv. 1959, « portant organisation générale de la défense », a prévu que le Premier ministre exerce la direction générale et la direction militaire de la défense. Chaque ministre est responsable de la préparation et de l'exécution des mesures de la défense incombant à son département ; sauf le ministre des Armées, il est assisté d'un *haut fonctionnaire chargé des mesures de défense,* désigné à cet effet.) ‖ *Par extens.* Les organismes chargés de cette mission. ‖ *Défense opérationnelle du territoire,* v. TERRITOIRE. ‖ *Défense passive,* protection des populations civiles contre les attaques aériennes. (V. PROTECTION *civile.*) ‖ *Droits de la défense,* droits assurant la protection de l'inculpé au cours d'une procédure pénale (droit de choisir un avocat, de communiquer librement avec celui-ci, de n'être entendu qu'en sa présence, etc.). ‖ *Jouer la défense,* en sports, s'en tenir à des actions défensives. ‖ *Légitime défense,* fait justificatif d'un crime ou d'un délit, commandé par la nécessité actuelle de la défense de soi-même ou d'autrui. (Une présomption de légitime défense est établie en faveur du prévenu qui s'est défendu contre une attaque de nuit avec escalade ou effraction de clôture, ou contre une attaque faite avec violence par des voleurs ou des pillards.) ‖ *Prendre, embrasser la défense de,* protéger, prendre parti pour. ‖ *Région de défense,* v. RÉGION. ‖ *Se mettre en défense, en état de défense,* se préparer à résister, à repousser une attaque : *Devant l'attitude menaçante du visiteur, il se mit en défense.* ‖ *Service de défense,* v. SERVICE. ‖ *Zone de défense,* v. ZONE. ‖ — **défenses** n. f. pl. Ensemble des organisations défensives destinées à protéger une place : *En 1941, la Wehrmacht ne put emporter les défenses de Moscou.* ‖ Organes servant aux êtres vivants à se défendre. (Dans les espèces sociales de mammifères, les organes de défense sont plus développés chez les mâles.) [V. *encycl.*] ‖

Dragesco - Atlas-Photo

Très grandes incisives supérieures des éléphants faisant saillie vers l'avant. ‖ Ensemble des dispositifs protégeant une serrure contre

Ch. Sappa

immeubles du quartier de la **Défense**

l'utilisation d'une clef autre que la sienne ou d'outils de crochetage. ‖ Jugement qui défend de passer outre à l'exécution : *Signifier défenses et arrêts.* ● *Conclusions en défenses,* acte par lequel l'avoué du défendeur fait connaître à l'avoué du demandeur les moyens et arguments qu'il oppose à l'action de celui-ci. ‖ *Défenses accessoires,* obstacles artificiels (réseaux de fil de fer, abattis, chevaux de frise, etc.), battus par le feu des défenseurs pour empêcher l'adversaire d'approcher ses positions. ◆ **défenseur** n. m. Celui qui défend : *Se faire le défenseur des nobles causes.* ‖ Personne (généralement un avocat) chargée de défendre un accusé. ● *Défenseur de la foi,* titre décerné par Léon X à Henri VIII d'Angleterre lorsqu'il s'opposa à Luther. (Bien que retiré ultérieurement, ce titre est resté attaché à la couronne d'Angleterre.) ‖ — REM. *Défenseur* se dit d'une femme comme d'un homme. ◆ **défensif, ive** adj. Destiné, propre à la défense : *Pacte défensif. Armement défensif.* ● *Arme défensive,* arme propre à protéger contre les coups de l'ennemi ; et, au *fig.*, moyen de protection : *L'ironie est une arme à la fois défensive et offensive.* ‖ **— défensive** n. f. Attitude de celui qui se borne à se défendre, à parer une attaque (au *pr.* et au *fig.*) : *Etre, se tenir sur la défensive.* ‖ Acte par lequel une troupe s'organise sur un terrain choisi, en vue de faire échec aux assauts de l'ennemi. ‖ Attitude adoptée par le commandement sur le plan stratégique ou tactique, et qui, se limitant à parer les entreprises de l'adversaire, revient à lui abandonner provisoirement l'initiative des opérations. ◆ **défensivement** adv. De façon défensive : *Opérer défensivement.*
— ENCYCL. **défenses.** *Physiol.* Les êtres vivants disposent d'innombrables moyens de défense contre les agressions de leur milieu naturel (chaleur, froid, blessures, poussières, animaux prédateurs, etc.). Mais c'est la défense contre les toxines microbiennes et autres *antigènes* qui constitue la fonction la plus caractérisée : les globules blancs du sang dévorent les bactéries (phagocytose) et élaborent des antitoxines, ou *anticorps,* et autres substances défensives. Lorsque ce mode de défense est, par nature, insuffisant, la médecine préventive s'emploie à l'améliorer par la *vaccination,* sorte d'éducation ou d'entraînement des fonctions défensives. La coagulation du sang, la cicatrisation, la régénération des parties amputées chez certains animaux sont aussi des processus de défense.

défenestration n. f. (de *fenestre,* anc. orthogr. de *fenêtre*). Action de jeter une personne par la fenêtre. ● *Défenestration de Prague,* attentat perpétré le 23 mai 1618 par des nobles bohémiens, pour s'opposer à la politique de restauration catholique inspirée par Ferdinand II de Habsbourg. (Faisant irruption dans la salle du palais royal de Prague, ils précipitèrent dans les fossés du château deux des lieutenants-gouverneurs qui délibéraient, ainsi qu'un secrétaire. L'événement, exploité par la Contre-Réforme, fut le signal de la guerre de Trente* Ans.)

défens, défensable, défense → DÉFENDRE.

Défense (ROND-POINT DE LA), ancienne place circulaire dans l'axe de l'avenue des Champs-Elysées, à la limite de Puteaux et de Courbevoie, où était érigé le monument de Barrias à la mémoire des défenseurs de Paris (1870-1871). Le site a fait l'objet d'importantes réalisations d'urbanisme. Depuis 1958 s'y élève le palais du Centre national des industries et techniques (C. N. I. T.), de 90 000 m² de surface intérieure couverte ; il est dû aux architectes Camelot, de Mailly et Zehrfuss. Tous les environs forment aujourd'hui un nouveau quartier d'affaires, constitué essentiellement de tours de bureaux.

Défense et illustration de la langue française, ouvrage de Joachim du Bellay (1549). Ce manifeste de l'école de Ronsard condamne avec véhémence tout ce que le Moyen Age a créé dans le domaine poétique, et recommande avec passion l'imitation des Anciens, tout en défendant les droits de la langue française contre l'envahissement du latin et de l'italien.

Défense nationale (GOUVERNEMENT DE LA), gouvernement provisoire qui dirigea la France de sept. 1870 à févr. 1871. A la suite de la révolution parisienne du 4 sept., provoquée par la défaite de Sedan, Gambetta prononce la déchéance de la dynastie impériale. Jules Favre proclame la république. Le nouveau gouvernement, présidé par le général Trochu, comprend douze membres, dont Jules Favre, Jules Simon, Gambetta, Crémieux, Picard, E. Arago, Rochefort, Pelletan et Jules Ferry. Le Sénat est aboli, le Corps législatif, dissous. Dans un manifeste aux Puissances, ce gouvernement affirme son refus de toute cession territoriale à l'ennemi. Le 12 sept., une délégation gouvernementale dirigée par Gambetta est envoyée à Tours afin d'assumer la direction du pays en cas d'investissement de Paris. Après l'échec des négociations, à Ferrières, entre Bismarck et Jules Favre, et des efforts de Thiers pour obtenir l'intervention de la Russie, le gouvernement prépare la capitale à soutenir un siège, qui commence dès le 19 sept. Gambetta quitte Paris en ballon le 7 oct. Aidé d'un ingénieur, Freycinet, il organise fiévreusement la défense, conclut des emprunts à l'étranger, lève de nouvelles troupes pour débloquer Paris. Mais la capitulation de Bazaine à Metz (27 oct.), la vaine entrevue de Thiers et de Bismarck à Versailles (2 et 3 nov.) permettent aux Allemands de nouveaux succès (Patay, 2 déc.) et contraignent la délégation à se replier à Bordeaux. Le durcissement de l'opposition révolutionnaire est pour le gouvernement une autre source de difficultés. Le bombardement de Paris et les privations des Parisiens accroissent l'irritation. L'échec de Buzenval (19 janv.) et l'annonce des négociations avec l'ennemi provoquent la révolte de Paris (22 janv. 1871). Jules Favre signe l'armistice le 28 janv. Gambetta, qui veut continuer la lutte, doit démissionner (6 févr.). Le gouvernement de la Défense nationale remet ses pouvoirs à l'Assemblée nationale élue le 8 févr.

défenseur, défensif, défensive, défensivement → DÉFENDRE.

déféquer → DÉFÉCATION.

déférence → DÉFÉRENT 1.

1. déférent, e adj. (du part. prés. de *defero*, spécialisé en bas latin au sens de *faire honneur*). Qui a, qui marque de la déférence : *Attitude déférente.* ◆ **déférence** n. f. Considération respectueuse ; marque de respect : *Traiter quelqu'un avec déférence.* ‖ — SYN. : *considération, égard, respect.*

2. déférent, e adj. (lat. *deferens*, qui porte de haut en bas). *Anat.* Qui conduit, qui porte en dehors. ‖ — ***déférent*** adj. et n. m. *Canal déférent*, ou *déférent* n. m., canal qui conduit le sperme de l'épididyme à l'urètre postérieur. (Le canal déférent, large de 2 mm, parcourt un trajet long de 40 cm environ ; il monte au milieu du cordon spermatique, traverse le canal inguinal, puis le petit bassin jusqu'à la face postérieure de la vessie. Il se termine là, à la jonction de la vésicule séminale et du canal éjaculateur.) ● *Cercle déférent*, ou *déférent* n. m., cercle imaginé par les anciens astronomes pour essayer de rendre compte du mouvement apparent compliqué des planètes. ◆ **déférentiel, elle** adj. Qui a rapport au canal déférent : *Artère déférentielle.*

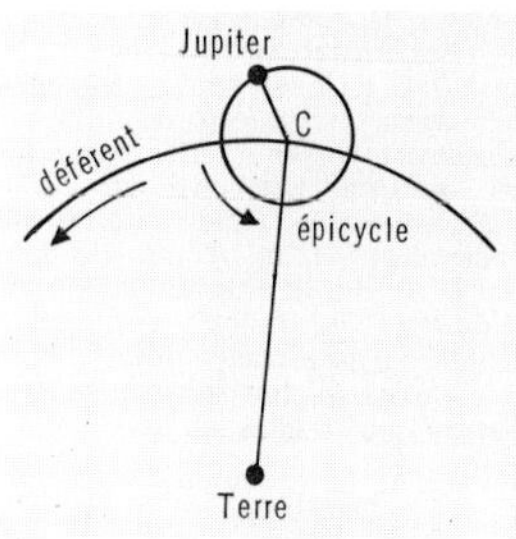

cercle **déférent**

d'après Hipparque, les planètes étaient censées décrire dans le sens direct, avec une vitesse uniforme, un cercle appelé *épicycle*, dont le centre C se déplaçait à son tour dans le même sens sur un second cercle, appelé *déférent*

déférer v. tr. (lat. *deferre*, porter de haut en bas, présenter, décerner) [conj. **5**]. Attribuer (à une juridiction) : *Déférer une cause à une cour.* ‖ Dénoncer, livrer à une autorité judiciaire compétente : *Déférer un coupable à la justice.*

déferlage, déferlant, déferlement → DÉFERLER.

déferler v. tr. (préf. priv. *de*, et *ferler*, déployer les voiles). Larguer un pavillon ferlé ou des voiles ferlées au moyen de rabans. ✦ v. intr. En parlant des vagues, se briser en roulant : *Les vagues déferlent sur la plage.*

|| Se répandre avec impétuosité (en parlant d'une foule, d'une multitude, d'une armée, etc.) ; et, au *fig.* : *Les applaudissements déferlèrent.* ◆ **déferlage** n. m. Action de déferler; état d'une voile déferlée. ◆ **déferlant, e** adj. *Houle, vague déferlante,* houle, vague soumise au déferlement. ◆ **déferlement** n. m. Action de déferler, de se répandre brutalement : *Le déferlement de la foule.* ● *Déferlement de la houle,* écroulement de la partie supérieure de la houle sous l'effet du vent ou de la faible profondeur des fonds en bordure du rivage.

Defernex, Deferneix ou **De Fernex** (Jean-Baptiste), sculpteur français (v. 1729 - Paris 1783). Il travailla pour le Palais-Royal (escalier d'honneur), pour Sèvres (figurines en biscuit), et exécuta des bustes (*Mme Favard* [Louvre], *Mme de Fondville* [Le Mans], *le Prince Repnin* [musée Jacquemart-André]).

déferrage ou **déferrement** → DÉFERRER.

déferrer v. tr. Ôter le fer de : *Déferrer une roue.* || Ôter un fer, des ferrures à : *Déferrer un cheval.* || Enlever toutes les parties métalliques dans une galerie de mine inutilisée. ● *Déferrer une voie,* démonter les rails, éclisses, boulons, tire-fond, etc., d'une voie ferrée abandonnée ou inutilisée. ◆ **déferrage** ou **déferrement** n. m. Action de déferrer un cheval. || Action d'enlever les ferrures qui consolidaient une malle, une roue, etc. || Traitement ayant pour objet l'enlèvement total ou partiel du fer dans un minerai.

déferrisation → DÉFERRISER.

déferriser v. tr. Débarrasser du fer ou des sels de fer : *Déferriser de l'eau.* ◆ **déferrisation** n. f. Action de déferriser.

défervescence n. f. Chute progressive de la fièvre, qui annonce la convalescence.

défet n. m. Feuille superflue d'un ouvrage imprimé, que l'on conserve pour remplacer des feuilles détériorées ou égarées.

défeuillage, défeuillaison → DÉFEUILLER.

défeuiller v. tr. Enlever les feuilles : *L'automne défeuille les arbres.* ◆ **défeuillage** n. m. Action de défeuiller pour faciliter la maturité du fruit. (Syn. DÉFOLIAISON.) ◆ **défeuillaison** n. f. Chute des feuilles; époque où elle a lieu. (On dit aussi DÉFOLIATION.)

défeutrage → DÉFEUTRER.

défeutrer v. tr. Procéder au défeutrage. ◆ **défeutrage** n. m. Opération qui rend les fils de laine parallèles et qui donne au ruban régularité et résistance. ◆ **défeutreur** n. m. Machine du cycle de peignage de la laine. (On dit aussi DÉFEUTREUSE n. f.)

Deffand (Marie de VICHY-CHAMROND, marquise DU), femme de lettres française (château de Chamrond, Bourgogne, 1697 - Paris 1780). Son salon de la rue Saint-Dominique fut fréquenté par d'Alembert, Montesquieu, Fontenelle, Marmontel, Marivaux, Turgot, Condorcet. Elle devint aveugle en 1753 et prit comme demoiselle de compagnie Mlle de Lespinasse, qu'elle chassa en 1764, l'accusant d'accaparer ses habitués. On a d'elle des lettres qui la révèlent comme l'héritière de Mme de Sévigné.

Defferre (Gaston), avocat et homme politique français (Marsillargues, Hérault, 1910). Membre du parti socialiste S. F. I. O., résistant militant, il participe à la libération de Marseille, dont il est élu maire (1944-1945 et depuis 1953). Député (1946-1958), sénateur (1959-1962), puis, de nouveau, député (depuis 1962) des Bouches-du-Rhône, il a été ministre de la France d'outre-mer dans le cabinet Guy Mollet (1956-1957) et a élaboré la loi-cadre qui modifia le statut des territoires de l'Union française (1956). Après l'échec du projet de « fédération démocratique socialiste », il renonce (juin 1965) à se porter candidat aux élections à la présidence de la République, mais se présente à celles de 1969.

défi, défiance, défiant → DÉFIER.

défibrage → DÉFIBRER.

défibrer v. tr. Ôter les fibres de : *On défibre la canne à sucre pour faciliter la sortie du jus.* ◆ **défibrage** n. m. Action de défibrer. || Action de briser l'écorce de la canne à sucre, afin de faciliter la sortie du jus. || Opération qui a pour objet d'obtenir de longs et minces copeaux (*fibres* ou *laine de bois*), destinés à l'emballage ou à la fabrication des panneaux de fibre de bois agglomérée aux liants hydrauliques. || Action de séparer mécaniquement les unes des autres les fibres élémentaires du bois ou d'une pâte à papier, dans la fabrication du papier. ● *Bois de défibrage,* rondin façonné en vue du défibrage. ◆ **défibreur** n. m. Machine utilisée pour défibrer les matériaux fibreux. || Ouvrier conduisant la machine à défibrer. || Moulin servant à déchiqueter et à presser les cannes, en vue d'en extraire le *vesou* (qui entraîne le sucre), le résidu de l'opération étant la *bagasse.* || Machine à bois permettant d'obtenir la fibre d'emballage à partir de rondins.

défibrillateur → DÉFIBRILLATION.

défibrillation n. f. Traitement de la fibrillation ventriculaire, tendant à arrêter les trémulations anarchiques des fibres du myocarde. (La défibrillation électrique est la plus efficace.) ◆ **défibrillateur** n. m. Appareil permettant de supprimer la fibrillation du cœur par application de courant électrique.

déficeler v. tr. (conj. **3**). Ôter la ficelle de : *Déficeler un paquet.*

déficher v. tr. Ôter les échalas de : *Déficher une vigne.*

déficience → DÉFICIENT.

déficient, e adj. (lat. *deficiens,* manquant). Qui fait défaut; qui présente une insuffisance physique ou morale. || Se dit d'enfants dont le développement psychomoteur est inférieur à la normale. (Pour ces enfants, inca pables de suivre les classes normales et parfois de s'adapter aux conditions de la vie familiale et sociale, il a été créé des *classes de perfectionnement* [externat] et des *instituts médico-pédagogiques* [externat et internat] où l'on s'efforce de développer au mieux leurs possibilités.) ◆ **déficience** n. f. Insuffisance physique ou morale.

déficit [sit] n. m. (lat. *deficit,* il manque). Ce qui manque pour que les recettes soient en balance avec les dépenses : *Budget en déficit.* ‖ Dans les entreprises commerciales, syn. de PERTE. (En comptabilité, cette perte s'exprime par le solde débiteur du compte de pertes et profits.) ‖ Manquant constaté par l'administration des douanes dans le nombre des objets déclarés. — Pl. *des* DÉFICITS. ● *Théorie du déficit budgétaire systématique,* théorie de certains économistes (Keynes, Beveridge), selon laquelle le déficit budgétaire est de nature à accroître la demande globale et à rétablir, en période de dépression, l'équilibre entre l'offre et la demande globale, portant la production à son niveau le plus élevé possible par le plein emploi des facteurs de la production. ◆ **déficitaire** adj. Qui se solde par un déficit : *Gestion déficitaire.*

défier v. tr. (de *fier,* autref., renoncer à la foi jurée). Provoquer au combat, à une lutte quelconque : *Chevalier qui défie son ennemi. Défier quelqu'un au billard.* ‖ Déclarer incapable, mettre au défi : *Défier quelqu'un de montrer des preuves.* ‖ *Fig.* Soutenir l'épreuve de : *Un produit qui défie toute comparaison.* ‖ Braver, affronter : *Défier le danger, la mort.* ‖ **— se défier** v. pr. **[de]** Avoir peu de confiance en ; être en garde contre : *Se défier de ses forces. Il se défie même de ses amis.* ◆ **défi** n. m. Provocation à un combat singulier : *François Ier porta un défi à Charles Quint.* (Au Moyen Age, les actes d'hostilité étaient précédés d'un défi soit par lettre, soit par héraut. Cette pratique fut maintenue jusqu'au milieu du XVIe s.) ‖ Provocation en général : *Porter à quelqu'un un défi aux échecs. Les Ordonnances de Charles X parurent un défi à l'opinion publique.* ‖ Air provocant : *Regarder quelqu'un avec défi.* ● *Mettre quelqu'un au défi de,* déclarer qu'il ne pourra pas exécuter ce dont il est question : *Je vous mets au défi de soulever ce poids.* ◆ **défiance** n. f Manque de confiance ; crainte d'être trompé : *Une allure suspecte qui met en défiance.* ● *Défiance de soi,* manque de confiance en soi. ◆ **défiant, e** adj. Qui craint continuellement d'être trompé : *L'homme qui a beaucoup souffert a d'ordinaire l'esprit défiant.* ‖ Qui exprime la défiance : *Regards défiants.*

défiguration → DÉFIGURER.

défigurer v. tr. Enlaidir la figure de. ‖ *Fig.* Donner une idée fausse ; déformer, dénaturer : *Défigurer la vérité. Défigurer un auteur en le traduisant.* ◆ **défiguration** n. f. Action de défigurer ; état de ce qui est défiguré.

défilade → DÉFILER 2.

défilage, défilateur → DÉFILER 1.

défilé → DÉFILER 1 et 2.

défilement → DÉFILER 1.

1. défiler v. tr. (de *fil*). Défaire, séparer (en ôtant le fil qui enfile) : *Défiler un collier, des perles.* ‖ Diviser les chiffons pour en faire de la pâte à papier. ● *Défiler un char, un ouvrage, une troupe,* utiliser le terrain en les plaçant à l'abri des vues et des coups de l'ennemi. ‖ *Zone défilée,* zone de terrain dans laquelle le tir ou l'observation sont rendus impossibles par la présence d'un masque naturel ou artificiel. ◆ **défilage** n. m. Action d'enlever les fils d'un tissu pour faire un jour ou une frange. ‖ Mise du chiffon en charpie, dans la fabrication du papier. (On dit aussi EFFILOCHAGE.) ◆ **défilateur** n. m. Instrument au moyen duquel on effectue le défilage. ◆ **défilé** n. m. Pâte à papier telle qu'elle sort des piles défileuses*. (V. aussi DÉFILER, v. intr.) ◆ **défilement** n. m. Art d'utiliser des accidents de terrain ou des masques artificiels (fumées, etc.), pour se soustraire aux vues et, si possible, aux coups de l'ennemi : *Faire avancer une troupe à défilement de la crête, un char à défilement de tourelle.* ‖ Quantité dont le diamètre ou la circonférence d'un arbre diminue pour chaque mètre de longueur. ● *Défilement aux lueurs,* hauteur de défilement nécessaire à l'artillerie pour éviter son repérage par les lueurs de départ des coups. ◆ **défileuse** n. f. ou **défileur** n. m. Machine à diviser les chiffons, en vue de la préparation de la pâte à papier. (On dit aussi EFFILOCHEUSE et PILE DÉFILEUSE.)

2. défiler v. intr. (de *file*). En parlant d'une unité militaire se présentant en formation de parade, passer en file, en rang ou en colonne : *Troupe qui défile.* ‖ Se déplacer, se succéder à la file : *Les wagons défilaient devant mes yeux. Les souvenirs défilaient dans ma mémoire.* ‖ **— se défiler** v. pr. *Fam.* S'esquiver, se dérober : *Invité, prêteur, ami qui se défile.* ◆ **défilade** n. f. Dans la marine, action de défiler. ● *Feu de défilade,* tir successif de navires défilant devant l'objectif. ◆ **défilé** n. m. En parlant d'une unité militaire, action de marcher en formation de parade : *Le défilé du 14-Juillet. Le défilé des chars.* ‖ Action de marcher à la file : *Un défilé de manifestants.* ‖ *Fig.* Succession d'idées, de choses, etc. : *Un défilé d'images passait dans son esprit.* ‖ Passage étroit ou encaissé entre deux hauteurs : *Les défilés sont propices aux embuscades.* ‖ Passage étroit quelconque. (V. aussi DÉFILER v. tr.)

défileuse ou **défileur** → DÉFILER 1.

défilochage n. m. Syn. de EFFILOCHAGE.

défini → DÉFINIR.

définir v. tr. (lat. *definire,* borner, limiter, expliquer). Déterminer avec précision ; fixer, indiquer : *Définir le temps où telle chose se fera, le lieu dans lequel telle chose est arri-*

vée. ‖ Donner la définition de : *On définit le triangle comme une figure qui a trois côtés et trois angles.* ‖ *Dr. canon.* Régler, prescrire. ● *Définir une personne,* en déterminer le caractère exact. ◆ **défini, e** adj. Déterminé : *Dans des limites bien définies.* ‖ Expliqué : *Terme mal défini.* ‖ Se dit d'une combinaison chimique dont la composition est parfaitement déterminée. ‖ — SYN. : *déterminé, fixé, précis.* ● *Article défini,* celui qui s'emploie devant un nom complètement déterminé qu'il individualise. (LE, LA, LES sont des articles définis. UN, UNE, DES sont des articles indéfinis.) ‖ *Mode défini,* s'est dit pour MODE PERSONNEL. ‖ *Passé défini,* s'est dit du PASSÉ SIMPLE. ‖ — **défini** n. m. Objet défini, déterminé par une définition : *La définition et le défini.* ‖ Ce qui est défini, déterminé : *Le défini et l'indéfini.* ◆ **définissable** adj. Qui peut être défini. ◆ **définiteur** n. m. Religieux délégué au chapitre de son ordre pour y traiter de questions disciplinaires, administratives, etc. ◆ **définitif, ive** adj. Qui termine une affaire ; qu'on ne doit plus modifier : *Règlement définitif.* ● *Jugement définitif,* jugement statuant sur le fond du droit. ‖ — **définitif** n. m. Ce qui est définitif. ◆ **définition** n. f. Enonciation des qualités essentielles d'un objet ; signification exacte du mot qui le désigne : *Une définition précise, objective. Chercher dans un dictionnaire la définition d'un mot, d'une expression.* ‖ En logique, proposition affirmative qui a pour objet de faire connaître exactement l'extension et la compréhension d'un concept. ‖ *Télév.* Division de l'image à transmettre en un certain nombre de lignes puis de points, en vue d'effectuer l'analyse de cette image. ‖ *Par extens.* Mesure de l'aptitude d'un système de télévision à reproduire les détails, caractérisé tant par le nombre de lignes subdivisant l'image à transmettre que par le nombre maximal de points distincts portés par l'une de ces lignes. ◆ **définitive (en)** loc. adv. Après tout, finalement, en fin de compte : *En définitive, un peu vaut mieux que rien.* ◆ **définitivement** adv. De façon définitive, irrévocablement ; pour toujours : *Elle est partie*

définition (télév.) : portions de mires en grandeur réelle, la comparaison entre elles montre les différences de netteté entre les linéatures de 819 et 441

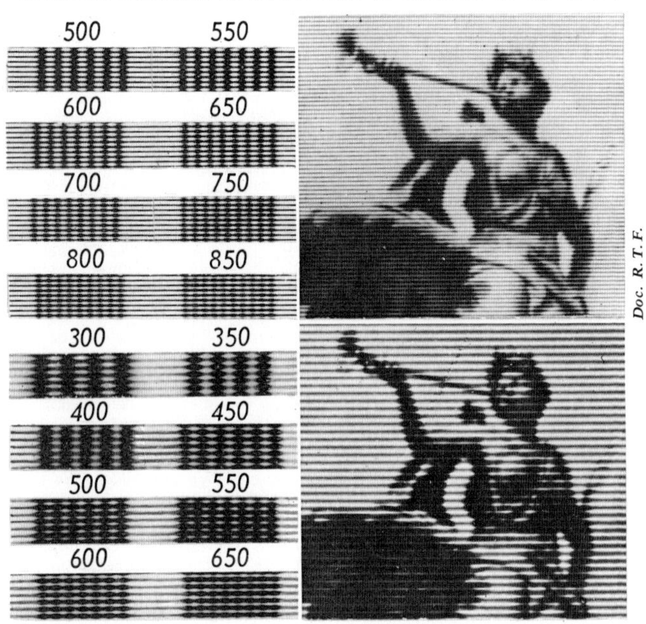

Doc. R. T. F.

définitivement. ◆ **définitoire** adj. *Log.* Jugement où le sujet et le prédicat sont des concepts universels, par oppos. au *jugement de perception,* où le prédicat est universel, mais le sujet individuel.

déflagrant, déflagrateur, déflagration → DÉFLAGRER.

déflagrer v. intr. (lat. *déflagrare,* être brûlé entièrement). Se décomposer vivement, avec accompagnement de détonations et d'étincelles : *Une étincelle suffit à faire déflagrer une poudrière.* ◆ **déflagrant, e** adj. Qui a la propriété de déflagrer : *Des matières déflagrantes.* ◆ **déflagrateur** n. m. Appareil destiné à mettre le feu à des substances explosives. ◆ **déflagration** n. f. Réaction chimique très active, avec flamme ou étincelles : *La déflagration du salpêtre.* ‖ Violente explosion : *Une forte déflagration brisa toutes les vitres de l'immeuble.* ‖ Combustion très vive, avec explosion et fracas.

déflation n. f. (préf. priv. *dé,* et lat. *flatus,* souffle). Politique économique qui vise à bloquer ou à ralentir la hausse des prix lorsque la situation est inflationniste, ou à provoquer une baisse des prix lorsqu'on craint des tensions inflationnistes. (V. *encycl.*) ‖ Enlèvement des matériaux meubles par le vent, principalement par les tourbillons de l'air. (Sables et limons sont seulement soulevés.) ◆ **déflationniste** adj. Relatif à la déflation ou propre à y conduire.

— ENCYCL. ***déflation.*** La *déflation monétaire* consiste à détruire matériellement les billets retirés de la circulation. Dans la *déflation financière,* l'Etat poursuit une politique d'excédents budgétaires obtenus soit par compression des dépenses publiques, soit par accroissement des impôts ; les excédents sont inemployés ou utilisés à rembourser la dette publique. La *déflation de crédit* peut se réaliser par la hausse du taux de l'escompte, par l'obligation faite aux banques d'accroître leur pourcentage de dépôts, par le contrôle strict du crédit et de sa répartition. Les inconvénients de la politique de déflation expliquent que les gouvernants préfèrent chercher un nouvel équilibre des prix et des revenus par des procédés plus sélectifs, conjuguant une politique de contrôle du crédit, de la monnaie et des dépenses publiques, avec une politique générale et à plus long terme, capable d'adapter l'offre aux exigences du marché.

déflationniste → DÉFLATION.

défléchir v. tr. Réaliser la déflexion. ‖ — ***se défléchir*** v. pr. *Obstétr.* Se redresser, en parlant de la tête du fœtus fléchie sur la poitrine. ◆ **déflexion** n. f. Extension de la tête de l'enfant au moment de l'accouchement. ‖ Modification, en direction, de l'écoulement des filets d'air derrière une aile ou un empennage. ‖ Déviation d'un faisceau d'électrons ou de particules, sous l'action d'un champ électrique ou magnétique.

déflecteur, trice adj. (du lat. *deflectere,* fléchir). Qui sert à produire une déflexion. ● *Bobines déflectrices,* paire de bobines créant une déviation analogue par l'action d'un champ magnétique. ‖ *Plaques déflectrices,* paire de plaques qui, dans tout appareil à faisceaux de particules chargées, servent à dévier ces faisceaux quand on établit entre elles une différence de potentiel. ‖ — ***déflecteur*** n. m. Organe servant à modifier la direction d'un écoulement. ‖ Petit volet mobile fixé à l'encadrement de la glace des portières avant d'une automobile. ‖ Appareil servant à déterminer la déviation des compas des navires pour régler leur compensation.

défleurir v. tr. Détruire, faire disparaître les fleurs de : *Le vent a défleuri les pommiers.* ✦ v. intr. ou ***se défleurir*** v. pr. Perdre ses fleurs : *Les pêchers commençaient à défleurir.* ◆ **défloraison** n. f. Fanaison ou chute des fleurs. ‖ Epoque où ce phénomène a lieu.

déflexion → DÉFLÉCHIR.

défloculation n. f. Opération consistant à disperser des éléments grumeleux par une action physique ou physico-chimique.

défloraison → DÉFLEURIR.

défloration → DÉFLORER.

déflorer v. tr. (du lat. *deflorare,* dépouiller de ses fleurs, flétrir). Faire perdre sa virginité à : *Déflorer une fille.* ‖ *Fig.* Enlever la fraîcheur, le charme primitif à. ● *Déflorer un sujet,* lui enlever sa fraîcheur, sa nouveauté (en le traitant mal ou d'une façon incomplète). ‖ — ***se déflorer*** v. pr. Perdre sa fleur : *L'anthère se déflore en émettant son pollen.* ◆ **défloration** n. f. Rupture plus ou moins complète de l'hymen.

défluent n. m. Bras formé par la division des eaux d'une rivière.

défluviation n. f. Changement total de lit d'un cours d'eau. (La défluviation est due au faible encaissement du lit et à l'abondance de l'alluvionnement qui provoque la formation de levée naturelle exhaussant le niveau du lit au-dessus de celui de la plaine.)

Defoe ou **De Foe** (Daniel), écrivain anglais (Londres v. 1660 - Moorfields 1731). Après avoir voyagé en Europe, tenu un commerce de mercerie, s'être fait armateur, il fait banqueroute, fuit son pays, y revient peu après, est nommé auditeur du bureau des Droits et publie des ouvrages en faveur de Guillaume III d'Orange ; arrêté à la mort de celui-ci et exposé au pilori, il se met, en 1706, au service de la reine Anne. En 1715, déçu par la politique, il se tourne vers la littérature d'imagination et connaît en 1719, alors qu'il est âgé de près de soixante ans, son premier succès avec *Robinson* Crusoé,* traduit en français dès 1720. Les cinq années suivantes voient paraître l'essentiel de son œuvre littéraire, notamment *Moll* Flanders* (1722), le *Journal de l'année de la peste* (1722), *Lady Roxana ou l'Heureuse Catin* (1724), et divers

British Council

Daniel **Defoe**

U.S.I.S.

Lee **De Forest**

et schéma de sa lampe triode

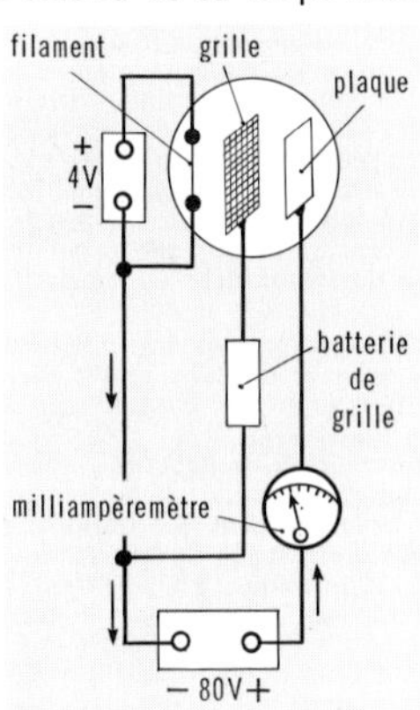

essais, tels *le Mariage religieux* (1722), *l'Histoire politique du diable* (1726), *le Parfait Négociant anglais* (1725-1727). Après cette période de production intense, son inspiration se tarit. Il meurt mystérieusement en 1731.

défoliaison n. f. Syn. de DÉFEUILLAGE.

défoliation n. f. Syn. de DÉFEUILLAISON. Destruction des feuilles de la végétation à des fins militaires. ◆ **défoliant** n. m. Produit répandu par avion ou par hélicoptère afin d'assurer la défoliation d'une région.

défonçage ou **défoncement** → DÉFONCER.

défoncer v. tr. (de *fond*) [conj. **1**]. Ôter le fond de : *Défoncer un tonneau.* ‖ Effondrer, détériorer : *Le camion avait défoncé le chemin.* ‖ Briser en enfonçant : *Poids qui défonce un parquet.* ‖ Pratiquer un défonçage. ● *Défoncer une voile,* la déchirer au fond, vers le centre (en parlant du vent). ‖ — ***se défoncer*** v. pr. *Fam.* Faire des efforts considérables dans un domaine quelconque. ‖ *Pop.* Se droguer. ◆ **défonçage** ou **défoncement** n. m. Action de défoncer ; état de ce qui est défoncé : *Le défoncement d'une caisse.* ‖ Opération qui a pour effet de dégrossir une cavité à l'intérieur d'une pièce à usiner. ‖ Labour profond exécuté à la pioche ou à la charrue, de préférence à la fin de l'automne, pour ramener en surface les éléments fertilisants ou pour ameublir un sol destiné à recevoir des arbres, des arbustes, des plantes à longues racines. ‖ Opération qui consiste à percer avec une alêne des trous sur la partie superficielle d'un cuir pour permettre un assemblage coupe contre coupe ou certaines coutures d'angle. ◆ **défonceuse** n. f. Charrue puissante utilisée pour défoncer le sol. ‖ Machine à travailler le bois.

De Forest (Lee), ingénieur américain (Council Bluffs, Iowa, 1873 - Hollywood 1961), inventeur de la lampe triode.

déforestation n. f. Destruction des forêts (Syn. DÉBOISEMENT.)

déformable, déformation → DÉFORMER.

déformer v. tr. (lat. *deformare,* rendre difforme, hideux). Altérer la forme de : *Des mains déformées par les rhumatismes.* ‖ *Fig.* Altérer, corrompre : *Déformer le goût. Déformer la pensée de quelqu'un.* ◆ **déformable** adj. Qui peut être déformé : *Un assemblage triangulaire n'est pas déformable.* ◆ **déformation** n. f. Altération de la forme normale : *Déformation du corps.* ● *Déformation professionnelle,* appréciation erronée ou partiale des faits, provoquée par la pratique de certaines professions.

défouetter v. tr. Ôter les ficelles, ou *fouets,* ayant servi à serrer les nerfs au dos d'un volume relié.

défoulement → DÉFOULER.

défouler v. tr. Ramener à la conscience des idées ou des tendances refoulées dans l'inconscient du sujet. (Le traitement psychanalytique vise à obtenir ce résultat.) ‖ — ***se défouler*** v. pr. Etre l'objet d'un défoulement. ‖ Se laisser aller à des débordements affectifs, à des manifestations d'enthousiasme, de colère, etc. ◆ **défoulement** n. m. Retour dans le conscient d'un souvenir à caractère émotionnel prédominant, refoulé jusque-là dans le subconscient (théories de Freud).

défournage ou **défournement** → DÉFOURNER.

défourner v. tr. Tirer du four : *Défourner des porcelaines.* (Contr. ENFOURNER.) ◆ **défournage** ou **défournement** n. m. Action de retirer du four. ◆ **défourneur** n. m. Ouvrier qui fait tomber le coke hors du four. ◆ **défourneuse** n. f. Machine utilisée au défournement du coke. ◆ **défourneuse-répaleuse** n. f. Défourneuse dont les bras mobiles ont pour fonction de répaler, c'est-à-dire d'étaler le coke uniformément dans le four, et, en fin d'opération, de pousser la masse en combustion pour la déverser dans le coke-car*. — Pl. *des* DÉFOURNEUSES-RÉPALEUSES. ◆ **défourni** n. m. Partie vide qui altère les dimensions d'une pièce de construction.

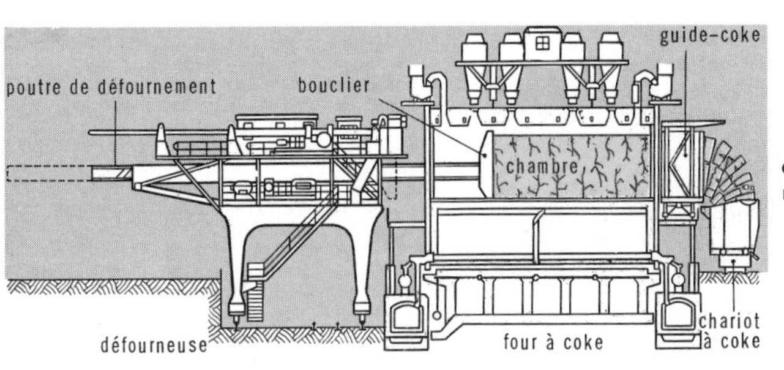

défourneuse-répaleuse

défourrer v. tr. Ôter la fourrure de.

défoxage → DÉFOXER.

défoxer v. tr. Faire disparaître le goût foxé de certains vins, par collage, filtration ou aération. ◆ **défoxage** n. m. Action de défoxer.

défraîchir v. tr. (de *frais*). Faire perdre sa fraîcheur à : *Défraîchir une robe. Fruits défraîchis.*

défrancisation → DÉFRANCISER.

défranciser v. tr. Faire perdre à quelqu'un ses mœurs, ses sentiments de Français : *Bismarck ne put réussir à défranciser l'Alsace.* ◆ **défrancisation** n. f. Action de défranciser ; résultat de cette action.

défrapper v. tr. Détacher un cordage de son point d'attache.

défrayer [freje] v. tr. (de l'anc. franç. *frayer,* dépenser) [conj. **2**]. Payer la dépense de : *On lui promit de le défrayer entièrement.* ‖ *Fig.* Alimenter : *Des aventures propres à défrayer un récit.* ● *Défrayer la chronique,* faire parler de soi. ‖ *Défrayer la conversation,* l'entretenir en y prenant la part principale ; en faire le sujet.

Defrecheux (Nicolas), poète belge d'expression wallonne (Liège 1825 - Herstal 1874). Il a ouvert les voies à la littérature dialectale en composant quelques chansons qui sont restées populaires : *Lèyîz-m' plorer* (1854) et *L'avez-v' vèyou passer?* (1856).

défretter v. tr. Enlever une frette à un tuyau, à un arbre, à un pieu, etc.

défrichable, défriche, défrichement ou **défrichage** → DÉFRICHER.

défricher v. tr. Cultiver un terrain laissé en friche ; rendre propre à la culture un terrain inculte. ‖ *Fig.* Démêler, mettre en ordre pour la première fois : *Défricher une question.* ◆ **défrichable** adj. Qui peut être défriché : *Terre défrichable.* ◆ **défriche** n. f. Terrain défriché. ◆ **défrichement** ou **défrichage** n. m. Action de défricher ; résultat de cette action : *Le défrichement des landes.* ‖ Terrain défriché : *Défrichement qui est en plein rapport.* ‖ *Fig.* Premier travail, première mise en ordre : *Toute civilisation commence par un pénible défrichement.* ◆ **défricheur, euse** n. Celui, celle qui défriche (au *pr.* et au *fig.*). ‖ — ***défricheuse*** n. f. Charrue à soc tranchant, utilisée pour les défrichements.

— ENCYCL. ***défrichement.*** Si le défrichement des prairies temporaires et artificielles ainsi que des terrains cultivés laissés en jachère

pendant une ou deux années est une opération simple, il n'en est pas de même en ce qui concerne les terrains engazonnés, les landes et les terrains boisés.
Les terrains engazonnés sont souvent envahis de chiendent, d'avoine à chapelets et d'autres plantes à rhizomes : leur défrichement demande en général plusieurs années de jachère cultivée.
Dans les landes, les parties souterraines des végétaux se décomposent souvent lentement et sont difficiles à extraire ; dans certains cas, on peut recourir à la destruction par le feu, ou écobuage. Enfin, dans les terrains boisés, après enlèvement des bois coupés et destruction de la végétation par écobuage, il est nécessaire de procéder à l'essouchage, soit à l'aide de moyens mécaniques, soit par le feu ou grâce à des explosifs.
Sur le plan historique, les défrichements, rendus nécessaires par la poussée démographique et possibles par les progrès de l'outillage, ont été d'abord dus à des initiatives marginales de la paysannerie du XIe s. Ils s'amplifièrent au XIIe s. sous l'impulsion de l'Eglise et des seigneurs. Ceux-ci attirèrent les « hôtes » vers les zones à défricher en leur garantissant un statut privilégié. Ainsi, de véritables villages sont créés (Villeneuve, Bastide, Essart). Au XIIIe s., le mouvement s'essouffla. Il n'en a pas moins contribué au recul de la famine en France.

défripement → DÉFRIPER.

défriper v. tr. Faire qu'une chose ne soit plus fripée : *Défriper une robe.* ◆ **défripement** n. m. Action de défriper.

défrisement → DÉFRISER.

défriser v. tr. Défaire la frisure de. ‖ *Fig.* et *fam.* Désappointer, décevoir, contrarier : *Voilà une nouvelle qui me défrise.* ◆ **défrisement** n. m. Action de défriser ; état de ce qui est défrisé : *Le défrisement d'une chevelure.*

défroisser v. tr. Remettre en état ce qui était froissé : *Défroisser un ruban.*

défroncer v. tr. (conj. **1**). Ôter, défaire les fronces de : *Défroncer une jupe.* ● *Défroncer les sourcils,* cesser de les tenir froncés.

défroque, défroqué → DÉFROQUER (SE).

défroquer (se) v. pr. ou **défroquer** v. intr. (de *froc*). Quitter le froc, l'état monastique, ecclésiastique : *Moine qui s'est défroqué.* ◆ **défroque** n. f. Ce que laisse un religieux à sa mort : *La défroque d'un moine appartenait à l'abbé.* ‖ Meubles, vêtements de valeur minime que quelqu'un laisse en mourant : *Hériter des défroques d'un parent.* ‖ Vêtements qu'une personne ne porte plus : *Domestique habillé de la défroque de son maître.* ◆ **défroqué, e** n. Religieux, religieuse ou ecclésiastique qui a renoncé à son état. (Ne se dit qu'avec une intention ironique ou méprisante.)

défruiter v. tr. Enlever le parfum du fruit : *Défruiter de l'huile d'olive.*

défunt, e adj. et n. (lat. *defunctus,* qui a accompli [en particulier sa vie]). Mort, décédé : *Leurs compagnons défunts. Les défunts ont toutes les vertus.* ‖ Qui a cessé d'être : *Royauté défunte.*

dégagé, dégagement → DÉGAGER.

dégager v. tr. (conj. **1**). Retirer ce qui a été donné en gage : *Dégager ses bijoux.* ‖ Délivrer, libérer : *Dégager un bataillon encerclé. Dégager sa main.* ‖ Débarrasser de ce qui encombre, qui gêne ; laisser libre : *Dégager sa voiture de la file en stationnement. La rue s'est dégagée.* ‖ Faire ressortir : *Une robe qui dégage bien le cou.* ‖ Produire une émanation, un dégagement de : *Fleurs qui dégagent un parfum délicieux ;* et, au *fig. : Un visage qui dégage une impression de droiture.* ‖ Séparer un corps gazeux d'une combinaison chimique : *Dégager l'hydrogène de l'eau.* ‖ Ouvrir le livre relié après la couvrure, en décollant les gardes et en humectant les remplis de la peau pour éviter une déchirure. ‖ En gravure, repasser la pointe autour des traits gravés, pour enlever le métal ou le bois des vides. ‖ En sports, effectuer un dégagement. ● *Dégager la balle,* l'envoyer aussi loin que possible (au football, au rugby, etc.). ‖ *Dégager ses buts,* éloigner l'équipe assaillante. ‖ *Dégager sa parole* (Fig.), la retirer, revenir sur un engagement. ‖ *Dégager une pierre,* la dépouiller de la matière superflue. ‖ *Dégager la voie, le gabarit,* ôter du voisinage de la voie ferrée toute pièce susceptible d'être heurtée par un véhicule en mouvement ; s'éloigner de la voie. ‖ **— se dégager** v. pr. Emaner, être exhalé : *Une odeur de moisi se dégage de la pièce.* ‖ Se libérer d'un engagement : *Il s'est trop avancé pour pouvoir décemment se dégager.* ● *Le ciel, le temps se dégage,* les nuages ou la brume se dissipent. ◆ **dégagé, e** adj. Libre, aisé (au *pr.* et au *fig.*) : *Taille dégagée. Air dégagé. Ton dégagé.* ‖ **— dégagé** n. m. Mouvement de danse servant à déplacer le poids du corps et à libérer le pied se préparant à exécuter un pas. (La pointe du pied glisse sur le sol et se porte en avant, en arrière ou de côté. Les dégagés sont dits « à terre », « en l'air », « sautés », etc.) ◆ **dégagement** n. m. Action de dégager (ce qu'on avait donné en gage) : *Le dégagement d'une montre ;* et, au *fig. : Le dégagement de la parole donnée.* ‖ Action de retirer ce qui est engagé dans quelque chose : *Dégagement du bras, de la jambe.* ‖ Action de débarrasser de ce qui encombre : *Dégagement d'une voie, d'un champ de tir.* ‖ Espace libre : *De la maison, on aperçoit la mer par un dégagement.* ‖ Emanation, production : *Un dégagement de vapeurs.* ‖ Communication entre deux pièces d'une maison, ou entre l'intérieur et l'extérieur. ‖ Action d'envoyer le ballon loin de son camp, au football, au rugby, etc. ‖ En escrime, action de changer de côté l'engagement de l'épée en la faisant passer à droite ou à gauche de l'épée de l'adversaire. ‖ Temps terminal de l'accouchement, au cours duquel le fœtus franchit le détroit inférieur et l'orifice vulvaire. ‖ Séparation d'un avion du groupe avec lequel il volait en formation. ‖ Angle que fait un outil avec le plan normal de la pièce à travailler. ‖ Gorge faite dans une pièce à rectifier, afin de permettre à la meule d'aller à fond de course sans entamer la face adjacente. ● *Dégagement des cadres* (de l'armée, d'une administration), réduction de leurs effectifs par licenciement du personnel en excédent. ‖ *Dégagement instantané,* violent dégagement de gaz qui se produit dans une mine de façon presque explosive lors d'un avancement de galerie. ‖ *Dégagement de secours,* ensemble des moyens mis à la disposition du personnel ou du public pour lui permettre de gagner rapidement l'extérieur d'un local ou d'un bâtiment en cas de sinistre.

dégaine, dégainement → DÉGAINER.

dégainer v. tr. Tirer de sa gaine, de son fourreau (une arme) : *Dégainer son poignard, son sabre.* ‖ *Absol.* Tirer une arme. ◆ **dégaine** n. f. *Fam.* et *péjor.* Attitude, allure : *Voyez donc cette dégaine !* ◆ **dégainement** n. m. Action de dégainer.

dégalonner v. tr. Ôter les galons de : *Dégalonner un habit.*

dégamé n. m. Bois d'ébénisterie d'origine américaine, fourni par une rubiacée du genre *calycophyllum.*

déganter (se) v. pr. Retirer ses gants : *Se déganter avant d'entrer.*

Deganya ou **Deganiya,** localité d'Israël, sur la rive sud du lac de Tibériade. Ce fut le premier établissement collectif de Palestine (1909).

dégarnir v. tr. Dépouiller de ce qui garnit, de ce qui orne, de ce qui protège : *Le vent dégarnit les arbres. Un front dégarni. Dégarnir une place forte. Dégarnir un salon, une cheminée, un chapeau. Dégarnir un navire de ses agrès.* ● *Dégarnir une voie ferrée,* enlever le ballast qui entoure ou recouvre les traverses. ‖ **— se dégarnir** v. pr. Devenir moins touffu, en parlant des arbres. ‖ Se vider : *La salle se dégarnit.* ‖ *Fig.* et *fam.* Perdre ses cheveux : *Sa tête se dégarnit.* ◆ **dégarnissage** ou **dégarnissement** n. m. Action de dégarnir ; état qui résulte de cette action. ‖ Action de défaire le jointement d'un mur. ◆ **dégarnisseuse** n. f. Machine montée sur essieux ou sur bogies, équipée, d'une part, d'appareils lui permettant de soulever la voie, et, d'autre part, de chaînes à godets qui, sous cette voie soulevée, dégarnissent la plate-forme du ballast.

Degas (Edgar), peintre français (Paris 1834 - *id.* 1917). Après des études de droit, il se consacre à la peinture (1855) et va en Italie (1856-1857). Traditionnel alors, son art montre déjà une forte personnalité (*la Famille Bellelli,* 1860 ; *le Basson Dilhau à l'orchestre*

Giraudon

autoportrait
coll. part.

Edgar **Degas**

« le Foyer de la danse à l'Opéra de la rue Le Peletier »
Louvre, salles du Jeu de Paume

Giraudon

de l'Opéra, 1868 [Louvre, Jeu de Paume]). Il attache plus d'importance à la forme qu'à la couleur, dessine sans cesse et expérimente des techniques nouvelles. En 1870, il fait la connaissance d'Henri Rouart, chez qui il rencontrera E. Manet, Berthe Morisot, Mallarmé, Valéry. En 1872, il se rend aux Etats-Unis (*Un comptoir de coton à La Nouvelle-Orléans*). Il participe aux premières expositions du groupe impressionniste (1874, 1876, 1877, 1879). Il est novateur par le choix des sujets (la vie quotidienne de son temps) et l'audace de la mise en pages (influence de la photographie et des estampes japonaises). Il multiplie les portraits, les scènes de genre (*l'Absinthe,* 1877 ; *la Repasseuse,* 1884 [Louvre]), les scènes hippiques (*Course de gentlemen,* 1862 [Louvre]) et chorégraphiques (*la Classe de danse,* 1872 [Louvre]) ; toute sa vie il fréquentera le foyer de l'Opéra. Il sculpte des danseuses (Louvre, salles du Jeu de Paume). A la fin de sa vie, sa vue diminuant, il utilise de plus en plus le pastel, qui lui permettra de réaliser des chefs-d'œuvre, presque tous des nus féminins traités avec liberté. Il a exercé une grande influence sur l'art de Toulouse-Lautrec, Bonnard, Vuillard.

dégasolinage → DÉGASOLINER.

dégasoliner v. tr. Traiter un gaz naturel pour en séparer les hydrocarbures liquides. (On écrit aussi DÉGAZOLINER.) [Syn. DÉSESSENCIER.] ◆ **dégasolinage** n. m. Action de dégasoliner. (On écrit aussi DÉGAZOLINAGE.) [Syn. DÉSESSENCIATION.]

De Gasperi (Alcide), homme politique italien (Pieve Tesino, Trentin, 1881 - Valsugana 1954). En 1921, il préside le groupe parlementaire du parti populaire, d'inspiration démo-

Alcide **De Gasperi**

crate-chrétienne, mais il est arrêté par le gouvernement fasciste et emprisonné. Après la chute du régime, il est nommé secrétaire du parti démocrate-chrétien, puis ministre des Affaires étrangères (1944-1947). Chef du gouvernement de déc. 1945 à juill. 1953, il entreprend une vaste réforme agraire en Italie méridionale et centrale et se montre partisan résolu de l'alliance occidentale. Il est élu président de la C. E. C. A. en mai 1954.

dégât n. m. (déverbal de l'anc. verbe *dégaster,* doublet de *dévaster*). Destruction, ravage dus à une cause violente (tempête, passage d'une armée, etc.) : *Dégâts causés par la grêle.* || Détérioration, dommage : *Rembourser les dégâts causés par son chien.* ● *Dégât de surface,* dommage causé à la surface du sol par l'affaissement consécutif à l'exploitation souterraine.

dégauchir v. tr. Redresser une pièce qu'un traitement mécanique ou thermique a déformée. || Fixer la position d'une pièce sur une machine-outil. || Dresser deux faces adjacentes d'une pièce de bois ou de métal. || *Fig.* et *fam.* Corriger la gaucherie de : *Dégauchir un enfant.* ◆ **dégauchissage** n. m. Action de dégauchir. ◆ **dégauchisseuse** n. f. Machine-outil à travailler le bois, qui a remplacé le riflard et la varlope.

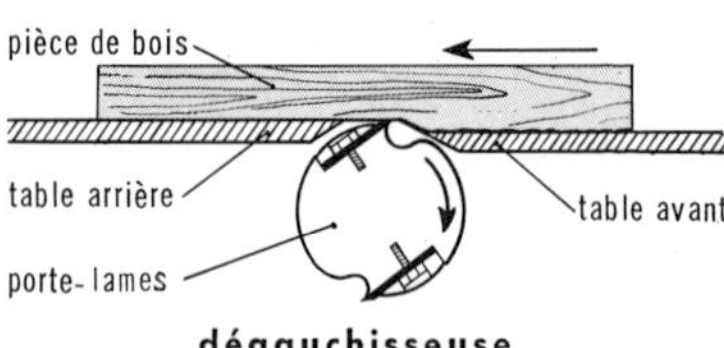

dégauchisseuse

Degaulle (Jean-Baptiste), ingénieur de la marine français (Attigny, Champagne, 1732 - Honfleur 1810). Il inventa divers instruments nautiques et construisit des phares sur les jetées du Havre et de Honfleur.

De Gaulle (Charles). V. GAULLE (Charles DE).

dégaussement n. m. (de *gauss,* unité d'induction magnétique). Neutralisation du magnétisme d'un navire en acier, au moyen d'une armature de fils métalliques parcourus par un courant électrique.

dégazage → DÉGAZER.

dégazer v. tr. Chasser les gaz dissous ou absorbés. || Extraire le gaz contenu dans un produit pétrolier. (Syn. STABILISER.) ◆ **dégazage** n. m. Extraction des gaz dissous dans un liquide ou absorbés par un solide. || Extraction d'hydrocarbures gazeux ou volatils contenus dans le pétrole brut, l'essence, etc., afin d'en abaisser la tension de vapeur. (Syn. STABILISATION.) || Opération ayant pour objet de débarrasser les citernes d'un pétrolier, après déchargement de sa cargaison, de tous les gaz et dépôts qui y subsistent. || Opération par laquelle on draine le grisou dans une mine de charbon. ◆ **dégazeur** n. m. Appareil destiné à extraire les gaz dissous dans un liquide, en particulier dans l'eau d'alimentation d'une chaudière. || Appareil indicateur permettant de déceler des traces de gaz hydrocarbures dans la boue ou dans les déblais de forage d'un puits de pétrole.

dégazolinage n. m. V. DÉGASOLINAGE.

dégazoliner v. tr. V. DÉGASOLINER.

dégazonnage ou **dégazonnement** n. m. Action d'enlever le gazon. (On pratique le dégazonnage lorsqu'on veut niveler une pelouse sans en détruire le gazon. On découpe des carrés de gazon, que l'on empile pendant le temps des travaux.) ◆ **dégazonner** v. tr. Enlever le gazon. ◆ **dégazonneuse** n. f. Charrue à soc plat et large, permettant de découper le gazon en tranches.

dégel, dégelée, dégèlement → DÉGELER.

dégeler v. tr. (conj. **3**). Faire cesser la congélation de : *Dégeler de l'huile en l'approchant du feu.* || Chauffer : *Se dégeler les pieds.* || *Fig.* Réchauffer ; tirer de sa froideur, de son indifférence : *Cet artiste a réussi à dégeler les spectateurs.* || Libérer des crédits qui étaient gelés, bloqués. ✦ v. intr. Cesser d'être gelé : *Rivière qui dégèle.* ✦ v. impers. : *Il dégèle,* les glaces, les neiges fondent. || **— se dégeler** v. pr. *Fig.* Perdre sa froideur, son flegme : *Convive qui n'a commencé à se dégeler qu'au dessert.* ◆ **dégel** n. m. Fonte des neiges, des glaces, par suite de l'élévation de la température. ● *Dégel diplomatique* (Fig.), retour à de meilleures relations diplomatiques. ◆ **dégelée** n. f. *Pop.* Volée de coups : *Si son père le voit, il prendra une de ces dégelées !* ◆ **dégèlement** n. m. Action de dégeler.

dégénératif, dégénération, dégénéré → DÉGÉNÉRER.

dégénérer v. intr. (lat. *degenerare ;* du préf. *de* et du nom *genus, -eris,* race) [conj. **5 ;** avec l'auxil. *avoir*]. S'abâtardir, perdre les qualités de sa race ; être atteint de dégénérescence : *Animaux qui dégénèrent.* || Passer à un état inférieur : *Le blé dégénère dans un mauvais terrain.* || *Fig.* Perdre de son mérite, de sa valeur physique ou morale : *Un artiste qui a dégénéré.* ● *Dégénérer en,* se changer en, aboutir à (en mauv. part) : *Trop de bonté dégénère en bêtise. Une rivalité qui dégénère en conflit.* ◆ **dégénératif, ive** adj. Qui a le caractère de la dégénération. ◆ **dégénération** n. f. Action de dégénérer, de passer à un état inférieur ; résultat de cette action : *La dégénération d'une famille.* || Altération anatomique d'un tissu ou d'un organe, dont le résultat est d'entraver ou de supprimer son fonctionnement. ◆ **dégénéré, e** adj. *Matière dégénérée,* ensemble d'atomes qui ont, en raison d'une température et d'une pression très élevées, perdu tous leurs électrons planétaires. (Cette matière, dont les atomes sont réduits à leurs noyaux, semble exister dans les étoiles naines blanches, dont la densité est extraordinairement grande.) ✦ n. Individu dont la constitution physique et mentale est atteinte de déchéance plus ou moins prononcée. (Syn. TARÉ.) ◆ **dégénérescence** n. f. Altération de la cellule vivante, qui peut atteindre soit son cytoplasme, soit son noyau, et qui, dans ce dernier cas, entraîne fatalement la mort de la cellule. (La dégénérescence cellulaire constitue le mécanisme par lequel les organes sont lésés ou détruits au cours des maladies.) || Altération lente du vivant (lignée, individu, organe ou tissu), aboutissant à la mort ou à la perte de qualités importantes. || Terme utilisé pour désigner certaines maladies à virus des plantes cultivées, transmises par multiplication végétative, et dont les effets nocifs sur la qualité et l'abondance de la récolte s'aggravent d'année en année (pomme de terre, vigne). || Syn. de CANCÉRISATION. ● *Dégénérescence mentale,* théorie psychiatrique très en faveur au XIXe s., en particulier sous l'influence de Magnan, et d'après laquelle certains individus (les dégénérés) sont atteints de tares physiques et psychiques selon un déterminisme fatal et héréditaire. (La théorie de la dégénérescence mentale est actuellement remplacée par celle des constitutions morbides.) || *Dégénérescence wallérienne,* ensemble des modifications qui se produisent dans les fibres nerveuses séparées par section du corps cellulaire du neurone.

dégermage → DÉGERMER.

dégermer v. tr. Enlever le germe de l'orge, les germes des pommes de terre. ◆ **dégermage** n. m. Action de dégermer. ◆ **dégermeur** n. m. ou **dégermeuse** n. f. Appareil utilisé en brasserie pour dégermer le malt.

De Geyter (Jan Julius), poète belge d'expression flamande (Lede, Flandre-Orientale, 1830 - Anvers 1905). Poète réaliste, il fut également l'un des animateurs du mouvement national flamand.

Degeyter (Pierre), compositeur belge (Gand 1848 - Saint-Denis 1932). Ouvrier tourneur, il composa la musique de *l'Internationale.*

deggut n. m. Huile de bouleau employée pour préparer le cuir de Russie.

De Ghelderode (Michel), auteur dramatique belge d'expression française (Ixelles-Bruxelles 1898 - Bruxelles 1962). Outre diverses œuvres écrites simultanément en français et en néerlandais, il composa une œuvre de théâtre truculente et colorée, très originale par son mélange de christianisme et d'impiété, et par sa technique expressionniste : *Barrabas* (1929), *Escurial* (1929), *Sire Halewyn* (1936), *Fastes d'enfer* (1949), *la Grande Kermesse* (1953), *la Ballade du grand Macabre* (1960).

→ V. illustration page suivante.

Bernand

Michel De Ghelderode

dégingandage ou **dégingandement, dégingandé** → DÉGINGANDER.

dégingander v. tr. (anc. *déhingander;* de l'anc. franç. *hinguer,* se diriger, croisé avec

B.N.

Henri Deglane
(1855-1931)
Bibliothèque nationale

ginguer, gambader). Donner un air disloqué à l'attitude, à la démarche (employé surtout à la voix pronominale) : *Se dégingander.* ◆ **dégingandage** ou **dégingandement** n. m. Allure dégingandée. ◆ **dégingandé, e** adj. et n. Qui est comme disloqué dans ses mouvements, sa démarche : *Un grand garçon dégingandé.*

dégîter v. tr. Faire quitter leur gîte aux animaux de gibier.

dégivrage → DÉGIVRER.

dégivrer v. tr. Ôter le givre qui se forme dans certaines conditions d'humidité et de température. ◆ **dégivrage** n. m. Action de dégivrer. ◆ **dégivreur** n. m. Dispositif utilisé pour le dégivrage. (On utilise, en aéronautique, deux dispositifs principaux : le dégivreur pneumatique et le dégivreur thermique.)

déglaçage ou **déglacement** → DÉGLACER.

déglacer v. tr. (conj. **1**). Faire fondre la glace de : *Déglacer un bassin.* || Enlever le lustre du papier. || Dissoudre, en le mouillant d'un peu de liquide, le jus caramélisé au fond d'une casserole. ◆ **déglaçage** ou **déglacement** n. m. Action de déglacer : *Le déglacement des pôles.* || Action d'enlever la glace ou la neige sur les voies publiques. ◆ **déglaciation** n. f. Recul des glaciers. (Quand elle est rapide, la déglaciation libère d'énormes volumes d'eau de fonte, qui creusent des chenaux sous-glaciaires, provoquant la formation de dépôts allongés.) [Syn. RÉCESSION GLACIAIRE.]

déglaisage n. m. Remplacement de la couche de glaise gélive d'un terrain par une couche de sable, de gravier ou de mâchefer.

Deglane (Henri), architecte français (Paris 1855 - *id.* 1931). Prix de Rome en 1881, il collabora à la construction du Grand Palais (1900).

Deglane (Henri), champion français de lutte (Limoges 1901). Champion olympique en 1924, il devint professionnel et contribua au lancement du catch en France.

Degli Armati (Salvino), physicien italien (Florence - † 1317). Il aurait inventé les bésicles, vers 1285.

déglinguer v. tr. (préf. *dé,* et *clin,* bordage d'une embarcation). *Fam.* Disloquer, détériorer : *Buffet déglingué. Voiture qui se déglingue.* || Syn. de DÉCLINQUER.

déglobulisation n. f. Diminution du nombre des globules rouges du sang.

dégluer v. tr. Débarrasser de sa glu : *Les oisillons se dégluèrent.*

déglutination n. f. Phénomène qui consiste à scinder les éléments d'un mot unique : « *L'agriotte* », « *m'amie* » *sont devenus* « *la griotte* », « *ma mie* », *par déglutination.* (Contr. AGGLUTINATION.) ◆ **déglutiné, e** adj. Se dit d'un mot qui est issu d'une fausse coupure : *Les formes déglutinées sont rares en français.*

déglutir v. tr. (bas lat. *deglutire*). Avaler, ingurgiter : *Déglutir le bol alimentaire.* ◆ **déglutition** n. f. Acte mécanique par lequel le bol alimentaire chemine de la bouche jusque dans l'estomac. (V. *encycl.*)
— ENCYCL. ***déglutition.*** Les aliments, broyés et humectés de salive, sont rassemblés en une pâte molle (*bol alimentaire*) sur le dos de la langue, puis repoussés par celle-ci vers l'isthme du gosier. Durant la traversée du pharynx, l'occlusion de l'arrière-cavité des

fosses nasales et des voies respiratoires laryngo-trachéales est assurée par de véritables soupapes, le voile du palais et l'épiglotte, ce qui évite le reflux ou les fausses routes des aliments. Parvenu à l'entrée de l'œsophage, le bol alimentaire provoque, par sa présence, des contractions péristaltiques de cet organe, qui le conduisent de proche en proche jusqu'à l'estomac. La déglutition est initialement en partie volontaire (*temps buccal*), puis réflexe, provoquée par l'excitation locale du pharynx (*temps pharyngien* et *œsophagien*).

déglycérination n. f. Opération consistant à libérer la glycérine des combinaisons où elle est engagée. (Syn. HYDROLYSE, SCISSION.)

Dego, comm. d'Italie (Ligurie, prov. de Savone), au N.-N.-O. de Savone; 2 700 h. Bonaparte y vainquit les Autrichiens en 1796.

dégobillage → DÉGOBILLER.

dégobiller v. tr. et intr. (du poitevin *gobille,* gorge). *Pop.* Vomir. ◆ **dégobillage** n. m. *Pop.* Action de dégobiller. (On dit aussi DÉGOBILLADE n. f.) || Matières vomies : *Le dégobillage d'un ivrogne.*

dégoisement → DÉGOISER.

dégoiser v. tr. (de *gosier;* d'abord *gazouiller* [en parlant d'oiseaux]). *Fam.* Débiter avec volubilité : *Dégoiser des injures.* ◆ **dégoisement** n. m. *Fam.* Action de dégoiser : *Le dégoisement des commères.*

dégommage → DÉGOMMER.

dégommer v. tr. Ôter la gomme de. || *Fig.* et *fam.* Destituer, priver d'un emploi : *Un préfet dégommé.* ◆ **dégommage** n. m. Action de décoller les segments de piston d'un moteur à explosion. || Opération consistant à enlever la colle qui a été incorporée à la chaîne d'un tissu, pour en faciliter le tissage. || Opération de rouissage des tiges des plantes fournissant des fibres libériennes (lin, chanvre, ramie). || *Fam.* Mise en congé, destitution.

dégonder v. tr. Tirer de ses gonds.

dégonflage, dégonflement → DÉGONFLER.

dégonfler v. tr. Supprimer ou diminuer le gonflement de : *En cas de verglas, il est prudent de dégonfler un peu les pneus.* || Faire cesser l'enflure de : *Une application de sangsues dégonfle un point malade.* || — **se dégonfler** v. pr. Perdre de son gonflement : *Le ballon se dégonfle lentement.* || *Fig.* et *pop.* Perdre son assurance; flancher au moment d'agir : *Il ne s'est pas dégonflé; il est allé directement chez le patron.* ◆ **dégonflage** n. m. Action de dégonfler ou de se dégonfler. || *Fig.* et *pop.* Manque de courage au moment d'agir. ◆ **dégonflement** n. m. Action de dégonfler ou de se dégonfler; résultat de cette action : *Dégonflement d'un ballon.*

dégorgeage, dégorgement, dégorgeoir → DÉGORGER.

dégorger v. tr. (conj. **1**). Rejeter par la gorge, vomir : *Dégorger de la nourriture.* || Déverser : *Gouttière qui dégorge de l'eau.* || Pratiquer, à l'aide d'un dégorgeoir, des congés sur des pièces forgées. || En œnologie, pratiquer le dégorgement. || Retirer un hameçon de la bouche d'un poisson. || *Fig.* et *fam.* Restituer : *Faire dégorger de l'argent à un usurier.* ● *Dégorger le fer,* couper le métal à chaud. || *Dégorger la laine,* la nettoyer et la laver en la débarrassant des matières étrangères qu'elle contient. ✦ v. intr. Déborder, se déverser : *Egout qui dégorge dans une rivière.* || Rendre les matières absorbées; se débarrasser de ses impuretés : *Tissu qui dégorge dans la lessive.* ● *Faire dégorger,* faire tremper plus ou moins longtemps de la viande ou du poisson dans de l'eau froide pour les débarrasser ou du sang ou de certaines impuretés. ◆ **dégorgeage** n. m. En œnologie et en travaux publics, syn. de DÉGORGEMENT. ◆ **dégorgement** n. m. Action de dégorger. || Action de vomir ce qu'on avait mangé ou bu. || Elimination du dépôt accumulé dans le goulot d'une bouteille de vin en cours de champagnisation. (Syn. DÉGORGEAGE.) || Tuyau servant de décharge à un réservoir quelconque. || Ecoulement d'eau chargée d'immondices; endroit où se produit cet écoulement. (Syn. DÉGORGEAGE.) ◆ **dégorgeoir** n. m. Outil de forge servant à ébaucher des bossages, à finir des congés. || Sorte de ciseau à bois servant à extraire les copeaux d'une mortaise. || Tringle de métal dont on se sert pour sortir l'hameçon de la bouche ou de la gorge d'un poisson. || Appareil employé pour laver les tissus de laine pendant les opérations d'apprêt. || Extrémité d'un tuyau par lequel se déverse l'eau d'un réservoir ou d'une pompe. || Petit poinçon, souvent fileté en forme de vrille, qui servait à déboucher le canal de lumière d'un canon. ◆ **dégorgeur** n. m. Ouvrier effectuant le dégorgement des vins mousseux.

dégoter ou **dégotter** v. tr. (du mot *go* ou *gau,* désignant, dans l'Ouest, une pierre servant de but dans un jeu d'enfants). *Fam.* Abattre avec un projectile. || Découvrir, apercevoir : *Dégoter un livre rare.* ✦ v. intr. Avoir une certaine allure, un certain air : *C'est fou, ce qu'il dégote! Il dégote mal.*

dégoudronnage → DÉGOUDRONNER.

dégoudronner v. tr. Débarrasser un corps du goudron qu'il renferme. ◆ **dégoudronnage** n. m. Opération qui consiste à séparer le brouillard de goudron du gaz brut. ◆ **dégoudronneur** n. m. Appareil destiné au dégoudronnage du gaz brut. ◆ **dégoudronnoir** n. m. Tenailles pour enlever la cire au goulot des bouteilles.

dégoulinade, dégoulinage → DÉGOULINER.

dégouliner v. intr. (préf. *dé,* et de *goule,* forme régionale de *gueule*). *Fam.* Couler doucement, goutte à goutte : *Les larmes* *dégoulinaient sur ses joues.* ◆ **dégoulinade** n. f. *Fam.* Coulée, trace laissée par un corps visqueux ou liquide qui s'est écoulé : *Une dégoulinade de peinture.* ◆ **dégoulinage** n. m. *Fam.* Ecoulement lent : *Le dégoulinage de l'huile de la burette.*

dégoupiller v. tr. Mettre en état de fonctionner (en retirant une goupille de son logement). ● *Dégoupiller une grenade,* retirer la goupille de façon à libérer un levier (ou « cuiller ») qui se relève et provoque l'amorçage de l'explosif : *Ne pas laisser à l'ennemi le temps de dégoupiller sa grenade.*

dégourdi adj. et n. → DÉGOURDIR.

dégourdir v. tr. (de *gourd*). Donner de la chaleur, du mouvement à ce qui était engourdi ou froid : *Dégourdir ses membres. Se dégourdir en marchant. Dégourdir de l'eau.* ‖ *Fig.* Rendre, donner de l'activité : *Dégourdir ses idées.* ‖ Faire perdre sa gaucherie, sa timidité à ; déniaiser : *Dégourdir un jeune homme.* ◆ **dégourdi, e** adj. et n. *Fig.* et *fam.* Adroit, avisé, malin : *Un garçon dégourdi. Un dégourdi qui fera son chemin.* ‖ — ***dégourdi*** n. m. Première cuisson d'une pièce de porcelaine avant application de la couverte, ou glaçure. ‖ Portion du four (appelée aussi GLOBE) où elle s'effectue. ‖ Pièce de céramique qui y a été soumise. ◆ **dégourdissage** n. m. Opération par laquelle on réchauffe un combustible liquide. ◆ **dégourdissement** n. m. Action par laquelle l'engourdissement se dissipe. ‖ Action de dégourdir un liquide. ◆ **dégourdisseur** n. m. Dispositif de réchauffage de combustibles liquides.

dégoût, dégoûtamment, dégoûtant, dégoûtation, dégoûté → DÉGOÛTER.

dégoûter v. tr. Ôter le goût, l'appétit : *La vue de ce plat nous a dégoûtés.* ‖ *Fig.* Inspirer du dégoût, de l'aversion à : *Cette personne me dégoûte.* ‖ Inspirer du dégoût, de l'aversion pour quelqu'un ou quelque chose : *Un film qui vous dégoûte du cinéma.* ‖ Dissuader, détourner : *Dégoûter quelqu'un d'écrire.* ‖ — **se dégoûter** v. pr. **[de]** Eprouver du dégoût pour : *Se dégoûter du travail.* ◆ **dégoût** n. m. Manque d'appétit ; répugnance très vive pour certains aliments : *Avoir du dégoût pour le vin.* ‖ *Fig.* Répugnance très vive pour une chose ; répulsion pour une personne : *Un ivrogne qui inspire du dégoût.* ‖ Amertume, écœurement : *Prendre la vie en dégoût.* ◆ **dégoûtamment** adv. D'une manière dégoûtante : *Manger dégoûtamment.* ◆ **dégoûtant, e** adj. Qui provoque le dégoût : *Une malpropreté dégoûtante.* ‖ *Fig.* et *fam.* Qui inspire de la répugnance, déplaisant : *Un dégoûtant personnage ;* et, *substantiv. : Un dégoûtant.* ‖ Qui décourage : *C'est dégoûtant de travailler dans de telles conditions.* ‖ — SYN. : *infect, repoussant, répugnant.* ◆ **dégoûtation** n. f. *Pop.* Chose ou personne répugnante : *Tout ce travail pour rien, c'est une vraie dégoûtation !* ◆ **dégoûté, e** adj. *N'être pas dégoûté* (Fam. et ironiq.), n'être pas exigeant, être peu raffiné ; ou, encore, avoir des ambitions, des prétentions excessives.

dégouttant → DÉGOUTTER.

Degoutte (Jean), général français (Charnay, Rhône, 1866 - *id.* 1938). Après avoir participé à plusieurs campagnes coloniales (Madagascar, Chine), il se distingua en 1918, à la tête de la VIe armée en Champagne, puis, comme chef d'état-major du roi des Belges, en libérant le sud de la Belgique. Il commanda les troupes d'occupation de Rhénanie de 1920 à 1925.

dégoutter v. intr. Couler goutte à goutte : *L'eau qui dégoutte d'un parapluie.* ‖ Laisser couler un liquide goutte à goutte : *Les feuilles des arbres dégouttent encore de pluie.* ✦ v. tr. Laisser tomber goutte à goutte : *Voûte qui dégoutte de l'eau salpêtrée.* ◆ **dégouttant, e** adj. Qui dégoutte : *Des feuilles dégouttantes de pluie.*

De Graaf (Reinier), médecin et physiologiste hollandais (Schoonhoven, près d'Utrecht, 1641 - Delft 1673). C'est à lui qu'on doit les premiers travaux importants sur le suc pancréatique. Il a donné son nom aux *follicules* de De Graaf,* découverts par lui dans l'ovaire.

dégradant, dégradateur, dégradation, dégradé, dégrade-joint → DÉGRADER.

dégrader v. tr. Destituer de son grade, priver de ses droits. ‖ Endommager, détériorer : *Dégrader un monument historique. Un mur qui se dégrade.* ‖ Saper par le pied (une construction) : *Dégrader une tour.* ‖ Affaiblir insensiblement et méthodiquement : *Dégrader les teintes.* ‖ *Fig.* Avilir, faire tomber dans un état de déchéance, de dégradation morale ou intellectuelle : *L'alcoolisme dégrade les hommes.* ◆ **dégradant, e** adj. Qui dégrade, avilit : *Action, conduite dégradante.* ◆ **dégradateur** n. m. Sorte de cache à bords estompés, destiné à donner à des images photographiques des contours imprécis. ◆ **dégradation** n. f. Action de dégrader quelqu'un. ‖ Action d'endommager volontairement ou non ; résultat de cette action : *Les intempéries ont causé des dégradations sur la façade.* ‖ Changement insensible et continu : *La dégradation des couleurs au crépuscule est du plus joli effet.* ‖ Décomposition d'un corps organique avec diminution du nombre des atomes de carbone de la molécule. ‖ Diminution de l'intensité d'une couleur, produisant des effets dégradés. ‖ Altération subie par les teintures sous l'action de différents agents : air, lumière, lessive, etc. ‖ *Fig.* Avilissement : *La dégradation de l'âme.* ● *Dégradation civique,* peine criminelle et infamante, privative de certains droits (fonctions, emplois et offices publics ; droits civiques et politiques, etc.), accessoire de toutes les peines criminelles, et qui peut, en matière politique, constituer une peine principale. || *Dégradation ecclésiastique,* peine simple ou solennelle qui réduit un clerc à l'état laïque. || *Dégradation de l'énergie,* transformation d'énergie mécanique ou électrique en énergie calorifique qui, bien qu'équivalente en principe, ne possède pas la même aptitude à fournir du travail mécanique. || *Dégradation militaire,* ancienne peine infligée à un militaire entraînant l'exclusion de l'armée, la perte du grade et du droit au port de l'uniforme, des insignes et des décorations. (Cette peine a été supprimée en 1965 et, depuis 1928 déjà, la parade au cours de laquelle le condamné était effectivement dégradé avait cessé d'être exécutée.) ◆ **dégradé** n. m. Affaiblissement insensible et méthodique d'une couleur, de la lumière : *Passer de l'incarnat vif au rose pâle par un habile dégradé.* || *Ciném.* Procédé par lequel on donne une intensité lumineuse différente aux diverses parties d'une image. ◆ **dégrade-joint** n. m. V. PICOT. — Pl. *des* DÉGRADE-JOINTS.

dégrafer v. tr. (de l'anc. franç. *grafer,* accrocher). Détacher l'agrafe ou les agrafes de : *Dégrafer une jupe.*

dégraissage, dégraissant, dégraissement → DÉGRAISSER.

dégraisser v. tr. (de *graisse*). Ôter l'excédent de graisse qui s'est formé en nappe à la surface d'un liquide après refroidissement. || Supprimer une partie de la graisse d'une viande de boucherie ou d'une volaille. || Nettoyer un vêtement. || Enlever les matières grasses qui existent à la surface d'une pièce métallique. || Rendre moins plastique une argile ou une pâte par addition de substances dites *dégraissants* ou *antiplastiques.* || Enlever du bois dans les angles rentrants ou saillants d'un joint, afin d'avoir en surface un contact parfait. ◆ **dégraissage** n. m. Action de dégraisser, de détacher un tissu, un vêtement. || Opération consistant à nettoyer, à polir une matière en vue d'une manipulation ultérieure. || Lieu où l'on dégraisse, où l'on fait le dégraissage. ◆ **dégraissant, e** adj. Qui a la propriété de dégraisser : *Substances dégraissantes.* || — ***dégraissant*** n. m. Substance qui a la propriété de dégraisser : *Les alcalis sont des dégraissants.* ◆ **dégraissement** n. m. Diminution de la plasticité d'une pâte ou d'une argile par mélange avec des substances non plastiques. ◆ **dégraisseur, euse** n. Spécialiste du dégraissage, de la teinture et du repassage de vêtements ou de coupons d'étoffe : *Porter un habit chez le dégraisseur.* || Ouvrier, ouvrière chargé du dégraissage des peaux. || Machine effectuant le dégraissage de la laine en suint. (On dit plutôt BAC DE LAVAGE.) ◆ **dégraissoir** n. m. Instrument pour dégraisser.

dégraphitage n. m. Opération qui consiste à éliminer les dépôts de graphite formés sur les parois intérieures des cornues ou des chambres des fours à gaz. ◆ **dégraphiteur** n. m. Ouvrier chargé de l'opération de dégraphitage.

dégras n. m. Composition grasse utilisée par le corroyeur pour le graissage des cuirs.

dégrat n. m. (provenç. *degrat,* degré). Départ d'un bateau qui se rend à la pêche de la morue.

dégravoiement → DÉGRAVOYER.

dégravoyer v. tr. (du préf. priv. *dé,* et de *gravoi,* anc. sing. de *gravois*) [conj. **6**]. Dégrader, déchausser, en parlant de l'eau courante. || Enlever le gravier. ◆ **dégravoiement** n. m. Effet d'une eau courante qui dégrade.

degré n. m. (prép. *de,* et du lat. *gradus,* marche, degré). Chaque marche d'un escalier (surtout dans un édifice monumental) : *Les degrés de l'hôtel de ville.* || Unité d'arc équivalant à la 360e partie de la circonférence. || Unité d'angle (symb. °) équivalant à l'angle au centre d'un arc d'un degré : *Le degré se divise en 60 minutes de 60 secondes.* || Unité de mesure de la concentration d'une solution : *Degré alcoolique d'un vin.* || Division d'une échelle adaptée à un instrument de mesure : *Les degrés d'un thermomètre, d'un aréomètre.* || Facette allongée en biseau, taillée dans une pierre précieuse. || Chacun des sons de l'échelle musicale. || Division administrative dans l'enseignement. || Distance qui sépare des parents consanguins ou par alliance. (En droit civil, les degrés se comptent en remontant d'un parent à l'ancêtre commun et en redescendant de celui-ci à l'autre parent. En droit canon, on ne compte les degrés que d'une ligne, en choisissant, en cas d'inégalité, la plus longue.) || *Fig.* Situation considérée par rapport à une série d'autres, progressivement supérieures ou inférieures; étape : *Les degrés d'une ascension sociale.* || Chacun des intermédiaires qui conduisent d'un état à un autre : *Les degrés du savoir.* || Intensité relative, point atteint : *Parvenir au dernier degré du désespoir.* || *Degré alcoométrique centésimal,* unité de mesure de titre alcoométrique (symb. : °GL), équivalant au degré de l'échelle centésimale de Gay-Lussac, dans laquelle le titre alcoométrique de l'eau pure est 0 et celui de l'alcool absolu 100. || *Degré A. P. I.,* V. DENSITÉ A. P. I. || *Degré Celsius,* unité de mesure de température (symb. : °C), égale au degré Kelvin, mais dont le zéro de l'échelle correspond à 273,15 degrés de l'échelle thermodynamique Kelvin. || *Degré complet* ou, simplem., *degré d'un monôme entier,* sommes des exposants des lettres figurant dans le monôme, celles qui n'entrent qu'à la première puissance étant affectées de l'exposant 1. || *Degré d'une courbe plane algébrique* ou *d'une surface algébrique,* degré de son équation cartésienne. || *Degré de difficulté* (Alp.), évaluation des difficultés d'une escalade. (La progression est marquée par six degrés, allant de la marche en montagne jusqu'à la limite des possibilités humaines.) ‖ *Degré d'une équation entière* ou *d'un polynôme,* degré du monôme composant de plus haut degré. ‖ *Degré Fahrenheit,* unité de température (symb. : °F), égale à la 180e partie de l'écart entre la température de fusion de la glace et la température d'ébullition de l'eau à la pression atmosphérique. ‖ *Degré de juridiction,* chacune des juridictions devant lesquelles une affaire peut être successivement appelée. ‖ *Degré Kelvin,* anc. nom du KELVIN*. ‖ *Degré de latitude, degré de longitude* (Géogr.), V. LATITUDE, LONGITUDE, COORDONNÉE (*Coordonnées géographiques*). ‖ *Degrés du méridien,* V. MÉRIDIEN. ‖ *Degré d'un monôme entier par rapport à une lettre,* exposant de la puissance à laquelle se trouve élevée cette lettre dans le monôme, l'absence d'exposant correspondant au degré 1. ‖ *Degré d'un monôme fractionnaire,* différence des degrés du numérateur et du dénominateur. ‖ *Degré de sensibilité,* V. SENSIBILITÉ. ‖ *Degrés de signification* (ancienn. *de comparaison*), degrés plus ou moins élevés, avec ou sans comparaison, d'une qualité exprimée par un adjectif ou un adverbe. (Certains adjectifs n'ont pas de degrés de signification parce qu'ils expriment une idée absolue ou qu'ils renferment en eux-mêmes une idée de comparatif ou de superlatif : *cadet, premier, unique, excessif,* etc.) [V. POSITIF, COMPARATIF, SUPERLATIF.] ‖ *Principe du double degré de juridiction,* principe selon lequel tout plaideur peut porter le litige qui a été tranché par la juridiction du premier degré, devant une juridiction dite « d'appel* », sauf dans les cas où l'affaire était trop simple ou trop peu importante. ● LOC. ADV. *Par degrés,* graduellement, progressivement : *Le son s'affaiblit par degrés.*

dégréage → DÉGRÉER.

De Greef (Guillaume), sociologue belge (Bruxelles 1842 - *id.* 1924), auteur de l'*Introduction à la sociologie* (1886-1889), *les Lois sociologiques* (1893), *Sociologie générale élémentaire* (1895), *le Transformisme social* (1895), *Problèmes de philosophie positive* (1900), *la Sociologie économique* (1904). Il adopta l'évolutionnisme de H. Spencer.

dégréement → DÉGRÉAGE.

dégréer v. tr. (de *grée*). Ôter les agrès de : *Dégréer un navire.* ◆ **dégréage** ou **dégréement** n. m. Action de dégréer un vaisseau ; résultat de cette action.

Degrelle (Léon), homme politique belge (Bouillon 1906). Fondateur du rexisme*, il fut condamné à mort par contumace pour avoir prôné la collaboration après la défaite de juin 1940 et créé la légion « Wallonie » qui combattit en U. R. S. S. aux côtés des Allemands.

dégrénage → DÉGRÉNER.

dégréner ou **dégrener** v. tr. Retirer du broyeur-malaxeur les matières destinées à produire les pâtes céramiques. ◆ **dégrénage** ou **dégrenage** n. m. Action de dégréner.

dégressif, ive adj. Qui va en diminuant ; qui diminue au-delà d'une certaine quantité consommée : *Tarif dégressif.* ● *Impôt dégressif,* impôt dont le taux diminue en même temps que les facultés imposables des contribuables. ‖ *Poudre dégressive,* poudre dont la surface d'émission des gaz va en diminuant au cours de sa déflagration. (Contr. POUDRE PROGRESSIVE.) ◆ **dégression** n. f. Diminution graduelle. ◆ **dégressivité** n. f. *Dégressivité de l'impôt,* système inverse de la progressivité, dans lequel on part d'un taux maximal applicable aux revenus élevés et qui diminue à mesure que l'on descend dans l'échelle des revenus.

dégrèvement → DÉGREVER.

dégrever v. tr. (préf. priv. *dé,* et *grever,* charger) [conj. **5**]. Décharger d'impôt, d'une partie d'impôt, de taxe : *Dégrever un contribuable. Dégrever une marchandise.* ‖ Décharger une propriété des hypothèques : *Dégrever un immeuble.* ◆ **dégrèvement** n. m. Diminution d'impôt ou de taxe. ● *Dégrèvement d'office,* procédure par laquelle l'Administration revient spontanément sur les impositions qu'elle a établies. (Le *dégrèvement particulier* ou *individuel* profite à un seul contribuable ; il est accordé par voie administrative et prend alors le nom de *réduction* ou de *décharge.* Le *dégrèvement général,* qui profite à la masse des contribuables, est l'œuvre du Parlement.)

dégrillage n. m. (préf. priv. *dé,* et *grille*). Phase initiale de l'épuration d'une eau usée, destinée à la débarrasser des matières flottantes les plus volumineuses.

dégringolade → DÉGRINGOLER.

dégringoler v. intr. et tr. (orig. néerl. probable ; à rapprocher de *gringole,* colline, en patois artésien). *Fam.* Descendre précipitamment : *La voiture dégringola dans le ravin. Dégringoler un escalier quatre à quatre.* ‖ *Fig.* Déchoir rapidement : *Maison de commerce qui dégringole.* ◆ **dégringolade** n. f. *Fam.* Action de dégringoler ; résultat de cette action ; et, au *fig.* : *La dégringolade d'un financier, des valeurs à la Bourse.*

dégrisement → DÉGRISER.

dégriser v. tr. Faire cesser d'être gris, d'être ivre : *Le sommeil l'a dégrisé. Il s'est dégrisé.* ‖ *Fig.* Faire cesser l'illusion de : *Cet échec l'a dégrisé.* ◆ **dégrisement** n. m. Action de dégriser ; résultat de cette action (au *pr.* et au *fig.*).

dégrossage → DÉGROSSER.

dégrosser v. tr. Amincir les lingots pour les faire passer à la filière. ◆ **dégrossage** n. m. Action de dégrosser un lingot.

dégrossi → DÉGROSSIR.

dégrossir v. tr. Ôter le plus gros d'une matière pour la préparer à recevoir la forme voulue : *Dégrossir un bloc de marbre.* || Donner une forme approchée à une pièce en cours d'usinage. (Syn. ÉBAUCHER.) || *Fig.* Faire une première ébauche de : *Dégrossir un drame.* || Commencer à débrouiller, à éclaircir : *Dégrossir une affaire.* || Rendre moins grossier, affiner : *Dégrossir un rustre. Un homme mal dégrossi.* ◆ **dégrossi** n. m. Première partie de l'opération appelée *douci*, ayant pour objet, dans les fabriques de glaces coulées, de rendre les deux faces d'une glace parfaitement planes et parallèles. ◆ **dégrossissage** n. m. Action de dégrossir, de donner une première forme à une pièce. || Commencement d'étirage au laminoir. ◆ **dégrossisseur** n. m. Appareil destiné à commencer le travail mécanique de pièces brutes.

dégrouiller (se) v. pr. (de *grouiller*, remuer). *Pop.* Se hâter.

De Groux (Charles DEGROUX, dit **Charles**), peintre belge (Comines 1825 - Bruxelles 1870). Il est l'auteur de scènes de la vie populaire (*Bénédicité*, musée de Bruxelles).

dégu n. m. V. OCTODONTE.

déguenillé, e adj. et n. Vêtu de guenilles : *Un mendiant déguenillé.*

déguerpir v. intr. (préf. priv. *dé*, et anc. franç. *guerpir*, d'orig. germ.). Se retirer précipitamment, par crainte : *Les voyous ont déguerpi à l'arrivée des agents.* ◆ **déguerpissement** n. m. Action de déguerpir. || Abandon d'un fief par un vassal.

dégueulasse, dégueulée → DÉGUEULER.

dégueuler v. tr. (de *gueule*). *Pop.* Vomir : *Dégueuler son dîner;* et, au *fig.* : *Dégueuler des injures.* ◆ **dégueulasse** adj. *Pop.* Répugnant, dégoûtant. ◆ **dégueulée** n. f. *Pop.* Ce qui est rendu à chaque effort pour vomir.

déguisable, déguisé, déguisement → DÉGUISER.

déguiser v. tr. (de *guise*). Modifier la manière d'être, le costume de quelqu'un, de façon à le rendre méconnaissable : *Déguiser des enfants pour le carnaval.* || Accommoder un aliment quelconque de façon qu'on ne puisse reconnaître sa nature. || *Fig.* Revêtir d'apparences trompeuses; cacher, dissimuler : *Déguiser sa voix. Déguiser des mobiles bas sous des dehors honorables.* || *Déguiser son jeu,* donner le change sur ses intentions. || Falsifier, dénaturer : *La vérité ne peut se déguiser longtemps.* ◆ **déguisable** adj. Qui peut être déguisé : *Le sentiment de l'amour n'est guère déguisable.* ◆ **déguisé, e** adj. et n. Que l'on déguise; que l'on masque : *Sentiments déguisés. Au mardi gras, il y a plus de curieux que de déguisés.* ● *Fruit déguisé,* imitation de fruits en pâte d'amandes, ou fruit lui-même orné de pâte d'amandes. ◆ **déguisement** n. m. Action de déguiser ou de se déguiser. || Ce qui sert à déguiser : *Déguisement qui rend méconnaissable.* || *Fig.* Apparence trompeuse; dissimulation : *Agir sans déguisement.*

dégustateur, dégustation → DÉGUSTER.

déguster v. tr. (lat. *degustare,* goûter). Apprécier, par le goût, la saveur et les qualités d'un aliment solide ou liquide : *Déguster du vin, de l'eau-de-vie.* || Savourer; se régaler de : *Déguster son vin.* || *Fig.* Savourer, apprécier : *Déguster un conte de Voltaire.* || *Pop.* Etre accablé de coups, d'injures, etc. : *Qu'est-ce qu'il a dégusté!* ◆ **dégustateur, trice** n. Personne chargée de déguster les vins, les liqueurs. ◆ **dégustation** n. f. Action de déguster : *Une dégustation gratuite de vins. Un verre à dégustation.*

De Haas (Wander Johannes), physicien néerlandais (Lisse 1878 - Bilthoven 1960), auteur d'expériences sur la supraconductibilité et le magnétisme aux très basses températures.

déhaler v. tr. (préf. priv. *dé,* et *haler*). Déplacer un navire au moyen de ses amarres. || — ***se déhaler*** v. pr. S'éloigner d'une position dangereuse au moyen de ses embarcations, de ses voiles, en parlant d'un navire.

déhanché, déhanchement → DÉHANCHER.

déhancher (se) v. pr. Remuer les hanches d'une certaine façon : *Danseuse habile à se déhancher.* || Se balancer; prendre une démarche molle et abandonnée : *Marcher en se déhanchant.* ◆ **déhanché, e** adj. et n. Qui se balance sur les hanches : *Femme toute déhanchée.* || Se dit d'un animal dont la hanche est peu saillante. ◆ **déhanchement** n. m. Manière de marcher en se balançant sur les hanches : *Les déhanchements des danseuses d'Orient.*

déharder v. tr. (préf. priv. *dé,* et *harde,* corde). Détacher des chiens qui étaient liés quatre à quatre ou six à six.

déharnacher v. tr. Ôter le harnais de : *Déharnacher des chevaux.*

De Havilland (sir Geoffrey), industriel anglais (Haslemere, Surrey, 1882 - Watford 1965). Ingénieur, pilote et pionnier de l'aviation dès 1910, créateur de la « De Havilland Aircraft Company Ltd » en 1920, il est le réalisateur de plus d'une centaine de prototypes d'avions civils et militaires, notamment du premier avion commercial à réaction, le « Comet ».

Deherme (Georges), sociologue français (Marseille 1870 - † 1937). Typographe, puis comptable, il propagea les doctrines positivistes et créa en 1894 la *Coopération des idées.* En 1898, il fonda la première université populaire.

déhiscence n. f. (du lat. *dehiscere,* s'ouvrir). *Bot.* Ouverture spontanée d'un organe clos contenant des diaspores mûres, chez les végétaux. (Cette ouverture s'observe chez les sporanges des plantes sans graines [champignons, mousses, fougères], chez les anthères des étamines, chez de nombreux fruits. Dans tous les cas, elle a lieu un jour sec et est due à la torsion des cellules d'une assise mécanique fortement hygroscopique. L'ouverture est, selon les espèces, une ou plusieurs fentes longitudinales, un orifice rond précédemment muni d'un couvercle, un ensemble de pores, etc.) ◆ **déhiscent, e** adj. Capable de s'ouvrir par déhiscence.

Dehmel (Richard), poète allemand (Wendisch-Hermsdorf 1863 - Blankenese, près de Hambourg, 1920). Il composa une puissante œuvre lyrique à la gloire de la vie sensuelle, interrompue parfois par des poésies « sociales » inspirées par sa pitié pour les humbles : *Délivrances* (1891), *la Femme et le monde* (1896), *Deux Etres* (1903).

dehors adv. (de *de* et *hors*). Hors du lieu, à l'extérieur : *Je suis resté longtemps dehors.* ● *Mettre, jeter quelqu'un dehors,* le chasser, lui donner congé, le mettre à la porte. ‖ *Partir, filer toutes voiles dehors* (Fig.), avec toute la rapidité possible. ‖ *Toutes voiles dehors,* toutes les voiles déployées. ● LOC. ADV. *De dehors,* de l'extérieur : *Venir de dehors.* ‖ *En dehors,* à l'extérieur, par l'extérieur : *Porte qui s'ouvre en dehors.* ‖ *Etre en dehors,* pour un danseur, avoir les genoux et les pieds naturellement ouverts vers le dehors, ce qui lui permet de se mettre aisément dans toutes les positions de la danse académique. ‖ *Etre en dehors, tout en dehors* (Fig.), être d'une extrême franchise ou d'une grande exubérance (mais sans grand fond). ‖ *Marcher les pieds en dehors,* marcher les talons rapprochés et les pointes éloignées l'une de l'autre. ● LOC. PRÉP. *En dehors de,* hors de, à l'extérieur de : *En dehors d'une ligne.* — *Fig.* Hormis, indépendamment de : *En dehors de l'introduction, rien n'est intéressant dans ce livre.* ✦ n. m. Partie extérieure d'une chose : *Le dedans et le dehors d'une maison.* ‖ L'extérieur : *Les bruits du dehors.* ‖ Pays étrangers : *Travailleurs venus du dehors.* ‖ Avenues, avant-cour, parc et autres dépendances extérieures d'un château, d'une maison : *Château qui a de beaux dehors.* ‖ Côté opposé à celui sur lequel le cheval tourne. ‖ Côté sur lequel tourne un patineur en penchant son corps en dehors de l'aplomb. ‖ Exercice qu'il exécute en glissant sur un patin, le corps penché du côté opposé à la jambe qu'il lève. ‖ Ouvrage situé en avant d'une place fortifiée (du XVIIe au XIXe s.). ‖ Désigne, dans certaines morales ascétiques et religieuses, le monde, les affaires temporelles extérieures (par oppos. à l'*âme,* à la *conscience*) : *Les objets du dehors nous tentent* (Pascal). ‖ *Fig.* Apparence, extérieur : *Une affaire qui se présente sous des dehors alléchants.* ● *Affaires du dehors,* ensemble des affaires extérieures d'un ménage, d'une famille : *L'homme prend soin des affaires du dehors, et la femme, de celles du dedans.* ‖ *Avantage dehors,* au tennis, avantage au relanceur. ‖ *Garder les dehors* (Fig.), observer les convenances ; sauver les apparences.

déhouillement → DÉHOUILLER.

déhouiller v. tr. (préf. priv. *dé,* et *houille*). Enlever le charbon d'une couche de houille. ‖ Extraire du charbon. ◆ **déhouillement** n. m. Action de déhouiller.

déhourdage → DÉHOURDER.

déhourder v. tr. Ôter le hourdis de. ‖ Enlever le hourdage. ‖ *Par extens.* Dégager les blocs de minerai ou de charbon coincés dans une cheminée. (Syn. DÉBOURRER.) ◆ **déhourdage** n. m. Action de déhourder.

Dehra Dūn, v. de l'Inde (Uttar Pradesh), au N. de Delhi ; 166 100 h. Académie militaire. Centre de recherches agricoles et forestières.

déicide adj. et n. (lat. chrétien *deicida,* fait sur *homicida*). Meurtrier de Dieu, c'est-à-dire du Christ. ✦ adj. Qui a contribué à la mort du Christ : *La lance déicide.*

Déicole (saint) [en Irlande v. 550 - † 625], fondateur et premier abbé de Lure. — Fête le 19 janv.

déictique adj. (gr. *deiktikos,* démonstratif). Qui sert à désigner avec précision ou insistance : *« Ci », dans « celui-ci », est une particule déictique.*

déification → DÉIFIER.

déifier v. tr. (lat. ecclés. *deificare*). Placer au nombre des dieux, diviniser : *Les Romains déifièrent la plupart de leurs empereurs. La Convention déifia la Raison.* ‖ *Fig.* Donner un caractère sacré à, exalter : *Déifier le trône.* ◆ **déification** n. f. Action de déifier : *La déification d'Hercule.* ‖ *Fig.* Exaltation : *La déification de la richesse.*

déiléphile n. m. (gr. *deilê,* soir). Papillon sphingidé vivant sur les euphorbes et dont la chenille, très colorée, a une corne postérieure.

Deimos, satellite de Mars, découvert par Asaph Hall, à Washington, en 1877. Il effectue sa révolution sidérale en 1 j 6 h 17 mn 54 s.

déinclinant adj. (préf. priv. *dé,* et *inclinant*). Se dit d'un cadran qui incline et décline à la fois. (On dit aussi DÉINCLINÉ.)

Deinze, en franç. **Deynze,** v. de Belgique (Flandre-Orientale, arr. et à 17 km au S.-O. de Gand) ; 17 100 h. Textiles.

déionisation n. f. Elimination des ions qui se produisent entre les électrodes d'un interrupteur et qui pourraient provoquer le réamorçage de l'arc après son extinction.

Deir el-Bahari, site de la région thébaine (Egypte), sur la rive occidentale du Nil, en face de Karnak. Mentouhotep III (2060-2010 av. J.-C.) y fit élever son temple funéraire surmonté d'une pyramide. La reine Hatshepsout y fit construire par son architecte Senenmout son temple funéraire à terrasses.

Deir el-Medineh, site thébain (Egypte), sur la rive occidentale du Nil, en face de Louxor. C'est une étroite vallée où s'élevait le village des hommes qui creusèrent et décorèrent les

Mathieu - Atlas-Photo

Deir el-Medineh
« Adoration à Ptah-Sokaris dans sa barque »
peinture du tombeau de Pachedou
XXe dynastie

tombes de la Vallée des rois et de la Vallée des reines (Nouvel Empire). Les propres tombes de ces ouvriers sont d'un art très riche, et le village a livré des documents très intéressants.

Deir ez-Zor ou **Dayr al-Zūr,** v. de Syrie, ch.-l. de prov., sur l'Euphrate ; 71 800 h. Centre commercial.

déisme n. m. (du lat. *Deus,* Dieu). Doctrine religieuse qui rejette toute révélation au profit d'une « religion naturelle ». (Le déisme a été opposé par Kant au *théisme,* ou croyance en un dieu personnel et vivant, providence dans le monde et justicier dans la vie future. Voltaire, Jean-Jacques Rousseau sont des représentants du déisme, et, en Angleterre, lord Cherbury [† 1648], Tindal [† 1733]. Le déisme a tendance à ramener la religion à la moralité.) ◆ **déiste** adj. et n. Qui concerne ou professe le déisme.

déité n. f. (lat. chrétien *deitas*). Divinité mythologique.

Deiters (Otto Friedrich Karl), médecin allemand (Bonn 1834 - † 1863). Il a décrit les noyaux et le trajet des nerfs vestibulaires et acoustiques.

déjà adv. (de *dès* et *jà ;* lat. *jam*). Dès à présent : *Il est déjà quatre heures.* ‖ Dès lors, dès ce moment-là, par rapport soit au passé, soit à l'avenir : *Continuez une telle vie et vous serez déjà vieux à trente ans.* ‖ Auparavant : *Je vous ai déjà dit ce que je pensais.* ‖ Faute de mieux : *On ne peut pas guérir cette maladie, mais on peut calmer la douleur ; c'est déjà quelque chose.*

dejada [dexɑdɑ] n. f. (de l'esp. *dejar,* laisser, abandonner). A la pelote basque, balle qui arrive sans force sur le fronton juste au-dessus de la raie horizontale.

Déjanire, en gr. **Dêianeira.** *Myth. gr.* Héroïne guerrière. Elle eut de nombreux prétendants et épousa Héraclès. Lorsqu'il l'eut délaissée, elle lui envoya une tunique empoisonnée que lui avait remise Nessos. Héraclès, dévoré de douleurs, se brûla sur le mont Œta pour s'y soustraire. Déjanire se tua de désespoir. Leur fils Hyllos est l'ancêtre des Héraclides.

déjanter v. tr. Faire sortir un pneumatique de la jante d'une roue.

déjaugeage, déjaugement → DÉJAUGER.

déjauger v. intr. (préf. priv. *dé,* et *jauger*) [conj. **1**]. En parlant d'un navire, sortir partiellement de l'eau par suite d'un échouage ou du retrait de la mer, ou de son chargement, ou encore sous l'effet de certaines combinaisons des forces de propulsion et de résistance à l'avancement. ◆ **déjaugeage** n. m. Soulèvement partiel de la coque ou des flotteurs d'un hydravion prenant de la vitesse pour s'élever dans les airs à partir d'un plan d'eau. ◆ **déjaugement** n. m. Diminution du tirant d'eau d'un navire.

déjà-vu n. m. *Illusion de déjà-vu* (Psychol.), V. PARAMNÉSIE.

Déjazet (Virginie), actrice française (Paris 1798 - *id.* 1875). Elle joua pendant un demi-siècle sur diverses scènes parisiennes et, à partir de 1859, au *théâtre Déjazet,* où elle s'était installée avec son fils EUGÈNE (1820 - 1880), qui en assumait la direction. Elle créa un type de femme malicieuse et spirituelle et laissa son nom à l'emploi.

Dejean (Jean François Aimé, comte), général français (Castelnaudary 1749 - Paris 1824). En 1800, Bonaparte le chargea d'organiser la République ligurienne. Il fut ministre de la Guerre de 1802 à 1810 et pair de France sous la première Restauration.

Dejean (Louis), sculpteur français (Paris 1872 - Nogent-sur-Marne 1953). Il exécuta des statuettes de terre cuite, de nombreux bustes, des monuments, des décorations pour des paquebots (*Normandie*) et pour le palais de Tōkyō à Paris.

déjecteur → DÉJECTION.

déjection n. f. (lat. *dejectio ;* de *de,* hors, et *jacere,* jeter). Evacuation des excréments : *Faciliter la déjection, les déjections.* ‖ Les matières elles-mêmes : *Déjections alvines.* ● *Cône de déjections,* accumulation détritique effectuée par un torrent à son extrémité aval. ◆ **déjecteur** n. m. Organe de certaines chaudières destiné à favoriser l'évacuation des corps en suspension dans l'eau.

Déjerine (Jules), neurologiste français (Genève 1849 - Paris 1917). Professeur à la chaire de clinique des maladies nerveuses de la Salpêtrière, il est l'auteur de travaux sur l'anatomie et la pathologie du système nerveux. (Acad. de méd., 1908.)

déjeter v. tr. (de *jeter*) [conj. **4**]. Déformer, gauchir (une chose) de manière qu'elle se porte plus d'un côté que de l'autre : *L'oura-*

« le **Déjeuner sur l'herbe** », par Manet
Louvre, salles du Jeu de Paume

gan a déjeté tous les arbres. ‖ En parlant d'une voie ferrée, la pousser hors de son alignement, de son tracé, par suite d'une action extérieure. ● *Pli déjeté,* pli géologique dont le plan axial est incliné, et dont les flancs sont inclinés inégalement, mais de moins de 90°. ‖ *Taille déjetée,* déviée : *Les mauvaises positions peuvent donner à un enfant une taille déjetée.*

déjeuner v. intr. (lat. pop. *disjejunare,* proprem. « rompre le jeûne »). Prendre le repas du matin ou de midi : *Déjeuner de bon appétit. Déjeuner avec un ami.* ✦ v. tr. ind. [**de**]. Manger à son déjeuner : *Déjeuner d'un pâté.* ✦ n. m. Repas du matin : *Déjeuner composé de chocolat et de pain beurré.* (On dit aussi PETIT DÉJEUNER.) ‖ Repas de midi (appelé autref. DÎNER) : *Manger un plat de viande à son déjeuner.* ‖ Les mets eux-mêmes : *Un déjeuner froid.* ‖ Tasse munie de sa soucoupe pour le déjeuner du matin; et, *par extens.,* tasse avec le sucrier, la cafetière et le pot au lait assortis. ● *C'est un déjeuner de soleil,* se dit soit d'une étoffe dont le soleil fanera la couleur en très peu de temps, soit d'un sentiment, d'une entreprise de peu de durée. ‖ *Déjeuner à la fourchette,* repas du matin où l'on mange tout autre aliment solide que du pain. ◆ **déjeuner-dîner** n. m. Grand déjeuner qui se fait assez tard dans la journée et qui tient lieu de dîner. (On dit aussi DÉJEUNER DÎNATOIRE.) — Pl. *des* DÉJEUNERS-DÎNERS.

Déjeuner sur l'herbe (LE), peinture d'Edouard Manet (Louvre, salles du Jeu de Paume, 2,14 × 2,70 m) qui fit scandale au « Salon des refusés » de 1863. On y voit une transposition moderne du *Concert champêtre* de Giorgione.

déjeuner-dîner → DÉJEUNER.

Dejnev (CAP), cap des côtes de l'U. R. S. S., sur le détroit de Béring. Il doit son nom à l'explorateur S. I. Deschnef*.

Dejotarus, tétrarque de Galatie (v. 115 - † v. 40 av. J.-C.). Il s'allia aux Romains contre Mithridate. Le sénat romain lui accorda le titre de roi. Il combattit à Pharsale avec Pompée.

déjouer v. tr. (de *jouer*). Faire échouer; déconcerter.

déjour n. m. Vide qui existe entre les jantes d'une roue de voiture.

déjoutement n. m. (préf. *dé,* et *ajouter*). Type d'assemblage concernant la pénétration de deux pièces obliques dans une même mortaise. (On dit aussi DÉSABOUTEMENT.)

déjuc → DÉJUCHER.

déjucher v. intr. En parlant des poules, quitter le juchoir : *Les poules ont déjuché.* ✦ v. tr. Faire quitter le juchoir à : *Déjucher* *les volailles.* ◆ **déjuc** n. m. Heure matinale à laquelle les poules quittent les juchoirs.

déjuger (se) v. pr. (conj. **1**). Revenir sur son jugement ; prendre une décision différente : *Le tribunal s'est déjugé.*

de jure loc. adv. (mots lat. signif. *selon le droit*). De droit : *Reconnaître un gouvernement « de jure ».* (La reconnaissance *de jure* d'un Etat entraîne l'établissement de relations diplomatiques.) [S'oppose à DE FACTO.]

Deken (Aagje), femme de lettres hollandaise (Amstelveen, Hollande-Septentrionale, 1741 - La Haye 1804). Elle écrivit, en collaboration avec Elizabeth Wolff, de nombreux romans qui créèrent le réalisme hollandais : *Sarah Burgerhart, Histoire de Guillaume Levend.*

Dekkan. V. DECCAN.

Dekker (Thomas), écrivain anglais (Londres v. 1572 - *id.?* v. 1632). Il est un des auteurs les plus talentueux du théâtre élizabéthain. A partir de 1598, il écrivit une dizaine de pièces de son cru et collabora avec divers auteurs à la rédaction d'une trentaine d'autres. Il a fait vivre le peuple des bas-fonds et celui des boutiques de Londres dans *la Fête du cordonnier* (1599), *le Vieux Fortunatus* (1600), *la Courtisane honnête* (1604), *la Sorcière d'Edmonton* (en collaboration avec J. Webster), *la Vierge martyre* (1622, en collaboration avec Massinger), et dans son *Abécédaire du parfait galant* (1609).

Hulton Library

Thomas Dekker

De Kooning (Willem), peintre américain d'origine néerlandaise (Rotterdam 1904). Autodidacte, il part en 1926 pour New York et s'affirme vers la fin des années 40 comme un des grands représentants de l'expressionnisme abstrait. Ses peintures conservent en général une attache figurative, par excellence celle du corps féminin, que la fulgurance du geste dissèque et recompose au profit d'une puissance purement plastique.

delà adv. (de *de* et *là*) [ne s'emploie plus que dans des loc.]. *Deçà et delà* ou *deçà delà,* de côté et d'autre. ‖ *Jambe deçà, jambe delà,* à califourchon sur. ● LOC. ADV. et LOC. PRÉP. ***Au-delà, au-delà de,*** v. ces mots. ‖ *Par delà, en delà,* plus loin, de l'autre côté, après (pour le lieu et le temps).

Delaborde (comte Henri François), historien et érudit français (Versailles 1854 - Lausanne 1927), auteur d'ouvrages sur le Moyen Age. (Acad. des inscr., 1917.)

délabrant, délabrement → DÉLABRER.

délabrer v. tr. (du provenç. moderne *deslabra,* déchirer). Mettre en lambeaux, déchirer : *Le temps a délabré cette tapisserie.* ‖ Mettre en mauvais état par usure, manque d'entretien : *Délabrer des meubles. Maison délabrée.* ‖ *Fig.* Affaiblir, ruiner : *Ses affaires se délabrent. Se délabrer l'estomac. Santé délabrée.* ◆ **délabrant, e** adj. *Pathol.* Qui produit le délabrement d'un tissu ou d'un organe. ◆ **délabrement** n. m. Etat d'une chose délabrée ; dégradation : *Le délabrement d'une maison.* ‖ Etat de dépérissement, de ruine ; et, au *fig.*, affaiblissement : *Un état de délabrement physique.*

délacer v. tr. (conj. **1**). Relâcher ou retirer le lacet de : *Délacer un corset, des souliers.*

Delachaux et Niestlé, maison d'édition suisse, fondée à Neuchâtel, en 1861, par S. Delachaux ; elle fusionna en 1882 avec l'imprimerie Niestlé, et ouvrit en 1919 une succursale à Paris. Spécialisée dans l'édition de travaux de pédagogie et de psychologie, elle publie également des ouvrages de théologie et des livres pour enfants.

Delachenal (Roland), érudit et historien français (Lyon 1854 - Paris 1923), auteur d'une *Histoire de Charles V* (1909-1931). [Acad. des inscr., 1920.]

Delacroix (Eugène), peintre français (Saint-Maurice, Seine, 1798 - Paris 1863). Sa mère, épouse de Charles Delacroix, qui fut ministre des Relations extérieures sous le Directoire, était la fille du célèbre ébéniste Œben. Delacroix est considéré par certains auteurs comme le fils naturel de Talleyrand. Il dessine à sept ans, travaille avec son oncle Léon Riesener, puis avec Guérin ; il se lie avec Géricault. Raymond Soulier lui apprend l'aquarelle. En 1822, il expose au Salon *Dante et Virgile aux Enfers* (Louvre), et, en 1824, *Scènes des massacres de Scio* (Louvre). Il s'oppose aux classiques, à Ingres. Il va en Angleterre en 1825, se lie avec Bonington et Mrs. Dalton, qui jouera un grand rôle dans sa vie. Il est déjà le chef de l'école romantique. En 1828, il dessine des costumes de théâtre pour Victor Hugo et envoie au Salon *la Mort de Sardanapale* (Louvre). En 1831, il donne : *le 28 juillet 1830 : la Liberté guidant le peuple* (Louvre). En 1832 et 1833, il voyage en Afrique du Nord et en Espagne ;

Giraudon

en haut, « Dante et Virgile aux Enfers », *Louvre*

en bas, « les Femmes d'Alger », *Louvre*

Giraudon

Held

Delacroix, autoportrait musée du *Louvre*

il en gardera toujours le souvenir. Au Salon de 1834, il expose *les Femmes d'Alger* (Louvre). En 1837, il échoue à l'Institut (il n'y entrera qu'en 1857). En 1838, il visite la Belgique et la Hollande et, en 1841, donne *l'Entrée des croisés à Constantinople* (Louvre). Il est toujours très discuté, mais sa renommée s'accroît. En 1855, à l'Exposition universelle, son triomphe est complet. Parmi ses peintures murales, citons celles de la Chambre des députés (1833 et 1842), de la bibliothèque du Sénat (1847), du Louvre (1851), de l'Hôtel de Ville de Paris, du château de Versailles, de l'église Saint-Sulpice. Il a écrit des articles d'esthétique, ainsi qu'un *Journal.* Son atelier, rue de Furstenberg, à Paris, a été transformé en musée.

Delacroix (HOMMAGE À), tableau de Fantin-Latour (1864, Louvre, salles du Jeu de Paume; 1,57 × 2,48 m), qui représente dix artistes connus autour d'un portrait de Delacroix.

Delacroix (Henri), psychologue français (Paris 1873 - *id.* 1937). On lui doit des travaux sur le mysticisme, l'esthétique et la logique : *Essai sur le mysticisme spéculatif en Allemagne au XIV*e *s.* (1900), *les Grands Mystiques chrétiens* (1908), *la Religion et la foi* (1922), *le Langage et la pensée* (1924). Il contribua à la rédaction du tome II du *Traité de psychologie* de G. Dumas (1924).

Delaforge (Louis), médecin et philosophe français du XVIIe s. Ami de Descartes, il écrivit un commentaire sur le *De homine.* Il chercha à concilier les idées de Descartes et de saint Augustin, et annonça, en cela, la philosophie de Malebranche.

Delafosse (Jean Charles), sculpteur et ornemaniste français (Paris 1734 - *id.* 1789). Il a contribué à la formation du style Louis XVI par la publication de ses répertoires gravés.

Delage (Yves), zoologiste et biologiste français (Avignon 1854 - Sceaux 1920). Directeur du laboratoire de biologie marine de Luc-sur-Mer (1884), puis du laboratoire de Roscoff (1901), il apporta de nombreux perfectionnements aux matériels de recherche. En 1886, il succéda à Lacaze-Duthiers à la Sorbonne. On lui doit d'importants travaux sur la sacculine, les acèles, la parthénogenèse expérimentale, l'évolution. (Acad. des sc., 1901.)

Delage (Louis), ingénieur et industriel français (Cognac 1874 - Le Pecq 1947). Après avoir créé en 1905, à Levallois-Perret, la première compagnie Delage, il conçut, dès 1908, plusieurs types de moteurs. En 1911, il transféra ses usines à Courbevoie et se spécialisa dans la voiture de grand luxe. Après la Première Guerre mondiale, il mit au point des voitures de course et, en 1925, conquit le titre de champion d'Europe.

Delage (Maurice), compositeur français (Paris 1879 - *id.* 1961). Elève de Ravel, on lui doit des mélodies, un quatuor à cordes, *Quatre poèmes hindous, le Bateau ivre.*

Delagoa (BAIE), baie de la côte africaine de l'océan Indien, dans le Mozambique au fond de laquelle est situé le port de Lourenço Marques. Lourenço Marques y fonda en 1544 le comptoir qui porte son nom.

Delagrave, maison d'édition française, fondée en 1829, à Paris, par Charles Louis Dezobry* et Magdeleine. En 1865, la maison fut rachetée par Charles Delagrave. Elle publie des livres classiques, des ouvrages pour la jeunesse, des ouvrages artistiques, littéraires, scientifiques et techniques.

Delaherche (Auguste), céramiste français (Beauvais 1857 - Paris 1940). Fixé à La Chapelle-aux-Pots en 1894, il est l'auteur de céramiques architecturales, de vases simples ou à décor géométrique ou floral, ainsi que de porcelaines ajourées (musée national d'Art moderne).

délai n. m. (de l'anc. verbe *deslaier;* de *laier,* laisser). Temps laissé pour faire une chose : *Exécuter un travail dans le délai fixé.* ‖ Prolongation d'un temps accordé pour l'accomplissement de quelque chose : *Demander un délai de huit jours.* ‖ Période impartie par la loi à une personne pour accomplir un acte juridique ou dont elle doit attendre la fin pour accomplir un acte juridique. (L'inobservation des délais a généralement pour sanction la déchéance ou la nullité, parfois des dommages-intérêts ou des peines pécuniaires.) ● *Délai d'attente,* délai prévu pour l'attente d'un train par un autre, dans une gare de correspondance. ‖ *Délai de carence,* première fraction d'une période d'arrêt de travail qui n'est pas indemnisée (maladie, chômage). || *Délai de faveur,* v. INDULT. || *Délai franc,* délai de procédure pour lequel ne sont pris en compte ni le jour d'origine ni le jour d'expiration. || *Délai de livraison,* délai dans lequel une marchandise doit être livrée par le fournisseur, et qui est en principe fixé par l'acheteur. || *Délai préfix,* délai qui ne comporte aucune possibilité de suspension (délai de l'action en désaveu* de paternité). || *Délai de viduité,* délai imparti à une femme avant de pouvoir se remarier, après la rupture d'un premier mariage, et cela afin d'éviter la confusion* de parts. || *Sans délai,* immédiatement. ◆ **délai-congé** n. m. Délai qu'il faut observer entre la dénonciation d'un contrat successif et sa cessation effective. — Pl. *des* DÉLAIS-CONGÉS.

délaiement n. m. Syn. de DÉLAYAGE.

délainage → DÉLAINER.

délainer v. tr. Enlever la laine des peaux de mouton après l'écorchage de l'animal tué. ◆ **délainage** n. m. Action de délainer. ◆ **délaineuse** n. f. Machine à l'aide de laquelle on effectue le délainage*.

De Lairesse (Gérard), peintre wallon (Liège 1641 - Amsterdam 1711). Elève de Bertholet Flémalle, il décora des églises de Liège, des palais (Binnenhof à La Haye), et publia son *Grand livre des peintres* (1707).

délaissement → DÉLAISSER.

délaisser v. tr. Laisser de côté, abandonner (une chose) : *Délaisser un travail. Terres délaissées.* || *Dr.* Abandonner la possession d'un bien. (L'acquéreur d'un immeuble hypothéqué peut délaisser l'immeuble lorsqu'un créancier hypothécaire lui demande le paiement de sa créance.) || *Dr. mar.* Faire abandon à l'assureur de la chose assurée, contre paiement de l'assurance, par un acte de délaissement*. || Laisser de côté (une personne), renoncer (à elle) : *Une femme délaissée.* || Abandonner, laisser sans appui, sans secours : *Enfants délaissés.* || — SYN. : *abandonner, négliger.* ◆ **délaissement** n. m. Action de délaisser ; état d'une personne ou d'une chose délaissée : *Le délaissement de tous ses amis l'avait plongé dans le désespoir.* ● *Acte de délaissement,* acte par lequel le propriétaire d'un navire abandonne celui-ci et son fret aux créanciers à l'égard desquels le capitaine qu'il avait chargé du commandement s'était engagé en son nom ; acte d'un assuré qui abandonne à l'assureur la chose assurée et tous les droits résultant de l'accident, en réclamant par avance le paiement de l'indemnité d'assurance totale.

délaitage ou **délaitement** → DÉLAITER.

délaiter v. tr. Enlever le petit-lait. ◆ **délaitage** ou **délaitement** n. m. Action de délaiter. ◆ **délaiteuse** n. f. Machine permettant de débarrasser le beurre du petit-lait.

Delalande (Michel Richard), compositeur, organiste et claveciniste français (Paris 1657 - Versailles 1726). Après avoir tenu les orgues de plusieurs églises à Paris, il fut nommé, après concours, sous-maître de la chapelle à Versailles. Il obtint, par la suite, toutes les charges importantes de la musique royale. Son œuvre profane, vocale et instrumentale comprend une vingtaine de ballets et de divertissements (*le Ballet de la jeunesse, Symphonies pour les soupers du roy,* etc.). Son œuvre religieuse représente 70 grands motets (*De profundis, Beatus vir, Usquequo Domine, Exaltabo te Domine, Te Deum,* etc.). Groupant une centaine de chanteurs et d'instrumentistes, le motet, œuvre moralisatrice, commente les textes de l'Ecriture sainte en un langage architecturé, limpide et grandiose.

Delamair, Delamaire ou **De La Maire** (Pierre Alexis), architecte français (1676 - Châtenay, près de Paris, 1745). Il travailla avec Robert de Cotte, puis éleva des hôtels à Paris (de Rohan et de Soubise, au Marais) de 1704 à 1709.

Delamare-Deboutteville (Edouard), industriel et inventeur français (Rouen 1856 - Montgrimont, près Fontaine-le-Bourg, Seine-Maritime, 1901). Avec l'aide du chef mécanicien de sa filature de coton, Léon Malandin, il réalisa la première voiture automobile qui, actionnée par un moteur à explosion, ait roulé sur une route (1883). Le brevet de leur invention, déposé en 1884, contient en substance tous les éléments du moteur à explosion moderne.

Delambre (le chevalier Jean-Baptiste Joseph), astronome français (Amiens 1749 - Paris 1822). Avec Méchain, il mesura l'arc de méridien compris entre Dunkerque et Barcelone. Titulaire de la chaire d'astronomie au Collège de France (1807-1815), il employa ensuite les dernières années de sa vie à écrire l'histoire de la science. (Acad. des sc., 1795 ; secrét. perpét., 1803.) ▷

Delalande
par Jean-Baptiste Santerre

Larousse

Delannoy (Marcel), compositeur français (La Ferté-Alais 1898 - Nantes 1962). Le succès de sa première œuvre, *le Poirier de Misère* (opéra-comique, 1927), détermina sa carrière de musicien de théâtre. Il donna ensuite : *Cendrillon* (1931-1935), *Ginevra* (1942), *Puck* (1949), *les Noces fantastiques* (1954). Il est aussi l'auteur d'œuvres symphoniques et de musique de chambre.

Delannoy (Jean), cinéaste français (Noisy-le-Sec 1908). Après avoir été acteur et monteur, il réalise quelques courts métrages en 1935 et son premier grand film, *Ne tuez pas Dolly,* en 1937. Depuis, il a tourné de nombreuses œuvres, dramatiques pour la plupart : *Macao* (1939), *Pontcarral* et *l'Eternel Retour* (1943), *la Symphonie pastorale* (1946), *Dieu a besoin des hommes* (1950), *Chiens perdus sans collier* (1955), *Notre-Dame de Paris* (1956), *Maigret tend un piège* (1957), *le Rendez-vous* (1961), *Vénus impériale* (1962), *les Amitiés particulières* (1964).

Larousse

Delambre

Delanois (Louis), menuisier français (Paris 1731 - *id.* 1792). Il a créé le modèle du grand siège de salon dit *marquise* et a été le maître de G. Jacob.

Delaporte (Louis Marie Joseph), marin et explorateur français (Loches 1842 - Paris 1925). Il visita le Cambodge.

Delaporte (Louis), orientaliste français (Saint-Hilaire-du-Harcouët 1874 - † déporté en Silésie 1944). Fondateur de la *Revue hittite et asianique,* auteur de plusieurs ouvrages sur l'Orient ancien, il fut directeur de fouilles en Asie Mineure. On lui doit la découverte de la porte des Lions de Malatya.

délardement → DÉLARDER.

délarder v. tr. Dépouiller le porc de son lard, de sa graisse. ‖ Refaire les entailles des traverses de voie ferrée. ‖ Amincir, couper obliquement ou diminuer une pierre d'une partie du lit. ‖ Façonner la section d'un arêtier par l'abattage en chanfrein de deux arêtes de la pièce équarrie. ‖ Couper obliquement par-dessous une marche d'escalier en pierre. ‖ Amincir (une pierre). ◆ **délardement** n. m. Action de délarder. ◆ **délardeuse** n. f. Petite machine portative utilisée pour délarder les traverses de voie ferrée.

De La Rive (Gaspard), physicien et chimiste suisse (Genève 1770 - *id.* 1834), qui exerça une grande influence sur le mouvement scientifique de son époque.

Delaroche (Hippolyte, dit **Paul**), peintre français (Paris 1797 - *id.* 1856). Elève de Watelet puis de Gros, il fut remarqué par Géricault. Ses tableaux d'histoire (*les Enfants d'Edouard,* 1831, Louvre; *l'Assassinat du duc de Guise,* 1835, musée de Chantilly), d'un romantisme tempéré, lui assurèrent le succès. Il est l'auteur de la décoration de l'hémicycle de l'Ecole nationale supérieure des beaux-arts. (Acad. des bx-arts, 1832.)

De La Roche (Mazo), romancière canadienne d'expression anglaise (Toronto 1885 - *id.* 1961). Après avoir vécu dans la ferme familiale jusqu'à la mort de ses parents, elle publia en 1927 son roman *Jalna,* premier d'une longue série consacrée à l'étude de quatre générations de la famille Whiteoak.

De La Rue (Warren), industriel et savant anglais (Saint-Pierre-Port, Guernesey, 1815 - Londres 1889). Fabricant de papier, il inventa des machines pour l'impression en couleurs et le pliage des enveloppes. En 1857, il présenta les premiers clichés stéréoscopiques de la Lune.

Delarue-Mardrus (Lucie), femme de lettres française (Honfleur 1880 - Château-Gontier 1945). Mariée en 1900 avec le Dr Mardrus, traducteur des *Mille et Une Nuits,* elle publia des recueils de vers et des romans : *Marie, fille mère* (1908), *l'Ex-voto* (1921), *Roberte* (1937).

délassant, délassement → DÉLASSER.

délasser v. tr. Faire cesser la lassitude, la fatigue de; distraire : *La musique délasse l'esprit. Se délasser en bavardant dans un fauteuil.* ◆ **délassant, e** adj. Qui délasse. ◆ **délassement** n. m. Action de délasser; ce qui délasse le corps ou l'esprit; repos, divertissement : *La lecture est un délassement.*

délateur → DÉLATION.

délation n. f. (lat. *delatio*). Dénonciation intéressée, méprisable et généralement secrète. || *Dr.* Action de déférer : *La délation du serment.* ◆ **délateur, trice** n. Personne qui dénonce pour des intérêts méprisables ; dénonciateur servile. || — SYN. : *accusateur, dénonciateur, mouchard* (fam.). || — **délateur** n. m. Pièce adaptée à certaines serrures de sûreté, pour indiquer si l'on a tenté de les ouvrir avec des fausses clefs : *Serrure à délateur.* (Syn. DÉTECTEUR.)

délatter v. tr. Ôter les lattes d'un toit, d'un plafond.

Delattre (le P. Alfred Louis), archéologue français (Deville-lès-Rouen 1850 - Carthage 1932). Il conduisit les fouilles de Carthage.

Delaunay, famille d'orfèvres français. JACQUES travailla pour le cardinal de Richelieu. — Son fils NICOLAS (1647 - Paris 1727) est, avec son beau-père Claude Ballin, un des plus grands noms de l'orfèvrerie sous Louis XIV.

Delaunay (Elie), peintre français (Nantes 1828 - Paris 1891). Auteur de la *Peste à Rome* (Louvre), il exécuta des décorations murales (Conseil d'Etat, Hôtel de Ville de Paris, Panthéon, Opéra).

Delaunay (Louis), ingénieur et industriel français (Corbeil 1843 - Cannes 1912). Il s'associa avec Belleville, constructeur de machines à vapeur et de chaudières marines, puis s'orienta vers la construction des automobiles à moteur à essence.

Delaunay, peintres français, ROBERT (Paris 1885-Montpellier 1941) et sa femme SONIA (près d'Odessa 1885 - Paris 1979). Sous la dénomination d'« orphisme », due à Apollinaire, Robert, parti du néo-impressionnisme, apporte au cubisme les contrastes de couleurs et de lumières qui brisent et recomposent les formes (série des *Tours Eiffel,* 1909-1910). Cette recherche, poursuivie avec la série des *Fenêtres* (1911-1912), le conduit à l'abstraction du premier *Disque simultané* (1913), puis des diverses séries de *Rythmes* à partir de 1927. Menant les mêmes recherches sur la couleur pure (*Prismes électriques,* 1913), Sonia a joué un rôle déterminant dans l'application de l'abstraction à l'art décoratif (ameublement, théâtre, mode).

Delaune, Delaulne ou **De l'Aune** (Etienne), orfèvre, graveur et médailleur français (Orléans v. 1519 - Paris 1583). Il grava les coins de la Monnaie de Paris (1552-1553), exécuta d'importantes pièces d'orfèvrerie. Protestant, il se réfugia à Strasbourg après la Saint-Barthélemy et fit de la gravure de reproduction. Ses « petits ornements », inspirés des formes allemandes, furent un des répertoires les plus utilisés.

délavage → DÉLAVER.

De Laval (Gustaf), ingénieur suédois (Orsa, Dalécarlie, 1845 - Stockholm 1913). Auteur de divers dispositifs utilisés en sidérurgie et dans la métallurgie du plomb et du zinc, ainsi que d'un séparateur centrifuge, il est surtout connu pour avoir inventé, en 1883, la turbine à vapeur qui porte son nom (v. art. suiv.). On lui doit enfin la tuyère convergente-divergente pour l'expansion des gaz et de la vapeur sous des pressions supérieures à la pression critique.

Gustaf **De Laval**

Bibl. royale de Stockholm

De Laval (TURBINE), turbine à vapeur à action, à une seule roue en acier à grande résistance et à haute limite d'élasticité. Sa

Robert **Delaunay**
« les Tours de Laon »
musée national d'Art moderne

Giraudon

vitesse de rotation très élevée (30 000 tr/mn) dépasse de beaucoup la vitesse critique. Sa section a la forme d'un profil d'égale résistance.

délavé → DÉLAVER.

délaver v. tr. Enlever ou atténuer avec de l'eau une couleur étendue sur du papier : *Délaver une aquarelle.* ‖ Mouiller, détremper : *Les grandes pluies délavent les terres.* ‖ Délayer par l'eau un mortier ou un béton encore frais. ◆ **délavage** n. m. Action de délaver; son résultat. ◆ **délavé, e** adj. D'une couleur fade, pâle; déteint : *Une robe d'un bleu délavé.*

Delavigne (Casimir), poète et auteur dramatique français (Le Havre 1793 - Lyon 1843). Un recueil d'élégies patriotiques, les *Messéniennes,* publiées à partir de 1818, lui procura la gloire. Il composa des tragédies de structure classique et de couleur romantique (*les Vêpres siciliennes,* 1819; *Louis XI,* 1832; *les Enfants d'Edouard,* 1833), et des comédies (*l'Ecole des vieillards,* 1823; *la Popularité,* 1838). [Acad. fr., 1825.]

Delavrancea (Barbu ŞTEFĂNESCU, dit **Barbu**), écrivain et homme politique roumain (Bucarest 1858 - Iaşi 1918). Il publia des nouvelles (*Hagi-Tudose,* 1903) et des pièces de théâtre.

Delaware (la), fl. de l'est des Etats-Unis, né dans les Appalaches, arrosant Philadelphie; 406 km. Son embouchure forme la *baie de la Delaware,* longue de 86 km et large de 4 km.

Delaware, Etat de l'est des Etats-Unis, bordé par l'Atlantique, compris entre le Maryland, la Pennsylvanie et le New Jersey; 5 328 km² (c'est le plus petit des Etats unis après le Rhode Island); 565 000 h. Capit. *Dover.* L'Etat s'étend sur le nord-est de la presqu'île comprise entre la baie de la Delaware et celle de Chesapeake. La baie de la Delaware fut découverte par Hudson en 1609. Des Hollandais s'y établirent dès 1621, et des Suédois en 1638. Il acquit son indépendance en 1704. L'Etat de Delaware adopta la Constitution fédérale de 1787.

Delaware(s) ou **Lenape(s),** confédération d'Indiens des Etats-Unis, qui vivaient sur la côte de l'Atlantique.

Delay (Jean), médecin et psychiatre français (Bayonne 1907). Docteur ès lettres, professeur agrégé de médecine en 1939, il est titulaire de la chaire de psychiatrie de la faculté de médecine de Paris depuis 1946. Il a écrit de nombreux ouvrages de neurologie, de psychologie normale et pathologique, et *la Jeunesse d'André Gide* (1957). [Acad. de méd., 1955; Acad. fr., 1959.]

délayable, délayage ou **délayement** → DÉLAYER.

délayer [delɛje] v. tr. (lat. pop. **deliquare,* décanter, sans doute influencé par *delicatus*) [conj. **2**]. Eclaircir une substance quelconque à l'aide d'un liquide. ‖ Mélanger intimement les divers éléments d'une préparation culinaire. ‖ Mettre l'argile et la craie en suspension dans l'eau, dans la fabrication du ciment par voie humide. ‖ *Fig.* Exprimer d'une manière diffuse, verbeuse : *Délayer sa pensée.* ◆ **délayable** adj. Qui peut être délayé : *Substances délayables dans l'eau, dans l'alcool.* ◆ **délayage** ou **délayement** ou **délaiement** n. m. Action de délayer; résultat de cette action. ‖ *Fig.* Diffusion du style, verbiage : *Le délayage gâte les meilleurs développements.* ◆ **délayeur** n. m. *Matér.* Ouvrier chargé du délayage. ‖ Appareil dans lequel se fait le délayage. ‖ Cuve de grandes dimensions dans laquelle les matières à mettre en suspension dans l'eau sont brassées mécaniquement et pneumatiquement.

Del Barbiere (Domenico), dit **Dominique Florentin,** sculpteur et graveur italien (Florence v. 1506 - † en France apr. 1565). Il vint travailler à Fontainebleau avec le Primatice, puis s'installa à Troyes, où il pratiqua tous les genres (gravure, mosaïque, architecture, stuc, décor de fêtes et surtout sculpture). Il collabora avec Germain Pilon au monument funéraire du cœur de Henri II (Louvre).

Delbet (Pierre), chirurgien français (La Ferté-Gaucher, Seine-et-Marne, 1861 - *id.* 1957). Chirurgien des hôpitaux de Paris, nommé en 1909 professeur de clinique chirurgicale, il a donné son nom à divers appareils destinés au traitement des fractures de l'humérus et du fémur. (Acad. de méd., 1921.)

Delbœuf (Joseph), philosophe et mathématicien belge (Liège 1831 - Bonn 1896). On lui doit : *Prolégomènes philosophiques de la géométrie* (1860), *De la psychologie comme science naturelle* (1876), *Questions de philosophie et de science* (1883).

Delbos (Victor), philosophe français (Figeac 1862 - Paris 1916). Professeur à la Sorbonne, il a écrit : *le Problème moral dans la philosophie de Spinoza et dans l'histoire du spinozisme* (1893), *Essai sur la formation de la philosophie pratique de Kant* (1902). [Acad. des sc. mor., 1911.]

Delbos (Yvon), homme politique français (Thonac 1885 - Paris 1956). Député radical-socialiste de Dordogne en 1924, ministre de l'Instruction publique en 1925, il devint président de son parti et vice-président de la Chambre des députés. Il fut de nouveau ministre de 1936 à 1940.

Delbrück (Rudolf VON), homme politique allemand (Berlin 1817 - *id.* 1903). Il joua un grand rôle dans l'unification de l'Allemagne en tant que ministre du Commerce (1848) et en contribuant à la conclusion des traités de Versailles (1870). Président de la chancellerie de 1871 à 1876, il fut élu au Reichstag en 1874 et en 1875.

Delbrück (Hans), historien allemand (Bergen, Rügen, 1848 - Berlin 1929). Professeur à l'université de Berlin (1881-1919), député au Landtag prussien, puis au Reichstag (1884), il critiqua la politique intérieure de Guillaume II. Ses principaux ouvrages sont : *Ancienne et nouvelle stratégie* (1892), *Guerre et politique 1914-1917* (1918-1919).

Delcassé (Théophile), homme politique français (Pamiers 1852 - Nice 1923). Elu député radical en 1889, il fut ministre des Colonies (1894-1895), puis des Affaires étrangères (juin 1898-juin 1905). Il mit fin à l'isolement diplomatique de la France ; il resserra l'alliance franco-russe (1900), rapprocha la France de l'Italie (accords de 1898 et 1902), réalisa l'Entente cordiale avec l'Angleterre (8 avr. 1904) puis obtint l'adhésion de l'Espagne à la convention franco-anglaise. Il bouleversa l'équilibre européen en écartant l'Allemagne du Maroc au profit de la France. Un ultimatum de Guillaume II l'obligea à démissionner. Il fut ministre de la Marine (1911-janv. 1913), ambassadeur à Saint-Pétersbourg (févr. 1913-janv. 1914), et de nouveau ministre des Affaires étrangères (août 1914-oct. 1915).

Archives photographiques

Delcassé

Delco n. m. (des initiales de *Dayton Engineering Laboratories Co., Ohio*) [nom déposé]. *Autom.* Nom commercial d'un dispositif d'allumage.

Del Cossa (Francesco), peintre italien (Ferrare v. 1436 - † v. 1478). Principal représentant de l'école ferraraise au XVe s., il exécuta de grandes fresques au palais Schifanoia. Il se fixa à Bologne en 1470.

Delcour (Jean), sculpteur wallon (Hamoir 1627 - Liège 1707). Venu tôt à Rome, il subit l'influence du Bernin (*Christ au tombeau,* cathédrale de Liège ; *tombeau de Mgr d'Attamont,* cathédrale de Gand).

deleatur [tyr] n. m. (mot lat. signif. *qu'il soit effacé*). Signe de correction typographique indiquant une suppression à effectuer.

délébile adj. (lat. *delebilis ;* de *delere,* détruire). Qui peut être effacé : *Encre délébile.*

Delécluze (Etienne Jean), peintre, écrivain et critique français (Paris 1781 - Versailles 1863). Il commença par peindre avec David, puis se consacra à la critique d'art. Il écrivit *Souvenirs de soixante années* (1882) et un *Journal,* publié seulement en 1948.

délectable, délectation → DÉLECTER.

délecter v. tr. (lat. *delectare*). Charmer vivement ; remplir d'un plaisir délicieux : *Ce roman m'a délecté.* ‖ **— se délecter [à, de]** v. pr. Prendre un vif plaisir à : *Se délecter à peindre, à la musique.* ◆ **délectable** adj. Qui délecte ; délicieux, exquis : *Un repas délectable.* ◆ **délectation** n. f. Plaisir que l'on savoure : *Lire avec délectation.* ● *Délectation morose,* pensée qui s'attarde avec complaisance sur une chose défendue.

Deledda (Grazia), romancière italienne (Nuoro, Sassari, 1871 - Rome 1936). Ses premiers romans, *Ames honnêtes* (1895), *la Voie du mal* (1896), *la Justice* (1899), décrivent les mœurs de la Sardaigne. Lorsqu'elle vint vivre à Rome (1900), son inspiration s'élargit, et elle publia des romans psychologiques : *Après le divorce* (1903), *Colombes et éperviers* (1912), *le Secret de l'homme solitaire, Annalena Bilsini* (1927). [Prix Nobel de littér., 1926.]

délégant, délégataire, délégateur, délégation → DÉLÉGUER.

Délégation générale, ensemble des services de la Résistance française, dirigé à l'origine par Jean Moulin*. La Délégation générale permit au général de Gaulle de diriger effectivement la Résistance clandestine.

délégué → DÉLÉGUER.

déléguer v. tr. (lat. *delegare,* charger de mission ; confier) [conj. **5**]. Députer, envoyer avec pouvoir d'agir, de juger : *Déléguer quelqu'un pour connaître de quelque chose.* ‖ Transmettre, confier dans un dessein déterminé : *Déléguer son autorité, ses pouvoirs à son adjoint.* ◆ **délégant, e** n. Personne qui désigne un délégué. ◆ **délégataire** n. Personne au profit de laquelle est faite une délégation. ◆ **délégateur, trice** n. Personne qui fait une délégation. ◆ **délégation** n. f. Action de déléguer. ‖ Commission en vertu de laquelle on agit pour un autre : *Agir en vertu d'une délégation.* ‖ Groupe de personnes chargées de représenter une collectivité dans une circonstance donnée : *Le ministre reçut une délégation syndicale.* ‖ Opération par laquelle une personne (*délégué*) fait ou s'oblige à faire une prestation à une autre (*délégataire*) qui l'accepte sur l'ordre d'une troisième (*délégant*). ‖ Mandat de virement donné par un client à un agent de change sur un autre agent lorsqu'il a à payer chez le premier et à recevoir chez le second, pour la même liquidation. || Titres auxquels certains droits ont été conférés ou délégués. || Dans l'ancienne monarchie austro-hongroise, nom donné aux commissions autrichienne et hongroise qui se réunissaient annuellement pour discuter du budget commun des affaires étrangères et de la guerre. ● *Délégation cantonale,* réunion des délégués* cantonaux. || *Délégation judiciaire,* V. COMMISSION ROGATOIRE. || *Délégation législative,* pouvoir confié par le Parlement au gouvernement de prendre par ordonnance, pendant un temps limité, des mesures qui sont normalement du domaine de la loi. || *Délégation municipale* ou *spéciale,* organisme désigné par décret pour exercer les fonctions de pure administration lorsque le conseil municipal n'a pu être constitué ou a été dissous. || *Délégation de pouvoirs, de fonctions,* etc., transmission de pouvoirs, de fonctions, etc. : *Les magistrats rendent la justice en vertu d'une délégation de la puissance publique.* || *Délégation de solde,* mesure permettant aux militaires de faire payer directement une partie de leur solde aux personnes désignées par eux ; montant de la partie de la solde qui peut être déléguée. ◆ **délégué, e** n. et adj. Qui a reçu une délégation ; qui a commission de quelqu'un : *Les délégués du peuple.* ● *Débiteur délégué,* personne chargée, par délégation, de payer la dette d'un autre. || *Délégué cantonal,* personnalité désignée dans chaque canton, pour trois ans, par le conseil départemental de l'Instruction publique, et chargée par celui-ci de surveiller l'installation matérielle et l'hygiène des écoles primaires publiques et privées, ainsi que la fréquentation scolaire. || *Délégué militaire départemental,* appellation donnée depuis 1966 à l'officier représentant dans un département le général commandant la division militaire. || *Délégué du personnel,* représentant élu du personnel, chargé de l'observation des conditions du travail, de la présentation des réclamations du personnel au chef d'entreprise et des fonctions d'ordre technique du comité d'entreprise* dans l'entreprise où celui-ci n'existe pas. || *Délégué syndical,* dans les entreprises où existe une section syndicale, délégué qui préside celle-ci. (Il est le représentant du syndicat dans l'entreprise.) || *Délégué à la sécurité des ouvriers mineurs,* travailleur élu par les ouvriers mineurs du fond et parmi eux, afin d'examiner les conditions de sécurité et d'hygiène dans la mine.

Delehaye (le P. Hippolyte), bollandiste belge (Anvers 1859-Bruxelles 1941). Président de la Société des bollandistes, il collabora aux *Acta sanctorum* et aux *Analecta bollandiana..* Il a écrit les *Origines du culte des martyrs* (1912), *les Passions des martyrs et les genres littéraires* (1921).

Delémont, en allem. **Delsberg,** v. de Suisse (cant. de Berne) ; 9 500 h. Centre commercial. Horlogerie.

Delescluze (Charles), homme politique français (Dreux 1809 - Paris 1871). Il fut déporté sous l'Empire. Directeur du journal républicain *le Réveil,* il fut élu député de Paris à l'Assemblée nationale (1871). Membre de la Commune, délégué à la Guerre, il se fit tuer sur les barricades.

Delessert, famille de financiers français. ÉTIENNE (Lyon 1735 - Paris 1816) fonda en 1782 la première compagnie française d'assurance contre l'incendie et créa la première banque d'escompte. — Son fils BENJAMIN (Lyon 1773 - Paris 1847) créa une usine pour la fabrication du sucre de betterave, s'occupa d'œuvres philanthropiques et créa les caisses d'épargne. (Acad. des sc., 1816.)

délestage → DÉLESTER.

délester v. tr. Ôter le lest de : *Délester un navire.* || *Fam.* et *ironiq.* Dévaliser, alléger de son argent. || Effectuer un délestage. ◆ **délestage** n. m. Suppression momentanée du courant électrique. || Interdiction momentanée d'accéder à une route ou à une autoroute pour y résorber les encombrements. || *Fam.* Action de dévaliser.

Delestraint (Charles), général français (Biache-Saint-Waast 1879 - Dachau 1945). Spécialiste des blindés entre les deux guerres mondiales, il milita dans la Résistance après l'armistice de 1940 et fut nommé par de Gaulle, en 1942, chef de l'armée secrète. Arrêté à Paris en juin 1943, il fut déporté au Struthof, puis à Dachau, où il fut fusillé.

délétère adj. (gr. *dêlêtêrios,* nuisible). Qui attaque la santé, la vie : *Emanations délétères.* || *Fig.* Qui corrompt, nuisible : *Doctrine délétère.*

Deleuze (Gilles), philosophe français (Paris 1925). Son œuvre, très diverse (il s'intéresse à Kant, Nietzsche, Spinoza, Proust, Sacher-Masoch), est axée sur le concept de différence, qu'il conçoit comme le lieu où se situe « le vrai commencement de la philosophie ». Dans l'*Anti-Œdipe* (1972), œuvre écrite en collaboration avec F. Guattari, il tente de restaurer, contre l'institution psychanalytique, la puissance révolutionnaire du désir et de la production insconsciente.

Delezenne (Camille), physiologiste français (Genech, Nord, 1868 - Paris 1932). Professeur à l'Institut Pasteur, il est l'auteur de travaux importants sur la coagulation, les venins, le rôle biochimique du zinc, etc. (Acad. de méd., 1912.)

Delfino ou **Dolfino** (Giovanni) [1280-1361], doge de Venise en 1356. Par le traité de Zara (1358), il perdit l'Illyrie et la Dalmatie.

Delft, v. des Pays-Bas (Hollande-Méridionale) ; 87 800 h. Université technique. Musées. Industries variées (faïencerie, huileries, produits chimiques). Centre de recherche atomique. Delft est une ville pittoresque, sillonnée de canaux et riche en édifices historiques : maisons du XVIe s., beffroi gothique, hôtel de ville (XVIIe s.), Prinsenhof (résidence de Guillaume le Taciturne).

Delft (FAÏENCE DE). Les premiers essais de fabrication des faïences de Delft datent du XVIe s. et démarquent les porcelaines chinoises importées par la Compagnie hollandaise des Indes orientales. Leurs caractères furent constants : éclat particulier de la couverte et de l'émail, pâte jaunâtre, légère, résistante et sonore, très plastique. Le décor est souvent en camaïeu.

Delfzijl, v. des Pays-Bas (prov. de Groningen), en face d'Emden ; 12 000 h. Débouché maritime de Groningen. Production de sel.

Delgado (CAP), probablem. le *Prasum promontorium* des Anciens, cap du Mozambique.

Delhi, v. de l'Inde, sur la Jamna. L'agglomération, groupant 3 647 000 h., comprend la ville indienne traditionnelle, *Delhi,* et la capitale de l'Inde, *New Delhi.* Archevêché catholique. La ville conserve de nombreux monuments, témoins de son passé : la colonne de Fer (IVe s.), le Qutb Minar (XIVe s.), les mosquées de la Perle et de Jami Masjid (XVIIe s.). Artisanat (joaillerie, broderie, travail des métaux précieux et de l'ivoire) ; industries textiles et chimiques ; constructions mécaniques.

● *Histoire.* Plusieurs villes furent successivement construites sur le site de Delhi. L'avant-dernière fut abandonnée après avoir été prise et pillée par Tīmūr en 1398. Relevée en 1639, elle devint capitale du Grand Moghol Chāh Jahān. Occupée par les Anglais de 1803 à 1857, elle devint en 1912 la capitale de l'Inde. La création d'une nouvelle ville fut alors décidée (New Delhi) ; elle fut inaugurée en 1931.

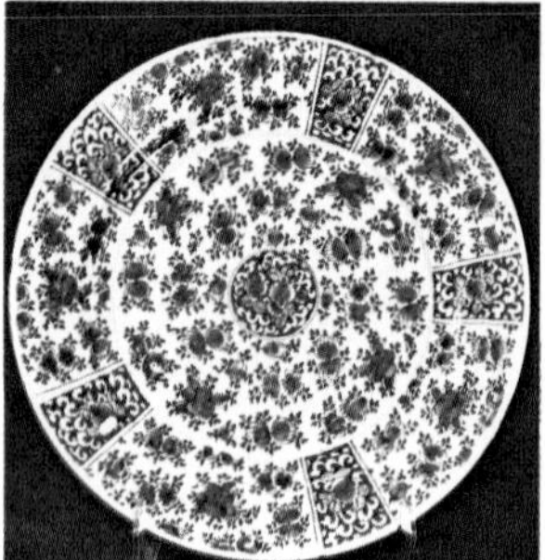

Larousse

Delft : une faïence

Goldner

Goldner

mosquée de Jami Masjid et la Porte d'Aladin, à **Delhi**

déliage, déliaison → DÉLIER.

déliaque adj. et n. Qui se rapporte à Délos ; habitant ou originaire de cette île. (On dit aussi DÉLIEN, ENNE.)

déliaste n. m. (du gr. *Delios,* surnom d'Apollon). *Antiq. gr.* Nom donné aux ambassadeurs que les Athéniens envoyaient tous les cinq ans à Délos pour la célébration des fêtes d'Apollon.

délibérant, délibératif, délibération, délibératoire, délibéré, délibérément → DÉLIBÉRER.

délibérer v. intr. (lat. *deliberare,* examiner, décider) [conj. **5**]. Examiner, discuter avec d'autres personnes. ‖ Examiner en soi-même, réfléchir : *Délibérer avant d'agir.* ✦ v. tr. ind. [**sur**]. Examiner, discuter : *Délibérer sur un projet.* ✦ v. tr. ind. [**de**]. Examiner en soi-même ou avec d'autres : *Délibérer d'une grave affaire.* ‖ — SYN. : *débattre, discuter, examiner, peser.* ◆ **délibérant, e** adj. Qui délibère (se dit surtout des assemblées politiques). ◆ **délibératif, ive** adj. Qui a pour objet la délibération : *Le suffrage universel est délibératif, non consultatif.* ● *Voix délibérative,* droit de suffrage dans les délibérations d'une assemblée, d'un tribunal. ‖ — ***délibératif*** adj. et n. m. Se dit de la forme verbale ou de la construction propre à exprimer l'idée que le sujet s'interroge sur sa décision : *L'expression « que faire ? » a le* *sens délibératif.* ◆ **délibération** n. f. Examen et discussion d'une affaire entre plusieurs personnes : *Délibération du jury.* ‖ Décision prise à la suite de cette discussion : *Les délibérations des conseils municipaux et des conseils généraux.* ‖ Examen intérieur, réflexion avant de se décider : *Un homme prudent n'agit qu'après mûre délibération.* ● *Salle des délibérations,* salle où les juges se retirent pour délibérer. ◆ **délibératoire** adj. *Dr.* Relatif à la délibération. ◆ **délibéré, e** adj. Résolu, décidé, déterminé (en parlant de choses, d'attitudes) : *Un mépris délibéré des usages.* ‖ — **délibéré** n. m. *Dr.* Mode d'instruction dans lequel, les pièces ayant été déposées et soumises à l'examen d'un juge, celui-ci en fait un rapport public le jour de l'audience. ‖ Délibération entre les juges d'un tribunal, au sujet de la sentence à rendre. ● *De propos délibéré,* à dessein, volontairement. ◆ **délibérément** adv. De façon décidée, volontairement : *Répondre délibérément avec insolence.*

Delibes (Léo), compositeur français (Saint-Germain-du-Val 1836 - Paris 1891). On lui doit des opéras-comiques (*Lakmé,* 1883) et des ballets (*Coppélia,* 1870; *Sylvia,* 1876). [Acad. des bx-arts, 1884.]

délicat, e adj. et n. (lat. *delicatus,* choisi; de *deliciae,* délices). Dont la finesse est agréable; exquis, raffiné : *Mets délicats. Un parfum délicat.* ‖ Façonné avec soin, avec adresse : *Ciselure délicate.* ‖ Qui agit avec légèreté, avec adresse : *Pinceau délicat. D'une main délicate.* ‖ Fin, léger, ténu : *Une gaze délicate.* ‖ Difficile, embarrassant : *En arriver au point délicat du récit.* ‖ Fin, sensible; qui demande des ménagements, frêle : *Peau délicate. Couleurs délicates. Santé délicate.* ‖ Sensible, doué d'une grande finesse d'appréciation : *Goût délicat. Oreille délicate* (ouïe fine). ‖ Facile à choquer, sensible du point de vue moral; scrupuleux : *Oreilles délicates. Conscience délicate.* ‖ Sensible à l'excès en matière de plaisirs matériels ou spirituels; difficile, exigeant : *Etre fort délicat sur la nourriture. Fort peu délicat sur les plaisirs;* et, substantiv. : *Faire le délicat.* ‖ Conforme aux bienséances, à la courtoisie : *Procédé délicat.* ‖ Qui manifeste le désir d'être agréable : *Délicate attention.* ‖ — SYN. : *délectable, délicieux, raffiné; difficile, épineux.* ◆ **délicatement** adv. Avec délicatesse : *Soulever délicatement un objet de grande valeur.* ◆ **délicatesse** n. f. Qualité de ce qui est agréable aux sens : *La délicatesse des mets, d'un parfum.* ‖ Soin, adresse, légèreté avec lesquels une chose est ou doit être faite : *Manipuler des œuvres d'art avec délicatesse.* ‖ Disposition à être délicat, difficile, raffiné en toutes choses : *La délicatesse des sentiments. Etre d'une grande délicatesse de goût. Savoir agir avec délicatesse dans les situations difficiles.* ‖ — SYN. : *finesse, légèreté, ténuité; grâce, raffinement, tact.*

délice n. m. (lat. *delicium*). Très vif plaisir (au *pr.* et au *fig.*) : *C'est un grand délice que de boire frais.* ‖ — **délices** n. f. pl. (lat. *deliciae*). Plaisir, bonheur extrême : *Les délices de la table.* ‖ — REM. *Délice* est toujours masculin au singulier : *Quel délice nous cause cette musique!* Il est le plus généralement féminin au pluriel : *Il fait ses plus chères délices de l'étude.* ● *Délices de Capoue,* v. CAPOUE. ‖ *Faire, être les délices de quelqu'un,* en être très aimé. ‖ *Jardin des délices,* le paradis terrestre. ‖ *Lieu de délices,* lieu où l'on se plaît infiniment. ◆ **délicieusement** adv. Avec délices : *Il fait délicieusement bon au premier soleil de printemps.* ◆ **délicieux, euse** adj. En parlant des choses, extrêmement agréable : *Lieu délicieux. Un temps délicieux.* ‖ Qui flatte les sens : *Un parfum délicieux. Un repas délicieux.* ‖ Qui flatte l'esprit ou le cœur : *Un roman délicieux. Une conversation délicieuse.* ‖ En parlant des personnes, très agréable par les manières, le cœur, l'esprit : *Quel homme délicieux! Une femme délicieuse.* ‖ — SYN. : *délectable, délicat, exquis, ravissant.*

Délicieux (Bernard), religieux franciscain (Montpellier v. 1260 - Avignon 1320). Théologien, canoniste et diplomate, il prit position contre les inquisiteurs envoyés en Languedoc contre les albigeois et se fit le porte-parole des *spirituels.* Arrêté par ordre du pape en 1318, il fut condamné à la prison perpétuelle. Les actes de son procès ont été conservés.

délicoter v. tr. Ôter le licou d'un cheval.

délictuel, délictueux → DÉLIT.

Délie, œuvre poétique de Maurice Scève (1544). Dans ce poème de 449 dizains, l'auteur chante l'amour platonique et vertueux qu'il éprouve pour Délie, nom par lequel il désigne Pernette du Guillet. La critique moderne apprécie l'originalité d'une œuvre dont l'hermétisme rebuta les contemporains du poète.

délié, e adj. (lat. *delicatus.* — *Délié* est le doublet pop. de *délicat*). En parlant des choses, menu, grêle, mince : *Trait de plume fort délié. Fil délié.* ‖ Léger, fin, agile : *Des gestes et une démarche déliés.* ‖ *Fig.* Fin, subtil : *Avoir l'esprit délié.* ‖ Se dit des fumées de cerf quand elles sont bien moulées. ‖ — SYN. : *fin, grêle, menu, mince, ténu.* ● *Navire délié,* navire dont la coque est fatiguée, dont la charpente a perdu sa rigidité par suite d'un gros temps ou d'un échouement. ‖ — **délié** n. m. Partie fine et déliée d'une lettre, par opposition au plein : *La lettre O a, en typographie, deux pleins et deux déliés.*

déliement → DÉLIER.

délien, enne adj. et n. V. DÉLIAQUE.

délier v. tr. (de *lier*). Dégager de son lien : *Délier une gerbe, un fagot.* ‖ Dégager de ce qui constitue un lien, une obligation morale : *Délier quelqu'un d'un serment.* ‖ Absoudre.

● *Avoir la langue bien déliée,* avoir la parole facile et abondante. ‖ *Délier la langue,* permettre de parler : *Délier la langue à un témoin.* — Faire parler : *L'alcool lui avait délié la langue.* ‖ *N'être pas digne de délier la chaussure de quelqu'un,* lui être très inférieur. ‖ *Sans bourse délier,* sans qu'il en coûte rien. ◆ **déliage** n. m. Action de délier : *Le liage et le déliage des paquets.* ◆ **déliaison** n. f. Jeu qui se produit entre les pièces d'un navire. ◆ **déliement** n. m. Action de délier : *Le déliement des mains.*

délies n. f. pl. *Antiq.* Fêtes célébrées à Délos en l'honneur d'Apollon.

délignage n. m. Reprise à plat, en scierie, d'une pièce débitée sur dosses présentant des flaches. ◆ **déligneuse** n. f. Machine à bois servant au délignage. ◆ **délignure** n. f. Déchet de bois avec flache, résultant du délignage.

délignification n. f. Action d'éliminer la *lignine* qui unit entre elles les cellules et les fibres des végétaux.

délignure → DÉLIGNAGE.

Delille (abbé Jacques), poète français (Aigueperse, Auvergne, 1738 - Paris 1813). Sa traduction en vers des *Géorgiques* de Virgile (1769) le rendit célèbre. Il écrivit ensuite un poème didactique sur *les Jardins* (1782), puis une série de poèmes descriptifs. Il se dissimula durant la Révolution et retrouva, sous le Consulat, sa chaire de poésie au Collège de France. Célébré de son temps comme un poète de génie, Delille n'est plus considéré aujourd'hui que comme un versificateur adroit. (Acad. fr., 1774.)

délimitation → DÉLIMITER.

délimiter v. tr. (bas lat. *delimitare*). Fixer, tracer les limites de (au *pr.* et au *fig.*) : *Délimiter des frontières. Délimiter un sujet. Délimiter les pouvoirs de quelqu'un.* ◆ **délimitation** n. f. Action de délimiter ; résultat de cette action : *La délimitation des frontières.*

délinéament, délinéation → DÉLINÉER.

délinéer v. tr. (lat. *delineare*). Tracer le contour de. ◆ **délinéament** n. m. Contour, forme. ◆ **délinéation** n. f. Action de tracer le contour d'un objet au simple trait. ‖ Figure de ce tracé.

délinquance → DÉLINQUANT.

délinquant, e n. et adj. Personne qui a commis un délit : *Le délinquant primaire peut demander à bénéficier de la faveur du sursis. Enfant délinquant, enfance délinquante.* ◆ **délinquance** n. f. Ensemble des infractions criminelles et délictuelles considérées sur le plan social : *La délinquance juvénile.*

— ENCYCL. ***délinquance juvénile.*** La délinquance juvénile revêt divers aspects : vol, vagabondage, prostitution, violence et infractions aux règlements. Elle est le fait de sujets arriérés mentaux ou caractériels (80 p. 100 des cas). En outre, l'alcoolisme et les mauvaises conditions familiales et sociales jouent un rôle considérable. Les nombreux problèmes posés par la délinquance juvénile, autrefois envisagés sous l'angle de la répression pure, font maintenant partie du domaine médical, et leur solution est cherchée dans la prévention et dans la rééducation.

La France accomplit depuis 1945 une action efficace en matière de délinquance juvénile. Elle s'est placée sur le plan de la recherche de l'intérêt du mineur en même temps que de l'intérêt de la société et a substitué à la peine classique la mesure éducative adaptée à la personnalité et aux besoins de l'enfant. Les principales mesures éducatives à titre provisoire contre les mineurs délinquants sont la mise en observation dans un centre d'observation, l'observation en milieu ouvert, dans une section d'accueil d'un institut de rééducation, la remise à une personne digne de confiance ou à l'aide sociale à l'enfance, la détention préventive dans un établissement pénitentiaire, la liberté surveillée à titre provisoire. Les principales mesures à titre définitif contre ces même mineurs délinquants sont de deux ordres : les mesures éducatives (remise à la famille, administration, remise à une institution de rééducation ou à un établissement médical ou médico-pédagogique), qui sont la règle ; la peine, qui est l'exception. Pour fixer ces mesures, le juge a un large pouvoir d'appréciation, et l'administration, une grande liberté d'action.

Notons que certaines mesures sont également prévues non plus pour punir ou mieux pour protéger l'enfant délinquant, mais pour protéger celui qui est en danger de le devenir : placement des mineurs vagabonds, des mineurs victimes de mauvais traitement ou de sévices, des mineurs moralement abandonnés.

déliquescence [kɥesɑ̃s ou kesɑ̃s] n. f. (de *déliquescent*). Propriété qu'ont certains corps solides d'absorber la vapeur d'eau atmosphérique et de se transformer progressivement en une solution aqueuse. ‖ *Fig.* et *fam.* Décadence, décomposition résultant de la violation des règles morales : *Société en déliquescence.* ◆ **déliquescent, e** adj. Qui absorbe l'humidité de l'air en devenant liquide. ‖ *Fig.* et *fam.* Qui est en pleine décadence : *Un esprit déliquescent.*

deliquium [delikɥjɔm] n. m. (mot lat.). Etat d'un corps devenu liquide par déliquescence.

délirant → DÉLIRE.

délire n. m. (lat. *delirium ;* de *delirare,* sortir du sillon). Croyance pathologique à des faits irréels ou à des associations d'idées qui, sans être nécessairement absurdes, sont incompatibles entre elles. (V. *encycl.*) ‖ *Fig.* Agitation extrême, trouble, exaltation : *Le délire de l'ambition, de la liberté,* etc. ● *Délire onirique,* v. ONIRISME. ‖ *Délire des sens,* surexcitation des organes des sens. ◆

délirant, e adj. *Fig.* Excessif, désordonné : *Joie délirante. Imagination délirante.* ◆ **délirer** v. intr. Avoir le délire, déraisonner : *Malade qui commence à délirer.* || *Fig.* Etre en proie à quelque sentiment exalté : *Délirer de joie.*

— ENCYCL. ***délire.*** Le délire est caractérisé par le caractère hallucinatoire des images perçues, par la conviction absolue qui l'accompagne, et par la désocialisation de la pensée. Il est des délires d'évolution rapidement régressive, qui peuvent survenir chez des sujets dont le psychisme est normal, à l'occasion d'une affection fébrile, d'une intoxication, par exemple. A l'inverse, les *délires chroniques* constituent le problème central de toute la psychiatrie. Ces délires reposent en effet sur une altération profonde du psychisme et de la personnalité, qu'il s'agisse du *délire systématisé* pseudo-logique du paranoïaque ou du *délire polymorphe* incohérent du schizophrène.

délirer → DÉLIRE.

delirium tremens [delirjɔmtremɛ̃s] n. m. (mots lat. signif. *délire tremblant*). Complication aiguë de l'alcoolisme chronique, caractérisée par une agitation extrême, un tremblement généralisé, de graves troubles neuro-végétatifs (sueurs abondantes, tachycardie, fièvre), de la confusion mentale et un délire hallucinatoire souvent terrifiant, capable d'entraîner des réactions agressives de la part du malade. (Cette complication est généralement déclenchée chez l'alcoolique chronique par un sevrage brutal d'alcool ou par une affection intercurrente. Autrefois mortel, le delirium tremens reste un accident très grave, mais que le traitement [rehydratation intense, tonicardiaques, méprobamate à hautes doses] guérit le plus souvent. Témoin d'un alcoolisme chronique grave, cet accident impose des mesures prophylactiques : cure de désintoxication, psychothérapie de soutien, voire d'internement.)

Delisle (Guillaume), dit **Delisle l'Aîné,** géographe français (Paris 1675 - *id.* 1726). Premier géographe du roi (1718), il publia de nombreuses cartes. (Acad. des sc., 1702). — Son frère JOSEPH NICOLAS, dit **Delisle le Cadet** ou **le Jeune,** astronome (Paris 1686 - *id.* 1768), conçut la première méthode exacte pour déterminer les coordonnées héliocentriques des taches du Soleil et pour obtenir le pôle de rotation de cet astre (1738). [Acad. des sc., 1719.]

Delisle (Léopold), érudit français (Valognes 1826 - Chantilly 1910). Administrateur de la Bibliothèque nationale, il fit entreprendre le *Catalogue général* et édita de nombreux textes. (Acad. des inscr., 1857.)

délissage → DÉLISSER.

délisser v. tr. En papeterie ancienne, découper les chiffons à une dimension déterminée. ◆ **délissage** n. m. Action de délisser. ◆ **délissoir** n. m. Atelier de délissage.

délit n. m. (lat. *delictum;* de *delinquere,* délaisser). Acte accompli volontairement en violation d'un droit et qui cause à autrui un dommage. (Le *délit pénal* porte préjudice à la société, le *délit civil* à la victime seule.) || *Fig.* Faute, erreur : *Les écrivains commettent parfois des délits contre la grammaire.* (V. aussi DÉLITER.) ● *Corps du délit,* élément matériel d'une infraction. || *Délit de commission,* délit commis en agissant d'une manière active. || *Délit commun,* ou *délit ecclésiastique,* crime commis par un clerc et relevant du juge ecclésiastique. || *Délit complexe,* délit dans lequel l'élément matériel suppose la réunion de plusieurs composantes. (V. notamment CUMUL *d'infractions.*) || *Délit continu,* délit qui suppose une certaine durée de l'état délictueux (port illégal de décorations). || *Délit flagrant,* délit qui se commet actuellement ou est en train de se commettre, cas auquel il faut ajouter celui où, dans un temps très voisin de l'action, la personne est soupçonnée et poursuivie par la clameur publique ou est trouvée en possession d'objets, ou présente des traces ou des indices laissant penser qu'elle a participé au délit. (L'enquête se déroule alors sous le signe de l'urgence; chacun peut arrêter le coupable.) || *Délit instantané,* délit commis en un seul instant. || *Délit d'omission,* délit résultant d'une abstention coupable dans un cas où la loi commandait au contraire d'agir (non-assistance à personne en danger). || *Délit simple,* délit dont l'élément matériel se compose d'un seul acte dont la qualification n'est pas douteuse. ◆ **délictuel, elle** adj. V. RESPONSABILITÉ *délictuelle.* ◆ **délictueux, euse** adj. Qui tient du délit; qui a le caractère d'un délit : *Fait délictueux. Intention délictueuse.*

délits et des peines (TRAITÉ DES), ouvrage de Beccaria* (1764), qui est la source du droit pénal moderne.

délit, délitage, délité, délitement → DÉLITER.

déliter v. tr. (préf. priv. *dé,* et *lit*). Placer une pierre de taille dans un sens qui n'est pas celui de son lit de carrière. || Couper une pierre de taille parallèlement à la face de son lit de carrière. || Enlever la litière des vers à soie. || — ***se déliter*** v. pr. En parlant d'une roche, se fragmenter progressivement par enlèvement de pellicules successives et de fragments de menues dimensions. ◆ **délit** n. m. Côté d'une pierre opposé au lit qu'elle avait dans la carrière. || Cassure d'une veine, provenant de mouvements géologiques. (Syn. FAILLE.) ● *En délit,* se dit d'une dalle, d'un morceau massif de pierre scié parallèlement aux lits de carrière. (V. aussi DÉLIT à son ordre.) ◆ **délitage** n. m. Action de déliter. || L'une des formes de la météorisation*. ◆ **délité, e** adj. Se dit d'une roche mal consolidée, en voie de fragmentation. (Pour les alpinistes, le rocher délité est difficile à gravir.) ◆ **délite-**

ment n. m. Opération qui consiste à diviser des pierres suivant le sens des couches qui les constituent. (On dit aussi DÉLITATION.)

délitescence n. f. (de *se déliter*). Phénomène par lequel un cristal perd son eau de cristallisation et tombe en poussière. (Syn. EFFLORESCENCE.) ◆ **délitescent, e** adj. Soumis à la délitescence.

Delitzsch (Franz), théologien évangéliste allemand (Leipzig 1813 - *id.* 1890). Professeur de théologie à Rostock (1846), à Erlangen (1850), puis à Leipzig, il a écrit *Sacrement du vrai corps et du sang de Jésus-Christ* (1844) et *Nouvelles Recherches sur l'origine des évangiles canoniques* (1853). — Son fils FRIEDRICH (Erlangen 1850 - Langenschwalbach 1922) est l'auteur d'un *Dictionnaire manuel assyrien* (1896) et d'un livre de libre critique, *Babel et la Bible* (1902).

Delius (Frederick), compositeur anglais (Bradford, Yorkshire, 1862 - Grez-sur-Loing 1934), auteur de six opéras, d'un *Requiem* et de concertos.

delivery-order [dilivəri ɔrdər] n. m. (terme anglais). *Dr. mar.* Lettre émanant du porteur du connaissement, invitant le capitaine du navire à délivrer à l'ordre d'une personne désignée une partie de la marchandise. — Pl. *des* DELIVERY-ORDERS.

délivrance, délivre → DÉLIVRER.

délivrer v. tr. (bas lat. *deliberare,* renforcement de *liberare*). Mettre en liberté : *Délivrer un prisonnier.* ‖ Livrer, remettre : *Délivrer de l'argent, des papiers, un médicament.* ‖ Affranchir, débarrasser : *Etre délivré d'une obsession, d'un importun.* ‖ Débarrasser du délivre. ‖ — SYN. : *affranchir, libérer.* ● *Délivrer des ouvrages,* donner des travaux à faire à un entrepreneur. ✦ v. intr. En parlant d'une femelle, expulser le placenta et les enveloppes après le part. ◆ **délivrance** n. f. Action de mettre en liberté, de débarrasser; résultat de cette action : *La délivrance d'un prisonnier. La délivrance des peuples colonisés.* ‖ Livraison, action par laquelle on remet quelque chose entre les mains de quelqu'un : *Délivrance de titres, de pièces.* ‖ Opération matérielle et comptable qui, dans un atelier monétaire, transfère les pièces frappées dans la caisse publique de l'agent comptable et leur confère la qualité de monnaie. ‖ Expulsion naturelle ou extraction (*délivrance artificielle*) des annexes du fœtus : cordon, placenta, membranes. (La délivrance se fait, chez la femme, environ une demi-heure après l'accouchement. Elle est annoncée par une reprise des contractions utérines, qui aboutissent au décollement du placenta.) ‖ Autorisation délivrée à un usager par un agent forestier ou par le propriétaire d'une forêt. ‖ Livraison des arbres ou des coupes. ‖ Dans les salines ignigènes, service chargé de la reprise du sel dans les magasins, de sa mise en sac et de sa livraison. ● *Martelage en délivrance,* signe dont on marque les arbres à abattre. ◆ **délivre** n. m. Annexes du fœtus, que les femelles expulsent peu de temps après l'accouchement. ‖ Dans certains marais salants de l'Ouest, canal qui fait communiquer les bassins supérieurs avec les bassins inférieurs. ◆ **délivreur, euse** n. Personne qui délivre. ‖ — ***délivreur*** n. m. Chacun des deux cylindres placés à la sortie de tout dispositif d'étirage de matières textiles. ‖ *Par extens.* Ensemble de ces deux cylindres.

Dell'Abate (Nicolo), peintre, sculpteur et architecte italien (Modène v. 1509 - Fontainebleau 1571). Disciple de Dosso Dossi et du Parmesan, il travailla à Bologne (portraits, paysages, fresques), puis vint à Fontainebleau (1552) exécuter des fresques d'après les dessins du Primatice.

Della Francesca (Piero BORGHÈSE, dit). V. PIERO DELLA FRANCESCA.

Dell'Altissimo (Cristofano), peintre florentin (XVIe s.), élève de Pontormo et de Bronzino. Vers 1550, il exécuta 280 portraits, premier fonds de la collection des Offices à Florence.

Della Porta (Giovanni Giacomo), architecte et sculpteur italien (Porlezza, Côme, v. 1485 - Gênes 1555). Il travailla à Gênes, à Crémone, fut architecte du Dôme de Milan et, de retour à Gênes, y décora notamment la chapelle Saint-Jean-Baptiste du Dôme (1531).

Della Porta (Giambattista), physicien italien (Naples v. 1538 - *id.* 1615). Il a découvert la chambre noire et inventé la lanterne magique.

Della Porta (Giacomo), architecte italien (Rome v. 1540 - *id.* 1602). Il termina, à Rome, la plupart des édifices commencés par Michel-Ange, puis le Gesù de Vignola. Il éleva des villas (Aldobrandini) et des fontaines.

Della Robbia (Luca), sculpteur et céramiste florentin (Florence 1400 - *id.* 1482). Créateur de la sculpture en terre cuite polychrome émaillée, il exécuta surtout des médaillons (*cantoria* de la cathédrale de Florence) qui eurent un très grand succès. — Son neveu et élève ANDREA (Florence 1435 - *id.* 1525) continua son œuvre dans un style plus compliqué. — Les fils de celui-ci, GIOVANNI (Florence 1469 - † apr. 1529) et GIROLAMO (Florence 1488 - Paris 1566), furent céramistes. Le dernier ouvrit un atelier en France, au château de Madrid.

Della Rovere, famille italienne originaire de Savone. — FRANCESCO devint pape en 1471, sous le nom de Sixte IV*. — Parmi ses neveux, PIETRO fut le pape Jules II*, et GIOVANNI (1457 - 1501) fut préfet de Rome et capitaine général de l'Eglise (1475). — FRANCESCO MARIA Ier (1490 - 1538), fils de Giovanni, fut duc d'Urbino et devint capitaine général des troupes de l'Eglise en 1508. —

Son fils GUIDOBALDO II (1514 - 1574) devint capitaine général des troupes vénitiennes (1540-1552), puis de celles de l'Eglise (1553). Il fut préfet de Rome (1555).

Della Scala, famille italienne possédant la seigneurie de Vérone, et qui a compté parmi ses membres : MASTINO Ier († Vérone 1277), podestat de Vérone (1259) et capitaine général des Véronais (1261) ; — CANGRANDE Ier (Vérone 1291 - Trévise 1329), qui obtint de l'empereur Henri II, le titre de vicaire impérial. Il fut nommé capitaine général de la ligue gibeline en Lombardie (1318) et accueillit à Vérone Dante exilé ; — CANSIGNORIO (1340 - 1375), qui fit édifier un pont sur l'Adige, répara les murs de Vérone et se fit construire un remarquable tombeau.

Della Torre, famille italienne originaire de Valvassina, qui a compté parmi ses membres : MARTINO Ier († 1263), seigneur de Milan à partir de 1257, qui vainquit les Gibelins en 1259 ; — FILIPPO († 1263), frère du précédent, qui étendit son pouvoir aux seigneuries de Bergame, Côme, Novare, Lodi, Verceil, Ivrée et Canavese ; — NAPOLEONE († 1278), qui fut vicaire impérial en 1273 ; — GUIDO († Crémone 1312), qui fut battu en 1311 par le gibelin Matteo Visconti. Les Della Torre durent quitter Milan.

Della Vigna (Pietro), juriste et poète italien (Capoue v. 1190 - près de Pise 1249). Entré comme notaire à la Cour de Frédéric II, il devint son ministre. Disgracié en 1247 et emprisonné, il se suicida. Dante a fait de lui le protagoniste d'un épisode de *la Divine Comédie* (*Enfer,* chap. XIII).

Delle, ch.-l. de c. du Territoire de Belfort (arr. de Belfort), à la frontière suisse, à 18 km à l'E. de Montbéliard ; 7 981 h. (*Dellois*). Métallurgie ; machines-outils.

Delluc (Louis), journaliste, écrivain et cinéaste français (Cadouin, Dordogne, 1890 - Paris 1924). Il est considéré comme le fondateur de la critique cinématographique. Il publia plusieurs romans, fit jouer quelques pièces, et réalisa des films dont il avait écrit les scénarios. Il a surtout publié plusieurs ouvrages d'esthétique cinématographique : *Cinéma et Cie* (1919), *Photogénie* (1920), *Charlot* (1921). Un prix de cinéma, fondé en 1936, porte son nom.

Delly, pseudonyme littéraire sous lequel Marie PETITJEAN DE LA ROSIÈRE (Avignon

Scala

Luca Della Robbia, « Madone à l'Enfant et aux saints »
église Santa Croce, Florence

1875 - Versailles 1947) et son frère FRÉDÉRIC (Vannes 1876 - Versailles 1949) écrivirent des romans sentimentaux qui connurent un grand succès populaire (*Magali,* 1910).

Dellys, comm. d'Algérie (dép. de Tizi-Ouzou, arr. de Bordj-Menaïel) ; 20 000 h. Centre touristique.

Delme, ch.-l. de c. de la Moselle (arr. et à 13 km au N.-O. de Château-Salins) ; 620 h. — Au pied de la *côte de Delme,* les Allemands brisèrent l'offensive de l'armée de Castelnau (20 août 1914).

Delmenhorst, v. d'Allemagne (Allem. occid., Basse-Saxe) ; 61 100 h. Industries textiles (laine, jute) et chimiques. Constructions mécaniques.

Delmet (Paul), compositeur de romances (Paris 1862 - *id.* 1904). Il fit partie du « Chat-Noir ». Ses chansons (*Envoi de fleurs, Mélancolie,* etc.) eurent un grand succès.

délocalisé, e adj. *Phys.* Dont on ne peut pas préciser la position : *La liaison métallique est délocalisée, car elle est due à des électrons se déplaçant librement dans toute l'étendue du cristal.*

délogement → DÉLOGER.

déloger v. intr. (de *loger*) [conj. **1**]. *Fam.* Sortir, quitter le lieu où l'on est : *Quand la police se présenta à son domicile, il avait déjà délogé.* ● *Déloger sans tambour ni trompette,* se retirer secrètement, sans bruit. ✦ v. tr. Faire quitter son logement, sa place à : *Déloger un locataire. Déloger un importun.* ‖ Contraindre l'adversaire à évacuer une position, une ville, etc. ◆ **délogement** n. m. Action de déloger.

Deloney (Thomas), chansonnier et conteur anglais (Londres v. 1543 - Norwich v. 1607). Ses trois romans *Jack of Newbury* (1597), *le Noble Métier* (1597-1598) et *Thomas of Reading* (1600) décrivent avec humour la classe ouvrière anglaise de la fin du XVIe s.

Delorme ou **de l'Orme** (Philibert), architecte français (Lyon v. 1510/1515 - Paris 1570). Après des études de lettres et de sciences dans sa ville natale, il séjourna en Italie (1533-1536), dessinant les monuments antiques et se livrant à des fouilles. Il débuta comme architecte à Lyon, vint construire le château de Saint-Maur-des-Fossés (1541), que remarqua François Ier. Le roi le nomma visiteur des forts de Bretagne. Aumônier de Henri II, chanoine de Notre-Dame de Paris, il devint en 1548 surintendant des Bâtiments royaux (à l'exception du Louvre, que gardait Lescot). Il connut la gloire, fut l'ami de Rabelais, forma de nombreux élèves, répandit et imposa ses idées. Après une période de disgrâce sous François II, il reprit

Délos : vue générale de la maison de Cléopâtre

Lauros - Giraudon

son activité d'architecte. De son œuvre abondante (Saint-Maur, 1541 ; château de Madrid, 1550 ; Villers-Cotterêts, 1556 ; Tuileries, 1564) ne subsistent guère que l'hôtel Bullioud (Lyon), la chapelle et le portail d'Anet, le tombeau de François Ier à Saint-Denis. Par ses livres (*le Premier Tome de l'architecture*, 1567), il fut le véritable initiateur de l'architecture classique française.

De Lorme (Marion). V. LORME (Marion DE); et, pour le drame de Victor Hugo, v. MARION DE LORME.

Delorme ou **De Lorme** (Adrien), ébéniste parisien († apr. 1783). Il excella dans la marqueterie et dans l'emploi des laques d'Extrême-Orient ; ses meubles sont d'une charmante fantaisie de dessin.

Délos, en gr. **Dêlos** ou **Dhilo,** îlot grec des Cyclades, entre Mykonos et Syros.

● *Histoire.* L'île de Délos était habitée déjà à la fin du IIIe millénaire. Très tôt, elle fut fréquentée par les Crétois et par les Ioniens. Au VIIe s. av. J.-C., elle devint un centre religieux. Mais Athènes la soumit progressivement à son hégémonie. Polycrate de Samos étendit ensuite son protectorat sur Délos. En 477 av. J.-C., Athènes en fit le centre de la première ligue maritime. Mais, en 454 av. J.-C., Athènes retira de Délos le trésor fédéral et s'empara du sanctuaire. Délos resta lié à Athènes jusque vers 315 av. J.-C. Indépendante, l'île connut ensuite une période florissante (315-160 av. J.-C.). Elle fut à nouveau le centre d'une confédération des grecs insulaires. Les riches offrandes affluèrent dans le sanctuaire. En 160 av. J.-C., Rome s'en empara et la donna à Athènes. Elle devint ainsi simple *clérouquie*. Mais son port, déclaré franc, reçut de la chute de Corinthe (146 av. J.-C.) un prodigieux accroissement. En 88 av. J.-C., elle fut pillée par les amiraux de Mithridate et ne se releva pas.

● *Archéologie.* La partie nord de l'île est couverte d'un ensemble impressionnant de ruines : grands sanctuaires (près du port), quartier résidentiel (près du théâtre), sanctuaires étagés sur les pentes du mont Cynthe, dominé par le temple de Zeus et d'Athéna Cynthiens. Le *Hiéron* d'Apollon contient les ruines de trois temples. L'architecture civile est remarquable (portiques, agoras, magasins, maisons) ; la décoration, parfois luxueuse (mosaïques des maisons des Dauphins et de Dionysos). Des objets d'or et d'ivoire d'époque mycénienne viennent de l'Artemision. L'archaïsme est représenté par les fragments du *Colosse d'Apollon,* l'allée des Lions naxiens, des statues féminines et masculines. L'époque classique est moins riche (copie du *Diadumène,* groupe de *Borée et Orithyie*). Le *Galate blessé* et le groupe d'*Aphrodite, Eros et Pan* datent de l'époque hellénistique. Les fouilles ont été confiées à l'Ecole française d'Athènes. Le musée de Délos conserve surtout les vases et les masques de terre cuite.

Délos (LIGUE DE). V. CONFÉDÉRATION ATHÉNIENNE (*Première*).

délot n. m. (de *deel,* anc. forme de *dé*). Doigtier de cuir du calfat et de la dentellière.

délover v. tr. En parlant d'un câble qui était lové ou enroulé en cercle, le dérouler.

déloyal [delwajal], **e, aux** adj. Qui n'a pas de loyauté : *Ami déloyal.* || Qui marque la déloyauté : *Concurrence déloyale.* ◆ **déloyalement** adv. Avec déloyauté. ◆ **déloyauté** n. f. Manque de bonne foi : *La déloyauté est méprisable.* || Acte déloyal : *Commettre une déloyauté.*

delphax n. m. Petit insecte homoptère sauteur aux longues antennes, aux ailes de longueur très variable, aux tibias épineux. (Type de la famille des *delphacidés.*)

Delphes, en gr. **Delphoi** ou **Delphí,** v. de la Grèce ancienne, en Phocide, sur le versant sud-ouest du Parnasse. Ruines près du village de *Kastri.*

● *Histoire.* Les séismes, les vapeurs et les sources ont donné de bonne heure un caractère sacré à ce lieu. Il possédait un oracle où parlait la *pythie**. A l'origine, il était voué aux divinités chthoniennes ; il le fut ensuite à Poséidon. Au VIIe s. av. J.-C. fut importé de Cnossos le culte d'Apollon Delphinios, dieu insulaire et crétois, adoré sous la forme d'un dauphin, ce qui fit prévaloir le nom de Delphes. Le sanctuaire devint le centre d'une amphictyonie importante. Ville sacerdotale, Delphes vit l'autorité de son oracle et le prestige de sa fête pythique rayonner sur tout le monde antique. L'oracle encouragea la colonisation lointaine, s'opposa aux excès des démocrates et des tyrans. A la suite de la première guerre Sacrée (590-589 av. J.-C.), Delphes devint autonome. En 546 av. J.-C., le temple fut détruit par le feu, et diverses cités, dont Athènes, contribuèrent à sa reconstruction. En 357 av. J.-C., au cours de la troisième guerre Sacrée, les Phocidiens pillèrent les trésors de Delphes. Son prestige souffrit ensuite de l'indifférence religieuse.

● *Archéologie.* Le site de Delphes a été fouillé par l'Ecole française d'Athènes depuis 1860. Au milieu d'une foule de chapelles d'architecture et de décor remarquables, la Voie sacrée conduit au grand temple d'Apollon (IVe s. av. J.-C.), élevé sur l'emplacement de deux temples successifs depuis le VIIe s. av. J.-C. Des thermes, une agora romaine, un gymnase, un théâtre, le sanctuaire d'Athéna (temple, trésors, *tholos*), le trésor des Athéniens sont les principaux vestiges d'une riche ville d'art. Le musée, édifié par l'Ecole française d'Athènes, abrite notamment le sphinx de Naxos, des sculptures pro-

→ V. illustration page suivante.

Delphes : théâtre et temple d'Apollon

venant des différents trésors (VIe s.), l'*Aurige* de bronze (Ve s.).

delphien, enne adj. et n. Qui se rapporte à Delphes ; habitant ou originaire de cette ville. ◆ **delphique** adj. Qui se rapporte à Delphes, et spécialement au culte rendu autrefois à Apollon dans cette cité.

delphinaptère n. m. Dauphin des mers du Nord, long de 5 m, sans nageoire dorsale et au museau court.

Delphine, roman de Mme de Staël, paru à Genève en 1802 et à Paris en 1803. Roman par lettres, roman à thèse, il montre Delphine d'Albémar, jeune veuve, fière et indépendante, aimant Léonce de Mondoville, qui, lui, craint de heurter les convenances du monde.

delphinidés n. m. pl. Famille de cétacés carnassiers et munis de dents, comprenant des espèces relativement petites : dauphin, marsouin, orque, globicéphale, etc.

delphinium [njɔm] n. m. Renonculacée champêtre, cultivée comme ornementale. (Syn. PIED-D'ALOUETTE.)

delphinologie → DAUPHIN 1.

Delphinus, nom lat. de la constellation du Dauphin* (au génit. : *Delphini ;* abrév. : [Del]).

delphique → DELPHIEN.

Delrio ou **Del Río** (Martín Antonio), savant espagnol (Anvers 1551 - Louvain 1608). Vice-chancelier des Pays-Bas (1578), membre de la Compagnie de Jésus à partir de 1580, il est l'auteur d'un livre de démonologie, *Disquisitionum magicarum libri VI* (1599).

Delsarte (François), pédagogue français (Solesmes, Nord, 1811 - Paris 1870). Après avoir étudié le chant et la diction, il se consacre à des recherches sur le dynamisme et l'expression, sur le geste et la parole ainsi que sur les interactions qui peuvent naître de la combinaison des phénomènes mentaux, émotionnels et physiques. Ses travaux sont à l'origine des déductions « eurythmiques » d'Emile Jaques-Dalcroze et influenceront les théories de Rudolf von Laban et le style de Kurt Joos. Son système fait de Delsarte le précurseur de la modern dance.

Del Sarto (Andrea ANGELI, ou Andrea D'AGNOLO DI FRANCESCO, dit **Andrea**), peintre

Scala

Andrea **Del Sarto**
détail d'un paysage
« Histoire de saint Philippe Benizzi »
église de l'Annunziata, Florence

italien (Florence 1486 - *id.* 1530). Elève de Piero di Cosimo, influencé par Raphaël et Léonard, il donna la version florentine du classicisme romain. Il fit de beaux portraits (*Autoportrait,* palais Pitti; *Portrait de femme,* Offices), ainsi que de nombreuses décorations, harmonieuses, aux tons délicats ou en grisaille. Il travailla surtout à Florence : porche de l'Annunziata; cloître des Scalzi (*Vie de saint Jean-Baptiste,* 1512-1514). De la fin de sa vie datent *la Madone au sac* (1525, Annunziata), *la Sainte Famille* (galerie Borghèse, Rome), *l'Assomption* (palais Pitti).

delta n. m. Quatrième lettre de l'alphabet grec. ‖ Objet quelconque ayant la forme d'un triangle isocèle ou équilatéral. ‖ Zone d'accumulation alluviale, de forme grossièrement triangulaire, édifiée par un fleuve à son arrivée dans un lac ou dans la mer. (V. *encycl.*) ● *Aile en delta* (Aéron.), V. AILE. ‖ *Delta mystique,* triangle entouré de rayons, dans lequel sont dessinés un œil ou les quatre lettres hébraïques qui composent le nom de Dieu. ◆ **deltaïque** adj. Relatif à un delta.
— ENCYCL. ***delta.*** Les formes des deltas sont complexes, car à l'action du courant du fleuve s'ajoute celle des vagues et des courants marins. Le fleuve, par alluvionnement, forme des levées naturelles qui dominent des zones marécageuses en voie de colmatage. Vers l'aval, les levées naturelles sont raccordées transversalement par des cordons littoraux. Il se forme ainsi une sorte de quadrillage entourant des marais. La constitution et la progression des grands deltas se font seulement dans les mers calmes sans grande marée (Méditerranée, Caspienne, golfe du Mexique). Les installations portuaires évitent généralement les deltas et leur voisinage en raison de l'envasement abondant qui accompagne le contact des eaux douces et marines. Sur le plan économique, les deltas sont soit des régions pauvres, malsaines, soit des régions très densément peuplées lorsqu'ils ont fait l'objet de grands travaux d'aménagement (cas de l'Asie des moussons).

Delta (PLAN), nom donné aux travaux visant à relier par des digues les îles de la Hollande-Méridionale et de la Zélande.

delta-cortisone n. f. Dérivé de la cortisone, doué de propriétés anti-inflammatoires plus puissantes que la cortisone, et modifiant moins que celle-ci l'équilibre hydro-électrolytique des humeurs.

delta-hydrocortisone n. f. Dérivé de l'hydrocortisone, plus actif et mieux toléré que celle-ci.

deltaïque → DELTA.

Delteil (Joseph), écrivain français (Villar-en-Val, Aude, 1894 - Grabels, Hérault, 1978). Il inaugura avec sa *Jeanne d'Arc* (1925) un genre à la fois épique et trivial, où l'anachronisme se mêlait à l'exactitude pour produire l'effet d'une mystification. Il se retira de la vie littéraire en 1930 et ne rompit son silence qu'en 1947, année où il publia ce qu'il présentait comme une sorte de testament, *Jésus II.* En 1968, il revient à la littérature avec une sorte d'autobiographie, *la Deltheillerie.*

deltoïde adj. et n. m. (de *delta*). Se dit d'un muscle qui forme le moignon de l'épaule. (Il est abducteur du bras; son innervation est assurée par le nerf circonflexe.) ◆ **deltoïdien, enne** adj. Relatif au muscle deltoïde. ◆ **delto-pectoral, e, aux** adj. Se dit du sillon compris entre le grand pectoral et le deltoïde.
→ V. illustration page suivante.

déluge n. m. (lat. *diluvium;* tiré de *diluere,* laver, noyer). Débordement universel des eaux d'après la Bible et les traditions de l'Orient classique. (Prend une majuscule dans ce sens.) [V. *encycl.*] ‖ Grande inondation : *La Terre a connu plusieurs déluges.* ‖ *Par exagér.* Pluie torrentielle : *Les fleuves ont été gonflés par les déluges de l'hiver.* ‖ *Fig.* Grande abondance : *Un déluge de paroles, de malheurs.* ● *Remonter au Déluge* (Fam.), dater d'une époque très reculée; reprendre de très loin le récit d'un événement.

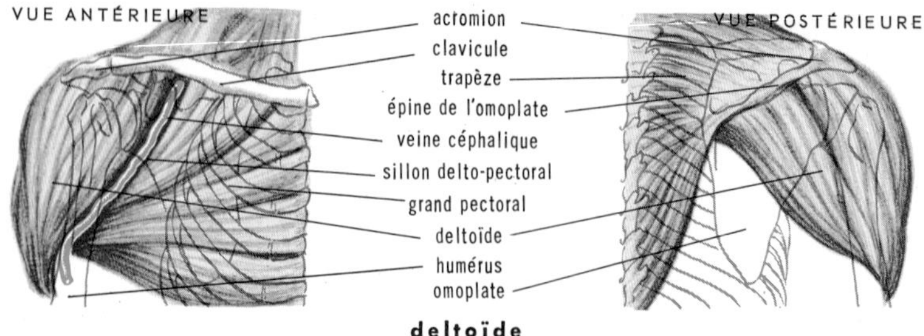

deltoïde

— ENCYCL. La Bible contient deux récits du Déluge, imbriqués l'un dans l'autre. Tous deux s'accordent pour rapporter la colère divine contre la perversité humaine, l'inondation et l'ordre donné à Noé, homme pieux, de construire une arche et de s'y réfugier avec des spécimens des animaux. La divergence des textes porte sur des points de détail.
Le mythe de Gilgamesh comporte aussi le récit d'un déluge. On retrouve des traditions analogues chez les Hindous, les Grecs, les Scandinaves et l'ensemble des peuples de l'Asie du Sud-Est. On pense qu'à la base de ces récits se trouve le souvenir d'une catastrophe produite par des inondations. D'épaisses couches de limon pur recouvrant, à Our, des vestiges de civilisation permettent d'admettre l'historicité d'un cataclysme en Babylonie, au IVe millénaire av. J.-C.

déluré → DÉLURER.

délurer v. tr. (autref. *déleurrer ;* de *leurre*). Rendre vif, éveillé ; dégourdir. ◆ **déluré, e** adj. et n. Vif, dégourdi : *Une fille délurée. Un regard déluré. Un déluré.*

délustrage → DÉLUSTRER.

délustrer v. tr. Ôter le lustre et le poli d'un tissu. ◆ **délustrage** n. m. Opération qui consiste à enlever le lustre, c'est-à-dire le brillant d'un vêtement.

délutage → DÉLUTER.

déluter v. tr. Ôter le lut d'un joint. ‖ Extraire le coke des cornues à gaz. ◆ **délutage** n. m. Action de retirer le lut d'un joint. ‖ Opération ayant pour objet d'extraire le coke des cornues à gaz. ◆ **déluteur** n. m. Ouvrier chargé du délutage. ◆ **déluteuse** n. f. Machine utilisée pour extraire le coke des cornues.

Delvaux (Laurent), sculpteur flamand (Gand 1696 - Nivelles 1778). Il travailla à l'abbaye de Westminster, voyagea en Italie et revint en Flandre comme sculpteur de la cour de Charles VI. D'abord baroque (chaire de Saint-Bavon à Gand), il s'assagit dans la décoration du palais de Charles de Lorraine à Bruxelles.

Delvaux (Paul), peintre belge (Antheit 1897). D'abord impressionniste puis expressionniste, il adhère au surréalisme en 1936 (sujets oniriques et érotiques, traités dans un style volontairement impersonnel).

Delvincourt (Claude), compositeur français (Paris 1888 - Orbetello, Italie, 1954). Grand prix de Rome, il dirigea le Conservatoire national supérieur de musique (1941-1954). Son œuvre se rattache à la tradition de Ravel et de Chabrier (*Croquembouches, Danceries, Lucifer,* etc.).

démacadamiser v. tr. Ôter le macadam.

Demachy (Pierre Antoine), peintre et graveur français (Paris 1723 - *id.* 1807). Il a représenté dans ses gouaches les dernières cérémonies de la royauté et les premières fêtes révolutionnaires (*Fête de la Fédération, Fête de l'Etre suprême,* musée Carnavalet).

démaclage → DÉMACLER.

démacler v. tr. (préf. priv. *dé,* et *macler*). Remuer le verre fondu dans le creuset avec une barre de fer. ◆ **démaclage** n. m. Action de démacler.

démaçonnage → DÉMAÇONNER.

démaçonner v. tr. Défaire la maçonnerie. ◆ **démaçonnage** n. m. Action de démaçonner.

Démade, en gr. **Dêmadês,** orateur et homme politique athénien (v. 384 - † v. 320 av. J.-C.). Chef du parti macédonien, ennemi de Démosthène, il fit voter la mort de celui-ci par le peuple. Convaincu de trahison par les Macédoniens, il fut mis à mort.

démagnétisant, démagnétisation → DÉMAGNÉTISER.

démagnétiser v. tr. Détruire l'aimantation. (Syn. DÉSAIMANTER.) ◆ **démagnétisant, e** adj. Qui tend à supprimer l'aimantation : *Champ démagnétisant.* ◆ **démagnétisation** n. f. Action de démagnétiser ; résultat de cette action. (Syn. DÉSAIMANTATION.) ‖ En parlant d'un navire, création d'un champ magnétique contraire à celui du navire.

démagogie n. f. (gr. *dêmagôgia*). Excitation

des passions populaires : *Faire des promesses qu'aucun gouvernement ne pourrait tenir, c'est tomber dans la démagogie.* ◆ **démagogique** adj. Qui a des caractères de démagogie : *Des arguments démagogiques.* ◆ **démagogue** n. m. et adj. Celui qui flatte les passions ou les préjugés du peuple pour s'attirer sa faveur : *Se méfier des démagogues.*

démaigrir v. tr. Diminuer l'épaisseur d'un tenon, trop fort pour entrer dans la mortaise. ◆ **démaigrissement** n. m. Action de démaigrir ; résultat de cette action. ‖ Résultat de l'enlèvement du sable d'une plage par les courants marins.

démaillage → DÉMAILLER.

démailler v. tr. Défaire les mailles de : *Démailler un filet. Ce bas est démaillé.* ● *Démailler une chaîne,* la séparer de l'ancre à laquelle elle était fixée ; en séparer les bouts. ‖ *Démailler le poisson,* l'enlever des mailles du filet. ◆ **démaillage** n. m. Action de démailler.

démailloter v. tr. Enlever le maillot de ; retirer du maillot : *Démailloter un enfant.*

demain adv. (lat. vulg. *demane ;* de *mane,* matin). Au jour qui suit immédiatement celui où l'on est : *Je ne peux achever mon travail aujourd'hui ; je le finirai demain.* ‖ Bientôt, très prochainement : *Ce n'est pas demain que je verrai la fin de mes ennuis.* ✦ n. m. *Demain est jour férié.* ● *A demain,* nous nous reverrons demain ; laissons cela pour demain. ‖ *Jusqu'à demain,* longtemps : *Il bavarderait jusqu'à demain !*

démanché, démanchement → DÉMANCHER.

démancher v. tr. Ôter le manche de : *Démancher un balai.* ‖ **— se démancher** v. pr. *Pop.* Se démener, se donner du mal : *Se démancher pour rendre service à quelqu'un.* ◆ **démanché** n. m. Changement de position de la main gauche sur les instruments de musique à cordes. (On dit aussi DÉMANCHEMENT.) ◆ **démanchement** n. m. Action de démancher ; état de ce qui est démanché.

demandable, demande → DEMANDER.

demander v. tr. (lat. *demandare,* confier à, remettre, attendre quelque chose de quelqu'un). Faire connaître ce qu'on désire obtenir ; solliciter quelque chose : *Demander de l'argent, un service, un congé, une réponse, un rendez-vous, un renseignement, l'heure, la permission de, la main d'une jeune fille.* ‖ Exprimer le désir de, souhaiter : *Il demande à parler. Il demande que vous veniez plus tard.* ‖ Faire connaître le besoin qu'on a de : *Demander son déjeuner. Demander un employé. Demander le médecin, un prêtre.* ‖ Interroger, questionner : *Demander un conseil à quelqu'un. Je vous demande quand vous partirez.* ‖ Réclamer ; avoir besoin de ; exiger : *Demander secours à ses alliés. Enfants qui demandent leur mère ;* et, au *fig. : La convalescence demande beaucoup de précautions.* ‖ Désirer, vouloir : *Quel prix demandez-vous pour ce tableau ?* ‖ Former une demande en justice : *Demander une enquête.* ‖ Prescrire : *Le maître demande à ses élèves un silence complet.* ● *Demander en mariage,* ou simplem. *demander,* demander pour femme. ‖ *Demander merci,* demander grâce. ‖ *Je vous demande un peu,* se dit pour exprimer la surprise, la stupéfaction, la réprobation. ‖ *Ne demander qu'à,* ne rien souhaiter d'autre que : *Il ne demande qu'à travailler.* ‖ *Ne pas demander mieux,* consentir volontiers. ✦ v. tr. ind. *Demander après quelqu'un* (Très fam.), désirer qu'il vienne, s'informer où il est. ‖ — REM. Quand ce verbe a pour complément d'objet un infinitif dont l'action doit être faite par une autre personne que celle qui demande, on emploie la prép. *de : Je vous demande de m'écouter.* Quand c'est la même personne qui fait les deux actions, on emploie la préposition *à : Il demandait à entrer.* ‖ **— se demander** v. pr. Se poser une question à soi-même, examiner, hésiter : *Je me demandais si je rêvais. Je me demande si j'irai.* ◆ **demandable** adj. Qui peut être demandé. ◆ **demande** n. f. Action de demander : *Faire une demande.* ‖ Chose que l'on désire obtenir : *Présenter des demandes exorbitantes.* ‖ Ecrit qui contient une demande : *Mettre une demande à la poste.* ‖ Démarche par laquelle on demande une jeune fille en mariage : *Il avait mis son plus beau complet pour venir faire sa demande.* ‖ Question, interrogation : *Catéchisme par demandes et par réponses.* ‖ Quantité d'un bien ou d'un service que, sur un marché donné, les sujets économiques sont disposés à acheter à un prix déterminé, compte tenu de la moyenne générale des prix au moment considéré. (V. *encycl.*) ● *A la demande générale,* en raison des sollicitations du public. ‖ *Demande accessoire* (Procéd.), celle qui se rattache à la demande principale. ‖ *Demande incidente* (Procéd.), celle qui est formée au cours de l'instance. ‖ *Demande en justice* (Procéd.), acte de procédure par lequel s'exerce en fait le pouvoir légal de recourir à la justice. ‖ *Demande principale* (Procéd.), celle qui sert de base à un procès, lors de l'introduction de l'instance. ‖ *Demande reconventionnelle* (Procéd.), celle qui est opposée par le défendeur au demandeur. ‖ *Pièce à la demande, allant à la demande* (Technol.), pièce travaillée exactement selon la place qu'elle doit occuper. ‖ *Voilà une belle demande !,* ou simplem. *Belle demande !,* cela va sans dire. ◆ **demandeur, euse** n. Celui, celle qui demande ; qui aime à demander ; qui a toujours quelque demande à faire, quelque question à poser. ‖ Qui revendique un droit réel ou supposé. ‖ Personne qui a pris l'initiative d'un procès ou d'une procédure gracieuse, et à qui revient de prouver son droit. ‖ Acheteur (par oppos. à *vendeur*).

— ENCYCL. ***demande.*** La demande de produits ou de services à l'industrie qui les fournit dépend du pouvoir d'achat disponible dans l'économie, et de sa répartition entre les consommateurs, car seule la demande solvable est prise en considération sur un marché ; pour un revenu global disponible donné, une répartition égalitaire stimule la demande ; l'inégalité de la répartition, au contraire, favorise l'épargne. La demande dépend aussi du désir d'achat du consommateur, dont la volonté est influencée par de nombreux éléments : l'intensité du besoin, les anticipations de l'acheteur quant à l'évolution future de son revenu ou des prix, le désir d'obtenir un bien nouveau, le désir d' « émulation sociale », etc. Lorsque le prix d'un bien baisse, deux effets peuvent entraîner des modifications dans la demande de ce bien : l'effet de revenu et l'effet de substitution. L'*effet de revenu* résulte du fait que la baisse du prix du produit entraîne un accroissement du pouvoir d'achat du consommateur. L'*effet de substitution* porte le consommateur à substituer le bien dont le prix diminue, aux autres relativement plus chers. Un autre élément influence la demande : l'élasticité variable de la demande par rapport aux prix. L'élasticité de la demande varie de produit à produit ; en général, les produits de première nécessité ont une élasticité faible, les produits de demi-luxe une élasticité forte, les produits de luxe et de grand luxe une élasticité faible.

demandeur → DEMANDER.

démangeaison → DÉMANGER.

Demangeon (Albert), géographe français (Cormeilles, Eure, 1872 - Paris 1940). Professeur à la Sorbonne, il se consacra principalement à la géographie humaine, à laquelle il fit faire de grands progrès (étude de l'habitat rural en particulier).

démanger v. tr. (conj. **1**). Causer une démangeaison à : *Sa blessure le démange.* ✦ v. intr. Eprouver une démangeaison : *La tête lui démange.* ● *La langue lui démange,* il a grande envie de parler. ‖ *La main me démange* (Fig.), j'ai grande envie d'écrire, ou de battre quelqu'un. ◆ **démangeaison** n. f. Sensation qui provoque le besoin de se gratter. (Les démangeaisons, ou prurit, s'observent dans de nombreuses maladies de la peau et dans certaines affections générales [ictère par rétention, maladie de Hodgkin].) ‖ *Fig.* et *fam.* Envie, désir pressant : *La démangeaison de savoir le tenaillait.*

Demänová (VALLÉE), en tchèque **Demänovská dolina,** vallée de Tchécoslovaquie, dans les basses Tatras. Région touristique, aux grottes célèbres.

démantèlement → DÉMANTELER.

démanteler v. tr. (préf. priv. *dé,* et anc. franç. *mantel,* manteau) [conj. **5**]. Démolir les murailles d'une ville, les fortifications d'une place : *Richelieu fit démanteler de nombreux châteaux forts.* ‖ *Fig.* Désorganiser : *Démanteler un service public, un réseau d'espionnage.* ◆ **démantèlement** n. m. Action de démanteler ; résultat de cette action. ‖ Destruction d'une couche de terrain par l'érosion.

démantibuler v. tr. (anc. *démandibuler ;* du bas lat. *mandibula,* mâchoire). ‖ Démonter maladroitement ; mettre en pièces ; démolir : *Démantibuler un meuble.*

démantoïde n. f. Variété verte de grenat, utilisée en joaillerie.

démaquer v. tr. (préf. priv. *dé,* et *maque,* maille [dans certaines contrées]). Retirer le poisson retenu dans les mailles du filet.

démaquillant → DÉMAQUILLER.

démaquiller v. tr. Enlever le maquillage. ◆ **démaquillant** n. m. Préparation cosmétique destinée à enlever le fard du visage.

Démarate, en gr. **Dêmaratos,** roi de Sparte (début du Ve s. av. J.-C.). Déposé par Cléomène, il se retira à Pergame. Il suivit Xerxès dans la deuxième guerre médique.

démarcatif → DÉMARCATION.

démarcation n. f. (de l'esp. *demarcación*). Action de démarquer, de tracer les limites qui séparent : *La démarcation de la frontière entre deux Etats.* ‖ *Fig.* Ce qui distingue, sépare, limite : *La démarcation des attributions.* ● *Ligne de démarcation,* ligne naturelle ou conventionnelle qui sert de limite commune. (On appela ainsi la ligne fixée par les accords d'armistice du 22 juin 1940, et séparant la France en zone libre et en zone occupée par les Allemands.) ◆ **démarcatif, ive** adj. Qui trace une démarcation : *Ligne démarcative.*

démarchage → DÉMARCHE.

démarche n. f. (déverbal de l'anc. verbe *démarcher*). Allure, manière de marcher : *Une démarche hésitante.* ‖ *Fig.* Ensemble des moyens mis en œuvre pour atteindre un but ; conduite, procédés : *Ses premières démarches furent maladroites.* ‖ Tentative auprès de quelqu'un, intervention : *Démarche utile. Perdre son temps en démarches administratives.* ‖ Comportement, fonctionnement : *La démarche de son esprit.* ◆ **démarchage** n. Offre faite au domicile des clients par un professionnel qui sollicite des ordres pour la souscription, l'achat ou la vente de valeurs mobilières. (Le démarchage n'est autorisé que pour les opérations sur valeurs mobilières françaises cotées sur les Bourses françaises.) ◆ **démarcheur, euse** n. Personne employée par une banque pour faire des opérations de démarchage, et dont la profession est réglementée par un décret-loi du 30 oct. 1935.

De Marchi (Emilio), romancier italien (Milan 1851 - *id.* 1901), auteur de romans au réalisme modéré, pénétrés de préoccupations morales (*Demetrio Pianelli,* 1890).

démarchie → DÈME.

démargarination → DÉMARGARINER.

démargariner v. tr. Opérer la séparation des glycérides concrets qui se forment dans une huile soumise au froid. ◆ **démargarination** n. f. Action de démargariner. (On dit aussi WINTÉRISATION.)

démarger v. tr. Déboucher les ouvreaux, dans un four de verrerie.

démariage → DÉMARIER.

démarier v. tr. Enlever certains pieds de betteraves, de carottes, pour éclaircir le plant et ne laisser que les sujets les plus beaux. ◆ **démariage** n. m. Action de démarier. ◆ **démarieuse** n. f. Herse mécanique utilisée à l'éclaircissage des betteraves.

démarquage → DÉMARQUER.

démarque → DÈME.

démarque, démarquement → DÉMARQUER.

démarquer v. tr. Ôter la marque de : *Démarquer du linge.* ‖ Dans le commerce, changer l'étiquette indiquant le prix ; solder : *Démarquer les articles passés de mode.* ‖ En sports, libérer un partenaire de la surveillance d'un adversaire. ‖ *Eaux et for.* V. DÉMARQUEMENT. ✦ v. intr. *Fig.* Copier une œuvre en l'altérant, de façon à dissimuler l'emprunt. ● *Cheval qui démarque,* cheval dont les dents sont trop usées pour permettre la détermination de l'âge. — **se démarquer** v. pr. Mettre en évidence ce qui sépare : *Se démarquer de la droite.* ‖ *Sport.* Se libérer de la surveillance d'un adversaire. ◆ **démarquage** n. m. Action de démarquer ; son résultat : *Le démarquage du linge.* ‖ Opération qui permet à un joueur de se libérer ou de libérer un partenaire de la surveillance d'un ou de plusieurs adversaires. ‖ *Fig.* Altération superficielle faite à un écrit en vue de masquer l'emprunt et de le faire passer pour original : *Ce texte est un démarquage grossier d'un conte de Maupassant.* ◆ **démarque** n. f. Action de modifier le prix initial indiqué sur les étiquettes de marchandises destinées à être offertes à la clientèle à des prix plus modérés. ‖ Partie dans laquelle un des joueurs diminue le nombre de ses points d'une quantité égale à celle des points pris par l'autre joueur. ◆ **démarquement** n. m. Enlèvement d'une marque sur un arbre réservé, pour l'abattre frauduleusement. ◆ **démarqueur, euse** n. Personne qui démarque.

démarrage → DÉMARRER.

démarrer v. tr. Détacher les amarres de : *Démarrer un vaisseau, un canon.* ‖ *Fig.* Mettre en train, lancer : *Démarrer une affaire.* ✦ v. intr. Quitter le port, l'amarrage, en parlant d'un navire. ‖ Rompre les amarres par accident. ‖ Larguer deux bouts amarrés ensemble. ‖ Commencer à rouler (en parlant d'un véhicule), à tourner (en parlant d'un moteur). ‖ Dans une course, accélérer soudainement pour distancer un adversaire. ‖ *Fig.* et *fam.* Commencer à réussir : *Son affaire démarre doucement.* ◆ **démarrage** n. m. Action de démarrer. ● *Chariot de démarrage,* petit véhicule transportant une batterie ou un groupe électrogène destinés à mettre en marche un moteur. ‖ *Démarrage étoile-triangle,* mode de démarrage applicable aux moteurs dont les trois phases sont reliées en triangle dans les conditions normales de fonctionnement, et consistant à relier momentanément ces trois phases en étoile au moment du décollage et du début du démarrage. ‖ *Démarrage d'un moteur,* passage de l'état de repos à la vitesse de régime. ‖ *Effort de démarrage,* effort maximal d'une machine au départ. ◆ **démarreur** n. m. Appareil de lan-

démarreur d'automobile

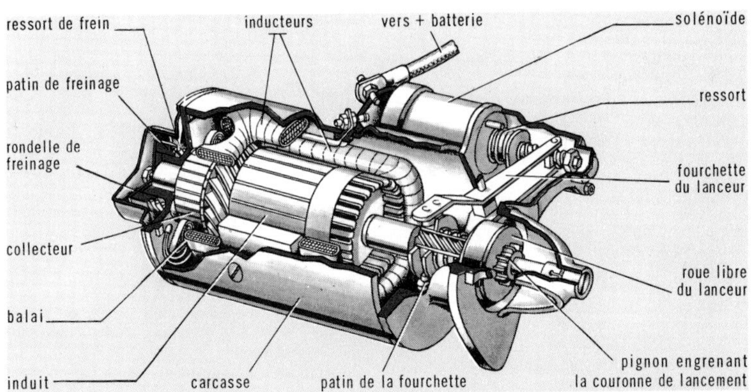

cement d'un moteur à explosion ou à réaction. || Ensemble d'organes pour la mise sous tension ou hors tension d'une machine. ● *Démarreur automatique,* appareil qui sert à contrôler le moteur des appareils télégraphiques téléimprimeurs.

Demarteau (Gilles), graveur français (Liège 1722 - Paris 1776). Il porta à la perfection le procédé de la gravure en manière de crayon, inventé en Angleterre en 1735 par Pond et Knapton et introduit en France en 1740 par le Nancéien Jean-Charles François. Il fit plus de 700 estampes et 86 recueils importants.

démasclage → DÉMASCLER.

démascler v. tr. (du provenç. *desmascla,* émasculer). Enlever le liège d'un chêne-liège. ◆ **démasclage** n. m. Action de démascler.

démasquer v. tr. Enlever le masque de : *Démasquer une femme au bal.* || Découvrir, rendre visible : *Démasquer une porte secrète.* || Ouvrir inopinément le feu à l'aide d'armes qui n'ont pas été encore repérées par l'adversaire : *Dans la défensive, certaines batteries sont démasquées le plus tard possible.* || Déceler l'emplacement d'une arme : *Démasquer une batterie.* || *Fig.* Montrer sous son jour véritable ; dévoiler la conduite, les intentions cachées de quelqu'un : *Démasquer un traître.* || Dévoiler en ôtant les apparences trompeuses : *Démasquer l'hypocrisie.* ● *Démasquer ses batteries* (Fig.), révéler ses intentions.

démasticage → DÉMASTIQUER.

démastiquer v. tr. Enlever le mastic : *Les cambrioleurs ont ouvert la fenêtre en démastiquant un carreau.* ◆ **démasticage** n. m. Action de démastiquer.

dématage ou **démâtement** → DÉMÂTER.

démâter v. tr. Enlever la mâture de. ◆ **démâtage** ou **démâtement** n. m. Perte de la mâture d'un vaisseau. || Action de démâter un bâtiment.

dématérialisation n. f. Annihilation de particules matérielles et apparition corrélative d'énergie. (Ce phénomène se produit lors de la rencontre de deux antiparticules, qui disparaissent simultanément, avec production d'un rayonnement gamma.)

Demāvend, volcan de la chaîne de l'Elbourz, point culminant du massif et de l'Iran ; 5 604 m. Station estivale.

d'emblée loc. adv. V. EMBLÉE (*d'*).

Dembowska, petite planète n° 349, découverte par Behrens. Son diamètre, estimé à 260 km, en fait une des onze plus grosses.

Dembowski (Edward), philosophe polonais (Varsovie 1822 - Podgórze 1846). Il fut l'un des chefs du groupe démocratique révolutionnaire dans la révolution de Cracovie (1846). Sa philosophie est d'influence matérialiste. On lui doit : *Quelques idées sur l'éclectisme* (1843), *la Création en tant que principe inhérent à la philosophie polonaise* (1843), *Réflexions sur l'avenir de la philosophie* (1845).

dème n. m. (gr. *dêmos,* peuple). Bourg, division administrative de l'ancienne Grèce. (L'organisation des dèmes attiques remonte à la réforme de Clisthène, en 509 av. J.-C. Une centaine furent alors créés, mais ce nombre s'accrut, et on en comptait 174 au IIe s. av. J.-C. Chaque tribu possédait des dèmes de trois régions différentes : dans le district urbain, sur la côte et à l'intérieur. En plus du rôle joué à l'intérieur de sa tribu, chaque dème possédait sa vie propre : son assemblée politique, l'*agora ;* son chef, le *démarque ;* et ses cultes particuliers.) || Dans l'Empire byzantin, chacun des partis entre lesquels se divisait le peuple de Constantinople. (V. BLEUS ET LES VERTS [*les*].) || Dans la Grèce moderne, division administrative. ◆ **démarchie** n. f. Fonction de démarque. ◆ **démarque** n. m. Chef d'un dème.

dème n. f. Tronc d'arbre sur lequel les forgerons assujettissent l'enclume.

démêlage ou **démêlement, démêlé** → DÉMÊLER.

démêler v. tr. Faire cesser l'emmêlement l'embrouillement de : *Démêler un écheveau de fil. Se démêler les cheveux.* || *Fig.* Débrouiller, éclaircir : *Démêler une affaire compliquée.* || Distinguer, séparer : *Démêler le bien du mal, le vrai d'avec le faux.* || Discerner, pénétrer : *Démêler les mobiles de quelqu'un.* || Débattre, contester : *Qu'ont-ils à démêler ensemble ?* ● *Démêler la voie,* distinguer les traces d'un animal d'avec celles d'autres fauves de même espèce. ◆ **démêlage** ou **démêlement** n. m. Action de démêler, de séparer ce qui est mêlé : *Le démêlement des cheveux.* || *Fig.* Action d'élucider, de distinguer, de comprendre : *Le démêlement d'une intrigue.* ◆ **démêlé** n. m. Débat, querelle : *Avoir des démêlés avec son propriétaire.* ◆ **démêleur, euse** n. Personne qui fait le démêlage d'une matière textile. || — **démêleur** n. m. Ouvrier briquetier ou potier. ◆ **démêloir** n. m. Instrument pour démêler. || Peigne à dents très écartées pour démêler les cheveux. ● *Apportez un démêloir !, Il te faut un démêloir ?* (Pop.), se dit à celui qui ne parvient pas à s'exprimer clairement. ◆ **démêlures** n. f. pl. Cheveux qui tombent pendant qu'on se peigne.

démembré, démembrement → DÉMEMBRER.

démembrer v. tr. Détacher, arracher les membres de : *Démembrer un poulet.* || *Fig.* Partager, diviser les parties d'un tout : *Démembrer un pays.* ◆ **démembré, e** adj. En héraldique, se dit d'un animal auquel manquent les membres inférieurs. ◆ **démembrement** n. m. Action de démembrer, de morceler, de partager. ● *Démembrement d'un fief,* division d'un fief au profit de plusieurs vassaux différents. || *Démembrement de la* *propriété,* action de détacher certains éléments du droit de la propriété pour les transférer à d'autres qu'au propriétaire.

déménagement → DÉMÉNAGER.

déménager v. tr. (de *ménage,* au sens ancien de *logis*) [conj. **1**]. Transporter (des meubles) d'une maison dans une autre, d'une pièce dans une autre : *Déménager sa bibliothèque.* || Retirer les meubles de : *Déménager une maison.* ✦ v. intr. (avec l'auxiliaire *avoir* ou *être*). Transporter ses meubles d'un logement dans un autre ; changer de demeure. || *Fig.* et *fam.* Perdre l'esprit, déraisonner : *Il dit cela? Il déménage!* ◆ **déménagement** n. m. Action de transporter les meubles à une autre place, de changer de domicile : *Une entreprise de déménagement.* || L'ensemble des meubles déménagés : *Tout mon déménagement a brûlé avec le camion.* ◆ **déménageur** n. m. Professionnel qui fait le déménagement des autres.

démence [demɑ̃s] n. f. (lat. *dementia,* état d'un homme privé de raison, folie). Affaiblissement profond de l'activité et des aptitudes intellectuelles. (La démence est une régression, ce qui la distingue des arriérations ou débilités mentales, qui sont une insuffisance et un arrêt de développement des facultés psychiques. La démence est l'aboutissement de nombreuses affections : paralysie générale, artériopathie cérébrale, maladies abiotrophiques, etc.) || En droit, toute abolition de la conscience, de la lucidité ou du contrôle, même si elle est passagère, dès lors qu'elle a été totale au moment de l'infraction. (Révélée par l'expertise psychiatrique du délinquant, elle constitue une cause subjective de non-imputabilité.) || Conduite insensée : *C'est de la démence d'agir ainsi.* ● *Démence précoce,* nom donné par Kraepelin à une variété de psychose atteignant les adultes jeunes et aboutissant rapidement à la démence. (Actuellement, ce terme est remplacé par celui d' « hébéphrénie » ou d' « hébéphréno-catatonie », qui sont des formes particulières de la schizophrénie*.) ◆ **dément, e** adj. et n. Atteint de démence. ◆ **démentiel, elle** [sjɛ̃l] adj. Qui a le caractère de la démence : *Acte démentiel.*

démener (se) v. pr. (de *mener*) [conj. **5**]. S'agiter vivement : *Les passants se démenaient pour dégager les blessés.* || *Fig.* Se donner beaucoup de peine : *Se démener pour assurer la réussite d'une affaire.*

dément → DÉMENCE.

démenti → DÉMENTIR.

démentiel → DÉMENCE.

démentir v. tr. (de *mentir*) [conj. **15**]. Dire à quelqu'un qu'il a menti : *Démentir un témoin.* || Nier l'exactitude d'un fait : *Démentir une information. Le gouvernement n'a pas démenti la nouvelle.* || Contredire ; être en contradiction avec : *Une prévision que l'événement a démentie.* || — **se démentir** v. pr. Ne pas durer, s'affaiblir : *Sa bonté ne s'est jamais démentie.* ◆ **démenti** n. m. Action de démentir : *Infliger un démenti à quelqu'un.* || Ce qui contredit une chose annoncée, admise : *Faire paraître un démenti dans la presse.*

démerder (se) v. pr. *Trivialem.* Se débrouiller ; se tirer d'embarras. || Faire vite, se hâter, s'en aller ou venir au plus vite.

démérite → DÉMÉRITER.

démériter v. tr. ind. [**de**]. Agir de façon à se rendre indigne de, de manière à encourir la réprobation : *Démériter de son pays. Démériter du sport.* ◆ **démérite** n. m. Ce qui peut attirer la réprobation : *Il faut fonder votre réputation sur vos vertus et non sur le démérite des autres.*

démersal, e, aux adj. Se dit des œufs des animaux marins lorsque leur densité les fait tomber vers le fond.

démesure n. f. (de *mesure*). Sentiment et attitude de ceux qui dépassent la mesure, les bornes de la raison ; violence, orgueil : *Atteindre les limites de la démesure.* ◆ **démesuré, e** adj. et n. Qui dépasse la mesure ordinaire (au *pr.* et au *fig.*) : *Une taille démesurée.* ◆ **démesurément** adv. Excessivement : *Une affaire démesurément grossie.*

Déméter
Louvre

Brunel

Déméter, en gr. **Dêmêtêr.** *Myth. gr.* Divinité agraire, fille de Cronos et de Rhéa. Son culte comme sa légende sont étroitement unis à ceux de sa fille Perséphone* (Coré), enlevée par Hadès. Déméter parcourut le monde jusqu'au jour où Zeus ordonna à Hadès de rendre, six mois par an, Perséphone à sa mère. Son culte est à l'origine des mystères d'Eleusis*. Elle fut identifiée à Cérès par les Romains.

Déméter de Cnide, statue assise, en marbre, par Léocharès (IVe s. av. J.-C.), trouvée à Cnide et conservée au British Museum (Londres).

démétrias [trjas] n. m. Carabe jaunâtre des roseaux.

Démétrios ou **Dimitri** (saint), **le Thaumaturge,** l'un des saints patrons de la Russie, qui vécut au XIVe s.

Démétrios d'Ephèse, en gr. **Dêmêtrios,** architecte grec. Il construisit, après 356 av. J.-C., le nouveau temple d'Artémis à Ephèse, réputé comme l'une des Sept Merveilles du monde.

Démétrios de Phalère, en gr. **Dêmêtrios,** homme politique et orateur athénien (Phalère v. 350 - en Haute-Egypte v. 283 av. J.-C.). Il gouverna Athènes au nom du Macédonien Cassandre (317-307). Chassé par Démétrios Poliorcète, il se réfugia auprès de Ptolémée Sôtêr. Il fut exilé à l'avènement de Ptolémée Philadelphe (283).

Démétrios Ier Poliorcète, en gr. **Dêmêtrios** *Poliorketês* (« Preneur de villes ») [336-282 av. J.-C.], roi en Macédoine (294-287). Fils d'Antigonos, il ne put défendre la Babylonie contre Séleucos (défaite de Gaza, 312). Après la mort d'Antipatros, il occupa Athènes et battit la flotte lagide à Salamine de Chypre. Mais il ne parvint à s'imposer ni en Egypte ni à Rhodes (305). Une nouvelle campagne contre Cassandre le rendit maître de la Grèce (304-302). Il rétablit la Ligue de Corinthe. Mais les successeurs d'Alexandre s'unirent contre lui; il fut défait à Ipsos (été 301). A la mort de Cassandre (297), il occupa la Grèce du Centre et du Nord ainsi que la Macédoine, où il fut proclamé roi (294). Pyrrhos et Lysimaque mirent fin à cette royauté (287). Il voulait reconquérir l'Asie lorsqu'il fut vaincu par Séleucos (286 av. J.-C.).

Démétrios de Pharos, en gr. **Dêmêtrios,** général illyrien († v. 214 av. J.-C.). Il livra l'île de Corcyre aux Romains, puis se mit au service de Philippe V contre Rome.

Démétrios Ier Sôter (« le Sauveur ») [† 150 av. J.-C.], roi de Syrie de 162 à 150 av. J.-C., petit-fils d'Antiochos le Grand. Il succéda à Antiochos V Eupator. Il vainquit les Maccabées en Judée, mais fut vaincu et tué par une coalition des rois de Pergame, d'Egypte et du prince des Juifs. — Son fils **Démétrios II** *Nikatôr* (« le Vainqueur ») [† près de Tyr 125 av. J.-C.], roi de Syrie de 145 à 138 et de 129 à 125 av. J.-C., fut vaincu et fait prisonnier par les Parthes (138) et ne remonta sur le trône de Syrie qu'en 129. — **Démétrios III** *Eukairos* (« l'Heureux ») [† 87 av. J.-C.], roi de Syrie de 95 à 88 av. J.-C., fils d'Antiochos VIII, fut vaincu par Mithridate II.

Démétrios le Cynique, en gr. **Dêmêtrios,** philosophe grec (né en Attique, Ier s. apr. J.-C.). Il fut, à Rome, l'ami de Thraséas et de Sénèque. Ses critiques le firent exiler par Néron, puis par Vespasien. Il recommandait le mépris de la science et la pratique de la vertu, et il prêcha d'exemple.

démettre v. tr. Déplacer de sa position naturelle, en parlant d'un membre ou d'une articulation. ‖ *Fig.* Destituer : *Démettre quelqu'un de ses fonctions.* ‖ **— se démettre** v. pr. Subir une dislocation à : *Se démettre la cheville.* ‖ *Fig.* Cesser volontairement de remplir une fonction : *Se démettre de sa charge.* ‖ — SYN. : *abdiquer, démissionner, résigner.*

démeubler v. tr. Dégarnir de ses meubles : *Démeubler un appartement.*

demeurant → DEMEURER.

1. demeure → DEMEURER.

2. demeure n. f. Situation du débiteur qui est en retard dans l'exécution de son obligation. ● *Il n'y a pas péril en la demeure,* on ne risque rien à attendre. ‖ *Mettre en demeure,* ordonner d'une manière impérative, enjoindre à; sommer de remplir une obligation : *Mettre quelqu'un en demeure de payer.* (V. aussi DEMEURER.)

demeuré → DEMEURER.

demeurer v. intr. (lat. pop. **demorare;* du lat. *demorari,* tarder). S'attarder, s'arrêter en un lieu : *Demeurer longtemps à table.* ‖ Continuer d'être dans un certain état (en parlant des personnes et des choses) : *Demeurer muet.* ‖ Rester, séjourner, avoir sa demeure, son domicile : *Demeurer dans un hameau écarté.* ● *En demeurer là,* ne pas avoir de suite : *L'affaire n'en demeurera pas là.* Et aussi, ne pas aller plus avant : *Il sera plus sage d'en demeurer là.* ◆ **demeurant, e** adj. et n. Usité seulement dans la loc. adv. *au demeurant,* au reste, somme toute : *Au demeurant, la vie a de bons moments.* ◆ **demeure** n. f. Domicile, lieu où l'on habite, où l'on séjourne : *Une modeste demeure.* ‖ Retraite du cerf. ● *Demeure de l'âme,* corps de l'homme. ‖ *Demeure céleste, éternelle,* ciel, paradis. ‖ *Demeure mortelle,* la terre. ‖ *Dernière demeure, demeure des morts, demeures souterraines, sombres demeures,* etc., cimetière, tombeaux. (V. aussi à son ordre alphab.) ● LOC. ADV. *A demeure,* d'une manière fixe, stable. ◆ **demeuré, e** n. Innocent, imbécile. (Dialect.)

Demeurisse (René), peintre et graveur français (Paris 1894 - *id.* 1961). Peintre de paysages, de natures mortes (*le Taillis,* 1925, musée national d'Art moderne), il a illustré des œuvres de Fromentin, de Flaubert.

demi, e adj. (lat. pop. *dimedius,* fait sur *medius*). Qui est la moitié de : *Une demi-*

heure. || Incomplet, imparfait : *Un demi-savant.* || Inférieur : *Un demi-dieu.* || Faible, peu intense : *Demi-jour. Demi-obscurité.* || *Et demi,* et quelque chose de plus : *A fripon, fripon et demi. A trompeur, trompeur et demi. A menteur, menteur et demi.* || — **demi** adv. A moitié, presque : *Demi-mort. Demi-cuit. Demi-vêtu.* ● LOC. ADV. *A demi,* à moitié, presque : *A demi mort. A demi cuit. A demi vêtu.* || Imparfaitement, d'une façon incomplète : *Faire quelque chose à demi.* ✦ n. m. La moitié, en termes d'arithmétique : *Deux demis font un entier.* || Grand verre de bière équivalant primitivement à un demi-litre. || Joueur chargé d'assurer la liaison entre les avants et les arrières, dans certains sports d'équipe. ● *Demi de mêlée,* au rugby, joueur qui introduit le ballon dans la mêlée et tente de le récupérer. || *Demi d'ouverture,* au rugby, joueur chargé de lancer l'offensive. || — ***demie*** n. f. La moitié d'une unité : « *Prenez une bouteille. — Une demie suffira.* » || La demie d'une heure : *Nous sortons à la demie.* || — REM. Il a été de règle, pendant les deux derniers siècles, de laisser, devant le nom, *demi* invariable : *Une demi-heure. Des demi-remèdes.* Il est toléré aux examens de le faire accorder avec le nom, comme dans l'ancienne langue. On peut ainsi écrire *demie heure* (sans trait d'union) aussi bien que *demi-heure, des demis remèdes* aussi bien que *des demi-remèdes.* Coordonné au nom, *demi* s'accorde en genre avec lui : *Une heure et demie* (une heure et une demi-heure). *Deux litres et demi* (deux litres et un demi-litre). — *Demi,* devant un nom ou un adjectif et suivi d'un trait d'union, forme avec le nom ou l'adjectif un mot composé et reste invariable. — *Demi* pouvant entrer en composition avec presque tous les noms et tous les adjectifs, nous ne donnerons à leur place alphabétique que les mots composés dont ce préfixe modifie le sens d'une façon sensible, ou qui exigent une explication spéciale.

demi-aile n. f. Portion d'une aile d'avion comprise entre le fuselage et l'extrémité de l'aile, dite « bord marginal ». — Pl. *des* DEMI-AILES.

demi-bande n. f. *Ressort à demi-bande,* ressort dont la tension n'équivaut qu'à la moitié de l'effort auquel il est capable de résister. — Pl. *des* DEMI-BANDES.

demi-bas n. m. invar. Bas court, s'arrêtant au-dessous du genou.

demi-bastion n. m. Ouvrage de fortification qui se compose d'un seul flanc et d'une seule face. — Pl. *des* DEMI-BASTIONS.

demi-bosse n. f. Sculpture qui tient le milieu entre la ronde-bosse et le bas-relief. — Pl. *des* DEMI-BOSSES.

demi-botte n. f. Botte qui s'arrête à mi-jambe. || Coup de pointe, à l'épée, au fleuret, qui n'est pas poussé à fond. — Pl. *des* DEMI-BOTTES.

demi-bouteille n. f. Bouteille d'une capacité inférieure de moitié à celle de la bouteille entière. || Contenu de cette bouteille. — Pl. *des* DEMI-BOUTEILLES.

demi-brigade n. f. Régiment, pendant les guerres de la Révolution française, issu, en 1793, de l'*amalgame* et commandé alors par un chef de brigade. || Groupement de plusieurs bataillons formant corps : *Une demi-brigade de chasseurs à pied.* — Pl. *des* DEMI-BRIGADES.

demi-cadence n. f. *Mus.* V. CADENCE.

demi-cadratin n. m. Cadratin qui a pour épaisseur la moitié de sa force de corps. — Pl. *des* DEMI-CADRATINS.

demi-canon n. m. Pièce d'artillerie en usage jusqu'au XVIIIe s. — Pl. *des* DEMI-CANONS.

demi-caponnière n. f. Caponnière qui n'a de parapet que d'un seul côté. — Pl. *des* DEMI-CAPONNIÈRES.

demi-ceint n. m. Colonne à moitié encastrée dans un mur. (V. DEMI-COLONNE.) — Pl. *des* DEMI-CEINTS.

demi-cellule n. f. Electrode au contact d'un électrolyte. (Syn. HÉMI-CELLULE.) — Pl. *des* DEMI-CELLULES.

demi-cercle n. m. Portion de cercle limitée par une demi-circonférence et un diamètre. — Pl. *des* DEMI-CERCLES.

demi-chaîne n. f. Degré de torsion intermédiaire entre la torsion courante des fils de trame et celle des fils de chaîne. — Pl. *des* DEMI-CHAÎNES.

demi-circulaire adj. *Anat.* V. SEMI-CIRCULAIRE.

demi-clef n. f. Nœud fait du bout d'un cordage replié sur lui-même. — Pl. *des* DEMI-CLEFS.

demi-colonne n. f. Colonne engagée de la moitié de son diamètre dans un pilier ou un mur. — Pl. *des* DEMI-COLONNES.

→ V. illustration page suivante.

demi-couronne n. f. (trad. de l'angl. *half-crown*). Pièce de monnaie anglaise dont la valeur est la moitié de celle d'une couronne. — Pl. *des* DEMI-COURONNES.

demi-cuirasse n. f. Cuirasse composée seulement d'un plastron. — Pl. *des* DEMI-CUIRASSES.

demi-deuil n. m. Vêtement de teintes discrètes, que l'on porte après le deuil ou dans la dernière moitié de celui-ci. || Papillon satyridé commun noir et blanc. || Petit arbre (15 m) de la famille des simarubacées, au cœur noir et à l'aubier clair, exploité comme bois d'ébénisterie au Gabon et au Cameroun. — Pl. *des* DEMI-DEUILS.

demi-diamètre n. m. *Correction de demi-diamètre,* correction qu'il faut faire, si l'on

demi-colonnes

a observé un astre à diamètre apparent non négligeable, pour rapporter au centre l'observation faite, plus commodément, sur un bord de l'astre. — Pl. *des* DEMI-DIAMÈTRES.

demi-dieu n. m. Etre immortel participant de la nature des dieux, comme les faunes, les nymphes, les satyres, etc. ‖ Nom donné aux héros fils d'un dieu et d'une mortelle, ou bien d'un mortel et d'une déesse. ‖ Homme exceptionnel par son génie, sa gloire, par les honneurs qu'on lui rend : *On le considère comme un demi-dieu.* ‖ Nom donné à des mortels déifiés. (Chez les Anciens, étaient considérés comme demi-dieux les fondateurs de cités, les ancêtres des principales tribus, les bienfaiteurs, héros, etc., tels Thésée, Achille, etc.) — Pl. *des* DEMI-DIEUX.

demi-double adj. Se dit d'un verre à vitre un peu plus épais que le verre simple.

demi-doux adj. m. invar. Se dit de certains aciers ordinaires dont la teneur en carbone est comprise entre 0,20 et 0,30 p. 100 environ. (On dit aussi MI-DOUX.)

Demidov ou **Demidof,** famille russe enrichie par l'exploitation des mines. PAVEL GREGORIEVITCH (1738 - 1821) est le fondateur du jardin botanique de Moscou. — NIKOLAÏ NIKITITCH (Saint-Pétersbourg 1773 - Florence 1828) se distingua dans la lutte contre les Turcs. — Son fils ANATOLE, prince *de San-Donato* (Moscou 1812 - Paris 1870), fut l'époux de la princesse Mathilde Bonaparte.

demi-droit n. m. Amende fiscale fixée à la moitié du droit non déclaré dans les délais. — Pl. *des* DEMI-DROITS.

demi-droite n. f. Droite ayant une extrémité fixée par un point, l'autre extrémité à l'infini. — Pl. *des* DEMI-DROITES.

demi-dur adj. m. Se dit de certains aciers ordinaires dont la teneur en carbone est comprise entre 0,30 et 0,40 p. 100 environ. (On dit aussi MI-DUR.) — Pl. *des aciers* DEMI-DURS.

demie → DEMI.

démieller v. tr. Enlever le miel de la cire.

demi-ferme n. f. Moitié de la ferme d'un comble. — Pl. *des* DEMI-FERMES. ● *Demi-ferme d'arêtier,* demi-ferme qui est placée dans le plan de l'arêtier. ‖ *Demi-ferme de croupe,* demi-ferme placée dans le milieu de la croupe.

Demi-figures (LE MAÎTRE DES), peintre hollandais (premier tiers du XVIe s.). Ses bustes de femmes, qui représentent des sujets religieux ou mythologiques, semblent être des portraits.

demi-fin, e adj. Intermédiaire entre fin et gros : *Des bijoux demi-fins.* ‖ Dont la matière est un alliage où la quantité de métal fin est réduite de moitié environ. ‖ **— demi-fin** n. m. Ecriture un peu plus grosse que le fin. — Pl. *des* DEMI-FINS.

demi-finale n. f. Epreuve sportive précédant la finale. — Pl. *des* DEMI-FINALES.

demi-fleuron n. m. Fleur zygomorphe en tube ou en languette des capitules de composées. (Un capitule qui ne comporte que des demi-fleurons est dit *demi-flosculeux.*) — Pl. *des* DEMI-FLEURONS.

demi-fond n. m. invar. Course sportive de moyenne distance (de 800 m à 1 500 m en athlétisme ; 100 km sur piste derrière entraîneur pour le cyclisme).

demi-frère n. m. Frère de père (frère consanguin) ou de mère (frère utérin) seulement. — Pl. *des* DEMI-FRÈRES.

demi-futaie n. f. Bois dont les arbres ont de quarante à soixante ans d'âge. — Pl. *des* DEMI-FUTAIES.

Demignot (Vittorio), tapissier italien (Turin 1671 - *id.* 1743). Il se perfectionna en Flandre, collabora avec le Bernin et dirigea à Turin le nouvel atelier ducal de basse lisse.

demi-gros n. m. invar. Commerce qui tient le milieu entre la vente en gros et la vente au détail.

demi-heure n. f. Moitié d'une heure. — Pl. *des* DEMI-HEURES. (V. DEMI.)

demi-humeur n. f. Chez les tanneurs, humidité modérée dont une peau est imprégnée. — Pl. *des* DEMI-HUMEURS.

demi-jour n. m. invar. Jour faible (par ex. celui qui annonce le lever du soleil) : *Le demi-jour d'un sous-bois.*

demi-journée n. f. Moitié d'une journée. — Pl. *des* DEMI-JOURNÉES.

démilitarisation → DÉMILITARISER.

démilitariser v. tr. Ôter le caractère militaire : *Démilitariser l'Administration d'un* *pays.* || Dégarnir de troupes ; procéder à la démilitarisation. ◆ **démilitarisation** n. f. Mesure de sûreté, inscrite dans un accord international ou un traité, qui interdit toute activité militaire (édification de fortifications, présence de troupes, etc.) dans une zone déterminée dite « zone démilitarisée » : *La démilitarisation de la rive gauche du Rhin fut imposée à l'Allemagne en 1919.*

De Mille (Cecil Blount), cinéaste américain (Ashfield, Massachusetts, 1881 - Hollywood 1959). D'abord comédien, puis auteur dramatique, il réalisa son premier film en 1912 : *The Squaw Man.* La plupart de ses œuvres sont des reconstitutions historiques ou bibliques à grand spectacle : *les Dix Commandements* (1923, nouvelle version en 1956), *le Signe de la croix* (1932), *les Croisades* (1935), *l'Odyssée du Dr Wassel* (1943), *Sous le plus grand chapiteau du monde* (1952). Son film le plus important sur le plan esthétique reste *Forfaiture* (1915). — Sa nièce, AGNES (New York 1909), danseuse et chorégraphe, a composé *Rodeo* (1942), *Fall River Legend* (1948), *The Harvest According* (1952). Elle est l'auteur de *l'Ame de la danse* (1964).

Keystone

Cecil B. **De Mille**

demi-longue n. f. Voyelle qui, recevant un accent secondaire, n'est que demi-allongée, alors que l'accent principal confère au phonème une longueur complète. — Pl. *des* DEMI-LONGUES. ◆ **demi-longueur** n. f. Dans une course, longueur qui est la moitié de celle d'un cheval, d'un bateau, etc. : *Il a gagné la course d'une demi-longueur.* || Signe phonétique (.) indiquant qu'une voyelle est une demi-longue. || Qualité propre d'une demi-longue. — Pl. *des* DEMI-LONGUEURS.

demi-louis n. m. invar. Pièce française de 10 francs, en or, du système de l'an XI, au poids de 3,225 8 g à 900/1 000. (V. LOUIS.)

demi-lune n. f. Ouvrage fortifié en forme de redan, placé en avant de la courtine et permettant de tirer en avant des saillants des deux bastions qui l'encadrent. || Voie ferrée accessoire permettant l'évitement d'un ou de plusieurs véhicules. || Outil de maçon qui sert à dégrader les joints ou à les lisser. || Pièce de bois obtenue en enlevant dans une grume la planche passant par le cœur de l'arbre, ainsi que les deux dosses. || Plan demi-circulaire auquel aboutissent plusieurs chemins. — Pl. *des* DEMI-LUNES. ● *Commode* ou *table en demi-lune,* de forme semi-circulaire (style Louis XVI). || *Demi-lune d'eau,* ouvrage de forme semi-circulaire élevé dans un jardin, orné de pilastres, de jets d'eau, de statues.

demi-mal n. m. *Fam.* Inconvénient moins grave que celui qu'on redoutait. — Pl. *des* DEMI-MAUX.

demi-membraneux adj. et n. m. invar. Se dit d'un muscle de la face postérieure de la cuisse, étendu depuis l'ischion jusqu'à la tubérosité interne du tibia, et qui fléchit la jambe sur la cuisse.

demi-mesure n. f. Mesure, disposition prise avec une prudence excessive ; mesure insuffisante et peu efficace : *Evitons les demi-mesures.*

demi-métal n. m. Nom donné aux substances d'aspect métallique cassantes et non ductiles (arsenic, antimoine, bismuth). — Pl. *des* DEMI-MÉTAUX. ◆ **demi-métallique** adj. Qui a le caractère d'un demi-métal.

demi-mondaine → DEMI-MONDE.

demi-monde n. m. (mot créé par Alexandre Dumas fils et constituant le titre d'une de ses pièces [1855]). Monde des femmes déclassées et de mœurs légères : *Elle appartient au*

commode en **demi-lune**
style Louis XVI
musée des Arts décoratifs

Giraudon

demi-monde. ◆ **demi-mondaine** n. f. Femme du demi-monde. — Pl. *des* DEMI-MONDAINES.

demi-mort, e adj. Mort à demi ; presque mort : *Des hommes demi-morts de faim. Des femmes demi-mortes de froid.*

demi-mot (à) loc. adv. Sans qu'il soit nécessaire de tout dire : *Entendre, comprendre à demi-mot.*

déminage → DÉMINER.

déminer v. tr. Débarrasser le sol, la mer des engins explosifs (mines, etc.) qui y sont déposés et généralement dissimulés : *Déminer un champ de mines, une route.* ◆ **déminage** n. m. Action de déminer ; résultat de cette action. (Le déminage en mer, ou dragage, est effectué par des bâtiments spéciaux, dragueurs* ou chasseurs* de mines.) ◆ **démineur** n. m. Celui qui démine.

déminéralisation → DÉMINÉRALISER.

déminéraliser v. tr. Faire perdre ses sels minéraux : *La grossesse déminéralise.* ◆ **déminéralisation** n. f. Elimination par les excreta d'une quantité de matières minérales constitutives des tissus supérieure à celle qu'apporte l'alimentation normale. (La déminéralisation s'observe dans les états cachectiques, chez les sujets âgés, dans certaines affections osseuses et au cours de la grossesse normale.)

démineur → DÉMINER.

demi-onde n. f. En électromagnétisme, demi-période d'une grandeur alternative, qui s'écoule entre deux passages successifs par zéro de la valeur de cette grandeur. ✦ adj. invar. *Antenne demi-onde,* antenne d'émission présentant un nœud de courant à ses extrémités et un ventre de courant au milieu.

demi-reliure

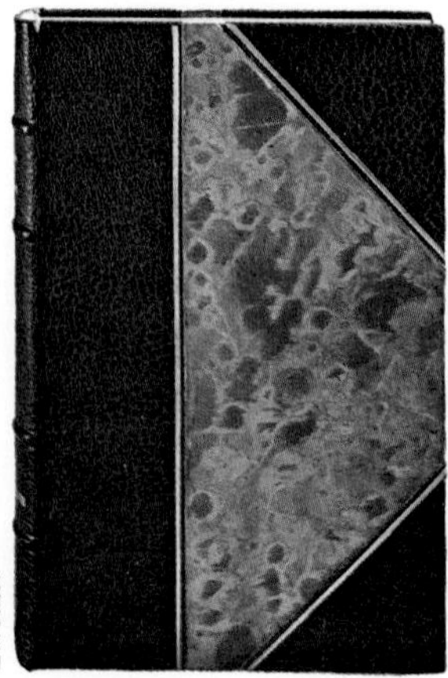

Larousse

demi-parallèle n. f. Amorce de parallèle destinée au retranchement des troupes qui protégeaient les travailleurs dans la guerre de siège. — Pl. *des* DEMI-PARALLÈLES.

demi-pâte n. f. Pâte à papier à sa sortie de la machine à défiler. — Pl. *des* DEMI-PÂTES.

demi-pause n. f. *Mus.* Silence, d'une durée égale à la blanche, se plaçant sur la troisième ligne de la portée. — Pl. *des* DEMI-PAUSES.

demi-pension n. f. Régime d'hôtellerie comportant le prix de la chambre, celui du petit déjeuner et celui du repas du soir. ‖ Régime des élèves qui prennent le repas du midi dans un établissement scolaire et assistent à l'étude, après les classes de l'après-midi. ‖ Moitié de la pension d'invalidité, de vieillesse, etc. ◆ **demi-pensionnaire** n. Elève qui suit le régime de la demi-pension. — Pl. *des* DEMI-PENSIONNAIRES.

demi-pièce n. f. La moitié d'une pièce de vin (tonneau de 110 litres environ) ou d'une pièce d'étoffe sortant de la fabrique. — Pl. *des* DEMI-PIÈCES.

demi-pique n. f. Pique à manche raccourci que les officiers d'infanterie portaient au XVIIe s. comme insigne de commandement. (Syn. ESPONTON.) — Pl. *des* DEMI-PIQUES.

demi-place n. f. Place payée à moitié prix. — Pl. *des* DEMI-PLACES.

demi-pointe n. f. *Chorégr.* V. POINTE.

demi-produit n. m. Produit déjà partiellement élaboré, qui sera travaillé à nouveau ou conditionné ultérieurement. — Pl. *des* DEMI-PRODUITS.

demi-quart n. m. Moitié du quart (d'une livre). ‖ Moitié de la division de la rose des vents appelée *quart.* — Pl. *des* DEMI-QUARTS.

Demirel (Süleyman), homme politique turc (Islâmköy, près d'Isparta, 1924). Président du parti de la Justice depuis 1964, Premier ministre de 1965 à 1971, il doit démissionner lorsque l'armée exige la formation d'un gouvernement fort. Il revient cependant au pouvoir de 1975 à 1977, puis à partir de 1979.

demi-reliure n. f. Reliure dans laquelle les plats ne sont pas recouverts de la même matière que le dos. — Pl. *des* DEMI-RELIURES.

demi-revêtement n. m. Revêtement de certains bastions qui ne dépassait pas le sol pour éviter les vues et les coups. — Pl. *des* DEMI-REVÊTEMENTS.

demi-ronde n. f. Lime plate d'un côté et en demi-cercle de l'autre. — Pl. *des* DEMI-RONDES.

demi-saison n. f. *Vêtements de demi-saison,* vêtements moins chauds que les vêtements d'hiver et que l'on porte au printemps et à l'automne.

demi-sang n. invar. Race de chevaux provenant du croisement du pur-sang anglais ou du trotteur du Norfolk avec des juments françaises.

demi-savant n. m. Homme qui n'a qu'une médiocre culture intellectuelle. — Pl. *des* DEMI-SAVANTS.

demi-sel n. m. invar. Fromage frais, salé à 2 p. 100. || *Pop.* Souteneur occasionnel.

demi-sœur n. f. Sœur de père ou de mère seulement. (V. DEMI-FRÈRE.) — Pl. *des* DEMI-SŒURS.

demi-solde n. f. Solde réduite d'un militaire qui n'est plus en activité. — Pl. *des* DEMI-SOLDES. ✦ n. m. invar. Officier de l'armée du premier Empire, mis en non-activité par la Restauration (1815).

demi-sommeil n. m. Etat intermédiaire entre la veille et le sommeil. — Pl. *des* DEMI-SOMMEILS.

demi-sonnerie n. f. Montre ou pendule à répétition qui ne sonne que les quarts. — Pl. *des* DEMI-SONNERIES.

demi-soupir n. m. En musique, silence équivalant à la moitié d'un soupir et égal à la valeur d'une croche. — Pl. *des* DEMI-SOUPIRS.

demi-souverain n. m. Ancienne pièce d'or anglaise qui valait la moitié d'une livre sterling, soit 10 shillings. — Pl. *des* DEMI-SOUVERAINS.

démission n. f. (lat. *demissio,* action d'abaisser). Action de se démettre d'une fonction; acte par lequel on signifie sa volonté de se démettre : *Donner sa démission. Une lettre de démission.* || *Fig.* Faillite, incapacité de remplir sa mission : *De tels incidents consacrent la démission de notre société.* ● *Démission d'un militaire,* l'un des actes entraînant la cessation de l'état de militaire de carrière. (Elle est prévue par la loi de 1972 portant statut général des militaires.) ◆ **démissionnaire** adj. et n. Qui a donné sa démission : *Ministre démissionnaire.* ◆ **démissionner** v. intr. Donner sa démission. ✦ v. tr. Obliger quelqu'un à donner sa démission : *Plusieurs ministres ont été démissionnés.*

demi-teinte n. f. Partie qui n'est ni dans l'ombre ni dans la lumière; ombre claire. — Pl. *des* DEMI-TEINTES.

demi-tendineux adj. m. et n. m. invar. Se dit d'un muscle de la face postérieure de la cuisse, placé en arrière du demi-membraneux*, fléchisseur de la jambe sur la cuisse et qui reçoit son innervation du nerf sciatique.

demi-tige n. f. Arbre fruitier dont la tige atteint 1,20 m à 1,40 m de haut. — Pl. *des* DEMI-TIGES.

demi-ton n. m. En musique, valeur de la moitié d'un ton. (Le demi-ton est *diatonique* s'il est entre deux notes de nom différent, *chromatique* s'il est entre deux notes de même nom, dont l'une est altérée.) — Pl. *des* DEMI-TONS.

demi-tour n. m. Mouvement d'ordre serré exécuté par une troupe soit de pied ferme (*Demi-tour, droite !*), soit en marchant (*Demi-tour à droite, marche !*), pour se placer ou se diriger face à une direction opposée. || Position de deux chaînes d'ancre qui, après l'évitage d'un navire affourché, se trouvent passer l'une au-dessus de l'autre, en se croisant. — Pl. *des* DEMI-TOURS. ● *Faire demi-tour,* revenir sur ses pas. ✦ adj. invar. *Pêne demi-tour,* pêne en biseau, maintenu en place par un ressort, et que la clef chasse en ne faisant qu'un demi-tour.

démiurge n. m. (gr. *dêmiourgos,* artisan). Nom du Dieu créateur, chez les platoniciens. (Le terme, qui signifie « ouvrier, artisan, architecte », évoque un dieu qui façonne le monde à partir d'une matière préexistante, mais qui ne crée pas cette matière. ◆ **démiurgie** n. f. Activité propre au démiurge. ◆ **démiurgique** adj. Relatif au démiurge.

demi-vierge n. f. Jeune fille qui est encore vierge, mais que des flirts audacieux ont cependant déflorée moralement. (Mot créé par Marcel Prévost dans un roman datant de 1894.) — Pl. *des* DEMI-VIERGES.

demi-volée n. f. *Sports.* Attaque de la balle ou du ballon juste au moment où ils quittent le sol après le rebond. — Pl. *des* DEMI-VOLÉES.

demi-volte n. f. Changement de main qui s'opère en faisant faire au cheval un demi-cercle suivi d'une diagonale le ramenant sur la piste à la main opposée. — Pl. *des* DEMI-VOLTES.

demi-watt adj. invar. *Ampoule demi-watt,* lampe électrique à incandescence consommant environ un demi-watt par bougie.

démixtion n. f. Solubilité partielle et réciproque d'un liquide dans un autre.

démobilisateur, démobilisation → DÉMOBILISER.

démobiliser v. tr. Libérer du service et renvoyer dans leurs foyers les réservistes qui ont été mobilisés. || *Fig.* Priver de toute volonté revendicative. ◆ **démobilisateur, trice** adj. Se dit de ce qui prive une collectivité quelconque de toute volonté revendicatrice : *Un mot d'ordre démobilisateur a été lancé par l'un des syndicats.* ◆ **démobilisation** n. f. Acte par lequel l'autorité militaire démobilise.

Démocède, en gr. **Dêmokêdês,** médecin

demi-tons

grec du VIe s. av. J.-C. Né à Crotone, il pratiqua la médecine à la cour de Polycrate, tyran de Samos. Hérodote le considère comme un des médecins les plus célèbres du siècle.

démocrate → DÉMOCRATIE.

démocrate (PARTI), l'un des deux grands partis politiques des Etats-Unis. Il est né de la coalition des fermiers de l'Ouest, opposés à la politique financière des républicains, des grands planteurs du Sud, partisans du libre-échange, et des ouvriers du Nord-Est. Sa première manifestation date des élections de 1824. Les démocrates accédèrent au pouvoir avec Jackson (1829) et le conservèrent presque sans interruption jusqu'en 1861.
De 1861 à 1933, les démocrates furent éclipsés par les républicains, à l'exception des présidences de Cleveland (1885-1889; 1893-1897) et de Wilson (1913-1920). En 1933, la faillite du libéralisme et de l'isolationnisme, chers aux républicains, ouvrit une nouvelle ère démocratique. Elle ne fut interrompue depuis lors que par la présidence du général Eisenhower (1953-1961). [V. ETATS-UNIS.]

démocrate-chrétien → DÉMOCRATIE.

démocrate-chrétien italien (PARTI), parti se réclamant des principes de la démocratie chrétienne, créé en 1919 sous le nom de *parti populaire italien* (*Partito Popolare Italiano* [P. P. I.]). Le succès qu'il remporta immédiatement aux élections en fit l'axe de toute majorité constitutionnelle. Il conserva une réelle influence sur la politique italienne jusqu'à l'établissement du fascisme. A l'exception de son aile droite, favorable à la collaboration avec Mussolini, l'ensemble du parti, sous la direction de Don Sturzo, se montra violemment opposé au nouveau régime et dut abandonner toute activité politique. Il se reconstitua après la chute du fascisme et prit le nom de « parti démocrate-chrétien » (*Partito della Democrazia Cristiana* [P.D.C.]). Il se prononça en faveur de la République, et, dès 1948, obtint la majorité absolue à la Chambre. Sous la conduite de De Gasperi*, le parti démocrate-chrétien prit la direction de la politique italienne; il l'a gardée depuis.

démocrate-populaire (PARTI) [**P. D. P.**], parti français inspiré par les principes de la démocratie chrétienne, fondé en 1924 par Champetier de Ribes. Il donna naissance, après la Libération, au Mouvement* républicain populaire (M. R. P.).

démocratie [si] n. f. (gr. *dêmokratia;* de *dêmos,* peuple, et *kratos,* autorité). Gouvernement du peuple par lui-même. || Prépondérance du pouvoir populaire dans un gouvernement quelconque, ou contrôle de ce gouvernement par le peuple. ● *Démocratie chrétienne,* mouvement tendant à concilier les impératifs de la foi et de la morale chrétienne et les principes démocratiques. (Cette expression n'est apparue qu'à la fin du XIXe s. Dans l'encyclique *Graves de communi* [18 janv. 1901], destinée à la définir, elle est limitée à la signification d' « action populaire chrétienne ». Ce n'est qu'après la Première Guerre mondiale que se constituent des partis qui, sous des dénominations diverses, peuvent être considérés comme « démocrates-chrétiens ».) [V. CATHOLIQUE BELGE (*parti*), CHRISTLICH-DEMOKRATISCHE UNION, DÉMOCRATE-CHRÉTIEN ITALIEN (*parti*), DÉMOCRATE-POPULAIRE (*parti*), MOUVEMENT RÉPUBLICAIN POPULAIRE, SOCIAL-CHRÉTIEN BELGE (*parti*), etc.] || *Démocraties populaires,* nom parfois donné aux républiques démocratiques instituées, au lendemain de la Seconde Guerre mondiale, sur le modèle de l'U. R. S. S., dans divers pays de l'Europe centrale et orientale. ◆ **démocrate** n. et adj. Partisan de la démocratie, des idées démocratiques : *Se heurter à l'hostilité des démocrates.* || Aux Etats-Unis d'Amérique, membre du parti démocrate. ◆ **démocrate-chrétien, enne** adj. et n. Qui appartient à la démocratie chrétienne. ◆ **démocratique** adj. Qui appartient, qui a rapport à la démocratie : *Le parti démocratique.* ◆ **démocratiquement** adv. De façon démocratique : *Désigner démocratiquement un président de séance.* ◆ **démocratisation** n. f. Action de démocratiser : *La démocratisation du crédit.* ◆ **démocratiser** v. tr. Conformer, organiser d'après les principes démocratiques : *Démocratiser le fonctionnement d'une organisation.* || Mettre à la portée du peuple : *Démocratiser l'enseignement.*

— ENCYCL. ***démocratie.*** La démocratie est une forme d'organisation dans laquelle le pouvoir effectif est détenu par le peuple au lieu de l'être par un seul (monarchie, dictature) ou par une minorité (aristocratie, oligarchie).
Le gouvernement du peuple par le peuple et pour le peuple remonte à l'Antiquité. L'*élection,* principe de base de la démocratie, n'y occupait pourtant qu'une place secondaire. On préférait avoir recours au tirage au sort pour désigner les magistrats et les hauts fonctionnaires, pour une durée généralement courte, afin de permettre aux citoyens, par une rotation des tâches, d'exercer à tour de rôle une fonction gouvernementale. Les gouvernés, siégeant régulièrement en Assemblée générale du peuple, avaient ainsi une participation directe aux décisions gouvernementales. Au XVIIIe s., le principe de l'élection fut renforcé par la théorie de la *représentation* nationale. Mais ce n'est qu'au XIXe s. que le combat pour les idées démocratiques s'est confondu avec le combat pour le suffrage universel. Dès lors, démocratie et élection devenant indissolubles, on a associé régime libéral à démocratie : un régime où les citoyens bénéficient de façon égale des libertés publiques fondamentales. Mais la réalité est autre, car, si, en droit, la démocratie a acquis une légitimité incontestable, en

fait elle aboutit à des systèmes politiques différents, sinon opposés.
On a coutume de distinguer plusieurs formes de démocratie : modérée, concurrentielle, totalitaire et technocratique. En voie de disparition, la démocratie *modérée* n'est plus guère représentée que par certains traits de la vie politique anglaise. La démocratie *concurrentielle* s'exerce dans le cadre d'un pluralisme de partis politiques et fonctionne d'autant mieux qu'il existe une constitution. L'opinion publique n'est plus que l'opinion la plus forte, celle d'une « majorité tyrannique dans une démocratie bourgeoise » (Tocqueville) ; d'où le développement des groupes de pression (lobbies) exerçant un pouvoir de fait à l'encontre des gouvernants.
Dans une société d'abondance, l'égalité économique est le dénominateur commun des démocraties totalitaire et technocratique. Dans une société d'abondance *totalitaire,* elle se trouve réalisée si les hommes ont de tout à volonté, mais s'ils savent se contenter de peu. Ils réalisent ainsi l'idéal démocratique par un effort et un travail constants ; d'où l'institution d'un parti unique, car le progrès auquel tend cette société ascétique est à sens unique. A l'inverse, dans une démocratie *technocratique,* les revendications matérielles des individus constituent la fin de la société elle-même.
Marx et les marxistes appellent « démocratie bourgeoise » la forme de régime politique où la réalité du pouvoir est aux mains de la classe bourgeoise minoritaire, qui est, en même temps, propriétaire des moyens de production et d'échange.

démocratie en Amérique (DE LA), ouvrage que composa Alexis de Tocqueville à son retour d'Amérique (1835-1840). C'est à la fois une analyse de la république américaine, une appréciation de l'état démocratique et un enseignement indirect pour les nations qui tendent à cet état.

démocratique, démocratiquement, démocratisation, démocratiser → DÉMOCRATIE.

Démocrite, en gr. **Dêmokritos,** philosophe grec (Abdère, Thrace, v. 460 av. J.-C. - † v. 370). Il voyagea beaucoup et passa cinq ans auprès des géomètres de l'Egypte. Il fut très lié avec Hippocrate de Cos, mais, bien qu'ayant vécu à Athènes, il paraît n'avoir pas connu Socrate. A son retour dans son pays, il fonda son école d'Abdère vers 420. Les écrits de Démocrite ayant été perdus vers le IIIe s. apr. J.-C., sa philosophie nous est connue par un exposé d'Aristote. Elle développe une théorie matérialiste qui fait consister l'essence de la matière dans des *atomes* indivisibles et admet l'existence du vide. Démocrite représente l'âme elle-même faite d'atomes subtils, ronds, légers, chauds ; la perception des choses serait due à l'émission par les objets de substances très fines. Il est, en morale, le prédécesseur d'Epicure.

démodé → DÉMODER (SE).

démodécidés, démodécie → DÉMODEX.

démoder (se) v. pr. Cesser d'être à la mode : *Les chapeaux de femmes se démodent vite.* ◆ **démodé, e** adj. Qui n'est plus de mode : *Habit démodé.* ‖ *Fig.* Désuet, dépassé : *Théorie démodée.*

démodex n. m. Genre d'acariens de la famille des démodécidés, agent des « points noirs » ou comédons chez l'homme. ◆ **démodécidés** n. m. pl. Famille d'acariens qui vivent en parasites dans les glandes sébacées et les follicules pileux de l'animal et de l'homme. ◆ **démodécie** n. f. Maladie parasitaire cutanée due au *Demodex folliculorum,* atteignant assez souvent le chien jeune, dont la peau est parsemée de plages dépilées.

démodulateur → DÉMODULATION.

démodulation n. f. *Radiotechn.* Opération inverse de la modulation. ◆ **démodulateur** n. m. *Radiotechn.* Dispositif servant à reconstituer la modulation, en partant d'un courant modulé. ‖ Etage servant à faire apparaître le signal de basse fréquence dans les récepteurs pour émissions à modulation de fréquence.

démographe → DÉMOGRAPHIE.

démographie n. f. (gr. *dêmos,* peuple, et *graphein,* écrire). Etude des populations humaines, principalement sous l'angle quantitatif. (Bien que le mot de « démographie » n'apparaisse qu'en 1855 [Achille Guillard], les préoccupations démographiques sont plus anciennes. Les recensements se pratiquent depuis l'Antiquité. Adolphe Quételet a défini le domaine très vaste de la démographie. La *démographie quantitative* s'occupe de l'aspect numérique des phénomènes ; la *démographie qualitative* cherche à expliquer les variations quantitatives par des facteurs biologiques, sociologiques, intellectuels, etc.) ◆ **démographe** n. Spécialiste de la démographie. ◆ **démographique** adj. Relatif à la démographie.

démographiques (INSTITUT NATIONAL D'ÉTUDES) **[I. N. E. D.],** organisme public français, fondé en 1945 pour l'étude des problèmes de population.

demoiselle n. f. (lat. pop. *dominicella,* dimin. de *domina,* dame, maîtresse). Personne célibataire du sexe féminin. ‖ *Géomorphol.* V. CHEMINÉE *des fées.* ‖ *Technol.* Syn. de DAME. ‖ Nom commun à de nombreux animaux : une grue de Numidie, les poissons du genre *girelle,* certains crabes, un petit homard, enfin, et surtout, les libellules*. ● *Demoiselle de compagnie,* autref., jeune fille, ou femme célibataire, payée pour tenir compagnie à une personne. ‖ *Demoiselle d'honneur,* jeune fille qui accompagne la mariée à la mairie et à l'église.

Demoiselles d'Avignon (LES), peinture de Pablo Picasso, exécutée à Paris en 1906-1907 (musée d'Art moderne de New York).

« les **Demoiselles d'Avignon** »
par Pablo Picasso
musée d'Art moderne, New York

On la place à l'origine du cubisme et l'on y voit l'influence de l'art nègre.

Demoiselles (GROTTE DES), grotte de l'Hérault, ornée de belles stalactites et stalagmites. Elle servit de refuge aux protestants au XVIIe s.

Demolder (Eugène), écrivain belge d'expression française (Bruxelles 1862 - Essonnes, Seine-et-Oise, 1919). Son chef-d'œuvre est *la Route d'émeraude* (1899), où il raconte les aventures du jeune peintre Kobus Barent. On lui doit aussi des critiques d'art.

Demolins (Edmond), historien et sociologue français (Marseille 1852 - Les Roches, Eure, 1907). Il fonda l'école des Roches (1899).

démolir v. tr. (lat. *demoliri*). Abattre une construction pièce à pièce; détruire : *Démolir une maison.* ‖ Mettre en pièces : *Un enfant qui démolit un jouet.* ‖ *Fig.* Détruire, saper un système, une doctrine : *Démolir une argumentation.* ‖ *Fam.* Ruiner la santé de : *L'alcool démolit un homme.* ‖ Ruiner l'influence, le crédit, l'autorité de : *Les journaux ont vite fait de démolir quelqu'un.* ‖ *Pop.* Terrasser à force de coups, tuer : *Un boxeur qui a démoli son adversaire.* ◆ **démolissage** n. m. Action de démolir. ◆ **démolisseur, euse** adj. et n. Qui démolit (au *pr.* et au *fig.*) : *Ouvriers démolisseurs. Clemenceau fut un démolisseur de ministères.* ◆ **démolition** n. f. Action de démolir : *Une entreprise de démolition.* ‖ Matériaux provenant d'édifices démolis : *Faire déblayer les démolitions.* ‖ *Fig.* Ruine : *Démolition d'un empire.*

grotte des **Demoiselles**

Démolombe (Jean Charles Florent), juriste français (La Fère, Aisne, 1804 - Caen 1887), connu pour son *Cours de Code Napoléon.*

Demolon (Albert), agronome et biologiste français (Lille 1881 - Paris 1954), directeur du Centre national de recherches agronomiques, auteur de travaux de pédologie et de botanique. (Acad. des sc., 1946.)

De Momper (Joost), peintre flamand (Anvers 1564 - † 1635). Maître de Rubens, il rend avec délicatesse les lointains et les feuillages des sites montagneux.

démon n. m. (lat. ecclés. *daemon;* du gr. *daimôn,* dieu, génie). Dans l'Antiquité, dieu, déesse, divinité. ‖ Génie, bon ou mauvais, que l'on supposait attaché à la destinée d'un homme, d'une ville, d'un Etat : *Le démon de Socrate.* ‖ Chez les auteurs ecclésiastiques et chez les modernes, diable, ange déchu, qui habite l'enfer et tente les hommes : *Combattre le démon.* ‖ *Absol.* Le diable, Satan : *Etre possédé du démon.* ‖ Génie familier qui semble nous guider : *On ne sait quel démon l'a inspiré.* ‖ *Fig.* Personnification des vices, des instincts : *Le démon de l'envie, de la curiosité.* ‖ Personne dangereuse, dont les séductions ont quelque chose d'infernal; personne méchante : *Cette femme est un démon.* ‖ Enfant turbulent, espiègle : *Oh! le petit démon!* ● *Avoir de l'esprit comme un démon,* être prodigieusement spirituel. ‖ *Démon familier,* bon génie qui hante une personne. ‖ *Faire le démon,* être turbulent, tapageur. ◆ **démoniaque** adj. Qui a rapport au démon : *Superstition démoniaque.* ‖ Qui est sous l'influence du démon : *Une femme démoniaque.* ‖ Diabolique, malin : *Une ruse démoniaque.* ✦ n. Personne possédée du démon : *Exorciser un démoniaque.* ‖ *Fam.* Personne turbulente, passionnée : *Jouer les démoniaques.* ◆ **démonologie** n. f. Science, traité de la nature des démons. ◆ **démonologique** adj. Relatif à la démonologie ou à la science des démons. ◆ **démonologue** n. m. Celui qui s'occupe de démonologie.

démonétisation → DÉMONÉTISER.

démonétiser v. tr. (préf. priv. *dé,* et lat. *moneta,* monnaie). Priver, dépouiller de sa valeur légale, en parlant d'une monnaie, d'un timbre-poste, etc. ‖ *Fig.* Déprécier, détruire le crédit de : *Un ministre démonétisé.* ◆ **démonétisation** n. f. Opération consistant à retirer une monnaie de la circulation. ‖ *Fig.* Perte de réputation, de crédit.

démoniaque, démonologie, démonologique, démonologue → DÉMON.

démonstrateur, démonstratif, démonstration, démonstrativement → DÉMONTRER.

démontable, démontage, démonte-pneu → DÉMONTER.

démonter v. tr. (de *monter*). Jeter à bas de sa monture : *Démonter un cavalier.* ‖ Mettre à pied : *Un escadron démonté.* ‖ Séparer, désassembler les diverses parties d'un objet : *Démonter un fusil, un lit.* ‖ Enlever un canon de son affût. ‖ Mettre un canon hors de service. ‖ Découdre une partie de vêtement. ‖ Priver du commandement d'un navire : *Démonter un capitaine de vaisseau.* ‖ *Fig.* Déconcerter, troubler : *Se laisser facilement démonter par les questions posées. Cette objection l'a démonté.* ● *Démonter un oiseau,* à la chasse, lui casser une aile. ‖ *Etre démonté,* en parlant d'un pêcheur, avoir sa ligne brisée par un poisson ou par un accrochage sur le fond. ‖ *Mer démontée,* mer excessivement houleuse. ‖ — **se démonter** v. pr. *Fig.* Se décontenancer, se troubler, s'affoler : *Il se démonte pour un rien.* ◆

démons
détail de « Saint Jacques et le Magicien »
par Jérôme Bosch
musée de Valenciennes

Giraudon

démontable adj. Qui peut être démonté : *Bateau démontable.* ◆ **démontage** n. m. Action de démonter ; opération consistant à séparer les diverses pièces d'une machine, d'un instrument. ‖ Suppression d'une usine, d'un ensemble industriel, en vue d'un transfert et d'une reconstitution dans une autre région, un autre pays. ‖ Opération qui consiste à éliminer la teinture d'un tissu teint, pour permettre une nouvelle teinture. ◆ **démonte-pneu** n. m. Levier spécial permettant de retirer de la jante l'enveloppe d'un pneu de voiture ou de cycle. — Pl. *des* DÉMONTE-PNEUS. ◆ **démonteur, euse** n. Personne qui démonte. ‖ — ***démonteuse*** n. f. Ouvrière employée aux filières, dans les tréfileries.

démontrable → DÉMONTRER.

démontrer v. tr. (lat. *demonstrare*). Prouver par une démonstration, d'une manière évidente : *Démontrer l'égalité de deux triangles. Démontrer sa sottise à quelqu'un.* ‖ Prouver, être un témoignage de : *Sa rougeur démontrait sa honte.* ‖ Expliquer par des expériences le fonctionnement d'un appareil. ◆ **démonstrateur, trice** n. Personne qui présente et qui vend sur la voie publique ou dans un grand magasin des objets ou des produits peu connus. ◆ **démonstratif, ive** adj. Qui démontre : *Argument démonstratif.* ‖ Qui manifeste son amitié, son zèle, ses sentiments en général. ‖ En grammaire, se dit des adjectifs ou des pronoms qui servent à désigner la personne ou la chose dont il est question. ◆ **démonstration** n. f. Raisonnement par lequel on établit la vérité d'une proposition à l'aide de définitions, d'axiomes, de postulats et de propositions établis antérieurement. (La démonstration prend la forme de l'analyse dans la démonstration *ascendante* ou de la synthèse dans la démonstration *descendante.*) ‖ Marque extérieure traduisant un sentiment : *Prodiguer les démonstrations d'amitié.* ‖ Action de démontrer. ‖ Manœuvre ayant pour but d'induire l'ennemi en erreur sur les intentions du commandement. ◆ **démonstrativement** adv. Par démonstration ; d'une manière convaincante. ◆ **démontrable** adj. Qui peut être démontré : *Ce que vous avancez n'est pas démontrable.* ◆ **démontreur** n. m. Celui qui démontre.

Démophon, en gr. **Dêmophôn.** *Myth. gr.* Roi légendaire d'Athènes, fils de Thésée et de Phèdre. Il participa à la guerre de Troie.

démoralisant, démoralisateur, démoralisation → DÉMORALISER.

démoraliser v. tr. Corrompre ; faire perdre le sens moral à : *Démoraliser le peuple.* ‖ Déconcerter, décourager ; donner un mauvais moral à : *Un premier échec l'avait démoralisé.* ◆ **démoralisant, e** adj. Qui démoralise : *Nouvelle démoralisante.* ◆ **démoralisateur, trice** adj. et n. Qui tend, qui vise à démoraliser ; défaitiste : *Influence démoralisatrice.* ◆ **démoralisation** n. f. Action de démoraliser ; état d'immoralité, de corruption : *Une propagande de démoralisation.* ‖ Etat de gens découragés, qui ont un mauvais moral : *La démoralisation gagnait les troupes.*

démordre v. tr. ind. [**de**] (conj. **46**). Se départir de ; renoncer à (ordinairement sous la forme négative) : *Il ne veut pas démordre de son opinion.* ● *Il n'en démord pas,* il ne veut pas se dédire, agir autrement.

De Morgan (Augustus), mathématicien et logicien anglais (Madura, Inde, 1806 - Londres 1871), un des initiateurs de la logique mathématique et auteur de lois du calcul des propositions.

démosponges n. m. pl. Classe d'éponges comprenant les espèces non calcaires, les unes purement siliceuses, les autres soutenues en outre par des fibres organiques de spongine.

Démosthène, en gr. **Dêmosthenês,** général athénien († Syracuse 413 av. J.-C.). Il s'illustra dans la guerre du Péloponnèse en remportant la bataille d'Olpai (426). Il fut tué par les Syracusains alors qu'il allait défendre Nicias en Sicile.

Démosthène, en gr. **Dêmosthenês,** orateur et homme politique athénien (Athènes 384 - Calaurie 322 av. J.-C.). De famille aisée, mais orphelin très jeune, il est ruiné par ses tuteurs et prononce contre eux son premier plaidoyer. Ce n'est qu'en 354, après avoir vaincu ses difficultés d'élocution, qu'il aborde la tribune politique. Le discours *Pour les Mégalopolitains* (353) attire l'attention sur le danger spartiate. Il adopte la politique du parti patriote et dénonce l'ambition de Philippe de Macédoine. Il l'attaque dans les quatre *Philippiques** (351-340) et excite contre lui les Athéniens dans ses trois *Olynthiennes* (349-348). Devenu chef du parti dirigeant (340-338), il obtient l'alliance de Thèbes contre Philippe. Mais cette alliance ne peut empêcher la défaite athénienne de Chéronée (338). Ctésiphon propose aux Athéniens de décerner une couronne d'or à Démosthène, en récompense de son zèle civique. Eschine combat cette proposition comme contraire aux lois. Par le plaidoyer du *Discours sur la couronne* (330), Démosthène fait acquitter Ctésiphon, et Eschine doit s'exiler. Démosthène est ensuite impliqué dans l'affaire d'Harpale ; condamné à une lourde amende qu'il ne peut payer, il s'exile à Trézène puis à Egine. Après la mort d'Alexandre, Démosthène, rentré triomphalement dans sa patrie, encourage la révolte d'Athènes contre Antipatros. Devant la défaite de l'insurrection, il s'empoisonne.

Démosthène (384-322 av. J.-C.)
musée du Vatican

Brogi - Giraudon

démotique adj. et n. m. (gr. *dêmotikos,* populaire). Se dit de l'état populaire d'une langue, par oppos. à un état savant. ‖ Se dit particul. de la langue parlée des Egyptiens de la basse époque et de leur système d'écriture cursif pour les documents de la vie courante.

démouchetage → DÉMOUCHETER.

démoucheter v. tr. (conj. **4**). Ôter le bouton (la mouche) qui garnit la pointe d'un fleuret, d'une épée. ◆ **démouchetage** n. m. Action de démoucheter.

démoulage → DÉMOULER.

démouler v. tr. Retirer de son moule : *Démouler une statue, un gâteau.* ◆ **démoulage** n. m. Action de démouler : *Démoulage d'un bronze.*

Demoustier (Pierre Antoine), ingénieur français (Lassigny 1755 - † 1803). Il construisit à Paris le pont Louis-XV (auj. pont de la Concorde), le pont des Arts et l'ancien pont d'Austerlitz, ces deux derniers en fer.

démoustication → DÉMOUSTIQUER.

démoustiquer v. tr. Détruire les moustiques : *Démoustiquer une région marécageuse.* ◆ **démoustication** n. f. Action de démoustiquer : *La démoustication de la côte languedocienne.*

Dempsey (William HARRISON, dit **Jack**), champion américain de boxe (Manassa, Colorado, 1895). Considéré comme un des meilleurs boxeurs poids lourds que l'on ait connus, doué d'une redoutable puissance de frappe, il devint champion du monde toutes catégories en 1919, triompha de son challenger Georges Carpentier en 1921 et perdit son titre devant Tunney en 1926.

Dempsey (sir Miles Christopher), général britannique (Hoylake, Cheshire, 1896 - Yettendon, Berkshire, 1969). Il se distingua à Dunkerque (1940), en Libye et en Italie. En 1944, à la tête de la IIe armée britannique, il libéra Caen, Bruxelles, puis, le 3 mai 1945, opéra à Wismar sa jonction avec les Soviétiques. Commandant des forces alliées du Sud-Est asiatique (1945-1946).

démucilagination → DÉMUCILAGINER.

démucilaginer v. tr. Eliminer les mucilages. ◆ **démucilagination** n. f. Elimination des mucilages contenus dans une huile brute.

démultiplicateur, démultiplication → DÉMULTIPLIER.

démultiplier v. intr. et tr. Réduire la vitesse dans la transmission d'un mouvement : *Pignon qui démultiplie.* ◆ **démultiplicateur, trice** adj. Se dit d'un système de transmission qui assure une réduction de vitesse : *Engrenage démultiplicateur.* ◆ **démultiplication** n. f. Rapport dans lequel la vitesse est réduite dans la transmission d'un mouvement. (On dit aussi RAPPORT DE DÉMULTIPLICATION.) || *Par extens.* Rapport dans lequel cette vitesse est modifiée dans un sens ou dans l'autre.

démunir v. tr. Dépouiller, priver : *Il s'était démuni au profit d'un ingrat. Je suis démuni de tout.*

démurer v. tr. Enlever la maçonnerie qui murait : *Démurer une fenêtre, une porte.*

démuseler v. tr. (conj. **3**). Enlever la muselière de : *Démuseler un chien.* || *Fig.* Déchaîner, libérer : *Démuseler les passions.*

démystification → DÉMYSTIFIER.

démystifier v. tr. Dissiper l'erreur, l'effet de la tromperie : *Démystifier un public trop crédule.* ◆ **démystification** n. f. Action de démystifier, de détromper.

démythifier v. tr. Enlever le caractère mythique, donner un caractère proche de l'humanité réelle : *Démythifier les personnages de Don Juan.*

Denain, ch.-l. de c. du Nord (arr. et à 11 km au S.-O. de Valenciennes), sur l'Escaut; 26 254 h. (*Denaisiens*). Port sur l'Escaut. Houillères. Constructions mécaniques. Villars y remporta le 24 juill. 1712, sur l'armée du Prince Eugène, une victoire qui amena la fin de la guerre de la Succession d'Espagne.

Denain (Victor), général français (Dax 1880 - Nice 1952). Il commanda de 1916 à 1918 l'aéronautique sur le front d'Orient. Ministre de l'Air (1934-1936), il effectua des voyages d'inspection qui furent de véritables performances aériennes.

Denain-Anzin, société anonyme française. Elle fut créée en 1834, à Denain, par Jean-François Dumont, comme « usine à fer ». La fusion avec les Forges et laminoirs d'Anzin donna naissance à la Société de Denain et d'Anzin.
Après la Première Guerre mondiale, la société abandonna peu à peu ses fabrications antérieures de rails et de blindages et devint le premier producteur français de tôles.
En 1948, Denain-Anzin créa, à parts égales avec la Société des forges et aciéries du Nord et de l'Est, l'Union sidérurgique du nord de la France (Usinor*).

dénantir v. tr. Enlever son nantissement : *Dénantir ses créanciers.*

Denard (Michael), danseur français (Dresde 1944). Danseur étoile à l'Opéra de Paris (1971), il s'est affirmé, à la faveur de remarquables interprétations, comme un des meilleurs danseurs actuels.

dénasalisation → DÉNASALISER.

dénasaliser v. tr. Ôter le son nasal à : *Les Gascons dénasalisent les nasales finales devant un mot qui commence par une voyelle.* ◆ **dénasalisation** n. f. Transformation d'un son nasal en son oral.

dénatalité n. f. Diminution de la natalité, entraînant à plus ou moins brève échéance la dépopulation d'un pays.

dénationalisation → DÉNATIONALISER.

dénationaliser v. tr. Faire perdre le titre de citoyen; faire changer de nationalité. || Détruire fictivement la nationalité de : *Dénationaliser une marchandise.* || Confier à des propriétaires privés la gestion d'entreprises qui avaient été nationalisées auparavant. ◆ **dénationalisation** n. f. Action de dénationaliser; résultat de cette action.

dénatter v. tr. Défaire ce qui est natté : *Dénatter ses cheveux.*

dénaturalisation → DÉNATURALISER.

dénaturaliser v. tr. Priver de la naturalisation. ◆ **dénaturalisation** n. f. Action de dénaturaliser; résultat de cette action.

dénaturant, dénaturateur, dénaturation, dénaturé → DÉNATURER.

dénaturer v. tr. Changer la nature de; altérer : *Dénaturer du blé.* || *Fig.* Donner intentionnellement une fausse apparence à : *Dénaturer la pensée, les paroles de quelqu'un.* || Vicier, corrompre : *Dénaturer le caractère de quelqu'un.* || Mélanger à certaines substances des produits qui les rendent impropres à leur destination ordinaire. ◆ **dénaturant, e** adj. Qui dénature. ◆ **dénaturateur** n. m. Employé de la Régie des contributions indirectes qui dénature les alcools ou autres denrées par l'adjonction de certains produits. || Celui qui, sous le contrôle du fisc, livre au commerce des produits (notamment l'alcool) dénaturés par l'adjonction de certains produits. ◆ **dénaturation** n. f. Opération consistant à ajouter à certains produits (notamment l'alcool) devant être employés à des usages industriels ou agricoles particuliers une substance qui les rende impropres à toute autre destination. ◆ **dénaturé, e** adj. et n. Qui a subi la dénaturation : *Alcool dénaturé.* ‖ *Fig.* Qui manque aux sentiments les plus naturels : *Père dénaturé.* ‖ Contraire aux sentiments naturels : *Action, passion dénaturée.*

dénazification → DÉNAZIFIER.

dénazifier v. tr. Faire disparaître, dans l'Allemagne vaincue, après 1945, l'empreinte laissée par la doctrine nationale-socialiste. ◆ **dénazification** n. f. Ensemble des mesures prises en Allemagne, après la Seconde Guerre mondiale, pour faire disparaître la mentalité nationale-socialiste.

denché, e [dɑ̃] adj. et n. m. (bas lat. *denticatus*). *Hérald.* Se dit des pièces découpées en dents de scie.

Dendérah ou **Dandarā,** village de haute Egypte, sur la rive ouest du Nil. Temple d'Hathor, orné d'importantes inscriptions.

Denderleeuw, comm. de Belgique (Flandre-Orientale, arr. et à 7 km au S.-S.-E. d'Aalst); 9 600 h. Conserverie; confection.

Dendermonde, nom néerl. de **Termonde.**

dendraspis [pis] n. m. Serpent venimeux de la famille des colubridés, arboricole et sauteur, plus connu sous le nom de MAMBA (Afrique tropicale).

Dendre (la), en néerl. **Dender,** riv. de Belgique, affl. de l'Escaut (r. dr.); 65 km. Elle est entièrement canalisée.

dendrite [dɑ̃ ou dɛ̃] n. f. A la surface d'une pierre, dessin de couleur différente, ramifié, rappelant des branches ou du feuillage. ‖ Prolongement cytoplasmique du neurone, le plus souvent ramifié, qui constitue le pôle récepteur de la cellule nerveuse. (L'autre pôle, représenté par le cylindraxe, ou axone, est effecteur.) ◆ **dendritique** adj. Se dit d'un réseau fleural très densément et régulièrement ramifié. ● *Ramifications, prolongements dendritiques* (Histol.), dendrites.

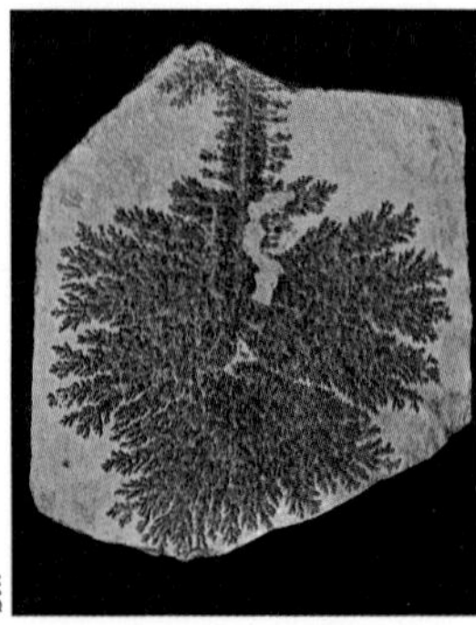

Six

calvaire à **dendrites**

dendrobates [tɛs] n. m. Grenouille arboricole de l'Amérique du Sud, aux doigts terminés par des ventouses, et dont le mucus fournissait un poison de flèches aux Indiens.

dendrobium [bjɔm] n. m. Orchidacée épiphyte d'Asie, dont on cultive en serre chaude 150 espèces ornementales.

dendrochronologie n. f. Méthode chronologique fondée sur l'observation des couches concentriques annuelles qui apparaissent sur la section transversale des troncs d'arbres.

dendroclimatologie n. f. Méthode d'étude des paléoclimats, fondée sur l'examen des faisceaux annuels de croissance des arbres.

dendrocolapte n. m. Passereau mésomyodé de l'Amérique chaude, circulant sur les troncs en prenant appui sur les plumes raides de sa queue. (Syn. PICUCULE.)

dendrocygne n. m. Canard arboricole des pays chauds, aux longues pattes. (Syn. CANARD SIFFLEUR.)

dendrographie n. f. Etude des arbres.

dendroïde adj. Syn. de BRANCHU ou RAMEUX.

dendrolague n. m. Kangourou arboricole aux pattes presque égales.

dendrolimus [mys] n. m. Papillon lasiocampidé, dit aussi BOMBYX DU PIN, dont la chenille ravage les pinèdes.

dendrologie n. f. Etude des arbres.

dendromètre n. m. Instrument pour mesurer les dimensions des arbres. (Certains dendromètres servent à mesurer la hauteur, d'autres l'accroissement du diamètre du tronc.) ◆ **dendrométrie** n. f. Mesure des arbres. ◆ **dendrométrique** adj. Qui concerne la dendrométrie.

dendrophile n. m. Coléoptère histéridé, vivant, selon les espèces, dans les plaies des arbres ou dans les fourmilières.

dendrophyllia n. m. Madrépore rameux, de couleur jaune soufre, croissant en sociétés sur les fonds de 200 m au large de nos côtes. (Les chaluts s'y déchirent parfois.)

Deneb, nom donné à l'étoile α Cygne ou α *Cygni.* Magnit. 1,3; type spectral A 2; distance 600 a. l.

Denebola, nom donné à l'étoile β Lion* ou β *Leonis.* Magnit. 2,2; type spectral A 2.

dénébuliser v. tr. Dissiper le brouillard sur un aéroport. ◆ **dénébulation** ou **dénébulisation** n. f. Ensemble des procédés permettant de dénébuliser.

dénégateur → DÉNÉGATION.

dénégation n. f. (bas lat. *denegatio*). Action de nier, de contester : *Persister dans un système de dénégations absolues. La dénégation d'un droit.* ● *Dénégation d'écriture,* action de s'inscrire en faux. ◆ **dénégateur,**

trice n. Celui, celle qui dénie. ◆ **dénégatoire** adj. Qui a le caractère de la dénégation.

déneigement n. m. Déblaiement de la neige qui obstrue les voies de communication.

Denfert-Rochereau (Pierre), officier français (Saint-Maixent 1823 - Versailles 1878). Il se distingua en Crimée (1855) et en Algérie (1860-1864). Gouverneur de Belfort en 1870, il résista à tous les assauts allemands, et la ville demeura française en 1871.

denga n. m. Monnaie russe ancienne, valant un demi-kopek.

dengue [dɑ̃g ou dɛ̃g] n. f. (mot esp. signif. *manières affectées*). Infection endémo-épidémique, d'allure grippale, provoquée par un virus filtrant, transmis à l'homme par un moustique dans divers pays tropicaux, et d'évolution bénigne.

Dengyō Daishi, nom posthume d'un religieux japonais (767 - 822), fondateur d'une nouvelle Eglise bouddhiste japonaise. D'un voyage en Chine il rapporta le *Livre du Lotus*. Il contribua à démocratiser le bouddhisme japonais en énonçant la doctrine du salut universel.

Den Haag. V. HAYE (*La*).

Denham (sir John), poète et architecte anglais (Dublin 1615 - Londres 1669), auteur du poème descriptif et didactique *la Colline de Cooper* (1642).

Denham (Dixon), voyageur anglais (Londres 1786 - Freetown 1828). Il explora le lac Tchad et les cours inférieurs du Chari et du Logone.

déni → DÉNIER.

déniaisement → DÉNIAISER.

déniaiser v. tr. Dépouiller de sa niaiserie, de sa naïveté ; dégourdir. ‖ Faire perdre son innocence à. ◆ **déniaisement** n. m. Action de déniaiser, de se déniaiser. ◆ **déniaiseur, euse** n. *Fam.* Personne qui déniaise.

dénichement → DÉNICHER.

dénicher v. tr. Enlever du nid : *Dénicher des oiseaux.* ‖ *Fig.* et *fam.* Débusquer : *Dénicher les ennemis de leur position.* ‖ Trouver, découvrir à force d'adresse, de recherche : *Dénicher un appartement, une situation.* ✦ v. intr. *Fam.* Quitter son nid, sa demeure ; s'enfuir : *Il a déniché cette nuit.* ● *Les oiseaux ont déniché,* se dit de personnes qu'on ne trouve plus où l'on croyait les rencontrer. ◆ **dénichement** n. m. Action de dénicher. ◆ **dénicheur, euse** n. Personne qui déniche les oiseaux. ‖ *Fig.* Qui est habile à trouver, à découvrir : *Dénicheur de bibelots.* ● *Dénicheur de fauvettes,* coureur de filles. ‖ *Dénicheur de merles,* adroit chercheur d'occasions ; se dit à quelqu'un dont on a pénétré la malice : *A d'autres, dénicheur de merles !*

dénickelage → DÉNICKELER.

dénickeler v. tr. (conj. **3**). Enlever le nickelage. ◆ **dénickelage** n. m. Opération d'enlèvement d'un revêtement de nickel par dissolution chimique ou, de préférence, électrolytique.

dénicotinisation → DÉNICOTINISER.

dénicotiniser v. tr. Diminuer la teneur en nicotine du tabac, ou l'en priver entièrement. ◆ **dénicotinisation** n. f. Procédé destiné à dénicotiniser un tabac.

denier n. m. (du lat. *denarius,* pièce de monnaie romaine valant 10 as). Unité monétaire romaine. ‖ Anc. monnaie française de bronze, valant un 1/12 de sou, ou un 1/3 de liard, ou encore 1/240 de livre. ‖ Unité servant à estimer la finesse des fils et des fibres textiles, et représentée par le poids évalué en grammes d'une longueur de 9 000 m de fils ou de fibres. ● *Denier de boîte,* chacune des pièces que l'on prélevait dans les ateliers monétaires, pour les envoyer à la vérification. ‖ *Denier du culte,* offrande des catholiques pour l'entretien de leur clergé. ‖ *Denier à Dieu,* somme donnée au concierge d'une maison par un nouveau locataire, lorsqu'il prend possession des lieux. ‖ *Denier d'ordinaire,* anc. nom de la PRIME D'ALIMENTATION, dans l'armée. ‖ *Denier de saint Pierre,* offrande volontaire faite au pape par les fidèles. (Il fut établi pour la première fois en Angleterre au VIIIe s. Elisabeth Ire le supprima. Instauré en Suède, en Ecosse, au Danemark, en Bohême, il disparut à

Larousse

avers revers

denier d'Hadrien
troisième consulat, *Bibliothèque nationale*

l'époque de la Réforme. Les fidèles de France firent une offrande à saint Pierre en 1849, puis régulièrement à partir de 1860.) ‖ — ***deniers*** n. m. pl. La monnaie en général, les resssources financières : *Payer une facture de ses deniers.* ‖ *Les deniers de l'Etat,* les biens publics, les fonds du Trésor.

dénier v. tr. (lat. *denegare*). Ne pas reconnaître, refuser (n'est plus utilisé qu'en termes de droit et dans quelques locutions) : *Il lui dénie tout droit de parler.* ◆ **déni** n. m. Action de dénier un droit ; refus d'une chose légalement due. ● *Déni de justice,* un des cas d'ouverture de la prise* à partie, consistant dans le fait, pour un juge, de refuser à un plaideur de rendre justice.

Denifle (Joseph), en religion le **P. Heinrich Suso,** dominicain et érudit autrichien (Imst, Tyrol, 1844 - Munich 1905). Il fonda et dirigea, avec le P. Ehrle, l'*Archiv für Literatur und Kirchengeschichte des Mittelalters.* Ses études concernent les mystiques rhénans, l'histoire du joachimisme* et celle des universités médiévales. Il est l'auteur d'un ouvrage sur Luther (2 vol.; 1904-1906).

dénigrement → DÉNIGRER.

dénigrer v. tr. (lat. *denigrare,* noircir, au *pr.* puis au *fig.*). Chercher à rabaisser, discréditer, décrier : *Dénigrer les œuvres d'un écrivain.* ◆ **dénigrement** n. m. Action de dénigrer : *L'esprit de dénigrement.* ◆ **dénigreur, euse** adj. et n. Qui dénigre, qui se plaît à dénigrer : *Les dénigreurs sont souvent des envieux.*

Denikine (Anton Ivanovitch), général russe (1872 - Ann Arbor, Michigan, 1947). Il prit parti contre les bolcheviks en 1917 et, avec l'appui des Alliés, remporta, en 1918 et 1919, à la tête des « forces armées du sud de la Russie », d'importants succès en Ukraine et menaça Moscou. Abandonné par ses troupes cosaques, il passa le commandement à Wrangel en 1920 et se retira en Angleterre puis en France et enfin aux Etats-Unis.

Denis. V. DENYS.

Denis ou **Denys** (saint) [du gr. *Dionusos*], premier évêque de Paris v. 250 († martyr v. 258 ?). De nombreuses légendes entourent son souvenir. L'une d'elles représente le saint décapité tenant sa tête entre ses mains. Sur le lieu probable de son supplice fut élevée une basilique (à Catulliacus, auj. Saint-Denis). — Fête le 9 oct.

Denis le Libéral (Lisbonne 1261 - Odivelas 1325), roi de Portugal (1279-1325), fils d'Alphonse III et époux d'Isabelle d'Aragon. Il s'intéressa au progrès économique de son pays, fonda l'université de Coimbra en 1307. Il reconstitua les templiers sous le nom d' « ordre du Christ » (1317).

Denis (Louise MIGNOT, Mme), nièce de Voltaire (Paris 1712 - *id.* 1790). Mariée en 1738, restée veuve en 1744, elle prit un grand ascendant sur son oncle après la mort de Mme du Châtelet. Elle vécut près de lui aux Délices puis à Ferney, où elle dirigeait sa maison.

Denis (Hector), homme politique et philosophe belge (Braine-le-Comte 1842 - Bruxelles 1913). Avocat, il participa au mouvement socialiste. Membre de l'Académie royale de Belgique, député de Liège à la Chambre des représentants, il fut président de l'Institut international de sociologie.

Denis (Ernest), historien français (Nîmes 1849 - Paris 1921). Il se spécialisa dans l'histoire des peuples slaves et du mouvement hussite. Il soutint la formation et l'indépendance de la Tchécoslovaquie en 1919.

Giraudon

martyre de saint **Denis**
Heures de François de Guise
XIVe s. *musée Condé, Chantilly*

Denis (Paul), officier et ingénieur français (Layrac, Lot-et-Garonne, 1867 - † 1931). S'inspirant des travaux de Taylor, il mit au point des règles relativement simples pour la coupe des métaux.

Denis (Maurice), peintre français (Granville 1870 - Paris 1943). Il fit partie du groupe des Nabis et exposa au Salon des indépendants de 1891. Il peignit son *Hommage à Cézanne,* en 1900 (musée national d'Art moderne), voyagea beaucoup et fonda les Ateliers d'art sacré en 1919. Théoricien, il publia *Théories* (1912), *Nouvelles Théories* (1921), *Histoire de l'art religieux* (1939). Le style de cet artiste, profondément croyant et cultivé, l'apparente aux primitifs italiens (*l'Annonciation,* 1913, musée national d'Art moderne). Il a exécuté de nombreuses décorations (théâtre des Champs-Elysées [1912], Sénat, Petit Palais) et illustré plusieurs ouvrages. (Acad. des bx-arts, 1932.)